このシールをはがすと本書の動画にアクセスするためのログインIDとパスワードが記載されています。

↙ ここからはがしてください。

本Web動画の利用ライセンスは，本書1冊につき一つ，個人所有者1名に対して与えられるものです。第三者へのログインID，パスワードの提供・開示は固く禁じます。また図書館・図書施設など複数人の利用を前提とする場合には，本Web動画を利用することはできません。

PT

標準理学療法学 ［専門分野］

シリーズ監修　奈良　勲　広島大学・名誉教授

運動療法学 各論

第5版

■ 監修
吉尾雅春　千里リハビリテーション病院・副院長

■ 編集
横田一彦　東京大学医学部附属病院リハビリテーション部・技師長
岩田健太郎　神戸市立医療センター中央市民病院リハビリテーション技術部・技師長代行

医学書院

```
標準理学療法学　専門分野
運動療法学　各論
発　　　行  2001 年  8 月  1 日  第 1 版第 1 刷
            2005 年  5 月 15 日  第 1 版第 5 刷
            2006 年  3 月 15 日  第 2 版第 1 刷
            2008 年 11 月  1 日  第 2 版第 5 刷
            2010 年  3 月 15 日  第 3 版第 1 刷
            2015 年 12 月 15 日  第 3 版第 8 刷
            2017 年  1 月  1 日  第 4 版第 1 刷
            2023 年  2 月  1 日  第 4 版第 7 刷
            2023 年 12 月 15 日  第 5 版第 1 刷 ©
```

シリーズ監修　奈良　勲
監　　　修　吉尾雅春
編　　　集　横田一彦・岩田健太郎
発　行　者　株式会社　医学書院
　　　　　　代表取締役　金原　俊
　　　　　　〒113-8719　東京都文京区本郷 1-28-23
　　　　　　電話　03-3817-5600（社内案内）
組　　　版　ウルス
印刷・製本　大日本法令印刷

本書の複製権・翻訳権・上映権・譲渡権・貸与権・公衆送信権（送信可能化権を含む）は株式会社医学書院が保有します．

ISBN978-4-260-05293-1

本書を無断で複製する行為（複写，スキャン，デジタルデータ化など）は，「私的使用のための複製」など著作権法上の限られた例外を除き禁じられています．大学，病院，診療所，企業などにおいて，業務上使用する目的（診療，研究活動を含む）で上記の行為を行うことは，その使用範囲が内部的であっても，私的使用には該当せず，違法です．また私的使用に該当する場合であっても，代行業者等の第三者に依頼して上記の行為を行うことは違法となります．

JCOPY　〈出版者著作権管理機構　委託出版物〉
本書の無断複製は著作権法上での例外を除き禁じられています．
複製される場合は，そのつど事前に，出版者著作権管理機構（電話 03-5244-5088，FAX 03-5244-5089，info@jcopy.or.jp）の許諾を得てください．

＊「標準理学療法学」は株式会社医学書院の登録商標です．

執筆者一覧〈執筆順〉

岩田健太郎	神戸市立医療センター中央市民病院リハビリテーション技術部・技師長代行
高山正伸	武雄看護リハビリテーション学校
川島敏生	東都リハビリテーション学院理学療法学科
石井　斉	世田谷おくさわ整形外科病院リハビリテーション部・主任
峯　貴文	信原病院リハビリテーション部・科長
伊藤智絵	東京大学医学部附属病院リハビリテーション部
今石喜成	久留米大学病院リハビリテーション部・技師長
小野志操	なか整形外科京都西院リハビリテーションクリニック
佐藤信一	多摩成人病研究所
荒木秀明	日本臨床徒手医学協会代表理事
立花　孝	信原病院リハビリテーション部・部長
佐藤剛介	奈良県総合医療センターリハビリテーション部
古谷英孝	苑田第三病院・苑田会東京脊椎脊髄病センターリハビリテーション科・科長
峯玉賢和	和歌山県立医科大学附属病院紀北分院リハビリテーション科・副主査
豊田　輝	帝京科学大学医療科学部東京理学療法学科・准教授
亘理克治	嶋崎病院リハビリテーション科
藤野雄次	順天堂大学保健医療学部理学療法学科・講師
増田知子	千里リハビリテーション病院セラピー部・部長
石井光昭	佛教大学保健医療技術学部理学療法学科・教授
村山竹美	自動車事故対策機構千葉療護センターリハビリテーション科・療法士長
中　徹	アール医療専門職大学・教授
篠田　琢	神戸市立医療センター中央市民病院リハビリテーション技術部
北野晃祐	村上華林堂病院・副院長
前川侑宏	神戸市立医療センター中央市民病院リハビリテーション技術部
橋田剛一	大阪大学医学部附属病院リハビリテーション部・技師長
三浦利彦	北海道医療センター神経筋/成育センターリハビリ室・理学療法士長
大石敦史	船橋整形外科病院理学診療部・主任
西原浩真	神戸市立医療センター中央市民病院リハビリテーション技術部
瀬崎　学	新潟県立加茂病院リハビリテーション科・技師長
神谷健太郎	北里大学医療衛生学部リハビリテーション学科・教授
下雅意崇亨	神戸市立医療センター中央市民病院リハビリテーション技術部・主査
榊　聡子	IMS（イムス）グループ 春日部中央総合病院リハビリテーション科

横田一彦	東京大学医学部附属病院リハビリテーション部・技師長
齊藤正和	順天堂大学保健医療学部理学療法学科・准教授
山田莞爾	神戸市立医療センター中央市民病院リハビリテーション技術部
松木良介	関西電力病院リハビリテーション部
鵜澤吉宏	亀田総合病院リハビリテーション事業管理部・副部長
北村匡大	令和健康科学大学リハビリテーション学部理学療法学科・講師
井澤和大	神戸大学医学部保健学科・准教授
加藤　巧	目白大学保健医療学部言語聴覚学科・目白大学耳科学研究所クリニック
三浦美佐	筑波技術大学保健科学部保健学科理学療法学専攻・教授
儀間裕貴	東京都立大学健康福祉学部理学療法学科・准教授
相澤純也	順天堂大学保健医療学部理学療法学科・先任准教授
山本綾子	甲南女子大学看護リハビリテーション学部理学療法学科・教授
竹井健夫	佐賀大学医学部附属病院先進総合機能回復センター・療法士長

刊行のことば

わが国において正規の理学療法教育が始まってから40年近くになる．当初は，欧米の教員により，欧米の文献，著書などが教材として利用されていた．その後，欧米の著書が翻訳されたり，主にリハビリテーション医学を専門とするわが国の医師によって執筆された書籍などが教科書，参考書として使われる時期が続いた．

十数年前より，わが国の理学療法士によって執筆された書籍が刊行されるようになり，現在ではその数も増え，かつ理学療法士の教育にも利用されている．これは，理学療法の専門領域の確立という視点から考えてもたいへん喜ばしい傾向であり，わが国の理学療法士の教育・研究・臨床という3つの軸がバランスよく噛み合い，"科学としての理学療法学"への道程を歩み始めたことの証ではないかと考える．

当然のことながら，学問にかかわる情報交換も世界規模で行われる必要があり，また学際領域での交流も重要であることはいうまでもない．さらに，情報を受けるだけではなく，自ら発信する立場にもなることが，真に成熟した専門家の条件ではないかと思われる．

1999年5月に横浜で開催された第13回世界理学療法連盟学会では，わが国の数多くの理学療法士によって演題が報告され，上記の事項が再確認されると同時に，わが国の理学療法学が新たな出発点に立ったことを示す機会ともなった．

一方で，医療・保健・福祉のあり方が大きな転換点にさしかかっている現在，理学療法士には高い専門性が求められ，その領域も拡大している．これらの点から，教育・研究・臨床の専門性を構築していくためには，理学療法学の各領域における現段階でのスタンダードを提示し，卒前教育の水準を確保することが急務である．

このような時期に，「標準理学療法学・作業療法学 専門基礎分野」シリーズ全12巻と並行して，「標準理学療法学 専門分野」シリーズ全8巻が刊行の運びとなった．

20世紀を締めくくり，21世紀の幕開けを記念すべく，現在，全国の教育・研究・臨床の分野で活躍されている理学療法士の方々に執筆をお願いして，卒前教育における必修項目を網羅することに加え，最新の情報も盛り込んでいただいた．

本シリーズが理学療法教育はもとより，研究・臨床においても活用されることを祈念してやまない．

2000年12月

シリーズ監修者

昭和40年(1965年)に「理学療法士及び作業療法士法」が制定され，わが国に理学療法士が誕生した．しかし，それ以前から理学療法従事者によって理学療法が行われていた経緯がある．その過程で，いつしか"訓練"という言葉が，"理学療法"，"運動療法"，"ADL"などに代わる用語として頻繁に用いられるようになってきた．その契機の1つは，かつて肢体不自由児(者)に対して"克服訓練"が提唱された名残であるともいわれている．しかし，"訓練"という概念は，上位の者や指揮官が特定の行為・行動などを訓示しながら習得させるという意味合いが強い．軍事訓練，消火訓練などはその例である．また，動物に対して，ある芸や行為，行動などを習得させるときにも用いられる．

　理学療法士は対象者と同等の目線で対応することや，インフォームドコンセント(informed consent)が重要視されている時代であることからも，「標準理学療法学 専門分野」シリーズでは，行政用語としての"機能訓練事業"および引用文献中のものを除き，"訓練"という用語を用いていないことをお断りしておきたい．

シリーズ監修者

第5版 序

　本書は 2001 年に初版が発行され，数年ごとに版を重ね，このたび 4 回目の改訂を行うことになった．初版より前版まで編集者としてご尽力された吉尾雅春氏には，本版では監修者としてご指導いただいた．初版から 20 数年の間，変化し続ける社会，医療を見つめ続け，そのようななかで普遍的なものを追求しつつ時代に応じた編集を行ってきた氏の姿勢は，今後の改訂でも受け継いでいくべきものと考えている．

　4 版が発行された 2017 年以降，理学療法士をとりまく状況にはいくつかの大きな変化があった．2018 年には 1999 年以来 18 年ぶりとなる，理学療法士作業療法士学校養成施設指定規則および理学療法士作業療法士養成施設指導ガイドラインの改正があった．この改正は 2020 年 4 月入学生から適用されており，養成施設での講義や臨床実習は，この新しい指定規則やガイドラインに則って行われるようになった．また，2019 年末からの COVID-19 の感染拡大は，医療・福祉・教育現場に多大な負担を与えた一方，改めて感染対策の大切さに着目することになり，リモート診療や学習，デジタル教材などのテクノロジーの導入が一気に進んだ．そして，この間にも，病院，施設，在宅の区別なく，多疾患，重複障害をもつ理学療法対象者はますます増加していると感じられる．

　上記のようなことを背景に，今回の改訂ではいくつかの柱をおいて編集を行った．まず 1 つ目は，序章として，新たに編集者に加わっていただいた岩田健太郎氏に，これまでのリハビリテーションや運動療法の流れと現在，そして将来の予測についてまとめていただき，以降の運動療法各論の導入としたことである．
　2 つ目として，各疾患，障害別の章を「筋骨格障害系」「神経障害系」「内部障害系」「その他」に再編し，「今後期待される運動療法領域」として前庭障害，視覚障害，神経発達症，スポーツ障害，ウィメンズヘルス・メンズヘルス，リハロボットなどの分野をトピックスとして取り上げた．これらにより，本シリーズの分野別の『標準理学療法学』との読み合わせが行いやすくなるようにしている．
　3 つ目として，本書が広く理学療法士養成施設の教科書として使用されていることから，厚生労働省理学療法士作業療法士国家試験出題基準「理学療法治療学」の項にあげられている疾患，障害を参考とし，可能な範囲でこれらを網羅するよう心がけた．そして，今後の重要な領域となることが考えられる心不全，腎疾患，肝疾患について，新たに章を設けた．
　4 つ目は，読者が自学自習しやすいよう動画を数多く収めたことである．各章

の執筆にあたられた先生方の多大なる工夫と協力の賜であると考え感謝している．

　本改訂より，『標準理学療法学』は長年親しまれた深紫の表紙から，白色の表紙にリニューアルされる．本書が卒前，卒後のさまざまな場面で活用され，手に取った読者により，さまざまな色で染められ発展していくことになれば，編集者としてこのうえない喜びである．

　2023年10月

編集者を代表して
横田一彦

初版 序

　わが国に"リハビリテーション"が紹介されて約40年が過ぎた．この40年間で国内外の社会は大きく様変わりをしたが，それは人間の価値観の変化を意味するものでもある．リハビリテーションの基本的な理念も，人間の価値観の変化に伴って本質的な変遷をみせてきた．大きな原動力になったのは1970年代から繰り広げられた欧米の自立生活(independent living; IL)運動であろう．それまで機能あるいは能力の最高レベルを目指したリハビリテーションが，その人に最も適した状態にすることを目標にするようになった．しかも，社会的不利の改善を前提としたものである．しかし，WHOの基本的な指針にもつながる国際障害分類では"障害"というマイナスのイメージが強く，医学的リハビリテーションでも機能や能力の障害面へのアプローチに主眼をおき，人間としての視点に欠ける傾向があった．

　彼らがもつ潜在能力や活動性を積極的に引き出し，自己決定に基づく活動や人間本来の社会参加を促していくはずのリハビリテーションのあり方が改めて問われている．わが国で昨年スタートした回復期リハビリテーション病棟も，その理念を具現化していく場として提案されたものである．まさに今，2001年5月，これまで機能障害，能力障害，社会的不利で親しんできた国際障害分類が改正されたのである．

　「運動療法学 各論」の序においてこのことにふれるのは，非常に関係の深い重要なことであると思われるからである．特にわが国のリハビリテーションの歴史を振り返ると，主導は医学的リハビリテーションであったし，理学療法をリハビリテーションと受け止め，その主たる運動療法こそがリハビリテーションであるという誤解を与えてきた．今でもその傾向が強いと感じている．新世紀に入って，わが国の理学療法は大きな転機を迎えたといえる．リハビリテーションの理念を具現化していくための一手段として運動療法が存在することを再認識しなければならない．

　人間の活動や行動に運動療法の果たす役割がきわめて重要であることは間違いないことである．その思考過程や技術によって，対象者の進む道はなんらかの影響を受けるものと思われる．決定論的，確率論的根拠に基づいた確かな運動療法技術を学ぶことは，リハビリテーションの理念を具現化するうえで，理学療法士には不可欠の要素である．

　本書をご愛読いただく方々には，そのような思いを寄せながら具体的な方法論を探っていただきたいと願っている．理学療法士自身によって示された本書が，私たちが対象とする人々の積極的な社会参加に寄与することになれば，この上ない喜びである．

2001年7月

吉尾雅春

目次

序章 リハビリテーション医療の現状と展望　岩田健太郎　1

A 超高齢社会における運動療法の重要性について ………… 1
B 疾病構造の変化とリハビリテーションの需要について ………… 1
C 医学の進歩に伴う運動療法の適応拡大と多様化について ………… 3
D 今後リハビリテーションの需要が高くなる患者の特徴について ………… 4
E 先端機器を用いたリハビリテーションについて ………… 5
F まとめ ………… 5

I 筋骨格障害系の運動療法

1 骨折・脱臼の運動療法　高山正伸　8

A 概念と特徴 ………… 8
 1 骨折・脱臼の定義 ………… 8
 2 骨折の分類 ………… 8
 3 年齢と骨折の特徴 ………… 9
 4 骨折・脱臼の合併症 ………… 10
 5 骨折治療の原則 ………… 11
B 骨折・脱臼各論 ………… 13
 1 鎖骨骨折 ………… 13
 2 外傷性肩関節脱臼 ………… 13
 3 上腕骨近位部骨折 ………… 13
 4 上腕骨骨幹部骨折 ………… 13
 5 上腕骨遠位部骨折 ………… 13
 6 外傷性肘関節脱臼 ………… 14
 7 橈骨頭・頸部骨折 ………… 14
 8 肘頭骨折 ………… 15
 9 前腕骨骨幹部骨折 ………… 15
 10 橈骨遠位端骨折 ………… 16
 11 舟状骨骨折 ………… 17
 12 中手骨骨折 ………… 17
 13 骨盤骨折 ………… 17
 14 外傷性股関節脱臼 ………… 18
 15 大腿骨頸部・転子部骨折 ………… 18
 16 大腿骨骨幹部骨折 ………… 20
 17 大腿骨遠位部骨折 ………… 20
 18 膝蓋骨骨折 ………… 20
 19 脛骨近位部骨折 ………… 21
 20 脛骨骨幹部骨折 ………… 21
 21 脛骨天蓋骨折 ………… 21
 22 足関節果部骨折 ………… 21
 23 距骨骨折 ………… 22
 24 踵骨骨折 ………… 22
 25 脊椎圧迫骨折 ………… 23
C 運動療法 ………… 24
 1 評価のポイント ………… 24
 2 運動療法の目的 ………… 24
 3 運動療法の実際 ………… 24

2 膝の靱帯・半月板損傷の運動療法　川島敏生，石井斉　29

A 概念と特徴 ………… 29
 1 機能解剖 ………… 29
 2 受傷機転と整形外科的治療法 ………… 30
B 運動療法の実際 ………… 31
 1 運動療法の目的 ………… 31
 2 評価のポイント ………… 31
 3 運動療法の方法 ………… 33
C 運動療法上の留意点 ………… 42

3 腱断裂の運動療法　44

I 腱板断裂の運動療法　峯 貴文　44

- A 概念と特徴 …………………………………… 44
  - 1 腱板断裂とは ……………………………… 44
  - 2 原因 ………………………………………… 44
  - 3 分類 ………………………………………… 44
  - 4 症状 ………………………………………… 44
  - 5 治療 ………………………………………… 46
- B 運動療法の実際 ……………………………… 47
  - 1 運動療法の目的 …………………………… 47
  - 2 評価のポイント …………………………… 47
  - 3 運動療法の方法 …………………………… 50
- C 運動療法上の留意点 ………………………… 53
  - 1 正常な肩関節運動にとらわれない ……… 53
  - 2 リスク管理への配慮と指導 ……………… 53

II アキレス腱断裂の運動療法　伊藤智絵　54

- A アキレス腱断裂とは ………………………… 54
  - 1 原因 ………………………………………… 54
  - 2 症状 ………………………………………… 54
  - 3 治療 ………………………………………… 54
- B 運動療法の実際 ……………………………… 55
  - 1 運動療法の目的 …………………………… 55
  - 2 運動療法の実際 …………………………… 55
  - 3 評価のポイント …………………………… 56
  - 4 運動療法の方法 …………………………… 56
- C 運動療法上の留意点 ………………………… 58

4 関節リウマチの運動療法　今石喜成　59

- A 概念と特徴 …………………………………… 59
  - 1 症状 ………………………………………… 60
  - 2 診断 ………………………………………… 62
  - 3 経過 ………………………………………… 62
  - 4 治療 ………………………………………… 63
- B 運動療法の実際 ……………………………… 65
  - 1 運動療法の目的 …………………………… 65
  - 2 評価のポイント …………………………… 65
  - 3 運動療法の方法 …………………………… 67
- C 運動療法上の留意点 ………………………… 76
  - 1 精神面のケア ……………………………… 76
  - 2 患者教育 …………………………………… 76
  - 3 病状・治療状況に合わせた対応 ………… 77

5 変形性関節症・人工関節置換術の運動療法　小野志操　78

I 変形性股関節症と人工股関節置換術後の運動療法　78

- A 変形性股関節症の概要 ……………………… 78
  - 1 分類と概念 ………………………………… 78
  - 2 症状 ………………………………………… 79
- B 股 OA に対する評価 ………………………… 80
  - 1 問診 ………………………………………… 80
  - 2 画像評価 …………………………………… 81
  - 3 理学所見 …………………………………… 84
- C 股 OA に対する運動療法 …………………… 87
  - 1 軟部組織性疼痛に対する運動療法 ……… 87
  - 2 ROM 制限に対する運動療法 …………… 88
  - 3 股関節支持性(安定性)に対する運動療法 88
- D 人工股関節置換術の概要 …………………… 89
  - 1 人工股関節の種類 ………………………… 90
  - 2 THA の進入法 …………………………… 90
- E THA 術後に注意すべきポイント ………… 91
  - 1 疼痛 ………………………………………… 91
  - 2 脱臼 ………………………………………… 91
  - 3 術後骨折 …………………………………… 92
  - 4 肺塞栓症・深部静脈血栓症 ……………… 92
  - 5 感染症 ……………………………………… 92
  - 6 神経麻痺 …………………………………… 92
- F THA 術後の運動療法 ……………………… 92
  - 1 軟部組織に対する運動療法 ……………… 92

  2　ROM に対する運動療法 ………… 93
  3　THA 術後の ADL 動作指導 ………… 93

II　変形性膝関節症と人工膝関節置換術後の運動療法　93

 A　変形性膝関節症の概要 ……………… 93
  1　分類と概念 ……………………… 93
  2　症状 ……………………………… 94
 B　膝 OA に対する評価 ……………… 94
  1　問診 ……………………………… 94
  2　画像評価 ………………………… 95
  3　理学所見 ………………………… 97
 C　膝 OA に対する運動療法 ………… 99
  1　軟部組織性疼痛に対する運動療法 … 99
  2　足底挿板療法 …………………… 99
 D　人工膝関節置換術の概要 ………… 99
  1　人工膝関節の種類 ……………… 99
  2　TKA の進入法と軟部組織バランス … 102
 E　TKA 術後に注意すべきポイント …… 102
  1　疼痛 …………………………… 102
  2　術後骨折 ……………………… 102
  3　静脈血栓塞栓症 ……………… 102
  4　感染症 ………………………… 103
 F　TKA 術後の運動療法 …………… 103
  1　軟部組織性疼痛に対する運動療法 … 103
  2　ROM 制限に対する運動療法 …… 104
  3　TKA 術後の ADL 動作指導 …… 105

6　側弯症の運動療法　佐藤信一　107

 A　概念と特徴 ………………………… 107
  1　側弯症とは …………………… 107
  2　分類 …………………………… 107
 B　運動療法の実際 …………………… 109
  1　運動療法の目的 ……………… 109
  2　評価のポイント ……………… 111
  3　運動療法の方法 ……………… 113
 C　運動療法上の留意点 …………… 118

7　疼痛疾患の運動療法　120

I　腰痛症の運動療法　荒木秀明　120

 A　概念と特徴 ………………………… 120
  1　病態と原因 …………………… 120
  2　代表的疾患 …………………… 120
  3　治療法 ………………………… 121
 B　運動療法の実際 …………………… 121
  ■保存療法の運動療法 …………… 121
  1　運動療法の目的 ……………… 121
  2　評価のポイント ……………… 122
  3　運動療法の方法 ……………… 130
  ■観血的治療の運動療法 ………… 134
  1　運動療法の目的 ……………… 134
  2　運動療法の方法 ……………… 134
 C　運動療法上の留意点 …………… 136

II　肩関節痛の運動療法　立花　孝　137

 A　肩関節に痛みが出る背景 ………… 137
  1　凍結肩 ………………………… 137
  2　インピンジメント症候群 …… 140
  3　腱板疎部損傷 ………………… 140
  4　特発性動揺性肩関節症 ……… 140
  5　投球障害 ……………………… 141
 B　運動療法の実際 …………………… 142
  1　凍結肩 ………………………… 142
  2　投球障害 ……………………… 147
 C　運動療法上の留意点 …………… 150
  1　挙上筋力と腱板機能 ………… 150

8　脊髄損傷の運動療法　佐藤剛介　152

 A　概念と特徴 ………………………… 152
  1　診断と評価 …………………… 153
  2　不全損傷の特異型 …………… 155
  3　脊髄損傷の機能評価に基づく予後予測　156

	4 随伴症状と合併症 …………… 156	
B	運動療法の実際 ……………………… 162	
	1 脊髄損傷リハビリテーションにおける運動療法の位置づけ ……………… 163	
	2 損傷高位別の障害像と特徴 …… 163	
	3 運動療法の進め方 ……………… 165	
C	運動療法上の留意点 ………………… 169	

9 腰部脊柱管狭窄症の運動療法　古谷英孝　170

- A 概念と特徴 …………………………… 170
    - 1 腰部脊柱管狭窄症とは ………… 170
    - 2 脊椎の機能解剖とバイオメカニクス … 171
    - 3 病態 ……………………………… 171
    - 4 神経障害の型式 ………………… 171
    - 5 症状 ……………………………… 171
    - 6 画像所見 ………………………… 173
    - 7 治療 ……………………………… 175
- B 運動療法の実際 ……………………… 177
    - 1 保存療法 ………………………… 177
    - 2 手術後療法 ……………………… 184
- C 運動療法上の留意点 ………………… 188
    - 1 保存療法 ………………………… 188
    - 2 術後療法（腰椎固定術後）……… 188

10 頸椎症性脊髄症と頸椎後縦靱帯骨化症の運動療法　峯玉賢和　190

- A 概念と特徴 …………………………… 190
    - 1 臨床症状 ………………………… 190
    - 2 治療方針 ………………………… 191
    - 3 予後 ……………………………… 191
- B 運動療法の実際 ……………………… 191
    - 1 評価のポイント ………………… 192
    - 2 保存療法の運動療法 …………… 192
    - 3 手術療法後の運動療法 ………… 196

11 切断の運動療法　豊田輝　198

- A 概念と特徴 …………………………… 198
    - 1 下肢切断の分類 ………………… 198
    - 2 下肢切断の原因と疫学調査 …… 198
    - 3 義足ソケットと継手 …………… 198
- B 運動療法の実際 ……………………… 201
    - 1 運動療法の目的 ………………… 201
    - 2 評価のポイント ………………… 202
    - 3 運動療法の方法 ………………… 203
- C 運動療法上の留意点 ………………… 212
    - 1 フットケア ……………………… 212
    - 2 下肢切断 ………………………… 212
    - 3 高齢下肢切断者が義足装着することの意義と目標 ……………………… 212

12 熱傷の運動療法　亘理克治　214

- A 概念と特徴 …………………………… 214
    - 1 分類と重症度 …………………… 214
    - 2 病態と治療 ……………………… 216
- B 運動療法の実際 ……………………… 218
    - 1 運動療法の目的 ………………… 218
    - 2 評価のポイント ………………… 218
    - 3 運動療法の方法 ………………… 218
- C 運動療法上の留意点 ………………… 222
    - 1 リスク管理 ……………………… 222
    - 2 早期離床とチーム医療 ………… 222

II 神経障害系の運動療法

1 脳血管疾患の運動療法——急性期　藤野雄次　226

- A 概念と特徴 …………………………… 226
    - 1 脳血管疾患 ……………………… 226

		2	急性期リハビリテーション ………… 226

- 2 急性期リハビリテーション ………… 226
- 3 診療体制と診療報酬制度 …………… 227
- 4 脳卒中と脳循環 ……………………… 227
- 5 病型別の病態と注意点 ……………… 230
- 6 脳卒中の治療 ………………………… 232
- B 運動療法の実際 ………………………… 234
  - 1 運動療法の目的 ……………………… 234
  - 2 評価のポイント ……………………… 234
  - 3 運動療法の方法 ……………………… 235
- C 運動療法上の留意点 …………………… 237
  - 1 事故や急変に対する備え …………… 237
  - 2 血圧低下に対する工夫 ……………… 237
  - 3 不整脈の確認 ………………………… 238

2 脳血管疾患の運動療法 ——回復期　増田知子　239

- A 脳血管疾患における回復期 …………… 239
- B 脳血管疾患の回復期運動療法において意識すべき点 ……………………………… 239
  - 1 神経ネットワークの再組織化 ……… 240
  - 2 さまざまな廃用の問題 ……………… 240
- C 代表的な脳血管疾患例の運動療法の考え方 ……………………………………… 241
  - 1 前脈絡叢動脈梗塞の場合 …………… 241
  - 2 被殻および視床出血の場合 ………… 241
- D 回復期の運動学習 ……………………… 243
  - 1 基本動作能力向上に向けた運動学習 … 243
  - 2 運動課題設定の考え方 ……………… 244
  - 3 歩行の評価と歩行練習進行の例 …… 245
- E 活動としての動作定着に向けて ……… 248
  - 1 活動面の評価 ………………………… 248
  - 2 生活期への移行を意識した運動療法 … 248

3 パーキンソン病の運動療法　石井光昭　250

- A 概念と特徴 ……………………………… 250
  - 1 疾患概念 ……………………………… 250
  - 2 運動障害の特徴 ……………………… 250
- B 運動療法の実際 ………………………… 253
  - 1 運動療法の目的 ……………………… 253
  - 2 運動療法の方法 ……………………… 255
  - 3 二重課題練習 ………………………… 257
- C 運動療法上の留意点 …………………… 258
  - 1 運動療法の必要性の判断 …………… 258
  - 2 具体的な場面における指導 ………… 258
  - 3 運動療法の適応と限界 ……………… 258
  - 4 アドヒアランスの向上 ……………… 258

4 脳外傷の運動療法　村山竹美　260

- A 概念と特徴 ……………………………… 260
- B 運動療法の実際 ………………………… 261
  - 1 運動療法の目的 ……………………… 261
  - 2 評価のポイント ……………………… 263
  - 3 運動療法の方法 ……………………… 264
- C 運動療法上の留意点 …………………… 266
  - 1 高次脳機能障害 ……………………… 266
  - 2 外傷性痙攣発作，てんかん ………… 267
  - 3 外傷性水頭症 ………………………… 267
  - 4 廃用性骨萎縮，骨折 ………………… 267

5 脳性麻痺の運動療法　中徹　269

- A 概念と特徴 ……………………………… 269
  - 1 定義と運動療法 ……………………… 269
  - 2 疫学と運動療法 ……………………… 270
  - 3 治療体系と運動療法 ………………… 270
  - 4 運動障害の多様性と運動療法 ……… 270
- B 運動療法の実際 ………………………… 271
  - 1 運動療法を決定するための評価 …… 271
  - 2 共通の構造と機能改善の運動療法の実際 ………………………………… 276
  - 3 タイプ別の活動改善への運動療法の実際 ………………………………… 277

	C 運動療法上の留意点 …………… 284		1 多発性硬化症とは …………………… 309
	1 リスク管理について …………… 284		2 疫学的特徴 …………………………… 309
	2 ライフステージに応じた長期間の		3 診断 …………………………………… 309
	運動療法 ………………………… 284		4 臨床症状および経過 ………………… 310
	3 協働のなかで生きる運動療法 …… 285		5 治療 …………………………………… 311
	4 運動療法で利用する運動の観点 … 285	B	運動療法の実際 …………………………… 311
			1 運動療法の目的 ……………………… 311
			2 評価のポイント ……………………… 312
6	**脊髄小脳変性症の運動療法** 287 篠田 琢		3 運動療法の方法 ……………………… 312
		C	運動療法上の留意点 …………………… 312

6 脊髄小脳変性症の運動療法　287
篠田 琢

A 病態把握 ……………………………………… 287
　1 遺伝性 SCD ……………………………… 287
　2 孤発性 SCD ……………………………… 287
B 現在の治療 …………………………………… 289
C 症状と評価 …………………………………… 289
　1 心身機能・身体構造レベルの評価 …… 289
　2 活動レベルの評価 ……………………… 294
　3 参加・背景レベルの評価 ……………… 294
D SCD におけるアプローチ ………………… 295
　1 リスク管理 ……………………………… 295
　2 理学療法 ………………………………… 296
　3 最新のリハビリテーション介入 ……… 297

9 神経炎（Guillain-Barré 症候群）・筋炎の運動療法　317
橋田剛一

I 神経炎（Guillain-Barré 症候群）の運動療法　317

A 概念と特徴 …………………………………… 317
　1 病態の特徴 ……………………………… 317
　2 予後 ……………………………………… 318
B 運動療法のポイント ………………………… 318
　1 評価スケール …………………………… 318
　2 評価時期 ………………………………… 319
C 運動療法の進め方 …………………………… 319
　1 病期をふまえた運動療法の戦略 ……… 319
　2 運動療法の実践 ………………………… 321

7 筋萎縮性側索硬化症の運動療法　299
北野晃祐

A 概念と特徴 …………………………………… 299
　1 症状 ……………………………………… 299
　2 治療手段 ………………………………… 300
B 運動療法の実際 ……………………………… 301
　1 運動療法の目的 ………………………… 301
　2 評価のポイント ………………………… 301
　3 運動療法の方法 ………………………… 304
C 運動療法上の留意点 ………………………… 307

II 筋炎（多発性筋炎）の運動療法　322

A 概念と特徴 …………………………………… 322
　1 病態の特徴 ……………………………… 322
　2 予後 ……………………………………… 322
B 運動療法のポイント ………………………… 322
　1 運動負荷に対する配慮点 ……………… 322
　2 筋力低下の鑑別 ………………………… 323
C 運動療法の進め方 …………………………… 323
　1 病期をふまえた運動療法の戦略 ……… 323
　2 運動療法の実践 ………………………… 323

8 多発性硬化症の運動療法　309
前川侑宏

A 概念と特徴 …………………………………… 309

10 筋ジストロフィーの運動療法　325
三浦利彦

- A 概念と特徴 ………………………… 325
  - 1 DMD の病態 ………………………… 326
  - 2 運動発達の特徴 …………………… 326
  - 3 合併症 ……………………………… 327
- B 運動療法の実際 …………………… 328
  - 1 運動療法の目的 …………………… 328
  - 2 評価のポイント …………………… 328
  - 3 運動療法の方法 …………………… 330
- C 運動療法上の留意点 ……………… 333
  - 1 至適運動量の決定 ………………… 333
  - 2 心機能障害に対する配慮 ………… 334
  - 3 精神面に対する配慮 ……………… 335

11 末梢神経障害の運動療法　336
大石敦史

- A 概念と特徴 ………………………… 336
  - 1 定義 ………………………………… 336
  - 2 病態の特徴（臨床症状）…………… 336
  - 3 末梢神経損傷の検査 ……………… 337
  - 4 治療戦略 …………………………… 337
- B 運動療法の実際 …………………… 338
  - 1 運動療法の目的 …………………… 338
  - 2 評価のポイント …………………… 338
- C 運動療法上の留意点 ……………… 345
  - 1 疼痛 ………………………………… 345
  - 2 損傷された神経の過度な伸張 …… 345
  - 3 筋肉に対する過負荷 ……………… 345

III 内部障害系の運動療法

1 呼吸器疾患の運動療法　348

I 呼吸不全の運動療法　西原浩真　348

- A 呼吸困難と呼吸不全 ……………… 348
- B 呼吸調節機構と呼吸仕事量の変化による呼吸困難のメカニズム ………… 349
  - 1 呼吸調節機構 ……………………… 349
  - 2 呼吸仕事量 ………………………… 350
  - 3 呼吸困難のメカニズム …………… 351
- C 低酸素血症の病態生理学的メカニズム　352
  - 1 肺胞低換気 ………………………… 352
  - 2 シャント …………………………… 352
  - 3 拡散障害 …………………………… 352
  - 4 換気血流比不均等 ………………… 353
- D 呼吸不全患者に対するリハビリテーションとは …………………………… 354
- E 呼吸不全患者に対する運動療法の実際　354
  - 1 運動療法における評価の考え方とポイント ………………………… 354
  - 2 コンディショニングを併用した効果的な運動療法とその理論 …………… 357
  - 3 運動療法における FITT ………… 358
  - 4 呼吸管理と組み合わせた運動療法とADL トレーニング ………………… 359
  - 5 運動療法におけるリスク管理 …… 360
- F テーラーメイドを意識した運動療法における呼吸リハビリテーションの課題　362

II 胸・腹部外科手術後の運動療法　瀬崎 学　363

- A 概念と特徴 ………………………… 363
  - 1 概念 ………………………………… 363
  - 2 外科周術期症例の呼吸不全 ……… 364
  - 3 ERAS ……………………………… 364

B	運動療法の実際	365
	1　運動療法の目的	365
	2　評価のポイント	365
	3　運動療法の方法	367
C	運動療法上の留意点	368

2　循環器疾患の運動療法　371

I　虚血性心疾患の運動療法　神谷健太郎　371

A	運動療法・身体活動の効果	371
	1　予後，再発予防への効果	371
	2　運動耐容能，身体機能，骨格筋に対する効果	372
	3　冠動脈，心機能に対する効果	373
	4　冠危険因子に対する効果	373
	5　自律神経機能に対する効果	374
B	IHDの評価	374
	1　病態の把握	374
	2　運動療法に際して必要な評価	376
	3　運動時の心電図モニタリング	377
C	IHD患者に適応される主な運動療法	378
	1　時期に応じた運動療法の要点	378

II　心不全の運動療法　下雅意崇亨　384

A	概念と特徴	384
	1　疾患概念・定義	384
	2　心不全の診断と治療	386
	3　心不全の治療	388
	4　代表的な検査項目	388
B	心不全における運動療法	389
	1　心不全の運動療法	389
	2　心不全における理学療法評価	390
	3　治療プログラムの実際	394

III　末梢動脈疾患の運動療法　榊聡子　401

A	間欠性跛行	401
	1　評価	402
	2　リスク管理	402
	3　理学療法評価	402
	4　運動療法	403
	5　生活指導について	404
B	包括的高度慢性下肢虚血（CLTI）	404
	1　評価	405
	2　創傷治療期	406
	3　再発予防期	408

3　がん疾患（悪性腫瘍）の運動療法　横田一彦　412

A	概念と特徴	412
	1　がん疾患（悪性腫瘍）とは	412
	2　わが国における動向	413
	3　がんの治療と症状・障害	415
	4　がん患者のリハビリテーション	418
B	運動療法の実際	419
	1　運動療法の目的	419
	2　評価のポイント	419
	3　運動療法の方法	423
C	運動療法上の留意点	426

4　腎疾患の運動療法　齊藤正和　428

A	腎臓の役割や機能	428
	1　体液量や電解質の調整	428
	2　老廃物（尿毒素）の排出	428
	3　酸塩基平衡の調整	428
	4　ホルモン分泌	428
	5　糖代謝の調整	429
B	腎機能障害の分類	429
	1　急性腎障害（AKI）	429

2　急性腎臓病（AKD） ……………… 429
　　3　慢性腎障害（CKD） ……………… 430
　C　腎臓病患者の身体機能 …………………… 431
　D　運動療法の実際 …………………………… 431
　　1　AKI患者 ………………………………… 431
　　2　CKD患者 ……………………………… 431
　　3　透析患者 ………………………………… 432

5　肝疾患の運動療法　山田荒爾　436

　A　肝疾患とサルコペニア …………………… 436
　　1　サルコペニアとは ……………………… 436
　　2　サルコペニア発生のメカニズムと判定
　　　　基準 ……………………………………… 437
　　3　サルコペニアの悪影響 ………………… 439
　B　肝疾患と運動耐容能 …………………… 439
　　1　運動耐容能低下のメカニズム ………… 439
　　2　運動耐容能低下の悪影響 ……………… 440
　C　運動療法の実際 …………………………… 440
　　1　肝疾患に対する運動療法の効果 ……… 440
　　2　運動療法に際し留意すべき症状 ……… 441
　　3　肝疾患に対する運動療法の実際 ……… 442

6　糖尿病の運動療法　松木良介　444

　A　糖尿病と基本治療 ………………………… 444
　　1　糖尿病とは ……………………………… 444
　　2　糖尿病の診断と分類 …………………… 444
　　3　インスリン作用不足の病態 …………… 444
　　4　糖尿病の合併症 ………………………… 446
　　5　糖尿病にかかわる臨床指標 …………… 446
　　6　糖尿病の基本治療 ……………………… 446
　　7　糖尿病患者をとりまく環境
　　　　―「スティグマ」 …………………… 447
　B　運動療法の実際 …………………………… 447
　　1　運動と血糖降下のメカニズム ………… 447
　　2　運動の急性効果と慢性効果 …………… 448

　　3　運動療法の目的と進め方 ……………… 448
　　4　メディカルチェック …………………… 448
　　5　運動療法に必要な評価 ………………… 449
　　6　運動処方 ………………………………… 450
　　7　運動療法の方法 ………………………… 451
　C　運動療法上の留意点 …………………… 454
　　1　リスク管理 ……………………………… 454
　　2　合併症に対する運動療法 ……………… 454

Ⅳ　その他の疾患の運動療法

1　ICUにおける運動療法（人工呼吸器の管理を含む）　鵜澤吉宏　456

　A　ICUでの運動療法の必要性と対象患者の
　　　特徴 …………………………………………… 456
　　1　ICUでの運動療法・リハビリテーション 456
　　2　多職種とのかかわり …………………… 456
　　3　ICU獲得性筋力低下（ICU-AW） ……… 457
　　4　集中治療後症候群（PICS） …………… 457
　　5　ケアバンドルの使用 …………………… 458
　B　運動療法の進め方と実際 ……………… 458
　　1　開始基準の確認 ………………………… 459
　　2　活動制限の有無の確認 ………………… 459
　　3　中止基準 ………………………………… 459
　　4　覚醒度・鎮静深度の確認 ……………… 460
　　5　覚醒ある患者への理解の確認 ………… 462
　　6　痛みの評価 ……………………………… 463
　　7　プロトコルの使用 ……………………… 463
　　8　身体評価 ………………………………… 463
　　9　運動療法の実際 ………………………… 465
　　10　ICUでの離床・機能評価 ……………… 466
　C　ICUで使用される機器関連 …………… 466
　　1　人工呼吸器の役割 ……………………… 466
　　2　ICU患者に使用される医療機器と運動
　　　　療法の留意点 …………………………… 469

2 廃用症候群とサルコペニア　北村匡大，井澤和大　472

- A 廃用症候群とは ……………………… 472
  - 1 概要 ………………………………… 472
  - 2 問題と運動療法 …………………… 472
  - 3 早期離床の目的・役割 …………… 475
- B サルコペニアとは …………………… 476
  - 1 概要 ………………………………… 476
  - 2 分類と対策 ………………………… 476
  - 3 評価法（定義と診断）…………… 476
- C サルコペニア高齢者への運動療法 … 477
  - 1 健常高齢者への運動療法 ………… 477
  - 2 低栄養の評価 ……………………… 479
  - 3 運動療法の実際 …………………… 479

V 今後期待される運動療法領域

1 前庭障害の運動療法　加藤巧　490

- A 運動療法が必要な前庭障害の病態 … 490
- B 運動療法の理論と方法 ……………… 490
  - 1 視線安定化のための運動 ………… 491
  - 2 症状への慣れのための運動 ……… 491
  - 3 バランス・歩行トレーニング …… 493

2 視覚障害の運動療法　三浦美佐　495

- A 概要 …………………………………… 495
- B 対策 …………………………………… 495
- C 課題 …………………………………… 496

3 発達障害（神経発達症）の運動療法　儀間裕貴　499

- A 発達障害とは ………………………… 499
  - 1 定義 ………………………………… 499
  - 2 疾病率 ……………………………… 499
- B 神経発達症の運動療法 ……………… 500
  - 1 現状と課題 ………………………… 500
  - 2 運動療法 …………………………… 500

4 スポーツ障害の運動療法　相澤純也　501

- A 体外衝撃波 …………………………… 501
- B 遠心性トレーニング ………………… 501
- C 超音波検査所見による予後予測 …… 502

5 ウィメンズヘルス・メンズヘルス　山本綾子　503

- A 産前産後の腰痛に対する運動療法 … 503
- B 骨盤底機能障害に対する運動療法 … 503
- C 女性の骨粗鬆症に対する運動療法 … 504
- D 女性アスリートに対する運動療法 … 504
- E リンパ浮腫に対する運動療法 ……… 504
- F メンズヘルス領域における泌尿器系疾患術後の管理 …………………………… 504

6 リハビリテーションロボットを活用した運動療法　竹井健夫　506

- A 当院の歩行練習用リハロボットの紹介　506
  - 1 ロボットスーツ HAL® 医療用 …… 506
  - 2 歩行アシスト ……………………… 506
- B 再生医療への応用 …………………… 506
- C 課題 …………………………………… 507

索引 ……………………………………………… 509

リハビリテーション医療の現状と展望

A 超高齢社会における運動療法の重要性について

2022年6月に発表された『経済財政運営と改革の基本方針2022』（骨太の方針）においては、「政策効果に関する実証事業を着実に実施するなどリハビリテーションを含め予防・重症化予防・健康づくりを推進する」と提言されており、これまでの予防・健康づくりによる健康寿命の延伸に加えて疾病の重症化予防が強調され、リハビリテーションには二・三次予防の役割も求められるようになった。高齢者人口が最大となる2040年を見据え、超高齢社会と疾病構造の変化に対応すべく、これまで以上に幅広い対象者に対して、運動療法の重要性が高まっている。

B 疾病構造の変化とリハビリテーションの需要について

主要死因別死亡率をみると、高齢者の増加に伴い、生活習慣病で死亡する患者が増加していることがわかる。視点を変えて、年齢調整死亡率をみると、1970年までは脳血管疾患（脳卒中）の死亡率が最も高かったが、減塩などを主とする食生活の変化や降圧薬の開発に伴い、急激に低下した。1970年代に死亡率が低下すると、わが国では脳卒中患者の社会復帰に向けたリハビリテーションの需要が高まり、導入されるようになった。さらに郊外の温泉地などに回復期リハビリテーション病院が設置され、脳血管疾患のリハビリテーションが拡充した。

1990年代中期には心筋梗塞に対する**カテーテル治療**が開発され、その死亡率は急激に低下した。その後、1990年後半より**心臓リハビリテーション**が導入されるようになっている。また、2000年に**がん対策基本法**が制定され、がん治療に国費が投入されるようになり、さまざまな治療が開発された。その結果、高止まりしていたがんの死亡率は低下し始め、2000年代半ばより、がん患者の社会復帰や生活の質（QOL）向上のため、**がんリハビリテーション**が導入されるようになった。

このように、年齢調整死亡率をみると、リハビリテーションの需要は時代とともに変化していることがわかる。2020年以降は、すべての疾患で死亡率が低下しており、高齢者の多疾患併存が課題となることが予測される。特に、心不全や肺炎はあらゆる疾患の終末像の病態ととらえることができ、こうした患者の急増を背景に、2019年に**循環器対策基本法**が制定されている。将来、再生医療が浸透すれば、高齢者の死亡率はさらに低下し、あらゆる疾患の治療後にリハビリテーションが必要となることが予測される（▶図1）。

急性期医療機関をみると、入院患者は、これまでリハビリテーションの主要対象疾患であった脳血管・運動器疾患より、呼吸器・循環器系の疾患のほうが多く（▶図2）、今後はこのような呼吸器・循環器を主とする内部障害のリハビリテーションの需要が高くなることが予測される。このように疾病構造の変化に伴い、身体障害者数にも大きな変化が生じている。ところが、厚生労働省のデー

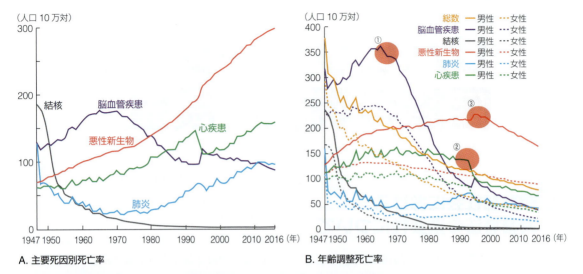

A. 主要死因別死亡率

B. 年齢調整死亡率

▶図1 主な死因別死亡率および年齢調整死亡率の年次推移（人口10万対）

B：①血圧管理の改善（1960～70年）により，脳卒中の死亡率が低下し，**脳卒中リハ**の需要が拡充．
②経皮的冠動脈インターベンション（PCI）・再灌流療法が確立（1980年代）後，心筋梗塞の死亡率が低下し，**心リハ〔急性心筋梗塞（AMI）〕**の需要が拡充．
③がん対策基本法（2000年）施行後，死亡率が低下し，**がんリハ**の需要が拡充．

〔厚生労働省：平成30年我が国の人口動態（平成28年までの動向）．https://www.mhlw.go.jp/toukei/list/dl/81-1a2.pdf より〕

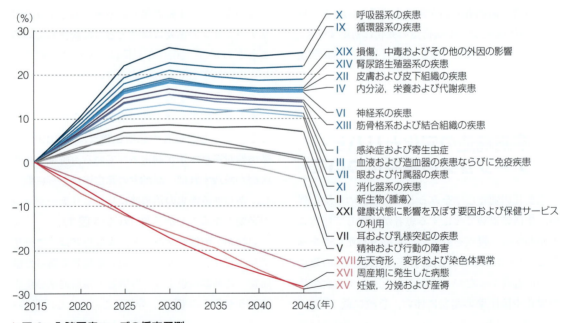

▶図2 入院医療ニーズの将来予測
傷病分類別の入院患者の増減率（2015年＝0）．
〔平成29年患者調査と国立社会保障・人口問題研究所 日本地域別将来推計人口〔平成30（2018）年推計〕をもとに独自に集計〕

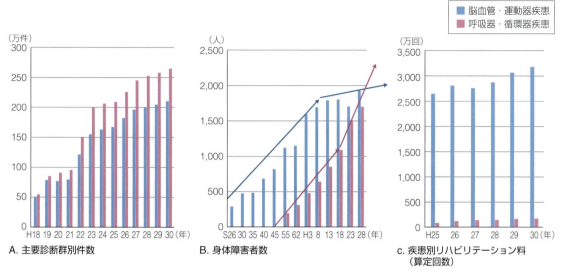

▶図3 主要診断群別件数と身体障害者数および疾患別リハビリテーション料の推移
〔Aは，厚生労働省DPC導入の影響評価に係る調査「退院患者調査」より作成．Bは，厚生労働省「身体障害児・者実態調査」（～平成18年），厚生労働省「生活のしづらさなどに関する調査」（平成23年～）より作成．Cは，保険局医療課調べ（各年7月1日時点）より作成〕

タによると，リハビリテーションは従来の脳血管・運動器疾患には対応できているが，呼吸器・循環器疾患に対しては対応できていないことがわかる（▶図3）．

C 医学の進歩に伴う運動療法の適応拡大と多様化について

1930年代より，ベッド上での安静臥床（bed rest）の影響についての研究が始まり，1968年には20日間の安静臥床が身体にどのような影響を及ぼすか詳細な報告が行われた[1]．この研究により，安静臥床の弊害が理解されることとなった．人工呼吸器の進歩とリハビリテーションの歴史をみると，1960年代に呼気終末陽圧法（positive end-expiratory pressure; PEEP）が誕生し，人工呼吸器管理中に患者と人工呼吸器を同調させるため，鎮静薬や筋弛緩薬を使用し，患者は安静臥床となることが多くなった．この安静臥床により呼吸器合併症を生じ，これを予防するために呼吸理学療法や体位呼吸療法が発展した．2000年前後に，呼吸管理のために行われる鎮静薬使用の弊害が指摘されるようになり，深い鎮静から浅い鎮静管理へと変化した．さらに2009年に，重症患者に対する鎮静の中断と，早期の理学療法および作業療法の介入が身体機能や精神機能のアウトカムを改善する[2]と報告されてから，ICUでは**早期離床をはじめとする運動療法が中心となっている**（▶図4）．

近年，生活習慣の欧米化に伴う虚血性心疾患（心筋梗塞や狭心症など）の増加や，高齢化による高血圧や弁膜症の増加などにより，**心不全患者**が急増している．増加の理由としては，心不全の原因となる心疾患の増加のみではなく，近年は心疾患を発症したとしても治療法の進歩によって救命され，のちに心不全で亡くなるケースが増えたことが考えられる．そのため心不全は，さまざまな心疾患がたどる終末像であり，超高齢社会において最も懸念される病態の1つで，「**心不全パンデミック**」と呼ばれている．心不全患者は，急性期病院退院後に症状が増悪し再入院を繰り返すと報告されており[3]，医療費高騰の原因となっている．しかし，退院後の適切なリハビリテーションによ

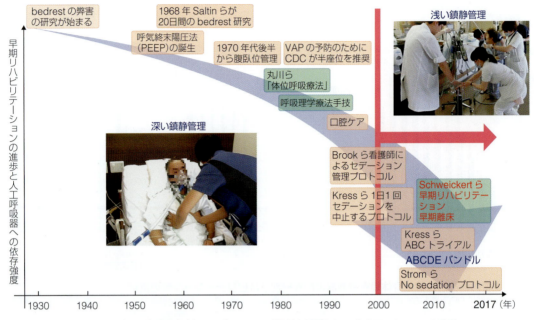

▶図4 ICUにおける人工呼吸器患者のセデーション管理と早期リハビリテーションの変化
VAP：ventilator-associated pneumonia（人工呼吸器関連肺炎）
〔髙橋哲也（編）：集中治療における早期リハビリテーション．総合医学社，2014より改変〕

り未然に防ぎうることも示されており，運動療法の重要性が指摘されている[4]．

心不全患者に対する運動療法は，1990年代以前は禁忌の治療であった．しかし，心不全に対する運動療法が運動耐容能を改善させること，運動耐容能が心不全患者の生命予後に影響することがわかり[5]，運動療法の効果が検証されるようになった．高齢心不全患者の場合，レジスタンストレーニングにおいて，負荷設定が課題であった．高齢心不全患者にとって高強度負荷は，筋骨格系・循環器系のリスクを伴う．Vincentら[6]によると，低強度負荷・高反復と高強度負荷・低反復のレジスタンストレーニングはどちらも筋力増強効果，肥大効果がみられており，その効果の違いはないと報告されており，低強度・高反復で行われるようになった．

このように，医学の進歩とともに，運動療法の適用や方法は変化していることに留意する必要がある．

D 今後リハビリテーションの需要が高くなる患者の特徴について

近年，高齢者が増加し続けているが，医療が高度化したことで，医療依存度の高い，内部障害を主とした**複合疾患・重複障害**を併存する多疾患者が急増している．重複障害を有する患者は安静・臥床が長くなり，身体活動は低下することが多い．重複障害に対するリハビリテーションは，多疾患による重複障害に基づく身体的・精神的影響を軽減させ，症状を改善し，生命予後を改善する．その結果，心理社会的ならびに職業的な状況を改善することができる．理学療法士は疾患別ではなく，包括的に患者をみる必要がある[7]．

特に急性期病院に入院する75歳以上の患者は，医療依存度が高くなるだけでなく，ADL低下を主とした**廃用症候群**，すなわち，全身臓器の機能低下，ADL能力低下やQOLの低下，肥満，イ

ンスリン抵抗性，糖尿病，脂質異常症，動脈硬化につながり，心血管系疾患などに罹患して寿命を短縮するという悪循環に陥りやすい[8]．このような患者は骨格筋が乏しく，侵襲によって急速に栄養状態が悪化するのが特徴で，疾患の再燃や多疾患の発症により再入院するリスクが高い．そのため，特に高齢者の**サルコペニア**，**フレイル**，**低栄養**に対しては，専門性の高い多職種チームが早期に介入する必要がある．

さらに，急性期病院に入院する85歳以上の割合が年々増加しており，2017年時点で入院患者全体の25％（4人に1人）を突破し，今後もこの割合は増加し続けると予測される[9]．疾病構造の変化や高齢化の進展に伴い，要介護認定者は増加しており，自宅や地域で疾病や障害をかかえながら生活する高齢者が急増することが考えられる．

E 先端機器を用いたリハビリテーションについて

65歳以上の高齢人口のピークは2040年とされており，今後もリハビリテーションを必要とする患者の急増が予測される．そのような少子高齢化のなか，内閣府は**第5期科学技術基本計画**（Society 5.0）を提唱しており，リハビリテーション医療分野においても限られたマンパワーでこの状況を打開しようとしている．近年リハビリテーション医療では，練習（exercise, training）を考えるにあたり，**運動学習**（motor learning）という視点の重要性が認識されるようになってきた．

技術革新により，これまで難しかった運動学習という視点での練習支援にロボットを応用することができるようになり，短期間でより効果的なリハビリテーションを実施することが可能となりつつある．さまざまなロボットが研究，開発され，実用化への道が開かれつつある．短期間でこれまでと同様もしくはそれ以上の効果を得られることから，2040年問題で今後急増するリハビリテーションの需要に対応するため，AIやロボットなど先端機器を用いたリハビリテーションや，再生医療とロボットを融合した再生リハビリテーションなど，技術革新が期待されている．

F まとめ

わが国のリハビリテーションは，高度経済成長に伴って，労働災害や交通外傷，脳血管疾患の増加に伴い発展した．近年は，超高齢社会のなかで，高齢者がリハビリテーションの対象の中心となり，特に内部障害が急増している．2010年以降の10年で内部障害のリハビリテーションは大きく発展した．心疾患に加えて慢性腎疾患，肝疾患など，従来安静が必要とされていた疾患や，高齢サルコペニア・フレイル患者や，重複障害をもった患者にも運動療法の有効性が示されたため，リハビリテーションの対象は急拡大している．

従来，運動療法を開始する際，FITT〔頻度（Frequency），強度（Intensity），時間（Time），種類（Type）〕を考慮して運動処方していた．しかし，2020年以降はFITTにVP〔運動量（Volume），漸増/改訂（Progression/Revision）〕が加わり，**FITT-VP**が原則となった[10]．つまり，医師が薬を処方するように，リハビリテーション職種は，あらゆる患者に応じた"運動"を処方することになる．これからの医療において，運動療法はまさに薬（Exercise is Medicine）として位置づけられている[11]．

●引用文献

1) Saltin, B., et al.: Response to exercise after bed rest and after training. *Circulation*, 38(5 Suppl):VII1–78, 1968.
2) Schweickert, W.D., et al.: Early physical and occupational therapy in mechanically ventilated, critically ill patients: a randomised controlled trial. *Lancet*, 373(9678):1874–1882, 2009.
3) Tsuchihashi-Makaya, M., et al.: Characteristics and outcomes of hospitalized patients with heart

failure and reduced vs preserved ejection fraction. Report from the Japanese Cardiac Registry of Heart Failure in Cardiology (JCARE-CARD). *Circ. J.*, 73(10):1893–1900, 2009.
4) Holland, R., et al.: Systematic review of multidisciplinary interventions in heart failure. *Heart*, 91(7):899–906, 2005.
5) Belardinelli, R., et al.: Randomized, controlled trial of long-term moderate exercise training in chronic heart failure: effects on functional capacity, quality of life, and clinical outcome. *Circulation*, 99(9):1173–1182, 1999.
6) Vincent, K.R., et al.: Resistance exercise and physical performance in adults aged 60 to 83. *J. Am. Geriatr. Soc.*, 50(6):1100–1107, 2002.
7) Kohzuki, M.: The Definitions of Multimorbidity and Multiple Disabilities (MMD) and the Rehabilitation for MMD. *Asian J. Human Services*, 8:120–130, 2015.
8) 鳥羽研二：施設介護の問題点. 日老医誌, 34(12):981–986, 1997.
9) 厚生労働省：令和2年患者調査. https://www.mhlw.go.jp/toukei/list/10-20.html （2022年12月13日閲覧）
10) Fletcher, G.F., et al.: Exercise standards for testing and training: a scientific statement from the American Heart Association. *Circulation*, 128(8):873–934, 2013.
11) American College of Sports Medicine. https://www.exerciseismedicine.org/（2022年12月13日閲覧）

I 筋骨格障害系の運動療法

第1章 骨折・脱臼の運動療法

学習目標
- 骨折の分類を理解する．
- 各部位の骨折・脱臼について特徴と治療を理解する．
- 骨折・脱臼の運動療法の進め方を理解する．

A 概念と特徴

1 骨折・脱臼の定義

骨折(fracture)とは，骨組織の連続性が部分的あるいは完全に離断された状態である．**脱臼**(dislocation)とは，関節を構成する骨の接触が完全に失われた状態である．部分的な骨の接触はあるが，正常な相対的位置関係が崩れている状態は**亜脱臼**(subluxation)という．

2 骨折の分類

a 外力の程度による分類

1回の大きな外力で発生するものを**外傷性骨折**といい，小さな外力が繰り返し加わることによっておこるものを**疲労骨折**という．疲労骨折の多くはスポーツ選手にみられ，腰椎（腰椎分離症），中足骨，脛骨の順に多い．

b 骨連続性による分類

骨の連続性が完全に断たれたものを**完全骨折**といい，部分的に断たれたものを**不(完)全骨折**という．若木骨折や膨隆(竹節)骨折は，小児にみられる不全骨折である（▶図1）．

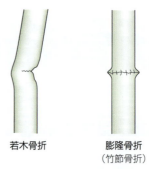

▶図1 若木骨折と膨隆(竹節)骨折

c 外界との交通の有無による分類

骨折部の皮膚に損傷がなく，外界との交通がないものを**皮下骨折**または**閉鎖骨折**という．皮膚に損傷があり，骨が外界と交通しているものを**開放骨折**といい，皮下骨折に比べて感染のリスクが高い．

d 骨折線の走行による分類

骨折線の走行により**横骨折**，**縦骨折**，**斜骨折**，**らせん骨折**に分けられる（▶図2）．そのほか，骨折線が多方向に走るものを**粉砕骨折**という．横骨折は斜骨折やらせん骨折に比べ接触面積が狭く，比較的骨癒合に期間を要する．

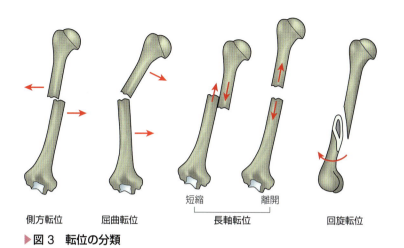
短縮　離開
側方転位　屈曲転位　長軸転位　回旋転位
▶図3　転位の分類

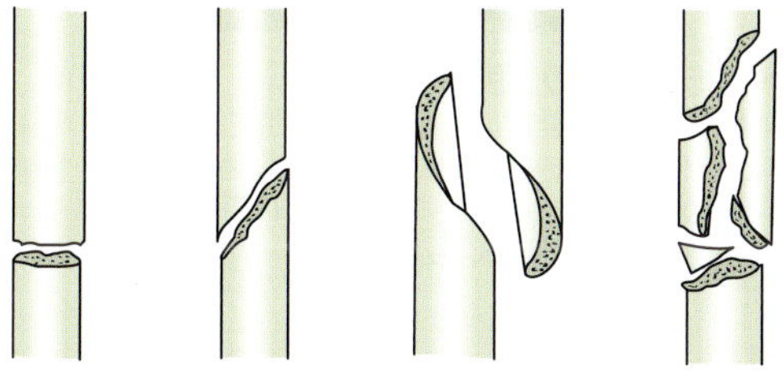

横骨折　斜骨折　らせん骨折　粉砕骨折
▶図2　骨折線の走行による骨折の分類

e 部位による分類

骨折の部位によって**骨幹部骨折**，**骨幹端骨折**，**骨端部骨折**に分けられる．骨幹端および骨端部は海綿骨が多く，比較的骨癒合が早い．骨折線が関節内に及ぶものは関節内骨折と呼び，関節液中のコラゲナーゼが線維性骨の基質を分解するため，骨癒合が得られにくいとされる．また癒着や線維化によって関節拘縮をおこしやすい．整復不良では変形性関節症を続発する．

f 骨質による分類

病的な組織によって侵食された骨は脆弱となり，軽微な力で骨折する．このようなものを**病的骨折**といい，骨腫瘍や化膿性骨髄炎などにみられる．病的骨組織ではない骨粗鬆症骨折は，病的骨折とは呼ばず**脆弱性骨折**という．

g 外力の種類と骨折型

骨折を引き起こす外力は，張力，圧縮力，屈曲力，剪断力，捻転力とそれらの複合力の6つに大別できる．筋や靱帯の張力は付着部の裂離骨折を引き起こし，骨折線は通常，張力に対し垂直方向に走る．圧縮力が作用すると陥没がおこる．屈曲力が作用すると横骨折，蝶形骨折，斜骨折となり，捻転力ではらせん骨折となる．

h 転位の種類

転位(displacement)とは骨折部のずれであり，横(側)方転位，屈曲転位(角状変形)，長軸転位(短縮・離開)，回旋転位などがある(▶図3)．

3 年齢と骨折の特徴

a 高齢者の骨折

高齢者は視力低下，平衡機能低下，筋力低下，反応遅延などの身体的特徴が根底にあり，転倒による受傷が多い．高齢者の骨は脆弱で，軽微な力で骨折し，内固定を施しても強固な固定性が得られず，関節可動域(range of motion; ROM)運動や荷重開始の遅れを余儀なくされることがある．廃用症候群の影響も大きく，ROM制限や筋力低下，日常生活活動(activities of daily living; ADL)障害，歩行障害をまねく可能性が高くなる．

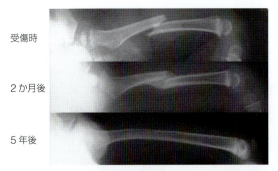

▶図4　小児大腿骨骨幹部骨折後の骨癒合と自家矯正

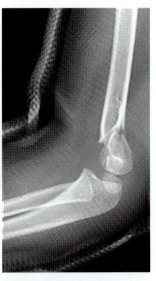

▶図5　小児の上腕骨顆上骨折
運動方向の角状変形は自家矯正が期待できる．15°の前方凸転位があるため，ROM運動では肘屈曲の参考可動域145°から15°を引いた130°が屈曲の目標角度になる．
〔写真は，日本骨折治療学会ホームページより〕

b 小児の骨折

小児では骨膜による仮骨形成能が旺盛で，骨癒合は成人に比べ2～3割早いとされる．また，変形癒合した骨を本来の形状に戻す能力（自家矯正能）を有する（▶図4）．自家矯正能は年齢によって異なり，成長が進むにつれて低下する．長管骨の屈曲転位，側方転位，短縮は自家矯正を期待できるが，回旋転位は矯正されない．小児の骨折治療は，この自家矯正が期待できるため，多少の転位は許容される．理学療法では整復状態を念頭におき，ROMのゴール設定をしなければならない（▶図5）．

4 骨折・脱臼の合併症

a 神経障害

受傷時あるいは受傷を契機として神経が障害されることがある．主な骨折と障害される神経を表1に示す．

▶表1　骨折・脱臼と神経障害

骨折・脱臼	障害される神経
鎖骨骨折	腕神経叢
肩関節脱臼	腋窩神経
上腕骨近位部骨折	腋窩神経
上腕骨骨幹部骨折	橈骨神経
上腕骨顆上骨折	橈骨神経，正中神経，尺骨神経
上腕骨外顆骨折	尺骨神経（遅発性）
橈骨遠位端骨折	正中神経
骨盤骨折	仙骨神経叢，大腿神経，坐骨神経
股関節脱臼	坐骨神経
腓骨頭骨折	腓骨神経

b 区画症候群（コンパートメント症候群）

筋膜に囲まれた区画（コンパートメント）の内圧が上昇し，循環障害をきたした状態である．循環障害の徴候（阻血の5P）は，①疼痛（pain），②知覚鈍麻（paresthesia），③蒼白（pallor），④脈拍消失（pulselessness），⑤運動麻痺（paralysis）である．放置すると虚血によって筋や神経の**阻血性壊死**がおこり，不可逆性の拘縮や神経麻痺を生じる．前腕の掌側区画や下腿の前方区画に多い．前腕の区画症候群を**Volkmann（フォルクマン）拘縮**という．

c 静脈血栓塞栓症

長期臥床や骨盤・下肢の手術およびギプス固定は静脈血栓塞栓症（venous thromboembolism；

▶表2 骨壊死を発症しやすい骨折

骨折・脱臼	壊死部位
大腿骨頸部骨折	大腿骨頭
距骨骨折(脱臼骨折)	距骨体部
上腕骨解剖頸骨折	上腕骨頭
手の舟状骨近位部骨折	近位骨片

VTE)の危険因子として知られている．肺動脈が詰まる肺血栓塞栓症(pulmonary thromboembolism; PTE)は死に至ることもある重篤な合併症で，呼吸困難と胸痛を主症状とする．PTEは深部静脈血栓症(deep vein thrombosis; DVT)に由来することが多い．

d 複合性局所疼痛症候群

複合性局所疼痛症候群(complex regional pain syndrome; CRPS)を発症すると治療に難渋する．外固定されていない関節を積極的に動かし，予防することが重要である．Sudeck(ズデック)骨萎縮もCRPSの1つである．

e 異所性骨化

靱帯や筋組織など，骨が形成されるべきでないところに仮骨を形成してしまった状態で，過度なROM運動が一因と考えられている．小児の肘関節は特に仮骨形成能が旺盛であり，ROM運動においては注意が必要である．

f 非感染性骨壊死

骨に侵入する栄養血管の損傷や骨内循環の遮断により骨壊死がおこる(▶表2)．

g 非感染性骨癒合不全

軟部組織の付着がなく，栄養不足に陥りやすい大腿骨頸部，脛骨骨幹部遠位1/3，上腕骨解剖頸，手の舟状骨の骨折で遷延治癒や偽関節が発生しやすい．

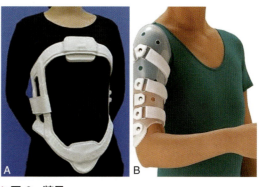

▶図6 装具
A：体幹前屈を制限する装具(脊椎圧迫骨折用)
B：機能的装具(上腕骨骨幹部骨折用)
〔Aは近畿義肢製作所ホームページ，Bは砂田義肢製作所ホームページより〕

5 骨折治療の原則

骨折治療において重要なのは，①整復，②固定，③リハビリテーションで，骨折治療の三原則と呼ばれる．脱臼治療もこの原則に準じる．

a 整復方法の種類

皮膚を切開せず，皮膚の上から医師の手で骨を元の位置に戻すのを徒手整復という．手術によって整復するのを観血的整復という．そのほか介達牽引による整復がある．

b 固定方法の種類

外固定，内固定，創外固定がある．外固定にはギプスやシーネ，装具などがあり，内固定にはスクリューやプレート，髄内釘などがある．

(1) ギプス，シーネ固定

ギプスやシーネは保存療法や内固定の補助として使用される．骨折部の近位と遠位の両関節を含めて固定するのが原則である．

(2) 装具

関節運動を制限して安静をはかるものと(▶図6A)，積極的な関節運動(筋収縮)によって骨折部の安定性をはかるものがある(▶図6B)．後者は機能的装具(functional brace)と呼ばれる．

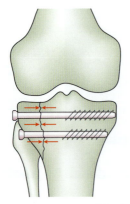

▶図7　ラグスクリューの引き寄せ効果
ネジを締めると骨片間が引き寄せられる.

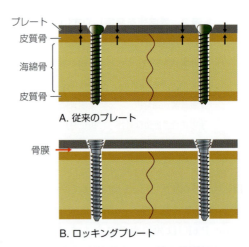

▶図8　ロッキングプレートの固定原理
A：スクリューでプレートと骨を密着させて固定する.
B：スクリュー頭とプレート穴がネジで一体化する. プレートを骨に押し付けず, 骨膜（矢印）が温存されるため, 骨癒合が得られやすい.

(3) 鋼線固定

鋼線固定は, 皮質を貫いたり髄内に挿入したりして整復位を保持するものである. 皮膚を通して刺入されることもある（経皮的鋼線固定）（▶図17A ➡ 17ページ）.

(4) スクリュー（螺子）固定

スクリューには皮質骨スクリューと海綿骨スクリューがある. 先端部分にだけネジ山があるものはラグスクリューと呼ばれ, 骨片を引き寄せる効果がある（▶図7）.

(5) プレート固定

プレートは固定性に優れるが, プレートの圧迫により骨膜の血行を阻害することや, 骨折部を大きく展開しなければならないといった欠点が指摘されてきた. これらの問題に対し, プレートを骨へ押し付けることなく強固な固定を可能にするロッキングプレート（▶図8）や最小侵襲プレート骨接合法（minimally invasive plate osteosynthesis; MIPO）が開発された.

(6) 髄内釘固定

骨幹部骨折でしばしば使用され, 髄腔狭部の骨折に対して強固な固定力を発揮する. 近位と遠位に横止めスクリューを用いることで, 角状変形だけでなく回旋や短縮も防止できる. 骨折部を展開しないため, 血行を温存できる（▶図9）.

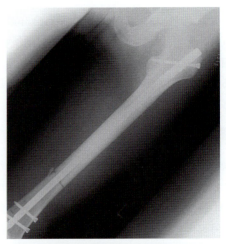

▶図9　大腿骨骨幹部骨折に対する髄内釘固定

(7) 創外固定

骨片に対して経皮的にピンを刺入し, そのピンを体外で架橋して固定するものである（▶図10）. 感染が危惧される開放骨折や粉砕が強い骨折, 整復に牽引力が必要な骨折で適応となる.

▶図10　創外固定
〔Smith + Nephew ホームページより〕

B 骨折・脱臼各論

1 鎖骨骨折

鎖骨骨折(fracture of the clavicle)はスポーツやバイクなどで転倒した際，肩外側から外力が作用しておこる．骨折部は大胸筋の作用により短縮しやすく，また近位骨片は胸鎖乳突筋によって上方へ転位しやすい．保存療法では，三角巾や短縮を矯正するクラビクルバンドを装着する．手術療法ではプレートや鋼線を用いて固定される．肩水平屈曲は短縮を，90°以上の挙上運動は回旋転位を助長するため，早期(4週間程度)はこれらの運動を行わない．

2 外傷性肩関節脱臼

肩関節脱臼(dislocation of the shoulder)のほとんどは前方脱臼で，上肢の外転・外旋・水平伸展の強制により発生する．反復性脱臼に移行させないためには初回脱臼の治療が重要である．整復後は内転内旋位あるいは下垂位軽度外旋位にて3週間程度固定する．その後ROM運動を開始する．外転外旋複合運動や水平伸展運動は再脱臼のおそれがあるため，さらに数週間経過してから行う．

3 上腕骨近位部骨折

上腕骨近位部骨折(fracture of the proximal humerus)は，高齢者に多い骨折である．Neer(ニア)分類が広く用いられている．骨折は外科頸と大結節にしばしばみられる．大結節の転位を残すとインピンジメント(impingement)徴候がおこる．

転位の少ないものは1～3週間の外固定後，ROM運動を開始する．早期はおじぎ運動(stooping exercise)が推奨される．肩の自動運動は転位を助長しやすいため，6～8週後から開始する．転位のあるものはロッキングプレートや髄内釘を用いて内固定がなされる(▶図11)．固定性がよければ早期に自動および他動運動を開始できる．著しい粉砕骨折は人工骨頭置換術の適応である．

4 上腕骨骨幹部骨折

上腕骨骨幹部骨折(fracture of the humeral shaft)は直達外力による受傷が多い．投擲運動や腕相撲では介達外力によってらせん骨折がおこる．中央1/3から遠位に生じた斜骨折やらせん骨折は機能的装具のよい適応である．装具装着下に肘関節の自動運動を積極的に行う．横骨折や近位1/3の骨折に対しては，プレートや髄内釘を用いて内固定されることが多い．術後は早期にROM運動を開始できる．

5 上腕骨遠位部骨折

a 小児の上腕骨顆上骨折

上腕骨顆上骨折(supracondylar fracture of the humerus)は，小児肘関節骨折のなかで最も頻度

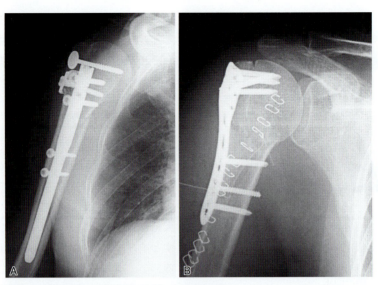

▶図11　上腕骨近位部骨折に対する骨接合術
A：髄内釘固定，B：ロッキングプレート固定

が高い骨折である．Volkmann拘縮に注意が必要である．

肘伸展位で手をつくと伸展型となり（▶図5），前方凸，内反，遠位骨片の内旋転位がおこりやすい．運動方向の角状変形は自家矯正が期待できるが，内反変形と回旋転位は矯正されない．転位がなければ肘関節90°で外固定する．許容できない転位があれば整復して鋼線固定がなされる．1か月程度外固定したのち自動運動を開始する．

b 成人の上腕骨顆上・顆部骨折

成人の**上腕骨顆上・顆部骨折**（supracondylar and condylar fracture of the humerus）は，自転車での転倒や脚立からの転落などで発生することが多い．高齢者では軽微な外力でもおこる．上腕骨遠位部は骨が扁平で，骨折部の接触面積が狭く不安定性が強いため，スクリューやプレートによる内固定を必要とする．関節拘縮を残しやすく治療に難渋する．

c 小児の上腕骨外（側）顆骨折

上腕骨外（側）顆骨折（lateral condyle fracture of the humerus）は，小児の肘周辺骨折のなかで顆上骨折に次いで多い．偽関節の発生が比較的多く，遅発性尺骨神経障害をまねくことがある．

6 外傷性肘関節脱臼

肘関節脱臼（dislocation of the elbow）は後方脱臼が圧倒的に多い．肘関節過伸展強制や回外・外反・軸圧ストレスによっておこるとされる．徒手整復後，肘屈曲位で2〜3週間の外固定を行い，その後ROM運動を開始する．骨折や神経損傷などの合併損傷を伴うことがある．鉤状突起骨折と橈骨頭・頸部骨折を伴ったものは terrible triad 損傷と呼ばれ，予後不良である（▶図12）．

7 橈骨頭・頸部骨折

橈骨頭・頸部骨折（fracture of the radial head and neck）は，転倒・転落して手をついたとき，軸圧や肘外反ストレスが作用しておこる．転位がないものは肘90°で2〜3週間程度外固定する．転位があるものや粉砕骨折の場合はスクリューやプレートによる骨接合術が行われる．手への荷重には注意が必要である．荷重の60％は腕橈関節に

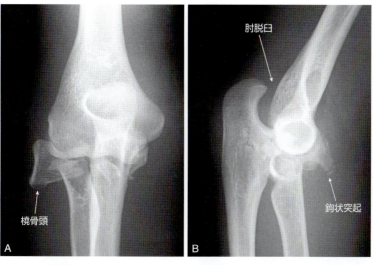

▶図12 鈎状突起骨折と橈骨頭・頸部骨折を伴った肘脱臼骨折(terrible triad 損傷)
A：正面像，B：側面像

伝達されるため[1]，骨癒合前の荷重は避けなければならない．著しい粉砕骨折では橈骨頭切除術や骨頭置換術が行われることもある．橈骨頭が切除されると，肘関節が不安定となるばかりか，橈骨の proximal migration(中枢移動)がおこり，遠位橈尺関節や手関節の疼痛を誘発する．

8 肘頭骨折

肘頭骨折(fracture of the olecranon)は，肘への直達外力や上腕三頭筋の張力によって発生する．上腕三頭筋の作用により近位骨片は中枢側へ離開する(▶図13)．転位がなく安定しているものは肘90°屈曲位で4～6週間外固定し，その後ROM運動を開始する．手術療法は引き寄せ締結法(tension band wiring)が一般的である(▶図14A)．引き寄せ締結法は筋や靱帯による離開力を圧迫力に変換する．粉砕骨折ではプレート固定を行う(▶図14B)．術後は早期にROM運動を開始できる．

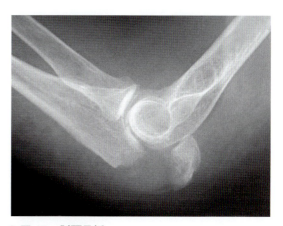

▶図13 肘頭骨折
上腕三頭筋の張力により近位骨片は離開する．

9 前腕骨骨幹部骨折

前腕骨骨幹部骨折(fracture of the radial and ulnar shaft)は，尺骨あるいは橈骨の単独骨折，橈骨頭の脱臼を伴った尺骨骨幹部骨折〔Monteggia(モンテジア)脱臼骨折〕(▶図15)，尺骨頭の脱臼を伴った橈骨骨幹部骨折〔Galeazzi(ガレアッチ)脱臼骨折〕，両前腕骨骨折など骨折形態はさまざまである．小児ではROM制限を残すことが少な

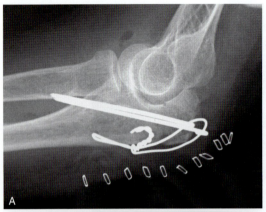

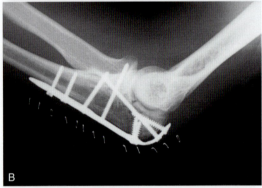

▶図 14　肘頭骨折の治療法
A：引き寄せ締結法(tension band wiring)，B：プレート固定

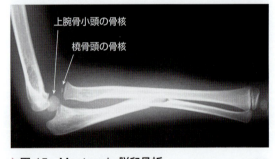

▶図 15　Monteggia 脱臼骨折
尺骨骨幹部骨折と橈骨頭の脱臼を認める．橈骨頭の脱臼は橈骨の延長線上に上腕骨小頭がないことから確認できる．

いことから，保存療法や鋼線髄内固定法で治療される．成人では早期に ROM 運動を開始できるよう，プレートで固定されることが多い．骨間膜が緊張する回外運動が制限されやすい．

A. Colles 骨折

B. Smith 骨折

C. Barton 骨折

▶図 16　橈骨遠位端骨折

10 橈骨遠位端骨折

　橈骨遠位端骨折(fracture of the distal radius)は中高年の女性に多くみられる．転倒時，手関節背屈位で手をつくと Colles(コーレス)骨折となり(▶図 16 A)，しばしばフォーク状変形を呈する．掌屈位で手をつくと Smith(スミス)骨折となる(▶図 16 B)．そのほか人名を冠したものに Barton(バートン)骨折(部分関節内骨折)がある(▶図 16 C)．橈骨茎状突起の骨折は chauffeur(ショウファー，運転手)骨折と呼ばれる．

　橈骨遠位端骨折の手術には経皮的鋼線固定やロッキングプレート固定が行われる(▶図 17)．ロッキングプレートの手術件数は増加傾向で，従来行われていた経皮的鋼線固定や創外固定は減少している[2]．手術療法との比較で機能的に差がないことから[3]，活動性の低い高齢者では保存療法も選択肢となる．保存療法では軽度掌尺屈位で 4週間程度外固定し，その後 ROM 運動を開始する．ロッキングプレート固定では早期に運動を開始できる．

　橈骨遠位端骨折では，ulnar plus variant(尺骨

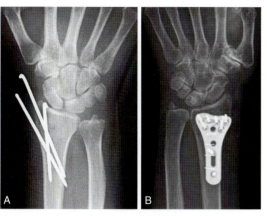

▶図17　橈骨遠位端骨折に対する手術
A：経皮的鋼線固定，B：ロッキングプレート固定

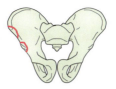

A．裂離骨折

B．Duverney 骨折

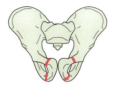

C．straddle 骨折

▶図19　安定型骨盤骨折の具体例
骨盤輪の破綻がないもの（A，B）や前方要素のみが破綻しているもの（C）は安定型とされる．

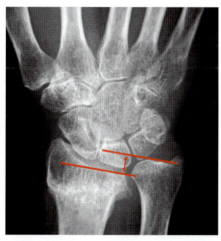

▶図18　橈骨遠位端骨折による ulnar plus variant
橈骨が短縮して ulnar plus variant になると，尺骨突き上げ症候群を発症しやすい．

が相対的に長い状態）による尺骨突き上げ症候群（▶図18）や長母指伸筋腱損傷，手根管症候群（正中神経障害），CRPS などの合併症が報告されている．

11 舟状骨骨折

　舟状骨骨折（fracture of the scaphoid）の原因はスポーツや交通事故が多く，手関節過背屈位で手をついておこる．本骨折は見逃されやすく，捻挫として放置されることがある．偽関節や骨壊死に陥りやすい骨折として知られる．

12 中手骨骨折

　手根中手関節の脱臼を伴う母指中手骨基部の骨折は Bennett（ベネット）骨折と呼ばれる．母指以外の中手骨頸部骨折はボクサー骨折と呼ばれ，環指や小指によくみられる．

13 骨盤骨折

　骨盤は前方の恥骨結合，側方の腸骨，後方の仙骨によって骨盤輪を形成している．その役割は体重を脊柱から両下肢に伝達することにあるが，後方要素が特に重要である．この骨盤輪の連続性が断たれた骨折を骨盤輪骨折と呼ぶ．

　骨盤骨折（fracture of the pelvis）は安定型（▶図19）と不安定型に大別され，不安定型は部分不安定型と完全不安定型（▶図20）に分けられる．裂離骨折（▶図19A）や腸骨翼の骨折である Duverney（デュヴェルネ）骨折（▶図19B）は安定型に属する．両側の恥骨上下肢骨折である straddle（ストラドル）骨折（▶図19C）は骨盤輪が破綻

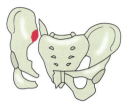

▶図20 完全不安定型骨盤骨折
前方と後方の2か所で骨盤輪が破綻し,垂直にずれているものを Malgaigne 骨折といい,不安定性が強い.

Ⅰ型　不完全骨折
内側で骨性連続が
残存しているもの

Ⅱ型　完全嵌合骨折
軟部組織の連続性は
残存している

しているものの,前方だけにとどまるので,これも安定型に分類する.骨盤輪が前後で破綻して垂直方向に不安定なものを Malgaigne(マルゲーニュ)骨折(▶図20)といい,完全不安定型に分類される.部分不安定型は垂直方向には安定しているが,回旋不安定性を有するものをいう.安定型は保存的に加療し,早期荷重ができる.完全不安定型は手術が必要である.骨盤骨折は通常,高エネルギー外傷で発生するとされるが,高齢者の脆弱性骨折でもみられる.高エネルギー外傷では骨盤内臓器を損傷することがある.

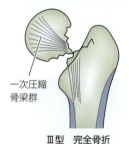

一次圧縮
骨梁群

Ⅲ型　完全骨折
骨頭回転転位
Weitbrecht の支帯の
連続性が残存している

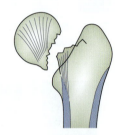

Ⅳ型　完全骨折
骨頭回転転位なし
すべての軟部組織の
連続性が断たれたもの

▶図21　Garden 分類
〔石井良章:大腿骨頸部骨折.冨士川恭輔,鳥巣岳彦(編):骨折・脱臼,第2版,p.703,南江堂,2000より〕

14 外傷性股関節脱臼

外傷性股関節脱臼(traumatic dislocation of the hip)は後方脱臼が多い.自動車衝突事故の際,膝をダッシュボードに強打すると骨頭が後方へ脱臼する.整復が遅れると大腿骨頭壊死の発生率が高まる.後方脱臼の整復後は屈曲,内転,内旋の複合運動を避ける.

15 大腿骨頸部・転子部骨折

高齢者が転倒したときによくみられる骨折である.青壮年では交通事故や転落などの高エネルギー外傷でおこる.高齢者では年齢,受傷前の歩行能力,認知症の有無が受傷後の歩行能力に影響を及ぼす[4].

a 大腿骨頸部骨折

大腿骨頸部骨折(femoral neck fracture)では Garden(ガーデン)分類[5] が広く用いられている(▶図21).非転位型であるⅠ型およびⅡ型では,大腿骨頭の栄養血管が温存されている可能性が高いため,中空海綿骨スクリュー(cannulated cancellous hip screw;CCHS)(▶図22A)や sliding hip screw(SHS),Hansson pin®(ハンソンピン)などによって骨接合術が行われる.転位型である stage ⅢおよびⅣでは栄養血管が損傷している可能性が高く,大腿骨頭壊死に陥ることが危惧されるため,高齢者では人工骨頭置換術が選択される(▶図22B).術後は早期に荷重歩行を開始できる.

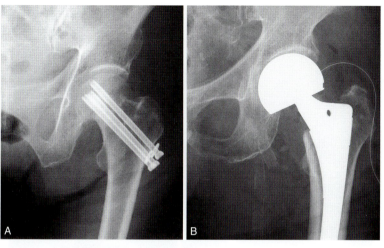

▶図22 大腿骨頸部骨折に対する手術
A：CCHSによる骨接合術，B：人工骨頭置換術

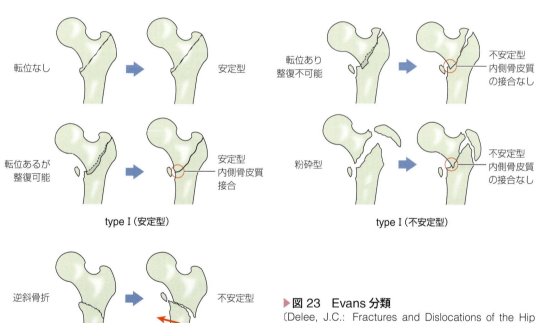

▶図23 Evans分類
〔Delee, J.C.: Fractures and Dislocations of the Hip. Rockwood, C.A., et al. (eds): Fractures in Adults, 4th ed., Vol.2, pp.1659–1825, Lippincott-Raven, Philadelphia, 1996 より改変〕

ⓑ 大腿骨転子部骨折

　大腿骨転子部骨折(trochanteric fracture)は関節外骨折で，骨膜があり海綿骨も豊富なため骨癒合は良好である．大腿骨頭壊死の発生も少ない．Evans(エバンス)分類[6]が用いられる(▶図23)．

SHSや髄内釘にラグスクリューが備わったshort femoral nail(＝proximal femoral nail)で内固定される(▶図24)[7]．通常，術後早期に荷重歩行を開始できる．

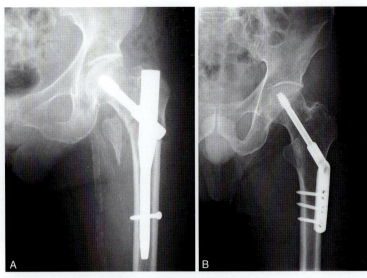

▶図24　大腿骨転子部骨折に対する骨接合術
A：short femoral nail による骨接合術，B：SHS による骨接合術
ラグスクリューの挿入が浅いとカットアウトがおこりやすい．tip apex distance（TAD）が 25 mm 未満が適切とされる．
〔Rubio-Avila, J., et al.: Tip to apex distance in femoral intertrochanteric fractures: a systematic review. J. Orthop. Sci., 18:592–598, 2013 より〕
※TAD：X 線正面像と側面像から骨頭先端－スクリュー先端間距離（実寸大）を算出し，合計した値．

16 大腿骨骨幹部骨折

大腿骨骨幹部骨折（fracture of the femoral shaft）は，交通事故や高所からの転落など大きな外力によって発生する．脂肪塞栓症の発生頻度が最も高い骨折とされる．成人では髄内釘で内固定されることが多い（▶図9）．早期に ROM 運動や荷重歩行練習を開始できる．小児では骨の横径ほどの側方転位があっても骨癒合し，自家矯正される（▶図4）．過成長も小児の特徴である．

17 大腿骨遠位部骨折

大腿骨遠位部骨折（fracture of the distal femur）は，高齢者における転倒受傷が多い．青壮年では交通事故や転落などの高エネルギー外傷で発生し，しばしば粉砕骨折となる．観血的整復内固定術を必要とすることが多く，ロッキングプレートや横止め髄内釘が用いられる．固定性がよければ術翌日から ROM 運動を開始できる．荷重は術後 4～6 週から開始する．本骨折は膝関節の ROM 制限を残しやすい．

18 膝蓋骨骨折

膝蓋骨骨折（fracture of the patella）の多くは直達外力によっておこる．骨折線の走行により横骨折，縦骨折，粉砕骨折に分けられる．横骨折や粉砕骨折では大腿四頭筋の作用により骨片が離開しやすい．転位がないものは保存療法でもよいが，転位があるものは手術が必要である．手術は引き寄せ締結法や周辺締結法（circumferential wiring）が一般的で（▶図25）[8]，早期に ROM 運動や下肢伸展挙上運動（straight leg raising；SLR），荷重歩行を開始できる．保存療法では膝伸展位で 4～6 週間外固定する．外固定中でも膝伸展位で荷重歩行ができる．

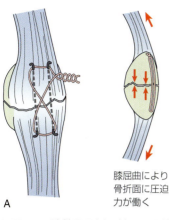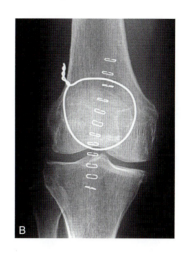

▶図25 膝蓋骨骨折に対する骨接合術
A：引き寄せ締結法(tension band wiring)，B：周辺締結法(circumferential wiring)
〔Aは真角昭吾：骨折の治療法．天児民和（編）：神中整形外科学，総論，第21版，pp.341-364，南山堂，1989を一部改変〕

19 脛骨近位部骨折

脛骨近位部骨折(fracture of the proximal tibia)は脛骨顆部骨折や脛骨高原骨折とも呼ばれる．膝に内反・外反力，圧迫力などが作用して発生する．膝外側から外力が加わると膝には外反力が作用し，外側顆に骨折がおこる．このとき骨折のみならず内側側副靱帯や十字靱帯の損傷を合併することがある．転位があるものはスクリューやプレートで内固定される．術翌日からROM運動を開始し，術後4～6週間から部分荷重を始める．

20 脛骨骨幹部骨折

脛骨前面は軟部組織が乏しいため，**脛骨骨幹部骨折**(fracture of the tibial shaft)では開放骨折になりやすい．閉鎖骨折はしばしば髄内釘による内固定が行われる．開放骨折で感染が危惧される場合は創外固定の適応である．髄内釘では翌日からROM運動や荷重歩行を開始できる．

21 脛骨天蓋骨折

脛骨天蓋骨折(plafond fractureまたはpilon fracture)は，高所からの転落や交通事故での受傷が多く，しばしば粉砕骨折となる．創外固定やプレート固定，髄内釘固定がなされる．足関節の拘縮防止には早期ROM運動が重要だが，整復位の保持が難しく，運動開始の遅れを余儀なくされることも少なくない．免荷も6週間程度必要である．変形性関節症の続発が危惧される．

22 足関節果部骨折

足関節果部骨折(fracture of the malleolus)は，階段での転倒やスポーツなどで足関節を捻って受傷することが多い．内果と外果の骨折はPott(ポット)骨折あるいはDupuytren(デュピュイトラン)骨折と呼ばれ，内外果と後果の骨折はCotton(コットン)骨折と呼ばれる．Lauge-Hansen(ラウゲ・ハンセン)分類が広く用いられている(▶図26)．stage順に損傷が発生することをふまえ，骨傷がない場合は靱帯損傷を疑う．転位を伴うことが多く，しばしばスクリューやプ

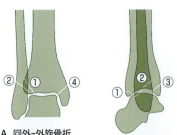
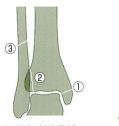
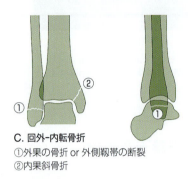
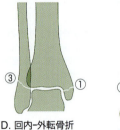
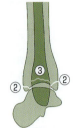

A. 回外-外旋骨折
①前脛腓靱帯の断裂 or その付着部の裂離骨折
②腓骨遠位部のらせん骨折
③後果の裂離骨折 or 後脛腓靱帯の断裂
④内果骨折 or 三角靱帯の断裂

B. 回内-外旋骨折
①内果骨折 or 三角靱帯の断裂
②前脛腓靱帯の断裂
③腓骨高位のらせん骨折
④後果の裂離骨折 or 後脛腓靱帯の断裂

C. 回外-内転骨折
①外果の骨折 or 外側靱帯の断裂
②内果斜骨折

D. 回内-外転骨折
①内果骨折 or 三角靱帯の断裂
②前脛腓靱帯の断裂と後脛腓靱帯の断裂 or 後果の裂離骨折
③腓骨斜骨折

▶図26　Lauge-Hansen 分類
①～④は stage を表す．この分類に使われている用語のうち初めのもの（回外・回内）は"足部の肢位"を示し，2番目の用語（外旋・内転・外転）は"距骨の動き"を表している．また stage は損傷が発生する順序を示している．

レートで内固定がなされる．術後は固定性に応じて外固定，荷重制限を行う．固定性がよければ早期に ROM 運動を開始し，術後2～3週から部分荷重を開始できる．遠位脛腓靱帯結合（シンデスモーシス）損傷に対しスクリュー固定がなされている場合は，スクリューを抜去してから全荷重を行う．

23 距骨骨折

距骨骨折（fracture of the talus）は頸部および体部の骨折に大別される．高所からの転落などで足関節が背屈強制され，脛骨前方部分と距骨頸部が衝突すると頸部骨折がおこる．背屈が強制されずに軸圧がかかると体部が骨折する．距骨の脱臼骨折では栄養血管が損傷を受け，偽関節や骨壊死の発生が高率になる．体部の骨折では変形性足関節症も危惧される．転位があれば手術が必要である．転位がないものは4～8週間，転位や脱臼があるものは10～12週間の免荷が必要で，骨壊死が疑われる場合は血行再開まで免荷を継続する．

24 踵骨骨折

踵骨骨折（fracture of the calcaneus）は高所からの転落で踵から着地すると発生する．Essex-Lopresti（エセックス・ロプレスティ）分類[9]をもとに舌状型と陥没型に分けられる（▶図27）．X線ではしばしば Böhler（ベーラー）角の減少と横径の増大が観察される．外壁の膨隆を残すと腓骨筋腱への機械的刺激によって痛みが誘発される．また，体重支持に重要な後距踵関節面に不整を残

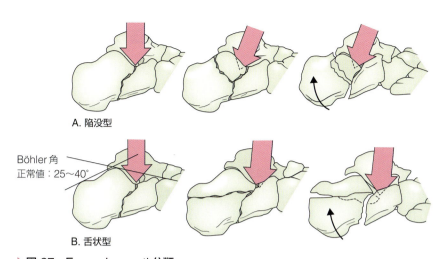

▶図27 Essex-Lopresti分類
外力が後距踵関節面に向かうと陥没型となり，下向きにかかり続けると舌状型となる．

すと変形性関節症をまねく．徒手整復可能なものは保存療法（3〜6週間の外固定）でもよいが，整復困難なものは手術が必要である（▶図28）．扁平足予防のアーチサポートを装着し，術後4〜6週から部分荷重を開始する．踵骨免荷装具を使用して早期荷重を行うこともある．内外反のROM制限は不整地における歩行時痛の原因となるので，改善することが重要である．

25 脊椎圧迫骨折

脊椎圧迫骨折（vertebral compression fracture）は大腿骨頸部骨折，上腕骨近位部骨折，橈骨遠位端骨折と並び，高齢者に多い骨折である．転倒して尻もちをついた際におこるが，特に外傷なく発生することもある．胸腰椎移行部に好発する．椎体の前方部分がつぶれ，しばしば楔形に変形する．前屈姿勢では椎体の前方に負荷がかかるため，前屈を制限する装具を装着する．椎体形成術（balloon kyphoplasty）がなされることもある．装具装着後は起立歩行運動を行う．圧迫骨折では背筋群の強化が重要だが，Böhler体操として知られる運動は難易度が高い．脊柱のアライメントや筋力に応じて実施するとよい．骨折が椎体の後壁まで及んでいるものは，脊柱管を通る神経を障害する可能性があり，破裂骨折（burst fracture）として区別される．

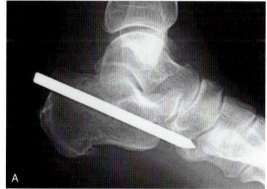
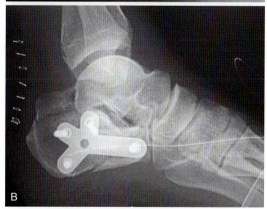

▶図28 踵骨骨折に対する骨接合術
A：Westhues（ウェスチュース）変法，B：プレート固定

C 運動療法

1 評価のポイント

a 関節可動域評価

ROMを計測するとともに，end feel（最終域感）と痛みを発する部位を確認する．一般的にROMの制限因子は，①虚性（疼痛による制限など），②軟部組織性（浮腫や軟部組織の接触など），③結合組織性（筋・腱，靱帯，関節包の瘢痕や癒着など），④骨性（骨と骨の接触）に分けられる．基本的に受傷早期は疼痛（または浮腫）によるROM制限であり，硬さを感じることはなく，軽いROM運動で疼痛を訴える．受傷から期間が経過すると結合組織性に制限され，やや硬さが感じられるようになる．痛みを発する部位は癒着や拘縮をおこしている可能性がある．拘縮が進むにつれend feelはより硬くなり，低強度の運動では疼痛を発しなくなる．骨性制限のend feelは特に硬いが，重度の結合組織性制限との判別は難しい．骨性制限が疑われる場合は画像による確認が必要である．骨性制限ならROM運動の適応はない．

骨形態の変化には注意が必要である．骨端や骨幹端に角状変形があると，ゴニオメーターによって測定される関節角度（骨幹部を基本軸とする関節角度）は関節構成部分の角度と乖離を生じる（▶図5）．このずれを認識しておかなければ目標設定を誤ってしまい，過剰なストレスをかけてしまう．

b 筋力評価

骨折部の安定性を考慮して筋力評価を実施する．裂離骨折や不安定な骨折では，筋収縮によって転位を助長したり，骨癒合を阻害したりする可能性があるため，骨癒合を待って実施する．

c ADL評価および動作分析

さまざまなADL評価法があるが，画一的な評価だけでは不十分であり，個々の生活に即した評価が必要である．生活様式や仕事内容から，現状だけでなく将来発生しうる障害も想定しておくことが重要である．

動作困難や正常動作からの逸脱の多くはROM制限，筋力低下，疼痛を原因としておこる．原因を的確にとらえ，アプローチしなければならない．

2 運動療法の目的

骨折・脱臼に対する運動療法の目的は，心身機能，活動，参加すべてにおいて受傷前の状態を再獲得することである．それを阻む主たる原因はROM制限や筋力低下にあり，これらの改善が治療成績の鍵を握るといっても過言ではない．

高齢者は安静臥床によって心身機能の活動性低下をきたしやすい．早期離床，早期理学療法によって認知症や廃用症候群をできるかぎり予防することが重要である．転倒を原因とした骨折では転倒予防にも目を向ける必要がある．

3 運動療法の実際

a 深部静脈血栓症の予防

早期離床が予防となる．安静臥床中は弾性ストッキングを着用し，間欠的空気圧迫法や足関節の自動運動で血流を促す．PTEの発症は初回離床時に多く，注意を要する．

b 関節可動域運動

経験の乏しい理学療法士は，どのくらいの強度でどのくらいの時間ROM運動を行えばよいか頭を悩ます．まずは原則を知ることが重要である．

- 骨幹部骨折や小児の骨折は拘縮をおこしにくい．焦らず低強度の運動でよい（小児では自動運動が推奨される）．

- 関節内骨折は比較的拘縮をおこしやすいが，まずは低強度の運動から始めるのがよい．早期の高強度運動は転位のリスクを負うばかりか，疼痛が増強してROMを悪化させてしまうことがある．
- 早期のROM制限は疼痛によるものが多く，愛護的な運動のほうが効果的である．拘縮が進行すると強度アップを余儀なくされるが，運動時間と頻度を増やすことで比較的強度を抑えることができる．
- ROM運動の効果がみられないときは，強度を上げる前に運動時間を増やして対処する．それでも効果が得られなければ少しずつ強度を上げる．

(1) 肩関節

挙上と回旋のROMが特に重要である．まずリラクセーションをはかり，その後，愛護的にROM運動を行う．挙上制限が強い場合はstooping exerciseや振り子運動から始めるのがよい．

挙上運動では肩甲上腕リズムに注意する．肩甲骨の過剰な上方回旋は肩甲上腕関節のROM制限を意味する．肩甲骨を固定して挙上運動を行う（▶動画1）．結髪，結帯動作には回旋運動が重要である．頭の後ろで手を組み，肘を開閉することで外旋ROM運動に，また腰に手を当て肘を前方へ動かすことで内旋ROM運動になる（▶動画2）．この運動では，回旋ストレスをかけることなく回旋ROMを改善できる．肩関節のROM制限は鎖骨や上腕骨近位部骨折などでみられる．

(2) 肘関節

上腕骨遠位部骨折や前腕骨近位部骨折などで肘のROM制限がおこる．屈曲ROMは食事動作や整容，更衣動作にとって重要で，これらの動作を行うには120〜130°の屈曲角度が必要である．異所性骨化に留意し，自動もしくは自動介助運動を中心に行う．

(3) 前腕

前腕骨骨幹部骨折や橈骨頭・頸部骨折，橈骨遠位端骨折などでROM制限がおこる．肩回旋による代償を防ぐため，回内・回外運動は肘屈曲位で行う．肘屈曲位では肩内外転による代償がおこりやすいが，前腕を机上に置いて行うとよい．骨間膜が緊張する回外運動が制限されやすい．回外制限があるときの肘屈伸可動域は橈骨ではなく尺骨を移動軸として計測するのがよい．

(4) 手関節

橈骨遠位端骨折では橈骨に軸圧をかけないよう注意する．手関節のROM運動では手根骨を意識して動かす．手関節の運動は主に橈骨手根関節と手根中央関節で行われる．背屈時は66.5%を橈骨手根関節が，残りの33.5%を手根中央関節が担い，掌屈時は40%を橈骨手根関節が，60%を手根中央関節が担う[10]．

(5) 股関節

股関節のROM制限は寛骨臼骨折や大腿骨近位部骨折で生じる．屈曲および伸展と開排のROMは歩行やADLにとって重要である．股関節屈曲の参考可動域は125°だが，これは骨盤が後傾し，反対側の股関節が伸展することによって得られる．したがって患側の股関節伸展制限があると，健側の股関節屈曲も制限される．腰椎の下にタオルを置くなどして骨盤後傾を制限すると，臼蓋−骨頭間の屈曲が観察できる（▶図29）．この角度をもって健患差を確認することが重要である．伸展運動では坐骨部分をしっかり固定する．骨盤近位の固定では骨盤前傾を抑止できない（▶図30）．

(6) 膝関節

大腿骨遠位部および脛骨近位部の骨折，膝蓋骨骨折などで膝のROM制限がおこる．早期から膝蓋上嚢の癒着防止（▶動画3），膝蓋下脂肪体の柔軟性確保（▶動画4），膝蓋骨の可動性確保（▶動画5）に努める．初期の屈曲ROM運動は持続的他動運動（continuous passive mo-

▶図29 股関節屈曲ROM運動
腰椎下にタオルや手を置くなどして屈曲すると，大腿骨頭–臼蓋間の可動性を把握することができる．

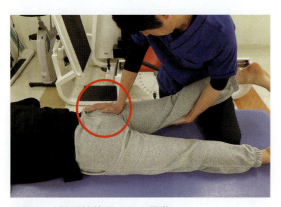

▶図30 股関節伸展ROM運動
骨盤上部を固定しても骨盤前傾を制動できない．坐骨を固定するとよい．

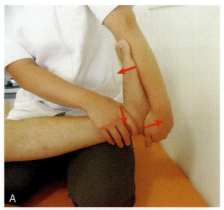

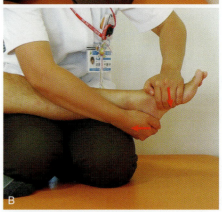

▶図31 足関節ROM運動
A：背屈運動，B：底屈運動

tion; CPM)やウォールスライドなどが効果的である（▶動画6）．

(7) 足関節と後足部

足関節果部骨折や脛骨天蓋骨折，距骨骨折，踵骨骨折でROM制限が生じる．背屈運動では距骨を後方へ押し込みながら行う（▶図31A）．底屈運動では前足部だけでなく，踵骨も同時に底屈する（▶図31B）．回内・回外のROM運動は距踵関節の運動軸を中心に行う（▶図32）．

C 筋力増強運動（▶図33〜35）

筋力増強運動においては，骨片転位や再骨折をおこさないことを最優先する．筋力アップは重要だが，固定性や骨癒合が不十分なら低強度で実施する．原則として「等尺性から等張性へ」「低強度から高強度へ」と進めていく．「等尺性＝低強度」と思われがちだが，等尺性でも強い筋力を発揮すれば高強度である．

筋力増強運動には，非荷重で行う開放性運動連鎖(open kinetic chain; OKC)によるものと，足底を接地して行う閉鎖性運動連鎖(closed kinetic

 動画3　 動画4　 動画5　 動画6

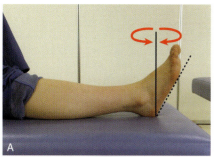

▶図32 距踵関節の回内・回外運動
足関節底屈 30°（A 点線），股関節外旋 20°（B 点線）の肢位で，垂直軸（実線）に対し回旋するとよい．内返しには底屈と内転が，外返しには背屈と外転が同時におこる．

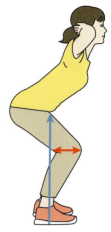

▶図34 スクワット動作のモーメント
- 膝モーメント＝床反力（青）×レバーアーム（赤）
- レバーアームの長さとモーメントは比例関係
- 膝を伸展するとレバーアームは短くなり，屈曲すると長くなる．

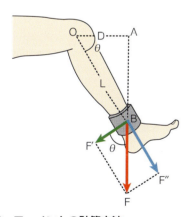

▶図33 モーメントの計算方法
- 重錘にかかる重力 F をベクトル分解すると F′ と F″ に分けられる．
- F′ によって膝屈曲モーメントが発生する（F″ は回転力を生まない）．
- 重錘による膝屈曲モーメントは，
  モーメント＝ F′（緑）× L …………①
  　　　　　＝ F × cos θ × L ………②
  　　　　　　（「F′ ＝ F × cos θ」を①に代入した）
  　　　　　＝ F ×（D／L）× L ………③
  　　　　　　（「cos θ ＝ D／L」を②に代入した）
  　　　　　＝ F × D
- 臨床では F（赤）× D が有用である．D は計算せずとも実測で求めることができる．

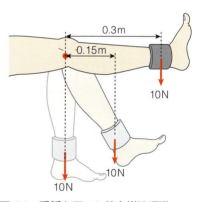

▶図35 重錘を用いた筋力増強運動
- 膝を屈曲するにつれてレバーアーム（図33の D にあたる）は短くなる．
- 重錘の力を 10 N とすると，
  膝 0° モーメント ＝ 10 N × 0.3 m ＝ 3 Nm
  膝 60° モーメント ＝ 10 N × 0.15 m ＝ 1.5 Nm
  膝 90° モーメント ＝ 10 N × 0 m ＝ 0 Nm
- 重錘では膝を屈曲すると負荷量が減少する．

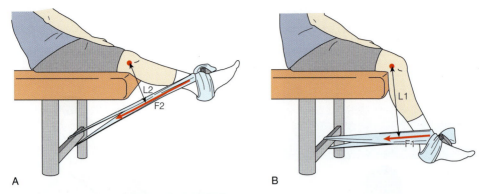

▶図36　ゴムチューブを用いた筋力増強運動
A：膝を伸展するとゴムの張力(F)は大きくなるが，レバーアーム(L)は短くなる．
B：膝を屈曲するとゴムの張力(F)は小さくなるが，レバーアーム(L)は長くなる．
両肢位のモーメント〔張力(F)×レバーアーム(L)〕はほぼ同等である．

chain；CKC)によるものがある．免荷期間中はOKC運動を実施し，荷重の許可を待ってCKC運動を取り入れる．たとえば大腿四頭筋運動では，まずマッスルセッティングから始め，SLR，座位伸展運動，スクワットへと進め，負荷も適宜漸増していく．

　筋力増強運動の強度を決定するのはモーメント(トルクともいう)である．モーメントは力とレバーアーム(回転中心から力までの垂線)の積で求めることができる(▶図33)．スクワット動作では，膝を屈曲するにつれて大腿四頭筋の負荷量(モーメント)が増していくが(▶図34)，重錘を用いた座位膝伸展運動では，屈曲していくと負荷量が減少し，屈曲90°で0になる(▶図35)．ゴムチューブを使えば膝屈曲位でもしっかり負荷をかけることができる(▶図36)．運動手段の特性を理解し，選択することが重要である．

d 荷重・歩行練習

　免荷および部分荷重では松葉杖を使用して荷重量を調節する．体重の2/3〜3/4荷重が許可されたら片松葉杖にする．松葉杖歩行が不安定なら歩行器を使用する．

e 平衡機能に対する運動

　高齢者における転倒骨折では，局所の治療にとどまらず，片脚立位保持，継ぎ足歩行などのバランス練習を行い，再転倒予防に努める．

●引用文献

1) Morrey, B.F., et al.: The Elbow and Its Disorder. W.B. Saunders, Philadelphia, 1985.
2) Mellstrand-Navarro, C., et al.: The operative treatment of fractures of the distal radius is increasing: results from a nationwide Swedish study. Bone Joint J., 96B:963–969, 2014.
3) Diaz-Garcia, R.J., et al.: A systematic review of outcomes and complications of treating unstable distal radius fractures in the elderly. J. Hand Surg. Am., 36:824–835, 2011.
4) 武山憲行ほか：手術療法を受けた65歳以上の大腿骨頸部骨折患者の予後．Hip Joint, 27:116–120, 2001.
5) 石井良章：大腿骨頸部骨折．冨士川恭輔，鳥巣岳彦(編)：骨折・脱臼，第2版，pp.701–723，南山堂，2000.
6) Delee, J.C.: Fractures and Dislocations of the Hip. Rockwood, C.A., et al. (eds): Fractures in Adults, 4th ed., Vol.2, pp.1659–1825, Lippincott-Raven, Philadelphia, 1996.
7) Rubio-Avila, J., et al.: Tip to apex distance in femoral intertrochanteric fractures: a systematic review. J. Orthop. Sci., 18:592–598, 2013.
8) 真角昭吾：骨折の治療法．天児民和(編)：神中整形外科学，総論，第21版，pp.341–364，南山堂，1989.
9) Essex-Lopresti, P.: The mechanism, reduction technique, and results in fractures of the os calcis. Br. J. Surg., 39:395–419, 1952.
10) Volz, R.G., et al.: Biomechanics of the wrist. Clin. Orthop. Relat. Res., 149:112–117, 1980.

第2章 膝の靱帯・半月板損傷の運動療法

学習目標
- 靱帯・半月板損傷の特徴と治癒過程を知る．
- 靱帯・半月板損傷の整形外科的治療法を知る．
- 靱帯・半月板損傷の理学療法評価のポイントを理解する．
- 靱帯・半月板損傷の運動療法の進め方と留意点を理解する．

A 概念と特徴

1 機能解剖

膝関節は股関節などと違い，骨自体での安定性は低く，靱帯，半月板，筋や腱などの組織が安定性に大きく関与している．

a 靱帯

膝関節の内反・外反，前方・後方，内旋・外旋の動きを主に制動しているのが，前後の十字靱帯と内外側の側副靱帯の4本の靱帯である（▶図1）．

前十字靱帯（anterior cruciate ligament；ACL）は大腿骨外顆内側の後面よりおこり，前内方に走行し，脛骨顆間結節内側およびその前方に付着する．**後十字靱帯**（posterior cruciate ligament；PCL）は大腿骨顆間窩内側前方よりおこり，後外方に走行し，脛骨顆間隆起の後方および後関節包に付着する．

ACL は脛骨の前方移動を制動する主要な組織であり，前内側線維と後外側線維に分けられる．前者は全可動域で張力を保ちながら屈曲に伴い張力が増し，後者は伸展に伴い張力が増加するとされる．

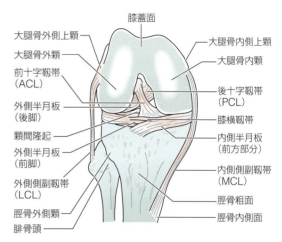

▶図1　膝関節の靱帯（前方から・膝屈曲位）
〔栗山節郎：新・アスレチックリハビリテーションの実際．p.197，南江堂，2000 より〕

PCL は前外側線維と後内側線維に分けられ，前者は主に屈曲位で，後者は主に伸展位で緊張する．また両線維側とも脛骨後方制動性をもち，屈曲90°付近で貢献度は高くなる．

内側側副靱帯（medial collateral ligament；MCL）は膝関節の外反と外旋を制動する主要な組織であり，浅層と深層に分けられる．浅層線維が大きな制動力となり深層が二次的制動力となっている．また，MCL の前方線維は屈曲に伴い緊張を維持するが，後方線維は屈曲に伴い弛緩する．浅層は大腿骨内側上顆から脛骨の半腱様筋付着部

より遠位内側まで至る平坦な靱帯である．深層は内側半月板に付着をもち，半月大腿部と半月脛骨部で構成される．**外側側副靱帯**(lateral collateral ligament; LCL)は膝関節の内反を制動する主要な組織であり，大腿骨外側上顆よりおこり，関節包の外側面を縦走し腓骨頭に付着する．

b 半月板

半月板は大腿脛骨関節の間にある線維性軟骨であり，水平面上からみるとC字状をした内側半月板とO字状をした外側半月板に分けられる(▶図1)．それぞれ矢状断と前額断からみると大腿骨と脛骨の間隙を埋めるような楔状である．半月板は膝関節の屈曲に伴い後方へ移動するが，その移動量は外側半月板のほうが大きい．

半月板の機能は，大腿脛骨関節の接触面積を増大させることによる荷重分散と安定性の向上である．特に荷重分散機能は重要であり，半月板切除により大腿骨と脛骨の接触圧は著しく増加する．また，大腿骨との接触面は膝関節の屈曲に伴い後方へ移動し，その面積は減少する．

2 受傷機転と整形外科的治療法

膝関節はスポーツ外傷が多く発生する部位である．スポーツでの膝関節靱帯損傷はACL損傷が約50%，MCL損傷が約30%で，両靱帯の複合損傷も含めると全体の90%を占めるといわれる．また，米国ではACL損傷が年間10万件以上発生しているといわれている．

靱帯損傷の受傷機転は，第三者による外力が直接靱帯へストレスを加えて受傷する接触損傷(contact injury)と，活動中の身体の減速・加速の慣性力と筋力で受傷する非接触損傷(non-contact injury)に大別される．ACL損傷の受傷機転としては，スポーツ種目により異なるが非接触損傷が多く，およそ70%といわれる．

a ACL損傷

ACL損傷後に最も頻繁におこる臨床症状は，膝屈曲30〜10°での脛骨の**前方内旋亜脱臼現象**〔前方内旋不安定症(anterior internal rotatory instability)〕である．これは**膝くずれ**(giving way)といわれ，患者が最も怖がる現象であり，スポーツ活動を大きく制限する．また，これを放置することにより，半月板損傷や関節軟骨損傷などの二次的な関節内損傷をきたす可能性が高い．

ACLは関節内靱帯であり，断裂後の自然治癒は困難である．そのため，ACL損傷に対する治療としては，スポーツ活動を継続する若年者を主体に再建術が施行されてきた．しかし，中高齢者のACL損傷に対しても再建術の成績はよく，受傷前のスポーツレベルに復帰可能なことが多いと報告されている[1]．

わが国では，再建には半腱様筋腱(および薄筋腱)を自家移植材として用いることが多い．その方法は，以前は一束での再建であったが，現在は解剖学的二重束再建術が主流である．これは機能解剖の項で述べたように，ACLが前内側線維と後外側線維から構成され，機能を分担していることを考慮し，これらの線維の解剖学的位置に相応させた2つのルートを再建するものである．受傷直後の急性期にACL再建術を行うと，術後に膝関節の関節可動域(ROM)制限をおこす可能性が高くなる[2]ため，再建術の施行時期は通常，受傷後3〜5週程度がよいとされる．

b PCL損傷

PCL損傷はスポーツ活動中だけでなく，交通事故でも多く発生する．典型的な受傷機転は，膝屈曲位で脛骨粗面を地面などに強打し，脛骨が強制的に後方移動させられることである．

PCL損傷においては膝くずれのような不安定性を訴える症例は少ないが，膝窩部に自発痛や圧痛を訴える症例が多い．

PCL損傷に対する治療法は，PCL単独損傷の

場合は第一に保存的治療を行い，複合靱帯損傷や保存的治療で改善がみられない症例に対しては再建術を選択することがコンセンサスである．

c MCL損傷

MCL損傷は膝関節に外反・外旋力が作用することで発生する．その重症度により，①疼痛はあるが外反動揺を認めないⅠ度，②疼痛とともに膝関節軽度屈曲位での外反動揺が認められるⅡ度，③外反動揺が著明で膝関節伸展位でも認められるⅢ度に分類される．

MCL単独損傷においては，手術療法も保存療法もその成績に差はなく，重症度がⅢ度でも，早期から装具でのリハビリテーションを施行した保存療法群のほうが手術群よりも下肢筋力の回復が良好といわれている[3]．さらに，実験的にはMCLの成熟には膝を動かすことが不可欠であるといわれ[4]，保存的治療におけるギプス固定の必要性も否定されてきている．

d LCL損傷

LCL損傷は後外側構成体（LCL，膝窩筋腱，後外側関節包）損傷という病態であることが多いが，ACL損傷やMCL損傷よりは稀である．また，PCL損傷を合併することもある．受傷機転としては，膝関節に内反ストレスが加わる接触損傷が多い．

治療法としては，軽症を除いて基本的に一次的修復術や再建術が行われる．

e 半月板損傷

半月板損傷の受傷原因はスポーツによるものが最も多く，膝屈曲位で荷重されながら回旋が加わることで発生する．

臨床症状としては，多くの場合，運動時の膝関節痛とともに運動時に関節に何かが挟まった感じ（キャッチング）を訴えることがある．さらに重度になると伸展が不能となる（ロッキング）こともある．

治療法は，半月板の形状，損傷部位や程度，不安定性などの違いにより保存療法，縫合術，切除術の3つに大別される．半月板の外縁は血行が認められるが，内縁は血流が乏しく，縫合しても癒合は困難である．半月板損傷は若年者に多く，切除より将来の変形性関節症の予防という観点から，できるだけ半月板を温存する治療法が選択されるようになっている．

B 運動療法の実際

1 運動療法の目的

膝の靱帯・半月板損傷はスポーツによる受傷が多い．同じスポーツ活動でもレクリエーション，学校体育からいわゆるプロスポーツまで，レベルや運動能力の幅は広い．しかし，QOL（quality of life）や生活習慣病の予防という観点からも，その高低にかかわらず，スポーツ活動の再獲得を目標とすべきである．また，スポーツ外傷は再受傷が多いことが特徴であり，その予防という観点からも，膝の靱帯・半月板損傷に対する運動療法は重要である．

スポーツ，特に競技復帰を目標とする理学療法にはいくつかの特徴があるが，初期の段階では一般の場合と大きな差はない．そこで本項では，受傷靱帯・半月板の機能解剖や治癒過程を考慮した運動療法について解説する．

2 評価のポイント

a ACL損傷

再受傷の予防に生かすためにも，非接触損傷の場合は特に受傷機転となった動作や肢位を確認する．また，不安を感じる動作や苦手な動作および膝くずれの有無，疼痛部位などを確認することが問診の重要なポイントとなる．

(1) 不安定性の評価

ACL損傷における代表的な不安定性の評価としては，Lachman（ラックマン）テストや前方引き出しテスト（anterior drawer test；ADT）などがある．また，Lachmanテストと同じ肢位でその前方・後方動揺の移動距離を定量化する機器として，KT-1000®（▶図2），KT-2000®のようなストレスマシンもある．

(2) 可動域の評価

膝関節の可動域の測定は，膝関節の腫脹の程度と膝蓋骨の可動性とともに評価する．

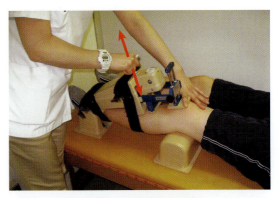

▶図2　KT-1000®での膝関節動揺測定

(3) 筋力の評価

筋力の評価は重要であるが，大腿四頭筋の最大筋力の測定は，通常の方法では損傷あるいは再建したACLに大きなストレスを与えることに注意しなくてはならない．再建術直後の大腿四頭筋の徒手筋力検査（Manual Muscle Test；MMT）は膝関節での前方剪断力を抑制するため，下腿近位に抵抗を与え，屈曲位で行ったほうが安全である．機器による等速性での筋力測定は客観的なデータを提示でき，特にスポーツ復帰をゴールとする場合には行いたい評価である．しかし，再建術後の場合，安全面から再建靱帯が通過する骨孔壁の骨化がX線上で確認できてから（およそ術後3〜4か月）施行している．術後に測定した筋力値は，術後の経過期間とともに，スポーツ基本動作の開始や競技復帰への1つの指標とする．しかし，等速性筋力測定器は機種により測定値にばらつきがあるため，その施設（使用機器）での基準値を策定する必要もある．

さらに，ACL損傷後の内側広筋の速筋線維の萎縮が，大腿直筋のそれより強いという指摘もある[5]ので，受傷からの経過期間が長い場合は内側広筋の萎縮に注目する必要がある．

(4) アライメントの評価

アライメントは，静止立位での静的アライメントと歩行，走行，ジャンプ着地などでの動的アライメントに分けられる．特に動的アライメントにおいて膝外転（外反）角の増加がACL損傷発生の危険因子になるとの報告がある[6]．非接型ACL損傷のメカニズムとして，膝外反が加わり，MCLが緊張し外側コンパートメントにより圧力が生じる．脛骨プラトーの後傾により大腿骨外顆が後方に偏位することにより，脛骨前方移動と内旋が生じてACLが断裂すると報告されている[7]．また，股関節内転位・内旋位，膝関節外反位，足部回内位などのアライメントがACL損傷とのかかわりが深いともいわれている．可能な時期であれば，実際にホップ動作やジャンプ動作を行わせ，着地時の股関節・膝関節の動的アライメント・屈曲角度に注意して評価を行うべきである．

(5) ACL再建術後の評価法

ACL再建術の客観的評価法として，IKDC（International Knee Documentation Committee）form，Cincinnati knee score，Lysholm scoreや各種のパフォーマンステストが試みられている．しかし，その使用にあたってはそれぞれの評価法の特徴を理解し，評価の目的に沿って使用すべきである．

以上の評価項目のうち，不安定性テスト，大腿四頭筋の筋力テスト，動的アライメントの評価，パフォーマンステストなどはACLにストレスを与える手技となる．観血的治療，保存的治療どちらにしても，その評価を施行する時期や方法には十分な注意が必要である．

b PCL損傷

問診では，ACL損傷と同様に受傷機転，不安を感じる動作などを確認する．

背臥位で両膝を90°屈曲し，筋を弛緩すると，脛骨粗面が後方へ落ち込む現象(posterior sagging sign)が認められる．わずかな症例もあるので，健側と比較して確認することが必要である．不安定性の評価としては後方引き出しテスト(posterior drawer test)があるが，saggingのために脛骨が落ち込んだ位置から引き出すと，前方動揺陽性と間違えることがあるので注意を要する．そのほか，一般整形外科疾患と同様の評価を行う．

c MCL損傷

問診では，膝関節外反・外旋強制の受傷機転を念頭において，受傷時の状況を詳しく確認する．MCL損傷の多くは膝関節内側の自発痛と膝関節内側裂隙，大腿骨または脛骨のMCL付着部に圧痛が認められるので，その部位を確認する．

不安定性の評価として，外反ストレステストがある．MCLは特に軽度屈曲位で外反制動をもたらすので，この肢位でのストレステストが重要である．伸展位でも明らかな外反動揺が認められる場合は，ACLなどのほかの靱帯損傷の合併が疑われる．さらに立位で膝関節に外反外旋ストレスを加えて，不安感と疼痛の発生を確認する．外反膝を呈する症例は再受傷しやすいので，下肢のアライメントのチェックも重要である．

d 半月板損傷

問診では，受傷機転が明確な場合はその発生状況を詳しく確認する．さらにキャッチング，ロッキングなどの症状を念頭において自覚症状を確認する．

陳旧例では大腿四頭筋の萎縮がみられることがあるので，大腿周径の測定が必要である．さらに，受傷原因が1回の外傷でなく，反復繰り返しが原因と推察される症例では，下肢アライメントの異常が発生要因になることがあるので，そのチェックも重要である．そのほか，一般整形外科疾患と同様の評価を行う．

半月板損傷に対する徒手的テストは数が多いが，代表的なものはMcMurray(マックマレー)テストである．

3 運動療法の方法

a ACL損傷

半腱様筋腱を自家移植材として使用する解剖学的二重束再建術を例に，当院でのプロトコル(▶表1, 2)に沿って運動療法について述べる．

(1) 術前期

この間の理学療法の目的は，正常なROMの獲得，関節腫脹の軽減である．受傷直後は炎症症状の鎮静化を目的にアイシングを主体にしたRICE〔安静(Rest)，冷却(Ice)，圧迫(Compression)，挙上(Elevation)〕処置を行い，徐々に術後にも施行されるような愛護的なROM運動を行う(後述)．さらに，炎症症状が鎮静化すれば，術後に行う理学療法プロトコルに沿って筋力増強運動を行う(後述)．

(2) 術後期

●急性期

ACL再建術に限らず，術後の炎症症状が強い時期にはアイシングを主体としたRICE処置を行う．ROM運動は，術後2日目より病棟において持続的他動運動(continuous passive motion; CPM)装置を使用して20～90°より開始する．

●亜急性期

術後3日目より，理学療法室にて愛護的なROM運動を0～130°を目標に開始する．この時期の具体的な方法としては，背臥位で壁に足底をつけ，下腿の自重を利用して膝の屈曲を行う方法〔ウォールスライド(wall slide)〕(▶図3，▶動画1)がある．さらにROMが改善すれば，長座位で足底の摩擦が少ないような状態にして，自分の手で膝の屈曲を行う方法〔ヒールスライド(heel slide)〕

▶表1 ACL再建術後理学療法プロトコル(術後〜退院)

術後期間	3日〜	1週〜	2週〜	3週〜
ROM訓練	●ウォールスライド(▶図3)→ヒールスライド(▶図4) ●パテラモビリゼーション		●制限が強い場合は徒手的な可動域運動	0〜130°確保
筋力強化訓練	●セッティングエクササイズ(▶図5A) ●内側広筋に電気刺激を加えたセッティングエクササイズ(▶図5B)	●サスペンションレッグプレス(▶図7) ●レッグカール(介助→自動→弾性バンド)(▶図8) ●股関節周囲筋強化 ●フロントブリッジ(健側支持) ●サイドブリッジ(健側支持)	●両脚スクワット ●カーフレイズ ●レッグエクステンション(近位抵抗)(▶図6)	
固有受容器訓練				●バランスクッション上両膝屈曲位保持→スクワット(▶図13)
荷重その他	●1/3 PWB(疼痛に応じて)	●1/2 PWB → 2/3 PWB ●硬性装具使用	●FWB	退院

スクワットの注意点:外反(knee in)する場合→股外転抵抗へ弾性バンド使用

▶表2 ACL再建術後理学療法プロトコル(退院〜3か月)

術後期間	4週〜	2か月〜	3か月〜
ROM訓練			
筋力強化訓練	●ランジ	●片脚立位外転 ●レッグカール(マシン) ●片脚スクワット ●ヒップリフト(両脚)(▶図9) ●サイドブリッジ(患側支持)	●レッグカール(深屈曲への負荷:弾性バンド) ●フロントブリッジ(患側支持) ●ボックスブリッジ(両脚) ●ヒップリフト(片脚)
固有受容器訓練		●バランスクッション上両脚スプリット姿勢保持 スプリットスクワット ランジ	
荷重その他	●サイドウォーク ●固定式自転車	●サイドウォーク(弾性バンドで外転抵抗)	●等速性筋力測定(4か月〜) ●軟性装具移行 ●フットワークトレーニング開始(▶表3)

▶図3 ウォールスライド(動画1)
健側を患側の下に置くことで安心感を与え,患側をできるだけリラックスさせる.

(▶図4, 動画2)もよい.また,膝蓋骨の可動性の低下が膝関節の屈曲制限の要因になるため,理学療法士が膝蓋骨の他動運動を行うとともに,患者自身も徒手で自己他動的に膝蓋骨の運動を行うように指導する.膝関節の伸展制限は歩容も乱すため,他動的な伸展域の確保は早期に必要と考えられる.しかし,健側の膝関節が過伸展するような症例の場合,健側を目標として早期に過伸展を求めることは,前方動揺を再発させるリスクが高いと考えられ,膝関節の伸展は0°までにとどめている.

荷重歩行は硬性装具を装着し,術後3日目より

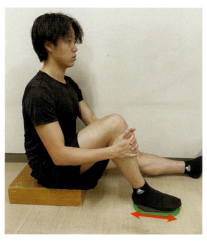

▶図4 ヒールスライド（動画2）
殿部を少し高くし，キャスターつきの台に足部を乗せ，下腿部を抱きかかえるように膝関節を屈曲する．

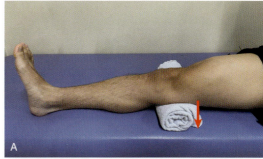

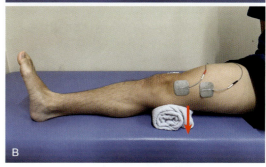

▶図5 セッティングエクササイズ
A：セッティングエクササイズ
B：内側広筋に電気刺激を加えたセッティングエクササイズ

1/3荷重（疼痛に応じて調整）から開始し，術後2週間程度で全荷重とする．荷重量が再建ACLに与えるストレスは膝の屈曲角度や体幹の前傾角度の違いで変化するため[8]，荷重量の増加がそのまま再建ACLへのストレスを増加させているとはいえない．荷重量の調整は術後期間だけでなく，膝関節の炎症症状を指標にし，炎症症状が強い場合は荷重量を控えめにする．

筋力強化では，術後早期で炎症症状がある場合は，装具を外してタオルなど軟らかいものを大腿遠位に置き，つぶす運動〔セッティングエクササイズ（▶図5A）〕から開始し，ハムストリングスとの同時収縮を意識して行う．その際に電気刺激を内側広筋に加えて行うことも有効である（▶図5B）．

炎症症状が落ち着き積極的に大腿四頭筋の筋力強化を施行する場合，硬性装具を装着し，膝屈伸筋を主体に開始する．大腿四頭筋の単独収縮は膝関節伸展域で前方剪断力を生じ，再建ACLに伸張ストレスを加える〔C項「運動療法上の留意点」（→42ページ）参照〕．通常のような下腿遠位抵抗ではなく，近位抵抗（レッグエクステンション）が推奨されている．具体的にはゴムチューブのような弾性力のあるバンドを下腿近位に強めに掛

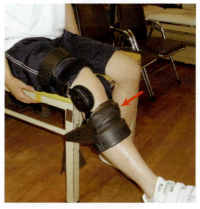

▶図6 弾性バンドを使用した下腿近位抵抗での大腿四頭筋強化（レッグエクステンション）（動画3）

け，これを抵抗とする（▶図6，動画3）．このような弾性バンドは膝が伸展するほど伸ばされ，より強い張力が発生するので，前方剪断力を抑える効果が期待できる．また，ハムストリングスの同時収縮を行うことで，大腿四頭筋単独収縮よりもさらに伸展域で前方剪断力を生じずに，大腿四頭筋の筋力増強運動が可能といわれている[9]．

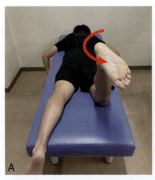 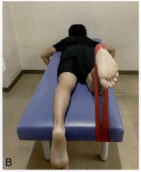 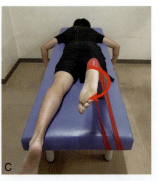

▶図8 レッグカール動作における下腿アライメント（▶動画5）
A：下腿外旋位アライメント，B：下腿ニュートラルでの筋力強化，C：下腿内旋位での筋力強化

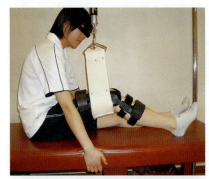

A. 開始肢位

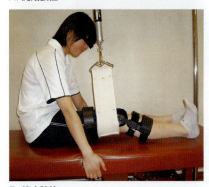

B. 停止肢位

▶図7 サスペンションレッグプレス（▶動画4）

しかし，開放性運動連鎖（open kinetic chain；OKC）の状態で強い同時収縮を得ることはかなり難しい．そこで筆者は，バネばかりを利用した膝屈伸筋の同時収縮運動をサスペンションレッグプレス（suspension leg press）（▶図7，▶動画4）と称して施行している[10]．具体的な方法は，オーバーヘッドフレームなどに吊した50～100kg用バネばかりを介したパッド（練習用吊帯を改良）に大腿遠位部を入れ，股関節伸展動作でバネばかりを引き下げる．さらにこの状態を維持しながら膝関節を伸展し，この肢位を保持する．これにより，①股関節の伸展で膝屈筋でもあるハムストリングスの収縮，②膝関節の伸展で大腿四頭筋の収縮という同時収縮を得ることができる[11]．

ハムストリングスの筋力強化はその筋力に合わせて積極的に行う．しかし，半腱様筋腱を用いた再建術の場合，開始当初は膝の屈曲を行うことでハムストリングスが収縮し，腱の採取部に疼痛が発生することがある．このような症例に対しては，疼痛が軽減するまで，腹臥位で膝伸展位のまま股関節を伸展する動作でハムストリングスの収縮を行わせる．疼痛が軽減し，可能となれば弾性バンドを使用したレッグカール（▶図8B）を行わせ，さらに力が向上すればマシンを使用したレッグカールへ移行する．膝関節屈曲運動は，半腱様筋を採取している場合や，伸展域では大腿二頭筋が優位に働く理由から下腿外旋運動を伴いやすい（▶図8A）．介助を加えるなどして，正しいアライメントで動作が遂行できるようにする（▶動画5）．また，半腱様筋腱を使用した再建術の場合，膝関節屈曲域でのハムストリングスの筋力低下が認められる症例が多い．術後早期では半腱様筋腱採取部に負担のかからない範囲から始め，段階的にヒップリフトや椅子や箱に踵部を乗せ股関節伸展・膝関節屈曲動作（ボックスブリッ

▶図9 ヒップリフトと
　　　ボックスブリッジ（動画6）
A：ヒップリフト．両脚2か月から開始，片脚3か月から開始
B：ボックスブリッジ．両脚3か月から開始，片脚4か月から開始

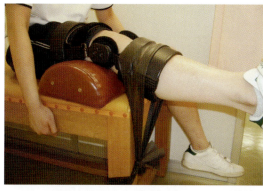

▶図10　OKCでの膝最終伸展域運動
　　　（動画7）
下腿近位に弾性バンドをかけ，膝関節での前方剪断力を抑制する．

▶図11　膝関節の最終伸展域を意識したスクワット（動画8）
A：スタートポジション，B：エンドポジション
エンドポジションでは膝関節とともに股関節の伸展を意識する．

ジ）を行う（▶図9，動画6）．

　膝関節伸展域における大腿四頭筋の筋力強化方法として，OKCでは弾性バンドによる下腿近位抵抗での膝最終伸展域運動（terminal knee extension exercise）（▶図10，動画7）を行わせている．さらに，閉鎖性運動連鎖（closed kinetic chain；CKC）では大腿遠位部に弾性バンドをかけて，これを引き伸ばすように膝関節の最終伸展を意識したスクワットを行わせている（▶図11，動画8）．

　荷重位の筋力強化としては，浅い膝屈曲角度から両脚スクワットを開始し，片脚スクワットへ（術後2か月から）と進めていく（動画9）．特に片脚でスクワットを行う際には，骨盤が水平に保てない，膝が外反（いわゆるknee in）するなどの不良アライメントを呈しやすい（▶図12A，動画9）．

患者自身が鏡でアライメントをチェックするなどでニュートラルポジションを意識させる（▶図12B）．また，理学療法士が骨盤や膝の位置を修正するなどして進めることも重要である（動画9）．さらに患足を踏み込むフォワードランジや，ジョギング開始に合わせてクロスレッグホップへと進めていく（動画10）．また，CKCでの効果的な筋力強化という視点か

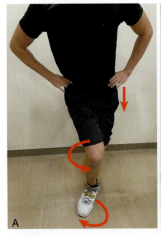

▶図12　片脚でのスクワット（動画9）
A：膝外反位アライメント，B：ニュートラルポジション
片脚スクワットは術後2か月から開始する．

再発予防には，受傷機転（肢位）を理解し，ジャンプ着地時に危険な肢位に陥らないような対応をとることが重要である．大殿筋，中殿筋，外旋筋といった股関節周囲筋の強化，体幹・下肢のアライメント修正が必要となる．ジャンプ着地動作時の指導で，股関節の深い屈曲を行わせ，膝は外反させないことが重要である（▶図14）．

ACL再建術後に限らず，ゴールをスポーツ復帰とするスポーツ外傷・障害の理学療法において，早期から有酸素運動を行うことは必要である．膝関節の深屈曲にならない範囲で固定式自転車などを用いて行うとよい．

●スポーツ動作開始期

スポーツ種目の違いにより，特有のフットワークがあると思われるが，非接触損傷が多いACL損傷では，再建術後に基本的なフットワークは習得すべきと考える．時期的には，再建ACLが通過する大腿骨・脛骨の骨孔壁が骨化する術後3～4か月から開始している．

内容としては，ターンドリル，横の動き，減速ドリル，アジリティーなどに分けて指導している（▶表3）．

b PCL損傷

前述のように，PCL単独損傷の場合，第一に保存的治療が選択されることが多いので，保存的治療を例とした運動療法について述べる．

●急性期（術後1，2週）

炎症症状が認められる急性期は，その早期鎮静化を目的に，アイシングを主体としたRICE処置を行う．荷重痛が強い場合は松葉杖で免荷歩行とし，脛骨の後方動揺を制動するために，下腿近位部を後方から押さえるストラップを取り付けた膝装具を装着する．

●亜急性期（術後2～4週）

急性炎症期が過ぎれば，膝装具を装着して荷重歩行を開始する．荷重は特に制限せず，疼痛を目安に部分荷重から全荷重へと進める．また，早期にROMを確保する目的でROM運動を開始す

▶図13　バランスクッション上でのスクワット
（動画11）

ら[12]もバランスクッション上でのスクワットなどを行わせている（▶図13，動画11）．

ACL再建術後の非術側を含めた非接触損傷の

動画10

I 筋骨格障害系の運動療法

▶図 14　弾性バンドを利用した両脚ジャンプ
股関節の深い屈曲の指導とともに弾性バンドを膝部に巻き，股関節の外転を意識させることで，着地時に膝が外反位にならないようにする．

▶表 3　ACL 再建術後フットワークトレーニングプロトコル

術後期間	3 か月〜	4 か月〜	5 か月〜	6 か月〜	7 か月〜	9 か月
評価項目	● 前方不安定性：ADT Lachman テスト ● アライメント ● 筋力(OKC，CKC)					競技復帰
ターンドリル	● ジョグ & 両脚ターン		● ラン & 両脚ターン	● ダッシュ & ターン		
横の動き	● サイドステップ ● サイドステップ & ハーキー		● サイドステップ往復(ゆっくり) ● サイドステップジグザグ(ゆっくり)	● サイドステップ往復(速度アップ) ● サイドステップジグザグ(速度アップ)		
減速ドリル	● ハーキーステップ ● リカシェット ● ジョグ & ハーキー					
アジリティー	● ラダードリル(50%〜) ● フロント，ラテラル，シャッフル			● ダッシュ & ハーキー		
ラン	● ジョギング(6 km/時：15 分より)	● ランニング	● 50〜100 m 加速走 ● ダッシュ			
ストップドリル	● クロスレッグホップ(50%) ● 横ホップ(50%)		● スクワットジャンプ(両足着地) ● 90°ターンジャンプ(両足着地) ● 両脚前後ジャンプ(弾性バンド) ● 両脚左右ジャンプ(弾性バンド)	● スクワットジャンプ(外乱刺激) ● 180°ターンジャンプ(両足着地) ● 片脚前後ジャンプ(弾性バンド) ● 片脚左右ジャンプ(弾性バンド) ● ワンレッグホップ ● 90°ターンジャンプ(片足着地)	● 180°ターンジャンプ(両足着地・弾性バンド)	

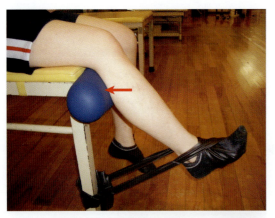

▶図 15 弾性バンドでの大腿四頭筋強化（レッグエクステンション，動画 12）
膝関節の後方動揺を抑制するために下腿近位にパッドをあてる．

▶図 16 弾性バンドを使用した下腿近位抵抗でのハムストリングス強化（レッグカール）
足関節を背屈させ，腓腹筋の収縮を意識する．

るが，完全屈曲は避ける．

PCL 損傷の保存的治療において，大腿四頭筋の筋力強化は最も重要となる〔C 項「運動療法上の留意点」（→ 42 ページ）参照〕．筋力の回復程度に合わせて弾性バンドを使用したレッグエクステンションを行うが，開始肢位で脛骨が後方へ落ち込むようであれば，防止目的に腓腹部近位を支点にする（▶図 15，動画 12）．さらに可能であれば，マシンでのレッグエクステンションを積極的に行う．OKC でのハムストリングスの単独収縮は脛骨の後方動揺を生じさせるので，レッグカールの際は脛骨の後方動揺を抑制するために下腿近位部に強い抵抗を与えて行う．また，大腿四頭筋だけでなく，下腿三頭筋にも脛骨の後方動揺を抑制する作用があることが考えられている[13]ので，足関節を背屈し，下腿三頭筋の収縮を意識して行う（▶図 16）．

荷重が可能となれば，レッグプレスやスクワットなどの CKC の筋力増強運動も積極的に行う．

C MCL 損傷

前述のように，MCL 単独損傷に対する治療の原則は保存的治療となっているので，保存的治療を例に運動療法について述べる．

●急性期（術後 1，2 週）

炎症症状が認められる急性期は，その早期鎮静化を目的に，アイシングを主体とした RICE 処置を行う．松葉杖を使用し，荷重痛が強い場合は免荷歩行とする．

●亜急性期（術後 2～4 週）

急性炎症期が過ぎれば，膝外反を制動するために，大腿と下腿の外側と膝関節内側の 3 点を支持したストラップのついた膝装具を装着して荷重を開始する．荷重は疼痛や腫脹を目安にして，部分荷重から全荷重へと可及的に進める．また，ROM 運動もウォールスライドやヒールスライドで開始する（▶図 3，4）．

膝外反不安定性の予防には，大腿四頭筋，特に内側広筋の筋力強化が重要であり，膝関節運動時に疼痛がある時期は内側広筋への電気刺激，さらに装具装着下にサスペンションレッグプレス（▶図 7）やターミナルニーエクステンション（▶図 10）での筋力強化を行う．疼痛が軽減すれば，筋力の回復程度に合わせて弾性バンドやマシンでのレッグエクステンションを積極的に行う．この際，膝関節外反・外旋での MCL へのストレスを避けるため，膝を伸展する際に股・膝関節の内旋を伴うように意識して行う．動的な内側支持

▶表4 半月板縫合術後プロトコル

術後期間	手術日	急性期(固定期)(〜2週)	亜急性期(2〜8週)	3週〜	4週〜	スポーツ動作開始期(8週〜)	3〜4か月
ROM訓練	●固定(シーネ)	●パテラモビリゼーション	●固定除去(0〜90°に制限)●ウォールスライド		●可動域制限なし(深屈曲,過伸展は不可)●ヒールスライド		競技復帰
筋力強化訓練		●シーネ内等尺性運動(膝屈伸筋)●患部外筋力維持	●レッグエクステンション(弾性バンド→マシン)●レッグカール(弾性バンド→マシン)●サスペンションレッグプレス		●固定自転車●レッグプレス●スクワット●フロント・サイドブリッジ	●等速性筋力測定●フットワークトレーニング●動的アライメント修正	
固有受容器訓練					●バランスクッション上両膝屈曲位保持→スクワット		
荷重その他	●アイシング●免荷		●1/3部分荷重	●1/2部分荷重	●2/3→全荷重		

機構である内側ハムストリングスの強化も重要となる.レッグカールの際は,下腿外旋位アライメントに注意し(▶図8A),下腿中間位から下腿を内旋させる内側ハムストリングスの収縮を意識させる(▶図8B, C).

可動域が拡大して自転車の駆動が可能となれば,固定自転車で負荷をかけた運動を開始する.このとき,膝と足尖の向きが一致するように注意する.

荷重をかけても疼痛が出現しなくなれば,スクワットなどのCKCでの筋力強化や不安定板を使用したバランス練習を開始する.ACL同様,膝関節の外反位アライメントを呈さないように注意深く実施することが重要である.

◉スポーツ動作開始期(術後4, 5週〜)

自覚症状と筋力を指標に,装具やテーピングをしたうえでジョギングからACL再建術後に行っている各種のフットワークトレーニングを開始し,2〜3か月を目標に競技復帰とする.

d 半月板損傷

半月板損傷の治療は,前述のように保存療法,縫合術,切除術から選択されるが,当院での鏡視下広範囲縫合術後の理学療法プロトコル(▶表4)に沿って運動療法について述べる.部分切除術では,疼痛を指標にして,このプロトコルをより早めに進行させてよい.

◉急性期(固定期,術直後〜2週)

縫合術の場合,術後2週程度はギプス固定を行う.この時期は膝屈伸筋の筋力低下の予防目的に等尺性運動を行い,殿筋群を主体とした患部外の筋力増強運動を行う.

◉亜急性期(術後2〜8週)

縫合術の場合,この期間は再断裂の防止目的に,体重負荷を制限すべきである.大腿四頭筋の強化は重要となるが,筋力強化はOKCから開始し,疼痛を指標として徐々にCKCへと移行していく.腫脹の軽減を待たずに早期にCKCでのトレーニングを進めると,腫脹が長引き,かえって筋力の向上が遅延するので注意が必要である.

◉スポーツ動作開始期(術後8週〜)

術後8週程度でADLにおいて症状が認められなくなれば,ジョギングとともにフットワーク練習を開始し,術後3〜4か月を指標に競技復帰を目指す.

C 運動療法上の留意点

a ACL損傷

　ACL再建術後の運動療法では，再建ACLに対してできるだけストレスをかけずに効果的に膝屈伸筋を強化することがポイントとなる．

　ACLと協働的な作用をもつハムストリングスに対しては，採取した半腱様筋腱の再生を考慮しながら，その筋力に合わせて強化する．しかし，大腿四頭筋の単独収縮は膝関節伸展域において前方剪断力を生じさせるため，その方法に留意する必要がある．具体的には，①膝関節屈曲位での等尺性収縮で行う，②抵抗を下腿近位に与える（▶図6），③ハムストリングスを同時に収縮させる（▶図7），④CKCで行う（▶図12B，13）などである．また，ACL損傷の予防にはハムストリングスの筋力強化，バランス能力の向上，動的アライメントの改善がポイントになるといわれる[14,15]．

b PCL損傷

　PCL損傷後の運動療法，特に保存療法においては脛骨の後方動揺（落ち込み）をできるだけ生じさせないように留意する．具体的には，①ROM運動においては完全屈曲は避け，深屈曲域では膝窩にタオルなどを挟む，②大腿四頭筋の筋力強化時には腓腹部近位を支点にする（▶図15），③ハムストリングスの筋力強化時には下腿近位に抵抗を与える（▶図16）などである．

　また，PCLと協働的な作用をもつ大腿四頭筋の筋力強化を積極的に行うことが必要である．

c MCL損傷

　MCL損傷後の運動療法においては，膝内側支持機構，特に内側広筋の強化が重要となる．

　また，OKC，CKCでの運動時に膝関節に外反・外旋ストレスが加わらないように，膝と足尖の方向が一致するように留意する．

d 半月板損傷

　半月板縫合術後の運動療法においては，縫合部の治癒が優先されるので，体重負荷やROM（屈曲）を制限する必要がある．そのため，筋力強化はOKCを主体に開始し，徐々にCKCへと移行する．関節腫脹の遷延はROMや筋力の改善を妨げるので，腫脹を運動負荷量の指標として慎重に運動療法を進める．

● 引用文献

1) Kuechle, D.K., et al.: Allograft anterior cruciate ligament reconstruction in patients over 40 years of age. *Arthroscopy*, 18:845–853, 2002.
2) Harner, C.D., et al.: Loss of motion after anterior cruciate ligament reconstruction. *Am. J. Sports Med.*, 20:499–506, 1992.
3) Indelicato, P.A.: Non-operative treatment of complete tears of the medial collateral ligament of the knee. *J. Bone Joint Surg. Am.*, 65:323–329, 1983.
4) Walsh, S., et al.: Knee immobilization inhibits biomechanical maturation of the rabbit medial collateral ligament. *Clin. Orthop. Relat. Res.*, 297:253–261, 1993.
5) 川島敏生ほか：膝前十字靱帯損傷後の大腿四頭筋筋力と筋電図反応. 理学療法学, 25:345–350, 1998.
6) Hewett, T.E., et al.: Biomechanical measures of neuromuscular control and valgus loading of the knee predict anterior cruciate ligament injury risk in female athletes: a prospective study. *Am. J. Sports Med.*, 33:492–501, 2005.
7) Koga, H., et al.: Mechanisms for noncontact anterior cruciate ligament injuries: knee joint kinematics in 10 injury situations from female team handball and basketball. *Am. J. Sports Med.*, 38:2218–2225, 2010.
8) Ohkoshi, Y., et al.: Biomechanical analysis of rehabilitation in the standing position. *Am. J. Sports Med.*, 19:605–611, 1991.
9) 安田和則：膝前十字靱帯再建術後の筋力訓練（第2報）—大腿四頭筋および膝屈筋同時等尺性収縮法の開発とそのバイオメカニクス. 日整会誌, 59:1051–1058, 1985.
10) 川島敏生：膝靱帯損傷, 半月板損傷. 岡西哲夫, 岡田 誠（編）：骨・関節系理学療法クイックリファレンス. 文光堂, 2003.
11) 川島敏生ほか：バネばかりを使用した膝屈伸筋同時収縮訓練. 理学療法学, 25(Suppl.2):32, 1998.

12) 重松雄大ほか：不安定板訓練における膝屈伸筋活動量. 理学療法学, 25(Suppl.2):33, 1998.
13) Tibone, J.E., et al.: Functional analysis of untreated and reconstructed posterior cruciate ligament injuries. *Am. J. Sports Med.*, 16:217–223, 1988.
14) 浦辺幸夫ほか：膝前十字靱帯損傷予防プログラムの実施効果. 日臨スポーツ医会誌, 15:270–277, 2007.
15) 大見頼一ほか：実践的膝前十字靱帯損傷予防プログラムが下肢動的アライメント, 膝屈曲筋力, ジャンプ力に及ぼすトレーニング効果とその予防効果. 日臨スポーツ医会誌, 16:241–249, 2008.

第3章 腱断裂の運動療法

学習目標
- 腱板断裂の原因と特徴，治療方法について理解する．
- 腱板断裂の状態や程度を把握するために理学療法評価の進め方を理解する．
- 評価内容を検討して腱板断裂の運動療法の目的と方法について理解する．
- アキレス腱断裂の運動療法の対象，流れを理解する．
- アキレス腱断裂の運動療法におけるリスクを知る．

I 腱板断裂の運動療法

A 概念と特徴

1 腱板断裂とは

腱板断裂とは，腱板がその付着部で断裂している状態のことをいう．疼痛と筋力低下によって機能障害が生じる肩関節を代表する疾患の1つである．腱板は棘上筋，棘下筋，小円筋，肩甲下筋で構成されるが，特に棘上筋腱付着部は常に肩峰に圧迫されるという解剖学的な問題と血行の乏しさから，**危険地帯**（critical portion）と呼ばれ断裂がおこりやすい．

2 原因

60歳前後を中心とした中高齢者に多い．加齢による退行変性で脆弱化しているため，わずかな外力が加わるだけでも容易に断裂を生じる．腱板断裂の約9割は「転倒」や「物を持ち上げる」といった受傷機転が存在するが，特別な受傷機転なしで急に肩の挙上ができなくなる場合もある．

若年者では，コンタクト（接触），転倒，投球類似動作を反復するスポーツによる受傷が多い．

3 分類

腱板断裂は断裂の程度により分類され，断裂により関節腔と肩峰下滑液包が交通しているものを**完全断裂**，交通していないものを**不全断裂**と呼んでいる（▶図1）[1]．不全断裂はさらに関節面断裂，滑液包面断裂，腱内断裂に分けられる．

完全断裂は大きさにより小断裂，中断裂，大断裂，広範囲断裂に分けられる（**Cofield 分類**）．さらに断裂部位（前方断裂，後方断裂）や形状（縦断裂，横断裂，三角形断裂，楕円形断裂）によって細かく分類されることもある．

4 症状

腱板機能は各動作筋としての働き以外に，dynamic stabilizer として上腕骨頭と関節窩の適合性を維持することで肩関節運動時の動的安定性

▶図1 腱板断裂の分類
〔表は Cofield, R.H.: Cofield Classification of Rotator Cuff Tears (Cofield 1982). *Surg. Gynecol. Obstet.*, 154(5):667-672, 1982 より〕

に大きく関与している．さらに三角筋とフォースカップルを形成し，上腕骨の円滑な運動を生み出す．腱板断裂が生じることでこれらの機能が破綻し，さまざまな症状が出現する．

　また，腱板が断裂していても必ずしも疼痛や機能障害が表面化するとは限らず，いわゆる「無症候性腱板断裂」の状態で普通に生活を送っている人も存在する．4腱すべてが正常であることで初めて強力な機能を発揮できるのは当然だが，棘上筋腱が断裂しても残った3腱で関節の前方と後方から引きつけることができるため挙上は可能である．

　発生頻度が高い臨床症状としては以下のものがあげられる．

a 肩関節痛

　断裂直後の急性期は，損傷部位の腫脹や充血により腱板や肩峰下滑液包の炎症が強い状態であるため，低刺激でも運動時痛が生じやすい．慢性期に移行しても運動時痛は頻発し，第2肩関節の通過障害が原因で出現する痛みを**有痛弧徴候**（painful arc sign）という（▶図2）．

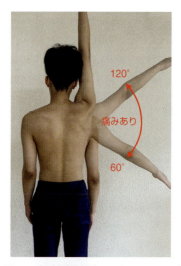

▶図2 有痛弧徴候（painful arc sign）
外転動作の途中で断裂部位が肩峰下を通過する60～120°のあたりで疼痛が出現し，それ以外のときは疼痛が軽減もしくは消失する．

b 挙上障害

　断裂による腱板機能低下により**肩甲上腕リズムの乱れ**がおこる．残存腱板や上腕二頭筋長頭腱の代償機能が働けば挙上も可能であるが，働かない

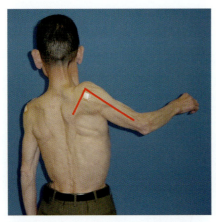

▶図3　shrug sign
体幹を側屈させ，僧帽筋などの肩甲帯機能で代償しながら，肩をすくめたように挙上するが，腱板が機能していないため肩甲上腕関節の動きが少ない．

場合は，体幹を側屈させながら三角筋の収縮や肩甲帯機能で代償する shrug sign（▶図3）が出現する．

c 筋萎縮

不全断裂ではあまり認めないが，完全断裂で経過が長いと棘上筋や棘下筋の萎縮が認められる．

d 軋轢音

肩甲上腕関節の動きに伴い雑音が聞こえることがある．これは腱板断裂による肩峰下滑液包炎や滑膜の肥厚，滑液包の水腫などが影響している．そのような場合，大結節付着部を注意深く触診すると圧痛がみられ，時に断裂した腱板の陥凹を触知できる．

e 拘縮

急性期ではあまりみられないが，受傷からの経過が長くなると滑液包や軟部組織の癒着，関節包の狭小化などの影響で拘縮がおこる．特に内外旋や挙上方向への ROM 制限が多く出現する．

5 治療

保存療法の限界や手術適応に関してはよく議論の的になるが，治療方針は肩の状態だけではなく生活環境や職業など社会的背景に左右されることが多々ある．

断裂組織の自然修復はほとんど期待できないことから，断裂自体を修復するには手術療法が必要となる．しかし，腱板断裂が存在しても疼痛の原因となる炎症を鎮静化し，残存機能でうまく代償できるようになれば症状が消失することもあるため，まずは保存療法を優先して行う場合がほとんどである．

a 保存療法

急性期では断裂組織や肩峰下滑液包の炎症が原因で強い疼痛が出現することが多いため，まずは消炎鎮痛処置が行われる．非ステロイド性抗炎症薬（NSAIDs）や湿布薬などによる薬物療法，ステロイド薬やヒアルロン酸の局所注射療法を行う．疼痛が軽減すれば拘縮や筋力低下など機能障害の程度を把握し運動療法を実施する．

b 手術療法

保存療法を行っても疼痛や機能障害の改善が乏しく，仕事や日常生活への影響が大きい場合には手術療法が選択される．現在は関節鏡視下でアンカー固定による腱板修復が主流となっているが，広範囲断裂など鏡視下での修復が難しい場合は直視下での腱板修復が行われる．さらに原則として70歳以上，かつ一時修復が不可能な広範囲断裂あるいは腱板断裂性関節症と診断された者に対しては，わが国でも2014年以降，上腕骨頭と臼蓋の構造が反対になったリバース型（反転型）人工肩関節への置換が可能になった．この人工関節は腱板の機能がなくても三角筋によって肩関節の挙上ができる．

B 運動療法の実際

1 運動療法の目的
a 保存療法

保存療法は，断裂の修復が目的ではなく，疼痛や機能低下を改善させることで無症候性の状態を目指す．一般的に腱板断裂の自然修復は期待できず，多くは経時的に拡大していくと考えられる．断裂した腱板筋への負荷を軽減し，残存腱板筋ならびに周囲筋の強化をはかり，新しいフォースカップルと肩甲上腕リズムを構築する．

b 術後の運動療法

術後の運動療法は，再断裂をおこさないよう配慮しながら受傷前レベルの機能再獲得を目指す．術直後は強い炎症が出現し，放置すると拘縮がおこりやすいため，早期から介入することで拘縮を防ぐ必要がある．腱板機能は，修復された腱板の質によって筋力の回復が左右される．脂肪変性が顕著であったり，大断裂であった場合は，一般的な修復過程をそのまま適応して考えることは危険である．

2 評価のポイント
a 肩関節痛の評価

疼痛評価では，急性炎症期によるものか拘縮などが由来の慢性期なのかを見極めることが，のちの理学療法を行う際に重要となる．まず，疼痛発生機転の状況や経過を聴取し，夜間痛，安静時痛，運動時痛の有無，強度や範囲を確認する．

急性期は，断裂によって引き起こされる侵害受容器性疼痛で，断裂部位の炎症による限局した安静時痛や圧痛，腫脹や熱感を訴える者が多い．慢性期は侵害受容器性疼痛の長期化に伴い，末梢ならびに中枢神経系の感作や可塑的変化によって引き起こされる疼痛で，肩関節周囲筋のスパズムや拘縮など二次的症状に関連した訴えが多く，断裂部位以外の比較的広範囲に疼痛が出現する．

運動時痛は実際に疼痛が出現する動作を再現させ，疼痛発生の肢位や部位を確認する．その後，他動運動による疼痛の変化も確認し，断裂腱板由来の炎症や機能低下によるものか，拘縮の影響によるものかを判断する．夜間痛は，断裂腱板の炎症以外にも拘縮や肩峰下圧の上昇などさまざまな要因があるため，急性期と慢性期の両者にみられる．

また，疼痛の強度を視覚的に指し示す visual analogue scale(VAS)や疼痛と日常生活障害の関連性を得点化した shoulder pain and disability index(SPADI)などを利用することもある．

b 視診・触診

腱板断裂が生じると，肩峰下滑液包内に水腫が貯留し肩峰下に腫脹が確認される．不全断裂での筋萎縮は確認しにくいが，完全断裂の場合には受傷後2〜3週経過すると棘上筋や棘下筋に筋萎縮が出現してくる．圧痛は大結節，結節間溝，小結節など断裂組織の近位に認めることが多いが，時間の経過に従って棘下筋や三角筋などにも生じるようになってくる．また，発症からの経過が長くなるにつれて，拘縮やフォースカップルの乱れの影響で安静時の肩甲骨アライメント異常や動作時の肩甲骨や脊椎の代償動作が出現するため，必ず左右を比較して肩関節の動きを確認する(▶図4)．

c 肩関節可動域評価

基本的に日本整形外科学会および日本リハビリテーション医学会による関節可動域(ROM)表示ならびに測定法を用いて評価を行うが，測定方法や固定の位置によって誤差が生じやすいため，同じ条件で測定が行われるよう，職場内で細かなルールを決めておくことをすすめる．屈曲，伸展，外転は脊椎の代償動作が出やすいため，測定時にコントロールして測定すべきである

▶図4 肩甲骨のアライメント異常と代償動作
内転制限がある場合に肩甲骨の下方回旋で代償している．

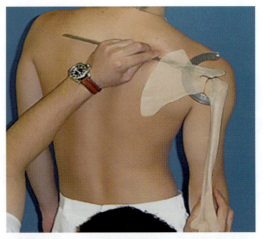

▶図6 spino-humeral angle（SHA）の測定
内転制限がみられる場合，肩甲棘軸と上腕骨軸のなす角度を測定する．

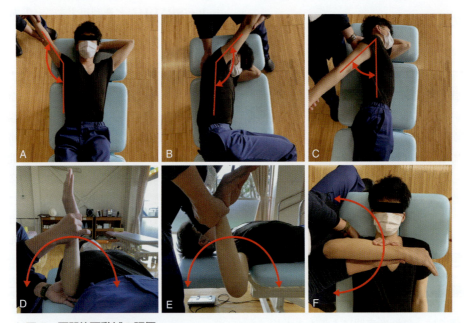

▶図5 肩関節可動域の評価
A：外転は対側上肢を挙上させて体幹の側屈を防ぐ．
B：屈曲は頸部，股関節を屈曲させて脊柱の代償を防ぐ．
C：伸展は頸部，股関節を伸展させて脊柱の代償を防ぐ．
D：下垂位内外旋，E：90°外転位内外旋，F：90°屈曲位内外旋

（▶図5A～C）．内外旋に関しては，拘縮の程度や制限因子を見極めるために肩甲骨を測定開始肢位で固定し，下垂位，90°外転位，90°屈曲位で測定する（▶図5D～F）．内転は，肩甲骨の下方回旋による代償や体形によって下垂位がとれているように見えるため注意が必要である．左右の肩甲骨アライメントを比較し，肩甲棘軸と上腕骨軸のなす角（spino-humeral angle；SHA）を測定すると客観的にみることができる（▶図6）．あるいは，内転可動域を計測する際，肩甲骨下角を触知してお

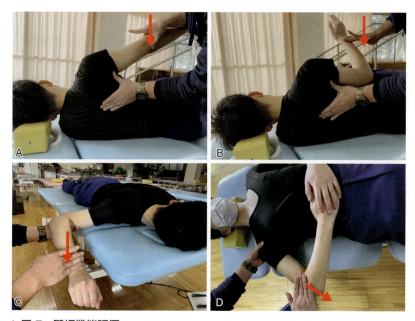

▶図7 腱板機能評価
A：棘上筋，B：棘下筋（横走線維），C：棘下筋（斜走線維，小円筋），D：肩甲下筋（belly press test）

くと代償動作を敏感に察知できる．

疼痛や腱板断裂による機能低下により自動運動ROMと他動運動ROMの差が顕著に現れることが多いため，両者とも評価しておくとよい．

d 腱板機能評価（▶図7）

腱板筋は挙上角度によって効率よく活動する筋束が変化する．つまり，下垂位では主に肩甲下筋の上部線維と棘下筋の横走線維が活動し，挙上に伴い肩甲下筋の下部線維と棘下筋の斜走線維，小円筋の活動が大きくなる．よって，腱板の線維走行で検査肢位や運動方向を変化させ，徒手抵抗を加えて筋力低下や疼痛の確認を行うことでより選択的な機能評価が可能である．しかし，腱板機能評価のみで腱板断裂の状態を判断するのは難しく，複数の身体所見と画像所見，疼痛部位などを照らし合わせたうえで判断することが必要となる．

肩甲下筋の機能検査に関しては多くの手法が存在するが，どれも大円筋が同時に働きやすく，肩甲下筋単独の機能が判別しにくい．そのなかでbelly press test（▶図7D）は動作によって大円筋の起始と停止が離れるため，比較的筋が活動しない．筋電図でも筋活動の低さが確認できるため，臨床でこのテストを活用している．

e 画像評価

X線像では腱板は描写されないが，腱板断裂が拡大していくと上腕骨頭が上方偏位し，肩峰骨頭間距離（acromiohumeral interval；AHI）の狭小化がみられる（▶図8）．

MRI像では，腱板断裂の有無や断端の退縮状況，関節水腫や腱板炎の有無，腱板の萎縮や脂肪変性の程度をとらえることができる．特に腱板の脂肪変性は機能低下が長期間に及んだ場合に生じてくるが，進行すると手術療法による腱板修復が行われても，筋力低下が長期にわたって残存する傾向が高い．また，再断裂率が高くなるため負荷のかけ方に細心の注意が必要である．

超音波検査は，MRIに比べ簡便にその場で実施できることや，診断精度も向上していることから，腱板断裂の診断に使われることが増加してい

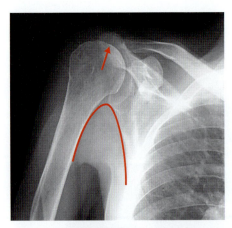

▶図8　肩峰骨頭間距離(AHI)の狭小化
腱板機能低下により骨頭が上方偏位し(矢印), 臼蓋下縁と骨頭下部にギャップが生じる.

る. 超音波画像では腱板断裂の途絶像や炎症による血流増加を評価することが可能である.

3 運動療法の方法

a 保存療法

以下に保存療法を進めるうえでのポイントに沿った理学療法について述べる.

(1) 疼痛の軽減

安静時痛や夜間痛は急性期の炎症が強い状態で出現することが多いため, 損傷部位への刺激を減らして早期に炎症症状を終息させることが重要となる. 特に就寝時の痛みは精神的に大きな負担を強いるので必ず軽減策を指導するべきであり, ポジショニングが有効である. 痛みがない位置を探し, クッションなどを用いてその肢位を安楽に保持できるようにする(▶図9). 痛みは損傷部位が伸張される姿勢, 関節面に圧縮力がかかる姿勢, 逆に牽引力がかかる姿勢, ROMに余裕がない姿勢など多様な条件下で誘発される. 安楽な肢位が一概にあるわけではないので個々によりていねいに探索する.

(2) 拘縮の改善

断裂した状態で長期間放置すると肩関節の拘縮が出現してくる. 特に挙上, 外旋, 内旋方向の制限がみられるが, ROM改善を行う場合は, 疼痛などの反応をよく観察しながら損傷部位の拡大をまねかないようにする. 特に結帯動作は断端が引き裂かれるようになるため注意を払う必要がある. また, 肩関節下部組織の拘縮があると, 挙上動作時に骨頭の下方への滑り運動が阻害されて損傷部位が肩峰下に押し付けられるようになる. 解剖頸軸回旋運動〔Ⅱ-第7章「肩関節痛」(→137ページ)参照〕を利用すると, 肩峰下インピンジメントを回避しながら下部組織のストレッチングが可能である.

(3) 残存腱板の機能強化(▶動画1)

腱板機能評価で機能低下が確認された腱板に対しては機能改善を行っていく必要があるが, 断裂腱に対する筋力強化は無意味で, 逆に断裂を助長してしまうおそれがある. よって, 残存腱板筋の代償機能を利用して断裂している腱板筋には負荷がかからない方法で筋力強化を行わなければならない.

棘上筋腱の単独断裂の場合, 棘上筋の直接的な筋力強化は控え, 肩甲下筋, 棘下筋, 小円筋に対して挙上角度を変化させながら内外旋運動を行う. はじめはMMT2レベルの低負荷, 運動範囲で肩甲胸郭関節の代償動作が出現しないよう注意しながら行う. 徐々に抗重力肢位へと移行し負荷をかけていく. 場合によっては重錘やセラバンドを利用してもよいが, 抵抗量は1kgまでにとどめて過負荷にならないよう注意する必要がある.

(4) 三角筋の強化

腱板断裂を生じた場合, 挙上動作における残存腱板と三角筋の筋活動量は断裂サイズが大きいほど増加傾向を示すことから, 残存腱板と同様に三角筋強化を行うことで挙上能力の向上が期待できる. しかし, 不用意に三角筋の強化を行うと断裂部位の拡大を引き起こしかねない. ベッド上腹臥

▶動画1

▶図9 安静肢位
A：座位では，肩が肩甲骨面上の軽度外転位になるように前腕の下に枕を置く．
B：側臥位では，肩が水平内転位にならないように大きめの枕を使用する．
C：背臥位では，肩甲骨が床から浮き上がらないように肩甲骨から肘下に枕を敷く．内旋制限があるときは腹部にも枕を置くとよい．

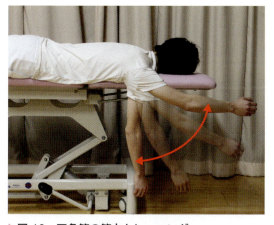

▶図10　三角筋の筋力トレーニング
ベッド上で腹臥位をとり，鉛直下垂位より肩がすくめないように気をつけながら挙上する．この方法は棘上筋の働きが最も必要な挙上初期を過ぎているため負担が少なく，肩甲下筋と棘下筋の共同作用が挙上方向の力源になるように学習させる目的がある．

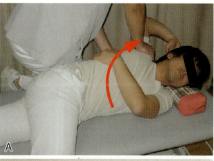

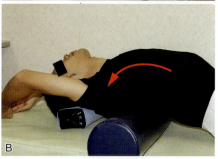

▶図11　肩甲胸郭関節に対する運動
A：徒手的な胸郭拡張ストレッチング
B：ストレッチポールを用いた脊柱・胸郭のストレッチング

位で腕を鉛直位に下垂させた状態からの挙上運動を利用することで，腱板筋の力を最も必要とするセッティングフェーズを避けて三角筋に負荷をかけることができる（▶図10）．

(5) 肩甲胸郭関節機能の改善

新しいフォースカップルの形成に際しては，肩甲骨をしっかり動かすことも重要な要素になる．そのためにも肩甲胸郭間の可動性の改善と筋力強化，脊柱や肋骨の柔軟性改善も忘れてはいけない（▶図11）．

(6) いわゆる正常な肩甲上腕リズムには こだわらない

腱板機能が一部失われたままで腱板が正常であったときの肩甲上腕リズムを目指すのは不合理である．残存腱板，三角筋・大胸筋・広背筋・大円筋といったlong rotators，肩甲胸郭関節機能などを総動員し，挙上機能を維持，再獲得する．

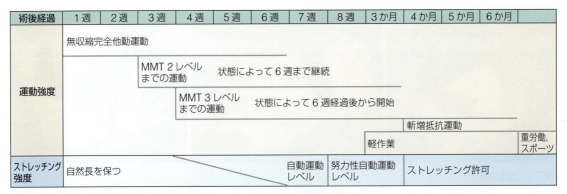

▶図12　術後の理学療法経過に伴う運動，ストレッチング強度の変化
〔立花 孝：肩関節疾患に対する理学療法．奈良 勲（監）：運動器疾患の病態と理学療法，pp.97-107，医歯薬出版，2015 より〕

棘上筋腱単独の断裂の場合を考えてみる．筋内腱が保たれているかそうでないかで機能的に大きな差が出る．前者では棘上筋の機能が残っているので，棘下筋と肩甲下筋が強化されれば代償動作の少ない新しいリズムで挙上できるようになる．後者では，まず肩甲骨を下方回旋して相対的に外転位にすることでセッティングフェーズでの棘上筋の機能不全を代償させる．「腕を下方に遠回りさせるように」と指示すると理解しやすい（▶動画2）．

広範囲断裂では挙上動作はより困難になる．棘上筋腱と棘下筋腱が断裂し小円筋腱と肩甲下筋腱が残存している場合は，この2腱の共同作用で骨頭を安定させことができるので挙上動作を再獲得できる可能性がある．

肩甲下筋腱との組み合わせで広範囲断裂が生じている場合は，自動挙上ができる可能性は低い．そのような場合は，レバーアームを短くした挙上運動（▶動画3）やサスペンションを利用した重力除去位での運動（▶動画4）など shrug sign（▶図3）がおこらないレベルの運動から開始し，徐々に抗重力位に移行していくとよい．それでも困難な場合は，上肢の反動を使って挙上すること

でセッティングフェーズを回避し，long rotators を利用して挙上動作を行うこともできるが，実用的とはいいがたい．

b 術後療法

手術方法や固定肢位の違いはあるが，いずれにしても修復腱板の治癒過程を考慮し，運動強度やストレッチング強度を調整しながら理学療法を進めていくことが重要となる．

筆者の施設では直視下法による腱板修復術を行っているが，再断裂に対するリスク管理と癒着を防止することを念頭に入れて理学療法を進めている（▶図12）[2]．リスク管理に関しては，理学療法以外の院内生活や日常生活においても自己管理ができるように十分に説明を行う必要がある．

（1）完全他動運動期（術後〜2週）

術後の炎症が強い時期であり，炎症の遷延を防ぎつつ，いかに癒着を防止するかが焦点となる．再断裂のリスクを考慮し，修復腱板の筋収縮を伴わないよう完全他動運動にて行う．ストレッチングは行わず，痛みを出さないよう注意しながら自然長を保つ範囲で愛護的に行う．肩峰下滑液包の癒着予防として，三角筋のモビライゼーションも

 ▶動画2　　 ▶動画3　　 ▶動画4

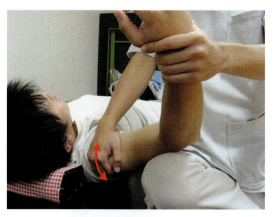

▶図 13　三角筋のモビライゼーション
三角筋部に手掌を密着させ前後にずらすように動かす.

効果的である(▶図 13).

(2) 自動介助運動期(3 週以降)

　この時期の腱板修復部の癒合は未熟なため，当然ストレッチングは行わないようにする．腱板断裂の状態によってリスクは異なってくるが，3～6 週経過するまでは自動介助運動(MMT 2 レベル)にとどめておくほうがよい．日常生活では，更衣動作などに伴う患肢の取り回し程度の使用にとどめて，抗重力位での挙上動作を行わないように指導する必要がある．

(3) 自動運動期(4 週以降)

　術後 4～6 週で自動運動(MMT 3 レベル)を許可する．この時期でも積極的なストレッチングは行わず，自動運動にて ROM 改善をはかる．腱板トレーニング(いわゆるカフエクササイズ)も取り入れるが，筋力強化という意識ではなく，代償動作が出現しないように MMT 2～3 レベルで腱板筋の使い方を学習させる意識で行う．負荷は回数を増やすことでコントロールする．日常生活では物を持たない挙上動作を許可する．

(4) 漸増的抵抗運動期(3 か月以降)

　この時期から腱板に対する漸増抵抗運動やストレッチングを実施していく．軽作業を許可するが，当初は重量感を感じる物は持たないように，また努力を要する動作は行わないように指導する．

　6 か月以降になると重労働やスポーツが許可されるが，修復腱板の状態には個人差があり，完全な腱板機能回復が難しい場合もある．再断裂を呈した患者の 90％ は肉体労働者であることから，負荷のかけすぎが再断裂の原因であることは明らかである．修復部の強度に見合った負荷にとどめるよう理解を求める必要がある．

C 運動療法上の留意点

1 正常な肩関節運動にとらわれない

　機能低下を回復させるために肩関節周囲筋の筋力強化行うことは重要であるが，運動の負荷量や回数が過多になると shrug sign のような肩甲骨の上方回旋を先行させる代償動作が出現しやすくなる．このような動きでは，肩関節内で上腕骨頭が上方偏位をおこすことによって肩関節上方組織の伸張ストレスがかかるため，断裂の拡大や術後の修復腱板に対するストレスを増大させてしまう危険性がある．よって，筋力に見合った負荷量を選択しなければならない．

　しかし，腱板断裂が大きくなると，腱板を修復しても機能回復が難しいことに直面することも少なくない．その場合，正常な肩関節機能を取り戻すことに固執してしまうと状態を悪化させてしまうおそれがあるため，腱板以外の肩関節周囲筋や肩甲骨周囲筋などを利用し，個々に適した挙上動作の方法を習得すべきである．

2 リスク管理への配慮と指導

　保存療法を進めるうえで腱板断裂の自然経過を理解しておくことは重要である．保存療法により疼痛や機能回復が得られたとしても，長期経過後に断裂が拡大して再び疼痛や機能障害が出現する

ことは十分に考えられることである．また，手術療法後も修復腱板の状態や腱板機能の回復によっては再断裂をおこすおそれがある．

よって，機能獲得後も重量物の挙上や重労働などの過度なストレスによって再び疼痛や機能低下をまねくおそれがあることを説明し，生活上で配慮するように理解を求め，可能であれば定期的なフォローアップを継続することが理想的である．

II アキレス腱断裂の運動療法

A アキレス腱断裂とは

アキレス腱断裂は，アキレス腱に強い伸張と下腿三頭筋の収縮がおこることで発生する．受傷年齢は幅広く，若年層ではスポーツによる受傷が多いが，高齢層ではスポーツ以外の日常生活中の受傷が多い．

1 原因

アキレス腱断裂は，膝関節の伸展位，足関節の背屈位で前足部に体重をかけて蹴り出す際に生じる[3]．膝関節伸展位，足関節背屈位はアキレス腱が最も伸張される肢位であり，その肢位で下腿三頭筋の強い収縮が生じることで，非常に大きな張力がアキレス腱に加わり，断裂が生じると考えられる．

2 症状

受傷時には「バン！」という大きな音とともに後方から蹴られたような疼痛が生じる．受傷直後は，腫脹や陥凹，他動的な足関節背屈角度の増大がみられる．跛行がありながらも歩行が可能な場合はあるが，ヒールレイズ(▶図14)が困難となるためスポーツ活動が困難となる．また，アキレス腱の連続性が途絶えたことにより Simmonds test（シモンズテスト）が陽性(▶図15)となる．

▶図14　ヒールレイズ

3 治療

ギプスや装具を用いる保存療法と腱縫合術の手術療法がある．保存療法では，手術療法特有の創部感染や神経麻痺などの合併症が生じないメリットがある一方で，再断裂率は手術療法に比べて高いとする報告が多い．しかし，近年では早期運動療法を併用した保存療法では，再断裂率は手術療法と差はないとの報告もある[4]．

a 保存療法

受傷後5日以内を適応とする．受傷後，足関節底屈位で6週間ギプス固定を行う．その後ギプスを除去し，短下肢装具を使用したうえでの歩行を4週間行う．装具抜去後より両脚ヒールレイズの開始を許可し，受傷後3か月よりジョギングなど

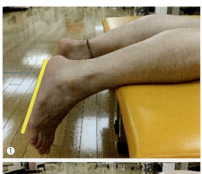
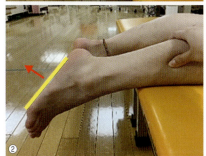

▶図 15 Simmonds test 陽性
腹臥位で下腿三頭筋を搾るようにきつく握り，足関節の底屈がみられなければ腱断裂が示唆される．

の軽い運動を許可する．受傷後およそ 5～6 か月のスポーツ復帰を目指す[5]．

b 手術療法

新鮮例，陳旧例どちらも適応となる．筆者の施設では手術後は足関節の底屈位でギプス固定をする．術後 12 日以降にギプスを抜去し，日常生活では背屈制限付きの歩行装具（▶図 16）を使用したうえでの全荷重を許可する．ギプス抜去後から可動域練習や筋力トレーニングを開始し，術後 5 週にヒールレイズを開始する．術後約 8 週に日常生活では歩行装具を除去し，術後約 5 か月でのスポーツ復帰を目標とする．

▶図 16 背屈制限付きの歩行装具

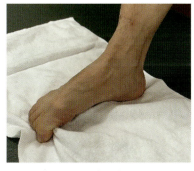

▶図 17 タオルギャザー（動画 1）

B 運動療法の実際

1 運動療法の目的

腱の過度な伸長や再断裂の防止が重要である．再断裂や腱延長の予防に努めながらも，足関節の可動域や筋力の改善を目指していくことが円滑な歩行再獲得やスポーツ活動再開につながる．

2 運動療法の実際

a ギプス固定期間

患部の安静を保ちながら廃用症候群の予防を目的とした患部以外の下肢や体幹の筋力トレー

 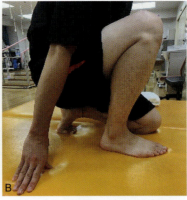

▶図18　可動域練習（▶動画2）
A：タオルを使用した可動域練習，B：荷重を利用した可動域練習
過度な腱延長を避けるため，膝関節を屈曲位とした肢位で開始する．

ニングを行う．また，タオルギャザー（▶図17，▶動画1）などの足趾運動は早期から開始する．

b ギプス抜去時期

日常生活では歩行装具を使用する．歩行装具へ変更する際には獲得できている足関節の背屈角度に基づいて制限を適切に解除していくことが重要である．この時期から足関節の可動域練習や筋力強化を開始する．

c 装具抜去時期

室内の裸足歩行から開始し，徐々に日常生活内の装具をはずす時間を増やしていく．この時期よりヒールレイズを開始し，その後は筋力の改善に合わせてジョギングやジャンプなどの動作練習を開始する．

3 評価のポイント

ギプス抜去や装具抜去時期などのタイミングでは再断裂のリスクを考慮し，疼痛や腫脹の増悪に注意する．また足関節の可動域評価は早期から実施するが，装具装着時期にはアキレス腱に過度な張力を加えることを避けるため，レジスタンストレーニングによる底屈筋力の評価は行わない．

4 運動療法の方法

a 可動域練習

足関節の可動域練習はギプス抜去後から開始する．背屈方向への可動域練習は，過度な腱延長を避けるために膝関節を屈曲位とした肢位で開始することが望ましい．足関節の自動運動から開始し，可動域制限の改善が乏しければ他動運動も追加していく（▶図18，▶動画2）．

b 下腿三頭筋の筋力トレーニング
（▶動画3）

ギプス抜去直後はセラバンドを使用したレジスタンストレーニングや座位でのヒールレイズから開始する（▶図19）．また，両脚ヒールレイズ開始時には患者の状態に合わせ，平行棒内での部分荷重の状態で実施する方法などを取り入れる（▶図20）．両脚ヒールレイズがしっかり可能となったのち，片脚ヒールレイズを開始する．

 ▶動画3

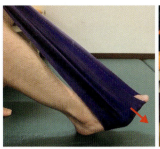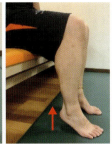

▶図19 セラバンドを使用したレジスタンストレーニングと座位でのヒールレイズ

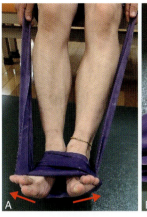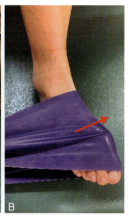

▶図21 足関節周囲の筋力トレーニング（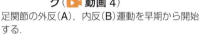動画4）
足関節の外反（A），内反（B）運動を早期から開始する．

▶図20 平行棒内でのヒールレイズ

c 足関節周囲の筋力トレーニング

足関節の安定のために下腿三頭筋以外の足関節周囲筋の運動も必要とされる．そのため，早期から足関節の外反，内反運動なども自動運動やセラバンドを使用して開始する（▶図21, 動画4）．

d 歩行練習

長期間における足関節の背屈運動の制限により，装具抜去後も歩行中の前方への重心移動が円滑に行えないケースがある．その際には，足関節の背屈角度が過剰にならないよう注意しながら重心の前方移動を学習させる（▶図22）．歩くことで筋力や可動域の改善が得られるため，適切な歩行の指導も重要である．

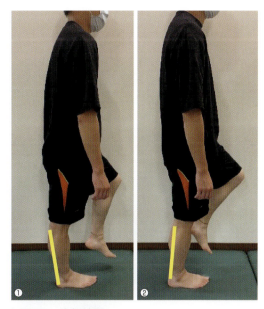

▶図22 歩行練習
重心の前方移動の学習を行う．

e スポーツ復帰に向けた動作練習

片脚ヒールレイズが可能となったらジョギングやジャンプなどのスポーツ復帰に向けた動作練習を開始する．過度な衝撃や足関節の急激な背屈を避けた動作から開始し，徐々に難易度を上げていくことで再断裂のリスクを回避できる．

C 運動療法上の留意点

手術療法を行った症例では装具抜去時の再断裂が多いと報告されている[6]．そのため，装具抜去時やそれ以降の各動作の運動の開始時には常に腱の機能的状態，臨床症状を事前に評価してから運動療法を開始することが重要である．

●引用文献
1) Cofield, R.H.: Cofield Classification of Rotator Cuff Tears (Cofield 1982). *Surg. Gynecol. Obstet.*, 154(5): 667–672, 1982.
2) 立花 孝：肩関節疾患に対する理学療法．奈良 勲（監）：運動器疾患の病態と理学療法，pp.97–107, 医歯薬出版，2015.
3) 園畑素樹：中高年剣道選手のスポーツ傷害．九州スポーツ医会誌，6:129–134, 1994.
4) Soroceanu, A., et al.: Surgical versus nonsurgical treatment of acute Achilles tendon rupture: a meta-analysis of randomized trial. *J. Bone Joint Surg. Am.*, 94(23):2136–2143, 2012.
5) 林 光俊ほか：アキレス腱断裂の保存療法とリハビリテーション．臨スポーツ医，24(10):1065–1072, 2007.
6) 七條正典ほか：アキレス腱再断裂の検討．日臨スポーツ医会誌，29(3):388–391, 2021.

第4章 関節リウマチの運動療法

学習目標
- 関節リウマチの特徴と治療法について理解する．
- 炎症の活動性の評価と運動負荷量との関係について理解する．
- 関節リウマチの運動療法の方法を知る．
- 運動療法および日常生活上の留意点について理解する．

A 概念と特徴

関節リウマチ（rheumatoid arthritis；RA）とは，多発する関節炎と進行性の関節破壊が特徴の全身性炎症疾患である．病変は関節滑膜にあり，滑膜の増殖・炎症（炎症性滑膜炎）から次第に周辺の軟骨・骨を侵食，関節の破壊・変形（器質性関節障害）に至る（▶図1）[1]．一方，関節外の症状として肺・腎臓・皮下組織などにも波及し，さまざまな症状を呈する．現在，種々の自己抗原が見出され，慢性炎症性自己免疫疾患であることは明らかにされているが，いまだに病因・病態は明らかではない．

種々の慢性疾患のなかでも特にRAはさまざまな治療法に抵抗し，関節破壊は長年にわたるため，重篤な運動機能障害に陥り，社会問題になっている．世界中で人口の約1％の罹患と考えられており，わが国でも約70万人の患者がRAで苦しんでいるといわれている．年齢は全年齢層で発症するが，40〜50歳代の女性に発症のピークがあり，身体的な問題だけでなく，精神，社会的な問題を含んでいる．

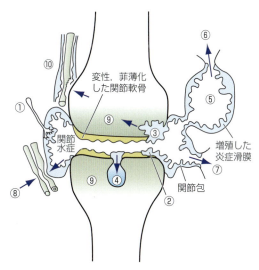

▶図1 滑膜炎によって惹起される病態
①関節包，滑膜に分布した神経終末で感じる疼痛
②関節軟骨を表面から侵食するパンヌス
③関節軟骨端と関節包付着部の間隙（bare area）から炎症肉芽が骨を侵食（骨びらん）
④炎症性肉芽組織による骨破壊（X線像では骨嚢胞と同様である）
⑤関節腔と連続した滑液包の腫脹
⑥滑液包の破壊（広義の滑膜破壊）
⑦滑膜破壊
⑧血管の圧迫，神経の圧迫や絞扼性神経障害
⑨炎症滑膜から放出されるサイトカインによる関節近傍の骨萎縮
⑩腱鞘滑膜炎や骨性突起との摩擦による腱断裂

〔西林保朗：滑膜切除術．越智隆弘（編）：NEW MOOK 整形外科1 慢性関節リウマチ，pp.179-189, 金原出版, 1997より〕

▶表1 SteinbrockerによるRAのstage（病期）

stage I (early)
*1. X線像に骨破壊像がない
2. X線像上骨粗鬆症はあってもよい

stage II (moderate)
*1. X線像に骨粗鬆症がある．軽度の軟骨下骨の骨破壊や軽度の軟骨破壊を伴ってもよい
*2. 関節可動域は制限されてもよいが，関節変形はみられない
3. 関節周辺の筋萎縮がある
4. 結節や腱鞘炎などの関節外の軟部組織の病変を伴ってもよい

stage III (severe)
*1. X線上，骨粗鬆症に加えて軟骨や骨の破壊を示す所見がある
*2. 亜脱臼，尺側偏位あるいは過伸展などの関節変形がみられるが，線維性あるいは骨性の強直はみられない
3. 高度の筋萎縮がある
4. 結節や腱鞘炎などの関節外の軟部組織の病変を伴ってもよい

stage IV (terminal)
*1. 線維性あるいは骨性の強直がある
2. stage IIIの基準を満たす

＊の項目は必ず満たしていることが必要
臨床所見とX線所見からRAの病期を分類するもので，最も進行した関節stageを患者のstageとする．

grade 0	骨の構造が保たれていて，関節が正常
grade I	径1mm以下の骨のびらんがあるか，あるいは関節裂隙が狭くなっている
grade II	径1mm以上の1～数個のびらんがある
grade III	著しい骨のびらんが認められる
grade IV	激しい骨のびらんがある．関節裂隙はなくなっているが，もとの骨の輪郭は部分的に残っている
grade V	骨の破壊が進んで，もとの骨の輪郭がみられず，関節の安定性が失われた状態（ムチランス変化）

A

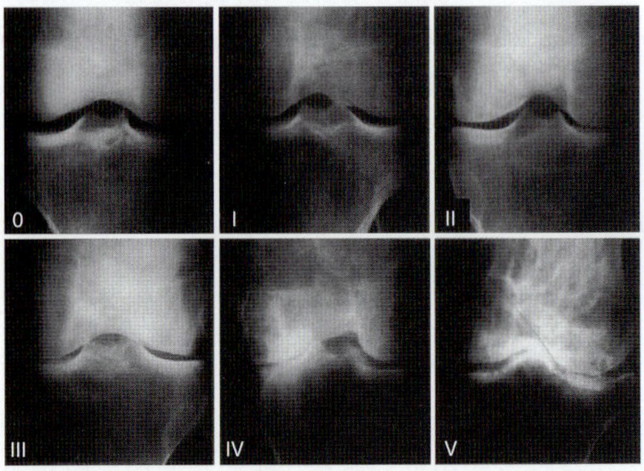

B

▶図2 関節リウマチの分類
A：Larsenのgrade分類，B：膝関節のstandard film

1 症状

RAの前駆症状としては，全身倦怠感，食欲不振，体重減少，脱力感，朝の起床時にこわばり（morning stiffness）を感じることが多いとされている．初発症状では，滑膜関節であればどの関節からでもおこりうるが，左右対称に手関節・指関節・足趾の関節などに炎症症状がおこることが多く，やがて全身的に関節症状が出現してくる．臨床症状として，関節症状と関節外症状がある．

a 関節症状

RAでは，経時的に関節破壊が進行し，関節軟部組織の腫脹や辺縁部の侵食像（erosion）がみられる．このため骨の萎縮がおこり，関節裂隙が狭小化し，関節変形や強直をおこす．

進行度の評価・判定では，Steinbrocker（スタインブロッカー）のstage分類（▶表1）やLarsen（ラーセン）のgrade分類（▶図2A）が有名である．Steinbrockerのstage分類は，罹患関節のうちで最も進行した関節で判定する．Larsenのgrade分類は，肩，肘，手，手指，股，膝，足，足趾および距骨について，standard film（▶図2B）を参考にして関節ごとに進行度を判定する．

b 関節外症状

RAは全身の結合組織における系統的な炎症性疾患でもあるので，多くの患者に関節以外の部位で炎症性の関節外症状がみられる（▶表2）[2]．この関節外症状は，運動療法時に阻害因子となるだけでなく，生命予後に影響する場合もあり，十分な理解が必要である．

▶表2 RAの関節外症状

1. 全身症状
①発熱
②全身倦怠感，食欲不振，易疲労性

2. 貧血

3. リンパ節腫脹・脾腫

4. 皮膚
①皮下結節，リウマトイド結節
②皮膚潰瘍，皮膚壊死
③爪床小梗塞

5. 心症状
①心外膜炎
②間質性心筋炎(巣状)
③冠動脈炎，大動脈炎
④心筋梗塞
⑤伝導障害

6. 肺症状
①胸膜炎
②結節性肺炎(Caplan症候群)
③肺線維症，間質性肺炎
④気道疾患(閉塞性呼吸障害)

7. 神経症状
①多発性単神経炎(下垂手，下垂足)
②軸環椎亜脱臼による根症状，脳底圧迫
③圧迫性神経障害
④腱鞘炎，腱炎，滑液包炎

8. 眼症状
①上強膜炎，強膜炎
②虹彩炎
③眼乾燥症状，角膜潰瘍(Sjögren症候群による)

9. その他
①腎障害(二次的にアミロイドーシス，薬物性)
②筋炎

〔米本恭三(監)：最新リハビリテーション医学，第2版，医歯薬出版，2005より〕

(1) 全身症状

微熱，食欲不振，易疲労感，体重減少など，炎症活動性の高い時期に多くみられる．この時期には過度な運動療法は行わず，疲労が残存しないように指導する必要がある．

(2) 貧血

炎症活動性の高い時期に多くみられ，炎症が寛解すると軽減することが多い．貧血が高度になれば息切れや動悸を自覚するようになり，重度になれば脳への酸素供給が不足し，めまい，失神発作，頭痛などを生じる．運動療法では，これらの随伴症状に留意する必要がある．貧血は炎症性の鉄分の低下とみられているが，消化管での吸収不良，消化管出血などを合併しているものもあり，こちらは鉄剤の投与である程度軽快する．

(3) 皮膚

リウマトイド結節は約半数のRA患者にみられ，疾患活動期に出現する傾向がある．外力を受けやすい後頭部，仙骨部，脛骨前面などにみられ，無痛性の皮下結節である．皮膚以外の肺，胸膜，心膜などにも出現する可能性があり，注意が必要である．皮膚潰瘍は悪性関節リウマチやFelty(フェルティ)症候群などの血管炎の強い症例では，血流障害のため，手指や足趾の壊疽，下腿皮膚の潰瘍が生じることがあり，難治性である．

(4) 心症状

心外膜炎はRA炎症の活動期にみられることが多く，罹患の50%にみられるが，無症候性が多く，症候性心外膜炎は稀である．しかし，慢性収縮性心膜炎をおこし，末梢の浮腫や右心不全徴候を示す場合がある．またリウマトイド結節と類似した結節性病変が，心筋や弁尖にみられるときがあり，弁機能不全，塞栓症，伝導障害，心筋障害が出現することもある．

(5) 肺症状

RA患者の大半に**間質性肺炎**の所見が認められるが，多くは無症候性とされている．また，薬物の副作用として閉塞性細気管支炎や胸膜炎を発症することもある．胸膜下結節が破裂して，気管支胸腔瘻を形成し，気胸や膿胸を生じることもある．

(6) 神経症状

末梢性知覚神経障害は，末梢神経の栄養血管炎や障害部位の神経線維の脱髄によりおこる．症状は手足のしびれで代表される四肢の知覚異常から始まることが多い．予後は一般的に良好である．

混合性知覚・運動神経障害は，末梢神経の栄養血管炎が進行して血管が壊死をおこし，下垂手や下垂足などの完全麻痺が出現する．頻度は低いが

予後は悪い．

圧迫性神経障害は，関節周辺組織の炎症と腫脹により，そこを走行する神経が圧迫されるため，神経症状を呈する．好発する麻痺は，手根管症候群での正中神経麻痺，肘関節炎による尺骨神経麻痺，膝関節炎による深腓骨神経麻痺，足関節炎による脛骨神経麻痺がみられる．

炎症により頸椎病変を発症させ，進行により脊髄圧迫による神経症状が生じる．頸椎には多くの滑膜が存在し，高頻度で頸椎病変がみられ，軸環椎前方亜脱臼，また進行すれば軸椎垂直亜脱臼，下位頸椎亜脱臼がおこる．そのため，頸髄圧迫症状として，後頭部痛，頸部の運動時の軋音や運動制限がみられる．脱臼が進行すれば，四肢のしびれや脱力，知覚障害や麻痺，膀胱直腸障害を引き起こす．このため重度の場合は手術適応となり，生命予後を左右する場合もある．

C 生化学検査所見

①急性期炎症反応〔赤血球沈降速度（赤沈），C反応性蛋白（CRP）〕，②末梢血（白血球数増加，血小板数増加），③血清生化学（ALPの上昇），④免疫学的検査（リウマトイド因子・抗CCP抗体陽性），⑤関節液（好中球優位，リウマトイド因子陽性）が認められる．

2 診断

RAの診断は，1987年に改訂された米国リウマチ学会（ACR）のRAの診断基準を用いて行われていた（▶表3）．しかし，近年RAの骨破壊は比較的早期に急速に進行することが明らかになった．ごく早期に診断し，治療を開始すれば寛解のチャンスはあり，自然経過を変える可能性がある"window of opportunity"（治療機会の窓）という考えが存在するようになり，発症6週未満の早期診断が必要となった．このため現在は，厚生労働省研究班早期RA診断基準（▶表4）[3]と日本リウマチ学会早期RA診断基準（▶表5）[4]を用いての

▶表3 1987年改訂RA分類基準
——米国リウマチ学会提唱

基準	定義
1. 朝のこわばり	関節およびその周辺の朝のこわばりが最大寛解する前に少なくとも1時間続くこと
2. 3か所以上での関節炎	少なくとも3か所の関節で同時に軟部組織の腫脹または液浸潤（骨の過成長のみであってはならない）が医師により確認されること 部位は14か所，すなわち左右のPIP（近位指節間），MCP（中手指節間），手関節，肘，膝，踝，MTP（中足指節間）の関節とする
3. 手関節炎	手関節，MCP，またはPIPの関節の少なくとも1か所で腫脹（定義は上記に同じ）が確認されること
4. 対称性関節炎	体の左右の同じ関節部位が同時に罹患していること（定義は上記2に同じ）（ただし，PIP，MCP，MTPの両側性罹患については対称性が完全でなくてもよい）
5. リウマトイド結節	骨突起部，伸展筋表面，または傍関節部位に皮下結節が医師により確認されること
6. 血清リウマトイド因子	血清リウマトイド因子レベルが異常値を示すこと．測定法に限定はないが，正常な対照被検者での陽性率は5%未満であること
7. X線異常所見	手または手関節の後前投影によるX線写真上で関節リウマチの典型的な所見が認められること．こうした所見には関節のびらんあるいは罹患関節に限局した，あるいはその関節周辺に最も顕著な，明確な骨の脱石灰化が含まれていること（変形性関節炎の所見のみではこれに該当しない）

※分類上，これらの7項目のうち少なくとも4項目について該当している場合，関節リウマチ（RA）とみなす．基準1〜4は少なくとも6週間継続していなければならない．2つの臨床診断をもつ患者であっても除外しない．"定型的な（classic）"，"確実な（definite）"，あるいは"おそらく（probable）" RA，といった表現は使わない．

診断も提唱されている．

3 経過

進行性をたどることの多いRAにおいても，経過は一定ではなくさまざまである．大きくはSmyth（スミス）の分類（▶図3）[5]に示すように，①単周期型（急性に発症するものの短期で寛解し，再発もない），②多周期型（長期にわたって再発と寛解を繰り返し，進行はゆるやかである），③進

▶表4　厚生労働省早期 RA の診断基準

1	朝のこわばり：15 分以上（≧ 1 週間）
2	3 つ以上の関節域[注1]の腫脹[注2]（≧ 1 週間）
3	手関節または MCP または PIP または足関節または MTP の腫脹[注2]（≧ 1 週間）
4	対称性腫脹[注2]（≧ 1 週間）
5	リウマトイド因子
6	手または足の X 線変化、軟部組織紡錘状腫脹と骨萎縮、または骨びらん

以上の 6 項目中 4 項目以上当てはまれば早期 RA と分類（診断）してよい
注 1) 14 の関節域すなわち左右それぞれの PIP, MCP, 手関節, 肘関節, 膝関節, 足関節, MTP のほか, 左右の DIP, 肩関節を含む 18 関節域のうち 3 つ以上
注 2) 関節炎による腫脹であり, 骨過形成による関節腫大ではないこと
除外項目：全身性エリテマトーデス, 混合性結合組織病, Behçet 病, 乾癬性関節炎, 強直性脊椎炎

〔山前邦臣：早期リウマチの診断. 和田 攻ほか（編）：最新の慢性関節リウマチ診療, pp.131–135, メディカル葵出版, 1995 より〕

▶表5　日本リウマチ学会による早期 RA の診断基準

1	3 関節以上の圧痛または他動運動痛
2	2 関節以上の腫脹
3	朝のこわばり
4	リウマトイド結節
5	赤沈 20 mm/時以上の高値または CRP 陽性
6	リウマトイド因子陽性

以上, 6 項目中, 3 項目以上を満たすもの
この診断基準に該当する患者は詳細に経過を観察し, 病態に応じて適切な治療を開始する必要がある

〔山本純己ほか：日本リウマチ学会による早期慢性関節リウマチの診断基準 2：診断基準の作成. リウマチ, 34:1013–1018, 1994 より〕

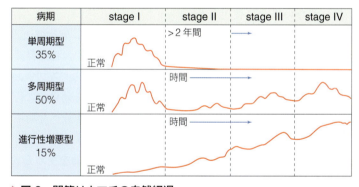

▶図3　関節リウマチの自然経過
〔Smyth, C.J.: Therapy of rheumatoid arthritis—A pyramidal plan. *Monograph Issue*, 1972 より〕

行性増悪型（増悪と寛解を繰り返すが確実に進行し, 機能予後も悪い）に分けられる.

4 治療

　RA の治療においては, 薬物療法, 手術療法, リハビリテーション, 基礎療法の 4 本の柱があるとされている. 現代の医学でも原因不明であり, 完治はなかなか難しいものであるが, 過去 20 年間における治療法や治療薬の飛躍的な進歩などで, 日常生活に支障がなくなるまで回復した状態である寛解を目指せる段階になった. しかしながら, 根本の病因に対する治療法や発症予防対策は途上といえる.

　近年リウマチ治療において Treat to Target（目標達成に向けた治療；T2T）戦略が提唱されている. 基本的な考え方として, 治療は患者との合意にもとづくものであること, 薬物治療は少なくとも 3 か月ごとに見直すことなどが強く提唱されている. 詳細については専門書に譲る.

a 薬物療法

薬物療法は，RAの基本病態である免疫反応亢進と，それに伴う腫脹・疼痛を抑えることを目的とする．大きくは抗リウマチ薬，生物学的製剤，JAK（ヤヌスキナーゼ）阻害薬と3種類の薬物が使用される．なかでも抗リウマチ薬のメトトレキサート（MTX）が第一選択薬とされている．次いで生物学的製剤となる．メトトレキサートは免疫細胞の活動を低下させる効果があるが，生物学的製剤は免疫細胞が出す炎症物質であるサイトカインに絞って働くことで高い効果が期待できる．また，メトトレキサートと併用することで効果が増すといわれている．さらに，最新の治療薬としてJAK阻害薬がある．JAKは，サイトカインの情報伝達を担う酵素の働きを妨げることで関節の腫れや痛みを効果的に抑制する．抗リウマチ薬，生物学的製剤の効果が得られない場合に使用される．詳細については専門書に譲る．

b 手術療法

関節破壊が進み，関節痛や関節機能障害がみられるようになると，手術療法が適応される．手術療法における目的は生活機能再建であるが，痛みの持続による過度な薬物投与の副作用を回避する目的もある．手術療法には，関節形成術，滑膜切除術，人工関節置換術，関節固定術などがあり，関節の機能や生活機能を考慮して選択される（▶表6）[6]．運動療法においては，手術の後療法を熟知し，リスク管理の必要性も十分理解したうえで行っていく必要がある．

c リハビリテーション

RAは慢性的に関節炎を繰り返し，進行的に多関節障害をきたし，その機能は低下していく．四肢の大関節に至ると，ADLが低下するだけでなく，社会生活上の損失にもなりかねない．

理学療法では，疼痛や筋スパズムの軽減，リラクセーションなどを目的に，温熱療法（ホットパック，パラフィン），寒冷療法，水治療法，光線療法などの物理療法や，疼痛軽減，関節保護を目的とした装具，自助具，スプリント，歩行補助具を利用し，運動療法を効果的に行う．

また，患者・家族へ介助法の指導や生活福祉機器・制度を利用することで，主体的な生活を行っていくための援助をする必要がある．このため，医師，理学療法士，作業療法士，看護師，保健師などのチームでの情報の共有と治療目標を統一したうえでリハビリテーションを行うことが重要である．

d 基礎療法

罹病期間が長期化する患者にとって，患者教育によりRAの病態を知ることは，不安を軽減し，治療に対する意欲を向上させることが期待できるため重要である．特に疾患の症状や薬物の副作用などの理解を深め，生活における活動と休息のバランスを患者自身でコントロールできるようになるなどのQOLの向上を目標に，個々に応じて配慮しながら指導していくことが重要である．

▶表6 RA手術の部位（適応と頻度）

	滑膜切除術	人工関節置換術	関節固定術	関節形成術
肩関節	B	A	C	C
肘関節	A	A	D	C
手関節	A	C	B	B
手指関節	A	B	B	B
股関節	C	A	C	C
膝関節	A	A	C	C
足関節	B	B	A	C
足趾関節	C	C	B	A
手腱鞘	A	腱移行	腱移植	

A：行うよう強くすすめられる
B：行うようすすめられる
C：行うようすすめるだけの根拠が明確でない
D：行わないようすすめられる

〔越智隆弘ほか（編）：関節リウマチの診療マニュアル（改訂版），診断のマニュアルとEBMに基づく治療ガイドライン．p.128，日本リウマチ財団，2004より〕

B 運動療法の実際

1 運動療法の目的

RAの運動療法は，その複雑な病態がゆえに，臨床において試行錯誤しているのが現状である．病態としては，多発性の関節炎であり，滑膜炎から始まり寛解と増悪を繰り返しながら軟骨や骨を破壊し，関節の変形と機能障害へと進行していく全身性の疾患である．

症状は関節の疼痛，腫脹と疲労感を自覚することから始まり，運動痛や朝のこわばり，関節の変形や亜脱臼が出現する．また，筋萎縮や腱断裂，骨萎縮もおこる．以上の症状が固定的でなく進行するため，同一患者でも部位により症状が変化し，経時的，症例別にアプローチが異なるということを理解する必要がある．

運動療法の目的は，①疼痛の軽減，②関節可動域(ROM)の維持・改善，③筋萎縮の予防，④筋力の維持・強化，⑤血行の改善，⑥姿勢の維持・改善，⑦ADLの維持・向上である．以上のなかでも，患者が疼痛を伴わずに動かせるROMの範囲を維持・拡大し，自立した生活を行うことが重要な目標となる．そのため，患者の希望とニーズを把握し，治療目標を明確にするために評価は不可欠であり，局所にとらわれず全体像を把握する必要がある．

2 評価のポイント

RA患者に対する評価が早期に適正に行われることが治療効果を大きく左右する因子である．時間や技術を要する面もあるが，手間を惜しまず行うことが重要である．

a 疼痛

患者の主訴は，常に疼痛または疼痛に伴う機能・能力障害であるため，特に痛みに対する評価を入念に行う．ここで重要な点は，関節炎による疼痛と，関節のアライメントや関節面の異常，筋スパズムなどの動的・機械的因子による疼痛を区別することである．前者は安静時にも重く，疼くような痛みが持続するのに対し，後者は運動痛，荷重痛として出現する．運動療法はこの後者に対し疼痛の軽減を行うため，痛みの部位(関節か，筋肉か)，深さ(表面か，深部か)，性質(鈍痛か，鋭痛か，安静時か，運動時か，荷重時か)，時間帯(日内変動)を聴取する．

また，疼痛の程度を指標として評価するために，視覚的アナログ目盛り(visual analogue scale; VAS)がよく使われる．

b 腫脹，皮膚の状態

疼痛の評価と合わせて炎症症状の程度をチェックする．関節や関節周囲の軟部組織の発赤，熱感，腫脹や関節液の貯留，皮下結節，潰瘍の有無を評価する．

c 姿勢のチェック

個々の病態により特徴的な姿勢異常がみられる．これは疼痛より回避した保護的肢位であり，骨・関節破壊などアライメント(関節の位置関係)異常による肢位の結果，患者自身の最も安定した姿勢となる(▶表7)．頸椎の前屈，胸椎の後弯増強，腰椎前弯増強，骨盤前傾，四肢の屈曲姿勢などが観察され，これに種々の変形が加わる．画像による経過観察も行うとよい．

d 変形の有無

姿勢と併せて，主に四肢の遠位関節に特徴的変形が生じる(▶図4)．ほかにも頸椎の環軸椎前方亜脱臼，下位頸椎亜脱臼が多くみられる．X線での評価や定期的に画像を撮影し，経過観察することが必要である．

▶表7　RAに多くみられる姿勢の異常

罹患関節	異常肢位，変形
頸椎	●頸椎前屈・側屈 ●軸環椎前方亜脱臼 ●下位頸椎亜脱臼
胸椎	後弯増大・側屈
肩甲骨	挙上
肩関節	屈曲，内転，内旋
肘関節，前腕	屈曲，回内
手関節	掌側脱臼，尺側偏位
手指	●MP関節尺側偏位 ●スワンネック変形 ●ボタンホール変形 ●母指Z字変形
股関節	屈曲，内転，内旋
膝関節	屈曲，外反
足関節	尖足，外反足，扁平足
足趾	槌趾，外反母趾，重複趾

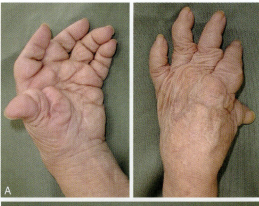

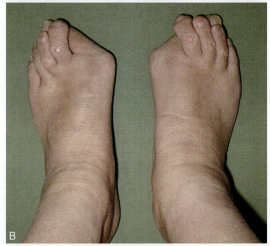

▶図4　手指，足趾の特徴的変形
A：ムチランス型変形，B：外反母趾と槌指変形

e 関節可動域（ROM）測定

　計測は「少し痛いかな」と自覚する程度を最終域とし，自動・他動の両方を測定する．また，筋の緊張状態を安静時と運動時で比較し，関節角度における変化を記載する．

f 関節の動揺

　関節包内運動の確認（関節の遊び，低可動性や異常可動性）を行う．荷重関節であれば体重負荷時と比較する．

g 筋力検査

　機能障害との関連，症状の進行や筋萎縮の状態を把握する目安となる．疼痛や変形により代償運動がみられる場合は記載を行い，粗大筋力として評価する．

h 筋萎縮の程度

　周径を左右で比較する．しかし，腫脹や発赤が影響するので注意が必要である．筋力テストの結果をふまえて評価を行う．

i 感覚テスト

　頸椎病変による脊髄症，神経根症状，あるいは肘部管や手根管などで生じる末梢神経障害で症状が出現する．知覚テストや腱反射の評価を行う．

j 動作分析

　アライメントや筋緊張などから関節の相互関係（他関節への影響など）を考慮し，単関節機能評価を統合して最終的に多関節機能（上肢や下肢機能）として評価を行う．姿勢と動作パターンより代償運動についても評価を行う．

▶表8 Steinbrocker の class 分類

class I	日常生活動作を完全にこなせる(日常の自分の身のまわりの世話,職場での機能性,趣味・スポーツなどの活動性)
class II	日常の自分の身のまわりの世話および職場での機能性は果たせるが,趣味・スポーツなどの活動性は限定される
class III	日常の自分の身のまわりの世話はできるが,職場での機能性および趣味・スポーツなどの活動性は限定される
class IV	日常の自分の身のまわりの世話,職場での機能性,趣味・スポーツなどの活動性が限定される

「日常の自分の身のまわりの世話」は,衣類の着脱,食事,入浴,身づくろい,用便などの動作を含む.「趣味・スポーツなどの活動性」は,レクリエーションおよび/またはレジャーに関する活動,「職場での機能性」は,職場,学校,あるいは家事に関する活動が患者の希望どおり,ならびに年齢・性別に相応していることを意味する

〔アメリカ関節炎財団(編):リウマチ入門.第11版(日本語版),p.610,日本リウマチ学会,1999 より〕

▶表9 藤林らの class 分類

class	移動動作
3a	立ち上がり・階段・0.5〜1 km 歩行可
3b	杖などを用いて〈3a〉が可
3c	庭程度まで歩行可
3d	屋内歩行可
4a	非実用性歩行
4b	実用性のある車椅子操作
4c	実用性のない車椅子操作
4d	寝たきり
class	上肢動作
3a	食事・整容・衣服着脱が困難だが可
3b	自助具を用いれば〈3a〉が可
3c	部分(整髪・靴下着脱)的に要介助
4a	食事は可能だが,整容・衣服着脱に要介助
4b	食事・整容・衣服着脱に要介助
4c	食事・整容・衣服着脱に全介助
class	トイレ・入浴動作
3a	困難だが可
3b	トイレは可能だが,入浴は部分介助
4a	トイレは可能だが,入浴は全介助
4b	トイレ・入浴ともに全介助

〔藤林英樹ほか:重度リウマチ患者のリハビリテーションとFollow-up.理・作・療法,11:209-217,1977 より〕

k ADL 評価

機能障害の評価法として Steinbrocker の class 分類が多く用いられる(▶表8)[7].しかし分類が粗く,細かい評価には不適当である.藤林ら[8]は class 3,4 を移動動作,上肢動作,トイレ・入浴動作に分け,各動作を2〜4段階とした.上肢と下肢動作は独立した要素が多く,トイレ・入浴動作は上下肢の複合した ADL であるため,細分化を行っている(▶表9).これにより,患者の機能についてより具体的に評価が行える.実際の評価では,時間や場所,方法(自助具の使用)など,できるだけ同一条件で行い,薬物・天候の影響を考慮に入れる.

l QOL 評価

一般に ADL の改善は QOL の向上につながり,ADL の低下は QOL の低下をもたらすと考えられる.しかし,ADL が低くても障害の受容や物的・人的環境の整備,個人の価値観で QOL を向上させることがある.患者個々の QOL は同一でないことを認識し,問題点やゴール設定,プログラムを作成する必要がある.評価法としては多くの方法が報告されているが,代表的なものを表10[9]にあげる.評価の詳細については専門書に譲る.

3 運動療法の方法

運動療法の実施にあたり指標になるのが患者の病態像の把握である.RA の活動性を評価する生化学検査データ(赤沈,CRP)の確認を行う.赤沈値が1時間値60 mm 以上と30 mm 以上60 mm 未満,30 mm 未満に分けて,時期に合った治療の選択を行うことが重要である(▶表11).

臨床的に初期・活動期には関節の炎症症状が強く,疼痛や全身の倦怠感が出現するため,痛みを持続させない程度の軽い自動運動や生活指導,腹

▶表10　代表的なQOL評価法

評価法	対象	質問数	記入法	所要時間(分)	評価項目 身体	評価項目 心理	評価項目 社会	開発者	年度
Face Scale	RA	1	自己	1	△	○	△	Lorish	1986
HAQ	RA	20	自己	10	○	△	△	Fries	1980
MHAQ	RA	8	自己	5	○	△	△	Pincus	1983
AIMS2	RA	78	自己	20	○	○	○	Meenan	1992
SIP	各種	136	面接，自己	30	○	○	○	Bergner	1981

○：直接評価項目，△：間接評価項目
HAQ：Health Assessment Questionnaire, MHAQ：Modified Health Assessment Questionnaire, AIMS2：Arthritis Impact Measurement Scales, version 2, SIP：Sickness Impact Profile

〔浅井富明：手術治療とQOL．松井宣夫（編）：リウマチのリハビリテーション医学, pp.112-120, 医薬ジャーナル社, 1996より〕

▶表11　運動負荷の指標と目安

病期	病状	生化学データ	運動療法
初期・活動期	●全身倦怠感 ●微熱 ●関節の腫脹・熱感・疼痛	●CRP 高値 ●赤沈値 60 mm/時以上	●軽い自動運動 ●家庭での自主運動（リウマチ体操） ●腹式呼吸 ●生活指導
活動休止期	●ROM制限，関節変形・拘縮の出現 ●筋力低下 ●ADL機能低下	●CRP 低下 ●赤沈値 30～60 mm/時	●変形防止のための装具（頸椎カラー，足底板など）を処方し，ROM運動，筋力維持・増強運動 ●ADL指導（自助具の検討）
重度機能障害期	●関節破壊進行と変形・拘縮の進行 ●ADL機能低下と介助量の増加	●CRP 低下 ●赤沈値 30 mm/時未満	●ROM運動，筋力維持運動 ●観血的治療後の運動 ●ADL指導，介助法指導（患者，家族）

式呼吸や呼吸法の指導がすすめられる．活動休止期には関節の炎症や疼痛が軽減し，全身状態は安定してくるため，ROM運動や筋力増強運動などを取り入れる．しかしこの時期には，荷重の集中や筋スパズムなどによる機械的刺激が関節にかかり，変形を助長する可能性があるため，運動は慎重にプログラムするべきである．重度機能障害期に入ると，個人差はあるが機能障害が明確になる．重度の場合は関節破壊が進行して破壊された関節面への荷重負荷による疼痛が強くなり，観血的治療が選択される場合がある．多くの場合，人工関節置換術が行われ，術後の運動療法が必要となる．

運動療法の施行にあたっての注意点を表12[10)]に示す．運動後に出現した痛みが2～3時間後に和らぎ，翌日まで疲労が残らない程度を基本とする．このほか関節外症状や合併症など，危険因子についても注意する．

運動プログラム作成にあたり，患者の病態像の指標となる赤沈値やCRPも絶対的なものとはいえないため，臨床的にはVASの値，関節破壊や変形，患者の意欲などで内容を決定・変更する場合もある．患者によって経時的に柔軟な判断が求められる．

a 腹式呼吸と呼吸法

初期・活動期に疼痛がある場合には，努めて腹式呼吸の指導を行う．これは腹式呼吸により深く

▶表12 運動療法の施行にあたっての注意点

1	運動前に関節に痛みがある場合は温めて行うとよい
2	各運動は楽な姿勢でゆっくり休息を入れながら行う
3	痛みが運動後2～3時間以上持続する場合は，翌日の運動量を減らす
4	回数は徐々に増やしていく
5	運動開始1時間くらいで徐々に痛みが減少するようであれば，慣れないための痛みであり，運動を休む必要はない
6	関節の運動は「少し痛いかな」と思うところまで行う
7	運動は根気よく続けて行う．特に関節は1日1回は動く範囲最大限動かす

〔高橋康博：慢性関節リウマチ患者の関節可動域訓練と筋力増強訓練の留意点について．理・作・療法, 22:781-786, 1988より〕

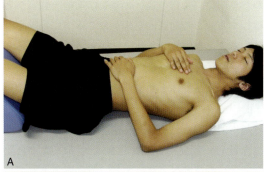
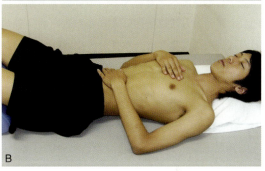

▶図5 腹式呼吸の指導
A：腹部を膨らませながら鼻で息を吸い込む．このとき胸が動かないことを確認する．
B：吸ったときの2倍の時間で口をすぼめてゆっくり吐く．腹部がへこむことを確認する．

大きく横隔膜を動かすとその刺激が脳へ送られ，視床下部に伝達される．その刺激により自律神経が調整され，心身ともにリラックスする効果が得られるためである．また，腹式呼吸は呼吸筋の筋力強化にもつながる．

指導は，患者に一方の手を胸部に，もう一方を腹部に置いてもらい，理学療法士の手は患者の手の上に置く．腹部を膨らませながら鼻で息を吸い込む．次に吸ったときの2倍の時間で口から吐く．呼気に口をすぼめる（口すぼめ呼吸）とより効果的である．患者に手で腹部の動きと，胸が動かないことを確認してもらう．体の痛みや疲れを感じたら，腹式呼吸を5分程度行うよう指導する（▶図5）．最初は背臥位で行い，慣れれば座位，立位でも行う．呼吸法に関しては，運動やADL動作の努力時に「ゆっくり息を吐きながら」動作を行うよう指導する．

b 筋のリラクセーションとROM運動

ROM障害の原因として，疼痛，廃用，骨・関節破壊に伴う可動性の制限がある．初期には関節炎症時に反射的な屈筋のスパズムで特徴的拘縮がみられる（▶表13）[11]．また，ROM制限が発生し，関節包内の制限や関節運動の途中でのインピンジメント（impingement）がみられて骨破壊が加

▶表13 各部位の特徴的拘縮

部位	拘縮肢位	付記
手関節 PIP, MCP	軽度屈曲	
前腕橈尺関節	回内	
肘関節	屈曲	無痛性に現れることがある（silent contracture）
肩関節	軽度屈曲, 内転, 内旋	軽い場合には内・外旋のみ制限される
足関節	軽度底屈	距骨下関節が侵されると外反位となりやすい
膝関節	屈曲	
股関節	軽度の屈曲, 内転	内・外旋も必ず制限されている

〔佐々木智也, 石田 肇(編)：リハビリテーション医学全書17, リウマチ・痛み. 第2版, p.117, 医歯薬出版, 1983より〕

わり，関節内変化の進行とともに拘縮・強直へと移行する．この関節内変化がおこる前に拘縮を予防することが重要であり，初期・活動期であっても炎症症状を助長しない程度のROM運動は必要であるが，活動休止期より積極的に行うことが望ましい．

基本的順序としては，まず筋のリラクセーションを行い，他動での関節運動を行う．次に自動介助，自動運動へと移行する．運動処方としてはROM運動の方法は関節により変わるため，各関節の代表的なリラクセーション法やROM運動を紹介する．

(1) 頸椎

頸椎に対する運動は禁忌とされる場合が多いが，頭部を保持するため常に頭部の背筋は活動し，臨床的に過緊張の状態を触診するケースは多い．この場合はROM運動ではなく，関節や靱帯にかかるストレスの軽減を目的に筋のリラクセーションを行う．

背臥位で，頭部は頸椎が過屈曲しないように枕は低めが原則である．過緊張の筋に対してストレッチングや指腹で1～2Hz程度の振動を与える（▶図6）．頸椎の固定が不十分だと付着している靱帯が伸張されるので注意が必要である．また，片方だけリラクセーションすると左右の筋のアンバランスがおこることもあるため，極力左右対称に心がける．

(2) 肩関節

RA患者の苦手なものの1つに「力を抜く」ということがある．この場合最も簡単な方法は，椅子座位で肩甲帯を挙上させ，急に肩を落とさせる．この動作は，過緊張が強い場合もリラクセーションを体験することができる（▶図7）．その感じを患者自身に覚えてもらうことが必要である．

次に過緊張が出現するまで自動運動を行う．このとき肘や手関節に疼痛があれば，上肢の重みを免荷するように介助する．過緊張が出現した時点で自動運動を止め，過緊張の筋のリラクセーションを行う．筋の緊張が低下したらさらに過緊張が

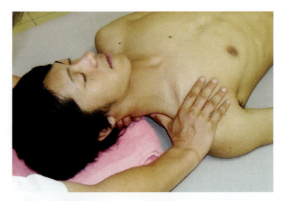

▶図6　僧帽筋のストレッチング
上部頸椎を固定して，右手で肩甲帯を軽く下方に押しながらストレッチングを行う．

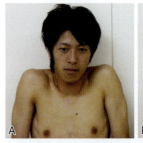 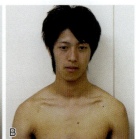

▶図7　肩関節周囲筋のリラクセーション
A：「肩をすくめてください」で十分肩甲帯を挙上する．
B：「力を抜いて肩を下ろしてください」で下ろしたときの力が抜けた感覚を確認する．

出現するまで自動運動を行う．これを繰り返し，過緊張が緩和できない角度で終了する．

また，背臥位で行う場合は，上肢の挙上を行うと運動の途中でのインピンジメントがみられる場合が特に多く，骨頭の下方への離開を行うことで改善を得られることが多い（▶図8A）．大胸筋の短縮が多くみられる場合は，一方の手で上腕骨頭をつかみ，運動に伴って骨頭に外旋方向の誘導を行う．90°付近から大胸筋により骨頭が下方に引かれるので，痛みのない程度に上方に誘導し，ストレッチングを行う（▶図8B）．

(3) 肘関節

肘関節は屈曲制限を生じやすい．これは橈骨頭が上腕二頭筋短頭に引かれ，屈曲方向へ偏位している場合が多いためである．また，近位橈尺関節

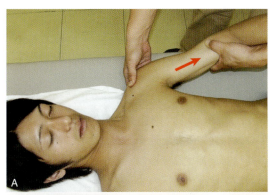
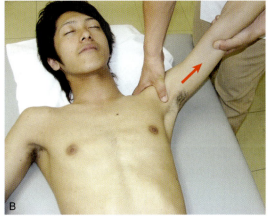

▶図8 肩関節のROM運動
A：骨頭の下方への離開，B：大胸筋のストレッチング

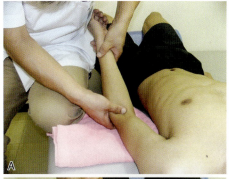
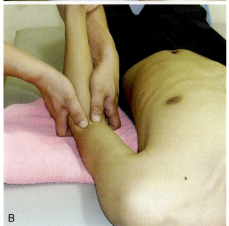

▶図9 肘関節のROM運動
A：円回内筋をストレッチングし，回外位に戻しながら肘伸展を行う．
B：上腕二頭筋腱へのストレッチング

は円回内筋の緊張に引かれ，回内位をとりやすい．このため，ROM運動時は前腕を回外位で伸展させる．

背臥位にて運動を行う場合は，上腕骨頭が関節窩より脱臼する可能性があるので，枕を下に置くなどの対策が必要である．上腕二頭筋短頭および円回内筋に緊張がみられたら，筋腹や腱に指圧をかけてストレッチングを行う（▶図9）．

(4) 手関節，手指

手関節，手指は初期より炎症症状がおこりやすく，骨膜増殖による腫脹が持続し，変形やROM制限がみられる．手関節では次第に掌・背屈制限が強くなり，関節拘縮や強直を引き起こす．逆に掌側亜脱臼や不安定性を認める場合も多くあり，変形や機能障害を助長する可能性が高いため，

ROM運動による改善を目標とするより良肢位での保持・固定を行い，炎症を持続させない対応が必要である．手指に関しては，変形がなく，運動痛が軽度であれば関節包内運動にとどめ，自動運動を行う．

(5) 股関節

股関節は体重支持に不可欠な安定性を優先させるため，ROM制限がおこりやすい．特に屈曲・内転位での制限を多く経験する．進行すると臼蓋底の骨破壊により大腿骨頭の上内方への移動がおこり，周囲の筋活動のアンバランスを引き起こし，筋の短縮や過緊張がみられる．

運動としては，背臥位で大腿骨頭の下方への離開を行い，次いで側臥位をとる．このとき頸椎の側屈に注意が必要である（枕の高さで調節）．骨盤

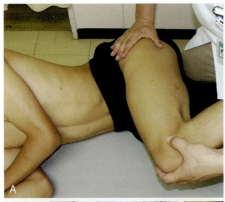
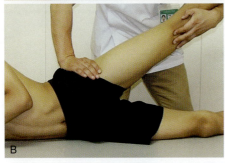

▶図 10　股関節の ROM 運動
A：屈曲運動．骨盤を固定し（母指は大転子後部，2～5指で腸骨稜−上前腸骨棘を保持する），自動介助で行う．
B：外転運動．外転時，大腿骨骨頭の内方への滑りを誘導後に骨盤を固定する．

の固定と大腿骨骨頭の滑りの誘導を行いながら，屈曲・伸展方向および内転・外転方向へストレッチングを行う．股関節が内旋している場合は，できるかぎり中間位に保持する（▶図 10）．

(6) 膝関節

膝関節は ROM 制限とともに骨の変形が著明となる．特に屈曲拘縮が問題となる場合が多い．

運動としては，背臥位で患者の最大伸展位から膝蓋骨の可動性を確認し，制限があれば他動的に動かす．上方への可動制限には，膝蓋腱に圧迫を加えてストレッチングを行う．その後，脛骨の前方引き出しを行う．伸展運動は一方の手で大腿部を固定し，もう一方の手で下腿後面近位部を保持し，脛骨の長軸方向に牽引を加えながら伸展を行う（▶図 11）．可能なら，積極的に腹臥位で行う．

(7) 足関節，足趾

足関節や足趾の変形は足部アーチの低下から始まり，足内筋の走行変化および荷重分散が困難となり，背屈制限や外反変形が出現する．

運動は背臥位で前足部と踵骨を把持し，離開を行う．下腿三頭筋のストレッチングとアキレス腱部の柔軟性の確保を行う．また前足部の足趾機能の維持向上と足趾変形の予防を目的に，MP 関節の離開，足趾伸筋群のストレッチングを行う．

c 自動運動

ROM 運動と筋力の維持，関節の変形防止のために，患者自身に無理のない体操の指導を行うことは重要である．患者に運動継続の必要性を十分理解してもらい，家庭で自主的に実施してもらう．

当院で行っている体操を紹介する（▶図 12）．体操は患者や病期により異なるため，代償運動の利用や変形の助長になっていないかなどを実際に行ってもらい判断する．また，「ゆっくり，反動を利用せず，息を吐きながら行う」「関節運動最終域で 5 秒程度保持する」ことを指導する．運動処方としては，回数は各運動 5 回より開始し，10 回を上限に 20 分程度を 1 セットとして 1 日 2 回行う．

d 筋力増強運動

RA による筋力低下では，疼痛や廃用性筋萎縮，薬物の副作用，骨破壊・筋のアライメント異常による筋機能の低下によるものだけでなく，疼痛による反射性筋萎縮と呼ばれる伸筋の弛緩と萎縮がみられることがある．これは，関節に発生した炎症性異常刺激が，神経を介した栄養支配の失調や血管ならびに血管周囲の炎症を引き起こすためと考えられる．

筋力増強運動は等尺性運動が一般的であるが，先の反射性筋萎縮の予防を目的とするならば，血行を改善し柔軟性を取り戻すために筋の収縮・弛緩を伴う関節運動も必要となるため，等張性運動も目標に合わせて選択する．

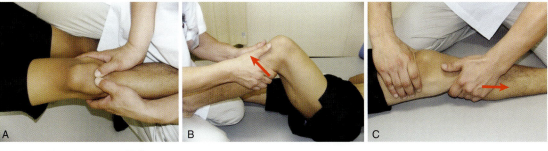

▶図 11 膝関節の ROM 運動
A：膝蓋腱へのストレッチング，B：脛骨の前方引き出し，C：脛骨を長軸方向へ牽引を行い，伸展させる．

肩甲帯の運動

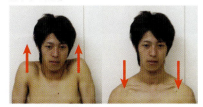
肩を上・下に動かす

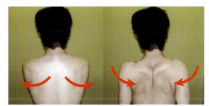
肩甲骨を外・内に動かす

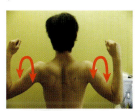
肩（肩甲骨）を回す

肩の運動

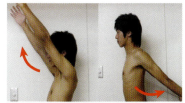
腕を前と後ろに上げる

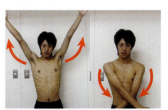
腕を横に上げる，閉じる

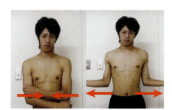
脇を絞めたまま腕を横に開く，閉じる

胸の筋肉のストレッチング

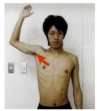
腕を 120° 広げ，胸の筋肉を伸ばす

腕を 90° 広げ，胸の筋肉を伸ばす

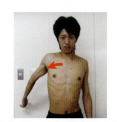
腕を 60° 広げ，胸の筋肉を伸ばす

（つづく）

▶図 12 当院のリウマチ体操

肘の運動

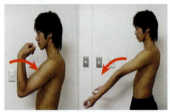
肘を曲げて伸ばす

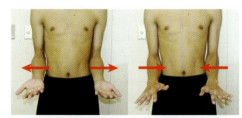
手の平を表・裏にねじる

手の運動

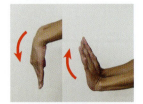
手首を上・下に動かす

手首を左・右に動かす

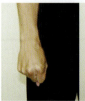
手を開いて握る

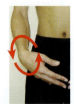
手首を回す

股関節の運動

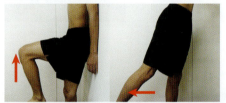
足を前と後ろに上げる（壁にもたれて行う）

足を横に広げる．壁などを持って行う

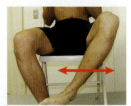
股関節を内と外にねじる

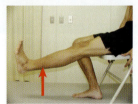
膝を伸ばす

足首を上・下に動かす

足首をぐるぐる回す

- ゆっくり，反動を利用せず，息を吐きながら行いましょう．
- 回す運動以外は，関節運動の最終域で5秒程度保持します．
- 回数は各運動5回より開始し，10回を上限に20分程度行います．
- 可能な範囲で1日2回行いましょう．

▶図12　当院のリウマチ体操（つづき）

　また，RA患者の筋特性として，筋萎縮は主にtypeⅡ型筋線維にみられる[12]．Hsiehらは，RA患者と健常者との間での筋持久力に有意な差は認められないと報告している[13]．しかし臨床上，易疲労や活動性の低下により有酸素運動は制限されているため，持久力のトレーニングも必要である．

　筋力増強運動は，基本的に活動休止期の強い炎症反応が軽減した時点で開始するが，初期・活動期であってもROM運動とともに筋力維持を目的としたトレーニングを取り入れる．抵抗は，徒

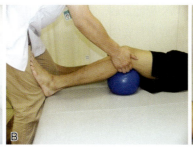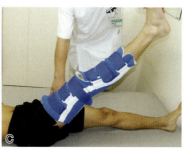

▶図13　下肢のCKC運動とSLR
A：ボールによる足底部の固定
B：徒手による足底部の固定（足底部への抵抗調節が可能）
C：SLR運動．足関節は背屈位のほうがより大腿四頭筋の収縮を促す．

手および器具（重錘，ゴムバンド，スプリングなど）があるが，部位と頻度，効率を考えて選択する．運動処方としては，自動運動時とほぼ同様に「ゆっくり，反動を利用せず，息を吐きながら行う」「最大収縮時に5秒程度保持する」ことを指導する．回数は各運動5回より開始し，10回を上限に20分程度を1セットとして1日2回行う．

（1）初期・活動期

痛みのない程度の自動運動が中心であるが，可能であれば等尺性・等張性運動を取り入れる．特に大腿四頭筋をはじめ下肢の抗重力筋に対しては，起居・移動動作の維持のためにできるだけ行う．

代表的な運動に大腿四頭筋の等尺性運動（isometric exercise）があるが，同時に足底部を固定すると閉鎖性運動連鎖（closed kinetic chain; CKC）運動が可能となる（▶図13）．また，膝伸展位での下肢伸展挙上（straight leg raising; SLR）は，膝の関節運動なしに容易に筋力強化が行えるため，術後や膝の運動痛を有する場合に有効である．膝の動揺性が強い場合は，シーネで固定して行う．

（2）活動休止期

抗重力筋を中心にレジスタンストレーニングを行う．上肢では，肩の屈曲，肘伸展運動，手指の把持運動を行う．肩の挙上に抵抗をかける場合は，肘屈曲位で上腕二頭筋をゆるませて行うと，痛みを誘発せず行うことができる（▶図14）．重錘バ

▶図14　肩の屈筋強化運動
肘屈曲位で上腕二頭筋をゆるませてレジスタンストレーニングを行う．

ンドを利用する際の目安として，上肢は1kg以下，下肢は2kg以下が適当である．手指の把持にはセラプラスト（プラスチック粘土）を用いることが多いが，使用時は前腕よりテーブルに載せ，手関節とMP関節が尺側偏位をとらないように注意する．

持久力を向上させる運動は，自転車エルゴメータ，水中運動が代表的である．無理のない強度で

運動中に「楽である」または「ややきつい」程度が最適である．1分間の脈拍が100～120回を目安に20分程度行う．水中運動は温熱効果や浮力による荷重量の軽減，水圧によるレジスタンストレーニングなど多くの効果が期待できる．内容としては，歩行やスクワット，上下肢の運動を行う．

（3）重度機能障害期

RAの活動性は低下しているが，関節の荷重時痛や運動時痛が出現する場合が多く，観血的治療に対するアプローチが多く行われる．関節破壊が進行すると，ROM制限から拘縮・強直へと変化し，可能な範囲で筋力増強運動を施行するが，機能の改善には結びつかないことが多い．このため，ADLと結びついた運動を取り入れ，代償機能の適切な利用や指導が重要である．ADL能力の向上は実用的であり，患者の意欲を高める効果がある．

❻ ADL指導

ADLの指導を行うにあたり，疼痛の助長や変形の増悪をまねく運動を避けることが重要である．上肢では，身体部位へ手が届かなくなるリーチの問題がみられる．これは，関節痛や強直などによるROMの制限，筋力低下などにより生じ，患者は罹患関節の機能を補うあまり，ほかの関節で代償する動作がしばしばみられる．たとえば，食事の際，肘を代償するあまり過度な頸部の前屈を行う．これは頸椎への負担を強いることとなり，神経症状を誘発する．機能的な代償としてスプーンを長くするなど自助具を使用した機能の充足を行う．また，頸椎カラーを使用し，関節の保護をはかる必要がある．このように，届くかどうかを判断するだけでなく，他の関節への影響を考慮した指導が必要である．

下肢では，床からの立ち上がりには台を，椅子からの立ち上がりには補高マットを利用して機能の補助を行う．また歩行では，膝や足関節への痛みの軽減，関節保護，体重支持の目的で装具や足底板[14]，杖を処方し，歩行能力の継続に努める．

C 運動療法上の留意点

1 精神面のケア

RAは女性に好発し，寛解と再燃を繰り返す．主婦としてあるいは母として，人生において社交的な場面を経験する機会が多い時期に闘病生活を余儀なくされるため，個人差はあるが精神的なストレスをかかえ込む．精神的・心理的な障害になる要因として，まず疼痛があげられる．痛みは患者の知的・感情的精神活動を抑制し，うつ状態に傾けるなど，深刻な影響をもたらす場合がある．また，易疲労性という病状も疲労感・無力感を呈し，闘病に向けた患者の意欲を低下させる原因となる．さらに，身体機能の喪失感も自己尊厳を損なう原因になる．これらのことより，不安感や怒り，場合によってはうつなどの心理的問題をかかえることとなる．

心理的問題は，病状の変化とともに繰り返しおこる可能性もある．運動療法においてプログラムを変更する際など，「痛みが増すのでは」と不安に思う患者もいるかもしれない．まず，心理状態をしっかり情報収集して把握し，傾聴しながら可能な運動から行っていく．前回までできなかったことが行えるようになると，患者には画期的な体験となり，自己評価も高まることとなる．また，身体機能にこだわらず，自助具を使用して能力の充足をはかり，価値転換を促すことも重要である．

2 患者教育

日々の経過のなかで変化する病態を患者自身で理解し，身体機能を維持することは，社会生活で自立するうえでも重要である．そのためには，疾患や治療に関することを患者自身が学習し，知識を高める必要がある．

また，リハビリテーションでどのようなことを

行えるのか十分説明したうえで，運動療法を実施しながら，日常生活で出てきた問題を患者自身が気軽に相談できる状況になれば，身体機能や日常生活での経時的な変化を早期に把握し，対応できるようになる．

3 病状・治療状況に合わせた対応

患者が入院中であれば，内科的治療か外科的治療かということを念頭に，運動療法を進める．

内科的治療で薬物の変更があれば，患者の状態は大きく変化することが考えられる．そのため，運動療法だけの効果と安易に考えてはいけないが，相対的な成果を客観的にするため，治療前後の評価はしっかり行っておく必要がある．また，インフリキシマブなどの長時間点滴などで日中の時間を割く場合があるので，スケジュールも把握しておかなければならない．

外科的治療の場合の運動療法では，手術の後療法を熟知し，リスク管理の必要性も十分理解したうえで行っていく必要がある．また，全身疾患ということに留意し，術部だけでなく，他の機能面への影響を考慮したプログラムが必要である．

●引用文献

1) 西林保朗：滑膜切除術．越智隆弘（編）：NEW MOOK 整形外科1 慢性関節リウマチ, pp.179–189, 金原出版, 1997.
2) 米本恭三：最新リハビリテーション医学. 第2版, 医歯薬出版, 2005.
3) 山前邦臣：早期リウマチの診断. 和田 攻ほか（編）：最新の慢性関節リウマチ診療, pp.131–135, メディカル葵出版, 1995.
4) 山本純己ほか：日本リウマチ学会による早期慢性関節リウマチの診断基準2：診断基準の作成. リウマチ, 34:1013–1018, 1994.
5) Smyth, C.J.: Therapy of rheumatoid arthritis—A pyramidal plan. *Monograph Issue*, 1972.
6) 越智隆弘ほか（編）：関節リウマチの診療マニュアル（改訂版），診断のマニュアルとEBMに基づく治療ガイドライン. p.128, 日本リウマチ財団, 2004.
7) アメリカ関節炎財団（編）：リウマチ入門. 第11版（日本語版），p.610, 日本リウマチ学会, 1999.
8) 藤林英樹ほか：重度リウマチ患者のリハビリテーションとFollow-up. 理・作・療法, 11:209–217, 1977.
9) 浅井富明：手術治療とQOL. 松井宣夫（編）：リウマチのリハビリテーション医学, pp.112–120, 医薬ジャーナル社, 1996.
10) 高橋康博：慢性関節リウマチ患者の関節可動域訓練と筋力増強訓練の留意点について. 理・作・療法, 22:781–786, 1988.
11) 佐々木智也, 石田 肇（編）：リハビリテーション医学全書17, リウマチ・痛み. 第2版, p.117, 医歯薬出版, 1983.
12) Edström, L., Nordemar, R.: Differential changes in type I and type II muscle fibers in rheumatoid arthritis. *Scand. J. Rheumatol.*, 3:155–160, 1974.
13) Hsieh, L.F., Didenko, B., Schumacher, H.R., et al.: Isokinetic and isometric testing of knee musculature in patients with rheumatoid arthritis with mild knee involvement. *Arch. Phys. Med. Rehabil.*, 68:294–297, 1987.
14) 今石喜成ほか：慢性関節リウマチ患者に用いた足底挿板の影響. 靴の医学, 13:4–7, 1999.

第5章 変形性関節症・人工関節置換術の運動療法

学習目標
- 変形性股関節症の評価と運動療法を理解する.
- 人工股関節置換術後の運動療法を理解する.
- 変形性膝関節症の評価と運動療法を理解する.
- 人工膝関節置換術後の運動療法を理解する.

I 変形性股関節症と人工股関節置換術後の運動療法

A 変形性股関節症の概要

1 分類と概念

変形性股関節症(hip osteoarthritis；以下,股OA)とは股関節に発症する変形性関節症である.関節裂隙の状態などにより,前(期)股関節症,初期股関節症,進行期股関節症,末期股関節症の4期に分類される(▶図1).原因の有無により一次性股OAと二次性股OAに分類される.

一次性股OAは,明らかな原因がなく股関節に変性がみられるものである.関節軟骨細胞の退行性変化によりおこるとされている.**二次性股OA**は,なんらかの病気や外傷などの誘因があるものである.わが国では二次性股OAが多く,先天性股関節脱臼と寛骨臼形成不全によるものがほとんどであり,女性に多いとされている.寛骨臼形成不全症例では,寛骨臼蓋と大腿骨頭の接触面積が減少している.これにより関節軟骨や股関節唇など寛骨臼辺縁に加わる接触圧が増加し,加齢による関節軟骨の変性などにより発症すると考えられている.ほかにPerthes(ペルテス)病や特発性大腿骨頭壊死症などが原因となっている場合もある.

一次性股OAでは加齢とともに**骨盤傾斜角**(pelvic inclination angle；PIA)が大きくなり,骨盤が後傾することが知られている[1].その結果,寛骨臼蓋による大腿骨頭前外方の被覆が減少することで寛骨臼蓋に過剰な負荷が加わり,変形が進行するものと考えられている.一方で,二次性股OA(寛骨臼形成不全)ではPIAが小さく,骨盤が前傾している(▶図2)[2].変形性股関節症という同一の診断名であっても,一次性股OAと二次性股OAでは,身体的特徴や機能的特徴に違いがあることを念頭において運動療法を行う必要がある.

股OAの発生要因として,わが国では寛骨臼形成不全が多いが,寛骨臼蓋辺縁と大腿骨頭と頸部の移行部が股関節運動の終末でインピンジメントをおこすことにより,股関節唇損傷および関節軟骨損傷が発生する病態を **femoroacetabular impingement syndrome (FAIS)** と呼称し,股OAの誘因となることが報告されている[3].寛骨臼蓋側の形態異常をpincerタイプ,大腿骨側の形態

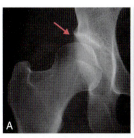 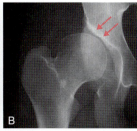 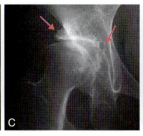 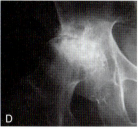

▶図1 変形性股関節症の病期分類
A：前(期)股関節症：股関節に変性は認めるが，関節裂隙はあり，関節軟骨は正常(矢印)．
B：初期股関節症：関節裂隙がわずかに 狭小化 し，関節軟骨に部分的な変性 がみられ，骨硬化像もみられる．
C：進行期股関節症：明らかに関節裂隙が 狭小化(矢印)し，関節軟骨は 広範囲に変性・摩耗 し，骨囊胞，骨棘形成(矢印)もみられる．
D：末期股関節症：関節裂隙は消失 し，骨の著明な変形がみられる．関節軟骨は完全に摩耗(変性)している．

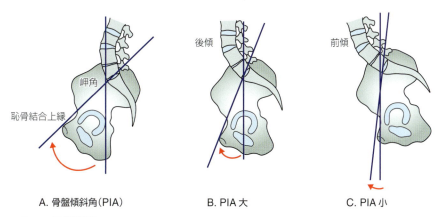

▶図2 骨盤傾斜について
骨盤傾斜角(PIA)は単純X線画像立位側方像により計測することが可能であり，岬角と恥骨結合上縁を結んだ線と垂線のなす角である(A)．PIAが大きいと骨盤は後傾しており(B)，小さいと骨盤は前傾している(C)．

異常を cam タイプ，その両方が存在するものを combined タイプに分類する(▶図3)．

2 症状

a 疼痛

股OAでは疼痛を主訴とする場合が多い．股OAにおける疼痛の特徴は，初期では長時間の歩行や運動後に出現する違和感や疲労感程度の場合がほとんどである．症状が進行してくると，短時間の立位や歩行であっても疼痛が出現し，安静時痛や夜間痛が出現するようになる．自動車の乗降時や座位からの立ち上がり動作時，立ち上がった直後の動作開始時などに疼痛が生じやすいことも特徴である．

疼痛の出現部位は鼠径部が最も多く，次いで殿部，大腿前面，大転子部，腰部や膝前面部に出現する場合もある[4]．

進行期～末期股OAでは，関節軟骨の変性により軟骨下骨が露出すると，荷重に伴い強い骨性疼痛が出現する．注意すべきは，関節軟骨には神経が存在しないことである．骨性疼痛の出現要因は関節軟骨の変性ではなく，軟骨下骨に加わる荷重などによる侵害刺激により骨内の侵害受容線維が刺激されて疼痛が出現している．この場合は後述する人工股関節置換術の適応となる．

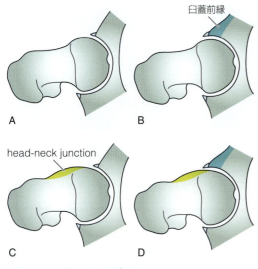

▶図3 FAIS のタイプ
A：正常
B：pincer タイプ：寛骨臼蓋が過度に被覆している．
C：cam タイプ：大腿骨頭と頸部の移行部が膨隆している．
D：combined タイプ：BとCの両方を認める．

b 関節可動域制限

　股OAにおける股関節可動域（range of motion；ROM）制限は，前股関節症ではほとんど認められない場合が多い．初期股関節症に移行するとROM制限が出現し始め，病期の進行に伴いROM制限の程度が増していく．ROM制限はおおむね全方向に出現する．股関節伸展と外旋の制限が動作の障害に関与している[5]．末期股関節症では脚長差が認められる場合も少なくない．股関節のROM制限が進行する歩行速度の低下や歩行距離の短縮だけでなく，階段昇降，浴槽の跨ぎ動作，ズボンや靴下などの着脱動作，足趾の爪切り動作などの日常生活活動（activites of daily living；ADL）に支障をきたすこととなる．

c 他の身体部位への影響

　股OAに伴い，腰椎や仙腸関節周囲，膝関節，足関節に影響を及ぼす場合がある．股関節と腰椎は，寛骨と仙骨から形成される骨盤を介して互いに影響し合っている．股関節と腰椎や仙腸関節は互いの機能を代償し合い，その代償に伴う症状誘発は hip-spine syndrome として知られている[6]．また股OAに伴う殿部痛では，坐骨神経による関連痛の場合もあり，deep-gluteal syndrome として知られている[7]．

　股OAに伴う膝関節痛や大腿前面痛では，大腿神経や閉鎖神経による関連痛のほか，coxitis knee（股関節のROM制限や脚長差に伴う膝関節のアライメント異常に起因する変形性膝関節症）もあり，同側の膝関節だけでなく，反対側の膝関節にも影響を及ぼす場合もある．

B 股OAに対する評価

1 問診

　理学療法士が患者と対面する時点では，医師の診察を受け，診断名がついている場合がほとんどである．しかし前述したように，股OAという診断名であっても，一次性と二次性では身体的，機能的特徴が異なるなど，問診により病歴や症状を把握することは運動療法を行っていくうえで重要である．

　問診では，「いつから」「どこに」「どのような症状が」「どうすると」「どれくらいの期間出現するのか」について確認する．これにより，どのような運動刺激でどの部位に症状が誘発されるのかがわかる．次いで夜間痛や安静時痛の有無を確認する．これらは運動刺激と関係なく出現する疼痛であることから，炎症の有無や程度を確認するために不可欠である．ほかにもADLのどの場面で症状が出現するのか，職業とその動作，家族構成と家庭内での役割，趣味やスポーツ活動についても詳細に問診を行う．また，病歴や治療歴，股関節以外の部位の症状についても確認する．

　刻々と変化する病状を把握するために，初診だけでなく再診時にも問診を行い，症状の変化の有

▶表1 Croft's and Kellgren-Lawrence's osteoarthritis scores for the hip joint

	Croft's グレード	Kellgren-Lawrence グレード
0	関節症性変化なし	関節症性変化なし
1	骨棘のみ	関節腔内の狭小化があり，大腿骨頭周辺に骨棘がある
2	関節裂隙狭小化のみ	明らかな関節裂隙狭小化と骨棘，わずかな骨硬化を認める
3	骨棘，関節裂隙狭小化，軟骨下硬化，囊胞形成のうちいずれか2つを認めるもの	著しい関節裂隙狭小化，骨棘と骨硬化および大腿骨頭と寛骨臼に囊胞形成と変形を認める
4	骨棘，関節裂隙狭小化，軟骨下硬化の3つと囊胞形成を認めるもの	著しい関節裂隙狭小化，巨大な骨棘および骨硬化と囊胞を伴い，大腿骨頭と寛骨臼が著しい変形を認める
5	グレード4と同様であるが，大腿骨頭の変形を伴うもの	

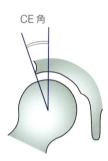
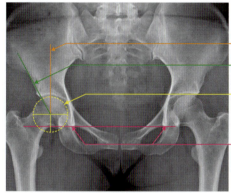

線3：骨頭中心と骨盤の水平線に対する垂線を引く
線2：骨頭中心と臼蓋縁を結ぶ線を引く
骨頭に接する補助円を描き中心点を決定
線1：左右の涙痕を結んだ線を骨盤の水平線とする

CE角

▶図4 CE角
おおむね20°以下であれば寛骨臼形成不全と診断される．

無について確認することを怠ってはならない．
問診では患者の希望を十分に把握することも大切である．患者と医師とともに治療方針を明確にすることが，患者との信頼関係構築につながる第一歩となる．

2 画像評価

a 単純X線画像

単純X線画像から病期や股関節の状態などさまざまな情報を得ることが可能である．Croft's（クロフト）and Kellgren-Lawrence's（ケルグレン・ローレンス）osteoarthritis scores for the hip joint では，股関節変形の進行程度を把握することができる（▶表1）．単純X線画像で関節裂隙が確認できる場合には，関節軟骨が保たれていると考えられることから，疼痛の主体は骨性ではなく軟部組織性である可能性が高い．この場合は医師により運動療法の適応と判断されることが多い．

- center edge（CE）角：臼蓋外方の被覆の程度を把握することが可能である．おおむね20°以下であれば寛骨臼形成不全と診断される（▶図4）．
- Sharp角：おおむね45°以上であれば寛骨臼形成不全と診断される（▶図5）．
- VCA角：実際の臼蓋は立体構造をしており，前方被覆の状態も考慮する必要がある．そのため

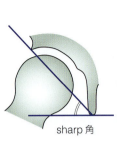
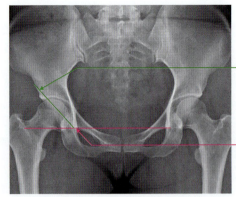

▶図5　sharp角
おおむね45°以上であれば寛骨臼形成不全と診断される．

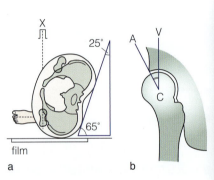
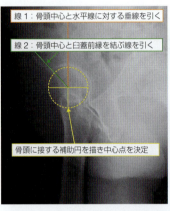
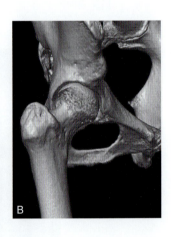

▶図6　臼蓋前方の被覆程度
A：立位にて骨盤を回旋させて撮影する（a）．VCA角では，臼蓋前方の被覆程度を把握することが可能である（b）．VCA角は20°未満が寛骨臼形成不全と診断される．
B：3D-CT画像では，明瞭に臼蓋前方の被覆程度を把握することが可能である．
〔Aは，Tönnis, D.: General Radiography of Hip Joint. In: Congenital Dysplasia and Dislocation of the Hip, pp.100-142, Springer-Verlag, Berlin, Heidelberg, 1987より一部改変〕

false profile像によるvertical-centre-anterior（VCA角）やCT像が有用である．VCA角は20°未満が寛骨臼形成不全と診断される．VCA角では臼蓋前方の被覆程度を把握することが可能である（▶図6）[8]．

- acetabular head index（AHI）：大腿骨頭に対する寛骨臼蓋の被覆の程度を把握することが可能である．おおむね75％未満であれば寛骨臼形成不全と診断される（▶図7）．

b 磁気共鳴画像（MRI）

MRI（magnetic resonance imaging）から，軟骨変性の程度や骨囊胞の存在，関節内の炎症の程度など，より詳細な股関節変形の状態を把握することが可能である（▶図8）．股関節の不安定性を示すMRI所見として脂肪抑制T2強調画像を用いて評価するanterior shift sign[9]があり（▶図9），大腿骨頭後面部と対応する寛骨臼蓋面との間に間隙が生じている症例ではKL分類2以下であっても疼痛が強いことがわかっている．大腿骨頭の前方化や外方化が確認できる場合には，単純X線画

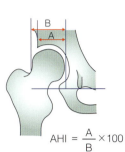
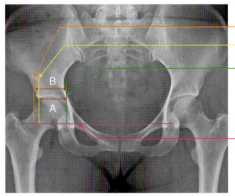

$$AHI = \frac{A}{B} \times 100$$

線4：骨頭と頸部の移行部に線を引く
線3：臼蓋縁に線を引く
線2：骨頭の内側に線を引く
線1：左右の涙痕を結んだ線を骨盤の水平線とする

▶図7　acetabular head index（AHI）
A/B×100＝75％未満であれば，寛骨臼形成不全と診断される．

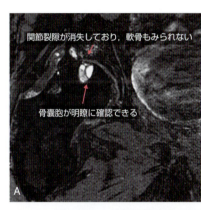
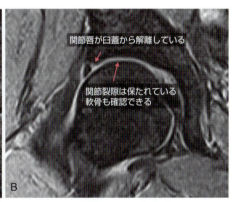

関節裂隙が消失しており，軟骨もみられない
骨嚢胞が明瞭に確認できる
関節唇が臼蓋から解離している
関節裂隙は保たれている軟骨も確認できる

▶図8　MRI像による股関節変形の状態把握
脂肪抑制T2強調画像を用いて評価すると，骨嚢胞や関節裂隙の狭小化に伴う軟骨変性の状態（A）や股関節唇の状態（B）を確認することができる．

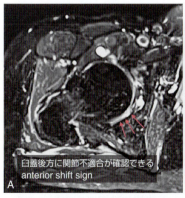
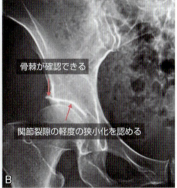

臼蓋後方に関節不適合が確認できる
anterior shift sign
骨棘が確認できる
関節裂隙の軽度の狭小化を認める

▶図9　股関節の不安定性を示すMRI像
A：脂肪抑制T2強調画像水平断を確認すると，骨頭の前方化と外方化が確認できる（anterior shift sign陽性）．
B：同一症例の単純X線像．関節裂隙は保たれており，一見軽度に思われる．

像で関節裂隙が保たれていても，強い疼痛が出現する場合がある．

3 理学所見

a 疼痛

まず疼痛の性質についてていねいに評価を進める．安静時痛や夜間痛が存在する場合には炎症性疼痛が疑われる．荷重時痛が存在する場合では，画像所見と併せて評価を進めることで，骨性疼痛の有無を確認することが可能となる．運動時痛が存在する場合には，どのような動作で疼痛が出現し，どのようにすると軽減するのかを確認する．疼痛が増強する動作と軽減する動作の両方を確認することで，どの軟部組織が疼痛に関与しているのか推測していく．

続いて疼痛出現部位について詳細に確認していく．疼痛が局所的である場合は，ていねいに圧痛所見をとることで疼痛発生に関与する筋や腱を同定していく．疼痛出現がびまん性に広がる場合は，神経因性疼痛も念頭において評価を進めていく必要がある．これらの評価を実施していくことで，運動療法の適応となる症状を明確にしていく．

b 関節可動域

股関節可動域の低下は，さまざまなADL動作に支障をきたす原因となる．ROM測定に際しては，患者に対してなるべく脱力してもらえるようにリラックスした環境を提供することを忘れてはならない．ROMの測定では単に角度を測定するだけでなく，関節角度の変化に伴う筋緊張の変化や疼痛の有無についても確認する必要がある．加えて関節可動最終域での抵抗感（end feel）についても併せて評価をする．end feel単独でその原因を正確に探ることは困難であるが，画像所見と併せて評価することで，骨性によるROM制限の可能性や軟部組織性（筋，腱，靱帯，関節包）によるROM制限の可能性について検討する材料となる．

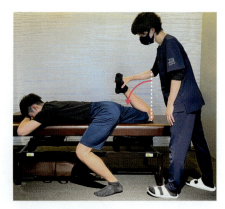

▶図10 Elyテスト
大腿四頭筋に十分な伸張性があるかを評価する．踵が殿部につく状態が望ましい．

c 肢長周径

周径による健患側差を測定することで，筋萎縮や筋力低下の程度を推測する．末期股OAは大腿骨頭が上方化もしくは外方化している症例が存在する．棘果長や転子果長を測定し，画像所見と合わせることで，その程度と静的な身体的アライメントを確認し，動的アライメントや歩容に与える要素となるかどうかを確認する．

d 整形外科テスト

(1) Ely（エリー）テスト（▶図10）

患者を腹臥位とする．患側膝関節を屈曲することで，大腿四頭筋の筋緊張亢進や短縮もしくは萎縮の程度を評価する．可能であれば健側下肢を屈曲位とすることで骨盤の後傾を促し，骨盤前傾による代償を抑制すると，より正確な評価が可能となる．

(2) Ober（オーバー）テスト（▶図11）

患者を側臥位として健側の下肢は屈曲位とする．大腿筋膜筋の緊張が一定となるよう検査側の膝関節を90°屈曲位として検者が骨盤を固定した状態で股関節を内転させることで，大腿筋膜筋や大腿筋膜の緊張や短縮もしくは萎縮の程度を評価する．

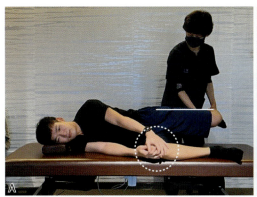
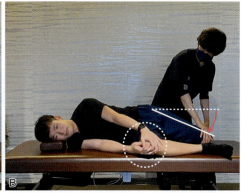

▶図 11　Ober テスト
患者に対側の膝を抱えてもらうことで骨盤の前傾による代償を抑制する.
A：開始肢位，B：股関節を内転

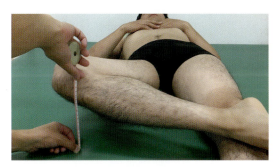

▶図 12　Patrick(FABER)テスト
患側下肢を開排位とする. 脛骨結節からベッドまでの距離を測定し, 健側と比較して 5 cm 以上大きければ陽性とする.

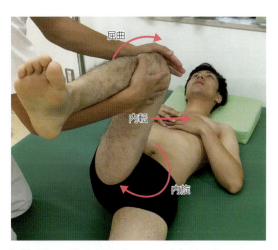

▶図 13　anterior impingement test
患側下肢を屈曲・内転・内旋させて疼痛出現の有無を確認する.

(3) Patrick(パトリック)(flexion abduction external rotation; FABER)テスト(▶図 12)

　患者を背臥位として患側下肢を健側膝関節近位に乗せた肢位として開排位とする. この際, 検者が骨盤を固定することで, 股関節固有の評価が可能となる. 骨盤の固定を行わない場合では腰椎や仙腸関節由来の疼痛との鑑別が難しくなる. 本テストでどの部位に疼痛が誘発されているのかを評価することで, 疼痛出現因子となる軟部組織の同定と股関節不安定性の評価が可能となる. また, 同一肢位で健患側の脛骨粗面と床面の距離を測定し, 差が 5 cm 以上ある場合は FABER テスト陽性となる.

(4) anterior impingement test (▶図 13)

　患者を背臥位にして患側股関節を屈曲・内転・内旋させ疼痛を誘発する. 本テストでの患側股関節屈曲の度合いと疼痛出現によって, 疼痛出現因子となる軟部組織の同定と股関節不安定性の評価が可能となる.

(5) hip pelvic mobility test(HPM テスト)
　　(▶図 14)

　患者を側臥位とする. グレード 1〜5 に分かれる. 本テストは患者の症状と相関があることが確認されており, 治療の効果判定にも有用である[10].

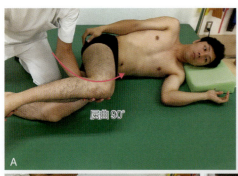
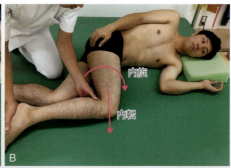
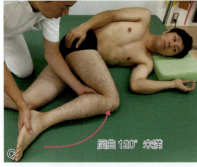
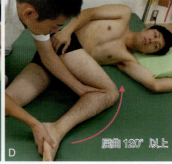
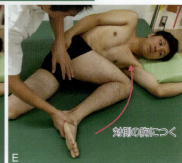

▶図14　hip pelvic mobility test(HPMテスト)
A：（グレード1）股関節屈曲90°までで疼痛出現．
B：（グレード2）膝がベッドにつくまで内転・内旋させると疼痛出現．
C：（グレード3）股関節屈曲120°未満で疼痛出現．
D：（グレード4）股関節屈曲120°以上可能だが疼痛出現．
E：（グレード5）対側の胸につくまで疼痛が出現しない．

(6) hip joint instability test(piston sign)
（▶図15）

患者を背臥位とする．骨盤を徒手的に固定した状態で足関節と膝関節を把持して，患側下肢を尾側方向へ牽引する．股関節の不安定性がある症例では，健側と比較して尾側方向への動揺性が確認される[10,11]．

◉動作観察

(1) 歩行動作

歩容の観察を行う前に，立位姿勢や片脚立位などを観察する．この際に大腿骨に対する骨盤の傾斜などを注意深く観察する．なかには患側での片脚立位時に骨盤の後傾と支持脚と反対側の骨盤が下制するTrendelenburg（トレンデレンブルグ）徴候や，支持脚と同側に体幹を傾けることで立位の支持性向上をはかるDuchenne（デュシェンヌ）徴候が観察される場合もある．歩容の観察では，左右差や歩行周期のリズムなど全体的な動作を確認することから始める．次に各関節の動きの観察へと進める．この際，特に骨盤と体幹の動きを詳細に観察するように心がける．股関節の疼痛やROM制限により，支持性の低下を代償するような動作が生じる逃避性跛行を観察した場合には，歩行周期のどこで，どのような症状が，身体のどこに出現するのかについて問診することを忘れてはならない．

(2) ADL動作

座位保持や靴・靴下の着脱，自動車の乗降，自転車の跨ぎ動作，階段や段差の昇降動作などが困難な場合が多い．仕事の動作や家事動作ではどのような動線となっているのかや，道具の配置などをていねいに聴取することが大切である．そのうえで実際の動作を観察して，症状を誘発する動作

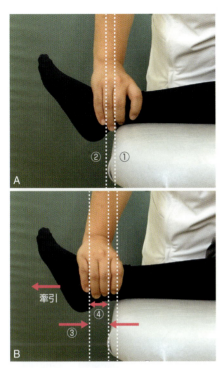

▶図 15　hip joint instability test（piston sign）
①基線
②牽引前の踵骨隆起の位置
③牽引後の踵骨隆起の位置
④牽引された距離（量）
骨盤を固定した状態で下肢を長軸尾側方向へ牽引する．健側差を確認する．
踵骨隆起の位置が健側よりも尾側へ移動すれば陽性とする．股関節の不安定性がある症例では，容易に尾側方向へ下肢が移動する．

を行った際の股関節の可動範囲や疼痛出現部位や時期について分析していくことが求められる．

f 臨床評価基準

治療前後での変化や経時的な症状の推移を把握するのに有用である．国内では，股 OA の臨床評価基準として**日本整形外科学会股関節機能判定基準**（Japanese Orthopaedic Association hip score; JOA hip score）を用いることが多い．近年では患者立脚型の評価として，**日本整形外科学会股関節疾患評価質問票**（Japanese Orthopaedic Association Hip-Disease Evaluation Questionnaire; JHEQ）が用いられることが多くなっている．国際的に最も普及している基準としては，modified Harris（ハリス）hip score や Western Ontario and McMaster Universities Osteoarthritis Index（WOMAC）などがある．

C 股 OA に対する運動療法

股 OA では疼痛を主訴とする場合が多く，その発生要因はさまざまである．関節内の軟骨変性が疼痛発生要因の主体となる場合は，運動療法の適応範囲は限定的である．関節外に存在する軟部組織性の拘縮などの機能障害が疼痛発生の要因となる場合は，運動療法の適応範囲は広い．股 OA による機能障害には，軟部組織性の疼痛や ROM 制限，股関節の支持性（安定性）などがあり，それぞれに対して評価に基づいて運動療法を実施していくことが重要である．機能障害の改善ばかりでなく，ADL 動作が円滑に遂行できるよう，杖などの歩行補助具の適切な使用方法や，ADL 動作の指導などの患者教育も症状緩和には重要となる．『変形性股関節症診療ガイドライン』[12] では，股 OA に対する運動療法は短期的・中期的な症状緩和や機能改善に一定の効果があるとされている．

1 軟部組織性疼痛に対する運動療法

股 OA における疼痛は，さまざまな要因により発生する．関節軟骨の変性により，軟骨下骨に圧縮応力が加わることでおこる骨性疼痛や炎症性疼痛については，運動療法の適応とはならない．しかし，これらの症状に随伴して発生する関節周囲の過剰な筋緊張や関節包靱帯などの関節構成体の伸張性低下などを背景とした軟部組織性の疼痛は，運動療法で対応可能となる．これらの症状に対しては，筋のストレッチングや徒手操作による反復運動を行う（▶図 16，▶動画 1）．これらの運動療法により，筋緊張の改善や関節内圧の軽減

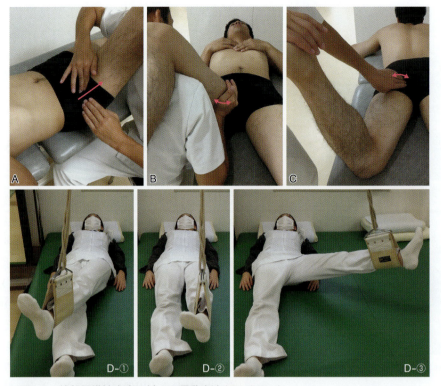

▶図16　軟部組織性疼痛に対する運動療法（▶動画1）
A：45°屈曲位として大腿直筋を把持して徒手的に収縮を誘導する．この際，軽く股関節を牽引する．
B：45°屈曲位として閉鎖孔前面に手掌を当て，外閉鎖筋のストレッチングを行う．
C：腹臥位として，股関節を軽度外転位とし，股関節の内外旋運動を反復して行うことで，内閉鎖筋のストレッチングを行う．
D：スリングを用いて軽負荷での自動内外転運動を行う．これにより股関節外転筋群と内転筋群の筋緊張を改善する．

などをはかり，軟部組織の循環動態が改善することで疼痛の緩和が期待できる．

2 ROM制限に対する運動療法

股OAが進行すると，股関節のROM制限を呈する症例は多い．ROM低下の原因は，関節の変形に伴う骨頭の上方偏位による場合や，関節内の炎症による疼痛が原因となる場合がある．これらが原因のROM制限は運動療法の適応とはならないが，関節周囲の軟部組織の短縮や筋攣縮により発生しているROM制限は運動療法で改善することが期待できる．寛骨臼蓋形成不全を背景とする二次性股OAでは股関節の適合性が低下している場合もあり，ROMを改善させる運動を実施する場合には，関節の適合性に留意して慎重に実施することが大切である（▶図17）．

3 股関節支持性（安定性）に対する運動療法

股OAでは股関節の支持性（安定性）が低下している．股関節周囲筋力の筋活動が効率よく発揮されるためには，筋の起始部である骨盤・腰椎の安定性向上も重要である（▶図18）[13]．

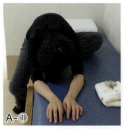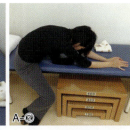
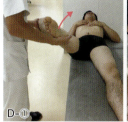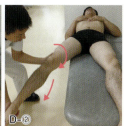

▶図17　ROM制限に対する運動療法
A：大殿筋，腰背腱膜，股関節内転筋のストレッチング
B：大腿直筋と腸腰筋のストレッチング
C：トレーニングボールを利用して軽負荷での自動下肢複合屈伸運動を行う．これにより股関節屈筋群と伸筋群の筋緊張を改善する．
D：軽度屈曲・外転・外旋位から伸展・外転・内旋位とする運動を反復して行う．これにより臼蓋に対して骨頭がほぼ垂直位で回旋する運動が可能となり，股関節内圧の軽減と関節包および股関節周囲筋群の過度の筋緊張を改善する．

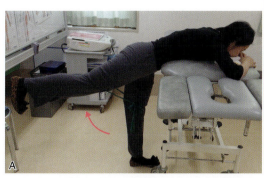

▶図18　股関節支持性（安定性）に対する運動療法
A：ベッド上で体幹を安定化させた状態で股関節運動を行う．
B：骨盤・体幹の安定性を向上させる運動（①）と，骨盤・体幹を安定化させた状態で股関節運動（②）を行う．

D　人工股関節置換術の概要

股関節障害が進行し，関節軟骨の変性が進行した結果，骨性の疼痛が出現した場合や保存療法を行っても歩行やADL動作，仕事や社会活動に支障が強い場合には，**人工股関節置換術**（total hip arthroplasty; THA）が選択される．THAは骨性の疼痛を取り除き，歩行やADL動作を改善させうる有効な手術療法である．一方で，術後脱臼をはじめとする合併症があり，術後運動療法を行ううえで留意する点もある．

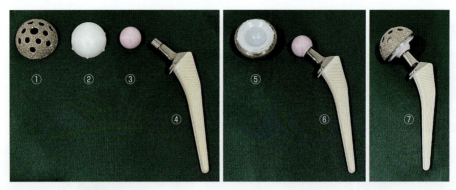

▶図 19　人工股関節（THA）
①ソケット，②ライナー，③ヘッド，④ステム，⑤ソケットとライナーを組み合わせた状態，⑥ヘッドとステムを組み合わせた状態，⑦人工股関節を組み合わせた状態
臼蓋側に設置するソケット，大腿骨側に設置するステムの素材は主にチタン合金が使用されている．ライナーは超高分子量ポリエチレン製で，ヘッドはほとんどの場合がセラミック製である．

1 人工股関節の種類

THA には多くの種類が存在している．医師がどのような種類の機種を使用しているのか，その特徴や術式を十分に理解しておくことが重要である．THA の治療成績はおおむね安定しているが，ゆるみ（loosening）の発生が問題点としてあげられる．骨セメントが loosening の要因と考えられて以降，骨セメントを使用しないセメントレス THA が開発されたが，loosening の原因は摺動面（人工関節の関節面）より産生される 1μm 以下のポリエチレン摩耗粉であることが証明され，骨セメント使用 THA とセメントレス THA の両方が使用されることとなった．現在では摺動面における摩耗粉発生を防止するさまざまな工夫がなされており，機種の選定は患者の骨の状態などにより医師が選択する（▶図 19）．

2 THA の進入法

THA の進入法には，主に①前方系（前方・前外側）進入法（▶図 20 A），②側方系進入法（▶図 20 B），③後方系（後方・後外側）進入法（▶図 20 C）の3つに分けられる．

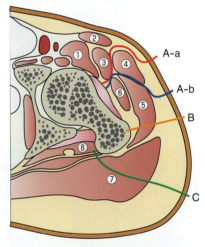

▶図 20　人工股関節（THA）の進入法
①腸腰筋，②縫工筋，③大腿直筋，④大腿筋膜張筋，⑤中殿筋，⑥小殿筋，⑦大殿筋，⑧短外旋筋群
A：前方系進入法（a：前方進入法，b：前外側進入法）
B：側方系進入法
C：後方系進入法

前方進入法は大腿筋膜張筋と縫工筋間から股関節に到達する．前外側進入法は大腿筋膜張筋と中殿筋間から股関節に到達する．側方進入法は中殿筋と外側広筋の連続性を保ち，線維方向に裂く方法や大転子を切離して股関節に到達する．後方進入法は大殿筋を線維に沿って鈍的に分けて，短外旋筋群を切離して股関節に到達する[14]．

E THA術後に注意すべきポイント

THAにはさまざまなリスクや注意点があり，ここでは運動療法と関連が深いポイントについて述べることとする．

1 疼痛

THAにより骨性疼痛は消失しているが，手術侵襲による術創部と進入部の炎症性疼痛が出現する．この術後疼痛はほとんどの場合，炎症の鎮静化とともに消失するが，術後に続発する軟部組織の拘縮などを背景に疼痛が持続する場合もある．

a 腸腰筋インピンジメント

THA術後の4.4%に出現するとされ，術後6か月〜1年と遅発性に出現することが報告されている[15]．典型的な症状は股関節自動屈曲時の疼痛や車の乗降時痛である．治療としてはカップの再置換術や腸腰筋腱切離術などの外科的治療が選択される場合もあるが，約50%の症例では運動療法などの保存療法で症状が改善する[16]．

b 外閉鎖筋による閉鎖神経絞扼障害

THA術後に股関節の歩行時痛や大腿部痛が出現する症例のなかに，外閉鎖筋による閉鎖神経絞扼障害症例が出現することが報告されている[17]．治療としては外閉鎖筋に対するブロック注射を行う場合もあるが，多くの場合，運動療法などの保存療法で症状が改善する．

2 脱臼

THA術後脱臼は，運動療法を行ううえで最も注意しなければならない．術後脱臼には後方脱臼と前方脱臼がある．脱臼の原因は，①不良姿勢，②インプラントの設置位置不良，③筋力低下，④

▶図21 人工股関節（THA）の術後脱臼の原因となるインピンジメント
脱臼の原因となるカップとステムネックのインピンジメント（A：後方脱臼，B：前方脱臼）．

インプラントどうしや骨どうしもしくは軟部組織がインピンジメントすることなどがある．運動療法においては危険な動作を避ける指導が重要である．

a 後方脱臼

股関節の過屈曲や屈曲位での内転・内旋の複合運動によりステムネックがカップの前面と衝突して，骨頭が後方へ押し出されて脱臼する（▶図21A）．危険な動作としては，和式トイレや正座でのお辞儀動作，膝を抱え込むような肢位での靴下着脱や足の爪切り動作などがあげられる．

b 前方脱臼

股関節の過伸展や伸展位での内転・外旋の複合運動によりステムネックがカップの後面と衝突して，骨頭が前方へ押し出されて脱臼する（▶図21B）．危険な動作としては，ベッド上で殿部を持ち上げる動作や股関節を伸展して健側へ寝返る動作などがあげられる．

手術進入法によって脱臼のリスクは変化する．後方進入法では後方関節包や短外旋筋を切離するため，後方脱臼の可能性が高くなり，前方進入法では前方脱臼の可能性がある．

3 術後骨折

術後骨折はさまざまな外力により発生するが，軽度の外傷の場合が多い[18]．術後の動作練習においては転倒などに十分注意をする必要がある．

4 肺塞栓症・深部静脈血栓症

THA術後に生じる**肺塞栓症**(pulmonary embolism; PE)は致死的な場合がある．原因は下肢の深部静脈に生じた血栓であり，血流によって肺静脈に運ばれPEが生じる．発症時の症状は，呼吸苦，呼吸困難，胸痛，背部痛，冷汗などである．急激に血圧が低下し，意識消失などのショック症状を引き起こす．運動療法中は注意深く患者の様子を観察することを怠ってはならない．

5 感染症

手術部位感染(surgical site infection; SSI)の危険因子としては，尿路感染や創部皮膚の壊死などさまざまな要因がある．起炎菌は黄色ブドウ球菌や表皮ブドウ球菌などの場合が多く，運動療法中は常に清潔な状態を保って患者に接する必要がある．

6 神経麻痺

損傷を受けやすい神経は，坐骨神経，大腿神経，閉鎖神経である．前外側進入法の場合，外側大腿皮神経の損傷も生じやすい．特に2～3cm以上の脚延長がなされた場合に生じやすいとされている．運動療法にあたっては過剰な伸張操作とならないよう十分に留意する必要がある．

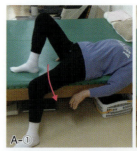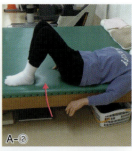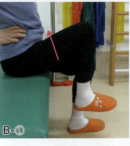

▶図22　股関節周囲筋に対する自動運動（動画2）

患側股関節の自動屈伸運動(A)または自動屈曲運動(B)を行い，腸腰筋を含めた股関節周囲筋の収縮を促す．
これらの自動運動は非荷重でできるため，術後早期の段階から実施可能である．実施にあたっては疼痛自制内であることを確認しながら行うことが大切である．

F THA術後の運動療法

THA術後の運動療法と股OAの運動療法では，目的や手段などが異なる場合があるものの，股関節機能障害としてとらえた場合には共通する部分も多い．ここではTHA術後に特に重要な内容について紹介する．

1 軟部組織に対する運動療法

腸腰筋インピンジメントなど術後に続発する軟部組織由来の疼痛に対応するために，股関節周囲筋の自動収縮を促す運動療法を実施する（▶図22，動画2）．

2 ROMに対する運動療法

THA術後のROMに対する運動療法では，医師と十分に協議を行ったうえで，脱臼肢位に配慮する必要がある．特にカップとステムのインピンジメントが発生しない術後肢位について十分確認したうえで実施する．カップに対してステムネックが直交する位置が確認できていれば，インピンジメントを回避しながらROM獲得が可能となる（▶図23）．ROMが十分に獲得できているとADL動作を安全に行うことが容易となる．

3 THA術後のADL動作指導

THA術後の運動療法においては，脱臼に対する過剰な不安とそれに伴う身体活動性の低下を予防するために，安全なADL動作の獲得が重要となる．特に靴下着脱動作，爪切り動作，ズボンの着脱動作，床からの立ち座り，浴槽の跨ぎ動作など，安全な動作を反復して練習することが大切である．

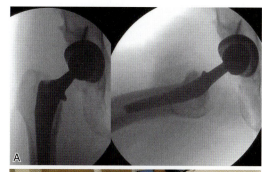
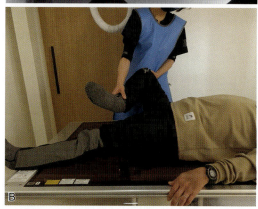

▶図23　カップとステムネックが直交した肢位の確認
医師と十分に協議のうえ，単純X線透視下（A）にカップとステムネックが直交した肢位での股関節屈曲位を確認し，インピンジメントを回避した股関節運動を患者とともに学習する（B）．

II 変形性膝関節症と人工膝関節置換術後の運動療法

A 変形性膝関節症の概要

1 分類と概念

変形性膝関節症（knee osteoarthritis；以下，膝OA）は，膝関節の関節軟骨が退行性変性することにより発症する．その発症要因として性別，職業やスポーツなどの生活習慣，肥満など力学的に過剰な負荷などがある．また，半月板損傷や膝外傷の既往による影響も存在する．

膝OAは原因の有無により，一次性膝OAと二次性膝OAに分類される．**一次性膝OA**は，明らかな原因がなく膝関節の軟骨細胞に変性がみられるものである．**二次性膝OA**は，なんらかの病気や外傷などの誘因があるものである．わが国では一次性膝OAが多く，股関節における寛骨臼形成不全を素因とした二次性が多いことと特徴が異なる．

2 症状

a 疼痛

　膝 OA の主な症状は疼痛であり，これに炎症を伴う腫脹や跛行などの機能障害が加わる．初期では関節水腫を主訴とする場合があり，関節内の炎症の強さを反映していると考えられている．さらに進行すると ROM 制限，変形，筋萎縮などを認めるようになる．疼痛は，動作開始時の運動時痛が主体であり，階段昇降や正座などで出現する．一般に安静で軽快することが多い．変性半月板損傷を伴う場合には，深屈曲やひねる動作で引っかかり感を伴う疼痛が出現する．

　関節軟骨には神経がないことから，膝 OA における疼痛発生機序としては，①軟骨下骨の骨髄内うっ血，②関節包と関節軟骨周辺での摩擦による滑膜炎，③変形や拘縮に伴う関節周囲の筋腱付着部炎，などが考えられる．特に膝蓋下脂肪体を含む滑膜組織や大腿四頭筋をはじめとする膝関節周囲筋の筋腱移行部や付着部には多くの痛覚神経が存在している．一方で軟骨，半月板，十字靱帯では痛覚神経が乏しい[19]．このように，膝 OA の疼痛は関節周囲の支持組織由来のものと，炎症による二次的な疼痛に分けて考えることができる．

b ROM 制限

　機能障害のうち，ROM 制限では正座困難などの屈曲制限を主訴とする場合が多い．早期から伸展制限も認めるが，無症候性の場合が多い．これらの ROM 制限は一過性のものと持続性のものが存在する．

　一過性の ROM 制限は炎症による疼痛や腫脹（関節水腫）によるものもあるが，半月板損傷や関節内遊離体が原因になることが多い．断裂した半月板や遊離体が関節裂隙に嵌入して引っかかる状態をキャッチング（catching）といい，屈伸が不能になった状態をロッキング（locking）という．ある一定の角度で「ガクン」と衝撃を伴って屈伸が可能になる弾発現象をスナッピング（snapping）という．これらに対して他動的には完全伸展が可能であるが，自動的には最終域まで伸展できない病態を extension lag という．この病態は大腿四頭筋の伸展力が脛骨粗面までうまく伝達されていないことを示しており，単に筋力低下ととらえるだけでなく，膝関節伸展機構の機能不全を疑う必要がある．

　持続的な ROM 制限では，関節内の滑膜組織などが炎症により癒着した状態や関節外の筋や靱帯組織間の滑走性低下に伴う拘縮などが存在している可能性が高い．

c 変形，拘縮，筋力低下

　膝 OA では一般に内側型（内反）変形が多い．外側型（外反）変形や膝蓋大腿関節に変形をきたす場合もある．なかには片側が内側型で対側が外側型の wind-swept deformity を認めることがある．変形により歩行立脚初期の横ぶれ（lateral thrust）を早期の段階から観察できる．歩行能力の低下に伴って筋萎縮を認める．

B 膝 OA に対する評価

1 問診

　理学療法士が患者と対面する時点では医師の診察を受け，診断名がついている場合がほとんどである．しかし，前述したように膝 OA という診断名であっても，症状や身体的，機能的特徴が異なるなど，問診により病歴や症状を把握することが運動療法を行ううえでとても重要なことは股 OA の項でも述べたとおりである．患者の主訴はすべて真実であるが，正確な解剖学的部位を示しているわけではないということを忘れてはならない．そのため，理学療法士は問診から得られた情報をもとに詳細に理学所見をとり，疼痛が出現してい

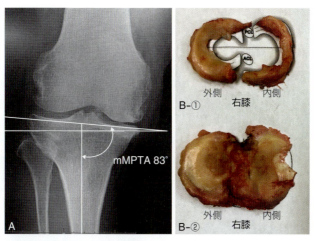

▶図24 単純X線像と関節内の病態比較
A：Kellgren-Lawrence グレード3
B：手術時に摘出された脛骨関節面．①内側半月板損傷を後節に認めるが半月板は内外側ともに保たれている．②関節軟骨は変性を認めるものの保たれている．前十字靱帯，後十字靱帯ともに保たれている．

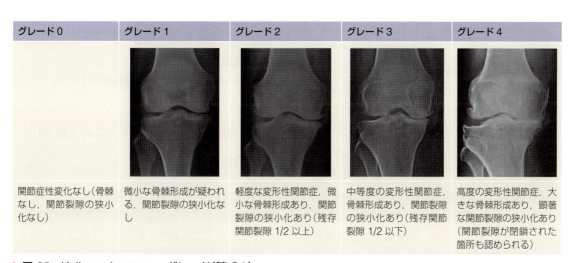

▶図25 Kellgren-Lawrence グレード（膝OA）

る部位を同定していく必要がある．

2 画像評価

　画像評価は，関節軟骨の損傷の程度や厚さ，滑膜炎の存在や半月板損傷の程度を推しはかるうえでとても有用である．しかし，画像所見でとらえた異常所見と患者の主観的疼痛や臨床症状との関連性については必ずしも一致するわけではない[20]

（▶図24）．画像評価と他の評価内容を総合して病態を推しはかることを忘れてはならない．

a 単純X線画像

　単純X線画像から，病期や膝関節の状態などさまざまな情報を得ることが可能である．
- Kellgren-Lawrence（KL）grade：膝関節構成体の器質的変化の進行程度を把握することが可能である（▶図25）．単純X線画像で関節裂隙が

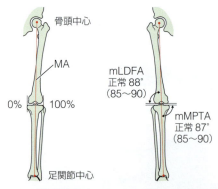

▶図26 下肢機能軸(MA)と%MA，mMPTA，mLDFA

下肢機能軸(MA)：大腿骨の骨頭中心と足関節中心を結んだ線．下肢機能軸が脛骨関節面の50%未満であれば内反していることとなる(%MA＜50%であれば内反，%MA＞50%であれば外反している)．
mMPTA：MAと脛骨関節面のなす角度．
mLDFA：MAと大腿骨関節面のなす角度．

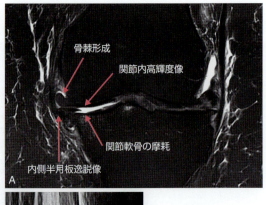
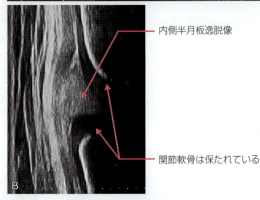

▶図27 MRI像(A)と超音波画像(B)

確認できる場合には，関節軟骨が保たれていると考えられることから，疼痛の主体は骨性ではなく軟部組織性である可能性が高い．この場合は医師により運動療法の適応と判断されることが多い．

- MAと%MA：立位下肢全長像もしくは立位正面像を用いて，膝関節の変形の程度を確認することが可能である．大腿骨頭中心と足関節中心を結んだ線を下肢機能軸(mechanical axis; MA)と呼び，MAが脛骨関節面の何%を通過するかによって内反変形か，外反変形かを理解することが可能となる．%MAが50%未満であれば内反変形の可能性が高く，%MAが50%より大きければ外反変形の可能性が高い(▶図26)．
- mMPTA：MAと脛骨関節面の内側をなす角度を機能的脛骨内側近位角(mechanical medial proximal tibial angle; mMPTA)と呼び，85〜90°が正常範囲である．mMPTAが85°未満の場合は内反変形している(▶図26)．
- mLDFA：MAと大腿骨関節面の外側をなす角度を機能的大腿骨外側角(mechanical lateral distal femoral angle; mLDFA)と呼び，85〜90°が正常範囲である．mLDFAが90°以上の場合も内反変形していることとなる(▶図26)[21]．

b MRI

MRIは軟骨変性の程度や関節内の炎症の程度，骨棘の形成や半月板逸脱など，膝関節内の病態をとらえるうえで信頼性，妥当性ともに優れている．より詳細な膝関節変形の状態を把握することが可能である(▶図27A)．

c 超音波画像

近年では超音波画像を用いて膝関節周辺の画像評価を行うことが増えてきている(▶図27B)．超音波画像は簡便に局所の状態を把握することが可能であり，膝関節辺縁の軟部組織や関節軟骨の状態を観察するのに有用である．また，軟部組織の動態の観察に優位性がある．一方で観察可能な範囲や深度が限局されており，広範囲の画像評価には向かない．

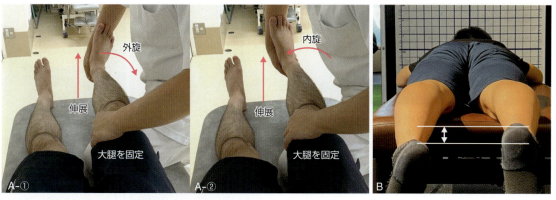

▶図28 最大伸展ROMの左右差の簡便計測法
A：患者を背臥位として，大腿部を固定して膝を最大伸展させ左右差を確認する．この際，下腿が外旋位と内旋位での伸展で角度に違いがあるかについても確認する．
B：踵の高さの左右差を確認する．1 cmで約1°の差があるとされている．

3 理学所見

a 疼痛

まず，疼痛の性質についてていねいに評価を進める．安静時痛や夜間痛が存在する場合には炎症性疼痛が疑われる．荷重時痛が存在する場合では，画像所見と併せて評価を進めることで，骨性疼痛の有無を確認することが可能となる．運動時痛が存在する場合には，どのような動作で疼痛が出現するのかと併せて，どのようにすると疼痛が軽減するのかを確認する．疼痛が増強する動作と疼痛が軽減する動作の両方を確認することで，どの軟部組織が疼痛に関与しているのか推測していく．続いて疼痛出現部位について詳細に確認していく．疼痛が局所的である場合は，ていねいに圧痛所見をとることで疼痛発生に関与する筋や腱を同定していく．疼痛出現がびまん性に広がる場合は神経因性疼痛も念頭において評価を進めていく必要がある．これらの評価を実施していくことで，運動療法の適応となる症状を明確にしていく．

b 関節可動域

膝ROMの低下はさまざまなADL動作に支障をきたす原因となる．ROMの測定では単に角度を測定するだけでなく，関節角度の変化に伴う筋緊張の変化や疼痛の有無についても確認する必要がある．加えて，下腿を内旋誘導した状態や外旋誘導した状態でROM最終域でのend feelについても併せて評価する．内反変形している場合，脛骨は画像所見と併せて評価することで，骨性によるROM制限の可能性や軟部組織性（筋，腱，靱帯，関節包）によるROM制限の可能性について検討する材料となる．

(1) 伸展ROMの左右差の簡便計測法

最大伸展ROMの左右差の簡便計測法について紹介する．患者を背臥位として，大腿部を固定して膝を最大伸展させ左右差を確認する．この際，下腿が外旋位と内旋位での伸展で角度に違いがあるかについても確認する．下腿の回旋肢位の違いにより伸展ROMに変化があれば，ROM制限因子となる軟部組織を推定する材料となる．また患者を腹臥位として，踵の高さの左右差を確認する．1 cmで約1°の差があるとされている（▶図28）．

(2) 膝蓋大腿ROMの評価

膝蓋骨のROM低下は膝関節痛の原因として知られている[22]．膝蓋骨を内外側方向へ移動させ，膝蓋骨の他動的移動量や抵抗感，誘発痛の有無を確認する．同様に膝蓋骨を遠位と近位に移動させて確認する．この際，膝蓋大腿関節の軟骨表面に

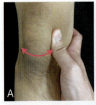

▶図29 膝蓋大腿ROMの評価
膝蓋骨を大腿骨顆を滑らすように内・外側方向(A),遠位・近位方向(B)へ移動させる．この際，膝蓋大腿関節の軟骨表面に異常がある場合はコリコリとした感覚を触知することがある．

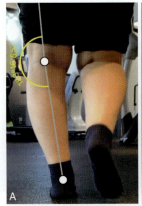
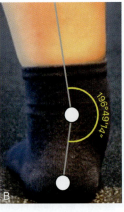

▶図30 歩行動作観察
A：立脚初期から中期にかけてlateral thrustが出現する場合が多い．
B：歩行時の後足部の状態もよく観察する．

異常がある場合はコリコリとした感覚を触知することがある(▶図29)．

c 肢長周径

周径による健患側差を測定することで，筋萎縮や筋力低下の程度を推測する．膝OAでは膝蓋上包内に関節水腫が貯留している場合もあり，膝蓋骨直上での周径が健側よりも大きい場合は膝蓋跳動も併せて確認する．

d 動作観察

(1) 歩行動作

歩容の観察を行う前に，立位姿勢や片脚立位などを観察する．この際に膝関節だけでなく，股関節や足関節，後足部の状態も併せて注意深く観察する．歩容の観察では，左右差や歩行周期のリズムなど全体的な動作を確認することから始める．次に各関節の動きの観察へと進める．立脚初期から中期にかけてlateral thrustが出現する場合が多いが，この際の後足部の傾きや骨盤と体幹の動きを詳細に観察するように心がける．「歩行周期のどこで」「どのような症状が」「身体のどこに出現するのか」について問診することを忘れてはならない(▶図30)．

(2) ADL動作

立ち上がり動作や階段昇降，特に階段降段時に疼痛が出現する場合が多い．階段降段時に膝蓋骨遠位に疼痛が出現する場合は，膝蓋下脂肪体など滑膜組織に由来した疼痛である場合が多い．これ

▶図31 階段後段時痛
患側が屈曲位となったときに，膝蓋骨遠位部に疼痛が出現する場合が多い．

ら以外にも仕事の動作や家事動作など，症状が出現する動作と疼痛出現部位や時期についてていねいに聴取することが大切である(▶図31)．

e 臨床評価基準

治療前後での変化や経時的な症状の推移を把握するのに有用である．国内では，膝OAの臨床評価基準として**日本整形外科学会膝疾患治療成績判定基準**(JOA knee score)を用いることが多い．国際的に普及している基準としてはMOS

36-Item Short-Form Health Survey (SF-36®)やWOMACがあるが，日本人の生活様式に適応した**日本版変形性膝関節症患者機能評価表**(Japan Knee Osteoarthritis Measure; JKOM)が用いられることが多くなっている．

C 膝OAに対する運動療法

膝OAでは疼痛を主訴とする場合が多く，その発生要因はさまざまである．膝OAの治療として手術療法（人工関節，骨切り術，関節鏡視下手術など）や保存療法（投薬，注射，運動療法，装具療法など）があげられる．手術療法が選択されるのは全体の5％程度であり，保存療法が選択される場合が多い．各種の評価に基づいて病態を解釈し，疼痛出現要因に対して運動療法を実施していくことが重要である．

1 軟部組織性疼痛に対する運動療法

膝OAにおける疼痛は，さまざまな要因により発生する．多くの場合は滑膜や関節包をはじめとする関節構成体の拘縮や関節周囲の過剰な筋緊張などによる軟部組織性の疼痛が主体である．これらの症状に対しては，関節構成体のストレッチングや徒手操作による反復運動を行う（▶図32）．これらの運動療法により，関節構成体の可動性と過剰な筋緊張の改善をはかり，疼痛発生要因となっている軟部組織の滑動動態が改善し，内転モーメントが減少することで疼痛の緩和が期待できる．

2 足底挿板療法

足底挿板療法が膝関節内転モーメントを減少させるという明確なエビデンスは存在しないが，短期的な疼痛緩和に一定の効果がある．変形が著しい症例に対しては限界があるが，患者の変形の程度と病態を適切に評価して処方すれば，有用な治療法である（▶図33）[23]．

D 人工膝関節置換術の概要

膝関節障害が進行し，関節軟骨の変性が進行した結果，骨性の疼痛が出現した場合や保存療法を行っても歩行やADL動作，仕事や社会活動に支障が強い場合には，**人工膝関節置換術**(total knee arthroplasty; TKA)が治療として選択される．TKAは骨性の疼痛を取り除き，歩行やADL動作を改善させうる有効な手術療法である．

1 人工膝関節の種類（▶図34）

人工膝関節には大きく分けて後十字靱帯温存型〔posterior cruciate retaining (CR)型〕，後十字靱帯切除型〔posterior stabilized (PS)型〕，蝶番型（ヒンジ型）がある．CR型とPS型の機種選択は顆間窩の骨棘占拠率や術前のROM，前十字靱帯や後十字靱帯の状態など，医師が総合的に判断して決定している．本項では特にCR型とPS型に関する概略と特徴について述べる．

a CR型

CR型は，後十字靱帯が荷重伝達を分担することでインプラント表面に加わる応力を低減させている．術前ROMが120°以上ある患者で用いられることが多い．

b PS型

PS型は後十字靱帯を切除することにより，後方関節包の解離や骨棘の切除など変形の矯正が容易である．一般にCR型と比較して術後ROMが良好なことが多いとされている．

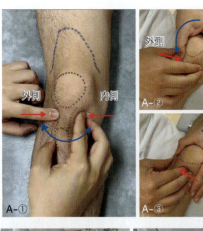
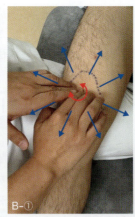
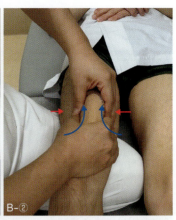
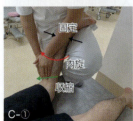
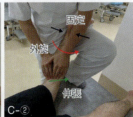
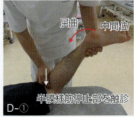
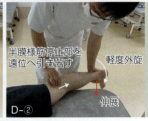
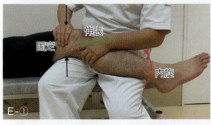

▶図32　軟部組織に対する運動療法

A：膝蓋下脂肪体．①内外側から膝蓋下脂肪体を把持して交互に反対側へ押し込む（赤矢印）．深層からすくい上げるように操作する（青矢印）．②膝蓋骨を外旋させることで膝蓋靱帯を内側へ移動．③膝蓋骨を内旋させることで膝蓋靱帯を外側へ移動．

B：膝蓋上包．①軽度屈曲位として，膝蓋上包が滑走可能な程度の伸張位とする．徒手的に膝蓋上包を滑走させながら多方向へ動かす．②徒手的に膝蓋上包を把持して，大腿骨前脂肪体とともに大腿骨より持ち上げる操作を行う．柔軟性が獲得できる感覚が得られるまで，反復して繰り返す．

C：膝窩筋．下腿の内外旋を誘導しながら，膝窩筋を触診して収縮と伸張する操作を繰り返して行うことで，膝窩筋の筋緊張を改善していく．

D：半膜様筋．一方の手を用いて患者の半膜様筋停止部を触診しながら，下腿は内外旋中間位としたまま屈伸運動を繰り返して行うことで，半膜様筋の筋緊張を改善していく（股関節を軽度外転位とし，ベッドより下腿と足部が出るようにする）．

E：大腿二頭筋．一方の手を用いて患者の大腿を把持して下腿の内外旋を誘導しながら，大腿二頭筋を触診して滑走させる操作を繰り返して行うことで，大腿二頭筋の筋緊張を改善していく（示指を大腿二頭筋腱に添えることで運動方向をイメージしやすくする）．

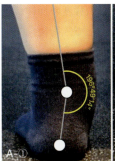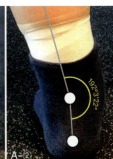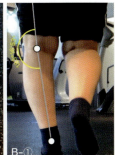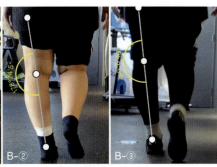
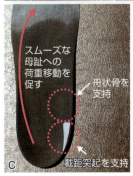

▶図33 足底挿板療法
A：足底挿板を作製する前にテーピングを用いて踵骨を直立化させ，歩行動作を観察する．
B：テーピング下に疼痛が改善していることが確認できれば，足底挿板を作製し，再度歩行動作を観察し，疼痛が改善しているか否かを確認する．
C：足底挿板

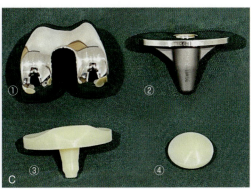

▶図34 人工膝関節の種類
A：CR型．後十字靱帯が生理的機能を果たすことで大腿骨コンポーネントの後方への roll back を誘導し，剪断応力を軽減するために脛骨インサートは平坦となっている．
B：PS型．大腿骨コンポーネントに post を有しており，脛骨インサートに cam を有している．この post-cam 機構を支点として膝関節が安定して屈曲する．
C：人工膝関節は，①大腿骨コンポーネント，②脛骨コンポーネント，③超高分子ポリエチレン性脛骨インサート，④膝蓋骨コンポーネントからなる．

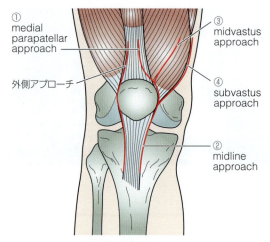

▶図35 人工膝関節の進入法
内側からの進入法（①〜④）と，外側からの進入法.

2 TKAの進入法と軟部組織バランス

a 進入法（▶図35）

　TKAの進入法は，内側からと外側からの2つに分けられ，内側からの進入法は，① medial parapatellar approach，② midline approach，③ midvastus approach，④ subvastus approachの大きく4つに分けられる．medial parapatellar approachは，展開がよいため最も一般的な進入法である．進入法によって手術侵襲する軟部組織が異なるため，医師に進入法の詳細を確認することで，術後運動療法に反映させることができる．

b 軟部組織バランス

　TKAにおいて軟部組織バランスの獲得は重要である．術中の軟部組織バランスと骨切りが術後の膝関節安定性，支持性，無痛性，可動性などの機能に影響する．軟部組織の解離には，①内側軟部組織解離法，②段階的解離法など，いくつかの方法があるが，いずれも関節包，内側側副靱帯の深層と浅層，半膜様筋などの鵞足を構成する筋，後十字靱帯，大腿四頭筋などを解離していく．術後運動療法では，どの組織にどの程度の操作が加えられるのかを把握しておくことで，術後疼痛や炎症を理解することに役立つ．

E TKA術後に注意すべきポイント

1 疼痛

　TKA術後では，特に急性期おいて手術侵襲による炎症や筋攣縮などによって激しい疼痛が出現する．このため周術期の疼痛管理は重要である．また，術後一定の期間が経過しても持続する遷延性疼痛が問題となることもある．術後疼痛には，①侵害受容性疼痛，②中枢神経系感作による痛覚変調性疼痛，③神経障害性疼痛，④防御性収縮による筋攣縮を背景とした運動器性疼痛，⑤心因性疼痛がある[24]．これらの術後疼痛のなかでも，運動器性疼痛は理学療法士で対応可能であり，炎症期や拘縮期など各期に応じた対処が必要である．特に急性炎症期である術後4日間は，無理なROM練習などを行わずに，アイシングなどと併せて愛護的な運動療法を行うように心がける[25]．

2 術後骨折

　TKA術後では関節近傍骨折，特に大腿骨顆上骨折の割合が圧倒的に多く，術後の動作練習においては転倒などに十分注意をする必要がある．

3 静脈血栓塞栓症

　TKA術後に生じるPEは致死的な場合がある．原因は下肢の深部静脈に生じた血栓であり，血流によって肺静脈に運ばれPEが生じる．発症時の症状は，呼吸苦，呼吸困難，胸痛，背部痛，冷汗などである．急激に血圧が低下し，意識消失など

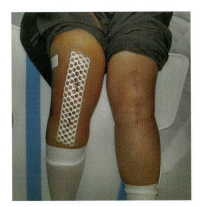

▶図36 創傷被覆材(ドレッシング材)
透明のポリウレタンフィルムと吸水性を有するフォーム材からなる創傷被覆材を用いて,創部滲出液管理と感染予防を行う.

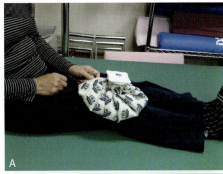

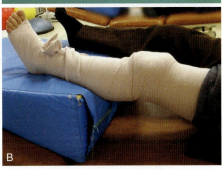

▶図37 腫脹と浮腫に対する対応
A:氷嚢を用いたアイシング.運動療法前後で不快感がない程度に患部を冷やすことで,膝関節の内圧を低下させる.
B:弾力包帯を用いた患肢の圧迫と挙上.膝蓋骨周囲などはガーゼなどを用いて,なるべく包帯との隙間を埋めるようにするとよい.

のショック症状を引き起こす.運動療法中は注意深く患者の様子を観察する.

4 感染症

術後感染症は,TKA術後の重大な合併症の1つである.いったん感染をおこすと内科的治療だけでなく外科的治療が必要となる.治療には数か月,数年必要な場合もあり,患者のQOL,ADLを著しく損なうこととなる.最大の治療は予防である.術後数日間は,透明のポリウレタンフィルムと吸水性を有するフォーム材からなる創傷被覆材を用いる場合が多い(▶図36).運動療法中は,創傷被覆材の状態に注意を払い,常に清潔な状態を保ち患者と接する必要がある.

F TKA術後の運動療法

TKA術後の運動療法と膝OAの運動療法では,目的や手段などが異なる場合があるものの,膝関節機能障害としてとらえた場合には共通する部分も多い.ここではTKA術後に特に重要な内容について紹介する.

1 軟部組織性疼痛に対する運動療法

a 腫脹と浮腫に対する対応

術後2週間の炎症期には,腫脹に対して氷嚢やアイスパックを用いたアイシングを運動療法前後に行う.また浮腫に対しては弾力包帯や弾性包帯を用いたドレッシングを行う.静脈圧よりもやや強い圧迫を行うことで,浮腫を短期的に軽減させることが可能である.これらの腫脹や浮腫に対する運動療法は術創部の離開による疼痛の出現を予防するばかりでなく,ROM制限に対する運動療法を円滑に進めるうえでも重要な処置となる(▶図37).

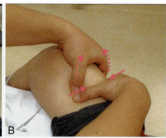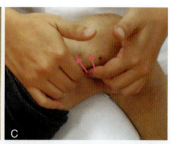

▶図38　関節構成体と筋攣縮に対する対応（▶動画3）
A：膝蓋支帯のストレッチング．患者の膝関節を疼痛がない程度に屈曲位として，理学療法士の手掌を広く膝関節を包むように当てた状態で，膝蓋支帯をストレッチングする．
B：大腿四頭筋（中間広筋）の持ち上げ操作．内側広筋と中間広筋の筋間に母指を沈め，中間広筋を持ち上げるように操作する．これにより中間広筋の筋緊張を緩和させる．
C：大腿筋膜と腸脛靱帯の持ち上げ操作．患者の膝関節を軽度屈曲位として大腿筋膜と腸脛靱帯を持ち上げるように操作する．この操作により外側広筋や大腿二頭筋の筋緊張を緩和させる．

b 関節構成体と筋攣縮に対する対応

　TKA術後では，膝OAでみられた膝蓋下脂肪体による疼痛は出現しない．手術により膝蓋下脂肪体は除去されているからである．しかし，関節包と膝蓋支帯の複合体は術後炎症により癒着しやすく，手術侵襲により筋攣縮が生じていることから，これらの組織に対してストレッチングや筋緊張緩和を目的とした運動療法を実施する（▶図38，▶動画3）．特にTKA術後は，変形していた膝関節のアライメントを矯正しているために，大腿外側から膝後外側に位置する軟部組織の緊張が高くなる場合が多い（▶図39）[26]．これらの介入によりROMも変化する（▶図40）．

2 ROM制限に対する運動療法

　ROM獲得は，実施可能なADL動作を増やすばかりでなく，良好な術後成績と患者のQOLを向上させるために重要な要素である．術後48時間は創傷治癒が十分ではなく，術後炎症により腫脹が強いことから，術後3日間は積極的なROM練習は実施しない．TKA術後のROM練習は，可能なかぎり愛護的に行う必要がある．理学療法士による他動的ROM練習よりも，患者自身で行う自動介助もしくは自動によるROM練習が有効

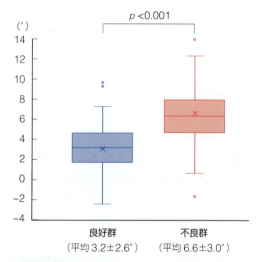

A. 膝蓋骨の傾き

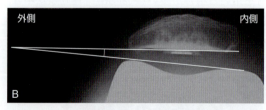

▶図39　TKA術後にみられる膝蓋骨の傾きについて（可動域良好群と不良群の比較）
TKA術後に膝蓋骨の外側傾斜（tilting angle）が大きくなることは知られている．このことは膝蓋骨外側に付着する軟部組織の緊張が高まっていることによる．また，膝関節屈曲可動域が良好な群では外側傾斜が小さくなっており，膝関節外側の筋緊張緩和が重要であることを示している．
〔中井亮佑ほか：CR型人工膝関節全置換術後の膝関節屈曲可動域と膝蓋骨位置および膝蓋大腿関節裂隙間距離の検討．PTジャーナル，55(3)：342–347，2021より〕

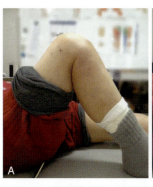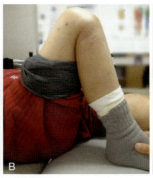

▶図40 関節構成体と筋攣縮による運動療法前後のROM変化
A：運動療法介入前
B：運動療法介入後（術後2週3日目）
C：術後8週で正座を獲得した．

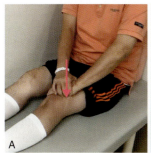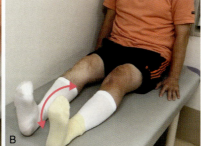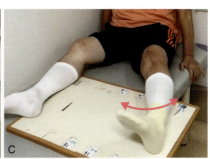

▶図41 自動（介助）運動主体のROM練習（動画4）
A：自動介助による膝伸展運動．
B：大腿四頭筋の筋緊張緩和を目的とした足関節底背屈運動．
C：内転筋と腸脛靱帯の緊張緩和を目的とした股関節内外転運動．
D：ハムストリングスの収縮により大腿四頭筋への相反抑制による筋緊張緩和．
E：自動介助運動による膝関節屈伸運動．
C〜Eは，運動時の摩擦抵抗を軽減する目的で，スライディングボードを使用する．

である．特に術後3週間は屈曲ROMが改善しやすい期間であり，愛護的かつ積極的にROM練習を行う（▶図41，動画4）[25]．入院期間中に患者自身で行うROM練習が獲得できていれば，退院後にROMが低下するリバウンドを予防することにもつながる．

3 TKA術後のADL動作指導

昨今，入院期間が短縮されてきており，術後なるべく早期に病棟内でのADL動作獲得が求められる．創傷治癒の観点から術後3日間は積極的な

ROM練習が実施できないため，この期間を利用して安全で疼痛が少ないベッドサイドでの起居動作やベッドから車椅子への移乗動作，歩行器を使用した歩行動作練習などを患者の状態に応じて進めていく．入院中のADL動作については各施設ごとに術後プロトコルが用意されていることが多いため，それに従って進めていく．

ROMの拡大と術後期間に応じてADL動作練習を進めていく．特に段差昇降や床からの立ち座り，浴槽の跨ぎ動作など，安全な動作を反復して練習することが大切である．またPS型TKAの場合は，床に膝をつく動作は慎重に行う必要がある．PS型TKAではpost-cam機構を有しているため，強い衝撃が加わるとpost-camの破損につながるリスクがあるためである．

●引用文献

1) 土井口祐一ほか：X線学的骨盤腔形態と骨盤傾斜角. 整外と災外, 41(2):641–645, 1992.
2) Roussouly, P., et al.: Sagittal plane deformity; an overview of interpretation and management. Eur. Spine J., 19(11):1824–1836, 2010.
3) Ganz, R.: Femoroacetabular impingement: a cause for osteoarthritis of the hip. Clin. Orthop. Relat. Res., 417:112–120, 2003.
4) 中村順一ほか：変形性股関節症における疼痛発現部位の検討. 臨整外, 41(9):991–994, 2006.
5) Steultjens, M.P., et al.: Range of joint motion and disability in patients with osteoarthritis of the knee or hip. Reumatology, 39(9):955–961, 2000.
6) Offierski, C.M., et al.: Hip-spine syndrome. Spine (Phila Pa 1976), 8(3):316–321, 1983.
7) McCrory, P., et al.: Nerve entrapment syndromes as a cause of pain in the hip, groin and buttock. Sports Med., 27(4):261–274, 1999.
8) Tönnis, D.: General Radiography of Hip Joint. In: Congenital Dysplasia and Dislocation of the Hip, pp.100–142, Springer-Verlag, Berlin Heidelberg, 1987.
9) Sonoda, K., et al.: "Anterior-shift sign": a novel MRI finding of adult hip dysplasia. Arch. Orthop. Trauma Surg., 142(8):1763–1768, 2022.
10) 小野志操：Femoroacetabular impingementに対する評価と治療. PTジャーナル, 53(2):157–167, 2019.
11) Fagotti, L., et al.: Effects of capsular reconstruction with an iliotibial band allograft on distractive stability of the hip joint: a biomechanical study. Am. J. Sports Med., 46(14):3429–3436, 2018.
12) 日本整形外科学会, 日本股関節学会(監)：変形性股関節症診療ガイドライン2016. 改訂第2版, 南江堂, 2016.
13) Hodges, P.W., et al.: Contraction of the abdominal muscles associated with movement of the lower limb. Phys. Ther., 77(2):132–142, 1997.
14) 馬場智規ほか：人工股関節全置換術の進入法の利点と欠点—前方進入法と後方進入法の比較. MB Orthop., 29(6):49–67, 2016.
15) Trousdale, R.T., et al.: Anterior iliopsoas impingement after total hip arthroplasty. J. Arthroplasty, 10(4):546–549, 1995.
16) Chalmers, B.P., et al.: Iliopsoas impingement after primary total hip arthroplasty: operative and nonoperative treatment outcomes. J. Bone Joint Surg. Am., 99(7):557–564, 2017.
17) 井上 靖ほか：閉鎖神経絞扼障害に対する外閉鎖筋ブロックの経験. 整形外科, 63(1):21–25, 2012.
18) Masri, B.A., et al.: Periprosthetic fractures evaluation and treatment. Clin. Orthop. Relat. Res., 420:80–95, 2004.
19) Dye, S.F., et al.: Conscious neurosensory mapping of the internal structures of the human knee without intraarticular anesthesia. Am. J. Sports Med., 26(6):773–777, 1998.
20) Øiestad, B.E., et al.: No association between daily walking and knee structural changes in people at risk of or with mild knee osteoarthritis. prospective data from the multicenter osteoarthritis study. J. Rheumatol., 42(9):1685–1693, 2015.
21) Paley, D.: Principles of Deformity Correction. Springer, Berlin, 2001.
22) Grelsamer, R.P., et al.: Patellar tilt: the physical examination correlates with MR imaging. Knee, 15(1):3–8, 2008.
23) 中嶋耕平ほか：変形性膝関節症に対する足底挿板療法. リウマチ科, 30(2):114–119, 2003.
24) Chimenti, R.L., et al.: A mechanism-based approach to physical therapist management of pain. Phys. Ther., 98(5):302–314, 2018.
25) 小野志操ほか：膝関節伸展機構の癒着予防を考慮した人工膝関節置換術後の運動療法の効果—従来の運動療法との比較検討. 日人工関節会誌, 42:251–252, 2012.
26) 中井亮佑ほか：CR型人工膝関節全置換術後の膝関節屈曲可動域と膝蓋骨位置および膝蓋大腿関節裂隙間距離の検討. PTジャーナル, 55(3):342–347, 2021.

第6章 側弯症の運動療法

学習目標
- 側弯症の原因疾患について理解する．
- 側弯症の理学療法評価を知る．
- 側弯症に対する装具療法を知る．
- 側弯症の運動療法と日常生活指導について理解する．

A 概念と特徴

1 側弯症とは

　側弯症とは，脊柱が腰椎部や胸椎部の前額面上で側方に弯曲変形した状態をいう（▶図1A）．同時に水平面上での椎体の回旋も加わり，椎体は前額面上での脊柱の凸側，棘突起は凹側を向き，椎体は楔状になる．弯曲が胸椎でおこった場合，水平面側での胸郭は左右非対称となり，凸側の肋骨は後方に押されて胸腔は狭くなる（▶図1B）．凹側の肋骨は前方に突出し，凸側よりも胸腔は前方に広がる．また，変形が強くなると呼吸障害，腰痛などが合併症としておこる．

2 分類

a 非構築性側弯症と構築性側弯症

　非構築性側弯症（nonstructural scoliosis）は機能性側弯症（functional scoliosis）と同義とされ，特徴として椎体の回旋変形や楔状変形の存在が少ないため，原因が特定されれば比較的容易に矯正が可能である．原因別に以下のように分類される．

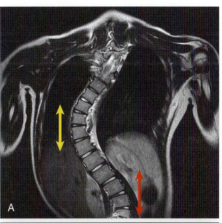
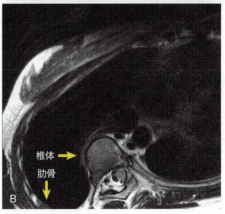

▶図1　側弯症による変形
A：椎体変形．矢印の部分に凹側椎体の圧縮と椎間板の凸側への偏位および楔状に変形した椎体がみえる．また，胸郭の左右の変形がみられる．
B：胸郭変型．椎体の回旋と凸側肋骨の後方偏位（肋骨隆起）がみられる．

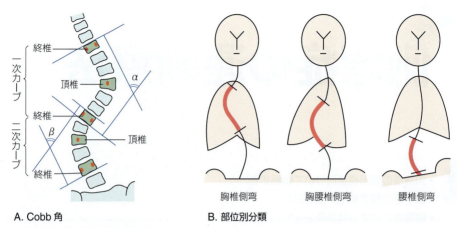

▶図2　Cobb角と部位別分類
弯曲の最上位の椎体(上端椎体)の上面と最下位の椎体(下端椎体)の下面に垂線を当て，2本の垂線のなす角をCobb角という(Aのαとβ).
〔A：鳥巣岳彦ほか(編)：標準整形外科学. 第15版, p.565, 医学書院, 2023, B：鳥巣岳彦ほか(編)：標準整形外科学. 第8版, 医学書院, 2002 より〕

①姿勢性の側弯：不良姿勢からおこるもの
②静力学的側弯：身体成長の不均衡，身体活動の不活性(低運動症候群)，肥満，脚長差，股関節拘縮などが原因となるもの
③ヒステリー性側弯：心理的作用が姿勢に投影されるもの
④疼痛性側弯：ヘルニアや脊髄腫瘍などを起因とした神経根刺激や脊椎領域周囲の炎症から引き起こされるもの

構築性側弯症(structural scoliosis)は，脊柱が前額面上で側方に歪み変形を引き起こす．結合組織，軟骨，骨に変形が生じ，椎体に回旋や楔状変形が認められる．原因として，神経筋原性(遺伝性神経筋病変)，先天性(楔状骨，半椎，脊椎分節不全など)，神経線維腫，間葉性障害，関節リウマチ，外傷，脊髄外拘縮，骨軟骨ジストロフィー，骨感染，代謝性障害，腰仙部関節の障害，腫瘍などのほか，原因不明の特発性も含まれる．
特発性側弯症の出現はどの成長年齢期でも高く，①乳幼児性(infantile scoliosis)，②学童期性(juvenile scoliosis)，③思春期性(adolescent scoliosis)に分類することも一般的に行われている．

思春期特発性側弯症(adolescent idiopathic scoliosis; AIS)は，成長が著しい年齢で急激に進行して，10〜16歳くらいの女子では1割近くにみられる疾病である．

b Cobb角と部位による分類

Cobb(コブ)角では，①正常範囲(子どもは10°以下，成人で15°以下)，②軽度(25°未満)，③中度(25〜45°)，④重度(45°以上)，⑤高度(80°以上)に分類される．
部位では側弯の頂椎の部位により，①胸椎側弯(T2〜T10に頂椎のあるもの)，②胸腰椎側弯(T10〜L1に頂椎のあるもの)，③腰椎側弯(L2〜L4に頂椎のあるもの)に分類される(▶図2)[1, 2]．

c 疫学的検証

全側弯症例中，原因が不明で思春期の女性に多い特発性側弯症が圧倒的に多く，疫学的調査では全体の70〜80％を占める．発生異常による先天性は約10％で，脳性麻痺，神経線維腫症が約2％，Marfan(マルファン)症候群，筋疾患，ポリオ，精神発達遅滞などが散見され，その他のものは全体の約5％である．

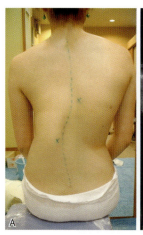
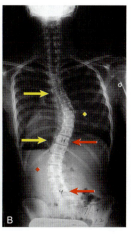

▶図3　特発性側弯症
B：◆頂椎，➡終椎

B 運動療法の実際

1 運動療法の目的

目的は，側弯症の進行予防のために可能なかぎり脊柱の矯正をはかり，脊柱の柔軟性を維持すること，および筋力を強化することで疼痛軽減をはかること，抗重力筋を強化することでよい姿勢を意識して機能障害の予防をはかることである．

a 特発性側弯症（▶図3）

(1) 思春期特発性側弯症（AIS）

AISは進行性で，年齢，成長過程でさまざまな進行の度合いを呈す．10～16歳（または骨格成熟期）に発症する進行性成長疾患であり，脊柱側弯症の大部分を占めている．

弯曲パターンとしてdouble major curve（右胸椎－左胸椎，右胸椎－左腰椎弯曲）やright thoracic curve（右胸椎弯曲）が多く，right thoracolumbar curve（右胸腰椎弯曲），left lumbar curve（左腰椎弯曲）を加えると側弯症のほとんどの弯曲変形を呈す（たまに逆側の変曲もある）．この特徴的弯曲の出現の原因は，神経反射の偏位や内臓器の位置などの説があるが，実際の原因は明らかでない．特に女子の占める率が高く，思春期の成長とともに側弯症が進行する特徴がある．脊椎の解剖学的変化と，脊椎の凹面と凸面の間の筋肉の不均衡を呈する．この形態学的変化は，頭部，肩甲帯，体幹，骨盤帯の姿勢の向きを変化させ，これらが姿勢制御に影響を与える．その容姿への心理的な劣等感や，装具装着での動きにくさがもともとの体力・筋力低下と相まって日常生活や社会活動を不活性にしやすく，体力・筋力低下を助長する．

Cobb角が50°以上の症例では，成人期を通じて進行する傾向があり，それらを放置すると高度側弯症となり，心理的，社会経済的に大きな影響を与える．公共の場所での水泳や社会的接触に対し，脊柱側弯症を有する成人の大半が意識的であり，そのような活動を避ける傾向が強くなる．

背中の痛みは，通常，腰椎と胸腰椎側弯で誘発されやすく，痛みの持続は，社会生活に影響を及ぼす．胸郭の変形は，肺予備能および心拍出量に影響を与え，心肺疾患の有病率を高める．高度側弯症患者では心肺疾患により，死亡する例もある．

治療法の選択はCobb角で決定され，25°未満では経過観察，25°以上で装具適応，45°以上に進行すると手術による矯正固定がすすめられる．古典的な保存的体操療法や姿勢矯正運動などの単独の療法では科学的根拠がなく，補助的治療と位置づけられており，運動療法は体力・筋力の強化によるトレーニングにより，体幹の支持性や精神的高揚感を得るために行われてきた．しかし，近年では側弯症の軽度な時期から積極的な運動療法の体系化がなされており，ストレッチング，筋力トレーニング，骨盤矯正などの運動や日常生活の指導と装具療法を併用して，側弯症の改善や進行を遅らせた報告がなされている．これらの運動療法は，腰骨盤コア・腰椎・体幹の安定化，脊椎の神経制御やセグメントの安定化，動的な制御，腰椎および骨盤周辺の筋肉の神経筋制御，筋力と持久力の向上や機能的安定性を維持する目的で行われている．

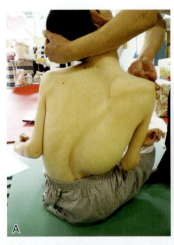

▶図4　脳性麻痺児にみられる側弯
A：緊張型，B：アテトーゼ型

(2) 乳児期側弯症

　乳児期側弯症は，自然経過で寛解する例と，高度変形になる例がある．乳幼児期は運動発達が十分に成熟しておらず，特に乳児期は従重力下での身体活動が中心であるため，原因が明らかでない場合の非構築的側弯を特発性側弯症に含めてしまうこともある．

　また，脳性麻痺や精神発達遅滞，生後の脳血管疾患なども診断がつかないうちに側弯症とされることもあるため，ハイリスクベビーや運動発達遅滞の児は，成長とともに高度変形にならないように注意する必要がある．自然経過で徐々に改善するタイプは男児の左胸椎凸が多いとされる（resolving type）．

(3) 学童期側弯症

　学童期側弯症は，特発性側弯症が12〜20％で，男女の比がほぼ同数であることが思春期側弯症と異なる．乳児期側弯症と同様に，自然寛解するresolving typeもある．学童期は身長が急速に発達する時期であり，動的姿勢反射機構の障害は特発性側弯症の成因因子となるため，この時期の側弯症治療では，学校保健やスポーツ活動を推奨して，姿勢反射発達の促進や筋力・体力の強化をはかることが重要である．

b 脳性麻痺

　脳性麻痺（cerebral palsy; CP）での側弯症は学童期に多く，乳幼児期からおこる高度な筋緊張亢進（緊張型）での不良姿勢や非対称性の筋緊張による不均衡と，重力に対する姿勢保持能力の機能不全とが相まって学童期に顕著に現れる（▶図4A）．したがって，理学療法は，筋緊張の調節と姿勢と運動へのアプローチが主体となる．

　また，脳性麻痺のタイプ別では，低緊張型，アテトーゼ型，失調型など，いずれも脊柱側弯をおこす可能性があり，緊張型以外ではアテトーゼ型が比較的多い．これは，肢位姿勢固定のための一部の選択的な筋活動の持続が，非対称的な筋緊張状態をつくりやすいためである．カーブは一側性の大きなC型が多いが，椎体の回旋も加わり，大きく捻転する（▶図4B）．

c 精神発達遅滞

　精神発達遅滞（mental retardation）では，脳性麻痺の弛緩型と類似しており，体幹緊張の低さと姿勢の抗重力保持能力との釣り合いが調節できず，脊柱の弯曲を生み出すことが多い．カーブは一側性の大きなC型が多いが，椎体の回旋要素は

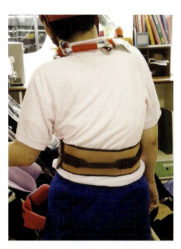
▶図5 精神発達遅滞に伴う側弯

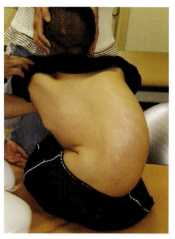
▶図6 筋ジストロフィー側弯

少なく,捻転も少ない.

理学療法は,両側性に体幹筋の活動性が上がるように支持性を高め,加えて対称的な姿勢と運動へのアプローチが主体となる(▶図5).

d 筋ジストロフィーなどの筋原性疾患

筋ジストロフィー(progressive muscular dystrophy)などの主病状の進行に従って骨格筋の麻痺が進み,体幹の抗重力保持能力が低下することで,重力下での重力と自重により脊柱の弯曲変形が進行する.また,そこに筋緊張のアンバランスが加わることもある.理学療法では,筋力の維持とシーティングなどの姿勢保持へのサポートおよび併発する呼吸機能障害予防に比重がおかれる(▶図6).

このように,理学療法は側弯症のタイプや時期に応じたアプローチが求められる.

2 評価のポイント

理学療法の評価は,側弯の程度と状態を把握し,それによる機能障害や能力の障害,さらには日常生活や社会活動でのハンディキャップを明瞭化して,理学療法としてのアプローチを系統的に意味づけるために行う.したがって,姿勢の評価やアライメントやモーメントの考察,脊柱や胸郭変形の程度,関節可動域の検査,筋力検査,日常生活活動量の評価,呼吸機能や運動耐容能の評価やバランステスト,身体柔軟性の評価などを行い,症例に応じて,脳性麻痺などでは筋緊張の評価,反射などの神経学的評価,乳児の場合は発達検査,重度症例では座位保持装置や車椅子などの補助具,特発性側弯などでの装具の評価など,必要な評価を行う.それらを統合して,姿勢や動作,運動行動などの直接的アプローチ,または運動指導や生活指導などの間接的アプローチを行う.詳細は次項に記載する.

また,前述した Cobb 法以外の X 線像での側弯症評価を図7[1,3]に示す.

a 姿勢の評価[1]

視診,触診にて脊柱アライメントを三次元的に評価する.背面から前額面で,後頭隆起,C7棘突起,殿裂,両膝関節内側の間の中心,両足内果の間の中心を通っての垂線を基本軸に,胸椎カーブと腰椎カーブの側方偏位を計測する.さらに,左右の肩峰の高低差,肩甲骨下角の高低差,腸骨

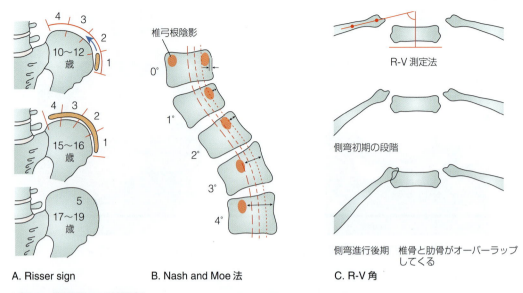

▶図7　側弯症のX線評価
A：Risser（リッサー）sign．脊柱全長X線正面像における腸骨稜骨端核の所見．成長とともに外側から内側に向かって伸び，最終的に腸骨と癒合する．5段階に分類し，成長期の側弯の進行の予測や治療において重要である．
B：Nash and Moe（ナッシュ・モー）法．立位単純X線前後像で，椎体の陰影と椎弓根陰影像との位置関係および椎弓根陰影像の対称性を指標として椎体のねじれを5段階で評価する．
C：R-V角．肋骨の椎体に対する傾斜角の左右差のR-V角（rib-vertebra angle）により進行を予測する．乳幼児の側弯に対して適応され，寛解する側弯か進行性の側弯かの判断となる．20°を超えると進行性の可能性がある．
〔A，B：鳥巣岳彦ほか（編）：標準整形外科学．第15版，p.566，医学書院，2023．C：Mehta, M.H.: The rib-vertebra angle in the early diagnosis between resolving and progressive infantile scoliosis. J. Bone Joint Surg. Br., 54:230–243, 1972 より一部改変〕

稜の高低差を計測する．

また，側方からは矢状面上で耳介，肩峰，大転子，膝外骨後面，外果の前方を通る線が垂直か，脊柱の前額面弯曲と殿部，胸郭の形状と位置関係，骨盤傾斜角，膝の位置と下肢のアライメントなどを観察する．

水平面上での評価は椎骨の回旋をX線像でのNash and Moe法や，立位や座位にて前屈検査での肋骨の後方への隆起を観察し，肋骨隆起の程度を計測する．側弯症では，前屈試験による肋骨隆起は凸側の肋骨が著明に隆起する（▶図8）．スコリオメーターを用いての計測などでの定量的評価も有効である．

b 関節可動域と柔軟性

脊柱の可動性と，胸郭の可動性，および四肢の近位関節と頸部の可動性を計測する．主に体幹の屈曲・伸展と回旋，胸郭の挙上と前後左右への広がりの大きさ，回旋の程度を評価する．柔軟性としては指床間距離測定などを行う．

c 筋力

体幹の屈曲・伸展と回旋を伴った屈曲，四肢近位部および中間関節の筋力や肋骨の広がりとしての吸気・呼気運動を評価する．

d 呼吸機能

肺活量，1秒量，1回換気量，努力性肺活量などの一般的な呼吸機能データを参照する．

e その他

運動耐容能については，特に運動負荷試験やMaster（マスター）試験などの心肺機能測定は必須としない．しかし，単に生活のなかでの運動量

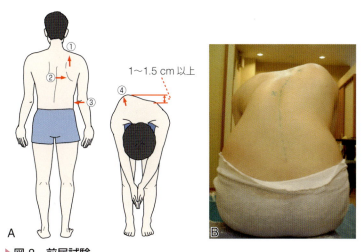

▶図8 前屈試験
①前屈したときの背面の高さの左右差(特に肋骨部および腰部),②腋窩線,側腰部三角の左右差,③両肩甲骨の高さ,位置,④両肩の高さなどの差を比較する.
〔A:鳥巣岳彦ほか(編):標準整形外科学.第12版,p.555,医学書院,2014より改変〕

や生活習慣などを問診もしくはアンケート調査をすることは重要である.また,バランステストも可能であれば重心動揺検査や足荷重検査が望まれるが,臨床的には片側起立試験やリーチテストなどを行うほうがよい.

f 脳性麻痺と精神発達遅滞

中枢神経疾患では筋緊張と姿勢および動作の評価は最重要で,どの筋(群)にどの程度の緊張が高いのかまたは低いのか,筋緊張の性状の質的評価と量的評価を行い,また,動作中のダイナミックな筋緊張の変化を評価する.

3 運動療法の方法

a 運動療法の基本

特発性側弯症の学童期・青年期の人(児)は日常生活が不活性化しやすく,体力が低下しやすい.また,脳性麻痺の中枢神経由来の障害や筋ジストロフィーなどの筋原性疾患などでは,身体機能の障害から,日常生活や社会生活での行動範囲が非常に狭くなる.言い換えれば,原因となる疾病の有無に関係なく,側弯症の学童・青年は日常生活での活動性が低いといえる.そのため,日常生活行動の範囲拡大や運動習慣を獲得して,体力・筋力を強化していくことが第一義的に重要である.

次に,側弯症の側方へのねじれを修正するための運動課題の提供を考察していく.矯正の基本は,①頭尾方向への牽引力,②肋骨隆起部の矯正である.脊柱の歪みを自己修正する意識下でのストレッチングを行い,さらに脊柱の安定性と骨盤の支持性を目的とした体幹深部筋の強化を課題としての運動を提供する.

また,呼吸機能の向上目的の呼吸運動療法が変形の強い特発性側弯症や脳性麻痺,筋ジストロフィー患者に対しては重要となる.これらの疾患は肺活量,1秒量,努力性肺活量ともに減少して,肺炎などの感染症をおこしやすい拘束性機能障害を合併していることが多い.

脳性麻痺では,筋緊張の異常性を修正し,姿勢を左右対称に保持させるようにポジショニングやハンドリングをする.座位レベルの生活姿勢が多いため,シーティングは重要である.弛緩型や筋ジストロフィーなどの低緊張には,抗重力筋を活性化させたり,体幹装具を適用したりして,車椅子などの座位姿勢を整える.

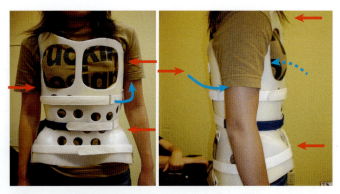

▶図9　装具固定原理（アンダーアーム・ブレース）
赤い矢印は3点固定，青い矢印は回旋を矯正する方向への圧迫を示す．ミルウォーキー・ブレースではネックリングで上方への牽引も行われる．

b 装具療法

　特発性側弯症の第一義的治療は装具療法であり，運動療法は補助的手段である．装具は，脊柱の弯曲を矯正するように肋骨隆起部を圧迫する3点固定で行う（▶図9）．

　ネックリングで長軸方向に牽引力を与え，胸椎パッドで修正力を加えるミルウォーキー・ブレース（Milwaukee brace）と，ネックリングのない体幹部だけのアンダーアーム・ブレース（under-arm brace）に大別される．アンダーアーム・ブレースは，ボストン・ブレース，大阪大学式（OMC式），佐賀医大式，TLSO式などがあり，そのほか，リヨン式，リュックサック型などがある（▶図10）[4]．ミルウォーキー・ブレースはネックリングによる頸椎の運動性を制限され，その結果ADLの支障をきたすという欠点のため，近年では使用されることが少ない．アンダーアーム・ブレースは上位胸椎の頭部の立ち直りの少ない症例では矯正力が弱い．

　脳性麻痺などの麻痺性側弯症では，全身性のスパズムによる脊柱の過度な側屈回旋が生じるため，スパズム時の体幹変形に対応するように，矯正力は弱いが弾性の強いポリカーボネートをフレームに使い，可塑性のあるEVAシートを側面に使用したDynamic Spine Brace体幹装具も最近使用されている．

　近年，CAD/CAMシステムによる体幹の曲線に合わせた三次元的で個性的なゲンシンゲンブレース（Gensingen Brace）が，側弯症の積極的運動療法であるSchroth（シュロス）法とともに使われている．このブレースモデルは側方への強制力は比較的弱いが，椎体の回旋制御と自己修正を目的に効果が期待されている．

c 具体的な運動療法

（1）特発性側弯症の運動療法

　特発性側弯症での運動療法の具体的な目標は，脊柱の可動性の獲得，体幹筋の筋力強化，呼吸練習，姿勢感覚の再教育，筋の再教育，平衡機能の学習などである．

●他動的軟部組織の伸張

　胸椎凹側を下にした側臥位にて，下側の上肢を挙上した肢位で，凹側肩甲骨を頭側に引き上げ凹側の胸部を長軸方向へ引き伸ばす．さらに凸側の頂椎を中心に，椎骨および肋骨を腹側方向へ回旋させる．腰部の場合は凸側を下にし，やや背臥位方向の側臥位から腹臥位方向へ体幹を側臥位に回旋しながら腰椎を体軸回旋方向とは逆方向の床方向へ回旋させる．また，下側の下肢は屈曲し，上側の下肢は伸展して上側骨盤を下制し，凹側体幹を引き伸ばす（▶図11）．

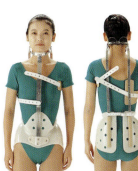

A. ミルウォーキー・ブレース　　B. 大阪大学(OMC)式　　C. ボストン・ブレース

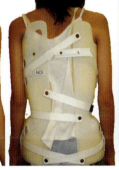

D. TLSO式　　　　　　　　　　E. Dynamic Spine Brace(左から前面・側面・後面)

▶図10　側弯装具
A：ミルウォーキー・ブレース．ネックリングがあり，上方への矯正力がある．
B〜E：アンダーアーム・ブレース．腋窩より下に装具の上辺がくる．それぞれ内部のパッドによって矯正をかけ，ネックリングがないので着衣では比較的目立ちにくいが，上位胸椎に対しては矯正力が弱い．
〔A：日本義肢協会：装具カタログより〕

●自主的伸張運動

まずは患者自身が自己の側弯の状態を認識し，正常な姿勢とはどのようなものかを理解することが重要である．頂椎を中心に凹側体幹の伸張と椎体の回旋の修正を意識したストレッチングを背臥位，側臥位，座位，立位それぞれの姿勢のなかで行い，運動による筋の伸張と筋収縮を学習させる（▶図12）．

●姿勢矯正練習

座位および立位での姿勢の矯正は，頂椎の部位を認識し，頂椎を中心にして凹側の伸張と体幹の回旋を行う．このとき，骨盤の前傾または後傾をおこさないように気をつける．

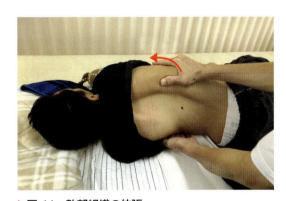

▶図11　軟部組織の伸張

●呼吸練習

基本練習は，背臥位にて胸郭の変形の矯正を意識した回旋と肋骨の上下への動きを補助しながら行う．背臥位にて下肢膝立位とし，骨盤前傾を防

▶図 12 自主的伸張運動

▶図 13 呼吸練習

A

B

C

D

▶図 14 背臥位での体幹筋力練習
A：ドローイング，B：ブリッジ，C：ブリッジ（片脚），D：ストレッチポール

A-①

A-②

B

C

▶図 15 四つ這いや膝立ち位での体幹筋力練習
A：四つ這い位，B：ダイアゴナルリーチ，C：プランク

ぐ．凸側肩関節外転外旋位にて肩甲骨を後傾し，凹側肩関節は逆側より外転・内旋位のポジションとし，胸郭の凹側を伸張する．この姿勢にて凹側は背面，凸側は前面の胸郭を拡張するよう呼吸を繰り返し行う（▶図 13）．

● 筋力強化運動

側弯症における筋力強化運動は，脊柱の安定性を担保するために，骨盤の安定的な支持性が重要である．ドローイングを習得することを最初に心がけ，背臥位や座位において腹式呼吸法とともに体幹深部筋群の収縮を意識させる（▶図 14）．そのうえで体幹深部筋の強化と再教育を行い，姿勢感覚を学習させる．次に抗重力姿勢下での運動として四つ這いや膝立ち位での運動課題を行う（▶図 15）．ここでも骨盤帯と体幹筋の支持性と安定性強化を目的として，脊柱の前弯，後弯の前後方向への矯正や，骨盤の前後傾の修正も含めた一連の姿勢感覚の学習と，比較的安定位での平衡機能練習が中心になる．座位，膝立ち位での運動は立位運動への中間的位置づけで，体幹の可動性の獲得，体幹筋の筋力強化と重心を高くした位置での平衡機能の獲得を行い，立位での平衡機能

A. ドローイング

B. スクワット

C. ランジ，サイドランジ

D. 動的スクワット

▶図16 重心の高い位置での練習

練習は不安定な条件での姿勢反射の発達を促す（▶図16）．

(2) 装具を装着したままで行う運動療法

装具を装着したなかでの運動は，背臥位での骨盤傾斜の矯正運動，腹筋の強化運動，腹臥位での背部の伸張運動，腕立て伏せ，背筋の強化，立位での脊柱の上方牽引運動など，前述した運動のなかで装具装着下でも可能なものを行う．また，装具の胸椎パッドからの引き離し運動は，特に装具装着中にできる運動である（▶図17）．いずれも，装具内での等尺運動に近い静的な運動である．

(3) 中枢神経系疾患，筋神経疾患の運動（姿勢矯正）

脳性麻痺での側弯症に対する運動は，筋緊張の調節が第一義的に行われる必要がある．重力や姿勢反射の影響を考慮しながらリラクセーションされた筋緊張を学習させ，ポジショニングをつくっていき，対称的な姿勢を意識づけていく（▶図18）．座位や車椅子座位では，立ち直り反応が欠如していることを考慮して，座面や重心線を意識したシーティングをつくる（▶図19）．また，精神発達遅滞や筋ジストロフィーなどの低筋緊張

▶図17 装具装着での運動

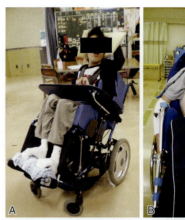

▶図19 脳性麻痺児のシーティング
A：アテトーゼ．立ち直りがないため，体幹上部までパッドを入れる．
B：筋ジストロフィー．モールド型装具と車椅子での座位保持．

①胸腰椎の側弯と回旋　　②リラクセーションとストレッチなどのハンドリング　　③凹側脊柱起立筋の伸張

▶図18 脳性麻痺のアプローチ

では，アライメントを整えたのち，姿勢の保持を行わせ，筋緊張の再教育と強化をはかったり，胸郭や脊柱の柔軟性を他動的にアプローチしたりする．単純なCカーブでは，器具を使った伸張なども行う（▶図20）．

これらの神経-筋に由来する疾患の具体的な運動療法の記述については，それぞれの疾患の運動療法の章に譲る．

C 運動療法上の留意点

特発性側弯症の運動療法は，それが単独では機能しないことが重要である．初期の特発性側弯症での進行予防や，進行期での装具療法や手術療法の補助手段ととらえる．

また，脳性麻痺の側弯や進行性神経筋疾患での側弯は，原疾患の二次的合併症である．しかし，側弯症の強度の進行は胸郭運動の制限による呼吸機能低下や腹部内臓器の圧迫による消化管機能に影響を及ぼす．そのために，これらの疾患の脊柱変形に対しても十分にケアする必要がある．つまり，側弯症の運動療法とは，原疾患の種類によらず，他の治療手段やアプローチ手段とともに，患者に対して将来を見据えた最良の環境と生活様式を提供するための一手段である．運動療法の実施にあたっては，患者や家族がそのことを十分に理解して，日常的に反復して行ったり，日常生活に

▶図20　器具を使った運動
A：バルーンを用いた運動
B：バランスボールを用いた運動

取り入れたりするなど，単に運動療法を施行するのではなく，患者や家族と一緒になって，患者にとってよい姿勢を日常生活様式のなかでの活動や運動を通して構築していくという概念をもつことが重要となる．

さらには，側弯症の患者が総じて日常の活動性が低く，精神的にもなんらかの負い目を感じやすいことも視野に入れて，精神的な賦活と社会生活への前向きな活動力をつけていくことも運動の重要な側面となる．強制的な受動的運動活動よりも，能動的で自発的な運動活動が行えるような上手な心理的配慮や誘導も大事な事項になってくる．よって，運動課題は，レクリエーションや遊びの課題，軽いスポーツ活動的な課題のなかに，前述の具体的な運動方法で示した運動の要素を，それぞれの症例に即して選択的に織り込むなどの工夫が必要である．

●引用文献
1) 鳥巣岳彦ほか（編）：標準整形外科学．第15版，p.565，医学書院，2023．
2) 鳥巣岳彦ほか（編）：標準整形外科学．第8版，医学書院，2002．
3) Mehta, M.H.: The rib-vertebra angle in the early diagnosis between resolving and progressive infantile scoliosis. *J. Bone Joint Surg. Br.*, 54:230–243, 1972.
4) 日本義肢協会：装具カタログ．

第7章 疼痛疾患の運動療法

学習目標
- 腰痛を呈する疾患の特徴的な病態を理解する．
- 腰痛の主観的，客観的評価の方法を知る．
- 保存療法，手術療法それぞれに対する運動療法について知る．
- 肩関節痛を呈する疾患の特徴と解剖学的情報を理解する．
- 肩関節痛の評価と治療方針について理解する．
- 肩関節痛を伴う機能・能力障害に対する理学療法を理解する．

I 腰痛症の運動療法

A 概念と特徴

1 病態と原因

腰痛の生涯発生率は50〜80％であるといわれている．腰痛は"症状"であり，疾患ではない．従来，腰痛は椎間板の傷害・損傷という解剖学的・生物学的病態を原因とする考え方が主流であったが，近年，生物学的因子とともに多様な因子，特に心理・社会的因子が，今まで認識されていた以上に早期から腰痛の増悪や遷延に深く関与していることが指摘されている．

さらに，腰痛病態の二極化がある．腰部に起因する腰痛であるが，神経症状や重篤な基礎疾患を有していない非特異的腰痛と，椎間板ヘルニアなどに起因して神経症状を有する特異的腰痛や重篤な外傷（感染，腫瘍，骨折など）とは区別して対応することが望ましい．したがって，腰痛を引き起こす機序を正しく理解することが重要となる．

2 代表的疾患

a 椎間板ヘルニア

髄核脱出の程度により，突出型，脱出型，遊離型に分類される．最近，脱出椎間板の状態や内容により相違はあるものの，生体の吸収反応により，自然縮小することが明らかにされている．

b 脊椎分離症

青少年の約10％にみられ，スポーツ選手ではスポーツの種類によっても異なるが，25〜40％に及ぶ．このことから，成長期の活発な運動，特に腰椎の回旋動作，後屈と前屈の繰り返しによるストレスが関節突起間部に負荷されることによる一種のストレス骨折としてみるのが妥当である．しかし，人種間でかなりの相違があることから異論もある．

c 脊椎すべり症

椎骨が直下の椎骨に対して前方へ偏位した状態

を総称する．本症は可動部分である機能的脊柱単位での支持性の損失を意味している．原因としては以下のものがあげられる．
①脊椎分離に続発する場合
②機能的脊柱単位，特に椎間板と椎間関節の退行性変化に基づいて生じる場合
③第1仙椎の先天的な形成異常に基づいて生じる場合
④外傷性脊椎すべり症
⑤病的脊椎すべり症

d 腰部脊柱管狭窄症

脊柱管を構成する骨性要素や椎間板，靱帯性要素などによって腰部の脊柱管や椎間孔が狭小化され，馬尾あるいは神経根の絞扼性障害をきたして症状が発現したものである．絞扼部によって中心型と外側型に分けられる．特有な臨床症状として，下肢のしびれと馬尾性間欠跛行が出現する．病態には先天性，後天性の種々のものがある．生来の脊柱管狭小に加えて退行変性による脊椎症性変化により，中年以後発症するものが多い．

e 腰椎変性性側弯症

思春期特発性側弯症の既往歴がなく，50歳以後に発症するCobb(コブ)角が10°以上の腰椎側弯症を指す．有病率は成人群で8.3～13.3%，60歳以上では68%とされている．病態として，MRIにおいて側弯凹側で確認される骨髄浮腫と腰部圧痛との密接な相関が指摘されている．発生要因としては四肢骨格筋量と体幹筋量の顕著な低下が指摘されている．

3 治療法
a 保存療法

MRIの進歩に伴い椎間板ヘルニアの自然縮小が認められるようになり，高度の下肢麻痺や膀胱直腸障害を伴う例を除き，椎間板ヘルニアに対しては保存療法が第一に選択されるべきとされている．保存療法には以下の内容が含まれる．
①安静：発症後，3日以内は最も安楽な姿勢での臥床が推奨される．
②薬物：非ステロイド性抗炎症薬(NSAIDs)，筋弛緩薬，坐薬，抗うつ薬などが投与される．
③硬膜外腔ブロック：急性期の疼痛に対して有効な方法である．
④装具(コルセット)：腰部の安静を確保する．
⑤骨盤牽引：急性期はベッドでの持続牽引を行い，慢性期には間欠牽引を行う．
⑥運動療法：B項「運動療法の実際」の項を参照．

b 観血的治療

患者の社会的背景などによっても異なるが，1～3か月の保存的治療によっても症状が改善しない場合，または高度の下肢麻痺や膀胱直腸障害を伴う場合が対象となる．代表的な観血的治療方法を以下に示す(詳細は成書を参照のこと)．
①経皮的髄核摘出術
②後方椎間板切除術
③脊椎固定術
④前方椎間板切除術および固定術

B 運動療法の実際

保存療法の運動療法

1 運動療法の目的

疼痛の軽減・治癒が目的である．しかし，疼痛は主観的な症状であり，特に慢性腰痛の場合には社会的・経済的・心理的要因などの病態が複雑に絡み合う．そのため，腰痛症例に対しては疼痛のみに注目するだけでは不十分であり，身体機能の向上，QOLの改善，早期の職場復帰を最終目標とした対処が必要である．

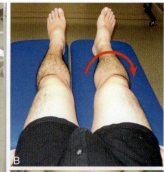
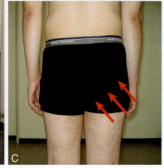

▶図1　視診，観察
A：posture ミラーでの視診．縦・横方向へ張ったロープと鏡で再現性の高い評価が可能である．
B：右下肢の外旋
C：右殿筋の過緊張が顕著である．

2 評価のポイント

身体検査を施行する場合，一般的情報として，①患者の全身状態，②付随する検査(X線，CT，MRI など)の結果について事前に情報収集する必要がある．

a 問診

①発症時の状態：外傷既往の有無，突発的，あるいは徐々に発症したのかを確認する．
②腰痛発症後の経過：改善傾向，不変，悪化傾向，あるいは改善と悪化を繰り返すのかを確認する．
③疼痛：安静時痛の有無を確認する．安静時痛がある場合，悪性新生物による炎症性の所見が考えられる．
④下肢症状：下肢痛やしびれの様子と位置，症状の増悪あるいは軽減因子を確認する．
⑤膀胱直腸障害：患者からは訴えにくいため，上手に誘導しながら行う．
⑥咳やくしゃみの影響：Valsalva(バルサルバ)手技と同義として考える．
⑦職業，家庭環境：治療手段選択の際の参考資料となる．
⑧睡眠状態：症状による睡眠障害の有無，使用している寝具の様子，最も楽な姿勢などを確認する．

b 視診，観察

(1) 歩行動作観察

歩行動作は腰椎-骨盤-股関節の統合された機能であることから，骨盤の傾斜，体幹の側屈などに対して注意深い観察が必要である[1]．

(2) 静的立位姿勢の視診(▶図1)

その場で数歩足踏みしてもらい，通常の状態で観察する．

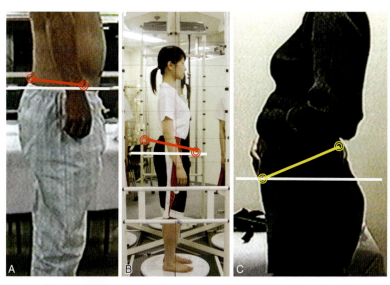

▶図2 側面(矢状面)の視診
A：上前腸骨棘と上後腸骨棘の高さがほぼ等しく，骨盤後傾と腰椎前弯消失を示唆する．
B：上前腸骨棘より上後腸骨棘が約2横指高く，正常姿勢を示唆する．
C：上前腸骨棘と上後腸骨棘の高さの差が4横指程度で，骨盤前傾と腰椎前弯増強を示唆する．

①前面：頭部の傾斜，肩甲帯の高さ，筋の膨隆を比較する．
②側面：頭部位置(肩峰と耳垂の位置)，胸郭後弯の程度，膝・股関節の左右差(屈曲・伸展角度)，骨盤傾斜と腰椎前弯を確認する(▶図2)．
③後面：肩甲帯の左右差，骨盤帯の左右差，下肢の左右差(膝窩部の皮膚線，足関節の外・内反)を確認する．

■静的視診のポイント

疼痛側の殿筋群が過緊張を呈することで，下肢が外旋位をとりやすい(▶図1B，C)．骨盤傾斜と腰椎前弯角は個人差が大きく，その変化は腰部骨盤帯の生体力学や治療法に大きく影響する(▶図3)．

(3) 自動運動テスト

●脊柱

どの動作で，どの部位に症状が誘発されるのかを確認し，治療効果の指標とする．
①前屈動作：腰椎骨盤リズムに注目し，疼痛時には脊椎の前方要素(椎間板，椎体)と脊柱起立筋の障害を考慮する．
②後屈動作：側屈と代償性膝関節屈曲に注意する．疼痛時には椎間関節，棘突起間，仙腸関節の障害を考慮する．
③側屈動作：脊柱の円滑なC型に注目する．運動方向に疼痛を呈する場合，椎間板の膨隆，椎間孔の狭窄および椎間関節包の嵌頓などが考えられる．反対側で生じる場合には，神経根の癒着，神経根腋窩部での椎間板の膨隆，筋膜性腰痛症が考えられる．
④回旋動作：脊柱の円滑なS型に着目する．回旋方向に疼痛を呈する(たとえば，右回旋時に右側の疼痛)場合，椎間関節包の伸張と神経根腋窩部での椎間板の膨隆が考えられる．反対側への回旋で疼痛が生じる場合には，関節包の嵌頓と椎間孔の狭窄などが考えられる．
⑤後屈・側屈・回旋動作：一方の下肢を前方に出し，後方の下肢に体重をかけるように側屈，後屈を加える．目的は椎間孔の狭小化および一側の椎間関節への圧迫負荷である．疼痛時には椎間孔の狭小化もしくは椎間関節の機能異常を考慮する(Kempテスト変法，図4)．

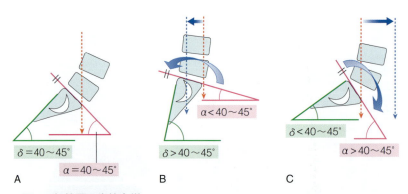

▶図3　矢状面の生体力学
A：正常姿勢．X線にて腰仙角（α）と仙骨傾斜角（δ）が等しい．臨床的には腰仙椎の機能が最も高く，椎間関節での機能障害が生じやすい．治療手技的にはモビライゼーションで奏効する場合が多い．
B：仙骨が後傾し，腰椎前弯が減少することで，仙腸関節の適合性が減少して荷重負荷能力が減少する．スタビリゼーションが効果的である．
C：仙骨が前傾し，腰椎前弯が増加して椎間関節の平面に近くなる．重心線が前方に移動して，股関節や椎間関節に過剰な負荷が生じる．牽引やモビライゼーションが効果的である．

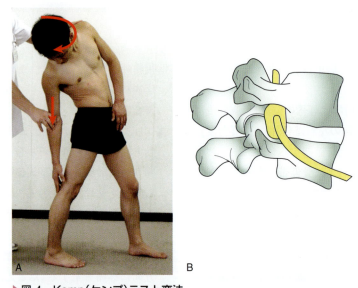

▶図4　Kemp（ケンプ）テスト変法
Bの黄色部分である椎間孔を狭窄，あるいは椎間関節に圧迫をかける．

● 股関節（▶図5）
　股関節のROM制限により代償性の腰椎機能障害が生じやすいため，自動運動の左右差に注目して検査する．
① 屈曲：背臥位で行い，正常では膝屈曲位で110～120°である．方法はハムストリングの短縮による可動性の制限を防ぐために，膝屈曲位で行う．ROM制限を左右差と疼痛で確認する．ROM制限時には大内転筋の短縮，鋭い鼠径部痛発生時には大腿骨頸部の前部のインピンジメントの結果である可能性が考えられる．
② 伸展：股関節の伸展は，正常では0～15°である．方法は腹臥位で，理学療法士は伸展時，股関節伸展と脊椎伸展を区別するために，上後腸

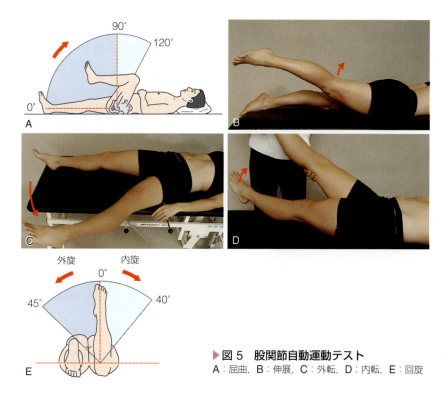

▶図5 股関節自動運動テスト
A：屈曲，B：伸展，C：外転，D：内転，E：回旋

骨棘(posterior superior iliac spine; PSIS)を触知する．骨盤の挙上またはPSISの上方移動は，股関節伸展の最終域に達したことを示唆する．

③外転：股関節の外転は，正常では30～50°である．方法は背臥位で，患者に外転運動を指示する前に，上前腸骨棘(anterior superior iliac spine; ASIS)を触知して，下肢がASISを結ぶ線に垂直であることを確認する．次に，ASISを触知した状態で片側ずつ外転するように指示し，ASISが移動した角度が股関節外転の最終域に達したことを示唆する．外転時，反対側のASISが下降して，検査側のASISが上昇する場合には，内転筋拘縮が示唆され，これは運動開始後，早い段階で生じる傾向にある．また，外転運動初期に外旋とわずかな屈曲が発生した場合，大腿筋膜張筋が短縮し，中殿筋/小殿筋が弱くなっている可能性がある．動作の後半で外旋が発生する場合は，腸腰筋または梨状筋が過活動になっている可能性があり，動作開始時に骨盤が挙上する場合，腰方形筋の過活動が指摘される．

④内転：股関節の内転は正常で30°で，外転と同じ開始位置から測定する．理学療法士は反対側の股関節と膝を屈曲させて保持し，下肢を内転するように指示する．検査側のASIS移動開始時の角度が最終可動域になる．外転拘縮がある場合，運動開始後早期に骨盤傾斜が発生する．

⑤回旋：内旋は正常では30～40°で，外旋は40～60°である．方法は腹臥位で，PSISを結ぶ線に対して下肢を垂直位置にさせ，膝90°屈曲位とする．この方法では，下肢を外側に回旋させると内旋，内側に回旋させると外旋がテストされることを患者に認識させておく．

(4) 疼痛誘発テスト
●腰椎(▶動画1)
以下の2項目中，どちらかで陽性時，椎体間の機能障害とする．

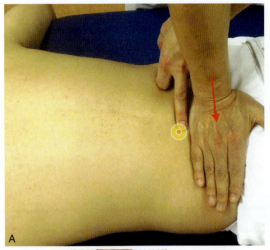

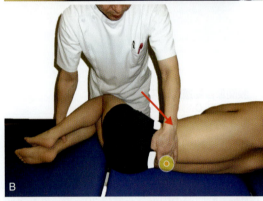

▶図6　腰椎疼痛誘発テスト（動画1）
A：springテスト，B：大腿スラストテスト
どちらか1項目で疼痛発生時，椎体間の機能障害とする．

①springテスト（▶図6A）
■方法
- 患者は腹臥位で，理学療法士は体側に立ち，一側の中指で棘突起間を触知する．
- 対側の手の小指球で下位椎体の棘突起を垂直方向へ圧迫する．
- 圧迫時の疼痛の有無，圧迫時の椎体間の動き（中指で触知），硬さ（圧迫側の手）を感じとる．

■意義
疼痛発生時，椎体間の機能障害と判断する．

②大腿スラストテスト（▶図6B）
■方法
- 患者は側臥位で，理学療法士は正面に立ち，近位棘突起間を中指，遠位棘突起間を示指で触知する．
- 対側の手で両側下腿を把持して，鼠径部で膝を固定した状態で，近位棘突起間が開くところまで股関節屈曲させる．
- 鼠径部を介して大腿部を背側へ押し，主訴とする疼痛の発現の有無を確認する．

■意義
疼痛発生時，椎体間の機能障害と判断する．

◉仙腸関節（動画2）
以下の4項目中，2項目以上陽性時に仙腸関節の機能障害とする．

①仙骨スラストテスト（▶図7A）
■方法
- 患者は腹臥位で，理学療法士は体側に立ち，尾側手を仙骨背面に置き，頭側手を重ねる．
- 仙骨をベッドに対して垂直に押し，主訴とする疼痛の発現の有無を確認する．

■意義
疼痛発生時，仙腸関節の機能障害を疑う．

②離開テスト（▶図7B）
■方法
- 患者は背臥位で，理学療法士は体側に立ち，手掌部を両側ASIS内側部に置き，肘を軽度屈曲させ，前腕を体幹長軸と垂直にする．
- 寛骨を外側へ開くようにゆっくり押す（約10秒）．
- 主訴とする疼痛の発現の有無を確認する．

■意義
疼痛発生時，仙腸関節の機能障害を疑う．

③圧迫テスト（▶図7C）
■方法
- 患者は肩甲帯と骨盤帯を平行にした側臥位で，股関節45°屈曲位で，理学療法士は背面に立つ．
- 尾側手を大転子と腸骨稜間に置き，頭側手を重ねる．
- 仙腸関節を圧迫するように寛骨をゆっくり押す（約10秒）．
- 主訴とする疼痛の発現の有無を確認する．

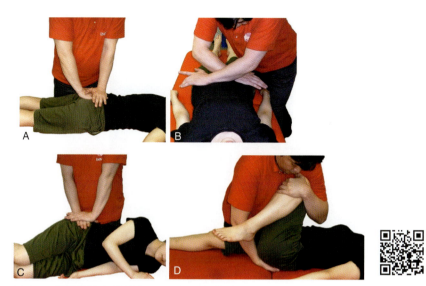

▶図7　仙腸関節疼痛誘発テスト（動画2）
A：仙骨スラストテスト，B：離開テスト，C：圧迫テスト，D：大腿骨を用いての後方スラストテスト
4項目中，2項目以上陽性時に仙腸関節の機能障害とする．

■意義

疼痛発生時，仙腸関節の機能障害を疑う．

④**大腿骨を用いての後方スラストテスト**
（▶図7D）

■方法

- 患者は背臥位で，理学療法士は検査側の反対側に立つ．
- 頭側手で股関節を屈曲・内転・内旋させる．
- 尾側手は両下肢の間から仙骨背面に置き，股関節内旋を強調して，頭側手で膝関節屈曲位に把持する．
- 大腿骨を介して寛骨を後方へ押す．
- 主訴とする疼痛の発現の有無を確認する．

■意義

疼痛発生時，仙腸関節の機能障害を疑う．

●**股関節**

以下の4項目中，2項目以上陽性時に股関節の機能障害とする．

①**立位荷重テスト**（▶図8A）

■方法

- 患者は立位で，理学療法士は正面に立つ．
- 片脚立位で，遊脚下肢の内転を指示する．
- 主訴とする疼痛の発現の有無を確認する．

■意義

疼痛発生時，股関節の機能障害による疼痛を疑う．

②**Patrick（パトリック）テスト**（▶図8B）

■方法

- 患者は背臥位で，理学療法士は体側に立つ．
- 検査側下肢の踵を膝関節内側に置き，頭側手で反対側ASISを固定し，尾側手で股関節外転・外旋ストレスを付加する．
- 主訴とする疼痛の発現の有無を確認する．

■意義

疼痛発生時，股関節の機能障害による疼痛を疑う．

③**トルクテスト**（▶図8C，動画3）

■方法

- 患者はベッド端から下腿が出るような背臥位で，理学療法士は反対側に立つ．
- 対側下肢の股関節を屈曲させ，理学療法士の体幹で足部を固定する．
- 検査側下肢を股関節内旋位とし，ASISを触知しながら股関節伸展させる．
- ASISの下降開始角度で，大腿骨頭を手掌で後方へ押す．

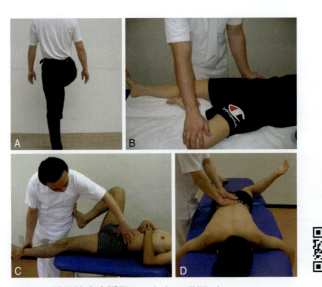

▶図8 股関節疼痛誘発テスト(▶動画3)
A：立位荷重テスト，B：Patrick テスト，C：トルクテスト，D：腹臥位回旋テスト
4項目中，2項目以上陽性時に股関節の機能障害とする．

- 主訴とする疼痛の発現の有無を確認する．

■意義

疼痛発生時，股関節の機能障害による疼痛を疑う．

④腹臥位回旋テスト(▶図8D)

■方法

- 患者は検査側の膝関節90°屈曲位の腹臥位で，理学療法士は体側に立つ．
- 第5腰椎棘突起を触知しながら，股関節の内旋・外旋を指示する．
- 股関節の内旋・外旋リズムの観察と難易度の違いを問診する．

■意義

難易度に相違があり，リズムの不整が確認された場合，股関節の機能障害を疑う．

(5) 他動運動テスト

自動運動テストと疼痛誘発テストで推測された関節機能障害が，過少運動性あるいは過剰運動性(不安定性)によるものかを判断する重要な方法である．ここでは仙腸関節と腰椎の方法を提示する．

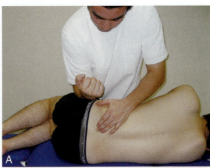
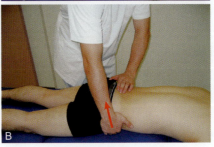

▶図9 仙腸関節他動運動テスト
A：後方開大テスト，B：ゆすり，持ち上げテスト

●仙腸関節

①仙腸関節後方開大テスト(▶図9A)

■方法

- 患者は股関節・膝関節屈曲位の側臥位で，理学

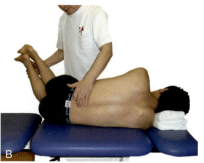
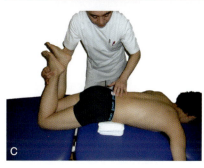

▶図 10　腰椎他動運動テスト
A：前屈・後屈テスト，B：側屈テスト，C：回旋テスト

療法士は正面に立ち，頭側手で仙骨溝を触知する．
- 尾側手の前腕を回外させ，中殿筋部に置く．
- 仙腸関節の後方を開大するように肘を下方へ下げ，仙骨溝の開大を左右で比較する．

■意義

機能障害側の関節の遊び（joint play）が大きい場合は過剰運動性，小さい場合は過少運動性と考える．

②ゆすり，持ち上げテスト（▶図 9 B）

■方法
- 患者は腹臥位で，理学療法士は検査側の反対側に立ち，尾側手で上前腸骨棘周囲を把持する．
- 頭側手示指・中指・環指で仙骨溝を触診して，母指球でやさしく左側腸骨を固定する．
- 尾側手で右腸骨を軽く持ち上げるようにゆすり，仙骨溝で運動終末感を感じとる（ゆすりテスト）．
- 尾側手で腸骨を持ち上げ，joint play を比較する（持ち上げテスト）．

■意義

仙腸関節後方開大テストと同じである．

● 腰椎

以下の 3 項目中，2 項目以上陽性時に股関節の機能障害とする．

①前屈・後屈テスト（▶図 10 A）

■方法
- 患者は股関節・膝関節屈曲位の側臥位で，理学療法士は正面に立ち，頭側手を腋窩から通して体幹の回旋を制限する．
- 頭側手指で棘突起間を触知して，尾側手で両下腿を把持する．
- 他動的に股関節を屈曲・伸展させ，椎体間の動きを上下の椎体間で比較する．

■意義

機能障害側の joint play が大きい場合は過剰運動性，小さい場合は過少運動性と考える．

②側屈テスト（▶図 10 B）

■方法
- 患者は股関節・膝関節 90°屈曲位の側臥位で，理学療法士は正面に立つ．

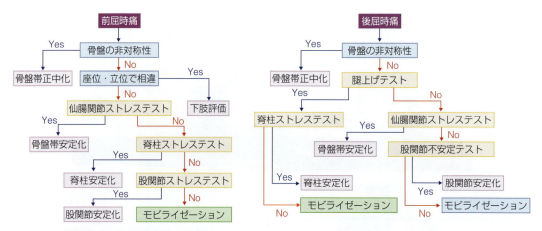

▶図11　前屈時痛と後屈時痛群の治療フローチャート

- 頭側手指で棘突起間を触知して，尾側手で両下腿を把持する．
- 他動的な股関節の内外旋により腰椎側屈を生じさせ，椎体間の動きを上下の椎体間と比較する．

■意義

機能障害側のjoint playが大きい場合は過剰運動性，小さい場合は過少運動性と考える．

③回旋テスト（▶図10C）

■方法

- 患者は腹部の下に枕を敷いた腹臥位で，理学療法士は体側に立つ．
- 頭側手指で棘突起間を触知して，尾側手で両下腿を把持する．
- 他動的な股関節の内外旋により腰椎回旋を生じさせ，椎体間の動きを上下の椎体間と比較する．

(6) 神経学的テスト

腰仙骨神経叢に関連する運動神経と感覚神経の伝導性を検査する．

①徒手筋力テスト

L1～S2の運動神経根が支配している末梢の筋群を介して臨床的に評価する．

②感覚テスト

L1～S2の感覚神経が支配している皮膚髄節を介して臨床的に評価する．

③腱反射テスト

椎間板ヘルニアなどによる神経根障害の場合，下位運動ニューロン障害により反射弓が障害され，反射の低下もしくは消失を生じる．

(7) 神経伸張テスト

神経根の炎症もしくは機械的刺激により，その滑走障害，または血管透過性や軸索流の変化がおこり，神経根の刺激症状が出現する．

①大腿神経伸張テスト

腹臥位で膝関節屈曲位での股関節伸展を行う．大腿神経に沿った鋭敏な疼痛が出現するとき，大腿神経の刺激症状を考慮する．

②坐骨神経伸張テスト

〔Lasègue（ラセーグ）テスト〕

背臥位で膝関節伸展位での下肢伸展挙上（straight leg raising；SLR）を行う．坐骨神経に沿った疼痛出現時にはL4，L5，S1神経根障害を考慮する．

3 運動療法の方法

運動療法の目的は単に筋力の向上，ROMの改善のみではない．各動作時に，腰椎・骨盤・股関節部を安全にコントロールできるような最適な姿勢指導と，効果的な神経筋系の学習が目標である．

a 症状に応じた系統的理学療法

理学療法は症状に応じて治療方法を選択するが，治療原理についてフローチャート（▶図11）に

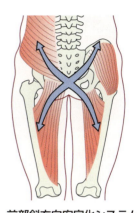

▶図12 脊柱の前屈運動
A：背臥位で両膝関節を把持し，大腿部が胸部につくように体幹を前屈させる．
B：大きめのバランスボールの上で腹臥位をとり，極力リラックスさせ，脊柱起立筋群の伸張性を高める．

▶図13 前部斜方向安定化システム
骨盤帯の一部をなす恥骨結合は，薄筋と腹直筋による薄筋腱交叉によって安定化される．

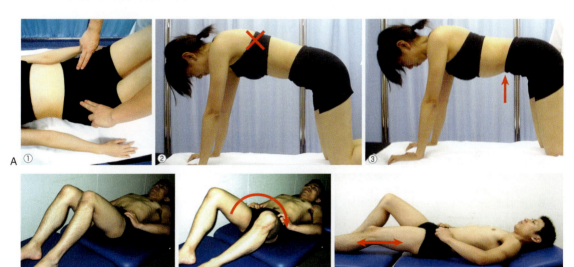

▶図14 骨盤帯安定化運動
A：①上前腸骨棘の2横指内側，2横指下方を触診し，へそを引っ込め，頭側へ引き上げるように指示し緊張を確認する．②，③胸椎後弯と腰椎前弯を強調させず（②は強調した悪い例），平坦に保持する．腹横筋を触診しながら下腹部を引き上げるように指示する．
B：①腹横筋の収縮を触知する．②収縮を維持しながら，股関節外旋・内旋を行う．③収縮を維持しながら，膝関節を屈曲・伸展させる．

まとめた．手技について以下に簡単に説明する．
なお，骨盤帯正中化手技については成書[2]を参照のこと．

(1) 後屈時痛群
①脊柱の前屈運動（▶図12）
骨盤の非対称性がなく，側屈・回旋動作で運動時痛が認められない場合に指導する．

▶図 15　前部斜方向安定化運動
患側を上にした側臥位で，疼痛が出現しないように，骨盤部をスプリングで補助しながら行う．方法は腹横筋収縮確認後，内転筋と腹筋群を意識してベッドから挙上させる．

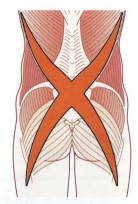

▶図 17　後部斜方向安定化システム
胸腰筋膜を中心とした後部靱帯系による脊柱の安定化システムで，広背筋と大殿筋の共同収縮により，荷重物挙上時の体幹の抗屈曲効果をもたらし，脊柱の安定性に寄与する．

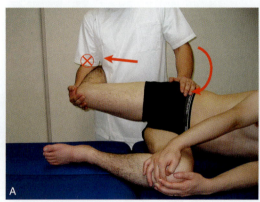
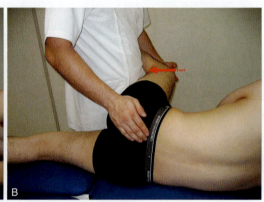

▶図 16　仙腸関節モビライゼーション
A：前方回旋モビライゼーション；理学療法士は右股関節屈曲に軽い抵抗を加えて 7 秒間保持し，弛緩後に能動的に股関節を伸展して腸骨の前方回旋を誘導する．
B：後方回旋モビライゼーション；左股関節伸展に抵抗を加えて 7 秒間保持し，ゆっくり能動的に股関節を屈曲して腸骨後方回旋を誘導する．
⊗＝固定

② 骨盤帯安定化運動

　仙腸関節の他動運動テストで過剰運動性が認められる場合，仙腸関節の安定性に寄与する腹横筋の再教育から開始して，内転筋と外腹斜筋の前部斜方向安定化システム(▶図 13)を強調させる安定化運動を指導する．運動内容は疼痛を出現させないように行い，段階的に進める(▶図 14, 15)．

③ 仙腸関節モビライゼーション(▶図 16)

　仙腸関節の他動運動テストで過少運動性が認められた場合，仙腸関節のモビライゼーションを行う．可動方向は後屈時痛であることから，前方回旋方向へ行うが，改善しない場合は後方回旋方向も加えて行う．

④ 脊柱安定化運動

　仙腸関節の他動運動に左右差がなく，spring テストで疼痛を呈する場合に適応となる．脊柱の

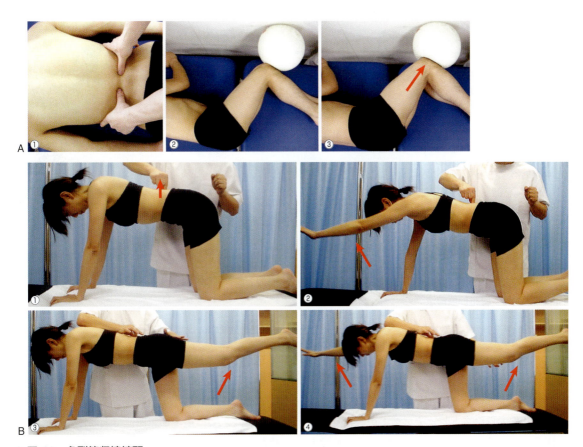

▶図 18 多裂筋収縮練習

A：①腹臥位で障害レベルの多裂筋の筋腹部を両手の母指で押さえ，指をゆっくりと押し返すように指示する．②，③側臥位で大腿骨長軸方向に沿ってボールを押さえるように指示する．この際，体幹の回旋が生じないように留意する必要がある．
B：①四つ這いで多裂筋を指で押さえ，「腰椎は動かさないで，指をゆっくりと押し返すように」指示する．②多裂筋を収縮させた状態で上肢を挙上する．③多裂筋を収縮させた状態で下肢を挙上する．④多裂筋を収縮させた状態で上肢と反対側下肢を同時に挙上する．

安定化は多裂筋の再教育から開始して，胸腰筋膜を中心とした後部靱帯系による広背筋と大殿筋の後部斜方向安定化システム（▶図 17）を強調させるような安定化運動を指導する．運動内容は疼痛を出現させないように行い，段階的に進める（▶図 18, 19）．

⑤椎間孔および椎間関節開大手技
（▶図 20，動画 4）
springテストで過少運動性の場合に適応となる．

- 90–90 腰椎牽引：腰背筋群のストレッチングと椎間孔および椎腔の開大には非常に効果的である．

▶図 19 後部斜方向安定化運動
多裂筋収縮確認後，肩伸展（広背筋）と殿部挙上（大殿筋）の共同収縮を行う．

- 椎間関節モビライゼーション：標的となるレベルに枕を敷いた側臥位で，股関節を屈曲して腰椎を屈曲させる．理学療法士の右前腕部で患者

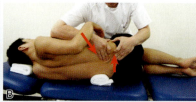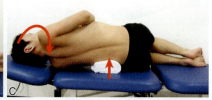

▶図20　椎間孔および椎間関節開大手技（▶動画4）
A：90–90 腰椎牽引；股・膝関節 90°屈曲位で腰椎および下肢を牽引する.
B：椎間関節モビライゼーション
C：椎間孔拡大自己ストレッチング

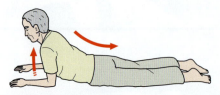

▶図21　腰椎伸展療法
腹臥位保持から開始し，徐々に puppy position（仔犬肢位）へと進行する.

の前胸部を押して体幹を右回旋させ，上位腰椎棘突起を下方へ押す.
- 椎間孔拡大自己ストレッチング：患者自身で椎間孔と椎間関節を開大する姿勢矯正運動である.

(2) 前屈時痛群
①腰椎伸展療法（▶図21）
　前屈時痛群で骨盤の非対称性や仙腸関節の他動運動テストで左右差がなく，脊柱の spring テストで疼痛が誘発されない場合に適応となる.

観血的治療の運動療法

1 運動療法の目的

　外科的に侵襲を加えられることで，脊柱の荷重伝達機能，椎体間のニュートラルゾーン，筋機能および神経根周囲組織に変化が生じる．これらに対して，多方向からのアプローチが必要になる．ここでは紙面の都合上割愛するので，詳細については文献3を参照のこと．

a 手術前

　疼痛，神経学的脱落所見，歩行分析を詳細に評価して，患者に手術後のリハビリテーションについての概略を説明する．

b 手術後

(1) ベッド上姿勢（▶図22）[4]
　腰椎が伸展することにより椎間関節と棘突起間に圧迫力が加わり，椎間板は前部で伸張力が加わる（▶図22 A）．股関節屈曲位で上部体幹を挙上させた semi-Fowler（セミファウラー）姿勢では腰椎は屈曲する．屈曲により椎間板は圧縮され，椎間関節と後部靱帯系が伸張される（▶図22 C）．側臥位では下側を凸とした側屈が生じる．側屈により下側の椎間関節と靱帯が伸張され，上側の椎間関節が圧縮される（▶図22 D）．側屈の程度は骨盤の幅が大きい女性では，より大きくなる．以上，臥位姿勢の特徴から，適切な臥位姿勢は軽度の股・膝関節屈曲位での背臥位である（▶図22 B）．

2 運動療法の方法

　腰椎骨盤リズム（▶図23）[4] から考慮して，金属やセラミックなどの外固定材を用いない下位腰椎固定術施行症例では，自動および他動的 SLR 運動，また股関節の過剰な屈曲，伸展運動は禁忌である．最近，ほかの四肢関節と同様に，腰椎でも侵襲を極力制限することを目的に，経皮的髄核摘出術やレーザーを用いての最小侵襲手術が多数報

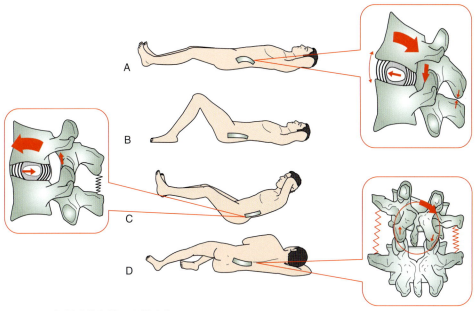

▶図 22　各種臥位姿勢と腰椎変化
A：腰椎伸展位，B：腰椎中間位，C：腰椎屈曲位，D：腰椎側屈位
手術後は B の中間位が好ましい．
〔Kapandji, I.A.: The Physiology of the Joints, vol.3. Churchill Livingstone, 1982 より〕

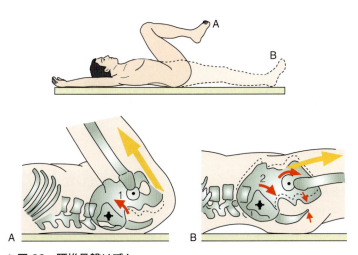

▶図 23　腰椎骨盤リズム
A：股関節屈曲時には骨盤が後方回旋し，下位腰椎から屈曲が生じる．
B：股関節伸展時には骨盤が前方回旋し，腰椎が伸展する．
〔Kapandji, I.A.: The Physiology of the Joints, vol.3. Churchill Livingstone, 1982 より〕

告されている．髄核摘出術後の椎間板機能は重度の変性椎間板と同様に荷重分散機能が低下することから，椎体間の運動軸が著しく変化し，不安定性が増加する（▶図 24）[5]．従来は"へそのぞき"運動という腹直筋，外腹斜筋強化方法が指導されていたが，この方法では不安定性を改善させる効果は望めない．

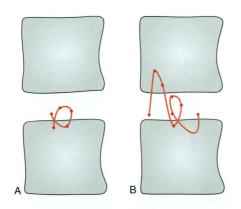

▶図 24　椎間板変性に伴う瞬間回旋運動軸の変化
A：正常例
B：椎間板変性症例．軌跡が有意に不規則で長く，椎体間の不安定性を示唆している．
〔Bogduk, N.: Clinical Anatomy of the Lumbar Spine and Sacrum. 3rd ed., Churchill Livingstone, 1997 より〕

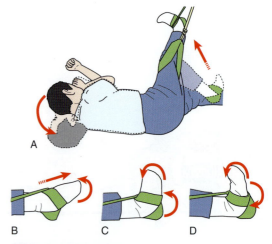

▶図 25　神経モビライゼーション
A：膝関節伸展時，疼痛が生じるときに頸椎を伸展させる（slider 手技）．ストレッチングではないので，疼痛域で静止せず，ゆっくり反復して行う．SLR 陽性時，神経伸張テスト施行後に足関節を対象とする末梢神経に適合させ，上記手技を行う．
B：底屈内反位（腓骨神経）
C：背屈内反位（腓腹神経）
D：背屈外反位（脛骨神経）

(1) 体幹筋安定化運動

固定による体幹筋の廃用性萎縮や体幹筋の脱神経機序に配慮して，体幹筋の安定化筋である腹横筋と多裂筋に注目し，術後の安静肢位を考慮しながら行う（▶図 14，18 A, B の②，③）．

(2) 歩行練習

筋力の低下や体幹固定による異常歩行の出現が多いことから，適切な歩行補助用具や姿勢鏡などを用いながら正常歩行パターンを習得する．

(3) ROM 運動

ROM 運動は手術方法にて異なるため，以下に分類する．

①脊椎固定術（自家骨を用いて）

第 4～5 腰椎間固定術例では，軟部組織の修復が期待できる 3 週間までは能動的あるいは他動的 SLR は 30°までに制限し，膝関節屈曲位での股関節屈曲は 45°までに制限する必要がある．それ以上の高位においては，片側の股関節の屈曲から腰椎に過剰な動きが生じることはなく，逆に腰椎との関連性から体幹の回旋運動に注意が必要である．

②椎弓切除術（固定術を併用しない）

手術高位に関係なく，神経根周囲の癒着防止と

ハムストリングスなどの短縮に対して，手術後早期より能動的かつ他動的 SLR と神経のモビライゼーション（▶図 25）を積極的に行うべきである．強固な固定を得られる器具を使用した場合にはこれと同様である．

C 運動療法上の留意点

腰痛治療の原則は保存療法である．しかし，以下の疾患が腰痛の要因となる場合，または高度の下肢麻痺，膀胱直腸障害を呈する場合，手術療法や他の特殊な治療法が求められる．これはレッド・フラッグ（注意信号）と呼ばれ，腰痛の機序を考える際，決して見逃してはならない．

①腫瘍
②感染症
③外傷
④急激に発症した麻痺症状や中心性ヘルニア

II 肩関節痛の運動療法

A 肩関節に痛みが出る背景

1 凍結肩

凍結肩は，明らかな外傷や誘因がなく発症した肩関節の痛みとROM制限を主症状とし，半年〜2年かけて自然寛解する．発症時のX線検査やMRI検査では異常を発見できないため"原因不明"とされる．好発年齢は40〜65歳．身辺ケアが困難になるほどの痛みと拘縮に至ることも珍しくない．

凍結肩を表す言葉として，日本整形外科学会用語集には凍結肩，いわゆる五十肩，肩関節周囲炎，癒着性関節包炎の4つが掲載されており，それぞれに明確な定義はない．

そこで日本肩関節学会学術委員会では，2019年のISAKOS(International Society of Arthroscopy, Knee Surgery and Orthopaedic Sports Medicine)の提言を採用し，拘縮があれば**拘縮肩**と呼び，原因不明な拘縮肩のみを凍結肩(**一次性拘縮肩**)，原因が明らかな拘縮肩を**二次性拘縮肩**とするよう提案している(糖尿病を合併している場合は別に"糖尿病を合併した凍結肩"と記す)．

a 病期[6]

炎症期(freezing phase)，拘縮期(frozen phase)，寛解期(thawing phase)の3相に分ける．

(1) 炎症期

発症から拘縮が前面に出てくるまでの期間で，安静時痛，運動痛，夜間痛による障害が主である．激しい痛みがあっても血液検査では炎症マーカーの上昇は確認できないことが多い．

(2) 拘縮期

炎症性の痛みが低下し拘縮が前面に出てくる期間で，MRI検査では烏口上腕靱帯や関節包の肥厚が確認できる．この肥厚は組織の線維化を意味しており，炎症反応が遷延した結果である．重症例ではまったく被伸張感のない硬い最終域感で，ストレッチングには反応しない．

(3) 寛解期

発症後おおむね半年以降になると，ROM制限が徐々に改善されてくる．重症例においては日常生活に支障がない程度まで回復するには1年を要することも珍しくない．

b 解剖学的制限因子

(1) 烏口上腕靱帯

この靱帯は烏口突起基部，大結節，小結節の三角を埋めるように関節包の表面にある．下垂位外旋位ではこの3点はほぼ直線に並ぶので1本の索状の靱帯にみえる．本来は柔軟性がある組織だが，凍結肩では肥厚・線維化し伸張性が失われている(術中所見による)．

便宜上，大結節方向に走行する線維と小結節方向に走行する2つの線維があるものとして，骨のモデルを使って起始部と停止部の距離から緊張度合いを確認してみる．内転位外旋において両者ともきわめて強く緊張し，同肢位内旋にて両者とも弛緩する．外転位外旋では両者ともに比較的強く緊張し，同肢位内旋では大結節につく線維は弛緩するが，小結節につく線維はきわめて強く緊張する．伸展では小結節につく線維はきわめて強く緊張する(▶図26)．屈曲や外転では，起始停止が接近するので制限因子にはならないようである．内転制限がある患者は，ほとんど例外なく内転位外旋も強く制限されていることから，上方関節包とともにこの靱帯が短縮していると考えられる(内転制限による肩甲骨の代償運動は，内上角を触知

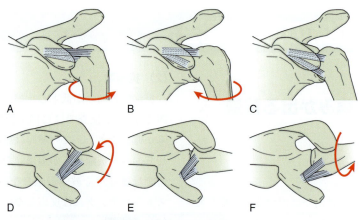

▶図26　各肢位での烏口上腕靱帯の緊張状態
A：上腕体側位外旋，両者の緊張が大
B：上腕体側位内旋，両者が弛緩
C：伸展，小結節付着線維の緊張が大
D：上腕外転位外旋，両者の緊張が大
E：上腕外転位中間位，両者が弛緩
F：上腕外転位内旋，大結節付着線維は弛緩，小結節付着線維は緊張が大

することで敏感に察知できる）．

(2) 腱板疎部

　腱板疎部とは，烏口突起より外側の棘上筋腱と肩甲下筋腱の間隙を指している．そこには腱板が存在せず，深層は関節包，表層は腱板を包んでいた薄い膜状の線維からなる．腱板がないので薄く柔軟性に富み，走行と作用の異なる棘上筋腱と肩甲下筋腱との間の連続性を保つには好都合にできている．腱板疎部の表面には，その薄さを補うかのように烏口上腕靱帯が存在する．ストレスの大きさから，いったんおこった炎症はなかなか治癒せずに周囲に波及し，凍結肩をまねくきっかけになる．断裂や過伸張がおこると不安定性の要因となるが，損傷と自然治癒を繰り返すうちに瘢痕化すると，逆にそれ自身が強固な制限因子となる．

(3) 肩峰下滑液包・三角筋下滑液包・
　　烏口下滑液包

　この3つの滑液包は烏口肩峰アーチ・三角筋の関節面側からなる面と腱板の表面の隙間にあって，両者の滑動性を保障する．炎症や癒着がおこるとROM制限をまねく．それぞれの滑液包は解剖学上，交通している場合があることが確認され

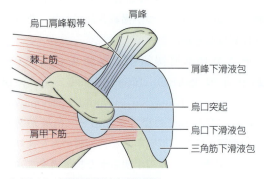

▶図27　肩峰下滑液包模式図

ており，三者を合わせて肩峰下滑液包と呼ぶときもある（▶図27）．狭義の肩峰下滑液包は大結節が動く範囲をカバーする位置にあり，三角筋下滑液包はその末梢側，烏口下滑液包は小結節が動く範囲をカバーする．炎症期の同部への抗炎症薬の局所注射で痛みが消失することがあることから，凍結肩の責任病巣の候補にあげられる．

(4) 肩甲下滑液包

　肩甲下滑液包は，肩甲下筋腱と肩甲骨との間にある滑液包で，関節腔と交通がある．肩甲骨

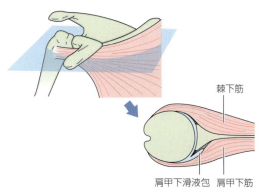

▶図28 肩甲下滑液包模式図

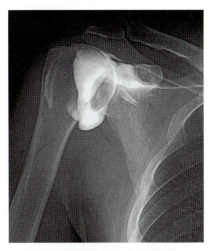

▶図29 正常関節造影像(外旋位)

と肩甲下筋の間隙に関節包が張り出していると考えると理解しやすい(▶図28). その連絡孔をWeitbrecht(ヴァイトブレヒト)孔という. この滑液包は肩甲骨と肩甲下筋との滑動性を保障することに加えて, 関節液の貯水タンクとしての機能がある. つまり, 関節包が緊張下におかれても, 関節液は肩甲下滑液包へ流れ込み, 内圧の過上昇を防ぐ.

凍結肩の関節造影では, 肩甲下滑液包は閉塞していることがほとんどである. 行き場を失った関節液が関節包内に密集し, 肩を動かすと関節内圧が異常に上昇し, 膝関節水腫のように強い痛みとROM制限がおこる.

凍結肩に対する関節造影の目的の1つは, 閉塞したこの滑液包を再開することにある. 局所麻酔薬と造影剤を合わせて約30 mLを注入し, 他動運動操作でさらに関節内圧を高めることによって破裂させるようにし, 閉塞部を再開する. これで回復へのきっかけを得る.

(5) 関節包

肩甲上腕関節の関節包は, ROMを保障するために大きな余裕がある(▶図29). しかし, 凍結肩の関節造影では, ほとんど全例に関節腔の狭小化, つまり関節包の短縮が認められる(▶図30).

また, 臼蓋上方から上腕骨頭前下方に向かって上臼蓋上腕靱帯, 中臼蓋上腕靱帯, 下臼蓋上腕靱帯の前方線維, 後方にも下臼蓋上腕靱帯の後方線

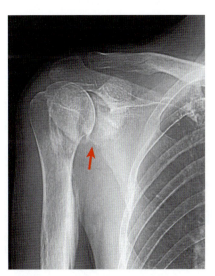

▶図30 凍結肩の関節造影像
関節包が極度に縮小しており, 造影剤がほとんど注入できないため, 正常像に比べて像が薄い. 特に腋窩陥凹にはまったく入っていない(矢印の部分).

維があり(▶図31), 関節包を補強するこれらの組織も同時に伸張性を失うので, 拘縮をより強固にする.

凍結肩に対する観血的治療で, 肩峰下滑液包の癒着剥離, 烏口上腕靱帯の切離, 腱板疎部の解離などを行ってもなお挙上制限が残存し, 挙上位を得るには他動運動によって下部関節包の断裂をお

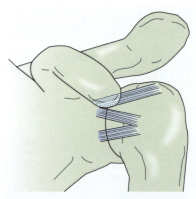

▶図31　上・中・下の臼蓋上腕靱帯模式図

こさなければならないことからも，大変影響の大きい因子である．

(6) 筋

　腱板を構成する筋，大胸筋，大円筋，広背筋，上腕三頭筋長頭などが短縮し，最終可動域で非常に強い緊張が生じる．小胸筋の過緊張もしばしば観察される．肩甲骨を介した防御反応の結果であると思われる．

2 インピンジメント症候群

a 肩峰下インピンジメント

　大結節や大結節周辺組織が烏口肩峰アーチに接触・衝突することをインピンジメントといい，原因を問わず，結果としてこの現象がおこった状態を総称してインピンジメント症候群（impingement syndrome）という．挙上時の肩峰下の痛みが主症状である．

　大結節骨折の変形治癒や石灰沈着の一部は挙上途中で烏口肩峰アーチに衝突する．しかし，衝突を迂回できるルートを通過すれば最大挙上できる．

　凍結肩では，関節軸よりも下を通る筋（特に短い筋）の短縮のために，肩関節挙上に伴う上腕骨頭の下方への滑りが不十分になることや，肩峰下滑液包の炎症・肥厚により肩峰下への接触圧が高くなることが考えられる．

　いずれにしても，インピンジメントは結果であって原因ではないということを銘記しなければならない．

b 烏口下インピンジメント

　肩峰下インピンジメントと同じメカニズムで，烏口突起・そこからの起始腱と小結節の間でおこるものを烏口下インピンジメントという．間隙の狭さは肩峰下ほどではないが，後方関節包の短縮，烏口下滑液包に炎症，肥厚があるときに水平内転で痛みが出る．

3 腱板疎部損傷

　投球障害を中心に，スポーツ外傷でよく遭遇する疾患である．

　腱板疎部は，その柔軟性のために投球動作など強度外旋位から急激に内旋位になるような動作を必要とするスポーツで過剰なストレスがかかり，炎症，損傷をおこしやすい．損傷によって不安定性をまねき，関節包内運動の振幅が大きくなると，さらに腱板疎部や関節唇へのストレスが増し，悪循環に陥る．

　肩内旋位での引き下げによる亜脱臼，つまりルースニング（loosening）（臼蓋形成不全はないので外旋位では生じない），腱板疎部の圧痛，肩前方の運動痛が主症状である．肩甲下滑液包の閉塞を合併すると，内圧上昇を最も柔軟な腱板疎部で吸収することになり（関節造影での同部の膨隆）（▶図32），痛みは増強される．

4 特発性動揺性肩関節症

　不安定性肩関節症の範疇に入るこの疾患は，肩甲骨臼蓋形成不全が主因で，振幅の大きい関節包内運動を繰り返すうち，肩関節周囲炎，関節唇損傷，関節包の伸張をまねき，機能障害をおこす．

　肩内旋位，外旋位でのルースニング，挙上時の

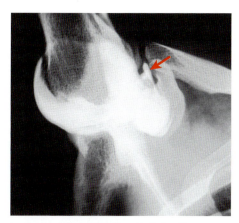

▶図 32　腱板疎部損傷の関節造影像
矢印は膨隆した腱板疎部

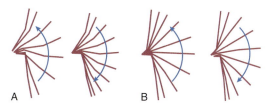

▶図 33　上肢挙上，下垂のスティック画像
肩甲棘内縁，肩峰角，肘，手関節に発光ダイオードを付けて記録．
Aは正常．Bは不安定性のある患者によくみられるパターン．

スリッピング（slipping），前後方向への不安定性，運動痛，だるさやしびれ感などの不定愁訴が主症状である．肩甲上腕リズムも特異的なパターンを示し（▶図 33），体表から外転運動を観察すると，肩甲骨の上方回旋が少なく，かつ肩甲棘の延長線を越えて上腕骨が過外転していることがわかる．このことはスリッピングを助長し，過大な関節包内運動がおこっていることを意味する．

5 投球障害

a 投球動作

投球動作の諸相を図 34 に示す．ワインドアップ相で上げた左下肢を，コッキング相で大きく振り出すことで腰の開きを，腰の開きは上半身の開きを，上半身の開きは上肢の鞭様運動をそれぞれ導く．運動連鎖のどこに乱れが生じても，その乱れは次の動作に影響を及ぼし，負荷の増加とパフォーマンスの低下につながる．また，その反復によって，乱れが生じている部位のみならず，その他の部位の外傷も引き起こす．

疾患そのもの（腱板疎部損傷，腱板断裂，肩関節周囲炎など）に対する治療は最優先されなければならないが，投球動作においてその外傷がなぜ生じたかを明らかにして，再発予防ができるか否かという点が重要である．キーポイントは，肩甲上腕関節への負担を軽減するための全身の連鎖がうまくできているかどうか，言い換えれば，肩甲骨が上腕の土台となるべき方向を向いているかどうかということになる．

加速相の肩甲帯に着目すると，見かけ上の肩外旋 180°を達成するための体幹・胸郭・肩甲骨の全体で生み出す"しなり運動"のようなダイナミックな動きがある．テイクバック方向ならびに伸展方向へ反る脊柱の柔軟性，胸郭の張り，肩甲帯の外旋方向への柔軟性，肩甲胸郭関節の可動性が不可欠である．さらに，骨盤を介して体幹の向きに直接影響するのが両股関節の柔軟性である．特に前脚股関節の内転・屈曲・内旋，反対側股関節の伸展・内旋が制限されると体幹の向きが正しくとれない．また脊柱も十分に伸展できないことになり，それをカバーするために肩も含めてその他の部位への負担が増す．

投球動作は，テイクバックでいったん後方に振った腕を振り戻すことで勢いをつけて速い動きを得ようとする動作であるため，テイクバックで肩甲上腕関節が水平外転位になりがちである．この水平外転が大きすぎることが肩の故障を誘発する大きな原因と考えられている．

また，肩より中枢側の問題のみでなく，末梢側に問題があっても肩への負担が増す場合がある．たとえば，肘の伸展制限が強い投手は肩の内旋で速さを得ようとするため，肩への負担が著しく大きくなる．

▶図34 投球動作の相（側面）
ワインドアップ相：動作開始から膝が最も上に上がるまで．コッキング相：前脚の足底が完全に接地するまで（トップポジションに一致）．加速相：球離れまで．フォロースルー相：腕振り切り終了まで．テイクバックはコッキング相の前半で腕を後方へ引いて反動をつける動作のこと．レイトコッキングは本図における加速相の最初の3コマくらいに相当する．

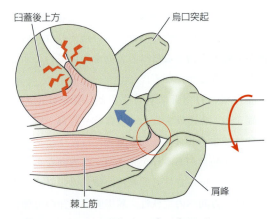

▶図35 インターナルインピンジメント

c 上腕骨近位骨端線離開

　リトルリーガーズショルダーともいわれ，好発年齢は10〜15歳である．投球動作中の上腕骨近位にかかる負荷に成長骨端線が耐えきれず離開した状態である．多くの疾患は，痛みはある一定の方向からの負荷で出るものだが，この疾患はどの方向から負荷をかけても痛みが出る．

B 運動療法の実際

1 凍結肩

a 運動療法の目的

b インターナルインピンジメント

　Walchは，投球動作のMER（maximum external rotation；最大外旋）で肩甲上腕関節が過度に水平外転している投げ方では，臼蓋の後上方と棘上・棘下筋腱付着部関節面側との間で衝突が生じる場合があると報告し，関節内での現象なのでインターナルインピンジメント（internal impingement）と呼んだ[7]．外転・外旋位を繰り返す野球選手たちに生じる棘上・棘下筋腱の関節面側の断裂はこの衝突によるものであるとし，関節鏡で確認している（▶図35）．

　炎症期は疼痛・炎症の緩和に主眼を置く．運動は痛みが出ない範囲でのROMの維持程度にとどめ，ポジショニング，薬物や物理療法による消炎鎮痛処置を中心に行う．この時期に「拘縮予防のために痛くても動かすべき」と指示を誤ると難治性炎症，さらには文字どおりの凍結肩に向かうことになる．

　拘縮期は痛みを増悪させない運動強度でROMの拡大をはかる．炎症性の痛みが軽減し，関節包や筋の伸張痛，肩峰下・烏口下のインピンジメントによる痛み，筋膜の機能低下による痛みが目立つようになる．関節包や筋の伸張性，肩峰下滑液

包・烏口下滑液包の滑動性，筋膜の柔軟性と隣り合わせにある筋の筋膜間の滑動性を改善させる．

寛解期は拘縮期にあった痛みが軽減し，運動療法に対する反応性が高まる．より積極的なROM運動ができる時期である．拘縮期と同様のアプローチを行う．

b 評価のポイント

(1) 痛みの再現とピンポイント指定

痛みは必ず点あるいは領域を患者自身の指で指定してもらう．運動痛も実際に痛みの出る肢位を患者自身にとってもらい，ピンポイントで指定してもらう．痛みの出ていない安静肢位で確認したり，口頭で確認した部位は，ほとんどの場合で実際とは異なると思ってよい．指定された点の各層にある解剖学的組織のなかで，どれが発痛部位かを特定しきれない場合も多々あるが，最高レベルの情報源であることには間違いない．これに筋収縮刺激，伸張刺激，圧迫刺激(圧痛)などによる痛みの誘発(誘発テストとして固有名詞のついたものが多くある)を組み合わせて部位を特定する．

また，炎症の急性期か否かの判断も重要で，ROMのゆとり内にもかかわらず安静時痛がある，最終域感を伴わない痛みがある，防御反応が敏感に出る，局所の熱感があるなどの場合は急性期と判断する．

(2) 圧痛の確認

発痛部位を特定する大きな手がかりとして"圧痛"がある．指標として触診できる場所は，できるだけ多く確認して記録する．ただし，正常でも軽い圧迫刺激で敏感に痛みの出る場所があるので，病的な痛みと明確に区別しなければならない．最も簡単な方法は左右差を確認することである．

また，運動痛の部位とは必ずしも一致しなかったり，圧痛点が複数ある場合や，運動痛があっても圧痛は特に訴えないこともよくある．したがって，慢性期ではかえって混乱をまねく場合もあるが，急性期では最大の手がかりになりうる．

(3) 制限因子の検討

制限のおこり方を参考にして影響力の強い因子を絞ることで，より効率のよい運動療法が可能となる．基本的には，肩甲上腕関節周囲筋，臼蓋上腕靱帯も含めた関節包，烏口上腕靱帯の緊張具合いを考えることである．

たとえば，①内転制限がなく（烏口上腕靱帯の短縮があまり強くないことを意味する），②上腕体側位での外旋が30°（正常では約80°可能），③上腕体側位内旋は前腕が腹部に衝突するまで可能（55°），④外転位内旋0°（正常では約60°）であれば，最も特異的な制限は④と判断し，小円筋中心にアプローチする．もちろん②も強い制限だが，④があまりにも強すぎる．④に加えて③が30°であれば，後方の関節包，小円筋，棘下筋の短縮が疑われる．逆に④が40°可能なら，②の制限が特異的となり，前方の関節包，大円筋，肩甲下筋を中心にアプローチすることになる．

c 運動療法の方法

(1) 筋のストレッチング

最終ROMにおいて，腱板筋群，大胸筋，大円筋，広背筋，上腕三頭筋長頭などの緊張がよく観察されるが，最終ROMでの筋緊張がROM制限に見合うだけの強さかどうかを確認する．もし，短縮よりも防御収縮の影響であると判断できたときは，自動運動でアプローチするほうがよい．拘縮期以降では，ほとんどの患者において最終域で強い緊張を確認できる．まずこれらの筋に対して伸張性を回復しなければ，深部の組織にはアプローチできない．

筋の短縮に対しては，相反神経支配のメカニズムの利用や最大収縮後の弛緩など，古典的といわれる手技で十分な効果が得られる．しかし，肩峰下インピンジメントがおこる患者では，挙上方向への他動的関節運動で筋の伸張感が出る前に肩峰周辺の痛みが出現し，十分なストレッチングができないので，後述する解剖頸回旋を用いたストレッチングを行う．また，筋の走行に対して直角

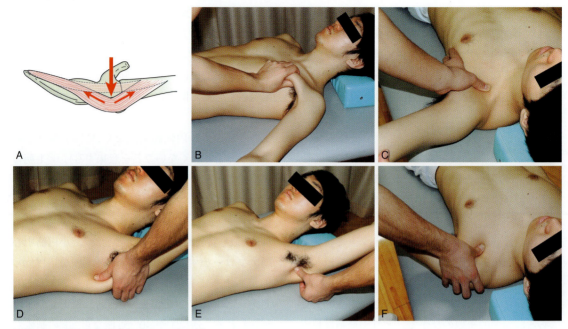

▶図36 プレスアウトストレッチング
A：模式図：大円筋に対するプレスアウトストレッチングを腋窩からみたところ．
B：大胸筋胸骨枝，肋骨枝
C：大胸筋鎖骨枝
D：大円筋，広背筋腱
E：上腕三頭筋長頭
F：小胸筋

に，反対側に押し出す(press out)ように行うプレスアウトストレッチングも効果的である（数秒間のストレッチングを何回も繰り返す）．押し出すための空間が必要なので，実施できる筋に限りがあるが，十分な効果が得られる(▶図36A)．大胸筋は胸骨枝，肋骨枝(▶図36B)のみではなく，鎖骨枝に対するアプローチ(▶図36C)も可能である．大円筋，広背筋の腋窩部は両者を一塊として行う(▶図36D)．上腕三頭筋長頭(▶図36E)，小胸筋(▶図36F)もこの方法でストレッチングが可能である．小胸筋へのアプローチは，表層を走る大胸筋を介することになるが，走行が異なるので明確に触知できる．

(2) 関節包(臼蓋上腕靱帯)と烏口上腕靱帯のストレッチング

次に，関節包と烏口上腕靱帯について，解剖学的位置関係から各方向の制限因子を考えてみる．

筋の影響を無視できないので，実際にはクリアには割り切れないが，解剖学的には以下のように整理できる．

上腕体側位外旋は前方の関節包と烏口上腕靱帯，結帯動作は後上方から後方の関節包，上腕外転位外旋は前方から下方の関節包で，水平内転位ぎみでの同外旋では下方関節包の影響が強くなり，水平外転ぎみでの同外旋では前方の関節包の影響が強くなる．上腕外転位内旋では，烏口上腕靱帯小結節付着線維と後方から下方の関節包，水平内転は後方の関節包で，内旋位での同運動では下方寄りの，外旋位では上方寄りの後方関節包の影響が強くなる．水平外転は前下方の関節包で，内旋位での同運動では烏口上腕靱帯小結節付着線維の，外旋位では下方寄りの関節包の影響が強くなる．挙上は下方の関節包の影響が強い．これらを考慮すれば，およそどの部分の短縮が大きく影

響しているかを検討することができる．

最終 ROM での筋緊張が強くないときは，関節包，靱帯性の制限と考え，制限の強い方向へそれぞれストレッチングすればよいが，次の4パターンを用いることが多い．

① 上腕体側位での外旋で，前方の関節包と烏口上腕靱帯のストレッチング
② 上腕外転位での外旋で，前方から下方の関節包と腱板疎部のストレッチング
③ 上腕外転位での内旋で，後方から下方の関節包のストレッチング
④ 挙上にて下方の関節包のストレッチング

具体的には，①は上腕体側位あるいは痛みが強いときには30°くらい外転位で肘を支え，できるだけ患者自身に外旋をしてもらい，理学療法士は最終域で軽く介助する程度にゆっくりした速さで他動的外旋を行う．しばらく続けると痛みの閾値が上がり，リラクセーションもできてくるので，少しずつ強度を強めていくとよい．内転を強調するほど烏口上腕靱帯と上方関節包への伸張が強くなる．

②③は90°前後の外転位かつ20〜30°水平内転位（理学療法士の大腿の上に患者の肘を置くとちょうどそれくらいになる）で，①と同様に外旋と内旋の運動を行う．外旋ではベッドにて肩甲骨が固定されるが，内旋では前方突出してくるので理学療法士が固定しなければならない．

④は肩甲骨外縁を固定し上腕骨を挙上する．手技的には内転筋群のストレッチングと同じであるが，筋の短縮に対する処置が十分に行われていれば，より効果的に関節包のストレッチングができることになる．

関節モビライゼーションは，関節包が弛んだ肢位よりもストレッチングの最終 ROM で愛護的に応用するとよい（包内運動をおこすというより，関節包をストレッチングするという意識で）．外転・外旋位での水平外転動作に合わせて骨頭を前方へ滑らせる操作（▶図37）によく反応する．

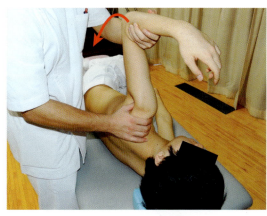

▶図37 外転・外旋位での上腕骨頭に対するモビライゼーション（前方）

(3) 解剖頸軸回旋を用いた筋，関節包のストレッチング

解剖頸軸とは上腕骨解剖頸の面に直角に交わる軸（つまり，骨頭の向きを表す軸）で，この軸を用いた回旋運動（スピン）を解剖頸軸回旋と名づけた．動画を参照いただきたい（▶動画1）．側臥位になることで肩甲骨臼蓋面が水平面上にあると仮定する．上腕骨頭には135°の頸体角と30°の後捻角がある．頸体角を相殺するために45°外転，後捻角を相殺するために30°外旋した肢位を開始肢位として，肘と手の高さを変えることなく肩の回旋を行うと関節内では解剖頸軸回旋がおこっている．この回旋運動では臼蓋面と解剖頸面は常に平行に保たれるため，大結節は烏口肩峰アーチをくぐることなく，アーチに平行に移動する（▶図38）．したがって，この回旋運動を利用してROM運動などを行うと，大結節がアーチの下をくぐるときにおこるトラブルを回避できる．つまり，第二肩関節の痛みを引き起こさないで肩甲上腕関節のストレッチングが可能である．

患者の訴えから，普通に挙上したときの最終域痛と解剖頸軸回旋での最終域痛は，明らかに痛み

▶動画1

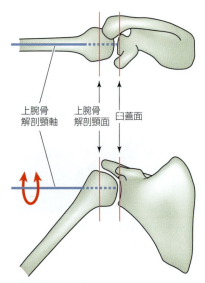

▶図38 解剖頸軸回旋
解剖頸軸を臼蓋面に対して垂直に保った状態で解剖頸軸回旋を行うと解剖頸面と臼蓋面は常に平行であるから，大結節は烏口肩峰アーチ下へ入らない．

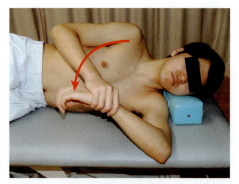

▶図39 患側下側臥位での内旋ストレッチング
肩甲下滑液包の閉塞予防に行われる．

の種類が違うことが確認できる．前者は肩峰角周辺にインピンジメントを思わせる痛みを伴ったブロック感があるのに対して，後者は軟部組織の被伸張感や筋の伸張痛として感じる．正常ROMは，肩甲骨面挙上45°の位置を開始肢位として，肩甲骨を固定した状態で外旋方向へ約75°，内旋方向へ約55°である．

(4) 肩峰下滑液包・三角筋下滑液包・烏口下滑液包のモビライゼーション

肩峰下滑液包・三角筋下滑液包は，肩峰寄りの三角筋を把持し，それを三角筋の線維と直角方向あるいは線維方向にずらすように動かすことでモビライゼーションできる．肩峰の直近で行えば肩峰下滑液包への介入になる．挙上位にしすぎると肩峰下滑液包が肩峰下へ入り込んでしまうので，90°挙上位までが望ましい（▶動画2）．

烏口下滑液包は，肩の水平内転に合わせて上腕骨頭を背側へ押し込む（烏口突起と小結節の間に指を押し込む感じ）ことでモビライゼーションできる．

(5) 拘縮に対するホームプログラム

ホームプログラムの指導も重要であり，挙上，結髪，結帯の各動作の要素を盛り込んだ運動を短時間でよいから頻回に行うよう指導する．関節造影の際に再開した肩甲下滑液包が再び閉塞しないように，水平内転位での内旋ストレッチングも必ず指導する（▶図39）．

(6) 特発性動揺性肩関節症の肩甲胸郭関節へのアプローチ

本疾患の特徴である肩甲骨の機能不全に対する介入が中心になる．腱板筋群の強化，肩甲骨上方回旋の拮抗筋である小胸筋のストレッチング，肩甲骨の動きの再教育を行う．動きの再教育については，腹臥位で僧帽筋中部，下部線維の徒手筋力検査の肢位と動きに基づいて運動を行うが，肩峰が少し耳に近づいた肢位を保ちつつ動かすよう注意を促し，他動的介助も行う（▶図40）．あるいは，腕を組んだ姿勢のまま，前腕部が頭頂に当たらないように挙上する動作は，肩甲骨に意識を集中しなくてもできる運動である（▶図41）．

▶動画2

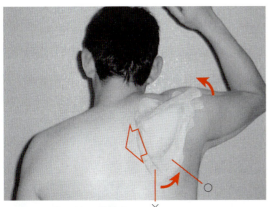

▶図40 僧帽筋の再教育
「肩を耳に近づけるようにして」と指示し，肩甲骨の内転を行ってもらう．上方回旋が少ないままの運動（×）は，悪循環をまねくので，⤴の方向に他動的に介助あるいは口頭指示し，しっかり上方回旋を保ちつつ（○），僧帽筋の運動（⇦）を行う．

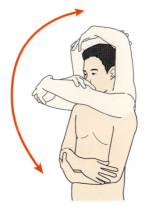

▶図41 肩甲骨上方回旋を促すための運動療法

2 投球障害

a 運動療法の目的

（1）痛みをとる

現在ある痛みをとるための治療がまず行われる．投球障害肩においても病巣部位にかかわらず肩甲下滑液包が閉塞していることが多く，閉塞部を再開すると劇的に除痛できる〔「肩甲下滑液包」の項（→ 138 ページ）参照〕．抗炎症薬の局所注射や非ステロイド性抗炎症薬（NSAIDs）の内服など，整形外科的処置も効果的である．理学療法としては，スパズムのある筋へのアイシング，超音波照射などの物理療法，マッサージや徒手療法などで対応する．

（2）痛みをまねいた機能障害を改善する

これは，現在ある痛みに対する機能的な対応であると同時に，障害予防や再発防止に直結する．たとえば，小胸筋や前鋸筋が短縮している投手がいると仮定する．この投手は加速相における肩甲骨の後傾が不十分になり，肩甲上腕関節そのもので外旋方向の動きを出さなければならないので，それだけ過伸張されることになる．この投手がMERで肩の上方から前方にかけて痛みを訴える場合は，小胸筋や前鋸筋の短縮が痛みをまねいた機能障害である可能性が高い．

b 評価のポイント

投球動作の運動連鎖を理解することが必要である．反対方向へねじってエネルギーを溜め，足部から順にねじり戻す動作のなかで，下部の動きに上部の動きを上乗せすることでスピードを増幅し，時速 150 km の指先の動きを得る．この上乗せのつながりが投球動作における運動連鎖の正体といえる．

（1）前の現象とその後の動き

前におこった現象がその後の動きにどのように影響しているかを考える．

たとえば，テイクバックで過度に肩を水平外転した場合，トップポジションまでの過程が水平外転位のまま行われる傾向が強く，肩甲上腕関節にとって過酷な状況になる．

（2）周囲の関節に目をやる

肩の周囲，多くの場合はより近位の肩甲骨，胸郭，脊柱，股関節が同じ目的で機能していなければ，肩甲上腕関節は安全かつ十分に機能を果たすことはできない〔「投球動作」の項（→ 141 ページ）参照〕．

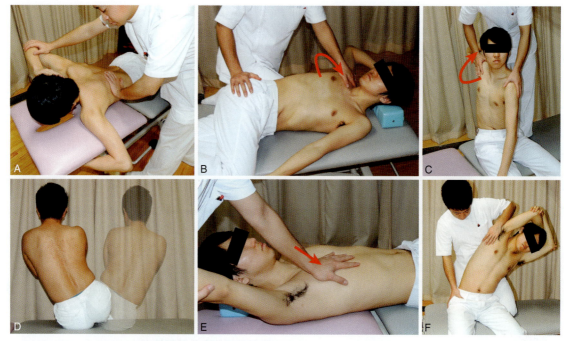

▶図42　肩甲上腕関節への負荷を軽減するアプローチ（水平外転，外旋方向）
A：捻転を伴った背筋運動
B：右胸郭に対する外旋方向へのストレッチング：体幹中央部をしっかりブロックして行う．
C：体幹の捻転
D：体幹側屈運動の反復
E：肋骨を介した小胸筋のストレッチング
F：広背筋のストレッチング

C 運動療法の方法

（1）肩甲下滑液包の閉塞予防

閉塞を予防するには，肩甲上腕関節のROMを正常に保つことが重要で，特に水平内転位での内旋方向へのストレッチングを行う（▶図39）．

（2）肩甲上腕関節への負担を軽減するためのアプローチ

●柔軟性

①水平外転，外旋方向への柔軟性

- 背筋群および肩甲骨内転筋群の強化：腹臥位で投球動作のトップポジションに近い姿勢で，上肢に抵抗をかけて体幹捻転しながらの背筋運動を両側に行う（▶図42 A）．
- 脊柱および胸郭の伸展方向の可動性改善：側臥位で左右に分けて行う（▶図42 B）．腹直筋のストレッチングも行う．
- 体幹捻転の可動性改善：座位で投球動作のトップポジションをイメージしながら行う（▶図42 C）．
- 体幹側屈の可動性改善：座位で骨盤を左右交互に引き上げながら，体幹側屈運動を行う（▶図42 D）．
- 軸脚（後脚）股関節の伸展の可動性改善：ROM運動およびステップした姿勢での後足股関節伸展を行う．
- 肩甲骨の上方と後方傾斜方向への可動性改善：小胸筋，大胸筋，広背筋に制限される．特に小胸筋は非投球側のそれと比較すると，よく肥厚し大きな負担がかかっていることがうかがえる．圧痛や伸張痛も非投球側より敏感に感じることがほとんどである．また，広背筋が短縮すると肩甲上腕関節を挙上・強度外旋した状態で肩甲骨を挙上させることができなくなる．小胸

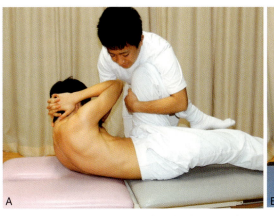 

▶図43　肩甲上腕関節への負荷を軽減するアプローチ（内転，内旋方向）
A：捻転を伴った腹筋運動
B：左股関節に対する骨盤内転

筋，大胸筋のストレッチングを最大結髪動作で行う．小胸筋は肩甲骨を後上方へ操作する方法と，上肢を挙上位に保持し，起始部である肋骨を介して行う方法もある（▶図42E）．広背筋は上肢挙上を伴った体幹側屈や体幹捻転でストレッチングできる（▶図42F）．

②内転，内旋方向への柔軟性

- 腹筋群および大胸筋，小胸筋の強化：背臥位で投球動作のトップポジションに近い姿勢で，上肢に抵抗をかけて体幹捻転しながら，腹筋運動を両側で行う（▶図43A）．座位で加速相をイメージしながら，上肢に抵抗をかけての体幹の捻転運動でもよい．
- 体幹捻転の可動性改善：座位でフォロースルー相の最後をイメージしながら，体幹の捻転を行う．
- 非軸脚（前脚）股関節の屈曲，内転，内旋の可動性改善：ROM運動およびステップした姿勢での前脚股関節に対する骨盤内転を行う．これは加速相の上半身の伸展（反り）にも影響する（▶図43B）．
- 肩甲骨外転（前方突出）方向への可動性改善：肩甲骨内転筋群のストレッチングを行う．

● 筋力

投げるための筋力には，スピードや強さを求める側面と，フォームの美しさや技量を求める側面がある．前者は絶対的筋力，後者は強制変位を与えるタイミング，つまり一連の動作のなかでどの筋力をいつ発揮し，どの筋をリラックスさせるかである．前者においては単にウェイトトレーニングを行うだけでなく，運動の開始肢位と終了肢位を投球動作の一部と同じにするなどして，全身の運動連鎖のなかでの筋力強化を行う．たとえば，体幹の強化は立位や膝立ち位で骨盤・下肢の連鎖も考慮して実施する．肘伸展の強化は加速相の腕の鞭様運動のなかで行う．

後者に関しては競技レベルにもよるが，残念ながら理学療法士には関与しえないレベルであると思われる．

(3) インターナルインピンジメントへの対処

肩甲上腕関節が極端に外転・外旋位になったときに衝突するので，肩甲骨の可動性を内転・上方回旋方向に大きくし，肩甲骨で肩甲上腕関節の動きをカバーする．また，肩甲上腕関節の水平外転を必要以上にとらないフォームを身につけてもらうことも重要である．

(4) フォームのチェック，指導

未熟なフォームによるパフォーマンスの繰り返しは外傷をまねく．したがって，初心者に対する正しいフォームの指導は，障害予防の意味におい

▶表1　フォームチェックと指導のポイント（右投げ）

チェックポイント	指導のポイント
非軸脚を上げる方向	おおむね3塁方向
ステップの方向	投球方向～それより1横足分右の間で足部の向きは投球方向
ステップの幅	身長比85%
トップポジションのタイミング	非軸脚の足底接地と同時
トップポジションの球の位置	後頭部の後ろ
トップポジションからの腕の動き	必ず肘を先行させる
加速相の非軸脚(前脚)大腿の向き	大腿を内側に閉じてステップと同じ方向へ（外旋位にならない）
フォロースルーの大きさ	無理にブレーキをかけず，前脚の外側を後方へ振り抜く

てもきわめて重要である．骨関節の強度や筋力の不十分な若年者には，スピードや強さは求めず，まず正しいフォームを身につけることを優先させる．

●フォーム修正のポイント

　動作の途中に頭で考えながら動きを修正することは不可能である．ポイントをいくつか指導して，連鎖に変化を出すしかない．意識しやすいポイントとしては，非軸脚を上げる方向，ステップの方向と足部の向き，ステップの幅，トップポジションのタイミング，トップポジションの球の位置，トップポジションからの肘の出し方，加速相の前脚の膝の方向，フォロースルーの方向と大きさなどであろう（▶表1）．

●肩−肩−肘ライン

　トップポジションから球離れまで（加速相）の間の両肩と肘の3点を背面から観察すると，アンダースローも含めてデリバリーの高さには関係なく，この3点を結ぶ線は直線関係にある．肘の高さをチェックするときは，肘の空間的な高さではなく，肩−肩−肘ラインに着目する．肘が高すぎる場合（肩−肩−肘の角度が過外転）はスリッピングが生じやすい角度で激しく外旋することにな

るので，不安定性をまねきやすく，インターナルインピンジメントがおこる可能性が大きくなる．低すぎる場合（肩−肩−肘の角度が内転ぎみ）は外旋ROMに余裕が少ない角度で外旋を強いられるので，肩に加えて肘への負担も大きくなる．

　また，上面から見た場合も，テイクバックからMERにかけての肩−肩−肘の水平外転角ができるだけ少ないことが望ましい．体幹を使った大きなテイクバックは何も問題はないが，投球腕のみを大きく水平外転すると，そこからMERに至る間の肩への負担が過酷すぎる．肘でトップポジションをつくるタイプにこの傾向が強い．

C 運動療法上の留意点

1 挙上筋力と腱板機能

　腱板は肩甲下筋，棘上筋，棘下筋，小円筋の付着部腱の総称である．肩甲骨から起始するこれら4筋の腱は，肩関節包と一体となって上腕骨頭全体を覆い，肩甲下筋は小結節，そのほかは大結節に付着する．単独では，肩甲下筋は内旋，棘上筋は外転，棘下筋と小円筋は外旋の主動作筋であるが，それにも増して重要な働きが，上腕骨頭を最も関節に近いところで臼蓋にしっかりと引きつけることである．肩甲上腕関節に生じる剪断力をくい止め，関節唇があってもそう深くはない臼蓋から，上腕骨頭が逸脱しないように作用している．この臼蓋に引きつける力を強くして，肩甲上腕関節の安定性を機能的に高める目的で行うのが，一般的にカフエクササイズと呼ばれる筋力強化である．

　他方，肩の機能や安定性を高めるうえで腱板筋群の強さと同じくらいに重要な要素が，肩甲胸郭関節の機能である．つまり，強い保持力を伴って肩甲骨が上腕骨頭をしっかりと受け止められる方向を向いている必要がある．肩甲骨を適したアラ

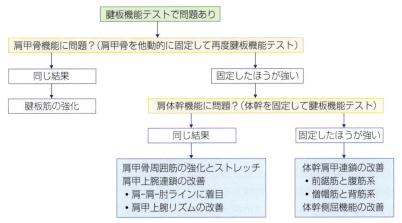

▶図44　腱板機能と関連がある問題の整理

イメントで安定させる機能に問題があれば，腱板筋の筋力に問題がなくても上肢の機能としては「筋力低下」となる．たとえば，挙上動作においては，肩甲骨は十分に上方回旋して骨頭を下から支え，かつ安定しなければならないが，不安定肩ではそれらを満たさない傾向があり，骨頭を下から支えきれない．

したがって腱板の機能を評価する際は，腕を動かすことにかかわっているパーツ（腱板筋，肩甲胸郭関節，体幹など）のなかでどこに問題があるのかを見極める必要がある（▶図44）．当然のことながら，肩甲胸郭関節に問題があるのに腱板筋を強化しても機能は改善しない．

●引用文献
1) 荒木秀明ほか：疼痛と動作分析―特に腰痛症との関連から．PTジャーナル，32:242–252, 1998.
2) 荒木秀明：骨盤・脊柱の正中化を用いた非特異的腰痛の治療戦略．医学書院，2018.
3) 荒木秀明：腰椎椎間板ヘルニアに対する手術療法前後の理学療法．理学療法，19:684–690, 2002.
4) Kapandji, I.A.: The Physiology of the Joints, vol.3. 2nd ed., Churchill Livingstone, 1982.
5) Bogduk, N.: Clinical Anatomy of the Lumbar Spine and Sacrum. 3rd ed., Churchill Livingstone, 1997.
6) 日本運動器理学療法学会：肩関節機能障害理学療法ガイドライン．日本理学療法士協会（監）：理学療法ガイドライン，第2版，pp.251–252, 医学書院，2021.
7) Walch, G., et al.: Posterior-superior impingement, another shoulder impingement. J. Orthop. Surg., 6: 78–81, 1992.

第8章 脊髄損傷の運動療法

学習目標
- 脊髄損傷の疾患概念と基本的な評価を知る.
- 損傷髄節に応じた障害像を理解する.
- 脊髄損傷者に対する運動療法の基本的な内容について知る.

A 概念と特徴

脊髄は中枢神経系の一部であり,延髄下端より脊髄最尾側の脊髄円錐と呼ばれる部位までを指す.**脊髄円錐**は第12胸椎〜第2腰椎の高さに位置しており,その遠位部では末梢神経である馬尾神経となる(▶図1).脊髄には,脳と末梢器官をつなぐ伝導路が通過し,**脊髄反射の中枢**がある.脊髄損傷では,運動麻痺や知覚麻痺,自律神経障害が出現するとともに,さまざまな随伴症状や合併症が生じる.

脊髄損傷は,損傷される脊髄節の高位と程度(完全性)によって障害がおおむね決定される特徴がある.脊髄は,頭側より頸髄,胸髄,腰髄,仙髄,尾髄に分かれている.筋や皮膚感覚の支配領域は脊髄節の高位と対応しており,筋はミオトーム,感覚はデルマトームにより表される.

また脊髄損傷は,損傷髄節によって呼称が異なる.頸髄を損傷した場合には,頸髄損傷と呼ばれ**四肢麻痺**を呈し,それ以外の損傷(主に胸髄損傷,腰髄損傷)では**対麻痺**となる.麻痺の出現様式には,損傷髄節以下の機能が障害される程度によって**完全麻痺**(完全損傷)と**不全麻痺**(不全損傷)に分けることができる.

脊髄損傷を引き起こす原因はさまざまであり,外傷や脊髄腫瘍,脊髄炎,多発性硬化症などがあ

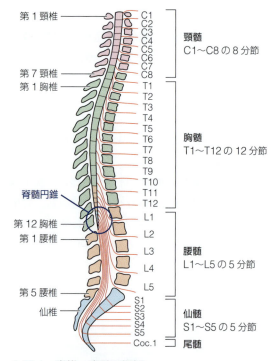

▶図1 脊椎・脊髄の概観

る(▶表1).そのなかでも外傷性が最も多く,全体の6〜7割を占めており,新規発生者数は年間で推定6,000人となっている[1].受傷時の年齢と受傷機転については,約20年前では交通事故の割合が高かったが,近年では超高齢社会の到来に伴い60歳以上での受傷(転倒のような軽微な外傷に起因するもの)が増加している.その背景

▶表1　脊髄損傷の原因

区分	種類
外傷性	開放創：切創，銃創，刺創 閉鎖創：骨折，脱臼，血腫
炎症性疾患	脊髄炎，梅毒，脊髄癆，膿瘍，ポリオ
神経変性疾患	筋萎縮性側索硬化症，Friedreich（フリードライヒ）病，多発性硬化症，悪性貧血，脊髄空洞症
腫瘍	脊髄内腫瘍，脊髄外腫瘍
脊椎疾患	変形性脊椎症，椎間板ヘルニア，脊椎カリエス，後縦靱帯骨化症，脊椎腫瘍，脊椎破裂
その他	癒着性くも膜炎，前脊髄動脈閉塞症，スモン，脊髄血管障害，癒着性脊髄膜炎，脊髄軟膜炎

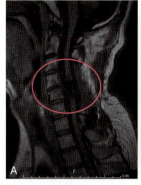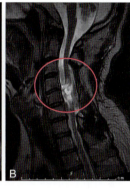

▶図2　画像検査
第5頸椎脱臼骨折のMRI画像（A：T1強調，B：T2強調）．症例はC5B．頸髄に異常信号が認められる（○）．

には，加齢による脊柱管狭窄や脊柱の可動性低下があり，脊髄へのダメージにつながりやすいことがあげられる．そのため，中高年の脊髄損傷者では，頸髄損傷による不全四肢麻痺を呈する割合が高い．

1 診断と評価

脊髄損傷は，損傷高位により残存機能が異なる．残存機能は，身体機能の予後や日常生活活動（activities of daily living; ADL）の到達度を予測するためにきわめて重要であり，診断・評価を適切に行う必要がある．特に頸髄損傷者では，1髄節の違いによってADL到達度が大きく異なる可能性があり，慎重に評価・解釈を行わなければならない．

脊髄損傷の損傷高位や麻痺の重症度表示は，リハビリテーションの観点からは残存機能で示すほうが適切である．たとえば，C5頸髄損傷やC5完全損傷であれば，第5頸髄節までの機能が残存しており，第6頸髄節以下は完全麻痺であることを表している．不全損傷の場合であれば，C5頸髄不全損傷と表示する．また，一般的に脊椎骨傷部位を含めた場合には，T9/10脱臼骨折によるT11胸髄損傷（T11機能残存，T12胸髄節以下の麻痺）と表現される．

a 診断

損傷した脊髄節高位の診断には，正確な判断をするために神経学的検査が用いられる．以下に記載した検査の結果から総合的に損傷高位の判定を行う．

(1) 知覚検査

検査には，**表在感覚**や**深部感覚**，**二点識別覚**を用いる．知覚を評価し，知覚障害部位を判定することで，損傷高位の判断につながる．

(2) 運動検査

各骨格筋の**筋力測定**によって，損傷高位を判断することができる．骨格筋は多髄節による支配となっているため，解剖学書の髄節と完全に一致しない場合があることに留意する必要がある．

(3) 反射検査

深部反射や**表在反射**，**病的反射**が損傷高位の判断のため補助的に使用される．脊髄損傷の直後に生じる脊髄ショック期では，損傷高位以下の脊髄反射はすべて消失するが，脊髄ショック期が過ぎると障害部以外で反射が出現してくる．具体的には，痙縮や深部腱反射，病的反射の亢進がみられる．

(4) 画像検査（▶図2）

単純X線やコンピュータ断層撮影（computed tomography; CT），磁気共鳴画像（magnetic res-

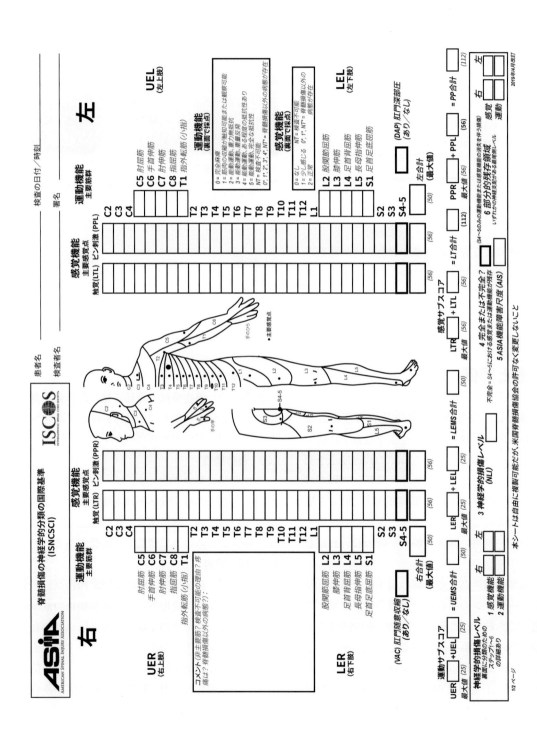

▲図3 ISNCSCI
(ASIAホームページ(https://asia-spinalinjury.org/wp-content/uploads/2021/07/ASIA-ISNCSCI-SIDES-1-2.July-2021.pdf)より)

onance imaging; MRI)などが適宜使用される(▶図2). 画像検査の所見を確認する際には, 脊柱の下位になるにつれて脊椎と脊髄節の高位が一致しない点に注意が必要である.

b 評価

脊髄損傷の評価には, 特異的なものとして, 損傷高位や麻痺の重症度, 残存機能を示す機能評価と一般的な理学療法評価を併せて行う.

(1) ISNCSCI

脊髄損傷の神経学的分類の国際基準(International Standards for Neurological Classification of Spinal Cord Injury; ISNCSCI)[2]は, 脊髄損傷の神経学的損傷高位や完全性(麻痺の重症度)を決定するための国際的に標準とされている評価法である(▶図3). ISNCSCI は知覚検査と運動検査で構成され, 損傷高位と損傷の完全性を判別する明確な基準が設けられている唯一の方法である. すべての検査をベッド上で行い, リハビリテーションの時期を問わず一貫して使用可能である. 麻痺の重症度については, ASIA 機能障害尺度(ASIA impairment scale; AIS)(▶表2)によって分類できる.

(2) Frankel(フランケル)分類

麻痺程度を A〜E までの5つに分類したものであり, 日本国内ではさらに細分化された改良版Frankel 分類が用いられることがある(▶表3).

(3) Zancolli(ザンコリー)分類

頸髄損傷者の上肢機能をもとに麻痺高位を判定するために使用され(▶表4), 到達可能な ADLの予測が可能である[3].

(4) その他

ISNCSCI に他の評価を組み合わせつつ, 全体像をつかめるよう評価項目や方法を見当する必要がある. まず, 基本的評価としては, 年齢や性別, 身長, 体重, 四肢長, 受傷機転, 既往症などを把握しておく必要がある. また, 脊髄損傷に伴う随伴症状や合併症は, 運動療法の実施や ADL 獲得の阻害因子となり, 生活の質(quality of life; QOL)を低下させる要因になるため十分に評価を行う必要がある.

次に, 身体機能の評価は, 関節可動域(ROM)や筋力, 知覚があげられる. ISNCSCI では体幹筋群の筋力検査や深部感覚の検査が含まれておらず, 必要に応じて実施するべきである. 加えて, 精神・心理面の評価や家族構成, 介護状況, 経済状況, 家屋状況・住居の周辺環境, 学校, 職場, 居住地の福祉サービスなど社会的な要因についても評価が必要である.

2 不全損傷の特異型(▶図4)

脊髄損傷後の完全損傷, 不全損傷は臨床的にISNCSCI で判別される. しかし, 不全損傷は損傷部位によって4つの特異型に分類でき, 臨床症状が異なるため, 運動療法を実施するうえで理解しておくことが必要である.

a 中心性脊髄損傷

脊髄の中心部に近いところが損傷された状態を指す(▶図4A). 頸椎の過伸展により発生することが多く, 高齢者に C3/4 損傷の頻度が高い. 下肢より上肢に強い麻痺が出現し, 触覚や深部感覚は保たれることが比較的多いとされている.

b Brown-Séquard 症候群

Brown-Séquard(ブラウン・セカール)症候群は脊髄の左右の片側が損傷された状態であり, 外傷で生じることは少なく, 腫瘍や椎間板ヘルニアなどで生じることが多い. 損傷と同側の深部感覚の障害, 前角障害部では弛緩性麻痺, 損傷髄節以下では痙性麻痺を呈する. 反対側では, 損傷髄節以下で温度覚と痛覚が障害される(▶図4B, 図5→158ページ). 触覚は保たれることが多いが, 損傷髄節では全知覚が障害される.

c 前部障害

脊髄の前部が損傷された状態である(▶図4C).

▶表2 ASIA 機能障害尺度

AIS スケール	詳細
AIS A（完全損傷）	・感覚・運動機能が S4〜S5 領域で残存していない
AIS B（感覚不全麻痺）	・運動機能は残存していないが，最尾側である S4〜S5 領域の感覚が残存している ・どちらかの身体の運動レベル以下の 3 髄節を越えて運動機能が残存していない
AIS C（運動不全麻痺）	・最尾側の随意肛門収縮あるいは S4〜S5 の感覚が残存している ・どちらかの身体の運動レベルの 3 髄節を越えて運動機能が残存している ・キーマッスルあるいはノンキーマッスル機能が運動機能の 3 髄節を越えて残存している ・神経学的損傷高位以下のキーマッスル機能の半分以下がグレード 3 以上である
AIS D（運動不全麻痺）	・神経学的損傷高位以下のキーマッスル機能の半分以上がグレード 3 以上である
AIS E（正常）	・運動・感覚ともに正常

〔ASIA ホームページ(https://asia-spinalinjury.org/wp-content/uploads/2021/07/ASIA-ISNCSCI-SIDES-1-2_July-2021.pdf)より〕

▶表3 改良版 Frankel 分類

A	運動・知覚喪失（完全麻痺）	損傷レベルより下位の運動・知覚の完全麻痺
B	運動喪失・知覚残存（知覚のみ）	損傷レベルより下位の完全麻痺．感覚はいくらか残存 B1：触覚残存（仙髄小域のみ） B2：触覚残存（仙髄だけでなく下肢にも残存） B3：痛覚残存（仙髄あるいは下肢）
C	運動不全（非実用的）歩行できない	損傷レベルより下位の運動機能がわずかに残っているが，実用性がない C1：下肢筋力 1, 2（仰臥位で膝立てができない） C2：下肢筋力 3 程度（仰臥位で膝立てができる）
D	運動不全（実用的運動）歩行可能	損傷レベルより下位の実用的な運動機能が残っている D0：急性期歩行テスト不能例 　　下肢筋力 4〜5 あり，歩行できそうだが，急性期のため正確な判定困難 D1：車椅子併用例 　　屋内の平地であれば 10 m 以上歩ける（歩行器，装具，杖を利用してよい）が，屋外，階段は困難で日常的には車椅子を併用する 　　10 m 以下であれば C2 と判定 D2：杖歩行例あるいは中心性損傷例 　　杖独歩例：杖・下肢道具など不要で歩行は安定しているが，上肢機能が悪いため，入浴や衣服着脱などに部分介助を必要とする D3：独歩自立例 　　筋力低下，感覚低下はあるが独歩で上肢機能も含めて日常生活に介助不要
E	回復（正常）	運動・知覚麻痺，膀胱直腸障害などの神経学的症状が認められない 深部反射は亢進してもよい 自覚的しびれ感はあってよい

〔総合せき損センター，平成 6 年 1 月開始，平成 12 年 10 月改訂より〕

損傷髄節では弛緩性麻痺となり，損傷髄節以下は痙性麻痺を呈する．損傷髄節以下では，温度覚や痛覚が障害されるものの，深部感覚や触覚は保たれる．

d 後部障害

臨床では稀な，脊髄後索周辺の損傷で生じる（▶図 4D）．主に深部感覚や触覚が障害されるが，運動麻痺はみられない．

3 脊髄損傷の機能評価に基づく予後予測

前述の脊髄損傷の機能評価は，麻痺回復の予後予測や ADL 到達度の予想に用いることができる．ISNCSCI の AIS を使用した予後予測では，入院時と退院時を比較した際に 27％ の患者で AIS の変化が認められたことが報告されている．この変化には，受傷時の重症度が影響しており，受傷時に AIS A の場合には，退院時もほとんどが A のままであるが，AIS C の場合には，約 50％ で D へ改善する例も存在している[4]．

4 随伴症状と合併症

脊髄損傷後には，運動麻痺や知覚麻痺以外にもさまざまな随伴症状や合併症が生じ，ADL の制

▶表4 Zancolli 分類

グループ	髄節レベル	残存運動機能	サブグループ	分類
1. 肘屈曲可能群	C5	上腕筋	A. 腕橈骨筋機能なし	C5A
		上腕二頭筋	B. 腕橈骨筋機能あり	C5B
2. 手関節伸展可能群	C6	長橈側手根伸筋	A. 手関節背屈力弱い	C6A
		短橈側手根伸筋	B. 手関節背屈力強い	
			Ⅰ. 円回内筋・橈側手根屈筋機能なし	C6BⅠ
			Ⅱ. 円回内筋機能あり,橈側手根屈筋機能なし	C6BⅡ
			Ⅲ. 円回内筋・橈側手根屈筋・上腕三頭筋機能あり	C6BⅢ
3. 手指伸展可能群	C7	総指伸筋・小指伸筋	A. 尺側指完全伸展可能	C7A
		尺側手根伸筋	B. 全指伸展可能だが母指の伸展弱い	C7B
4. 手指屈曲可能	C8	固有示指伸筋	A. 尺側指完全屈曲可能	C8A
		長母指伸筋	B. 全指完全屈曲可能	
		深指屈筋	Ⅰ. 浅指屈筋機能なし	C8BⅠ
		尺側手根屈筋	Ⅱ. 浅指屈筋機能あり	C8BⅡ

〔Zancolli, E.: Structural and Dynamic Basis of Hand Surgery, Functional Restoration of the Upper Limbs in Complete Traumatic Quadriplegia. p.155, J.B. Lippincott Company, 1968 より〕

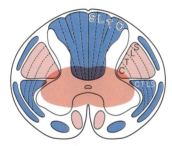

A. 中心性脊髄障害
（中心性頸髄損傷）

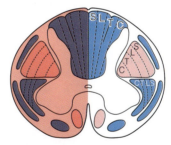

B. 脊髄半側障害
（Brown-Séquard 症候群）

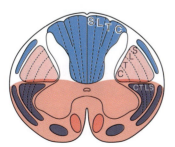

C. 前部障害

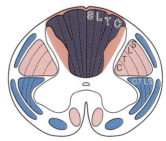

D. 後部障害

▶図4 不全損傷の特異型
C：頸髄，T：胸髄，L：腰髄，S：仙髄

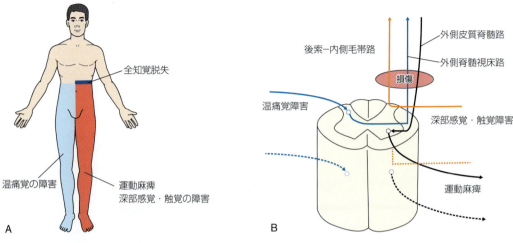

▶図5 Brown-Séquard 症候群
A：左片側脊髄を損傷した場合の症状を示した．
B：左片側脊髄損傷時の求心性経路と遠心性経路の走行を模式的に示した．

限や QOL 低下，運動療法を行ううえでも阻害因子となるため，症状や対処法を理解しておくことは重要である．脊髄損傷後の随伴症状・合併症には，自律神経がかかわっているものが多い．

a 自律神経の解剖と機能

自律神経は，呼吸・循環・消化・排尿・排便・生殖など人間の基本的な生命活動に不可欠な役割を担っている．胸腰髄に中枢がある交感神経と脳と仙髄に中枢を有する副交感神経があり，拮抗する形で支配し臓器を調整している（▶図6，表5）．

b 随伴症状

(1) 呼吸障害

頸髄損傷者や上位の胸髄損傷者では，呼吸筋群に麻痺が生じる．そのため，呼気量の低下に伴う換気量や肺活量の低下，咳嗽力の低下が生じる．急性期では，気道内分泌物の増加や末梢気道収縮により肺炎や無気肺を引き起こしやすく，合併症予防が重要である．また，横隔膜の麻痺が生じる高位（C4 より高位）の頸髄損傷者では，人工呼吸器装着が必要となる．

呼吸器合併症の予防には，早期離床や胸郭柔軟性の確保，咳嗽介助が有効であり，呼吸理学療法を徹底的に行う．

(2) 排尿障害

膀胱に尿が溜まると，脳にある**排尿中枢**が我慢するか排尿するかの指令を出す．胸腰髄にある排尿中枢（交感神経）は蓄尿に作用し，反対に仙髄の排尿中枢（副交感神経）は排尿に関係している．脊髄損傷では，これらの神経調節が破綻するために，尿閉や尿失禁が生じる．尿が排出できない場合には，尿路感染症や尿路結石，水腎症，急性腎不全などを引き起こすおそれがあるため，必ず対策を講じなければならない．

自排尿が困難な場合には，間欠的導尿といわれるカテーテルを尿道から挿入し，尿を排出する方法が用いられる．間欠的導尿は，膀胱や尿路全体に対して愛護的であり優れた排尿方法であるため，獲得したい手技である．また，自己での間欠的導尿が難しい場合には，留置カテーテル（尿道カテーテル留置，膀胱瘻カテーテル）が選択される．

(3) 排便障害

直腸壁が伸展されると大脳皮質が刺激され便意を感じ，仙髄の**排便中枢**（S2〜S4）からの排便反

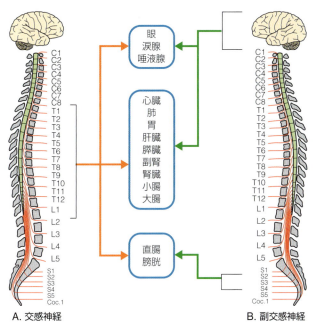

▶図6 交感神経・副交感神経が支配している臓器

▶表5 各臓器を支配している自律神経系に対応する脊髄節

器官	交感神経	副交感神経	体性/運動
心臓	T1〜T5	迷走神経	なし
血管			
上半身	T1〜T5	腺(唾液, 胃腸)	
下半身	T5〜L2	勃起組織(S2〜S4)	
気管支-肺	T1〜T5	迷走神経	C3〜C8, T1〜T12
汗腺	T1〜L2	なし	なし
下部尿路			
排尿筋	T10〜L2	S2〜S4	なし
膀胱頸/内尿道括約筋	T10〜L2	なし	なし
外尿道括約筋	T10〜L2	なし	S3〜S5
胃-腸路			
食道〜脾臓	T1〜L2	迷走神経	
脾臓〜内肛門括約筋	T1〜L2	S2〜S4	なし
外肛門括約筋	T10〜L2	なし	S3〜S5
生殖器			
陰茎, 睾丸	T10〜L2	S2〜S4	S1〜S3
腟, 子宮	T10〜L2	S2〜S4	S1〜S3

射がおこり，直腸平滑筋，内肛門括約筋，外肛門括約筋が弛緩し，便が排出される．脊髄損傷後には，これらの神経経路が障害されるため，便意の認識や外肛門括約筋の随意的制御が困難となる．

排便は，下剤や坐薬の使用，腹部マッサージ，肛門部刺激による排便の促進などを行い，難渋する場合には摘便や浣腸を使用する．排便を管理するために，日誌の使用や，食事や水分，運動の程度も考慮する必要がある．

(4) 性機能障害

男性の場合には，勃起障害や射精障害が生じる．女性おいては，受精や妊娠には大きな問題はなく，経腟分娩も可能である．

(5) 循環器障害

心臓や血管運動は，交感神経（上半身 T1～T5，下半身 T5～L2）により支配されている．T5 以上の損傷では，交感神経麻痺のために血圧の上昇がおこりにくくなるため，血圧が低下する．また，心拍においても，心拍数の増加が難しくなるため徐脈を呈することになる．

(6) 起立性低血圧

T5 以上の損傷では，交感神経麻痺による血管の拡張で腹部臓器に血液が滞留しやすいため，血圧の上昇が生じにくくなる．血圧管理に慎重になりすぎて臥床期間が長くなると，逆に起立性低血圧から抜け出せなくなるおそれがあるため，受傷早期から座位保持を行う取り組みが重要である．主な対処法としては，血圧低下時には臥位にすることや上半身を前傾させ頭位を低くすることがあげられる．起立性低血圧の予防には，腹帯や下肢に加圧ソックス，弾性包帯を装着しながら離床するのもよい．

(7) 自律神経過反射

T5 以上の損傷では，交感神経麻痺があるため脳の自律神経中枢による交感神経反射の抑制が効かない状態である．膀胱や直腸に刺激が加わった際に抑制が効かず，腹部臓器の血管が収縮して急激な血圧上昇が引き起こされる．急激な血圧上昇は副交感神経を賦活し，非麻痺域では血管拡張に伴う皮膚の紅潮，頭痛，発汗，散瞳，鳥肌，徐脈，鼻閉が生じる．

自律神経過反射による急激な血圧上昇は，脳出血を引き起こすおそれがあるために早急に対処が必要である．排尿の状況を確認し，尿の排出が不十分な場合にはただちに導尿を行う．

(8) 発汗障害（体温調節障害）

全身の汗腺は交感神経により支配されており，T1 より上位の損傷では発汗に障害を引き起こす．発汗障害が重度の場合には，体温調整ができず，うつ熱が生じる．うつ熱の予防・対処には，室温を下げる，体表から血管が近い部位（腋窩や鼠径部）を氷嚢で冷却をしたり，霧吹きで水を顔に吹きかけたり，冷たいタオルで冷やすことなどがあげられる．

(9) 痙縮

中枢神経の損傷により脊髄反射の制御が喪失すると，筋の伸張や皮膚への刺激から容易に脊髄反射が引き起こされる．痙縮の主な特徴は伸張反射の亢進であり，重症例では歩行や ADL の制限を引き起こす．痙縮は，脊髄反射の興奮性である神経性要因と，筋の機械的要素の筋性要因が影響している[5]．また，痙縮の誘因となる刺激は，筋や皮膚だけでなく，膀胱や直腸，褥瘡，精神状況によっても影響されることがあり，痙縮を増強している要因を総合的に検討する必要がある．痙縮は動作の阻害因子となる一方で，痙縮を利用した立位保持，筋萎縮の予防により褥瘡発生リスクを低下させる利点もあり，ADL 動作や健康管理に痙縮を活かす視点も重要である．

痙縮への対処としては，薬物療法や神経ブロック，自動・他動運動の反復があげられる．

C 合併症

(1) 褥瘡

脊髄損傷後の深刻な問題であり，身体・心理・社会的幸福感を妨げ，QOL に影響する．褥瘡は，長時間の圧迫により組織が阻血壊死した状態である．脊髄損傷者では知覚障害があるため，阻血障

害に伴う不快感や疼痛に気づくことができず，発生頻度が高くなる．好発部位は，坐骨，仙骨，踵部，大転子部，第5中足骨頭・基部である．

対策としては，何よりも予防することが重要であり，除圧，スキンケア，皮膚状態のチェックを徹底して行う．車椅子やベッドのマットレスにも気を配り，褥瘡発生リスクを低下させるよう環境整備も重要である．

(2) 異所性骨化

腫脹や発赤，ROM制限が初発症状であり，受傷から6か月までに発生することが多い．股関節や膝関節，肘関節といった大きな関節に生じることが多く，骨化が進行すると座位保持や車椅子動作に影響し，ADLの制限につながる．主な原因には外傷や局所の感染があげられ，骨化が発生すると骨化の成熟を止めることが難しく，注意を要する．早期から関節拘縮予防を目的としたROM運動は重要だが，軟部組織の損傷を引き起こさないよう愛護的に行う．

(3) 疼痛

脊髄損傷後には，さまざまな疼痛が高い割合で出現する．疼痛は，直接的に動作を阻害する場合もあれば，長期間の疼痛によって抑うつや不安，QOLの低下を引き起こすこともある．侵害刺激により引き起こされる**侵害受容性疼痛**は，筋や関節周囲に生じることが多く，車椅子駆動やプッシュアップ動作とも関連が深い．**神経障害性疼痛**は，損傷髄節高位の周辺に生じるものと，損傷髄節より下位に生じるものがあり，いずれも投薬効果が乏しく難治性である．受傷早期は，損傷髄節の高位周辺に疼痛が生じやすく，次第に損傷髄節より下位に生じる疼痛が増えてくる．

筋骨格に生じる侵害受容性疼痛に対しては，運動器の機能評価を行い，ROM運動や筋力強化，物理療法を行うことが有効である．神経障害性疼痛に対しては，投薬治療を中心に視覚錯覚や有酸素運動，認知行動療法，臨床での使用に制限はあるが非侵襲的脳刺激法が用いられる．脊髄損傷後の疼痛は，合併症や心理状態，社会的背景（家族，友人，会社の同僚との人間関係，経済的状況）によっても増強される場合があり，総合的に評価し，対応を検討する必要がある[6]．

(4) 外傷後脊髄空洞症

受傷後数週間〜数年をかけて，損傷した脊髄に脳脊髄液が貯留し，神経障害が出現する．脊髄損傷に新たな疼痛やしびれ，筋力低下，筋萎縮などが出現した場合には，医師の診察をすすめる．外傷後脊髄空洞症の治療は，シャント術が行われる．

(5) 深部静脈血栓症

長期臥床や下肢の運動麻痺による血流停滞，外傷や手術に伴う血管内皮障害，血液凝固の亢進が原因として生じる．受傷後早期に出現することが多く，完全損傷者や中年，肥満，女性で頻度が高くなる．予防が重要であり，血流が停滞しないように加圧ソックスの着用や早期からの体位変換，他動運動を積極的に行う．深部静脈血栓は，肺塞栓を引き起こし死に至る可能性もあるため注意が必要である．

(6) 泌尿器合併症

排尿障害とも密接に関連するが，尿路感染による膀胱炎や腎盂腎炎，前立腺炎を発症することが多い．重症化すれば腎不全に至る場合もあるため，尿路感染を引き起こさないよう，水分摂取や尿の観察，清潔な排尿管理が重要である．

(7) 骨粗鬆症

麻痺域での骨粗鬆症が進行し，軽微な外力によって下肢骨折をきたすことがある．脊髄損傷後には，運動麻痺による麻痺域の不動，非荷重による骨量喪失をきたす．下肢の骨に脆弱性があっても，認識が薄いことも少なくない．受傷原因は，車椅子からの転落が多いものの，ROM運動や移乗動作や更衣動作時に発生する場合もある．定期的な骨密度の測定による骨の状態を把握しつつ，投薬や運動を行い，骨粗鬆症を最小限にする必要がある．

(8) 身体イメージの変容，運動イメージの低下

運動麻痺や知覚麻痺は，幻視や余剰幻視といった身体イメージの変容や運動イメージの低下を引

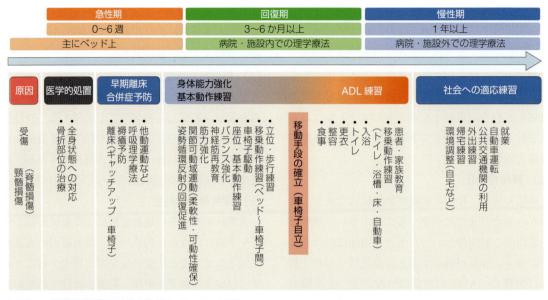

▶図7　脊髄損傷後のリハビリテーションの流れ
〔武田 功：理学療法(治療指導). 武田 功(編)：PTマニュアル 脊髄損傷の理学療法. 第3版, pp.76-130, 医歯薬出版, 2017より改変〕

き起こす可能性がある．頸髄損傷者では，麻痺が広範囲となり動作方法も未経験のものであるため，運動をイメージすることが難しい．動作練習開始時には，動作能力の高い頸髄損傷者の動作を観察し，動作イメージを高めることを試みてもよい．

(9) 心理的問題

受傷後に抑うつや不安が生じることが少なくない．心理的問題は，日常生活の制限や運動療法の実施の阻害因子となるため，対処が必要である．また，疼痛が長期に及ぶ際には，抑うつや不安を引き起こす可能性が高くなる．受傷時の年齢によっても社会的役割が異なるため，年齢や個人の状況に合わせた原因とその対応について本人・家族と医療者で情報を共有し，支持的に支援することが重要である．

B　運動療法の実際

脊髄損傷者に対する運動療法では，QOLの改善を目的として，最大限に残存機能を活用し損傷髄節高位に応じた基本動作とADLを獲得することが目標である．脊髄損傷者は損傷髄節によって残存機能と到達レベルが決まっており，それぞれに合わせた介入方針を検討する必要がある．たとえば，頸髄損傷者と胸・腰髄損傷者では動作方法が大きく異なり，完全損傷では代償動作も含めた動作獲得を狙うが，不全損傷者では運動機能の回復を目指すことになる．

ここでは，損傷髄節高位別に到達度と障害像を解説し，臨床で難渋する頸髄完全損傷者の運動療法，臨床での頻度が高い頸髄不全損傷者への介入を中心に解説する．

▶表6 損傷高位別の到達可能動作

	C1~C3	C4	C5	C6	C7~C8	胸髄損傷	腰髄・仙髄損傷
補助なし呼吸	×	○	○	○	○	○	○
手動車椅子	×	×	△	△	○	○	○
口へのリーチ	×	×	○	○	○	○	○
食事	×	×	△	○	○	○	○
手機能	×	×	×	△（テノデーシス）	△（テノデーシス）	○	○
寝返り	×	×	△	○	○	○	○
垂直移乗	×	×	×	○	○	○	○
起居動作	×	×	△	○	○	○	○
床への移乗	×	×	×	△	△	○	○
平行棒内立位（装具装着）	×	×	×	×	△	○	○
歩行（装具装着）	×	×	×	×	×	△	○

〔Harvey, L.: Management of Spinal Cord Injuries: A Guide for Physiotherapists. pp.35–53, Elsevier Health Sciences, 2008 より改変〕

1 脊髄損傷リハビリテーションにおける運動療法の位置づけ

　一般的な脊髄損傷後のリハビリテーションの流れについて図7に記載した[7]．脊髄損傷後，急性期では第一に損傷部位の治療が行われ，ベッド上での呼吸理学療法や早期離床が試みられる．離床後から回復期にかけて座位を基本に車椅子操作の練習や起居・移乗動作の獲得に向けた介入が行われる．頸髄不全損傷者（AIS C・D）では，歩行練習が開始される時期でもある．これらと並行して，他職種とも連携をはかりながら，ADLへの介入も進められる．生活（慢性）期にかけては，生活環境の整備や日常生活での活動量維持，二次的障害の予防が重要になる．そのなかでも，運動療法は全期間を通して動作獲得や身体機能の維持改善のために必要不可欠であり，リハビリテーションの根幹となる部分である．

2 損傷高位別の障害像と特徴

　脊髄損傷者では，損傷高位および残存機能に応じて到達目標があり（▶表6）[8]，各損傷高位の障害像を理解しておくことは重要である．残存機能によって目標とする動作方法が異なるため，実際の運動療法の進め方も大きく異なる．さらに，同じ損傷高位であったとしても，年齢や性別，合併症，受傷前の身体能力により実際の到達レベルが異なり，特に高齢者では目標よりも低い到達度になることが多い．ここからは，損傷高位別の障害像を解説する．

(1) 頸髄損傷

● C1~C3

　C1~C2では，胸鎖乳突筋，広頸筋，僧帽筋などに筋収縮が認められるが，頸部の制御は難しく，横隔膜が機能しないため人工呼吸器を必要とする．C3では部分的に頭頸部の制御が可能となるが，自発呼吸は困難であり，人工呼吸器を装着する．ADLは全介助であり，チンコントロール

式（顎を使った操作）の電動車椅子や顔面や舌の動き，音声を利用したパソコン操作を行える可能性がある．

● C4
横隔膜が機能し始めるため，急性期では人工呼吸器を装着するものの離脱可能である．C1～C3と同様にADLは全介助である．頸部の制御も行うことができ，チンコントロール式の電動車椅子操作が自立可能である．

● C5
三角筋や上腕二頭筋が部分的に機能し始めるが，それ以外は麻痺している状態であり，ほとんどのADLに介助を要する．手で操作する電動車椅子が使用可能であり，残存筋力が強い例（Zancolli分類のC5B）では自走式の手動車椅子も限定的に操作が可能となる．口や顔へのリーチも行うことができるため，自助具（スプリントやカフ）を装着すれば，食事や整容動作が部分的な介助で達成できる例もある．床上では，肘を伸展位で固定すれば前進することはできるが，方向転換や後進は困難である．

● C6
C6はC5とは大きく機能が異なる．広背筋や前鋸筋，大胸筋，手関節背屈筋が作用し始めるが，体幹や下肢は麻痺している．上肢を挙上して保持することができ，プッシュアップによる移乗を獲得できる可能性がある．Zancolli分類のC6BⅡやC6BⅢでは，自助具を使用しながら日常生活を自立できる可能性が出てくる．しかし，動作上は自立レベルであっても，実用性を考慮すると一部介助で生活していることが多い．

C6BⅠ，C6BⅡからは自動車運転も獲得できる可能性が出てくるレベルである．動作の特徴としては，C6では上腕三頭筋が麻痺しているために，肘関節を伸展位にロックした状態でプッシュアップを行う．そのため，高低差がある状況でのプッシュアップは困難なことが多く，環境調整が必要である．実用的な移乗方法としては，ベッドと車椅子を直角に配置した前方移乗になり，側方移乗を行える例もあるが，転倒の危険性が高いため実用性が低い．床上では長座位での移動が基本となるため，ハムストリングスの伸張性を確保しておくことは重要である．

● C7
上腕三頭筋や手関節屈筋，手指伸筋が作用し始め，大胸筋も強く筋力を発揮することができ，C6よりも日常生活の自立が容易になってくる．上腕三頭筋は肘屈曲位でのプッシュアップ動作に重要であり，側方移乗の実用性が向上する．上肢を頭部より高く上げた位置で保持が可能であるが，手指筋や母指屈筋が麻痺した状態であり，手指の屈曲にはテノデーシスアクションに依存する．テノデーシスアクションは手指の腱作用のことであり，手関節を背屈することで手指が屈曲し，手関節掌屈によって手指が伸展することを指す．

● C8
手指屈筋と母指屈筋が作用し，対象物の把握・離すことが可能になるが，テノデーシスアクションに依存する部分も残されている．上腕三頭筋や肩周囲筋，大胸筋の筋力がより強く発揮できるために，C6・C7に比べて容易になる．側方移乗の実用性は高く，運動能力が高い例では床から車椅子への移乗も獲得できる場合がある．

（2）胸髄損傷
上肢筋は完全に残存しており，体幹筋は損傷高位に応じて部分的に機能し始めるが，下肢は麻痺した状態である．胸髄損傷では，体幹筋が作用するため座位を支持なしで保持することができ，高度な移乗動作の獲得も可能になる．床から車椅子への移乗も実用的になってくる．移乗動作の到達度により生活範囲が変わるため，より高いレベルのプッシュアップ能力を獲得することが重要である．

（3）腰髄・仙髄損傷
下肢の運動麻痺の程度はさまざまであり，補装具や歩行補助具の使用にかかわらず歩行可能になる．歩行の実用性が低い場合には，日常的に車椅子を使用する例もある．

3 運動療法の進め方

急性期と回復期以降では，具体的なリハビリテーションとその目的において重きをおく点が異なる．急性期と回復期に明確な区分けはないが，受傷時から回復していく過程とリハビリテーションを理解しておくことは重要である．

a 急性期リハビリテーション

急性期では損傷部の医学的処置が優先的に行われる．安静臥床を余儀なくされるため，廃用症候群や合併症の予防が主な目的となる．また，並行して基本的な残存機能の強化や関節の柔軟性維持に努める必要がある．外傷性の脊髄損傷であれば，外科的治療後に頸椎カラーやコルセットを装着し，損傷部位の安定が得られれば，早期から離床や運動療法を行うことも可能になってきている．特に頸髄損傷者や上位胸髄損傷者，高齢者では起立性低血圧を引き起こすことが多く，可能なかぎり早期からベッドのギャッチアップ機能を利用した座位や車椅子乗車を試みていく．

一般的には，起立性低血圧がおこった際に，バックサポート角度を倒せるようリクライニング型車椅子を使用するが，血圧の低下が軽度であり，頭頸部の保持が安定しているようであれば標準型車椅子の使用を検討してもよい．リクライニング型車椅子は，基本的に自己にて駆動することが難しいため，全身状態が安定していれば早期から積極的に車椅子駆動に取り組むことも考慮するべきである．車椅子駆動は，座位の耐久性向上や上肢の筋力強化，全身持久力の維持のために有用であり，可能と思われる時点で取り入れることが望まれる．また，車椅子離床時には殿部の褥瘡予防を考慮し，圧分散能力が高いクッションを使用することを忘れてはならない．

b 回復期リハビリテーション

回復期では，基本動作やADLの獲得に向けた具体的な介入を開始していく時期である．完全麻痺の脊髄損傷者では，残存筋の筋力と関節の高い柔軟性を確保することでADLを達成する可能性が高くなり，各損傷高位に合わせた動作方法の獲得に向けて運動療法を行う必要がある．急性期では車椅子乗車までが目標であったのに対して，回復期では座位をもとに関連したADLの獲得を目指す．寝返りや起き上がり，ベッド-車椅子，車椅子-トイレ間の移乗獲得に向け，プッシュアップ動作の練習を積極的に行う．さらにリハビリテーションが進めば，入浴動作や自動車への移乗，床への移乗といった高難易度な移乗を目標としていく．

(1) プッシュアップ練習

座位バランスが安定したのちに，移乗動作の獲得に向けて練習を開始する．プッシュアップ動作は，脊髄損傷者のADL自立に向けて重要な要素であり，十分に練習時間を確保する．プッシュアップには，肩甲帯の可動域や筋力，上肢・背筋筋力が重要であり，基本的な筋力強化と動作練習を組み合わせて実施していく．残存機能によってもプッシュアップの動作様式が異なるため，身体機能に合わせた練習を行う．

● 頸髄損傷（▶動画1）

頸髄損傷者では，C6レベルからプッシュアップによる殿部の持ち上げが行える可能性がある．C6より下位になるにつれて，上肢や背筋群の残存する範囲が拡大するため容易になる．上腕三頭筋が十分に機能していない場合には，肘を伸展位でロッキングしプッシュアップを行う．力源となる限られた肩甲帯周囲筋，上肢・背筋筋力をいかに床面に効率よく伝えるかが重要であるため，練習導入期では車椅子上で側方に治療台を設置し，上肢支持の練習を行う（▶図8A）．上肢支持練習と並行して，治療台上でも長座位でプッシュアップの練習を始める（▶図8B）．上肢支持ができた

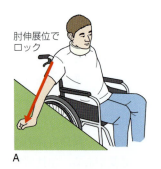  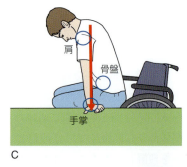

▶図8　上肢支持練習とプッシュアップ（▶動画1）
実線（赤）は力を伝える方向を示す．
A：肘を伸展位でロックし床に力を伝える練習を行う．
B：C6レベルのプッシュアップ動作を示す．実線は体幹からの重心線を示し，肘関節の後方を通過する．点線は肘伸展位でのロックに伴う肩屈曲と手関節屈曲方向のトルクを示す．
C：端座位でのプッシュアップ練習時の肩-手掌-骨盤の位置関係を示す．肩-手掌を結んだ線が骨盤より前方になる位置で行うことで，上肢への荷重を行うことができる．

段階では，殿部を直上に挙上する練習を行い，後上方へ十分に挙上できるよう繰り返しの練習が必要である．プッシュアップ時にはバランス保持が難しい場合が多く，前方に台を置いて前額部で支持すると練習が行いやすい．

プッシュアップには肩甲帯周囲の可動域や筋力が重要であるが，不足している場合には類似した状況下（例：うつ伏せになりon elbowの姿勢で支持する）での練習を行う．基本的に頸髄損傷者の場合には，経験したことがない動作様式であるため，動作のイメージが難しいことが多い．その場合は，熟練者の動作方法を観察し，動作イメージを向上させる働きかけも重要である．

長座位でのプッシュアップが安定してくれば，端座位でも練習を開始していく．上肢への荷重が十分に行えるよう，肩-手掌-骨盤の位置関係を考慮して行う（▶図8C）．プッシュアップ練習時には，上肢位置の調整や殿部挙上の介助を行い，筋力強化と動作方法の学習を促していく．

●胸腰髄損傷

上肢筋力が十分に作用し，体幹筋が残存していれば，より高度なプッシュアップが可能になる．基本的な上肢筋力の強化を行い，プッシュアップ台を用いて殿部の挙上，引き上げが行えるよう練

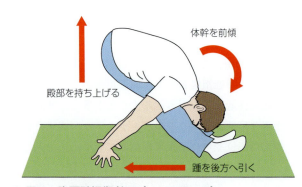

▶図9　胸腰髄損傷者のプッシュアップ
体幹を十分に前傾し，殿部を後上方へ持ち上げる．

習する．殿部を高い位置へ引き上げるためには，十分に体幹を前傾しながら行う方法を習得する必要がある（▶図9）．動作が習熟してくれば，床と車椅子間の移乗を想定して，高い台へ殿部を引き上げる練習も組み込んで行う．なお，プッシュアップ練習時には肩や肘，手関節への負担を考慮し，肩のインナーマッスル強化も並行して行う．

(2) 寝返り練習

一般的にはベッド柵を把持あるいは上肢を引っかけることで行うことが多い．ベッド柵が利用できない場合には，上肢を振り子様に大きく動かした勢いで行う方法もある．

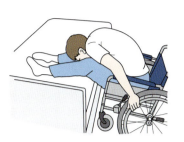

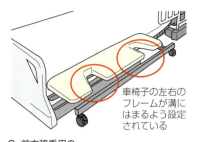

A. 前方移乗　　　　　　　　　B. 側方移乗　　　　　　　　　C. 前方移乗用の
　　　　　　　　　　　　　　　　　　　　　　　　　　　　　　　トランスファーボード

車椅子の左右のフレームが溝にはまるよう設定されている

▶図10　移乗方法の種類と補助具（動画2，3）
A：ベッドに対して車椅子を直角に設置して行う．C6レベルで用いられる移乗方法である．
B：ベッドに対して車椅子を斜めに設置して行う．C7より下位のレベルで自立可能な移乗方法である．
C：車椅子とベッドの隙間を埋めることで移乗動作の実用性を高める．

動画2　　動画3

(3) 起き上がり練習

近年では，電動ベッドの普及により起き上がり動作の必要性は減少している．しかし，起き上がり動作では体幹や肩甲帯，肩関節の柔軟性が必要であり，身体機能を改善・維持するためにも練習を行っていくとよい．動作方法としては，寝返りを行ってから起き上がる方法と，背臥位から手掌を殿部あるいはポケットに引っかけ，肘屈曲の力を利用して上体を起こす方法がある．

(4) 床上移動練習

移乗動作を獲得していくうえでは，ベッド上で身体の位置を変える必要があり，必ず獲得すべき動作である．プッシュアップにより殿部を挙上させたり，床上を滑らして移動を行う．頸髄損傷では，プッシュアップによる殿部位置の移動が難しければ，完全に前屈した姿勢で上肢支持を行い移動する方法もある．拘縮や痙縮によりハムストリングスの柔軟性が不足している場合には，床と踵の摩擦が高くなり移動が難しくなる．移動時に下肢が開脚してしまう場合には，両大腿をベルトで巻いて行ってもよい．

(5) 移乗動作練習

●頸髄損傷

C6レベルでは前方移乗（ベッドに対して車椅子を垂直に設置）（▶図10A，動画2），C7レベルより下位では側方移乗（ベッドに対して車椅子を斜めに設置）の獲得を目指す（▶図10B，動画3）．前方移乗では，前方へ移動するだけでなく，足をベッドに持ち上げる動作，靴の着脱も含めて練習を行う必要がある．ベッドと車椅子間に隙間ができる場合には，トランスファーボードを使用して行う（▶図10C）．側方移乗では，前方へ殿部を移動させたのち，側方へ動かす．前方への十分な移動が必要なため，前方へバランスを崩すことが多く，転倒に注意が必要である．また，移乗動作練習時には，殿部を床面や車椅子のブレーキ，フレームに擦りつけることが多くなるため，褥瘡発生リスクが高くなる．そのため，徒手にて殿部を保護するよう介助を行い，クッションやタオルなどを使用し衝撃を和らげるよう配慮して行う．頸髄損傷者では，残存機能によって環境調整を行う必要があり，足の持ち上げや靴の着脱には，理学療法士・作業療法士が協力して練習を行う．

●胸腰髄損傷

上肢筋力が十分に保たれているため，ベッドと車椅子間の移乗は獲得できる可能性が高い．しかし，高齢者の場合にはプッシュアップ能力が不十分な場合があり，トランスファーボードの使用も検討すべきである．胸腰髄損傷者では，難易度の高い移乗動作も可能なレベルであり，床−車椅子間，自動車−車椅子間の練習も取り入れていく．

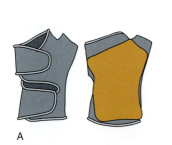

▶図11　グローブとハンドリム
A：頸髄損傷者が使用するグローブ．手掌側にゴムが貼り付けてあり，摩擦により握力の代償を行う．図は手関節を覆うタイプだが，手掌面だけのものもある．
B：ビニールコーティングされたハンドリム．ハンドリムを把握できない場合には，ビニールコーティングを行うことで滑り止めの役割を果たす．

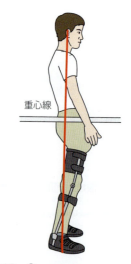

▶図12　C-posture
股関節伸展位で腸骨大腿靱帯の緊張を利用して立位保持を行う．重心線が股関節・膝関節の後方を通過する．

（6）車椅子駆動・操作練習

歩行の実用性が獲得できない場合には，日常生活での移動手段となり，上肢筋力の強化や体力向上のためにも練習が必要である．握力が不十分でハンドリムを把握できない場合は，手掌面にゴムを貼り付けたグローブやビニールコーティングをしたハンドリムを使用し，摩擦を利用して握力を代償する（▶図11）．体幹の保持ができない場合には，車椅子の背シート高や角度の調整行い，前方へ転倒しないようにベルトで固定して練習を開始する．車椅子操作は，前進，後進，方向転換を行い，前輪を持ち上げるウィリーの練習も重要である．

（7）歩行練習

不全損傷者では下肢に随意性が認められ，支持性が確保される場合には，積極的に歩行練習を実施していく．頸髄不全損傷者では起立性低血圧を伴うことが多く，立位保持から開始する．下肢筋力が不十分な場合や痙縮を利用して立位保持を行っている場合には，急な膝折れをおこす可能性があり，膝折れ防止用ベルトの装着や理学療法士の膝を当て，安全性に配慮して行う．起立性低血圧がなく，立位の耐久性が獲得できた段階から歩行練習を開始するが，下肢の支持が困難な場合には装具を使用する．下肢筋力が不足し，下腿三頭筋に痙縮がある場合には，膝伸展位でロッキングして支持を行うことがみられる．その場合，代償的に股関節が軽度屈曲位となりやすく，歩行に必要な股関節伸展方向の運動が少なくなる．体幹，股関節周囲筋を選択的に強化する目的として，膝立ちでの練習も有効である．

股関節交互性の歩行リズムを促すには，吊り下げ型体重免荷装置やトレッドミルを組み合わせて練習を行う．最近では，歩行支援ロボットを使用した歩行練習も行われており，歩行時の体幹や下肢運動を活性化するのに有用である．ただし，歩行練習は転倒の危険性があるため，介助量が多い場合には理学療法士が2人以上で練習を行うことも考慮する必要がある．また，高齢者の場合には基礎疾患を有していたり基礎的な体力が不足していることが多く，休憩を十分に挟みながら時間をかけて練習をしていく必要がある．

完全損傷者ではT1以下で歩行の練習が可能である．立位では，長下肢装具を装着し，C-postureと呼ばれる股関節伸展位保持が基本となる（▶図12）．歩行練習は，平行棒内や松葉杖，ロフストランド杖を使用し，立位・歩行バランス

の安定性に応じて練習方法を選択する．最近では，内側股継手付き長下肢装具を装着し，交互型の歩行が実施できるような補助具も出てきている．実際，頸髄損傷者や胸髄損傷者では，歩行を実用的な移動手段として獲得できることは少なく，歩行練習の目的を明確にしたうえで取り組む必要がある．腰髄損傷者では，歩行が可能になる例が多いものの，日常生活での実用性を考慮した場合に，車椅子を並行して使用することもある．

C 運動療法上の留意点

C3〜C5 では肩甲帯の挙上位，C5 では肩関節外転，肘屈曲，前腕回外，C6 では手関節背屈，C7 では手指伸展位での拘縮を生じやすい．車椅子使用者では，股関節屈曲・外旋位，尖足位での拘縮になりやすく注意が必要である．また，頸髄損傷者(C6 レベル)の ADL では，手指屈筋を適度に短縮させ，テノデーシスアクションを利用して物体の把持を行う．そのため，手指屈筋の過度な伸張は，テノデーシスアクションの作用を弱めてしまう．対応策として，手指屈筋の伸張時は，手関節掌屈位で行うようにする．

●引用文献

1) Miyakoshi, N., et al.: A nationwide survey on the incidence and characteristics of traumatic spinal cord injury in Japan in 2018. *Spinal Cord*, 59(6):626–634, 2021.
2) ASIA and ISCoS International Standards Committee: The 2019 revision of the International Standards for Neurological Classification of Spinal Cord Injury (ISNCSCI)—What's new? *Spinal Cord*, 57(10):815–817, 2019.
3) Zancolli, E.: Structural and Dynamic Basis of Hand Surgery, Functional Restoration of the Upper Limbs in Complete Traumatic Quadriplegia. p.155, J.B. Lippincott Company, 1968.
4) Scivoletto, G., et al.: Neurologic recovery of spinal cord injury patients in Italy. *Arch. Phys. Med. Rehabil.*, 85(3):485–489, 2004.
5) Dietz, V., et al.: Spastic movement disorder: impaired reflex function and altered muscle mechanics. *Lancet Neurol.*, 6(8):725–733, 2007.
6) 佐藤剛介：脊髄損傷後疼痛としびれ．藤縄光留(編)：脊髄損傷に対する PT・OT アプローチ—臨床経過モデルに基づく介入, pp.249–253, メジカルビュー社, 2022.
7) 武田 功：理学療法(治療指導)．武田 功(編)：PT マニュアル 脊髄損傷の理学療法. 第 3 版, pp.76–130, 医歯薬出版, 2017.
8) Harvey, L.: Management of Spinal Cord Injuries: A Guide for Physiotherapists. pp.35–53, Elsevier Health Sciences, 2008.

第9章 腰部脊柱管狭窄症の運動療法

学習目標
- 腰部脊柱管狭窄症の疾患の特徴と症状を理解する.
- 腰部脊柱管狭窄症の保存療法(理学療法)の進め方を理解する.
- 腰部脊柱管狭窄症に対する手術療法と術後の理学療法の進め方を理解する.

A 概念と特徴

1 腰部脊柱管狭窄症とは

腰部脊柱管狭窄症(lumbar spinal canal stenosis; LCS)は,腰椎部の脊柱管あるいは椎間孔の狭小化により,脊柱管内を走行している馬尾神経や神経根が周囲の組織によって絞扼され,神経症状が出現する疾患である.しかし,変性すべり,**椎間板ヘルニア**を合併することもあるため,定義について統一された見解はなく,疾患というより一定の症状を呈する症候群として取り扱われている.わが国の有病率は約10%であり,性別の差はなく,年齢とともに増加する.特に60歳以上に発症しやすく,70歳以上の高齢者の2人に1人が罹患する可能性がある身近な疾患である.症状は進行性で,徐々に出現して増悪する.

診断は日本整形外科学会,日本脊椎脊髄病学会の診療ガイドライン策定委員会の作成した基準を用いることを提唱している(▶表1)[1].また,腰部脊柱管狭窄症診断サポートツールが作成され,スクリーニングとして有用とされている(▶表2).

▶表1 腰部脊柱管狭窄症の診断基準

1	殿部から下肢の疼痛やしびれを有する
2	殿部から下肢の症状は,立位や歩行の持続によって出現あるいは増悪し,前屈や座位保持で軽減する
3	腰痛の有無は問わない
4	臨床所見を説明できるMRIなどの画像で変性狭窄所見が存在する

4項目をすべて満たすこと.

▶表2 腰部脊柱管狭窄診断サポートツール

評価項目		判定(スコア)	
病歴	年齢	60歳未満(0)	
		60〜70歳(1)	
		71歳以上(2)	
	糖尿病の既往	あり(0)	なし(1)
問診	間欠跛行	あり(3)	なし(0)
	立位で下肢症状が悪化	あり(2)	なし(0)
	前屈で下肢症状が軽快	あり(3)	なし(0)
身体所見	前屈による症状出現	あり(−1)	なし(0)
	後屈による症状出現	あり(1)	なし(0)
	ABI 0.9	以上(3)	未満(0)
	ATR 低下・消失	あり(1)	正常(0)
	SLRテスト	陽性(−2)	陰性(0)

ABI:ankle brachial pressure index(足関節上腕血圧比)
ATR:Achilles tendon reflex(アキレス腱反射)
SLRテスト:straight leg raising test(下肢伸展挙上テスト)
該当するものをチェックし,割り当てられたスコアを合計する(マイナス数値は減算).
合計点数が7点以上の場合は,腰部脊柱管狭窄症である可能性が高い.
〔日本整形外科学会診療ガイドライン委員会,腰部脊柱管狭窄症ガイドライン策定委員会(編):腰部脊柱管狭窄症ガイドライン2021. 改訂第2版, pp.9–14, 南江堂, 2021より〕

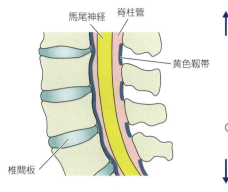
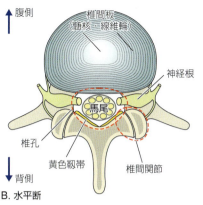

A. 矢状断   B. 水平断

▶図2　腰椎の解剖

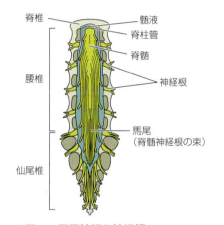

▶図1　馬尾神経と神経根

2 脊椎の機能解剖とバイオメカニクス

　腰部脊柱管には脳から続く脊髄神経が通っており，脊髄の液体(髄液)で満たされている．脊髄神経は腰椎部分で馬尾神経や神経根に枝分かれする(▶図1)．脊柱管の周囲には，黄色靱帯，椎間板，椎間関節が存在する(▶図2)．また，腰部脊柱管の横断面積は，安静時と比べ腰椎伸展位で約9％減少し，屈曲位で約67％増加する[2]．

3 病態

　本症の原因は加齢に伴う腰椎の退行変性であり，椎間板の変性から生じる．椎間板の機能不全に伴い周囲組織に変化が生じ，腰椎の退行変性が進行する．脊柱管が狭くなる主な原因には，椎間板の退行変性による膨隆，椎間関節の変性(骨性肥厚や骨棘形成)，黄色靱帯の肥厚，骨性狭窄(すべり症，脊柱側弯症)などがある(▶図3)．脊柱管が狭くなることで，馬尾神経や神経根，栄養血管が圧迫され，疼痛やしびれといった症状が出現する．狭窄する好発高位はL4/5，L3/4，L5/S1の順である．疼痛やしびれが出現することで，日常生活活動(ADL)能力の低下や生活の質(QOL)の低下をまねく．

4 神経障害の型式

　本症は，馬尾神経が圧迫されるか，神経根が圧迫されるかで症状が異なる(▶表3)．
① **馬尾型**：両方の殿部・下肢・会陰部の異常感覚，下肢の脱力感，膀胱直腸障害．
② **神経根型**：片方の殿部や下肢の痛みやしびれ．
③ **混合型**：馬尾型と神経根型の両方の症状が出現．

5 症状

a 下肢痛，感覚障害

　馬尾型では，両側の殿部，下肢，会陰部に異常感覚として出現する．異常感覚の訴えは，ピリピ

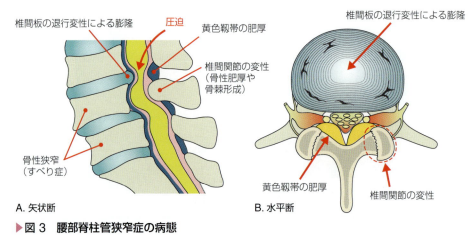

▶図3 腰部脊柱管狭窄症の病態

▶表3 腰部脊柱管狭窄症の神経障害の型式

神経障害部位	模式図	特徴
馬尾型		脊髄神経そのものが圧迫を受けた状態で，神経根型より症状が重い．主な症状は，両方の殿部や下肢，会陰部の異常感覚，下肢の脱力感，膀胱直腸障害である．疼痛は比較的軽度であることが多い
神経根型		脊髄神経から枝分かれた神経根の根本部分が圧迫を受けた状態である．神経根の圧迫は片側だけでおこることが多いが，両側の症状を呈する場合もある．主な症状は下肢痛や殿部痛である．神経学的所見は，圧迫を受けた神経根と同レベルの下肢痛や筋力低下を特徴とする
混合型		馬尾神経と神経根の両方が圧迫を受けた状態で，馬尾型と神経根型の両方の症状が出現する

リ，ジンジン，灼熱感，冷感，絞扼感，砂利を踏んでいるような感覚などさまざまである．神経根型では，障害されている神経根の支配領域に沿った下肢痛，感覚障害が出現する．症状は障害神経根のデルマトームの分布よりも，より広範囲に生じる場合もある．

b 間欠性跛行

間欠性跛行は腰部脊柱管狭窄症の臨床症状において，きわめて特徴的な症状である．間欠性跛行には，神経が圧迫されることで出現する**神経性間欠性跛行**と，血管が圧迫されることで出現する**血管性間欠性跛行**がある．腰部脊柱管狭窄症は，神経性間欠性跛行を呈する．血管性間欠性跛行は，主に閉塞性動脈硬化症に出現する．神経性間欠性

▶表4 間欠性跛行の鑑別

鑑別項目	神経性間欠性跛行	血管性間欠性跛行
跛行距離	変化する	一定
症状の軽快・消失	座位あるいは前屈で	立位の休息でも
軽快・消失までの時間	ゆっくり	速い
坂道を上る	前屈位のため、症状は出現しにくい	症状出現
坂道を下る	後屈位のため、より強い症状が出現	仕事量が少ないので症状軽快
自転車	なし	症状出現
疼痛の種類	末梢への放散痛、しびれ	こわばる、痙攣状
下位動脈拍動の触知	あり	なし
下腿・足部の皮膚	麻痺が強くなければ正常	萎縮(毛がないなど)
筋力低下・筋萎縮	時にあり	なし

〔大島正史ほか：腰部脊柱管狭窄症の診断と治療─ガイドラインを中心に. 日大医誌, 71(2): 116-122, 2012 を一部改変して掲載〕

跛行と血管性間欠性跛行の鑑別について表4に示す[3]．

間欠性跛行を呈することで，長距離の歩行が困難となり，身体活動量(1日の歩数)が低下しやすい．

c 腰痛

本症では腰痛を伴う症例が多く，特に間欠性跛行時に出現し，座って休むと軽減する特徴を有している．

d 筋力低下

馬尾型では，歩行中や立位姿勢の際に，脱力感として生じることが多い．神経根型では，障害されている神経根の支配筋の筋力低下が出現することがある．筋力低下は，神経の狭窄が高度になると出現し，手術の適応となる場合がある．また，疼痛により活動量が低下したことによる廃用性筋萎縮に伴う筋力低下の可能性も疑う．

e 膀胱直腸障害

本症の約3〜4％で認められ，馬尾型の重症例に多く出現する．膀胱機能の障害には残尿，頻尿，排尿障害，尿路感染などがある．一方，直腸障害には便失禁，便秘，頻便などがある．

f バランス能力低下

本症はバランス能力が低下する疾患の1つである[4]．バランス能力の低下は転倒につながるため，特に高齢の症例には注意が必要である．高齢者は転倒すると骨折しやすく，骨折後は要介護状態になる可能性が高くなる．

g 腰椎後弯姿勢

腰部脊柱管の横断面積は腰椎伸展位で減少し，屈曲位で増加する．そのため，脊柱管の狭窄を回避するために，腰椎後弯姿勢を呈しやすい(▶図4)[5]．腰椎の後弯姿勢は他の関節まで影響を及ぼし，胸椎後弯の増加，骨盤後傾位，股関節屈曲位，膝関節屈曲位を呈しやすくなる．このような後弯姿勢は転倒しやすい．

6 画像所見

本症の診断は，画像所見だけでは診断できないため，臨床症状や身体所見も併せて診断することが必要である(▶表1)．

▶図4　腰椎後弯姿勢

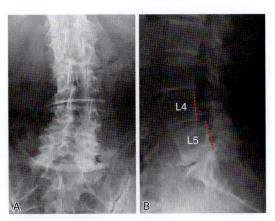

▶図5　X線像
A：脊柱の側弯，B：L4の前方すべり

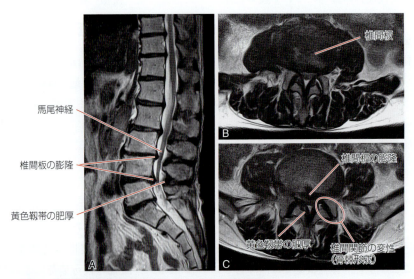

▶図6　腰部脊柱管狭窄症患者のMRI（T2強調画像）
L3/4（B），L4/5（C）では脊柱管の狭窄を認める．

a X線像・CT

X線像やCTでは，椎間関節の変形，脊柱の側弯，すべり症の有無などを確認する（▶図5）．脊柱管狭窄を評価するのは難しい．

b MRI

MRIは，脊柱管における神経組織と周囲組織を把握するうえで有用であり，本症の画像診断に適した非侵襲的な検査である（▶図6）．

c 脊髄造影検査

脊髄腔内に造影剤を注入し，脊柱管内の神経組織の圧迫の部位や程度を評価する．立位時の脊柱の状態や機能撮影（前屈，後屈）を行うことができ，MRIでは困難な脊柱の動的な評価が可能で

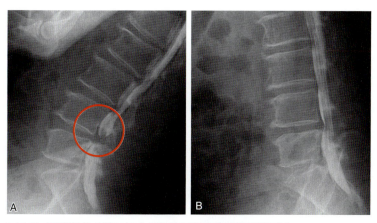

▶図7　腰椎肢位の違いによる狭窄の程度（脊髄造影検査）
A：腰椎伸展位．脊柱管が狭くなり，造影剤の連続性が途切れてみえる．
B：腰椎屈曲位．脊柱管が広がり，造影剤の連続性が現れる．

ある．また，骨病変の状況などの評価に適している（▶図7）．

7 治療

a 保存療法

本症の初期治療は，保存療法が選択される．脊柱管の狭窄が軽度または中等度の症例では，改善もしくは変化なしであった症例は約30～50%であり，悪化した症例は約10～20%であった[6,7]．このことから，保存療法でもある程度の良好な予後が期待できる．しかし，画像上の狭窄が重度な症例は，予後が不良である[8]．

（1）薬物療法

本症に対する薬物療法は症状の改善に有効である．リマプロスト（プロスタグランジンE_1）の投与は，馬尾型もしくは混合型の症例の下肢のしびれ，歩行距離，健康関連QOLスコアの改善に有効である．非ステロイド性抗炎症薬（NSAIDs）の投与は，神経根型または腰痛を有する症例の腰痛，下肢痛およびQOLの改善に有効であるが，馬尾型への投与は推奨しない．

（2）神経根ブロック注射

本症に対する神経根ブロック注射は，介入1～2週後の疼痛およびQOLの改善に有効であるが，長期的な効果は示されていない[9,10]．

（3）装具療法

腰椎コルセットを着用することで，歩行距離の延長と疼痛の軽減が得られるが[11]，明らかな有効性は示されていない．

（4）物理療法

今のところ保存療法としての本症に対する有効性は示されていない[10]．

（5）運動療法

本症に対する運動療法の効果について，わが国のガイドライン（2021）では，運動療法は中等度の効果があることが示されている[1]．運動療法を行うことで，疼痛の緩和，身体機能，ADL能力やQOLの改善が期待できる．脊柱管の狭窄が重度な症例を除けば手術と同等の効果が得られる可能性もあることから，運動療法は保存療法の第一選択として実施する．また，理学療法士の指導のもとに行う運動療法は，セルフトレーニングより有効である[12]．

有効性が示されている運動療法の種類は，体幹の柔軟性改善を目的とした腰椎屈曲運動および胸椎伸展・回旋運動[13,14]，股関節周囲のストレッチングおよび骨盤後傾運動[13]，股関節周囲筋の筋力強化，体幹安定化エクササイズ（core stability exercise）[13,15]，体重免荷トレッドミル歩行や自転

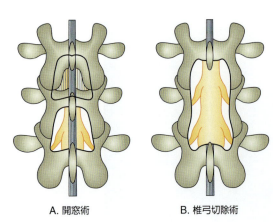

▶図8 除圧術
A. 開窓術　B. 椎弓切除術

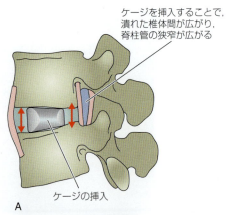

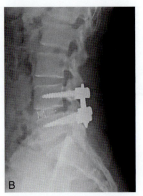

▶図9 腰椎椎体間固定術
A：模式図，B：X線像

車などの有酸素運動[16]である．運動療法を行うことでの重篤な有害事象の報告はほとんどない．具体的な方法は後述する．しかし，どの運動療法が最も有効なのかを検討した報告は今のところ存在しない．

b 手術療法

保存療法で効果が認められない症例，膀胱直腸障害や神経症状が重度な症例には手術療法が選択される．腰部脊柱管狭窄症の手術は多岐にわたり，大きく分けると除圧術と固定術に分類される．除圧術は他の複雑な脊椎疾患を合併していない症例に対するゴールドスタンダードな方法で，狭くなった脊柱管を広げることで神経への圧迫を取り除く手術である．椎間に不安定性が認められる場合には，固定術が施行される．

（1）除圧術

除圧術には主に棘上・棘間靱帯を温存しない椎弓切除術と，棘上・棘間靱帯を温存する開窓術がある（▶図8）．保存療法と比較して術後2～4年までの有効性が示されているが，経年悪化を認める．

（2）固定術

固定術は，脊椎の不安定性の改善や脊椎変形の矯正を目的に行われる．腰椎椎体間固定術は，椎体間に自身の骨と人工骨を混ぜ合わせたケージ（スペーサー）を挿入し，椎体間を骨癒合させる方法である．椎体間にケージを入れることで潰れた椎体間が広がり，脊柱管の狭窄を広げることができる（間接的除圧術）（▶図9）．椎体間を広げても脊柱管狭窄の改善が十分でない場合は，除圧術を加えて行う．除圧術と固定術の術後成績は同等であるが，すべり症を伴う症例の腰痛の改善は，除圧術と比較して固定術で有効である．

腰椎固定術後の合併症に隣接椎間障害（adjacent segment disease；ASD）がある．ASDは固定した脊椎に隣接する椎間レベルの障害（狭窄症，すべり症，脊椎変形など）であり（▶図10），脊椎を固定することで隣接関節へのストレスが増加して発生すると考えられている．症状としては神経根症状や脊髄症状，腰背部痛があるが無症候性も多く，必ずしも再手術を必要としない．再手術率は20～25％である．

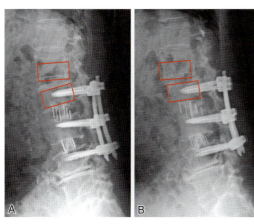

▶図 10　隣接椎間障害(ASD)
A：術後 1 か月，B：術後 5 年
術後 5 年後に椎体のすべりが確認できる．

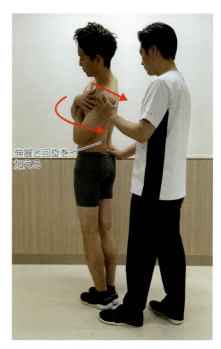

▶図 11　Kemp テスト
回旋運動を行った方向の殿部や下肢への疼痛・しびれが出現すれば，陽性と判断する．

B 運動療法の実際

1 保存療法

a 運動療法の目的

　本症患者は，脊柱管の狭窄を回避するために脊椎後弯姿勢を呈しやすい．脊椎後弯姿勢は，ローカル筋(腹横筋，内腹斜筋，多裂筋)の機能不全や腰背部筋の過活動による筋・筋膜性疼痛を引き起こす．そのため，脊柱管の狭窄(腰椎屈曲可動域)を改善しつつ，正常なアライメント修正を行う必要がある．また，間欠性跛行による歩行能力の低下に伴い身体活動量が低下するため，エアロバイクなどによる有酸素運動も実施する．

　症状の改善後も，良好な状態を維持するために，疼痛やしびれを自己管理する方法やセルフエクササイズを指導する．

b 評価のポイント

　本症に対する評価では，症状の状態把握が重要になる．特に疼痛が出現する姿勢や歩行時の状況などを詳細に評価する．

(1) 疼痛・しびれ

　疼痛やしびれの程度は，visual analogue scale (VAS)や numerical rating scale(NRS)で数値化する．

　疼痛やしびれの誘発テストには，Kemp(ケンプ)テストを用いる．Kemp テストは，腰椎に伸展と回旋運動を加え，回旋運動を行った方向の殿部や下肢への疼痛やしびれを確認する(▶図 11)．神経根症状の誘発テストの1つである下肢伸展挙上(straight leg raising; SLR)テストは，高齢の症例には症状が誘発されないため，腰椎椎間板ヘルニアとの鑑別に用いる．

　下肢に放散する疼痛やしびれの原因には，梨状筋症候群がある．梨状筋症候群は，坐骨神経がなんらかの理由で硬くなった梨状筋とぶつかることで殿部痛や下肢痛，しびれを生じる．梨状筋テストは，患者を側臥位にして，股関節を 60°屈曲させた位置から軽く下に押し下げる．下肢に放散する疼痛やしびれが出現すれば，陽性と判断する

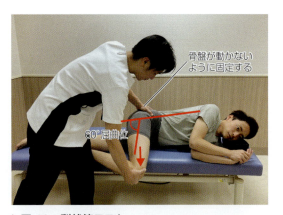

▶図12 梨状筋テスト
股関節を60°屈曲させた位置から軽く下に押し下げる．下肢に放散する疼痛やしびれが出現すれば，陽性と判断する．

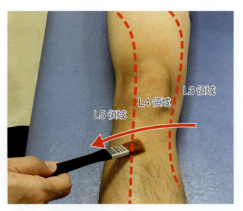

▶図13 感覚検査
感覚の変化を聞きながら，デルマトームを横断するようにゆっくりと動かしていく．

(▶図12)．梨状筋テストは，梨状筋症候群との鑑別に用いる．

(2) 間欠性跛行（歩行距離評価）

間欠性跛行の評価には，トレッドミルを用いて症状が出現するまでの歩行時間や歩行距離を測定する．歩行が困難な症例には立位保持時間を測定する．症状が誘発したのち，座位姿勢などで症状を緩和させ，その際の症状の回復状況，再び歩行が可能となる時間も併せて評価する．6分間歩行試験も歩行距離を測定できる有用な評価方法である．

(3) 感覚検査

感覚障害を確認するために，筆などを用いて知覚検査を行う．デルマトームに従って，どの部位に感覚障害があるかを確認する．検査では，感覚の変化を聞きながら，デルマトームを横断するようにゆっくりと動かしていく（▶図13，表5）．

(4) キーマッスルの筋力検査

脊柱管が狭窄することで運動神経を圧迫し，筋力低下がおこることがある．どの脊髄レベルで神経が障害を受けているかを，キーマッスルに対する徒手筋力検査（manual muscle test；MMT）を用いて確認する（▶表5）．

(5) 深部腱反射

脊柱管の狭窄により，深部腱反射は低下あるいは消失する．障害部にL4が含まれると膝蓋腱反射が低下または消失し，S1が含まれるとアキレス腱反射が低下または消失する（▶表5）．

(6) 関節可動域

脊柱管の狭窄は，腰椎を屈曲させることで軽減するため，腰椎の屈曲可動域を評価することが重要となる．腰椎の屈曲可動域の評価は，立位体前屈を行い腰椎の弯曲を評価する（▶図14）．腰椎の可動性の数値化にはModified modified Schober（ショーバー）test（MMST）を用いる．MMSTは立位時の両上後腸骨棘の中点とその上15 cmに印をつけ，体幹最大前屈時の印間の距離をテープメジャーにて1 mm単位で測定し，実測値から15 cmを引いた値を測定値とする（▶図15）．立位体前屈が困難な症例には，後方揺さぶり運動にて腰椎の可動性を確認する（▶図16）．

股関節の伸展可動域制限は，骨盤を前傾，腰椎を伸展させ，脊柱管の狭窄を増強させる．そのため，股関節の伸展制限がないかを評価する．伸展制限がある場合，制限の特定に腸腰筋と大腿直筋の筋長検査を行う．腸腰筋の筋長検査は，検査する下肢と逆の下肢の股関節を最大屈曲させて評価する（▶図17A）．腸腰筋に筋の短縮がある場合は検査する下肢が屈曲する．大腿直筋の筋長検査は，腹臥位にて膝を屈曲させる．大腿直筋に筋の

▶表5 神経根狭窄部位の高位と神経症状

狭窄の高位	神経障害	筋力低下(キーマッスル)	感覚障害	深部腱反射
L3/4	L4	大腿四頭筋	下腿内側	膝蓋腱(−)
L4/5	L5	前脛骨筋	下腿外側〜母趾	障害なし
L5/S1	S1	下腿三頭筋	小趾〜足底外側	アキレス腱(−)

▶図14 立位体前屈

▶図16 後方揺さぶり運動

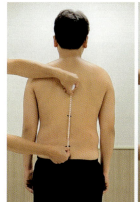
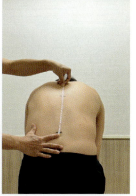

▶図15 Modified modified Schober test(MMST)

理学療法士は上前腸骨棘より2横指内側, 2横指下方の深層を触れておき, 腹部の引き込み運動中の深部の筋緊張の高まりを触知する. 腹横筋の筋機能不全がある場合は, 腹部の引き込み運動を上手に行えず, 筋緊張の高まりを触知することができない(▶図18).

(8) アライメント

本症では, 立位, 歩行時に疼痛・下肢痛回避のために腰椎前屈姿勢をとりやすい. アライメント不良は二次的な筋長の異常やROM制限を生じさせ, 腰部の特定組織へのストレスとなり腰痛の原因となる. そのため, 矢状面上より骨のランドマークを触診しながら, アライメントを評価する. 骨盤の前後傾は, 上前腸骨棘(anterior superior iliac spine; ASIS)が上後腸骨棘(posterior supe-

短縮がある場合は股関節が屈曲し, 殿部が挙上する尻上がり現象を認める(▶図17B).

(7) ローカル筋(腹横筋)機能

ローカル筋の筋機能不全は, 腰椎が不安定な状態になることで腰椎にストレスが加わり, 疼痛の原因になる. 腹横筋の機能評価は, 腹部の引き込み運動にて行う. 患者に腹部の引き込み運動を行ってもらい, 触診にて腹横筋の収縮を確認する.

▶図 17　筋長検査
A：腸腰筋．ベッドから膝窩がどの程度浮いているかをテープメジャーにて測定する．
B：大腿直筋．腹臥位にて膝を屈曲させ，尻上がり現象を確認する．

▶図 18　腹部引き込み運動

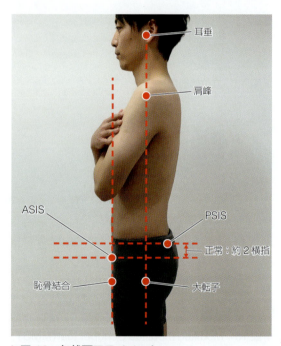

▶図 19　矢状面アライメント
ASIS と PSIS の位置関係で骨盤の前後傾を評価する．ASIS と PSIS の距離が 2 横指以内，または ASIS が PSIS より高い位置にあれば骨盤後傾位と判断する．

rior iliac spine; PSIS)よりも 2 横指程度低い位置が正常であり，ASIS と恥骨結合を結ぶ線が垂直になる(▶図 19)．

(9) バランス能力

本症はバランス能力が低下する疾患の 1 つであるため[4]，片脚立位テストやファンクショナルリーチテストを用いてバランス能力を評価する．片脚立位テストの秒数が 5 秒以下，ファンクショナルリーチテストの結果が 18.5 cm 未満の高齢者は転倒の危険性が高くなる．

(10) 身体活動量

本症患者は長距離を歩くことが困難になり，ADL での活動量が低下する．活動量の低下は，QOL の低下や生活習慣病の罹患率を増加させる．そのため，活動量計(万歩計など)を用いて，日々の活動量を測定して同年代の健常者と比較して，どの程度活動量が低下しているかを確認する(▶表 6)．

 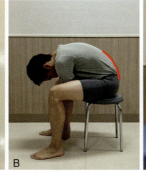 

▶図20　背筋群のストレッチング
A：背臥位．膝を手で押さえ，股関節が開排するように膝を脇のあたりへ引き寄せる．腰が伸ばされていると感じるところまで膝を引き寄せ，静止する．股関節が開排していないと十分に背筋群が伸長されない．
B：座位．C：後方ゆさぶり運動

▶表6　年代別の1日の歩数

	男性	女性
40歳代	7,500歩	7,000歩
50歳代	7,500歩	7,000歩
60歳代	6,500歩	6,000歩
70歳以上	5,000歩	4,000歩

〔厚生労働省：2018年国民健康・栄養調査より〕

（11）ADL能力

本症は疼痛やしびれにより，仕事やADL，余暇活動に障害が発生する．ADL能力はOswestry Disability Index(ODI)やJapanese Orthopaedic Association Back Pain Evaluation Questionnaire(JOABPEQ)を用いて評価する．ODIは「疼痛の強さ」「身のまわりのこと」「物をもち上げること」「社会生活」などの10項目から構成されており，腰痛が及ぼすADL障害の程度を評価できる自己記入式の質問票である．JOABPEQは，疼痛に関連する障害（4項目），腰椎機能障害（6項目），歩行機能障害（5項目），社会生活障害（4項目），心理的障害（7項目）の5つのドメインに分けられており，多角的に評価できる自己記入式の質問票である．これらは患者自身に質問票にて回答してもらう患者報告アウトカムである．

C 運動療法の方法

（1）ストレッチング

本症は，腰椎伸展位で狭窄が増強して症状が増悪，腰椎屈曲位で狭窄が軽減して症状が緩和する．そのため，腰椎屈曲可動域を改善させることが症状への緩和につながる．脊柱起立筋，多裂筋，広背筋などの背筋群をターゲットとして，軟部組織モビライゼーションやストレッチングを行う．背筋群のストレッチングは，背臥位，座位，後方ゆさぶり運動で行う（▶図16，20）．動的な運動として，骨盤後傾エクササイズも併せて行う（▶図21，■動画1）．

また，股関節伸展可動域制限は骨盤を前傾させ，前傾に伴い腰椎は伸展位になりやすい．そのため，股関節の伸展可動域に対する軟部組織モビライゼーションやストレッチングを実施する．腸腰筋，大腿直筋，大腿筋膜張筋などの股関節前面筋をターゲットに実施する．さらに，坐骨神経領域で疼痛を有している症例は，ハムストリングスや梨状筋の短縮を認めていることが多いため，ハムストリングスや梨状筋に対するストレッチングも行う（▶図22）．

胸椎の後弯は，立位時に腰椎の過度な伸展位を伴いやすいため，胸椎伸展制限に対するモビライゼーションやROM改善エクササイズ（▶図23，

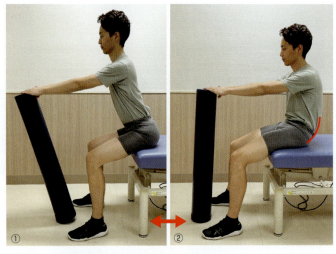

▶図21　骨盤後傾エクササイズ（▶動画1）
①ストレッチポールで上肢を固定することで，骨盤運動を行いやすくする．
②腰椎を丸めるように意識する．

▶図22　股関節周囲筋のストレッチング
A：腸腰筋，B：大腿直筋，C：ハムストリングス
D：梨状筋．左の梨状筋をストレッチングしている．
ストレッチングする際には，腰椎が過伸展しないように注意する．

▶動画2）を行う．

（2）体幹安定化エクササイズ

ローカル筋（腹横筋）エクササイズである腹部の引き込み運動からロールアップ（▶図24A），四つ這い位でのエクササイズ（▶図24B，▶動画3）と段階的に進める．ブリッジエクササイズは殿筋群のトレーニングとして用いる（▶図25）．

（3）バランス練習

転倒予防を目的に，バランス練習（片脚立ち，タンデム肢位での姿勢制御エクササイズ，両膝立ちなど）を行う．

（4）有酸素運動

自転車は歩行と違い腰椎が屈曲位となり，下肢の疼痛やしびれが出現しづらい．そのため，エア

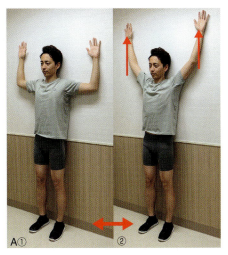 

▶図23　胸椎の可動性改善エクササイズ（▶動画2）
A：壁を利用した胸椎伸展エクササイズ．背部と前腕を壁につけ，腰が反りすぎないように立つ．腹部を引き込みながら腕を挙上させ，腕をスタート姿勢まで戻す．ゆっくりと10回繰り返す．
B：胸椎回旋エクササイズ．殿部を踵につけた姿勢にて手掌を後頭部に置き，体幹を回旋させる．殿部を踵につけることで腰椎の回旋を抑え，胸椎の回旋運動を主とした運動を行うことができる．

A. ロールアップ（腹筋トレーニング）

B. 四つ這い位でのエクササイズ

▶図24　体幹安定化エクササイズ（▶動画3）

ロバイクを用いた有酸素運動が推奨されている．

(5) ADL指導，補装具

本症は腰椎伸展で症状が増悪するため，腰椎が過度に伸展するようなADLは避けるように指導する．高い物を取る際は，台などを使用するよう（▶図26），歩行中は腰椎を伸展させないように，少し前かがみにして歩くように指導する．杖やシルバーカーを利用すると腰椎屈曲位をとりやすくなり，腰椎伸展位を回避でき，症状を緩和することができる（▶図27）．腰椎コルセットを着用することで歩行距離や疼痛が改善する症例には，コルセットの着用を提案する．

▶図 25　ブリッジエクササイズ
殿筋群のトレーニング．腰椎が過伸展しないように注意しながら実施する．

▶図 26　棚の上の物を取るときの姿勢
A：良好な姿勢．台を使用して，腰椎が過度に伸展しないように工夫する．
B：不良姿勢

▶図 27　シルバーカー

2 手術後療法

a 運動療法の目的

術後の理学療法は，腰痛や下肢痛，ADL 能力，QOL の改善に有効である．本項では，腰椎固定術後の理学療法の進め方について解説する．

b 評価のポイント

(1) 術前

術前の評価は，保存療法と同様の評価項目を用いる．術前と術後を比較し，術後成績の効果判定に役立てる．

(2) 急性期（術後早期～退院時）

術後合併症を伴うことがあるため，バイタルサインに加えて合併症を確認する．

- 術後感染：術創部の熱感，発熱，CRP の上昇を確認する．
- 術後麻痺：硬膜外血腫，手術操作などにより発生する．術前より麻痺が増悪していないかを，疼痛，キーマッスルの筋力，感覚検査を用いて評価する．
- 髄液漏：術中操作にて硬膜が損傷し，髄液が漏れることがある．症状として頭痛，悪心といった症状が出現する．
- 深部静脈血栓：約 30％ の術後患者に発生する[17]．超音波診断装置にて診断が行われる．理学療法評価として，Homans（ホーマンズ）徴候を確認する．

(3) 回復期（退院後）

股関節 ROM，体幹筋機能，アライメント，歩行能力，バランス能力，身体活動量，ADL 能力を中心に評価を行う．

術後には，疼痛や ADL 能力が改善するが，身体活動量は改善しにくい．身体活動量の低下は，QOL の低下，生活習慣病罹患率の増大，死亡率の増大につながるため，活動量計などを用いた評価を実施し，目標値の設定に役立てる．

▶表7 日本語版 Lumbar Stiffness Disability Index

腰の硬さやこわばりによって動作がどの程度難しくなっているか 当てはまるものを選んで数字に1つ〇をおつけください.

	問題なく行える	少し難しく感じる	かなり難しく感じる	補助具やつかまるものが必要（靴べらやベッド柵など）	まったく行えない
1. 1人で足を曲げてズボンや下着を履く	0	1	2	3	4
2. 腰をかがめて靴下や靴を履く	0	1	2	3	4
3. 自動車を運転する	0	1	2	3	4
4. トイレでお尻を拭く	0	1	2	3	4
5. 腰をかがめて床から小さな物を拾う	0	1	2	3	4
6. ベッド(布団)に寝る，またはベッド(布団)から起きる	0	1	2	3	4
7. 椅子に座る，または椅子から立ち上がる	0	1	2	3	4
8. お風呂で腰をかがめて足を洗う	0	1	2	3	4
9. 自動車に乗り込む，または自動車から降りる	0	1	2	3	4
10. 性行為をする	0	1	2	3	4

〔古谷英孝ほか：日本語版 Lumbar Stiffness Disability Index の開発. 総合リハ, 47(6):569-574, 2019 より〕

●**腰椎不撓性による ADL 制限**

腰椎固定術後には，腰椎を固定したことで腰椎の不撓性(柔軟性の低下)が出現し，靴下を履く，床の物を拾うなどの腰をかがめる ADL が制限される．特に3椎間以上の固定を伴う固定術で制限が生じやすい．腰椎不撓性による ADL 制限の評価には日本語版 Lumbar Stiffness Disability Index を用いる(▶表7)[18].

C 運動療法の方法

(1) 術前

術前の体幹筋トレーニングや有酸素運動は術後早期の成績に有効である[19]．手術前にはパンフレットなどを使用し，術後の回復過程，セルフエクササイズ指導，動作指導を行う．また，腰椎固定術後に骨癒合不全を発生させないように，過度な腰椎の運動を控えるように指導する．

下肢のしびれは術前と比較して術後に改善するが，残存しやすい[20]．そのため，手術を行うことで過度な期待をいだかないように，手術前に残存しやすい症状を説明しておくことも重要になる．

(2) 急性期

急性期の合併症には感染，神経根障害，髄液漏，血栓などがあることから，情報収集を行いながら進めていく．

腰椎固定術後に移植した骨が骨癒合をおこすまでは，過度な腰椎の可動性を伴うような動きは避ける．移植された骨は，骨のリモデリングが行われ，破骨細胞と骨芽細胞によって2～5か月の期間で新生骨が形成される．骨癒合は最低でも半年～1年を要するが[21]，約89～95％の症例で良好な骨癒合が得られる[22]．

●**動作練習(離床～歩行)**

離床の際には，腰椎の回旋がおこらないように

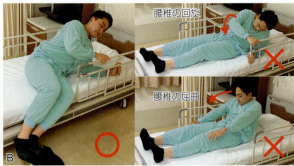

▶図28 起居動作(▶動画4)
A：寝返り．腰椎の回旋がおこらないように丸太のように寝返る．
B：起き上がり．側臥位から腰椎の屈曲・回旋・側屈がおこらないように上肢を利用して起き上がる．下腿をベッドから降ろすことで，体幹の側屈が生じにくくなる．

▶表8　術後のADLプロトコルの一例

ADL	術後期間（週）			術後期間（か月）	
	〜1週	1〜2週	2〜3週	1〜3か月	3〜6か月
サークル歩行自立	→	→			
T字杖（独歩）歩行自立	→	→			
階段昇降自立		→	→		
床上動作自立		→	→		
仕事復帰				→	→
車の運転					→
スポーツ活動					→

丸太のように寝返り，体幹の屈曲・回旋・側屈を伴わないように起き上がる（▶図28，▶動画4）．立ち上がり動作の第1相（体幹の前方移動〜殿部離床まで）においても，体幹の屈曲を伴わないように，股関節の屈曲を伴う動作を指導する．また，物を取るときなど体幹の回旋は控える．歩行の獲得は，サークル歩行，杖歩行，独歩と段階的に進めていく．腰椎固定術後のADLプロトコルの一例を表8に示す．

● 物理療法

術後の腰痛には，経皮的電気刺激療法（transcutaneous electrical nerve stimulation；TENS）やパルス波を用いる（▶図29）[23,24]．

● 筋力トレーニング

腰椎固定術後には体幹筋力が低下する．体幹筋

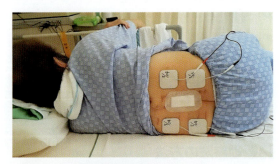

▶図29　経皮的電気刺激療法（TENS）
双方向電流，パルス幅0.25 msec，周波数100 Hz，強度10〜20 mA（最大許容値）にて30分行う．

力の改善は疼痛，ADL能力の改善に影響するため，術後早期より積極的な筋力トレーニングを実施する．ローカル筋のトレーニング（腹部引き込み運動）から開始する（▶図18）．腰椎固定術後は，

A. スクワット　　B. セラバンドエクササイズ　　C. クラムエクササイズ　　D. 腹筋エクササイズ

▶図30　脊柱中間位コントロールエクササイズ（動画5）
A：下肢の筋力トレーニング，B：セラバンドによる背筋トレーニング，C：股関節開排運動による殿筋群トレーニング，D：下肢を交互にゆっくりと動かすことでの体幹トレーニング
A〜Dでは腰椎の過度な運動をおこさないように注意する．

骨癒合不全をおこさないように，過度な腰椎の動きをおこさない運動である脊柱中間位コントロールエクササイズ（neutral spine control exercises）を実施する（▶図30, 動画5）．これは体幹の可動性を伴うことなく体幹筋の筋活動を促せるエクササイズである[25]．

● ストレッチング

股関節中心にストレッチングを行い，股関節可動域の改善に努める．坐骨神経領域で疼痛を有している症例は，ハムストリングスや梨状筋の短縮を認めていることが多いため，ハムストリングスや梨状筋に対するストレッチも行う（▶図22）．梨状筋のストレッチングのような腰椎の屈曲運動を伴う運動は，術後3か月以降に骨癒合を確認しながら開始する．

● ADL指導

腰椎の動きを制限するために，硬性コルセットを3か月間着用するように指導する（▶図31）．ADL指導では，靴下や靴の着脱動作は，座位にて下肢を組みながら行うと動作が行いやすい．また，動作中は腰椎屈曲（骨盤後傾）が生じないように，座面を高めに調整する．体幹の屈曲で床の物を拾う動作は脊椎への負荷が高い動作であるため，膝をつき，なるべく物に近づきながら拾うよ

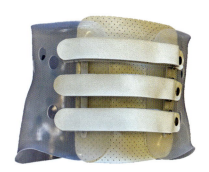

▶図31　硬性コルセット

うに指導する（▶図32）．

（3）回復期（外来リハビリテーション）

回復期では，筋力トレーニング（脊柱中間位コントロールエクササイズ），バランス練習，有酸素運動（身体活動量改善）を中心としたリハを実施する．また，医師と相談しながら仕事復帰やスポーツ復帰を目指す．

● 物理療法

術後の残存した疼痛やしびれには，TENSを用いて軽減をはかる[26]．

● 腰椎不撓性によるADL制限の改善

股関節屈曲の可動性を獲得することにより体幹の屈曲制限を代償させ，腰椎不撓性によるADL制限を改善させる．靴下やズボンの着脱，足の爪

▶図 32　ADL 指導
A：靴下の着脱，B：床の物を拾う
術後 3 か月間は腰椎の過度な屈曲がおこらないように指導する．

を切るなど，足元の動作には股関節屈曲に加えて外旋 ROM が必要となる．

●仕事復帰

腰椎固定術後の仕事復帰はデスクワークなどの単純労働であれば 6 週ころより，重労働であれば 3 か月ころより医師と相談しながら復帰を目指す．仕事の復帰率は軽労働と比較して重労働では低い[27]．

●スポーツ復帰

腰椎固定術後の余暇活動，スポーツ復帰は，術後 3 か月ころよりスポーツの種類に合わせて，医師と相談しながら復帰を目指す．ゴルフは 6 か月ころからの復帰が多く[28]，術後 1 年ころには術前と同じレベルまで復帰が可能である[29]．

C 運動療法上の留意点

1 保存療法

腰部脊柱管狭窄症は急激に症状が悪化する可能性もあるため，下肢の麻痺や馬尾神経症状が出現していないかを常に確認しながら運動療法を実施する．

2 術後療法（腰椎固定術後）

a 骨癒合不全

腰椎固定術後におこる骨癒合不全を発生させないために，術後 3 か月間は腰椎の可動性（特に屈曲，回旋）を伴う運動療法や ADL は避けるように注意する．

b 隣接関節障害

腰椎固定術後に発生する隣接関節障害は，姿勢不良も要因の 1 つとして考えられている[30, 31]．術後の骨盤後傾，脊椎の後弯姿勢には注意し，アライメント修正を行う．

●引用文献

1) 日本整形外科学会診療ガイドライン委員会，腰部脊柱管狭窄症ガイドライン策定委員会（編）：腰部脊柱管狭窄症ガイドライン 2021. 改訂第 2 版, pp.9–14, 南江堂, 2021.
2) Sortland, O., et al.: Functional myelography with metrizamide in the diagnosis of lumbarspinal stenosis. *Acta Radiol. Suppl.*, 355:42–54, 1977.
3) 大島正史ほか：腰部脊柱管狭窄症の診断と治療―ガイドラインを中心に．日大医誌, 71(2):116–122, 2012.
4) Kim, H.J., et al.: The risk assessment of a fall in patients with lumbar spinal stenosis. *Spine*, 36(9):588–592, 2011.
5) Pourtaheri, S., et al.: Pelvic retroversion: a compensatory mechanism for lumbar stenosis. *J. Neurosurg. Spine*, 27(2):137–144, 2017.
6) Wessberg, P., et al.: Central lumbar spinal stenosis: natural history of non-surgical patients. *Eur. Spine J.*, 26(10):2536–2542, 2017.
7) Adamova, B., et al.: Outcomes and their predictors in lumbar spinal stenosis: a 12-year follow-up. *Eur. Spine J.*, 24(2):369–380, 2015.
8) Minamide, A., et al.: The natural clinical course of lumbar spinal stenosis: a longitudinal cohort study over a minimum of 10 years. *J. Orthop. Sci.*, 18(5):693–698, 2013.
9) Fukusaki, M., et al.: Symptoms of spinal stenosis do not improve after epidural steroid injection. *Clin. J. Pain*, 14(2):148–151, 1998.
10) Koc, Z., et al.: Effectiveness of physical therapy and epidural steroid injections in lumbar spinal stenosis. *Spine*, 34(10):985–989, 2009.
11) Ammendolia, C., et al.: Effect of a prototype lum-

11) bar spinal stenosis belt versus a lumbar support on walking capacity in lumbar spinal stenosis: a randomized controlled trial. *Spine J.*, 19(3):386–394, 2019.
12) Minetama, M., et al.: Supervised physical therapy vs. home exercise for patients with lumbar spinal stenosis: a randomized controlled trial. *Spine J.*, 19(8):1310–1318, 2019.
13) Backstrom, K.M., et al.: Lumbar spinal stenosis-diagnosis and management of the aging spine. *Man. Ther.*, 16(4):308–317, 2011.
14) Whitman, J.M., et al.: A comparison between two physical therapy treatment programs for patients with lumbar spinal stenosis: a randomized clinical trial. *Spine*, 31(22):2541–2549, 2006.
15) Simotas, A.C., et al.: Nonoperative treatment for lumbar spinal stenosis. Clinical and outcome results and a 3-year survivorship analysis. *Spine*, 25(2):197–203, 2000.
16) Pua, Y.H., et al.: Treadmill walking with body weight support is no more effective than cycling when added to an exercise program for lumbar spinal stenosis: a randomised controlled trial. *Aust. J. Physiother.*, 53(2):83–89, 2007.
17) Yamasaki, K., et al.: Prevalence and risk factors of deep vein thrombosis in patients undergoing lumbar spine surgery. *J. Orthop. Sci.*, 22(6):1021–1025, 2107.
18) 古谷英孝ほか：日本語版 Lumbar Stiffness Disability Index の開発. 総合リハ, 47(6):569–574, 2019.
19) Nielsen, P.R., et al.: Prehabilitation and early rehabilitation after spinal surgery: randomized clinical trial. *Clin. Rehabil.*, 24(2):137–148, 2010.
20) Oba, H., et al.: A prospective study of recovery from leg numbness following decompression surgery for lumbar spinal stenosis. *J. Orthop. Sci.*, 22(4):670–675, 2017.
21) 水野正喜ほか：腰椎固定術の基礎と低侵襲手技の発展. 脳神外ジャーナル, 26(5):353–361, 2017.
22) Formica, M., et al.: Fusion rate and influence of surgery-related factors in lumbar interbody arthrodesis for degenerative spine diseases: a meta-analysis and systematic review. *Musculoskelet. Surg.*, 104(1):1–15, 2020.
23) Unterrainer, A.F., et al.: Postoperative and preincisional electrical nerve stimulation TENS reduce postoperative opioid requirement after major spinal surgery. *J. Neurosurg. Anesthesiol.*, 22(1):1–5, 2010.
24) Sorrell, R.G., et al.: Evaluation of pulsed electromagnetic field therapy for the treatment of chronic postoperative pain following lumbar surgery: a pilot, double-blind, randomized, sham-controlled clinical trial. *J. Pain Res.*, 11:1209–1222, 2018.
25) Tarnanen, S.P., et al.: Neutral spine control exercises in rehabilitation after lumbar spine fusion. *J. Strength Cond. Res.*, 28(7):2018–2025, 2014.
26) 竹内雄一ほか：腰部脊柱管狭窄症術後の下肢残存症状に対する TENS の効果. 理療ジャーナル, 50(3):267–271, 2016.
27) Takahashi, T., et al.: Surgical outcome and postoperative work status of lumbar discogenic pain following transforaminal interbody fusion. *Neurol. Med. Chir.*, 51(2):101–107, 2011.
28) Abla, A.A., et al.: Return to golf after spine surgery. *J. Neurosurg. Spine*, 14(1):23–30, 2011.
29) Shifflett, G.D., et al.: Return to Golf After Lumbar Fusion. *Sports Health*, 9(3):280–284, 2017.
30) Kumar, M.N., et al.: Correlation between sagittal plane changes and adjacent segment degeneration following lumbar spine fusion. *Eur. Spine J.*, 10(4):314–319, 2001.
31) Phan, K., et al.: Relationship between sagittal balance and adjacent segment disease in surgical treatment of degenerative lumbar spine disease: meta-analysis and implications for choice of fusion technique. *Eur. Spine J.*, 27(8):1981–1991, 2018.

頸椎症性脊髄症と頸椎後縦靱帯骨化症の運動療法

学習目標
- 頸椎症性脊髄症と頸椎後縦靱帯骨化症に対する運動療法を行ううえでの神経学的評価の必要性について理解する．
- 頸椎症性脊髄症と頸椎後縦靱帯骨化症に対する運動療法の対象と目的について理解する．
- 頸椎症性脊髄症と頸椎後縦靱帯骨化症に対する運動療法の基本的な方法を知る．

A 概念と特徴

　頸椎症性脊髄症（cervical spondylotic myelopathy; CSM）は，「頸椎脊柱管の狭い状態で，頸椎の加齢性変化（後方骨棘，椎間板狭小と後方膨隆）による脊髄圧迫に頸椎の前後屈不安定性や軽微な外傷が加わって脊髄麻痺を発症する疾患の総称」と定義されている[1]．**頸椎後縦靱帯骨化症**（ossification of the posterior longitudinal ligament; OPLL）は，X線像やCTなど画像上で頸椎に後縦靱帯骨化を確認でき，それによる臨床症状が出現している状態を指す[2]．近年世界的には，**頸椎症性脊髄症**や**後縦靱帯骨化症**，**黄色靱帯骨化症**など，頸椎において圧迫性脊髄症をきたす病態は包括的に degenerative cervical myelopathy（DCM）と定義されつつある．

　DCMによる脊髄麻痺の進行には，椎間板膨隆や脊柱管内の靱帯の肥厚・骨化，椎体の骨棘形成などの脊髄圧迫による静的因子と脊椎不安定性や外傷による動的因子が関与する[1,3]．静的因子では，圧迫による脊髄の虚血とそれに伴う炎症反応が神経細胞のアポトーシスを引き起こす．外傷による動的因子では，転倒などによる頸椎の過伸展（靱帯のたわみと脊柱管の狭小）で神経の損傷がおこると考えられている．脊髄麻痺が進行すると回復は困難になるため，神経症状をきちんと評価したうえで，麻痺の進行予防を考慮した運動療法介入が必要となる．

1 臨床症状

　頸椎症性脊髄症と頸椎後縦靱帯骨化症では，頸部痛，四肢のしびれ，手指の巧緻動作障害，歩行障害，膀胱障害（頻尿，失禁など）といった症状がみられる．

　上下肢の運動・感覚障害においては，障害高位では脊髄だけでなく神経根も圧迫されるため，障害高位の末梢性麻痺（腱反射低下）と障害高位以下での中枢性麻痺（腱反射・病的反射亢進）が生じる．**感覚障害**は手指のしびれが初発症状としてよくみられ，下肢のしびれは足部に始まって次第に近位へと上行することが多い．**運動障害**は手指の巧緻運動障害が特徴的で，箸の使用やボタンかけが不自由になる．**歩行障害**は，ステップ長，ケイデンス，歩行速度の低下，単脚支持期の短縮，歩幅・歩隔が一定でないなどの特徴を呈し[4]，歩行が不安定となり，脱力による膝折れが生じることがある．

2 治療方針

頸椎症性脊髄症と頸椎後縦靱帯骨化症の治療方針は，軽症例（JOA スコア 15～17）に対しては保存療法が，中等症（JOA スコア 12～14），重症例（JOA スコア≦11），また，保存療法が奏効しない進行性の脊髄症に対しては手術療法が推奨されている（▶表 1）[3]．

保存療法では，頸部の安静を目的とした装具療法（カラーによる頸部外固定）や頸椎牽引療法，頸部肢位に関する日常生活指導，薬物療法などが行われるが，治療成績に関して十分なエビデンスがないのが現状である[1]．

手術方法は，頸部の前方から進入する前方法（前方除圧固定術）と後方から進入する後方法（椎弓形成術，椎弓切除術，後方除圧固定術）があり，除圧椎間数，頸椎後弯の程度，脊髄前方の圧迫要素の大きさなどを考慮し，手術方法が選択される．手術に伴う合併症は，前方法では反回神経障害，上喉頭神経障害やそれらに伴う嚥下障害や嗄声，後方法では，頸部や肩周辺の疼痛が増強する軸性疼痛，C5 麻痺などが生じることがある．

3 予後

頸椎症性脊髄症の軽症例では進行する頻度は高くないが，進行した場合は予後不良となる．多椎間の頸髄圧迫や骨化，電気生理学的検査での異常は予後不良因子である．転倒など頸椎の外傷を契機に神経麻痺が悪化する例がある．

術後の予後因子として代表的なものに年齢，術前重症度，罹病期間，術前 MRI T1 および T2 強調画像の頸髄の信号変化（T1 低信号，T2 高信号），および術後の信号変化の有無があげられる．

▶表 1　JOA スコア
＊それぞれを加点（0～17 点）

運動機能

A. 上肢
- 0：箸またはスプーンのいずれを用いても，自力では食事をすることはできない
- 1：スプーンを用いて自力で食事ができるが，箸ではできない
- 2：不自由であるが，箸を用いて食事ができる
- 3：箸を用いて日常食事をしているが，ぎこちない
- 4：正常

B. 下肢
- 0：歩行できない
- 1：平地でも杖または支持を必要とする
- 2：平地では杖または支持を必要としないが，階段ではこれらを要する
- 3：平地・階段ともに杖または支持を必要としないがぎこちない
- 4：正常

知覚

A. 上肢
- 0：明白な知覚障害がある
- 1：軽度の知覚障害またはしびれ感がある
- 2：正常

B. 下肢
- 0：明白な知覚障害がある
- 1：軽度の知覚障害またはしびれ感がある
- 2：正常

C. 体幹
- 0：明白な知覚障害がある
- 1：軽度の知覚障害またはしびれ感がある
- 2：正常

膀胱
- 0：尿閉
- 1：高度の排尿障害（残尿感など）
- 2：軽度の排尿障害（頻尿，開始遅延）
- 3：正常

B 運動療法の実際

本疾患は神経障害を呈するため，脊髄損傷の運動療法と同様で，入念に神経学的検査を行い，障害レベル，残存機能をきちんと把握したうえで，運動療法を行うことがきわめて重要である．頸椎症性脊髄症は高齢で発症することが多いため，脳梗塞や腰部脊柱管狭窄症，手根管症候群などの絞扼性神経障害など，他の神経疾患を合併していることがあり，これらの鑑別も必要である．また，

▶表2　頸椎高位別の症状

神経根	C5	C6	C7	C8
疼痛または感覚障害の部位	肩〜上腕外側	前腕外側〜第1, 2指	第2〜4指	第4〜5指
支配筋	三角筋 上腕二頭筋	上腕二頭筋 手関節伸筋	上腕三頭筋 手関節・指屈筋	小指球筋 尺側指屈筋
腱反射の消失	上腕二頭筋	上腕二頭筋	上腕三頭筋	上腕三頭筋

随時，再評価を行うことで，治療効果の判定，脊髄麻痺の進行や術後の血腫や脊髄再灌流障害，C5麻痺による脊髄・末梢神経麻痺の悪化などを敏感にとらえることができる．したがって，本章では，頸椎症性頸髄症と頸椎後縦靱帯骨化症の評価について述べたのちに，保存療法と手術療法に分けて，運動療法について解説する．

1 評価のポイント

頸椎症性脊髄症や頸椎後縦靱帯骨化症では，脊髄の圧迫だけでなく，脊柱管内や椎間孔で神経根が圧迫されるため，上肢においては，中枢性麻痺と末梢性麻痺が混在する．末梢性麻痺では，マイオトームやデルマトームに沿った運動・感覚障害が生じ，腱反射は消失する（▶表2）．中枢性麻痺は障害髄節より下位にみられ，広範囲の運動障害，感覚障害（手指や足部から始まることが多い），深部腱反射の亢進や病的反射がみられる．脊髄損傷と同様，髄節ごとの評価が必要である．

●筋力・感覚検査
マイオトーム，デルマトームに沿って実施する．
●腱反射
上腕二頭筋，上腕三頭筋，膝蓋腱，アキレス腱反射などを評価する．
●病的反射
Trömner（トレムナー），Hoffmann（ホフマン），Babinski（バビンスキー）反射を評価する．
●10秒テスト
本疾患の特徴的な徴候の1つとしていわゆるmyelopathy hand が知られており，小指ないし環指の内転や伸展が障害され（finger escape sign），手指のすばやい把握と伸展の動作が行えなくなる．10秒間に手指の把握と伸展を可能なかぎり行わせ，その回数を評価する．一般に，20回未満が異常とされている．
●バランス検査
片脚立位，継足歩行，Timed Up and Go Test, Functional Reach Test, Berg（ベルグ）Balance Scale などで評価する．
●疼痛
numerical rating scale を使用する．頸部痛，上肢痛，上・下肢しびれをそれぞれ0（痛み・しびれなし）〜10（想像できる最もひどい痛み・しびれ）で評価する．
●疾患評価
JOA スコア（▶表1）が広く用いられている．
●患者立脚型アウトカム（アンケートによるADL, QOL 評価）
neck disability index, 日本整形外科学会頸部脊髄症評価質問票（JOACMEQ），SF-36®（Short Form-36®），EuroQol 5 dimensions（EQ-5D）などで評価する．

2 保存療法の運動療法

保存療法では，麻痺筋，残存機能の強化と麻痺の進行を予防することが目的となる．頸椎伸展により脊柱管が狭小し，脊髄が圧迫されることから，頸椎の伸展位を増強させないような運動中の配慮，また，頸椎の運動・姿勢指導が重要である．転倒は，脊髄麻痺進行のリスク因子であるため，

▶図1　体幹筋力増強
A, B：プランク
C, D：サイドプランク
E：バードドッグ

転倒予防を念頭に入れた筋力増強やバランス練習を実施する必要がある．下肢の感覚障害や四肢・体幹の運動麻痺を伴う場合は，運動療法中に転倒しないよう，リスク管理を行うとともに，運動指導では，患者の能力に応じた安全に実施できる方法を選択する．

頸椎症性脊髄症と頸椎後縦靱帯骨化症に対する保存療法における運動療法の有効性を検証した報告はほとんどなく，エビデンスに乏しいが，頸部（深部屈筋），肩甲帯，四肢に対する筋力増強とホームエクササイズ指導，トレッドミル歩行，頸椎カラー装着を組み合わせた介入で，軽度〜中等症の頸椎症性脊髄症患者の筋力，感覚障害，JOAスコア（疾患の重症度）が改善したとの報告がある[5]．

a 筋力増強

評価に基づき，麻痺筋の強化，また歩行・ADLの向上や転倒予防を目標に，麻痺の有無にかかわらず筋力増強運動を行う．重錘やセラバンドを用いて，臥位や座位で個別の筋に対しての運動や，スクワット，ヒールレイズ，横歩きなど，荷重位で筋力増強を行う．

筋力増強は適切な負荷と回数で行うことが重要で，一般的に高齢者では1RMの60〜70％の負荷で，10〜15回を2〜4セット行うことが推奨されているが[6]，関節などへの負担の軽減で負荷を減らしても，反復回数を増やすことで同等の効果が得られる（例：1RMの80％×8回×3セット≒1RMの40％×16回×3セット）[7]．

転倒予防に関しては，大腿四頭筋の強化による膝折れ予防や，中殿筋の強化によるバランス能力の向上などをはかる．脊髄麻痺により体幹の筋力低下を呈する場合など，目的に応じて**体幹の筋力増強**も行う（▶図1）．

b ストレッチング

下肢においては，ハムストリングス，内転筋群，下腿三頭筋など，痙縮の影響で筋緊張が亢進し，柔軟性が低下している場合は，これらの筋に対してストレッチングを行う．

c 頸椎の運動（頸椎安定化運動）

頸椎の伸展（前弯）により脊柱管が狭小し，脊髄や神経根が圧迫されるため，過度な頸椎前弯の軽減をはかる．背臥位で頸部の下にタオルを入れ，頸椎を平らにするイメージでタオルを下方に押さえつける（▶図2）．顎が上がると頸椎が伸展する

▶図2　頸椎の運動(背臥位)
頸部の下にタオルを入れ，頸椎を平らにするイメージでタオルを下方に押さえつける．

▶図3　頸椎の運動(座位)
頭部の前後左右それぞれから抵抗を加える等尺性の頸椎運動を行う．

▶図4　肩甲骨の運動(上げ下ろし)
挙上位から，力を抜いてストンと肩甲骨を下ろす．

の関節もできるだけ中間位に近づくよう背筋を伸ばして，胸を張った姿勢で行う．

d 肩甲帯の運動(▶図4〜7)

　肩甲骨が屈曲・外転位になると胸椎が後弯し，頸椎の前弯が強くなるため，肩甲帯のアライメントを改善させることも重要である．このような症例では，僧帽筋や菱形筋に対しては筋力増強，大胸筋や小胸筋に対してはストレッチングを行う．

e バランス練習

　本疾患では運動麻痺や感覚障害により，バランス機能が低下することが特徴である．座位や床上動作(四つ這い，膝立ちなど)，片脚立位，タンデム歩行，バランスマットを用いた運動など，患者の能力や目的に応じて難易度を調整しながら行う．

ので，顎を少し引いた姿勢で行うよう注意する．臥位での運動ができるようになったあとは，座位にて頭部の前後左右それぞれから抵抗を加える等尺性の頸椎運動を行う(▶図3)．頭部が前方に突出しないよう，なるべく肩の上に位置するよう姿勢を正し，運動中は顎が上がらないよう，顔がまっすぐ正面を向いた位置を保持しながら行う．また，胸腰椎が後弯したり肩甲骨が屈曲や外転位になると，頸椎の前弯が強くなるため，頸椎以外

▶図5　肩甲骨の運動(肩回し)
肘で円を描き、肩甲骨をしっかりと動かすように意識をする(A)．前回り(B)，後ろ回り(C)の両方を行う．

▶図6　肩甲骨の運動(内外転)

▶図8　上肢エルゴメータ

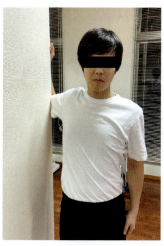

▶図7　大・小胸筋のストレッチング

f 有酸素運動

患者の能力や目的に応じて自転車エルゴメータ，上肢エルゴメータ(▶図8)，歩行(トレッドミル含む)，踏み台昇降運動などを実施する．運動強度は中等度の負荷(40〜60％)，20〜60分を目安として実施する(▶表3)[6]．上肢エルゴメータは上肢や肩甲帯の運動になり，立位で行うことで腹筋や背筋の活動も促しながら実施することができる．また，歩行や自転車エルゴメータに乗るのが困難な重症例でも，安全に有酸素運動を実施することができる．

g 運動指導

患者の能力に合わせて自宅でもできる運動を選択し，体操のパンフレットや日記帳などを作成し，継続して運動ができるように指導を行う．転倒により脊髄麻痺が進行するリスクがあるため，安全に行える方法や環境に配慮して指導する必要があ

▶表3　有酸素運動の運動強度処方法の一覧

心拍数予備能法（HRR法）	目標心拍数＝[（HRmax*－HRrest）×（目標運動強度）(%)]＋HRrest
ピークHR法	目標心拍数＝HRmax×（目標運動強度）(%)
$\dot{V}O_2$予備能法（VO_2R法）	目標$\dot{V}O_2R$＝[（$\dot{V}O_2max$－$\dot{V}O_2rest$）×（目標運動強度）(%)]＋$\dot{V}O_2rest$
ピーク$\dot{V}O_2$法	目標$\dot{V}O_2$＝$\dot{V}O_2max$×（目標運動強度）(%)
ピークMET×(%MET)法	目標MET＝[（$\dot{V}O_2max$）/3.5 mL/kg/分]×（目標運動強度）(%)

*HRmax（最大心拍数）＝220－年齢や206.9－(0.67×年齢)など
HRR：heart rate reserve（予備心拍数），HR：heart rate（心拍数），MET：metabolic equivalent（代謝当量）

る．歩行をホームエクササイズとして指導する場合は，1日の歩数7,500歩（10分≒1,000歩）が健康維持に有用とされる目安である[8,9]．

3 手術療法後の運動療法

手術療法後の運動療法は，残存機能の強化と転倒予防が主な目的となる．術中・術後の合併症に留意し，医師の安静度の指示に従って運動療法を行う．術中に硬膜損傷があった場合は，術後の髄液漏に注意を払い，ドレーンや創部から脳脊髄液が漏出していないか，また低髄液圧症によるふらつき，全身倦怠感，悪心・嘔吐などがないかを確認し，髄液漏がある場合は離床を中止する．術後の血腫による脊髄・神経根圧迫やC5麻痺などにより神経障害が悪化していないか，術前からMMTや感覚検査を随時行い，神経症状を確認しながら運動療法を進めていくことが重要である．

C5麻痺は，三角筋と上腕二頭筋の筋力低下を特徴とし，軸性疼痛（頸部〜肩甲骨周辺の痛み）とならび，頸椎手術特有の合併症である．主な発症メカニズムとして，椎間孔部での狭窄や手術後の脊髄後方偏位による神経根の牽引が神経根障害を引き起こす神経根障害説，脊髄への血液再灌流障害による脊髄障害説，手術操作による熱障害を原因とする熱障害説など種々述べられているが，いまだ結論は出ていない．術後の感染症は，発熱の有無や血液所見（CRPや白血球）をチェックする．また，椎弓形成術や固定術でインプラントを使用している場合は，これらが破損，転位しないよう頸椎の過度な屈曲や回旋を避け，医師の指示に従い，可能な範囲で頸椎の筋力増強や可動域練習を行う．

頸椎症性脊髄症と頸椎後縦靱帯骨化症に対する手術療法後の運動療法の有効性を検証した報告はほとんどなく，エビデンスに乏しいのが現状である[10]．脳卒中や脊髄損傷と同様，残存機能の強化によるADL・QOLの向上，また，神経の機能回復の促進が期待できると推察される[11]．

a 筋力増強，ストレッチング，頸椎・肩甲帯の運動，バランス練習，有酸素運動

「保存療法の運動療法」の項（➡192ページ）を参考に，術後の安静度と患者の状態に合わせて行う．術後の運動療法では，運動麻痺，感覚障害などの神経症状を呈した中等症，重症例が対象となることがほとんどであり，転倒には特に注意しなければならない．立位での筋力増強やバランス練習を行う際は，手すりのそばで行うなど環境面も考慮に入れ，安全に実施できるよう配慮する必要がある．

b 歩行練習

術後は歩行能力の向上が第一目標となる．本疾患では，運動麻痺，感覚障害，痙縮など，多様な症状が重複して存在しており，膝折れや足のつまずき，ふらつきによる転倒に細心の注意を払って歩行練習を行う必要がある．術後早期は，U字型歩

▶図9 U字型歩行器

▶図10 金属支柱付き短・長下肢装具

行器が適している症例が多い(▶図9)．上肢の運動麻痺や感覚障害がある場合は，手すりや杖を使用することが困難なことがある．患者の回復，能力に合わせて歩行補助具を選択し，安全に歩けるよう配慮を行い，自立を促す．下肢の麻痺が重度な症例や，痙縮による内反が強い症例では，長下肢装具や短下肢装具を使用し，歩行練習を行う．長期間，装具の使用が必要になる症例では，装具作製を検討し，痙縮が強い場合は，強固な固定が得られる金属支柱付き装具が望ましい(▶図10)．

C 階段・段差昇降練習

反復練習を行う．頚椎カラーを装着している場合は足元が見えにくく，大腿四頭筋や下腿三頭筋の遠心性収縮が困難なこと，また，感覚障害を呈していることもあるため，階段の下りには特に転倒の注意が必要となる．

●引用文献

1) 日本整形外科学会ほか(監)：頚椎症性脊髄症診療ガイドライン 2020. 改訂第3版，南江堂，2020.
2) 日本整形外科学会ほか(監)：脊柱靱帯骨化症診療ガイドライン 2019. 南江堂，2019.
3) Badhiwala, J.H., et al.: Degenerative cervical myelopathy—update and future directions. *Nat. Rev. Neurol.*, 16(2):108–124, 2020.
4) Kalsi-Ryan, S., et al.: Quantitative assessment of gait characteristics in degenerative cervical myelopathy: a prospective clinical study. *J. Clin. Med.*, 9(3):752, 2020.
5) Kumar, N.S.S., et al.: Effect of exercise program on the rehabilitation of patients with cervical spondylotic myelopathy. *Neurosci. Med.*, 3(1):54–59, 2012.
6) 日本体力医学会体力科学編集委員会(監訳)：運動処方の指針——運動負荷試験と運動プログラム．原書第8版，南江堂，2011.
7) Csapo, R., et al.: Effects of resistance training with moderate vs heavy loads on muscle mass and strength in the elderly: a meta-analysis. *Scand. J. Med. Sci. Sports*, 26(9):995–1006, 2016.
8) Tudor-Locke, C., et al.: A step-defined sedentary lifestyle index: <5000 steps/day. *Appl. Physiol. Nutr. Metab.*, 38(2):100–114, 2013.
9) Lee, I.M., et al.: Association of step volume and intensity with all-cause mortality in older women. *JAMA Intern. Med.*, 179(8):1105–1112, 2019.
10) Badran, A., et al.: Is there a role for postoperative physiotherapy in degenerative cervical myelopathy? A systematic review. *Clin. Rehabil.*, 32(9):1169–1174, 2018.
11) Boerger, T.F., et al.: Developing peri-operative rehabilitation in degenerative cervical myelopathy [AO Spine RECODE-DCM Research Priority Number 6]: an unexplored opportunity? *Global Spine J.*, 12(1 suppl):97S–108S, 2022.

切断の運動療法

学習目標
- 運動療法実施上必要な知識となる代表的な義足ソケットと継手を理解する．
- 下肢切断術前・術後の運動療法について理解する．
- 義足歩行練習の進め方を理解する．

A 概念と特徴

1 下肢切断の分類

切断(amputation)とは，長管骨が途中で切離された状態，つまり四肢の一部で切離された状態のことである．また，解剖学的に関節で切離されたものを離断と呼ぶ．リハビリテーション医学領域において下肢切断高位は，**骨盤切断**(trans pelvic amputation)，**股関節離断**(hip disarticulation)，**大腿切断**(trans-femoral amputation)，**膝関節離断**(knee disarticulation)，**下腿切断**(trans-tibial amputation)，**足関節離断**(ankle disarticulation)，**足部切断**(partial foot amputation)に分類されている．

2 下肢切断の原因と疫学調査

下肢切断の原因は，外傷，末梢動脈疾患，腫瘍，先天性奇形，感染症などがある．近年，わが国における全国的な切断者を対象とした疫学調査は行われていないが，厚生労働省「身体障害児・者実態調査(2006年)」[1]では，身体障害者総数348万3,000人中，肢体不自由者は176万人，そのうち上肢切断者は8万2,000人(4.7%)，下肢切断者は6万人(3.4%)であった．これと2001年の同調査結果[2][身体障害者総数324万5,000人，肢体不自由者174万9,000人，そのうち上肢切断者は9万8,000人(5.6%)，下肢切断者は4万9,000人(2.8%)]を比較すると，上肢切断者は5年間で16.3%の減少，下肢切断者は22.4%増加している．これらは，わが国の切断原因のなかでも外傷性によるものが減少する一方，中高齢者による末梢動脈疾患による下肢切断割合が増加していること[3,4]が要因ではないかと推察される．

3 義足ソケットと継手

下肢切断後の身体的機能と社会生活範囲などを考慮して，医師，理学療法士，義肢装具士などの専門職が協議したうえで義足処方が医師によりなされる．以下，切断高位別の代表的なソケット名と継手機能を紹介する．

a 義足ソケット

股義足では，①前開き式，②ダイアゴナル式が最も一般的である．膝義足では，①二重全面接触式，②有窓式がある．Syme(サイム)義足では，①二重全面接触式，②有窓式がある．
大腿義足ソケットは**表1**に，下腿義足ソケットは**表2**に示した．

▶表1 大腿義足ソケット名称と機能・特徴

ソケット名称	機能・特徴
差し込み式(在来式)ソケット	●断端とソケットの間には余裕があるため装着しやすいが,抜けやすいため断端袋を重ねて装着する ●ピストン運動が大きい ●断端とソケットの解剖学的な適合はない ●ソケットには懸垂力がないため,肩吊り帯や腰ベルトなどの懸垂装置が必要である
吸着式四辺形ソケット	●歩行中に大腿部の筋活動を束縛しないようにソケットの前内側(長内転筋),前外側(大腿直筋),後外側(大殿筋),後内側(ハムストリングス)のコーナーに凹状のチャネルが配置されている ●後壁坐骨棚で坐骨結節を乗せ体重支持を行う ●欠点として,歩行中の義足側股関節がソケット内で外転を許してしまうことに伴う側方安定性の低下,座位時や立脚後期の坐骨結節の突き上げ,義足側股関節屈曲のROM制限などがある
坐骨収納型ソケット	●四辺形ソケットの欠点を補うべく開発されたソケットである ●ソケット内に坐骨を収納するほか,ソケット前後径が広く,内外径を狭くし義足側股関節がソケット内で外転することを防止している ●欠点としては,四辺形ソケットと同様に義足側股関節屈曲のROM制限があるほか,ソケット装着時の快適性に問題がある
MASソケット (Marlo anatomical socket)	●坐骨収納型ソケットの欠点を補うべく開発されたソケットである ●ソケット前壁と後壁のトリミングラインを低くし,義足側股関節屈曲のROMを確保するほか,大殿筋がソケットに収納されないため殿部のシルエットが対側に近い形状となる
NU-Flex SIVソケット (Northwestern University Flexible Sub-Ischial Vacuum Socket)	●新しい概念のソケット(坐骨下支持ソケット)であり,坐骨支持なしで歩行を可能としている ●義足側の股関節ROMの拡大と快適性の向上があること,吸引式懸垂(バキューム装置は高価)により断端とソケットの接点を確実に維持することができる ●ライナーは円錐状のものは禁忌で,円筒状のライナーを使用する

▶表2 下腿義足ソケット名称と機能・特徴

ソケット名称	機能・特徴
差し込み(plug fit)式	●大腿コルセット,膝継手,殻構造の差し込み式ソケットで構成される ●ソケットは断端よりも大きいため,装着しやすいが抜けやすい(ピストン運動著明) ●そのため,大腿コルセットで大腿部を締めつけることで懸垂を行う ●適合は,断端袋を重ねて履くことで調整するが,ソケットと断端のフィット感はよくない
PTB(patellar tendon bearing)式	●膝カフ,硬性・軟性ソケットで構成される ●ソケットは断端と全面接触し,膝蓋腱部など荷重部(加圧部)と骨隆起部などの免荷部(除圧部)に分けて体重を支持する ●断端とソケット適合は,断端袋と貼物で調整する ●懸垂は膝カフで行う
PTS(prothèse tibial suspracondylien)式	●PTB式の改良ソケットである ●ソケット前壁上縁を膝蓋骨上縁レベルとし,側壁上縁は大腿骨顆部をすべて覆う高さである ●懸垂は,これらの形状を利用したソケットによる自己懸垂機能をもつ ●体重支持はPTB式と同様であるが,荷重部と免荷部の圧力差をPTBほどつけない ●座位時にソケット前壁が衣服を突き上げるため外観がよくない ●義足側膝関節深屈曲時にソケットが脱げる可能性がある
KBM(Kondylen-Bettung-Münster)式	●PTB式の改良ソケットである ●ソケット前壁上縁を膝蓋骨下縁レベルとし,側壁上縁は大腿骨顆部をすべて覆う高さである ●懸垂は,大腿骨顆部を両側が挟み込むソケット側壁による自己懸垂機能をもつ ●体重支持はPTB式と同様であるが,荷重部と免荷部の圧力差をPTBほどつけない ●座位時にソケット前壁が衣服を突き上げることなく,外観がよい ●義足側膝関節深屈曲時にソケットが脱げる可能性がある
TSB(total surface bearing)式	●シリコーンライナー,硬性ソケットで構成される ●断端表面積のすべてを荷重面とする ●主な懸垂は,ピンロックアタッチメント式とシールイン式がある ●断端周径の変化が大きい場合には,臨床的には断端末への圧力が増えるため疼痛が生じることもあり,PTBの荷重部と免荷部の要素を加えるなどの工夫が施される

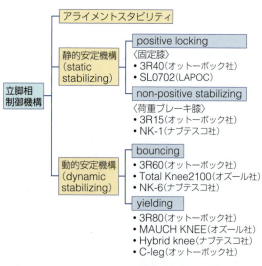

▶図1 立脚相制御機構の分類と膝継手の例

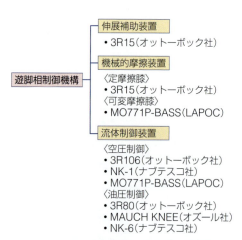

▶図2 遊脚相制御機構の分類と膝継手の例

b 各種膝継手と足継手

近年，継手は著しい進歩を遂げている．理学療法士は，下肢切断者の身体機能および能力を把握したうえで，各種継手の特性を考慮した運動療法を計画・実施しなければならない．

(1) 膝継手

膝継手に求められる機能は，立脚相の安定性および遊脚相でのスムーズな振り出しと初期接地の準備である．膝継手機能を立脚相と遊脚相に分けて説明する．

● 立脚相制御機構（▶図1）

立脚相の安定性は，主に膝折れ防止のことである．これらは，①アライメントスタビリティ，②静的安定機構(static stabilizing)，③動的安定機構(dynamic stabilizing)の制御に分類される．

① **アライメントスタビリティ**：ソケットと足部の位置関係であるアライメント調整に応じて，主に基準線と膝継手の矢状面上の位置関係から膝の安定性が調整できる（基準線が膝軸よりも前方を通るほど安定性は高まり，後方を通るほど膝折れしやすくなる）．

② **静的安定機構**：固定膝と荷重ブレーキ膝（安全膝）がある．

③ **動的安定機構**：「bouncing」と「yielding」に分けられる．「bouncing」は，義足立脚相初期に膝継手が軽度屈曲位で固定される機構のことである．「yielding」は，基準線よりも膝軸が後方に位置する状況で義足側へ荷重したときに，膝継手の油圧シリンダーの抵抗によって急激な膝継手屈曲ではなく，ブレーキがかかりながらゆっくりと膝継手が屈曲する機構のことである．これにより階段の交互降りや坂道の下り歩行を補助する．

● 遊脚相制御機構（▶図2）

遊脚相における膝継手の屈曲と伸展を制御する機構である．主な遊脚相制御は，①伸展補助装置，②機械的摩擦装置，③流体制御装置がある．

① **伸展補助装置**：スプリングや弾性バンドにより遊脚中期の膝継手屈曲を制限し，遊脚後期では下腿部の振り出しを補助する．

② **機械的摩擦装置**：定摩擦膝は，全遊脚相において一定の摩擦力で制御するため歩行速度変化には対応できない．可変摩擦膝は，膝継手の屈曲角度に応じて摩擦抵抗が変化するため，遊脚初期には摩擦抵抗を増やしてヒールライズを防止し，遊脚中期には摩擦を減らしてスムーズな振り出しを制御し，遊脚後期には摩擦抵抗を増や

▶表3 下肢切断者に対するリハビリテーションにおける主な専門職間の連携

	医師	理学療法士	義肢装具士
切断術施行	●		
義肢適応検討	●	●	●
処方（パーツ選定）	●	○	○
義足作製	○	○	●
起居動作練習（義足なし）		●	
断端管理	●	●	○
ソケット適合支援	○		●
義足装着練習		●	○
義肢操作に必要な筋力増強練習		●	
義肢操作に必要なROM練習		●	
歩行前基礎練習		●	○
アライメントおよび義肢パーツ設定・調整	○	●	●
応用動作練習		●	○
起居動作練習（義足あり）		●	
ADL練習		●	○
退院後のフォロー	●	●	●

●主担当，○連携支援

しターミナルインパクトを防止する．
③**流体制御装置**：スムーズな遊脚相を制御する空圧制御と，速い歩行や走行に適している油圧制御がある．

(2) 足継手

足継手に求められる機能は，全立脚相の安定した支持基底面と立脚初期の衝撃吸収力，立脚後期の踏み切り力，そして足部としての外観である．種類は，①単軸足，② SACH（solid ankle cushion heel）足，エネルギー蓄積型足部，多軸足がある．

B 運動療法の実際

1 運動療法の目的

a リハビリテーションの目的

下肢切断者は，救命のために致し方なく下肢を失うことも少なくない．下肢切断者は大きな心理的なショックを負っていることを念頭におきながら，切断後の人生における希望を目標に変え，その目標を具現化していくことがリハビリテーションの目的となる．この目標達成には，多職種によるチームアプローチが必要不可欠である（▶表3）．

b 理学療法士の役割

理学療法士は，対象者やその家族が望む切断後の社会生活目標において，義足の有無を問わ

術前評価		術後評価	
I	II	III	IV
1. 原因疾患に関する事項 1) 年齢 2) 性別 3) 現病歴 4) 各種血液生化学的検査 5) 理学的諸検査 6) 各種神経学的検査 7) 主訴 8) 既往歴 9) 合併症・リスクの有無 10) 内服薬の把握 11) 心理的・精神的状態 　①疾病の理解 　②切断の受容 12) 認知機能 2. 一般的事項 (社会的・経済的背景) 1) 職業・職場環境 2) 家庭・住宅環境 　①家族構成と家族関係 　②住宅構造・住宅周辺環境 3) 趣味・習慣・嗜好品 4) 経済状況 5) 介護・医療保険 6) 自動車運転 7) 障害認定有無 8) その他	3. 身体機能的評価 1) 疼痛 (四肢・体幹) 2) 運動機能的検査項目 　①関節可動域 　②筋力 　　(上肢・体幹・下肢) 　　ⅰ) 徒手筋力検査 　　ⅱ) 徒手筋力計 　　ⅲ) 筋持久力検査 　③感覚テスト 　④協調性テスト 　⑤座位・立位バランス能力評価 　⑥起居・移乗・移動・歩行能力評価 (福祉用具・歩行補助具・車椅子などの使用状態の把握) 　⑦ADLテスト 3) 生理機能的検査項目 　①呼吸機能検査 　②循環動態検査 　　(四肢も含む) 4) 身体測定検査項目 　①身長 　②体重 　③四肢周径 　④四肢長 5) パッチテスト 　(皮膚感応テスト) 6) 視力・視野検査	4. 術後の主訴と全身状態の把握 1) 全身状態 2) 断端管理方法による傷治癒の状況 3) 精神的状態 4) 断端のX線像 5) 各種生化学的諸検査 6) 病棟生活状況 7) 他職種情報 8) その他 5. 断端評価 1) 断端の形状と手術創・皮膚の状態, 骨・軟部組織の状態 (骨突出・瘢痕・癒着の有無と程度), 浮腫・血腫の有無と状態 2) 断端長 3) 断端周径 4) 断端痛 　①神経腫 　②幻肢痛 　③循環動態 5) 幻肢 6) 断端筋力 7) 関節可動域 8) 感覚 9) 断端末荷重能力 　(膝離断・Syme切断)	6. 義足の適合判定 (チェックアウト) 1) 義足ソケット不適合の愁訴と適合状態および異常歩行についてのチェックアウト 　①ベンチアライメント 　②スタティックアライメント 　③ダイナミックアライメント (異常歩行分析と修正) 2) 各継手・部品の調整とパーツ交換による性能評価 7. 義足歩行能力 1) 10m歩行時間, 歩幅, 歩隔, 歩行率 2) 連続歩行距離 (2・6分) 3) 生理的コスト指数 4) 応用動作歩行 (階段・段差・障害物・不整地歩行) 5) 異常歩行観察 8. 日常生活活動テスト 1) 手段的日常生活活動 (IADL) 2) 義足装着能力 3) 活動性 (移動能力・自動車運転・公共交通機関の利用・社会参加) 4) QOL (SF-36®, PEQ, SIP) SF-36®: MOS Short-Form36® Item Health Survey PEQ: Prosthesis Evaluation Questionnaire SIP: Sickness Impact Profile

▶図3　理学療法評価の内容
〔小嶋 功：切断（上肢・下肢）．黒川幸雄ほか（編）：臨床理学療法マニュアル, p.269, 南江堂, 1996 より一部改変〕

ず起居・移動動作能力の獲得過程における大きな役割を担っている．その再獲得過程には，理学療法士による身体機能評価に基づく義足機能とのマッチング，断端管理，義足装着練習，新しい運動学習過程としての義足移乗・歩行や日常生活活動（activities of daily living; ADL）練習などの運動療法が必要不可欠である．また，それぞれのライフスタイルに合わせた生活の質（quality of life; QOL）の向上も視野に入れた運動療法も求められる．

2 評価のポイント

下肢切断者に対する理学療法評価は，術前と術後に分けられる（▶図3）[5]．評価項目は，①原因疾患に関する事項，②一般的事項，③身体機能的評価，④術後の主訴と全身状態の把握，⑤断端評価，⑥義足の適合判定，⑦義足歩行能力，⑧ADLなどがある．

3 運動療法の方法

a 下肢切断術前の理学療法

術前理学療法の主な目的は，①切断後の生活に対する不安の解消に向けた取り組み，②術後早期離床への理解とその実践指導，③切断後の早期離床に必要となる身体機能評価，④術後の生活に必要となる身体機能維持などがあげられる．なお，下肢切断前は特に対象者の精神状態に配慮することを忘れてはならない．

(1) 関節可動域(ROM)運動，筋力増強運動

術前に疼痛回避のため長時間同一肢位をとり続けている場合や，遷延性創治癒・骨癒合などにより長期的な不動生活をしていた場合には，下肢関節の拘縮や体幹・下肢の筋力低下が生じていることがある．これらには，術前から術後の起居・移乗動作能力に必要となる関節可動域(range of motion; ROM)運動や体幹・下肢筋力増強運動を指導する．

(2) 起居・移乗・移動方法の指導

切断直後の早期離床は，不動による弊害予防につながるほか，下肢喪失の精神的な負担軽減となる．そのため，早期離床に必要となる義足未装着での起居・移乗動作を，個々の身体機能に応じて術前から指導しておくことは重要である．特に高齢者などの低活動者の場合には，術後を想定してベッド上起居動作を支援する電動ベッドの操作盤使用の練習や，車椅子移乗動作を支援する福祉用具や歩行補助具などの活用を術前からあらかじめ練習しておく．

b 下肢切断術後の理学療法

義足適応の有無によって，理学療法の内容は大きく異なる．また，義足適応ありの場合でも，対象者の活動レベルでそのプログラムは大きく異なる．高齢者などの低活動者の場合には，介助者の負担軽減や義足歩行による身体活動量の確保による健康維持などを目標としたプログラムが全身状態を考慮しながら計画・実施される．一方，若・中年の高活動者の場合には，義足装着によるADL自立はもちろんのこと，スポーツに対応できる活動量の獲得や復職のための動作獲得を目標としたプログラムが計画・実施される．

(1) 義足装着前練習

義足装着前練習とは，義足を装着して行う起居移動動作に必要となる身体機能や能力獲得を目的とした運動療法のことである．具体的には，①断端管理，②断端運動，③断端末荷重練習(膝離断・Syme切断に限る)，④非切断肢・上肢・体幹筋筋力増強，⑤全身持久力増強運動，⑥物理療法などがある．

●断端管理

断端管理の目的は，断端創治癒に必要な環境確保や，浮腫発生を最小限として義足装着に最適な断端形成を行うことである．その方法は，**弾性包帯法**(soft dressing)(▶図4)，**ギプスソケット装着法**(rigid dressing)，**半硬性ギプスソケット法**(semi-rigid dressing)がある．断端成熟は，弾性包帯法よりもギプスソケット装着法がエビデンスレベルも高く有効であるとされているが，わが国では弾性包帯法が広く用いられている．これは，ギプスソケット作製には技術的問題や執刀医と義肢装具士の連携が必要であるため，その実施は一部の医療施設に限られてしまうからである．そのため，昨今では弾性包帯法の代替手段としてシリコーンライナーを使用した断端管理も行われている．このシリコーンスリーブ付きのギプスによる断端管理は，弾性包帯よりも創治癒までの期間や退院までの期間が短く，義足歩行開始時期が早くなる傾向が報告されている[6]．

●断端運動(良肢位の保持・ROM運動・筋力増強運動)

ROM制限(拘縮)は，下肢切断部位より近位関節に生じやすくなる(大腿切断：股関節屈曲・外転・外旋拘縮，下腿切断：膝関節屈曲拘縮)．その要因として，切断術による疼痛を回避するため同一肢位を長時間とり続ける可能性があること，下

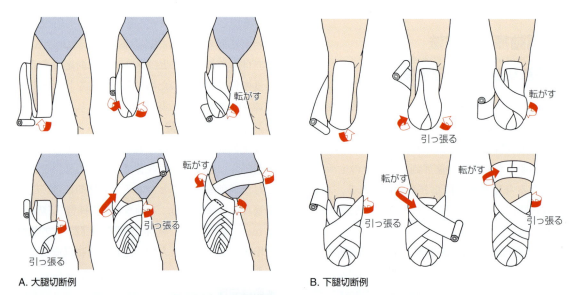

A. 大腿切断例　　　　　　　　　　　　　　B. 下腿切断例

▶図4　ソフトドレッシングの方法（弾性包帯の巻き方）
弾性包帯は切断端の遠位部ほど圧を強く（包帯を引っ張りながら），近位部ほど圧を弱く（包帯を転がしながら）巻く．この圧調整は，弾性包帯を8の字を描くように断端に巻きつけて行う．具体的には，遠位部（断端末）から近位部へ巻きつける際には弾性包帯を引っ張り，近位部から遠位部へ巻きつける際には弾性包帯は引っ張らず断端上で転がすように巻きつける．
〔吉尾雅春（編）：標準理学療法学 専門分野 運動療法学 各論．第4版，p.331，医学書院，2017より一部改変〕

肢切断により不動となりやすいこと，断端筋張力のアンバランスが生じることなどがあげられる．高度な拘縮は，義足アライメント設定を困難とするほか，残存機能を効率的に義足に伝える障壁となるため，その発生を予防することはきわめて重要である．

具体的な指導として，大腿切断の場合は義足側股関節伸展・内転・内旋方向へ（▶図5），下腿切断の場合は義足側膝関節伸展方向へのROM確保が必須となり，術後ベッド上や車椅子乗車時に切断者自身で実施できるストレッチングや良肢位も指導する．

筋力増強運動は，下肢切断術直後からの起居動作や移乗動作および義足操作に必要な体幹や切断側下肢筋力増強運動を実施する．なお，筋力増強効果が得られるには一定の期間が必要であるため，運動を継続できるような動機づけも併せて行うほか，心肺機能低下などがある場合には運動負荷量の調整などのリスク管理も忘れてはならない．

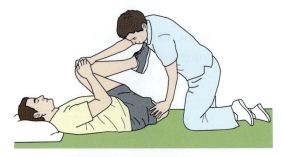

▶図5　大腿切断者のROM運動
切断側股関節屈筋群の短縮がある場合の伸張運動を示す．大腿切断者は切断側股関節屈曲・外転・外旋の拘縮を生じやすいため，伸展・内転・内旋方向へのROM運動を十分に行う．

●断端末荷重練習

膝関節離断やSyme切断では，断端末部への全荷重（断端末荷重）が可能である．これを活用することで膝関節離断者では膝立ちや膝立ち歩きが，Syme切断者では義足未装着での歩行が可能となる．対象者の切断高位と生活環境に応じて動作練習を実施する．

●非切断肢・上肢・体幹筋筋力増強

非切断肢側の下肢筋力や体幹筋力は，義足未装着時の起居動作や移動能力に大きく影響するため，切断者の生活環境に応じて必要な筋力の維持・増強を積極的に実施する．

●全身持久力増強運動

義足装着能力の獲得には，全身持久力が必要である．20～40歳の切断者の運動能力は，残存肢の状態や切断高位よりも心肺機能低下の有無に大きく影響を受ける[7]ほか，義足歩行に必要な体力指標として，60歳以上では$\dot{V}O_2max$が50％以上必要である[8]とされている．そのため，全身持久力を高める座位エルゴメータおよび非切断肢側でのスクワットや片脚縄跳びなどを実施する．

●物理療法

創の治癒後，軟部組織の癒着や瘢痕に伴う疼痛や神経腫に対して，温熱療法（ホットパック，超音波，水治療法）や低周波などの物理療法を適宜，実施する．

C 義足歩行練習

（1）各義足における歩行練習の留意点

理学療法士には，①ソケットと断端の適合状態（フィッティング），②適切なソケット内の荷重および懸垂方法，③アライメント，④義足パーツなどの評価と調整力が求められるほか，切断者側の機能・能力評価も必要となる．

●股義足

半側骨盤切除，股関節離断，大腿切断（極短断端）が適応となる．股義足歩行の特徴として，断端の残存機能による継手制御力が期待できないため，立脚相はアライメントにより安定をはかる．遊脚相は，骨盤運動による義足振り出しや股継手の歩幅調整機構および膝継手の摩擦制御などにより調整をはかる．

●大腿義足

大腿切断が適応となる．大腿義足歩行における矢状面上の膝継手の安定性は義足側大殿筋による随意的制御，前額面上の骨盤や体幹の安定性は義足側中殿筋で制御する．高活動者は，立脚相の安定性を随意制御力で確保できるため，遊脚初期のすばやい義足側股関節屈曲運動を膝継手にロスなく伝えるための遊脚相優先アライメント設定とする．一方，低活動者は，立脚相の膝継手随意制御が期待できないため，立脚相で膝折れしにくいアライメント設定とする．

●膝義足

膝関節離断が適応となる．膝関節離断は長い断端長を有するほか断端末荷重が可能である．また，大腿骨顆部の膨隆部を利用した懸垂機能をもつ．一方で，大腿骨顆部膨隆部がソケット内を通過できないことや膝継手位置の不一致などの欠点がある．これらへの対応として，昨今ではソケットは二重全面接触式や有窓式とするほか，多軸膝継手が多く使用されている．

●下腿義足

下腿切断が適応となる．切断側膝関節が残存しているため，歩行およびADLは高い能力の獲得が期待できる．特に，適切なアライメント設定やエネルギー蓄積型足部の選択で，健常者と相違ない歩行能力の獲得が可能である．

● Syme 義足

Syme切断が適応となる．Syme切断は長い断端長を有し断端末荷重が可能であり，内外果の膨隆部を利用した懸垂機能をもつ．一方で，ソケット内を内外果の膨隆部が通過できないことや，義足足部は踵骨の高さに設置しなければならないなどの制約もある．これらへの対応として，昨今ではソケットは二重全面接触式や有窓式とするほか，Syme切断用足部が開発され高い歩行能力の獲得が期待できる．

（2）義足装着指導

義足ソケットの種類によりその装着方法は異なるが，全ソケットにおいて共通するのは，自己装着能力の獲得を目指すことである．退院後の生活でソケットを自己装着できない場合には，介助者が常に必要となり義足使用率は低くなることが予測される．そのため，まずは理学療法士がソケッ

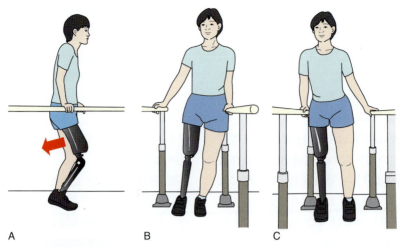

▶図7 平行棒内基本練習①
A：義足側へ体重移動させながら義足側股関節伸展運動による膝継手の随意的制御練習を行う．図内矢印は，理学療法士によって他動的に曲げられた膝継手を切断者が荷重しながら股関節を伸展することを表している．
B：非切断側への荷重量多め．
C：義足側への荷重量多め．
〔吉尾雅春（編）：標準理学療法学 専門分野 運動療法学 各論．第4版，p.333，医学書院，2017より〕

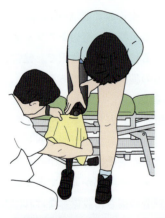

▶図6 大腿切断者の吸着式ソケットの装着
ソケット内に誘導帯をセットしたうえで断端をソケット内に差し込む．この時点では，断端はソケット底までは達していない．次いで，バルブ孔から外へ出た誘導帯を引きながら断端をソケット底まで引き込む．初期の装着練習では，理学療法士が切断者にこの手順を指導する．
〔吉尾雅春（編）：標準理学療法学 専門分野 運動療法学 各論．第4版，p.333，医学書院，2017より〕

ト装着指導を行い，徐々に退院後の生活環境を想定したなかで切断者が1人で装着できるように能力を高めていく．大腿切断者の吸着式ソケットの装着指導場面を図6に示す．

（3） 義足歩行練習

義足歩行の獲得過程は，新しい運動学習過程ととらえることができる．理学療法士は，平行棒支持形態や歩幅，歩隔，義足アライメントやパーツ設定などを調整しながら，切断者の成功体験を必ず付帯させながら課題の難易度を徐々に上げていくプログラムを計画する．以下，片側大腿切断者に対する義足歩行練習過程を紹介する．

●平行棒内基本練習
①義足膝継手の随意的制御

立脚相における義足側の膝折れを防止するためには，義足側大殿筋による随意的制御を習得させる．平行棒を両手で把持し，両足部を約20 cm開いた立位をとる．理学療法士は他動的に膝継手が軽度屈曲となるよう力を加え，切断者は非切断側から義足側への体重負荷量を徐々に増やしながら，同時に義足側大殿筋を収縮させる（▶図7A）．

②左右・前後への体重移動

平行棒を両手で把持し，両足部を約20 cm開いた立位をとる．体幹を正中位に保ちながら非切断側へ体重を移動させる（▶図7B），次いで非切断

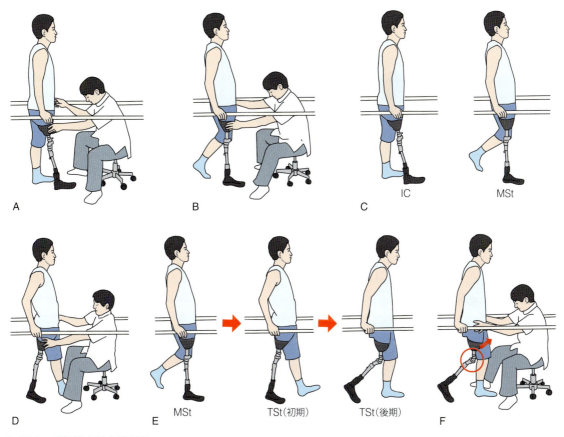

▶図8 平行棒内基本練習②
A：IC〜LR までの義足側の踏み出し（義足を一歩前へ踏み出した状態からの体重移動）．
B：義足側の MSt での片脚立位姿勢の保持．
C：IC〜MSt までの体重移動練習．義足側片脚立位から非切断肢側を一歩前に踏み出し，義足側の体重を非切断肢側へ移動させながら義足前足部まで体重移動させる．平行棒上肢支持形態も両手手掌把持→両手手掌支持→両手指先支持→片手手掌把持→片手手掌支持→片手指先支持と変化させて課題の難易度を上げていく．
D：TSt の体重移動練習（義足前足部まで体重移動させる）．
E：IC〜MSt までの体重移動練習を繰り返す．平行棒上肢支持形態も両手手掌把持→両手手掌支持→両手指先支持→片手手掌把持→片手手掌支持→片手指先支持と変化させて課題の難易度を上げていく．
F：ISw における義足側股関節屈曲により膝継手が容易に屈曲することを確認する．
〔吉尾雅春（編）：標準理学療法学 専門分野 運動療法学 各論．第 4 版，p.334，医学書院，2017 より一部改変〕

側から義足側へ体重を移動させる（▶図7C）．さらに，この左右の体重移動を交互に行わせ，適宜，骨盤や肩を誘導しながら，切断者自身が鏡や体重計を用いて視覚的にフィードバックできる環境も準備する．同様の姿勢で前後移動も行う．前方移動は踵を，後方移動は前足部を床面から浮かせられるところまで体重移動を行う．このとき，常に体幹は正中位を保持させる．

③義足を一歩前へ踏み出した状態からの体重移動（initial contact〜loading response; IC〜LR）

義足を一歩前に出して，義足側大殿筋を収縮させながら非切断肢側から義足側への体重移動を行う（▶図8A）．このとき理学療法士は，骨盤を後方に引かないよう骨盤を後方から支持あるいは前方から後方へ向かって軽い抵抗を与える．

④義足側での片脚立位（mid stance; MSt）

平行棒を両手で把持し，両足部を約 20 cm 開い

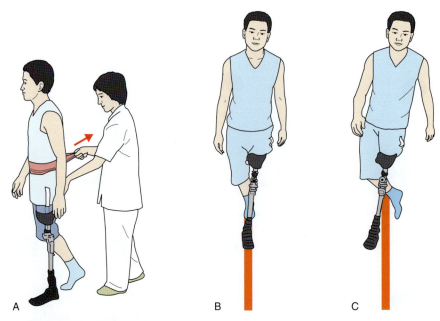

▶図9 平行棒外義足歩行練習
A：骨盤への抵抗を加えての歩行練習．ゴムバンドを骨盤帯に巻きつけ，理学療法士はゴムバンドを後方へ引きながら，併せて「IC～MSt」の間は義足側大殿筋をタッピングしながら歩行練習を行う．切断者はゴムバンドの力に抗して，ICから力強く義足側股関節伸展筋を働かせて義足前足部までの体重移動を行う．
B：歩隔・歩幅を変化させた歩行練習．直線歩行を行う．
C：歩隔・歩幅を変化させた歩行練習．スラローム歩行を行う．
〔吉尾雅春（編）：標準理学療法学 専門分野 運動療法学 各論．第4版，p.335，医学書院，2017 より〕

た立位をとる．体幹を正中位に保つように指示したうえで義足側大殿筋を収縮させながら非切断側から義足側への体重移動を行い，義足側での片脚立位姿勢の保持を行う（▶図8B）．体幹が正中位のまま義足側片脚立位保持が可能になれば，上述したIC姿勢から義足側片脚立位までの体重移動練習を行う（▶図8C）．

⑤非切断肢側の踏み出し（terminal stance; TSt）

非切断側足部を半歩から一歩前に出して義足側から非切断側への体重移動を行う．このとき理学療法士は，体幹の正中位保持を口頭指示する．はじめは骨盤を後方に引かないよう骨盤を後方から支持あるいは前方から後方へ向かって軽い抵抗を与えながら行う．また，義足側の前足部を床につけたまま非切断側への体重移動を誘導し，非切断側への体重移動が完了すればその姿勢を保持するように口頭指示する（▶図8D）．この体重移動を繰り返し行う．特に立脚相の安定性に優れた膝継手では，義足側前足部までの体重移動が獲得できていない場合，遊脚初期での膝継手の屈曲が難しくなるため十分な練習を行う．この体重移動が十分に獲得されたら，次はMSt姿勢から非切断肢足部を一歩前に踏み出し，義足側体重を非切断肢側へ移しながら義足前足部までの体重移動を行う（▶図8E）．

⑥義足振り出し（ISw～TSw）

非切断側足部を一歩前に出した姿勢から義足側の振り出し練習を行う．TStの最終からISwにかけて義足側股関節の軽度屈曲で膝継手が容易に屈曲することを確認する（▶図8F）．義足側の振り出しは，進行方向へまっすぐ振り出す．このとき，非切断側での伸び上がりや義足の分回し歩行が生じないように注意する．練習開始当初の切断者はトゥクリアランスの確保を意識するあま

り，義足側股関節を必要以上に高く振り上げるため，理学療法士は過剰な振り上げとならないよう振り上げる高さと方向を指導する．また，義足側踵接地直前に膝継手が完全伸展位となることが踵接地後の膝折れ防止となる．そのため，練習開始当初の切断者は必要以上に強く振り上げることでTSwの膝継手完全伸展を確保しようとすることがある．理学療法士は，切断者の過剰な振り出しを修正するとともに膝継手によっては抵抗量調整も併せて検討する．

⑦義足歩行課題の難易度調整

平行棒内義足歩行練習において，当初は膝折れなどによる転倒への恐怖心により体重移動やバランス保持が不十分となりやすい．理学療法士は，切断者の①残存機能，②認知・情緒，③環境との相互作用，④運動学習経験値などを十分に把握し，誘導方法および平行棒支持形態などを調整して適切な運動課題となるように設定しなければならない．

● 平行棒外義足歩行練習

平行棒内での基本的な歩行パターンが習得されたら，平行棒外で義足歩行練習を開始する．当初は恐怖心が強く平行棒内で習得した歩行ができるとは限らない．そのため，平行棒内歩行で実施した各歩行周期に分けた部分練習を平行棒外片手把持で実施する．この上肢把持条件で立脚相および遊脚相の制御が可能となれば，平行棒上肢支持量を漸減させ独歩へ移行する．低活動者は，必要に応じて歩行補助具を使用した歩行練習を行う．

①骨盤や肩への補助や抵抗を加えた義足歩行練習

上肢支持に依存せず義足側での十分な体重支持とスムーズな体重移動を目的として，骨盤への抵抗を加えながら義足側大殿筋を十分に働かせた立脚相の随意制御を意識させ，次いで義足前足部までの体重移動を求める（▶図9A）．

②歩隔・歩幅を変化させた義足歩行練習

直線歩行練習は，床上のラインに沿って歩行させる（▶図9B）．このとき，切断側外・内転筋の収縮作用を習熟してもらう．また，携帯用メトロノームを使用して歩調（ケイデンス）を合わせた歩

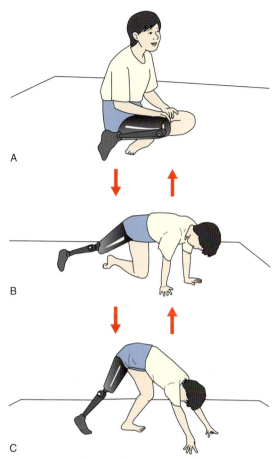

▶図10 片側大腿切断者の床上での立ちしゃがみ動作練習
A→B→C：立ち上がり動作
C→B→A：しゃがみ込み動作
〔吉尾雅春（編）：標準理学療法学 専門分野 運動療法学 各論．第4版，p.336，医学書院，2017 より〕

行練習や，床上に左右等間隔で貼られたテープに合わせた歩幅調整練習も行う．歩調に応じた義足下腿部の振り出しをスムーズにするためには，膝継手の遊脚相制御機構（屈曲・伸展抵抗）の調整が必要となる．これらの練習における歩容が安定してきたら，非切断肢と義足を交叉させるスラローム歩行練習を行う（▶図9C）．

d 起居動作・応用義足歩行練習

義足装着・未装着での起居動作練習を行う．特に国内の生活様式では，床上での立ちしゃがみ動作獲得は重要である（▶図10）．また，膝継手を

▶図11　応用義足歩行練習①（障害物乗り越え動作）
A→B：正面からの乗り越え動作
C→D：側方からの乗り越え動作
いずれも，非切断肢でまたぎ，次いで義足で障害物をまたぐ．

▶図12　応用義足歩行練習②（階段昇降動作）
A：2足1段の階段昇段動作（1段に2足をそろえる方法）．まず非切断肢側を1段上に乗せ，次いで義足を同じ段に引き上げてそろえる昇段動作．高活動者の場合には，非切断肢側を2段上に乗せ，次いで義足を同じ段に引き上げてそろえる．
B：1足1段の階段降段動作（1段ずつ交互に降りる方法）．まず義足の踵のみ下段に接地させ，義足前足部は段の外へ出しておく．次いで体重を前方へ移動すると同時に義足膝継手を膝折れさせる．このとき，すばやく非切断肢を1段下の段に下ろす．この動作を繰り返して交互降りを行う．

〔図11，12は吉尾雅春（編）：標準理学療法学 専門分野 運動療法学 各論．第4版, p.337, 医学書院，2017より一部改変〕

有する義足では，ターンテーブルの設置により胡座・横座り，靴・靴下・下衣の着脱，自動車への乗降などがやりやすくなる．

片側大腿切断者の応用義足歩行練習は，平地歩行において立脚相制御がある程度可能になれば開始する．障害物の正面および側方からの乗り越え動作は，まず非切断肢側で障害物を乗り越え，次いで義足側でまたいで越える（▶図11）．2足1段での昇段動作は，まず非切断肢側を上段に乗せ，次いで義足を同じ段に引き上げてそろえる（▶図12A）．2足1段での降段動作は，まず義足側を下段に下ろし，次いで非切断肢側を同じ段に下ろしてそろえる．階段の交互降り動作は，まず義足前足部は段の外へ出して下段にステップし，

▶表4 交互走行レベルとその特徴

レベル	速度(m/分)	特徴	使用する継手
ジョギング	150〜200	非切断肢立脚後期に空中相があり，義足側立脚後期と非切断肢立脚初期にダブルサポート(double support)がある．最高の歩行速度より少し早いレベルの交互走行．非切断側トゥ・オフ(toe-off)から義足側ヒールコンタクト(heel-contact)までの時間が長いが，義足側トゥ・オフから非切断側ヒールコンタクトまでの時間がない，もしくはほんとんどない状態で走行する	比較的高速の追随性がある遊脚相制御膝継手
ランニング	200〜300	非切断肢立脚後期に空中相があり，義足側立脚後期と非切断肢立脚初期にダブルサポートがないか，もしくは非切断側接地と同時に義足側トゥ・オフが行われ，左右の空中相の差が大きくなる．このレベルからダブルサポートが消失し，義足側でも前方へ飛ぶことができるようになり，重心の上下動も少なくなる	高抵抗の油圧や空気圧を備えた遊脚相制御膝継手
スプリンティング	300〜	非切断側・義足側に空中相があり，その左右差が少ない．競技型疾走レベルでは，"上方へ跳ぶ"動きが少なく，非切断側・義足側のダブルサポート期がない．義足側の遊脚相フォロースルー期からターミナルインパクト時の遠心力や運動中の発汗によりソケットが抜けやすくなるのを防ぐために，大腿ソケット用サスペンションスリーブやサポーターを併用することをすすめる．また，非切断側・義足側の走行幅やケイデンスがほぼ同じとなるため，義足側で前へ跳ぶことや義足側大殿筋や腸腰筋の十分な筋力が必要となり，十分なトレーニングが必要である	油圧制御膝，カーボン製板バネ式足部

次いで体重を前方へ移動すると膝継手が膝折れする．このとき，すばやく非切断肢を1段下の段に下ろす．この動作を繰り返して交互降りを行う（▶図12 B）．そのほか，義足側にバランスを崩したときの転倒防止能力向上のために，非切断肢側を一歩前や後ろに踏み出すピボット練習は必ず行う．

c 歩行速度アップ練習

遊脚相制御機構によっては，歩調（ケイデンス）に追随できる膝継手が開発され，速度を変えて義足歩行することが可能となっている．また，歩行速度をアップさせることは日常生活における対応能力を向上させるほか，スポーツ参加などQOL向上につながる．以下，歩行速度アップ練習方法とその留意点について述べる．

(1) 方法

歩行速度に合ったケイデンスと歩幅を調整する．前述したメトロノームを利用して自由歩行速度におけるケイデンスを測定し，そこから徐々に上げていく．歩幅は，等間隔に記したマーカーを利用して一定のリズムで左右均等な歩幅で歩行する．

(2) 留意点

歩行速度アップ練習では，過度の伸び上がり歩行や膝のターミナルインパクトなどの異常歩行が生じやすい．歩行速度アップさせても左右の均等な歩幅を確保し，膝継手の立脚相・遊脚相制御を適正に調整するために，理学療法士が歩行課題に応じて義肢装具士と連携しながら対応する．

(3) 速歩から走行への移行

従来の膝継手では歩調追随性が不十分であったため，速歩に対応できず交互歩行が困難であった．そのため，能力の高い大腿切断者は一般的にスキップ走行（非切断肢側で2回，義足側で1回跳ぶ方法を繰り返して走る：hop-skip running）を行っていた．しかし，歩行速度に合わせた遊脚相制御膝継手の開発により，日常生活においても交互走行が可能となっている．この交互走行は，走行スピードにより3つに分類される（▶表4）．

f スポーツの導入

下肢切断者のスポーツ参加は，筋力，平衡能力，協調動作，持久力を向上させると同時に，精神的活動においてもその効用を認めることができる[9]．また，運動療法にスポーツの要素を取り入れることで切断者のモチベーションアップにつながる．さらに，レクリエーションスポーツは，年齢を問わず仲間づくりの機会となり，その後のQOLの向上にも大きな影響力をもつ．そのため理学療法士は，切断者が参加可能なスポーツ団体など地域での個別情報を把握し，適宜，切断者に情報提供していく．

C 運動療法上の留意点

1 フットケア

末梢動脈疾患で非切断肢側足部に感覚障害がある場合には，靴ずれなどが生じても気づきにくいため，切断者自身が運動前後で視覚的に確認する習慣をつけるよう指導する．また，糖尿病性網膜症による視力低下がある場合には，家族などの協力を要請する．

そのほか，運動療法による靴ずれ防止のために，①靴が足のサイズや形に合っているか，②靴の内張りが柔らかくクッション性がよいか，③靴紐やベルトで足部がしっかりと固定できているか，などを確認する．なお，併せて運動前には靴の中に石などの異物の有無の確認や靴下を履くことの指導も重要である．

2 下肢切断

『理学療法診療ガイドライン（第1版）』[10]によると，下肢切断における運動療法（早期リハ介入[11]，短期集中理学療法[12]，歩行再教育[13]，幻肢痛[14]）

▶表5 下肢切断者に対する運動療法の効果

細目	内容	引用論文
早期リハ介入	下肢切断術後の早期リハ介入は，1年後の生存率と自宅退院率に大きく関連し有効である	11)
短期集中理学療法	回復期において，監視下での歩行練習のみ実施群よりも下肢筋力強化・荷重練習・協調性練習などの運動療法を1日1時間，3日間の実施群（短期集中群）のほうが，2分間歩行，physiological cost index（PCI）や静止立位時の義足側への荷重で有意な改善を認める	12)
歩行再教育	維持期における歩行再教育プログラムは，2年以上義足を使用した大腿切断者であっても歩行速度の向上と歩行時のステップ長の左右対称性に有効である	13)
幻肢痛	幻肢痛に対する運動療法では，幻肢と非切断側下肢をイメージしながら運動するトレーニングが一般的な療法と比較して有意に成果を上げるとしている	14)

推奨グレード：B，エビデンスレベル：3
〔日本理学療法士協会：理学療法診療ガイドライン．第1版，p.1068, 2011をもとに作成〕

は，推奨グレードB，エビデンスレベル3と位置づけられている（▶表5）．

3 高齢下肢切断者が義足装着することの意義と目標

a 義足装着することの意義

高齢下肢切断者が義足を装着する意義は，尊厳の保持と自立生活の支援であり，可能なかぎり住み慣れた地域で自分らしい暮らしを人生の最期まで続けることができるための"足"をつくることである．つまり，義足装着が高年齢や歩行再獲得の可能性の低さのみで短絡的に否定されるべきではなく，義足装着により高齢者の尊厳が保持され，可及的な生活動作の自立につながることで家族の介助量や介護保険負担を減らすことの可能性をふまえ，本人，家族と専門職チームで慎重に検討すべきである．

義足装着後の目標

上述の意義をふまえ，義足装着後の目標は，心身機能や活動・参加，環境・個人因子などから設定する．一般的には義足歩行獲得を目指すことが多いが，低活動者であれば，義足装着による立ちしゃがみ動作や立位時の安定した支持基底面の獲得でもよい．義足装着で得た支持基底面を"より安定したもの"とするための運動療法を適宜，手すりや杖，歩行器などを用いながら個別計画を立案し実施する．義足装着による安定した立位が獲得されれば，切断者の住環境やライフスタイルに応じた動作や義足歩行獲得など次の目標設定を行い，その達成を目指す．

● 引用文献

1) 厚生労働省：平成18年身体障害児・者実態調査結果（2006）．
 https://www.mhlw.go.jp/toukei/saikin/hw/shintai/06/dl/01_0001.pdf
2) 厚生労働省：平成13年身体障害児・者実態調査結果（2001）．
 https://www.mhlw.go.jp/houdou/2002/08/h0808-2b.html
3) 澤村誠志：切断と義肢．第2版，pp.1-5，医歯薬出版，2016．
4) 林 義孝ほか：下肢切断者に関する疫学的研究．義装会誌，15(2):163-170, 1999．
5) 小嶋 功：切断（上肢・下肢）．黒川幸雄ほか（編）：臨床理学療法マニュアル，p.269，南江堂，1996．
6) Vigier, S., et al.: Healing of open stump wounds after vascular below-knee amputation: plaster cast socket with silicone sleeve versus elastic compression. Arch. Phys. Med. Rehabil., 80(10):1327-1330, 1999.
7) Kurdibaylo, S.F.: Cardiorespiratory status and movement capabilities in adults with limb amputation. J. Rehabil. Res. Dev., 31(3):222-235, 1994.
8) Chin, T., et al.: Effect of physical fitness on prosthetic ambulation in elderly amputees. Am. J. Phys. Med. Rehabil., 85(12):992-996, 2006.
9) Yazicioglu, K., et al.: Effect of playing football (soccer) on balance, strength, and quality of life in unilateral below-knee amputees. Am. J. Phys. Med. Rehabil., 86(10):800-805, 2007.
10) 日本理学療法士協会：理学療法診療ガイドライン 第1版（2011）．下肢切断．
 https://www.jspt.or.jp/upload/jspt/obj/files/guideline/20_leg_cutting.pdf（2023年9月1日閲覧）
11) Yiğiter, K., et al.: A comparison of traditional prosthetic training versus proprioceptive neuromuscular facilitation resistive gait training with trans-femoral amputees. Prosthet. Orthot. Int., 26(3):213-217, 2002.
12) Rau, B., et al.: Short-term effect of physiotherapy rehabilitation on functional performance of lower limb amputees. Prosthet. Orthot. Int., 31(3):258-270, 2007.
13) Sjödahl, C., et al.: Pelvic motion in trans-femoral amputees in the frontal and transverse plane before and after special gait re-education. Prosthet. Orthot. Int., 27(3):227-237, 2003.
14) Ulger, O., et al.: Effectiveness of phantom exercises for phantom limb pain: a pilot study. J. Rehabil. Med., 41(7):582-584, 2009.

第12章 熱傷の運動療法

学習目標
- 熱傷の病態と治療過程を理解する.
- 熱傷治療の各病期におけるチーム医療としての理学療法士の役割を理解する.
- 熱傷後における運動療法の進め方と留意点を理解する.

A 概念と特徴

熱傷は,軽度なやけどから全身に及ぶ広範囲で生命にかかわる重症なものまで多岐にわたり,理学療法士にはさまざまな対応が必要とされる.

広範囲な熱傷は全身的な急性炎症反応であり,体液変動,呼吸・循環器系,消化器系,神経・内分泌系,免疫系,血液凝固・線溶系,代謝といった生体のすべての器官・機能系の病態を示す.また,治療過程は長期間を要し,ただ1つの専門分野のみでは進められず,救命処置における外科的治療,皮膚瘢痕の形成,看護,理学療法,作業療法,精神・心理的援助などの多面的なアプローチが要求される.

『熱傷診療ガイドライン(第3版)』が公開され,初めて熱傷治療におけるリハビリテーションのガイドラインが言及されるに至った.当ガイドラインでは,熱傷患者における体位変換の有効性を示すにはさらなる検討が必要であると結論づけているが,臨床的には広く受け入れられているといえる.早期からの対応は疼痛の改善,歩行時間の延長,拘縮の予防の点で優れており,早期リハビリテーション介入,レジスタンストレーニングや有酸素運動を主体とした運動療法は弱く推奨されると提示されている.

リハビリテーション,リハビリ,理学療法,運動療法などの専門用語が乱立して用いられ,それぞれの定義や具体的な方法の明記もみられない.そのため,理学療法士によって対応が異なることが想定されるので注意が必要である.

1 分類と重症度

熱傷の重症度は,年齢,受傷部位・面積,受傷深度などによって規定される.重症度は搬送施設の選択要因であり,治療においても重要な情報となる.

a 熱傷深度による分類と治癒過程

熱傷深度の分類は,日本熱傷学会による**熱傷深度分類**が一般的である.Ⅰ度熱傷(epidermal burn; EB),Ⅱ度熱傷〔浅達性Ⅱ度熱傷(superficial dermal burn; SDB)と深達性Ⅱ度熱傷(deep dermal burn; DDB)〕,Ⅲ度熱傷(deep burn; DB)に分類される(▶表1).

熱傷創は,図1のように筋線維芽細胞の膠原線維の再生による肉芽が形成され,その後,創周辺からの表皮基底細胞の遊走による上皮化が生じる.筋線維芽細胞は組織学的に線維芽細胞様に平滑筋細胞の特徴を合わせもつため,皮膚性拘縮の原因となる.図2に皮膚性拘縮の期間を示す.

表1 熱傷深度

分類	臨床所見	感覚	表皮化	備考
I度熱傷(EB)	発赤			軽い日焼け程度
浅達性II度熱傷(SDB)	水疱形成	激しい疼痛と灼熱感	1～2週間	肥厚性瘢痕なし
深達性II度熱傷(DDB)	●水疱形成 ●表皮剝離	知覚鈍麻	3～4週間	●肥厚性瘢痕の可能性あり ●感染にてIII度熱傷への移行
III度熱傷(DB)	●白色 ●固く伸展性なし	●知覚消失 ●疼痛のない抜毛	表皮再生なし	●植皮術の絶対的適応 ●1～3か月以上の治療期間

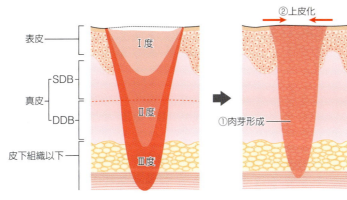

▶図1　熱傷創治癒過程の概略

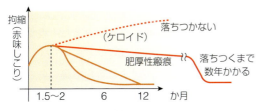

▶図2　皮膚性拘縮の期間

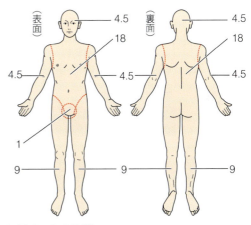

▶図3　9の法則

b 熱傷面積と重症度

　熱傷受傷面積は，簡便な方法として四肢を9とする**9の法則**(▶図3)，小児に用いる場合には**5の法則**が利用される．たとえば，成人が一側の上肢全体を受傷した場合は9%(4.5×2)であり，顔面と体幹前面を受傷した場合は22.5%(4.5＋18)である．より正確な受傷面積の算定にはLund-Browder(ランド・ブロウダー)の図表(▶図4)[1]を用いることが多く，重症度の判定や的確な輸液療法を行うために必要である．

　熱傷の重症度は，熱傷指数(burn index; BI)やArtz(アルツ)の基準が用いられる(▶表2)．BIは10～15以上が重症と判定され，Artzの基準では重症熱傷は専門施設で加療するべきであると判定される．

▶表2 熱傷の重症度

熱傷指数(BI)	10～15以上が重症		
	BI＝1/2×Ⅱ度熱傷面積(%)＋Ⅲ度熱傷面積(%)		
Artzの基準(1957年)			
重症度	重症熱傷 (総合病院にて入院加療)	中等度熱傷 (入院施設のある病院で入院加療)	軽症熱傷 (外来通院可能)
Artzの基準	●Ⅱ度熱傷で30%以上 ●Ⅲ度熱傷で10%以上 ●顔面，手，足の熱傷 ●気道熱傷 ●軟部組織の損傷，骨折の合併	●Ⅱ度熱傷で15%以上30%未満 ●Ⅲ度熱傷で10%未満 ●(顔面，手，足を除く)	●Ⅱ度熱傷で15%未満 ●Ⅲ度熱傷で2%未満
注意事項	輸液治療あるいは特殊な治療を必要とするため，総合病院での十分な施設のもとで加療すべきである	輸液の比較的な適応症例であり，症例に応じて輸液治療を施行すべきである	輸液の必要はなく，外来通院で十分な加療が可能である

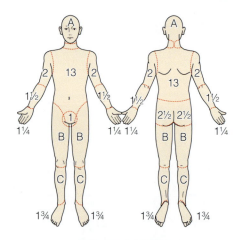

▶図4 Lund-Browderの図表
〔Lund, C.C., Browder, N.C.: The estimation of areas of burns. *Surg. Gynecol. Obstet.*, 79:352, 1944 より〕

2 病態と治療

重症熱傷患者の死亡率は確実に低下しており，急性期に理学療法を施行する際には，治療の方針と経過を把握する必要がある．熱傷治療の経過と理学療法の関係を図5に示す．リハビリテーションの観点から作業療法や言語聴覚療法が必要な場合もあり，対象患者の治療過程において適宜対応することが望まれる．理学療法士は受傷から72時間を経過し，熱傷ショックを離脱した時期からかかわることが可能である．

a 熱傷ショック期

重症熱傷における**熱傷ショック**とは，受傷直後より認められる心拍出量の減少であり，24～48時間前後までの期間に出現する重症熱傷に特有の循環障害である．創部を含む全身性の浮腫と心拍出量の減少，代謝性アシドーシス，頻脈，乏尿などがみられる．浮腫液の再吸収期(refilling stage)に入ったとき(利尿期)を**ショック離脱期**という．

熱傷では，創部近傍組織の血管透過性が亢進して血漿成分の血管外への漏出がおこり，組織間腔に浮腫液として貯留する．広範囲重症熱傷では健常部位の血管透過性も亢進し，全身に著しい浮腫が出現する．熱傷ショック期の輸液療法は，Parkland(パークランド)〔Baxter(バクスター)〕の公式が多く使用されている．

b 気道熱傷

気道熱傷とは，火災や爆発の際に生じる煙や有毒ガス，高温水蒸気などを吸入することによって

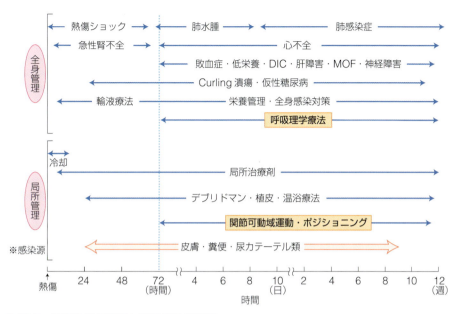

▶図5　熱傷治療の経過と理学療法の関係
DIC : disseminated intravascular coagulation（播種性血管内凝固），
MOF : multiple organ failure（多臓器不全）

惹起される種々の呼吸器障害の総称である．

熱による直接的な肺実質の損傷は少なく，不完全燃焼によって生じた有毒物質が気道や肺胞まで運ばれることによる化学的損傷に起因する炎症反応と考えられる．受傷後24〜48時間をピークとして呼吸不全が進行する．また，気道熱傷は重篤な呼吸器合併症を生じる最大の危険因子であり，ショックに加えて呼吸不全を併発し，肺炎などによる敗血症を合併するため，生命予後に大きく影響を与える．

そのため，気道熱傷を合併する場合や，顔面，頸部，前胸部などが含まれる重症熱傷患者における呼吸不全の状態には，換気障害と酸素化障害の両方がみられる．上気道は浮腫の増加により閉塞し，気道抵抗が上昇し，胸郭が固くなるために胸郭コンプライアンスの低下を認める．さらに気道粘膜の壊死・脱落により偽膜が形成され，多量で粘稠な痰によって気道閉塞をきたしやすくなる．また，肺障害は全肺一様ではなく，無気肺と過膨張肺とが混在した特殊な状態で，換気血流比の不均衡をきたしている．

C 外科的壊死組織切除と創閉鎖

重症熱傷患者の死因の多くは重症感染症による多臓器不全であり，熱傷皮膚が感染源となるため，早期の壊死組織の切除と創閉鎖が重症感染症の防止に重要である．外科的壊死組織切除〔デブリドマン（débridement）〕とは水疱や創面などの壊死組織を外科的に除去することであり，植皮術を併用することによって創閉鎖を促す．植皮術に用いる皮膚は受傷患者から採取する自家移植が一般的であるが，受傷面積が大きい場合には凍結保存屍体皮膚（スキンバンクネットワークを利用）や培養皮膚を利用する．手術の時期は，受傷後48時間以内に行う超早期切除術，5〜7日以内に行う早期切除術，それ以降は晩期切除術と区別され，多くの施設で早期切除術が選択されている．

植皮術後（自家）の関節部ではシーネ固定とし，48時間までに組織間液による栄養が生じ，48時間からは植皮片の新生血管の進入が生じる．ほぼ

2週間で完全生着しシーネ固定が解除される．縫縮，局所皮弁，有茎皮弁では植皮片の生着に厳密な固定は不要といわれている．

B 運動療法の実際

重症熱傷患者への理学療法は，便宜上，一般的な運動療法と呼吸理学療法の2つに分けて考える．

一般的な運動療法とは，離床などにかかわる関節可動域運動，筋力強化運動，基本動作練習などとする．呼吸理学療法は，離床なども含めた包括的な意味で定義されるが，本章においては排痰を行ったり呼吸の練習をしたりする狭義の意味で使用する．

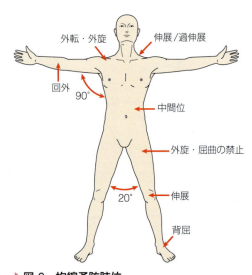

▶図6 拘縮予防肢位
〔Phala, A.H., et al.: Burn injury: Rehabilitation management in 1982. *Arch. Phys. Med. Rehabil.*, 63:6-16, 1982 より〕

1 運動療法の目的

一般的な運動療法には，関節拘縮予防を目的とした良肢位保持のためのシーネ，スプリントの使用や関節可動域運動・筋力強化運動と早期離床を目的とした座位練習や立位・歩行練習，日常生活活動練習などがあげられる．

関節拘縮予防のための運動療法は，熱傷ショック期離脱後から開始することができ，可能なかぎり関節拘縮をつくらないことが，短期間での基本動作の獲得，日常生活活動自立に直接的に結びつくといえる．急性期における関節可動域の維持は，その後の日常生活活動自立，社会復帰にとっての重要な要素であり，理学療法士の介入や視点が必須で，患者の苦痛の軽減に大きく関与する．

2 評価のポイント

熱傷は，その重症度，部位，社会背景（受傷原因）などにより対応は異なるため，受傷部位のみに着眼するのではなく，全体像をとらえなければならず，広義のリハビリテーションの概念が重要

になる．たとえば，急性期の重症熱傷の場合は救命が第一目的になるため，理学療法士は熱傷治療を妨げないように，全身状態を把握しながら肺炎などの呼吸器合併症の予防に努めることが必要になる．同時に受傷部位を含めた関節拘縮を最大限に予防するように努める．しかしながら，身体状況によっては機能的な肢位での拘縮を促すことが必要な場合がある．そのため，全身状態から局所所見まで個々の症状に応じた評価を幅広く行う．

急性期を脱したのちは早期離床に努め，社会復帰に向けて機能障害や能力障害を評価しながらチームで対応する．

3 運動療法の方法

a 良肢位保持

良肢位保持によって将来的に予測される皮膚性拘縮や変形および瘢痕形成を予防し，機能障害などを最小限に抑えることができる．急性期においては図6[2)]のような関節拘縮予防肢位を保つことが原則であるが，個々の患者に応じて適宜最適な肢位を評価することが重要である．また，長期間

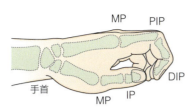
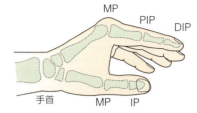

▶図7　手の拘縮肢位
〔聖マリアンナ医科大リハビリテーション部(編)：熱傷のリハビリテーション，早期リハビリテーションマニュアル．pp.277–293，三輪書店，1995 より〕

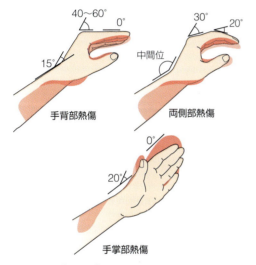

▶図8　手のスプリント
〔水野雅康ほか：熱傷のリハビリテーション．*Emergency nursing*, 5(12):1052–1056, 1992 をもとに作成〕

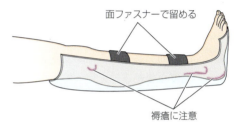

▶図9　足のスプリント
〔水野雅康ほか：熱傷のリハビリテーション．*Emergency nursing*, 5(12):1052–1056, 1992 より〕

の同一肢位の保持は拘縮を助長することがあるため，皮膚の状態が許す範囲において，関節可動域運動を併用する．

　植皮術後の安静時や関節拘縮予防肢位が保持できない場合などには，簡便なシーネやスプリントを利用することによって，変形，関節拘縮を予防できることがある．特に手指，足関節周囲の熱傷に対しては有効であり，基本的には受傷面を伸張するように固定する．一般的に手指の熱傷によっては intrinsic minus position での変形がおこりやすいため，intrinsic plus position での固定を

行う（▶図7）[3]．具体的には図8[4] のように熱傷部位によって固定法を変更し，また足関節においては図9[4] のようなスプリントにて尖足予防に努め，立位，歩行の時期を逃さないようにする．また，ほかにも重度な関節拘縮が予想されるときや，熱傷創が四肢の屈曲側の皮膚にある場合にもスプリントなどによる固定の適応になる．

　スプリントは熱可塑性のものを用いて作製できるが，目的に合致していればさらに簡便なものを用いてもよい．患者にとって適当な矯正力，圧迫力をもったものに随時修正が必要となる．サイズは多少大きめで，ベルクロはゆるめに調整し，熱傷創への過度な圧迫を避けるようにする．装着後は1日に数回程度創部の状態を確認する必要があるため，理学療法士のみで対応することは困難であり，看護師や作業療法士との連携が必要になる．

b 関節可動域運動

関節可動域運動は，意識が清明で患者の協力が得られるならば自動運動を主に利用する．自動運動は，他動運動に比べ関節の破壊といったリスクを回避することができるが，疼痛を伴う場合には十分な運動範囲を獲得できないデメリットもある．そのため，自動介助運動や他動運動も併用しながら，関節可動域の維持・拡大に積極的に対応すべきである．非常に強力な他動的関節可動域運動により，異所性骨化や筋・腱の断裂を合併した患者の報告もあるため，愛護的に行うことが大原則である．特に急性期においては鎮静されていることが多く，疼痛を訴えることができない場合もあるため，過度な他動運動を行ってしまうことが想像される．なお，植皮術後は移植皮膚の生着を術者に確認したのちに，ゆっくりと持続的な関節可動域運動を行うことが重要である．

重症熱傷患者の場合，受傷直後から温浴療法（burn bath）が行われることがある．これは熱傷創の洗浄と融解した壊死組織の除去を行うことにより，物理的に細菌を除去し感染源を断ち切ることが目的である．このとき同時に関節可動域運動を行うと，温熱効果も加わり，関節可動域の維持に効果的である．理学療法士は，細菌感染を避けるためにガウン，帽子，マスク，手袋を着用し，無菌操作にて施行する．実際には，医師が患者の全身を洗い流したのち，迅速に必要な関節の関節可動域運動を行う（▶図10）．

c 基本動作・歩行練習

全身状態が落ち着き，医師から許可されたらすぐに，端座位の獲得を目指す．介助下であっても端座位を保持できることで，食事，整容，更衣など座位での日常生活活動を徐々に広げることができ，離床へとつなげることが可能になる．寝返り，起き上がり練習も重要ではあるが，それに固執せず，まずは座位の獲得と座位保持時間の延長をはかることが重要である．ギャッチアップのみでは

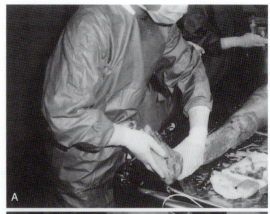
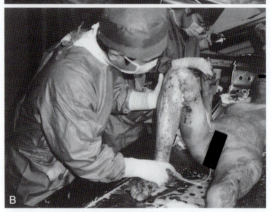

▶図10　温浴療法中の関節可動域運動
（32歳女性，Ⅲ度38%）
A：足関節の関節可動域運動，B：膝関節の関節可動域運動

なく，椅子座位など活動範囲を広げることにも注視しなければならない．

その後は身体状況に応じて立位・歩行練習へと進め，可能なかぎり歩行レベルでの日常生活活動自立を目指していく．さまざまな原因により理学療法室にて対応できなくても，病棟での日常生活に即した方法にて行うことは可能である．四点歩行器や歩行車などの歩行補助具を適宜利用することで，安全面に十分配慮して歩行練習が可能になる．

d 呼吸理学療法

(1) 呼吸理学療法の目的

呼吸理学療法の開始時期は2つある．受傷早期の植皮術に備えるために呼吸器合併症の予防に努

める時期と，術後の安静による呼吸器合併症の予防のために行う時期である．

重症熱傷の急性期，特に気道熱傷を併発する場合は，熱傷の治療を円滑に進めるために呼吸理学療法を行う．目的は呼吸器合併症の予防と排痰であり，救命医療にとって重要な役割を果たす．一般的な呼吸理学療法は，側臥位や腹臥位への体位変換，気道内吸引，排痰法とされており，肺の末梢気管に貯留している分泌物を除去することができる．酸素化が改善し，植皮術の遅延を防ぐなどの効果も認められつつある．植皮術後は安静を強いられるため，無気肺，肺炎などの呼吸器合併症が発症しやすい状態となり，可能な範囲で呼吸理学療法を施行したほうがよい．

呼吸理学療法の手技に関しては，呼吸介助法やスクイージング(squeezing)などが提唱されており，用語や手技の統一などが検討されているので，成書を参照していただきたい．

『熱傷診療ガイドライン』には，体位変換を行わず，背臥位で不動による管理を行うことで呼吸機能障害や運動機能障害が頻発し，生命予後や身体機能予後に与える影響が危惧されると記されている．この意味においても，体位変換を伴う呼吸理学療法は重要である．

以下に，呼吸理学療法の1つの方法について説明する．

(2) 呼吸理学療法の実際

排痰法は痰の貯留した肺区域を上にした排痰体位をとり，同部位に対して排痰手技の**スクイージング**(squeezing)を施行する(▶図11)[5]．なお，スクイージングとは呼気を介助し，呼気流速を高める方法である．排痰手技の軽打法(percussion)や振動法(vibration)では，末梢気管支にある固くて粘稠な痰は，貯留部位において振動されるのみで移動が認められず，有効ではないこともある．痰の移動には気流が大きく関与するため，スクイージングにより呼気流速が速められることによって，末梢から中枢気管への痰の移動を促進できる．

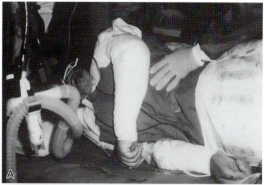
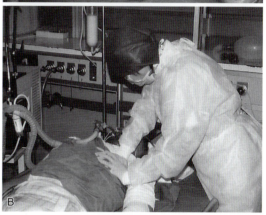

▶図11 スクイージング
A：左下葉へのスクイージング，B：左上葉へのスクイージング
〔Aは亘理克治ほか：ICUにおける重症熱傷患者の理学療法．PTジャーナル，34(2):89–94, 2000 より〕

また気道内吸引は盲目的操作であり，気管分岐部付近の痰は除去することが可能であるが，それよりも末梢気管の痰を除去することは非常に困難である．そのためスクイージングにて中枢側へ痰を移動させたのち，気道内吸引にて効果的に痰を除去することが可能となる．なお，植皮術後の自発呼吸下の患者では，排痰手技の代わりに呼吸練習や咳の介助も行う．

気管支鏡は気道熱傷の診断や気管内分泌物の除去にも利用されるが，物理的に末梢気管まで到達することができず，特に気道熱傷で貯留する痰は非常に粘稠で，末梢気管を閉塞していることが多いため，気管支鏡のみで除去するには限界がある．そこで，気管支鏡による痰の吸引と排痰手技のスクイージングを併用することにより，末梢気管か

ら移動してきた分泌物を効果的に除去することが可能になる場合もある．

呼吸理学療法の禁忌としては，植皮術後3日間以内の生着していない植皮部への排痰手技，循環動態が不安定な場合である．手術直後であっても，体位変換や植皮部以外への排痰手技は制限されることはほとんどない．しかしながら個々の患者によって異なるため，医師に確認しなければならない．

C 運動療法上の留意点

1 リスク管理

重症熱傷の運動療法におけるリスクは，全身状態から受傷部位を含めた局所的なものまで多岐にわたる．循環動態に十分配慮し，適宜，離床時間の獲得を目指すが，座位姿勢や褥瘡予防にも注意が必要である．また局所所見（受傷部位の皮膚の状態や周囲の関節可動域，疼痛など）では，関節拘縮を最大限に予防することが重要であるものの，強い疼痛や関節破壊などのリスクが生じる．しかし，リスク管理に慎重になるあまり，熱傷治療の経過のなかで，その時期に応じた適切な運動療法が施行できないことがないように注意する．

また，熱傷はその特性により，身体機能面のみならず，精神面への配慮が非常に重要となり，患者との信頼関係は理学療法を進めるうえでも大切である．それらに配慮しないことや，強い疼痛を与え続けることにより理学療法を拒否されてしまうこともあるため，良好な関係を築くことが望まれる．

2 早期離床とチーム医療

早期離床が重要なことには異論がないと思われ，離床を促すことにより，安静臥床がもたらす弊害を最小限に回避することができる．理学療法士が患者に接する時間は，1日に20〜60分程度とわずかな時間ともいえる．理学療法士が対応できる時間以外をベッド上で安静に過ごしていたのでは，離床につながりにくい．限られた時間で離床を促すことだけに対応していたのでは，関節拘縮の予防や改善，シーネの作製や確認，基本動作練習，歩行練習などの多岐にわたる役割を果たすことが困難になることが危惧されるので他職種との連携が必要になる．

熱傷の治療は，医師，看護師，作業療法士など，多くの医療職との連携が重要になる．時には社会復帰を考慮し，行政なども交えながら対応しなければならないこともある．特に小児の場合では，将来も考慮した対応が必要になる．

各職種の専門性に配慮しつつ離床を例にあげると，理学療法士は離床のきっかけづくりとしての起き上がり，座位練習，作業療法士は座位での目的動作の練習とその確立，看護にてそれらを習慣化するなどの役割分担的対応を行うことができる．ただし，相互に密接な情報交換がなければ，それぞれの対応が連続性のない断片的なものになりかねない．

また，理学療法士の役割を十分に果たすためには，他職種からの情報提供や協力は欠かすことのできないものである．それぞれの職種が互いに補完し合い，患者に対して最良の医療を提供できる状況を常に意識していきたい．

若手理学療法士にとって，このような対応はとても困難な場合がある．知識や経験が少ないだけでなく，他職種間での信頼関係を構築するまでに時間を必要とするためである．そのためにも，常に医師や他職種の人たちと良好な関係を築くような配慮が必要である．

患者にとって最良の対応をするために，理学療法士としてできることや行わなければならないことを常に考え，他職種も交えて臨機応変に対応していくことが重要である．

●引用文献
1) Lund, C.C., Browder, N.C.: The estimation of areas of burns. *Surg. Gynecol. Obstet.*, 79:352, 1944.
2) Phala, A.H., et al.: Burn injury: Rehabilitation management in 1982. *Arch. Phys. Med. Rehabil.*, 63:6–16, 1982.
3) 聖マリアンナ医科大リハビリテーション部(編)：熱傷のリハビリテーション, 早期リハビリテーションマニュアル. pp.277–293, 三輪書店, 1995.
4) 水野雅康ほか：熱傷のリハビリテーション. *Emergency nursing*, 5(12):1052–1056, 1992.
5) 亘理克治ほか：ICUにおける重症熱傷患者の理学療法. PTジャーナル, 34(2):89–94, 2000.

Ⅱ 神経障害系の運動療法

脳血管疾患の運動療法——急性期

学習目標
- 脳卒中の病態とリスクについて理解する．
- 脳卒中に対する治療を理解し，理学療法の評価に役立てられる．
- 脳卒中急性期の運動療法の意義と進め方について理解する．
- 脳卒中急性期のリスク管理について理解する．

A 概念と特徴

1 脳血管疾患

脳血管疾患（脳血管障害）とは，脳血管の異常が原因でおこる病態の総称であり，脳卒中と同義ではない（▶図 1）[1]．**脳卒中**は，ある日突然発症するものであり，**出血性疾患**と**虚血性疾患**に大別される．脳血管疾患の分類として，1990 年に米国の NINDS（National Institute of Neurological Disorders and Stroke）は NINDS-Ⅲ 分類を発表し[1]，その後，脳梗塞の分類については診断基準の明確化による改訂が加えられ[2,3]，現在では**表 1** のように分類されている．なお，本章では脳血管疾患のうち，脳卒中に関して取り扱う．

2 急性期リハビリテーション

脳卒中のリハビリテーションでは，発症からの期間によって**急性期**（発症から約 2〜4 週），**回復期**（約 3〜6 か月まで），**生活期**（回復期以降）という病期に分けられる．リハビリテーションの方針は，脳卒中の病期によって方針が大きく異なり，急性期では廃用症候群と日常生活活動（ADL）の

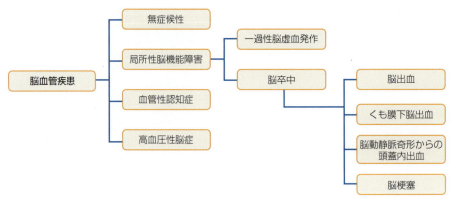

▶図 1 脳血管疾患の枠組み
〔National Institute of Neurological Disorders and Stroke Ad Hoc Committee: Classification of cerebrovascular diseases Ⅲ. *Stroke*, 21(4):637–676, 1990 より作成〕

▶表1 脳梗塞の分類と診断基準

心原性脳塞栓症
- 大脳皮質あるいは小脳梗塞の臨床的証拠
- CTまたはMRIで大脳皮質，小脳，脳幹，皮質下の梗塞（大きさ＞1.5〜2.0 cm）
- 塞栓源心疾患が存在する
  - ・高リスク塞栓源
    左房/左室血栓，心房細動/発作性心房細動/持続性心房粗動
    洞不全症候群，1か月以内の心筋梗塞，リウマチ性僧帽弁/大動脈弁疾患
    28％未満の低駆出率を伴う陳旧性心筋梗塞
    30％未満の低駆出率を伴う症候性うっ血性心不全
    拡張型心筋症，非感染性血栓性心内膜炎/感染性心内膜炎
    乳頭上線維弾性腫/左房粘液腫
  - ・低リスク塞栓源
    僧帽弁輪石灰化，卵円孔開存，心房中隔瘤/心房中隔瘤と卵円孔開存
    血栓を伴わない左室瘤，上行大動脈ないし大動脈弓の複合粥腫
    左房モヤモヤエコー（僧帽弁狭窄症や心房細動のない）

アテローム血栓性脳梗塞
- 大脳皮質あるいは小脳梗塞の臨床的証拠
- CTまたはMRIで大脳皮質，小脳，脳幹，皮質下の梗塞（大きさ＞1.5〜2.0 cm）
- 梗塞に関連する頭蓋内外血管の狭窄あるいは閉塞
  狭窄率＞50％，閉塞側に潰瘍や血栓があれば狭窄率≦50％
- 高リスク塞栓源心疾患がない（根拠となるあるいは確からしい診断としての）

ラクナ梗塞
- 以下に示す1つの古典的ラクナ症候群の臨床的証拠
  ・pure motor hemiparesis（純粋運動性片麻痺）
  ・pure sensory stroke（純粋感覚性発作）
  ・ataxic hemiparesis（運動失調不全片麻痺）
  ・dysarthria-clumsy hand syndrome（構音障害・手不器用症候群）
- CTまたはMRIで皮質下あるいは脳幹の梗塞（大きさく1.5〜2.0 cm）
- 同側にアテローム血栓性病変がない（根拠となるあるいは確からしい診断としての）
- 高リスク塞栓源心疾患がない（根拠となるあるいは確からしい診断としての）

他の原因による脳梗塞

原因不明の脳梗塞/潜因性脳梗塞

〔文献1〜3より改変〕

改善，不動・廃用による二次障害の予防，運動麻痺など機能障害の回復への早期介入が主たる目的となる．

『脳卒中治療ガイドライン2021』[4]における急性期リハビリテーションの進め方では，バイタルサインに配慮のうえ，早期離床や早期歩行練習などを含む積極的なリハビリテーションを実施することが推奨されている（▶表2，3）．また，早期離床や理学療法による下肢の運動は深部静脈血栓症の予防にも有効とされ（▶表4），発症早期にベッドサイドからリハビリテーションを開始することが一般的である．

3 診療体制と診療報酬制度

SU（stroke unit）は，脳卒中急性期から集中的な治療と早期リハビリテーションを計画的・組織的に提供することのできる脳卒中専門病棟であり，わが国では高度な脳卒中集中治療を行う役割を兼ねたSCU（stroke care unit）が設置され，SUの機能も担っている．

脳卒中急性期では，多職種で構成する脳卒中専門チームがリハビリテーションを提供することが推奨されている（▶表5）[4]．2022年度の診療報酬改定においては，医師，看護師，理学療法士，作業療法士，言語聴覚士などの多職種がSCU入室後48時間以内に早期離床の取り組みをした場合，14日を限度に1日500点算定される「早期離床・リハビリテーション加算」がSCUも対象に含まれるようになり[5]，急性期におけるチームアプローチのいっそうの充実が期待されている．

4 脳卒中と脳循環

a 自動調節能の破綻

脳血流量は，脳血管の灌流圧が60〜150 mmHgの間に調節され，脳灌流圧の上昇に対しては血管を収縮させ，脳灌流圧の低下に対しては脳血管の拡張によって血管抵抗を減らすことにより脳血流量が一定に保たれる（**脳血流自動調節能**）（▶図2）[6]．脳血流の自動調節能は，加齢や高血圧によって調節する範囲が右方偏移する．つまり，高血圧例では正常例に比べて自動調節する下限値が高くなり，本来の問題のない範囲の脳血流量低

▶表2 脳卒中治療ガイドライン2021におけるエビデンスレベルと推奨度

エビデンスレベル	定義
高	良質な複数RCTによる一貫したエビデンス，もしくは観察研究などによる圧倒的なエビデンスがある．今後の研究により評価が変わることはまずない
中	重要なlimitationのある（結果に一貫性がない，方法論に欠陥，非直接的である，不精確である）複数RCTによるエビデンス，もしくは観察研究などによる非常に強いエビデンスがある．もしさらなる研究が実施された場合，評価が変わる可能性が高い
低	観察研究，体系化されていない臨床経験，もしくは重大な欠陥をもつ複数RCTによるエビデンス．あらゆる効果の推定値は不確実である

推奨度	定義	内容
A	強い推奨	行うようすすめられる 行うべきである
B	中等度の推奨	行うことは妥当である
C	弱い推奨	考慮してもよい 有効性が確立していない
D	利益がない	すすめられない 有効ではない
E	有害	行わないようすすめられる 行うべきではない

RCT：ランダム化比較試験
〔日本脳卒中学会 脳卒中ガイドライン委員会（編）：脳卒中治療ガイドライン 2021, pp.vi-vii, 協和企画, 2021より一部改変〕

▶表3 急性期リハビリテーションの進め方

【推奨】
1. 十分なリスク管理のもとに，早期座位・立位，装具を用いた早期歩行訓練，摂食・嚥下訓練，セルフケア訓練などを含んだ積極的なリハビリテーションを，発症後できるだけ早期から行うことがすすめられる（**推奨度A，エビデンスレベル中**）
2. 脳卒中急性期リハビリテーションは，血圧，脈拍，呼吸，経皮的動脈血酸素飽和度，意識，体温などのバイタル徴候に配慮して行うようすすめられる（**推奨度A，エビデンスレベル中**）
3. 早期離床を行ううえでは，病型ごとに注意すべき病態を考慮してもよい（**推奨度C，エビデンスレベル中**）

〔日本脳卒中学会 脳卒中ガイドライン委員会（編）：脳卒中治療ガイドライン 2021. pp.48-49, 協和企画, 2021より〕

▶表4 合併症予防・治療——深部静脈血栓症および肺塞栓症（項目を抜粋）

【推奨】
1. 深部静脈血栓症予防のためには早期離床を行うようすすめられる（**推奨度A，エビデンスレベル低**）．早期離床が困難な脳卒中患者では，理学療法（下肢の挙上，マッサージ，自動的および他動的足関節運動）を実施するようすすめられる（**推奨度A，エビデンスレベル低**）

〔日本脳卒中学会 脳卒中ガイドライン委員会（編）：脳卒中治療ガイドライン 2021. pp.40, 41, 協和企画, 2021より一部改変〕

▶表5 stroke care unit(SCU), stroke unit(SU)

【推奨】
1. 脳卒中急性期症例は，多職種で構成する脳卒中専門チームが，持続したモニター監視下で，集中的な治療と早期からのリハビリテーションを計画的かつ組織的に行うことができる脳卒中専門病棟であるstroke unit(SU)で治療することがすすめられる（**推奨度A，エビデンスレベル高**）

〔日本脳卒中学会 脳卒中ガイドライン委員会（編）：脳卒中治療ガイドライン 2021. p.42, 協和企画, 2021より一部改変〕

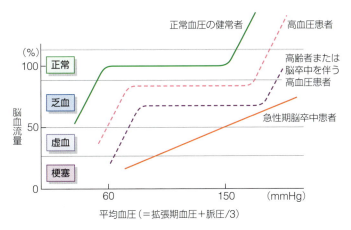

▶図2 脳血流自動調節能
〔井林雪郎：脳梗塞一般―脳梗塞の治療，慢性期の治療，降圧薬療法．日本臨牀，64（増刊号 8）：86-92, 2006 より〕

▶表6 脳梗塞における脳循環自動調節の障害期間

血管障害のタイプ	自動調節の障害期間
脳梗塞	
●脳主幹動脈領域	30〜40日
●分枝領域	2週間
●ラクナ梗塞	4日
TIA	半日
脳幹部梗塞	時に100日以上に及ぶ

〔天野隆弘：脳循環の autoregulation. 血管と内皮, 8：379-385, 1998 より〕

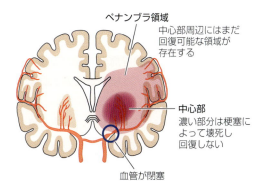

▶図3 ペナンブラ

下でも脳虚血が生じる可能性がある．脳卒中の急性期では，血管運動麻痺によって病巣周辺部を含めた脳血流の自動調節能が喪失（dysautoregulation）しているため，血圧の増減がそのまま脳血流に反映され，わずかな血圧の低下によって脳梗塞が悪化する可能性がある．自動調節能の障害は，脳梗塞領域の範囲や部位により異なる（▶表6）[7]．

b ペナンブラ

ペナンブラとは，脳梗塞の急性期において梗塞巣周囲にわずかな血流が維持され，脳組織が壊死にまでは至っていない虚血領域のことである（▶図3）．早期に十分な再灌流がおこれば，かなりの部分が梗塞化から免れるが，再灌流しなければペナンブラ領域は最終的に梗塞化する．脳梗塞の急性期治療は，まさにこのペナンブラの不可逆的脳損傷を最小限に食い止めることを目的としている．

自動調節能が障害されている急性期では，離床時の血圧低下が梗塞巣の拡大を惹起する可能性があるため，厳重な血圧管理のもとでのリハビリテーションが求められる．

c 自律神経障害

脳卒中の急性期では，交感神経系の過剰反応，内因性カテコールアミン濃度の上昇などにより，過度な血圧の変動，不整脈，頻脈，発汗異常などの**自律神経障害**の症状を呈することがある．急性期の反応性高血圧は一般的に10日ほどで落ち着いてくるが，自律神経障害による症状が著しい場

合は脳血流自動調節能も強く障害されている可能性がある．自律神経障害は，交感神経と副交感神経に切り替わる反応が過剰となるため，迷走神経反射によって運動直後に急激に血圧が低下して失神することがある．特に，脳幹損傷例，糖尿病のコントロール不良例，広範な大脳半球損傷例などでは注意が必要である．

5 病型別の病態と注意点

a 脳出血

脳出血は穿通枝の動脈が破綻によって脳実質内に出血するものであり，脳の損傷部位に応じた症候を呈する．好発部位は，被殻，視床，橋，小脳，皮質下であり，高血圧性脳出血が約70％を占める．皮質下出血については高血圧が原因ではなく，若年者では**脳動静脈奇形**(arteriovenous malformation; AVM)，高齢者では**アミロイド血管症**によるものが多い．

脳出血は血圧上昇に伴う再出血の予防が重要となるが，脳血流の自動調節能が破綻しているため，血圧低下に伴う脳虚血のリスクも念頭におく必要がある．脳出血は脳梗塞と比べ，脳浮腫（3〜7日が極期）や血腫による頭蓋内容量の増加による頭蓋内圧亢進の影響が出やすく，結果として全脳的に脳血流が低下する．

b くも膜下出血

くも膜下出血(subarachnoid hemorrhage; SAH)の原因は脳動脈瘤の破裂が80％以上を占め，そのほかには脳動静脈奇形の破裂などがある．くも膜下腔での出血であるため，基本的には脳実質の損傷はないものの，血腫量が多い場合には脳実質内に血腫が進展することがある．SAH後の合併症には，再出血，遅発性脳血管攣縮（血管の狭窄により脳血流の低下や脳梗塞を引き起こす病態），正常圧水頭症がある．

SAHに対する急性期リハビリテーションでは，発症後4〜14病日（脳血管攣縮期）に多く出現する脳血管攣縮の管理が最も重要となる．脳血管攣縮は，脳の主幹動脈を含めた血管がびまん性あるいは局所性に細くなり，びまん性では遅発性虚血神経脱落症状をきたし，灌流域に一致した虚血症状が出現することがある．そのため，特に脳血管攣縮期は厳密な血圧管理が必要となる．

c 脳動静脈奇形(AVM)からの頭蓋内出血

AVMは正常な血管に比べて血管壁が脆弱であり，頭蓋内出血を引き起こす．若年者（20〜40歳代）における脳出血やくも膜下出血の原因の1つであり，出血部位に応じてさまざま症候を呈する．

d 脳梗塞(▶図4)[8]

(1) アテローム血栓性脳梗塞

主幹脳動脈の狭窄や閉塞による脳梗塞であり，動脈硬化を背景としていることから虚血性心疾患や閉塞性動脈硬化症などを合併していることがある．本病型はペナンブラに最も留意すべき脳梗塞であり，段階的な発症様式を呈し，**一過性脳虚血発作**(transient ischemic attack; TIA)が前駆することもある．**分水界梗塞**(watershed infarction)(▶図5)[9] や **BAD**(branch atheromatous disease)(▶図6)[9] では急性期に進行性脳卒中の経過をたどりやすく，灌流圧低下の影響を受けやすいため，早期離床に伴う脳循環障害に対して特に注意が必要である．内頸動脈のプラークが破綻し，前大脳動脈や中大脳動脈などに梗塞を生じる**動脈原性塞栓症**(artery to artery)では，頸動脈エコー検査から可動性のプラークがないかを確認する必要がある．

(2) 心原性脳塞栓症

心腔内に形成された血栓や卵円孔開存などのシャント性疾患に起因した脳塞栓症であり，発症は突発完成型である．本病型は，閉塞した血管が再開通することにより，脆弱化した血管が破綻し，高頻度に出血性脳梗塞を生じるため注意が必要である．そのため，経時的に脳画像や神経症状の変

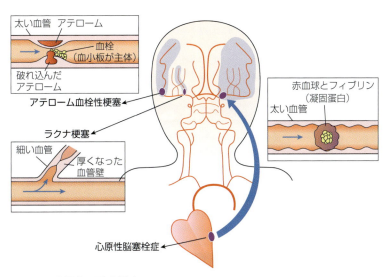

▶図4 脳梗塞の発症機序
〔冨井康宏,豊田一則:脳梗塞—概念・発症機序. BRAIN NURSING, 2008(春季増刊): 12-24, 2008 より〕

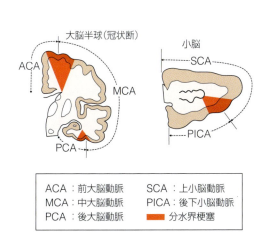

A. 大脳半球と小脳の境界領域

B. 分水界梗塞のCT像(a)とMRI像(FLAIR画像)(b)

▶図5 分水界梗塞の特徴
前・中・後大脳動脈などの灌流領域の境界領域は,灌流圧の低下が著しく,虚血性変化をきたしやすい(A).心筋梗塞や不整脈などによる一時的な急激な血圧低下のほか,内頸動脈閉塞症でも中大脳動脈と前または後大脳動脈との境界領域に梗塞を生じる(B).
〔厚東篤生ほか(編):脳卒中ビジュアルテキスト. 第3版, pp.122, 128, 医学書院, 2008 より〕

化を確認し,出血性梗塞を生じた場合は安静度や血圧管理方法が変更となることがあるため,医師と理学療法の方針を相談しなければならない.

(3) ラクナ梗塞

ラクナ梗塞は単一の深部穿通枝の閉塞による15 mm 以下の小梗塞であり,最も重要な危険因子は高血圧である.20〜25% に TIA を前駆し,

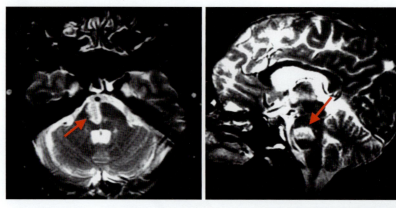

A. テント下のBAD（傍正中橋梗塞）

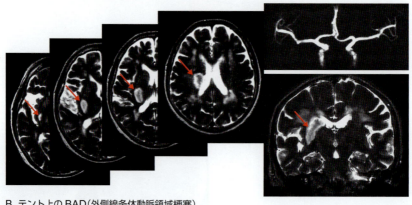

B. テント上のBAD（外側線条体動脈領域梗塞）

▶図6　BADの特徴

テント下では傍正中橋動脈（A），テント上では外側線条体動脈領域（B）に好発する．臨床的特徴として，発症時は軽症であっても，その後数日にわたって症状が進行することが多い．
〔厚東篤生ほか（編）：脳卒中ビジュアルテキスト．第3版，pp.122, 128, 医学書院, 2008 より〕

通常緩徐な発症経過をたどる．原則として意識障害をきたすことはないが，入院後に症状が進行する場合があり，慎重な経過観察が必要である．特に重要な症候として，純粋感覚性発作（pure sensory stroke），純粋運動性片麻痺（pure motor hemiparesis），運動失調不全片麻痺（ataxic hemiparesis），構音障害・手不器用症候群（dysarthria-clumsy hand syndrome）がある．

(4) その他

他の原因による脳梗塞（▶表1）には，脳動脈解離による脳梗塞などがある．原因不明の脳梗塞については，近年では脳画像上，脳塞栓症であるにもかかわらず塞栓源不明の脳塞栓症（embolic stroke of undetermined source; ESUS）が注目されており，その原因として発作性心房細動（paroxysmal atrial fibrillation; PAF）によるものが多いと考えられている．

6 脳卒中の治療

a 内科的治療

(1) 血圧管理

脳出血では，できるだけ早期から収縮期血圧を140 mmHg 未満にするよう，厳格な降圧が推奨されている．SAHに関しては，脳血管攣縮期は降圧することによって脳虚血を助長する可能性があ

るため，積極的には実施されない．脳梗塞急性期では，収縮期血圧 220 mmHg 以上または拡張期血圧 120 mmHg 以上のときは降圧治療を行うようにすすめられているが，出血性脳出血を合併した場合は脳出血に準じて降圧する場合がある．脳出血，脳梗塞ともに異常高血圧に対する治療は，カルシウム拮抗薬の点滴投与が基本とされる．

(2) 心拍(脈拍)管理

脳卒中急性期には，血圧管理と同時に心拍(脈拍)管理も重要であり，特に心原性脳塞栓症は塞栓源となりうる心房細動などの不整脈を合併していることが多い．そのため，運動誘発性に不整脈が出現することや頻脈になることがあり，心電図管理下に運動療法の適用を見定めなければならない．また，不整脈や頻脈に加え，片麻痺などの運動障害による動作の非効率化は心負荷の増大をもたらすことから，心不全の出現にも留意する必要がある．重症脳出血では頭蓋内圧亢進により徐脈となる場合があり〔Cushing（クッシング）症候群〕，高度の頻脈や徐脈は血行動態の悪化につながるため注意深く観察する．頻脈発作に対してはカルシウム拮抗薬であるジルチアゼムの点滴やジギタリスが投与され，徐脈に関しては，その誘因に対して速やかに対処される．

(3) 体温管理

脳卒中による中枢性高熱は予後不良因子となるため，解熱薬やクーリングなどで体温を管理する．発熱は肺炎や尿路感染症などの初期症状となるため，合併症予防，早期治療の観点からも体温の観察は重要である．

(4) 呼吸管理

脳卒中急性期に意識障害がある場合，舌根沈下による上気道閉塞がみられる．また脳ヘルニアによる異常呼吸が出現することがあり，喀痰などの異物除去，人工呼吸器の使用などを含め，酸素飽和度をモニタリングして呼吸障害の早期発見と，気道確保による酸素飽和度の維持に努める必要がある．

(5) 栄養管理

脳卒中急性期の低栄養状態は予後不良因子となるため，入院時から栄養状態を評価し，運動療法の強度や進捗をチーム内で共有して，運動療法の内容に応じて栄養管理の方針を調整することが重要である．経口摂取の可否については，言語聴覚士による摂食嚥下評価が不可欠であり，経口摂取が困難な場合は経鼻胃管による経管栄養が推奨される．水分出納（脱水の有無）を含め，摂取される水分や栄養の状態は血液検査所見をもとに評価する．

(6) 薬物治療

急性期脳卒中に対する薬物治療として，抗脳浮腫薬や脳保護薬が使用される．さらに，出血性疾患は原則として降圧薬が使用され，虚血性病変である脳梗塞に対しては，病型に応じて抗凝固薬，抗血小板薬が使用される（▶表 7）[10]．

b 外科的治療

(1) 開頭減圧術

脳浮腫により脳幹部が圧迫され，生命の危険がある際に，頭蓋骨を一部除去して減圧する外減圧術と，脳組織の一部を除去して減圧する内減圧術がある．

(2) 開頭血腫除去術

被殻出血，皮質下出血，小脳出血において，血腫量が大きく，脳ヘルニアの徴候が認められる場合に行われる．手術侵襲は大きいが，出血源となる穿通枝動脈の止血が可能である．

(3) 脳室ドレナージ術

視床出血の脳室穿破や脳室内出血，小脳出血などによる急性水頭症に対し，脳室内にドレーンチューブを留置し，血腫の排出および頭蓋内圧のコントロールを行う．

(4) 開頭クリッピング術

脳動脈瘤の頸部（ネック）をクリップで挟み，瘤内への血流を遮断して出血を予防する．

(5) 血管内コイル塞栓術

大腿動脈からカテーテルを挿入し，血管内から

▶表7　脳梗塞急性期の抗血栓療法

	薬物名	投与方法	脳梗塞病型		
			心原性脳塞栓症	アテローム血栓性脳梗塞	ラクナ梗塞
抗血小板薬	アスピリン	経口	効果不明	発症48時間以内 160〜300 mg/日	
	オザグレルナトリウム	経静脈	適応なし	発症5日以内 160 mg/日	
	シロスタゾール	経口	適応なし	発症48時間以内 200 mg/日	
抗血小板薬併用療法	アスピリン+クロピドグレル	経口	適応なし	初回，アスピリン75〜300 mg＋クロピドグレル300 mg 2日目以降，アスピリン75 mg＋クロピドグレル75 mg	
抗凝固薬	アルガトロバン	経静脈	適応なし	進行性の場合	進行性の場合
	ヘパリンナトリウム	経静脈	適応あり	進行性の場合	進行性の場合
	経口抗凝固薬(ワルファリン，DOAC)	経口	適応あり	適応なし	適応なし

〔正門由久, 高木 誠(編著): 脳卒中—基礎知識から最新リハビリテーションまで. pp.132-134, 医歯薬出版, 2019 より〕

脳動脈瘤の内部をコイルで挿入充填することで瘤内への血流を遮断する．

B 運動療法の実際

1 運動療法の目的

発症直後からベッドサイドで開始し，不動・不活動によって生じうる二次的合併症の予防に努める．早期離床が可能であれば，廃用症候群や二次的合併症を予防するため，安静臥床の期間を可及的に短縮させる．さらに座位，起立・着座練習，装具を使用した歩行練習を早期から取り入れ，廃用症候群の予防や運動学習の促進，機能回復といった観点から，十分なリスク管理のもと積極的に運動量を漸増し，その後のリハビリテーションへの円滑な移行を目指す．急性期病院から直接退院することが予想される場合，集中的なリハビリテーションとともに**早期退院支援**(early supported discharge)による地域との連携をはかることも重要である．

▶表8　早期離床を検討するために確認すべき情報

項目	内容
個人因子	年齢，ライフスタイルなど
発症前の生活機能・生活状況	日常生活の自立度，認知機能など
既往歴，併存疾患	高血圧，心房細動，心不全，変形性関節症など
発症機序，臨床病型	図1，表1に準じる
各種検査所見	脳画像，血液検査，心エコー，頸動脈エコーなど
神経症状，脳卒中重症度	意識障害，運動麻痺，嚥下障害，高次脳機能障害など
バイタルサイン，合併症	心電図，酸素飽和度，血圧，肺炎，深部静脈血栓症など
治療経過	内科的/外科的治療の内容など

〔正門由久, 高木 誠(編著): 脳卒中—基礎知識から最新リハビリテーションまで. pp.312-316, 医歯薬出版, 2019 をもとに作成〕

2 評価のポイント

急性期において最も重要な評価は，**早期離床**の判断である．早期離床を検討するにあたって押さえておくべき情報(▶表8)を解釈し，医師や看護師など多職種で離床のタイミングやリスクを協議することが重要である．評価は，国際生活機能分類(ICF)の心身機能・身体構造，活動，参加，環

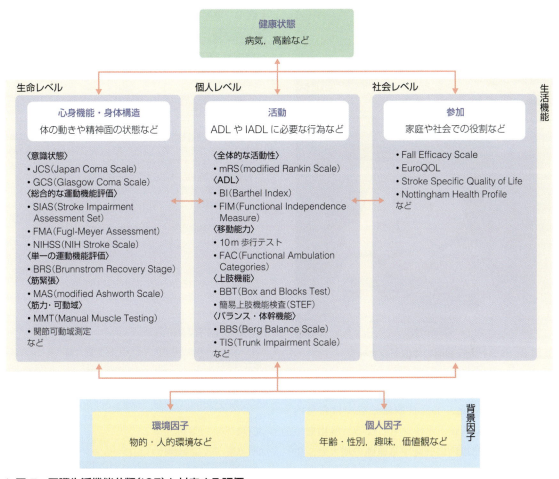

▶図7　国際生活機能分類(ICF)と対応する評価
〔大高洋平：運動機能の評価. Clin. Rehabil., 26(1):12-18, 2017 をもとに作成〕

境因子，個人因子のすべてに対して行われるが，急性期では神経学的重症度がリハビリテーションの方針や予後に大きくかかわるため，意識状態の確認や総合的な運動機能評価は不可欠である(▶図7)[11]．そのほか，バイタルサインの確認，声かけに対する反応や応答の速さ，呼吸リズムや顔色などの確認を含めたフィジカルアセスメントなどにより，常時患者の状態を分析することはリスク管理の基本である．

3 運動療法の方法

a ベッド上安静期

関節拘縮や深部静脈血栓症の予防のためのROM運動，肺炎や無気肺などの予防を目的とした体位ドレナージ(▶図8)，自動運動や電気刺激を用いた筋力低下の予防など，可及的速やかにベッドサイドで実施する．

b 早期離床

急性期脳卒中における早期離床の基準を表9に示す[12]．アテローム血栓性脳梗塞では神経症状が

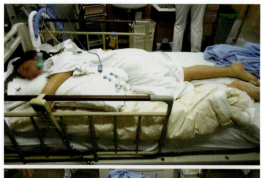

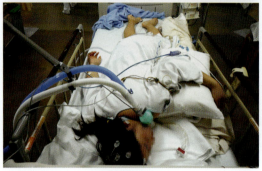

▶図8　ベッド上安静期の体位ドレナージ

▶表9　早期離床の開始基準

1. 一般原則	
	意識障害が軽度（JCSにて10以下）であり，入院後24時間神経症状の増悪がなく，運動禁忌の心疾患のない場合には，離床開始とする
2. 脳梗塞	
	入院2日までにMRI/MRAを用いて，病巣と病型の診断を行う ①アテローム血栓性脳梗塞：MRI/MRAにて主冠動脈の閉塞ないし狭窄が確認された場合，進行型脳卒中（progressing stroke）へ移行する可能性があるため，発症から3〜5日は神経症状の増悪がおこらないことを確認して離床開始する ②ラクナ梗塞：診断日より離床開始する ③心原性脳塞栓：左房内血栓の有無，心機能を心エコーにてチェックし，左房内血栓と心不全の徴候がなければ離床開始とする．経過中には出血性梗塞の発現に注意する
3. 脳出血	
	発症から48時間はCTにて血腫の増大と水頭症の発現をチェックし，それらがみられなければ離床開始とする 脳出血手術例：術前でも意識障害が軽度（JCSにて10以下）であれば離床開始する．手術翌日から離床開始する
4. 離床開始ができない場合	
	ベッド上にて拘縮予防のためのROM訓練と健側筋力訓練は最低限実施する
5. 血圧管理	
	離床時の収縮期血圧上限を，脳梗塞では200〜220 mmHg，脳出血では160 mmHgと設定し，離床開始後の血圧変動に応じて個別に上限を設定する

〔原 寛美：脳卒中急性期リハビリテーション—早期離床プログラム．医学のあゆみ，183(6):407-410, 1997より〕

固定していること，心原性脳塞栓症では左房内血栓と心不全の有無がポイントとなる．脳出血では，発症6時間以内に好発する血腫の増大と，生命にかかわる急性水頭症の有無を確認することが重要である．離床する際は，安静臥位時のバイタルサイン（血圧，心拍数など）を基準として，ヘッドアップ位→ベッド上端座位→車椅子座位→起立・立位→歩行へと進めていく（▶図9）．安静度の制限がなく，バイタルサインの変動が許容内であれば，同日中に歩行まで移行する．

なお，近年では発症後24時間以内の積極的な離床の有効性が議論されているが，体位や体動の制限を考慮せざるをえない状況も存在し，離床によるリスクとメリットを評価したうえで，個別の状態に応じて離床の開始と進行を検討することが求められる．BADなど進行性脳卒中に陥りやすい病態などでは，24時間以内という時間的要素で離床開始基準を設定すべきではない．また，フレイルを有する高齢者や認知症によって夜間不穏になる可能性がある場合など，安静が長引くことによるデメリットが大きい場合，早期離床をより積極的に検討する必要がある．

C 基本動作練習

日々の離床時に，寝返り・起き上がり方法を教示し，動作手順や動作方法の学習を促す．離床が定着していない期間は，抗重力位への姿勢変換する頻度・時間を増加させることが重要であるため，臥位での練習時間は最小限にとどめる．

起立・着座練習は，覚醒レベルの向上，非麻痺側肢の筋力強化や麻痺側下肢の支持性向上，体幹機能や動的バランスの向上を目的に実施する．急性期では神経症状が軽度の場合を除き，介助下で起立・着座練習を反復することが多い．SCU内ではベッド柵を支持物として利用することもある．

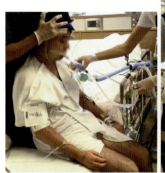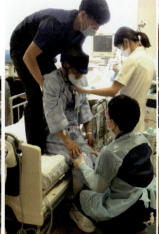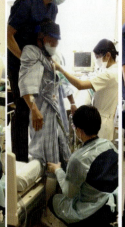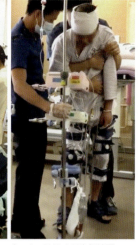

A. ベッド上端座位　　B. ベッドサイド起立・立位　　C. ベッドサイド歩行練習

▶図9　早期離床の進め方
早期離床は，安静臥位時のバイタルサインを基準として，ヘッドアップ位→ベッド上端座位(A)→車椅子座位→ベッドサイド起立・立位(B)→歩行(C)へと進めていく．

▶図10　病棟内での歩行練習

d 歩行練習

　原則として装具の使用を前提とする．長下肢装具を使用し，後方からの介助歩行や杖を使用しての介助歩行を導入する(▶図10A)．運動麻痺が軽度である場合は短下肢装具の使用を考慮してもよい(▶図10B)．SCUに入室している時期は複数のライン類があるため，介助歩行時は看護師などに点滴台の移動を協力してもらう必要がある．

C 運動療法上の留意点

1 事故や急変に対する備え

　急性期では，人工呼吸器や複数のライン，カテーテルなどを管理しながら離床することが多いため，事前に管類がしっかりとテープで固定されているか，接続部分が引っ張られないためのカテーテルの十分な長さはあるか，管類が引っかからないよう周囲環境が整備されているかなどを確認する．また，管類の管理や急変時の迅速な対応のため，看護師をはじめ多職種の協力を仰ぎ，安全性を担保することが重要である．

2 血圧低下に対する工夫

　急性期は，離床時の血圧低下によって意識レベルが低下することがあり，迅速な対応が求められ

▶表10 不整脈と血流の減少量

不整脈	冠血流量	脳血流量	腎血流量	腸間膜血量
心房性期外収縮の頻発	5	7	10	—
心室性期外収縮の頻発	25	12	8	—
上室性頻拍	35	14	18	28
頻脈性の心房細動	40	23	20	34
心室性頻拍	60	40〜75	60	—

(単位：％)

〔Aronson, R.: Hemodynamic consequences of cardiac arrhythmias. Cardiovasc. Rev. Rep., 2:603–609, 1981 より改変〕

る．血圧が低下した際はすぐに臥位になる必要があるため，端座位に移行すると同時にベッドをフラットに戻しておくことが大切である．また，単なる立位保持では重力負荷により血圧が低下しやすいため，起立・着座練習の反復など下肢筋が収縮するような運動を導入したほうがよい．起立性低血圧が生じやすいと予想される場合は，腹帯や下肢に弾性包帯を巻く．食後は消化器系への血流が増加するため離床する時間を調整することなども考慮する．

3 不整脈の確認

不整脈では心拍が不規則なリズムとなり，期外収縮などでは左室が収縮していても十分な血液を拍出できず，空打ちの状態となっていることがある．よって，実際には心拍数が140回/分であっても，脈診では90回/分として評価されるおそれがある．そのため，不整脈がある場合は心電図モニターを利用して，心拍数や不整脈の種類を確認することが重要である．頻発性あるいは140回/分以上の頻脈性の不整脈では，1回拍出量が減少し，各臓器への血流量が低下するため（▶表10）[13]，心拍管理や運動負荷の調整が必要となる．

●引用文献

1) National Institute of Neurological Disorders and Stroke Ad Hoc Committee: Classification of cerebrovascular diseases Ⅲ. Stroke, 21(4):637–676, 1990.
2) Adams H.P. Jr., et al.: Classification of subtype of acute ischemic stroke. Definitions for use in a multicenter clinical trial. TOAST. Trial of Org 10172 in Acute Stroke Treatment. Stroke, 24(1):35–41, 1993.
3) Ay, H., et al.: An evidence-based causative classification system for acute ischemic stroke. Ann. Neurol., 58(5):688–697, 2005.
4) 日本脳卒中学会 脳卒中ガイドライン委員会（編）：脳卒中治療ガイドライン 2021. pp.40–42, 48–49, 協和企画, 2021.
5) 医学通信社（編）：診療点数早見表 2022 年 4 月版. p.179, 医学通信社, 2022.
6) 井林雪郎：脳梗塞一般―脳梗塞の治療, 慢性期の治療, 降圧薬療法. 日本臨牀, 64(増刊号 8):86–92, 2006.
7) 天野隆弘：脳循環の autoregulation. 血管と内皮, 8: 379–385, 1998.
8) 冨井康宏, 豊田一則：脳梗塞―概念・発症機序. BRAIN NURSING, 2008(春季増刊):12–24, 2008.
9) 厚東篤生ほか（編）：脳卒中ビジュアルテキスト. 第 3 版, pp.122, 128, 医学書院, 2008.
10) 正門由久, 髙木 誠（編著）：脳卒中―基礎知識から最新リハビリテーションまで. pp.132–134, 312–316, 医歯薬出版, 2019.
11) 大髙洋平：運動機能の評価. Clin. Rehabil., 26(1):12–18, 2017.
12) 原 寛美：脳卒中急性期リハビリテーション―早期離床プログラム. 医学のあゆみ, 183(6):407–410, 1997.
13) Aronson, R.: Hemodynamic consequences of cardiac arrhythmias. Cardiovasc. Rev. Rep., 2:603–609, 1981.

脳血管疾患の運動療法 —— 回復期

学習目標
- 脳血管疾患の回復期における機能回復の機序を理解する．
- 代表的な脳血管疾患例の運動療法における着眼点を知る．
- 進捗に対応した運動課題の設定方法や注意点に関する知識を得る．

A 脳血管疾患における回復期

脳血管疾患では，急性期を脱してもなお医学的・社会的・心理的なサポートを必要とすることが多い．そのため，いわゆる「回復期」に集中的なリハビリテーションを行うことが期待される．その期待に応える成果を上げるためには，「回復期」とは何がどのように回復する期間なのかということを正しく理解し，特性をふまえた適切な理学療法を提供することを心がけるべきであろう．

脳梗塞や脳出血を発症することにより，脳は器質的に損傷を受ける（▶図1A）．まず，虚血や血腫により神経細胞が破壊され機能しなくなる神経脱落症状を呈する．さらに，直接損傷を受けていないその周辺組織も，圧迫虚血や虚血後の浮腫，ディアスキシス（diaschisis）などにより機能不全に陥ることが知られている．壊死した神経細胞は再生しないが，このような周辺組織は発症後数か月の間に進む血腫の吸収や浮腫の改善によって，機能回復が期待できる．

中枢神経が損傷されたのちは，これまで抑制されていた経路が顕在化することから回復過程が始まる（▶図1B）．次に軸索から側芽が形成される（▶図1C）．そののちに代償性経路が構築され，新たなシナプス形成が進むことで神経ネットワークの再組織化[1]がはかられていく（▶図1）．これは

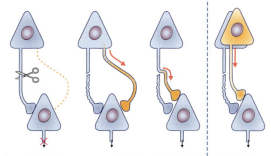

A．神経損傷　B．シナプス結合の顕在化　C．側芽形成　D．神経細胞の移植

▶ 図1　中枢神経損傷後の回復過程
A〜C が自然治癒による回復過程であるが，回復には D 神経細胞の移植という手段もある．
〔Taub, E., et al.: New treatments in neurorehabilitation founded on basic research. *Nat. Rev. Neurosci.*, 3(3):228-236, 2002 より改変〕

損傷直後から数か月間持続する[2] といわれている．したがって，脳血管疾患の回復期は脳の器質的損傷が回復する時期であると同時に，中枢神経系の再組織化が活発になる時期でもあるといえる．

B 脳血管疾患の回復期運動療法において意識すべき点

このような中枢神経の再組織化が活発に行われる回復期の運動療法において，どのような点を意識すべきだろうか．まず重要なのは量の確保であ

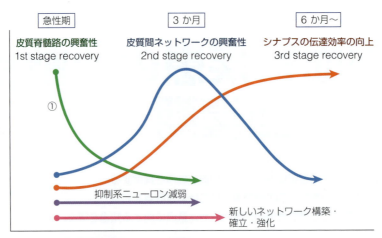

▶図2　運動麻痺回復のステージ理論
① Waller（ワーラー）変性（WD）の進行 Cortical map 萎縮
〔Swayne, O.B., et al.: Stages of motor output reorganization after hemispheric stroke suggested by longitudinal studies of cortical physiology. *Cereb. Cortex*, 18(8):1909–1922, 2008 より改変〕

る．課題に特化した練習の量もしくは頻度を増やすことが強く推奨されている[3]．脳血管疾患患者の運動障害は，中枢神経の損傷に起因するものと，発症後の不動や不使用による廃用の影響が強いものが混在する．これらの進行予防，回復にはいずれも量・頻度が重要である．

1 神経ネットワークの再組織化

Hebb（ヘッブ）則[4]として知られるように，ニューロンが繰り返し発火することによって，シナプス伝達の効率は向上する．神経ネットワークの再組織化を促すためには，このニューロンの発火頻度が増すよう，感覚入力や運動出力の機会をできるかぎり多く設けることが重要である．

2 さまざまな廃用の問題

脳血管疾患を発症すると，運動麻痺などの諸症状のため不活動となりやすく，廃用症候群すなわち筋力低下，筋萎縮，関節拘縮，起立性低血圧，深部静脈血栓症，運動耐容能低下，褥瘡，抑うつ状態などが進行するリスクが非常に高くなる．

さらに，麻痺側の上下肢が不動・不使用状態に陥ることで，体部位支配運動野の萎縮や**学習性不使用**（learned nonuse）など中枢神経系の廃用も生じる．同時に，筋組織の短縮や弾性低下といった筋組織の変性が生じ，末梢の廃用である**痙縮**も進行しやすい．のちに痙縮を認めるものは，発症後3か月時点で痙縮が確認されていたとする報告もある[5]．

運動麻痺回復のステージ理論[6]においては，回復期はおよそ発症後3か月をピークとするセカンドステージにあたり，皮質間で神経ネットワークが再構築されることを要因として運動麻痺が回復する時期とされる（▶図2）[7]．しかし，この変化のもととなる皮質間の抑制低下は6か月までに消失するため，それまでに再組織化を促進する運動療法を実施することが重要である[8]．

皮質間の抑制が低下している間は，痙縮のように望ましくない活動も発現しやすい．痙縮の存在はさらなる不動，不使用をまねいて悪循環を生じ，中枢・末梢双方の回復を妨げる[9,10]．したがって，回復期では不動，不使用を避け廃用を予防することに注力すべきであるが，痙縮が顕在化してくる時期と重なるため，その早期診断とボツリヌス治療などの早期治療介入について検討が求められる[11]．

C 代表的な脳血管疾患例の運動療法の考え方

運動は，脳に局在する機能に加えて，さまざまな役割をもつ神経回路によるシステムで制御されている．機能改善のためには，まずこの局在機能と神経回路によるシステムに関する知識を身につけ，脳画像における梗塞巣・血腫の位置やその伸展方向，周辺組織の圧排の程度などから，それらの障害の程度を推測することが不可欠である．そのように残存機能と回復可能性を把握し予後を予測することで，ゴールの設定が可能となる．

1 前脈絡叢動脈梗塞の場合

たとえば，脳梗塞であれば閉塞血管によってどのような症状が出現し，どのような運動療法を実施するとよいだろうか．

大脳皮質に向かって上行する，あるいは大脳皮質から下行する神経線維群である投射線維は，その大部分が**内包**へ向かい，視床，被殻，尾状核の間を通る．随意運動をつかさどる投射線維である**皮質脊髄路**は内包の後脚を通過する．**内包後脚**は内頸動脈の最終分枝である前脈絡叢動脈の灌流域であるが，その支配は大脳脚中部，扁桃体，海馬前部，視床下部から視床外側の一部，外側膝状体，淡蒼球内節にも及ぶ．したがって，この血管の梗塞による症状としては，まず上下肢の運動麻痺，加えて後述する視床外側の障害による体性感覚障害，外側膝状体および視放線の障害による同名半盲，さらには麻痺側の運動失調や不随意運動，健忘，意識障害が生じる場合がある．運動麻痺が重度の場合は運動失調や不随意運動の判断は困難であるが，梗塞巣の広がりによってはそのような病態も生じるという知識をもとに，運動の協調性や方向・大きさのコントロールなどにも着目して運動療法を計画できるとよい．

▶表 1　大脳基底核に関連する 4 つのループ

名称	機能
運動ループ（motor loop）	四肢および体幹の骨格筋の学習された運動の制御
眼球運動ループ（oculomotor loop）	サッケード（衝動性眼球運動）の制御
認知ループ（cognitive loop）	運動の計画や動作の組み立て
辺縁系ループ（limbic loop）	運動の情動面や行動の動機づけ

2 被殻および視床出血の場合

脳卒中データバンク 2015[12]によれば，急性期脳出血の部位別頻度は，**被殻**が最も高く 29％，次いで**視床**が 26％ であり，合わせて脳出血全体の半分以上を占める．被殻，視床のいずれも，出血が生じた場合には血腫自体あるいは血腫による圧排および圧迫虚血後の浮腫の影響が内包後脚まで及ぶことが多く，そのために反対側の運動麻痺や感覚障害を生じるケースが多い．

被殻は，線条体（尾状核および被殻：多数の線状の細胞橋によって結合されているため，合わせて線条体と呼ばれる）・淡蒼球・視床下核・黒質からなる大脳基底核の一部である[13]．大脳基底核に関連する線維連絡によっては 4 つのループが形成され，それぞれの機能を果たしている（▶表 1）．

被殻で出血が生じた場合には，内包周囲で皮質脊髄路と近接して走行する大脳小脳神経回路や皮質網様体路にも影響が及ぶことがある．皮質網様体路は，随意運動に先行して構えの姿勢をつくる**予期的姿勢調節**（anticipatory postural adjustment；APA）に関与する[14]．

橋網様核を起始とする**橋網様体脊髄路**は，同側四肢近位筋および体幹筋の運動ニューロン層に投射し，伸筋の収縮を促進する．延髄の巨大細胞性網様核に由来する**延髄網様体脊髄路**は，両側の四肢遠位筋の運動ニューロン層に達し，屈筋の収縮を促進するとされている．ゆえに，皮質網様体路

▶表2 視床が関与する神経回路

名称	入出力経路	機能
体性感覚システム (脊髄視床路)	体性感覚受容器→内側毛帯・外側脊髄視床路→ **視床(後外側腹側核)**→視床皮質路→体性感覚野	体性感覚の中継核
小脳ネットワーク (運動ループ)	運動野→橋→小脳→上小脳脚 └→ **視床(外側腹側核)**←┘	運動の制御
小脳ネットワーク (認知ループ)	前頭前野 → 橋 → 小脳 └→ **視床(背内側核)**←┘	情動，認知 遂行機能
基底核ネットワーク (筋骨格運動ループ)	運動前野・補足運動野・運動野→被殻→淡蒼球 └→ **視床(前腹側核・外側腹側核)**←┘	筋緊張の抑制
基底核ネットワーク (前頭前野ループ)	前頭前野⇄尾状核⇄淡蒼球 ⇄**視床(前腹側核/背内側核)**	遂行機能
基底核ネットワーク (辺縁系ループ)	帯状回 → 淡蒼球 └→ **視床(背内側核)**←┘	情動

の損傷は損傷半球と同側，つまり運動麻痺が生じていない側の体幹や上下肢における予測的な姿勢制御の問題を生じる可能性が考えられる[15]．

したがって，脳画像からそのような所見が読み取れる場合は，非麻痺側も含めた運動機能の評価を実施することが重要である．そのうえで，非麻痺側に焦点を当てた，立ち上がり動作や片脚立位，階段昇降などの運動課題を取り入れるとよいだろう．

視床は，12の亜核によって構成される神経系のなかで最も大きい神経核である．この亜核への入出力は複雑多岐にわたり，運動にかかわるさまざまな機能を担っている．代表的な神経システムを**表2**に示す[16]．

このように，臨床で遭遇する頻度が高い被殻出血や視床出血に関しても，その運動障害には運動麻痺と感覚障害だけではなく，運動開始のタイミング生成(補足運動野)，運動開始に先行した準備(運動前野)，運動指令の発現(一次運動野)，空間座標系の構築(頭頂葉)[17]など多彩な要素が影響を及ぼしている可能性が高い．多面的視点をもって評価することが重要である．

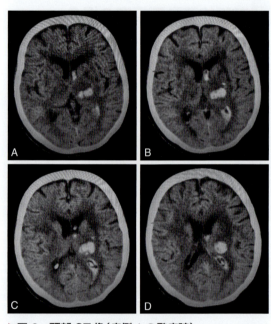

▶図3 頭部CT像(症例1の発症時)

■症例1　左視床出血(70歳代女性)

頭部CT像上(▶**図3**)では，視床の上・中部の外側を中心に損傷を認める．亜核としては，外側腹側核，後外側腹側核などの障害が予測される．そのため，麻痺側の筋緊張の調節能力の低下，運動失調，体性感覚の低下などの存在が疑われる．実際に，運動麻痺は上下肢ともに軽度であるものの，麻痺側支持性は不十分で，特に動作開始時の

▶図4 症例1の立ち上がり動作
理学療法士が転倒防止のために最小の介助を加えている.
A：麻痺側股関節の固定が不十分で，足部への荷重とともに極度に内旋している.
B：伸展相では麻痺側へ大きく傾き，理学療法士にもたれて姿勢を保っている.
C：直立位となったあとも，麻痺側肩甲帯，骨盤帯が後方回旋している.

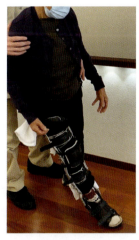

▶図5 長下肢装具装着歩行（症例1）
麻痺側歩幅が大きすぎるために，姿勢を保てなくなってしまう.

不安定性が顕著であった(▶図4).

このような場合は，運動の開始に先行した準備が難しいため，声かけや理学療法士による誘導などで準備を促し，適切なアライメントを保ちながら運動が行えるよう適宜介助を加える必要がある．介助は，症状の回復に応じて漸減させていく．この症例においては，良好なアライメントを保つ1つの方法として，長下肢装具(knee ankle foot orthosis; KAFO)を作製し，主に歩行練習に活用した．ただし，運動失調のために非荷重である遊脚期の運動の大きさや方向の調節が難しいという問題もかかえていたため(▶図5)，装具を用いない下肢の空間保持などの動作練習も並行して実施した．結果として，プラスチック短下肢装具装着下での杖歩行を獲得した．

D 回復期の運動学習

1 基本動作能力向上に向けた運動学習

回復期の脳血管疾患患者に対しては，**運動学習**を促すことで基本動作能力の向上，さらにはADLの自立度向上をはかることが運動療法の主要な目的の1つとなる．

患者にどのような運動課題を提供するかは運動療法における重要な要素であり，その選択には頭を悩ませるところである．臨床場面での運動学習においては，転移性，動機づけ，行動変化，フィードバック，難易度，量（頻度），保持/応用といった変数に着目することも，その検討に役立つと考えられる[18]．

以下に，課題の構成の際の視点と運動療法の進め方の基盤となる考え方を具体的に示す．

① できるかぎり獲得したい運動に似た課題を(**転移性**)，成功体験を得たり，達成度が感じられたりするよう工夫して提供する(**動機づけ**).

② 効率的に練習が進行するよう課題の要点を経過のなかで随時見直し(**行動変化**)，成功・失敗など課題の結果や注意すべき点を知らせる(**フィードバック**).

③ 実施できる限界の難易度の課題を用意し(**難易度**)，練習量を多く確保するよう努める(**量**).

④ ある運動が獲得できたら，その運動に速度や大きさなど多様性をもたせて練習する(**保持/応用**).

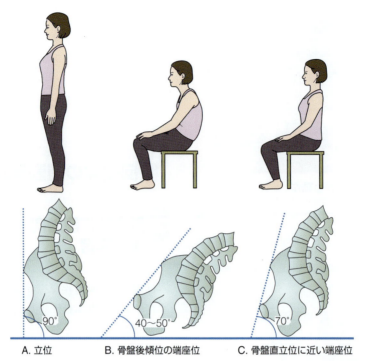

▶図6　立位と座位の比較
A：自動的に骨盤を直立に保ちやすい．
B：求められる随意的な股関節屈曲の程度はCより少ない．
C：随意的な股関節屈曲の筋活動が比較的大きい．

2 運動課題設定の考え方

　前述のように考えると，起居動作や立ち上がり動作の練習過程では，その動作そのものを課題として，一定の環境・手順で回数を多く繰り返すことが基本となる．課題の難易度は，関節の自由度，運動に動員する筋群の選択，筋の発生する力・タイミングなどの処理する数による．そのため，練習開始時は理学療法士が介助したり，座面高を高くしたりして患者が発揮する筋力を減らす，下肢装具を利用して関節の自由度を一時的に制限するなどして難易度を低めに設定し，達成度合いをみて難易度を上げていく．

　また，課題の達成を阻害する運動（例：着座時の勢いが制御できない→大腿四頭筋の遠心性収縮が困難など）を絞ることができれば，その要素のみの反復練習を行うことも有効であろう．

　身体重心の上昇や，支持基底面の縮小に従って課題の難易度は高くなるため，運動は臥位→座位→立位の順に進めるべきという考え方が広く定着している．しかし，課題の難易度は，脳血管疾患による運動麻痺のように随意運動が障害されている場合，反射的・自動的な運動でより低く，随意的な運動でより高いと考えることもできる．

　ヒトの股関節の屈曲角度は，寛骨大腿関節のみでみた場合におおむね70°であるともいわれており，体幹と大腿部のなす角度が90°となる端座位を保持するためには随意的な股関節屈筋の活動が必要となる（▶図6）．

　その点に着目すると，骨盤を直立させやすい立位がより難易度が低く，骨盤・体幹を前傾させ，体幹を垂直にさせる端座位はより難易度が高いともとらえられる．

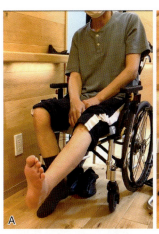

▶図8 運動麻痺は軽度にとどまり，下肢随意性が高い症例
A：麻痺側（左）下肢は，随意的に膝関節伸展，足関節背屈が可能である．見守り下で歩行可能であるが，理学療法士の介助や歩行支援機器の使用によって，積極的に歩行中のアライメントを整えることが望ましい．
B：静止立位では足関節底屈し，股関節は屈曲位，膝関節は過伸展位となる．
C：歩行中は股関節が膝・足関節より大きく後方に位置し，立脚期は膝軽度屈曲位を保つ．

▶図7 症例2の運動療法の進行
両下肢にKAFOを装着した立位から，段階的に端座位へと進めた．

■症例2　側頭葉の広範な脳出血（30歳代女性）

側頭葉の広範な脳出血により中脳が圧排され，片側上肢と両側下肢の三肢麻痺を呈した症例を図7に示す．端座位では体幹が後方へ倒れ保持が困難であったが，両側下肢にKAFOを装着し支持性を保障すると骨盤・体幹を直立に保持することが可能であった．そこで，この症例においてより自動的と考えられる立位の練習から開始し，次に高座位，端座位と段階的に股関節の屈曲角度を増す，すなわち，より随意的な課題を設定していくことで端座位の獲得に至った．

3 歩行の評価と歩行練習進行の例

歩行は，回復期においてその再建が目標とされる頻度が高く，理学療法士は特にその練習に習熟することが期待される．

歩行再建に向けた運動療法においては，まず歩行パターン機能，すなわち歩行を構成する運動の左右対称性や四肢の位相などの評価を行う．主に対象者の歩行観察を行う定性的分析と，三次元動作解析装置や筋電図などを利用して，関節角度やモーメント，筋活動のような運動の特徴を数値化する定量的分析を組み合わせて問題点を抽出していく[19]．

抽出した問題点に対しては，転移性の高い課題（歩行そのもの，あるいは歩行に似た課題）を用いて動作練習を進める．

運動の再学習には，前述のとおり運動の量が重要である．運動麻痺の程度にかかわらず，歩行中のアライメントを正常歩行に近づけるように努めて（▶図8），大きな関節運動を反復し歩行距離を延長していくためには，KAFO，AFO（ankle foot orthosis）などの下肢装具，歩行を支援する

▶図9 KAFOを装着した後方介助歩行の1歩行周期
立脚中期から立脚終期にかけて股関節の十分な伸展を引き出している．

立脚初期　荷重応答期　立脚中期　立脚終期　前遊脚期　遊脚初期　遊脚中期　遊脚終期

ロボットや各種電気刺激治療の導入を検討するのもよい．

歩行のリズムやパターンを生成する神経機構である脊髄中枢パターン発生器(central pattern generator; CPG)の活動には，運動に伴う筋紡錘からの入力，特に股関節の運動による感覚情報が大きく影響する[20]．そのため，十分な荷重と左右交互に股関節の屈曲−伸展運動を行う2動作前型歩行がより自動的・自律的な歩行のトレーニング方法として合理的であると考えられる．筆者の施設では，主にKAFOを装着した対象者に理学療法士が定速で大きく股関節の屈曲−伸展を促すハンドリングを行い，2動作前型歩行を誘導する「後方介助歩行」を実践している(▶図9)[21]．

ハンドリングによる介入のほか，階段でのステップ動作による股関節伸展の誘導，坂道歩行での下腿傾斜の制御(▶図10)などが有効である場合もある．

理学療法士のハンドリングを減じていくことや歩行補助具の選定・導入を通して，ゴールとして設定した歩行形態まで形態を変更しながらトレーニングを進めていく．

脳血管疾患患者においては，その多くが左右非対称な運動障害を有するため，歩行補助具としては杖が用いられることが多い．杖に求められる支持性や使用者の操作能力によってサイドケインや四脚杖などの多点杖かT字杖かなど適応を判断する．

▶図10 坂道歩行での下腿傾斜の制御
50歳代，左被殻出血患者．上り坂(A)，下り坂(B)などの傾斜路を利用して，下腿前後傾の制御を強調した歩行練習を行う．

■症例3　右被殻出血(50歳代女性)

頭部単純CT像を図11に示す．被殻，内包後脚，視床後外側腹側核・中間腹側核などに損傷を認め，比較的重度の運動麻痺，体性感覚低下，姿勢定位障害，非麻痺側近位の予測的姿勢調節の問題などの存在が示唆された．

筋緊張が低下した弛緩性麻痺を呈し，特に股関節周囲の固定性が乏しかった．そのため早期からKAFOを使用して歩行練習を進めた．開始当初は装具に加えて理学療法士の積極的な介助がないと，麻痺側股関節が強く屈曲してしまい，かつ非麻痺側への荷重移動が困難であるためにすぐに後方へ倒れてしまう状態であった(▶図12)．

このケースでは，非麻痺側での支持にも余裕がないため，KAFO装着により麻痺側の支持性を

D 回復期の運動学習 ● 247

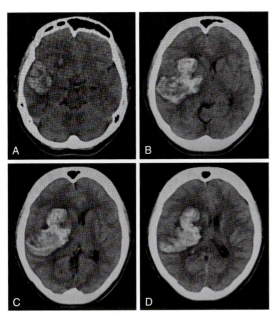

▶図 11　頭部単純 CT 像（症例 3 の発症時）

▶図 12　歩行練習開始時（症例 3）
麻痺側後方への不安定性が強く，非麻痺側への荷重移動が不十分．

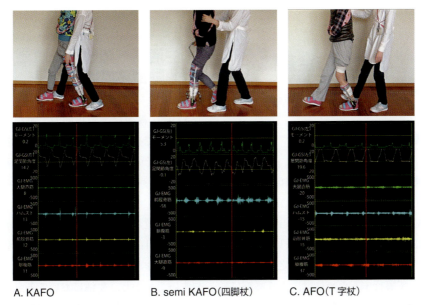

A. KAFO　　　B. semi KAFO（四脚杖）　　　C. AFO（T 字杖）

▶図 13　歩行計測結果（症例 3）（パシフィックサプライ社製 Gait Judge System® による）

保障した状態で運動療法を行う期間を十分に設けた．機器による歩行計測の結果も参照しながら（▶図 13），特に股関節の伸展が可能かという点に着目し，併用期間を取り入れながら装具のカットダウンを進めた．

多点杖の使用開始に伴い，いったん 3 動作歩行となったものの，最終的にはプラスチック AFO と T 字杖での 2 動作歩行を獲得し，見守り下での外出も可能となった（▶図 14）．

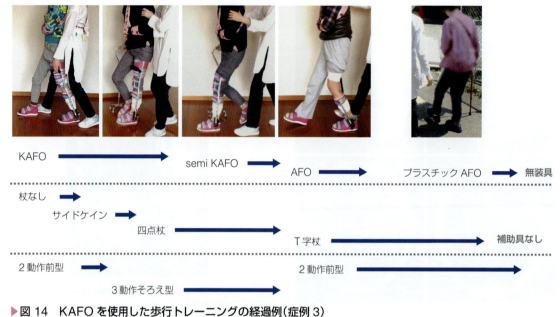

▶図14 KAFOを使用した歩行トレーニングの経過例（症例3）
運動機能の回復に応じて，使用する装具，歩行補助具，歩行形態を変更していく．

E 活動としての動作定着に向けて

1 活動面の評価

　各種の基本動作が成立するようになれば，ADLのなかで活用する準備を始める．ADLの評価としてはFIM（Functional Independence Measure）やBI〔Barthel（バーセル）Index〕が広く用いられているが，運動療法の効果を判定し，さらに内容を見直して実行するためには，より詳細にパフォーマンスの面から評価を行うことが望ましい．歩行であれば，歩行速度やバランスを含む歩行能力，歩行耐久性などがあげられ，それぞれ10 m歩行速度，Timed Up and Go Test，6分間歩行テストなどの結果を指標とすることができる[22]．

2 生活期への移行を意識した運動療法

　ADLの練習は課題指向的，すなわちより実践的な環境で必要な動作を繰り返し練習することに加えて，その課題の遂行に要求される機能が組織化されていくことを意識して行われることが望ましい．

　ここに至るまでの運動療法では，それぞれの動作自体が目的であり，いかに良好な姿勢で安定してその動作が実行できるかということが重視されやすい．しかし，生活において各動作は手段となり，多重課題も増え，非麻痺側機能への依存などにより左右非対称性が再び増強しやすい．空間認知や注意など，高次脳機能の問題が影響を及ぼす場面も増えることが予測される．回復期に従事する理学療法士は，この時期の評価をもとにゴール設定を持続可能な状態に再設定し，必要な運動機能を維持するという視点からトレーニング内容を修正していかなければならない．不活発な生活や

非麻痺側への依存による麻痺側の不使用は痙縮の増強をまねき，動作能力を低下させる．さまざまな環境への順応，能力の日内変動への対処なども含めて，運動療法は環境や時間帯など多様性を意識する段階へと進めていく必要がある．

　脳血管疾患の回復期は損傷された中枢神経の修復や再組織化が進む重要な時期である．その時期に効果的な運動療法を実施するためには，中枢神経の回復機序と脳の機能解剖を理解し，多彩な運動障害の本質とその要因，介入の糸口を正確につかむことが不可欠である．

　回復期には，獲得した動作を持続可能な形で定着させ，不動・不使用を予防して個人に応じた活動性を維持しながら生活を営むことを目標とした運動療法が求められるものと考える．

● 引用文献

1) Taub, E., et al.: New treatments in neurorehabilitation founded on basic research. *Nat. Rev. Neurosci.*, 3(3):228–236, 2002.
2) Dombovy, M.L.: Stroke: clinical course and reviews in physical and rehabilitation medicine. *Crit. Rev. Phys. Rehabil. Med.*, 2:171–188, 1991.
3) 日本脳卒中学会脳卒中ガイドライン委員会（編）：脳卒中治療ガイドライン 2021. p.259, 協和企画, 2021.
4) Hebb, D.O.: The Organization of Behavior: A Neuropsychological Theory. Psychology Press, 1949.
5) de Jong, L.D.: Arm motor control as predictor for hypertonia after stroke: a prospective cohort study. *Arch. Phys. Med. Rehabil.*, 92(9):1411–1417, 2011.
6) Swayne, O.B., et al.: Stages of motor output reorganization after hemispheric stroke suggested by longitudinal studies of cortical physiology. *Cereb. Cortex*, 18(8):1909–1922, 2008.
7) 原 寬美：急性期から開始する脳卒中リハビリテーションの理論とリスク管理．原 寬美ほか（編）：脳卒中理学療法の理論と技術，第 4 版, pp.167–199, メジカルビュー社, 2022.
8) 原 寬美：脳卒中運動麻痺回復可塑性理論とステージ理論に依拠したリハビリテーション．脳神外ジャーナル, 21(7):516–526, 2012.
9) Gracies, J.M.: Pathophysiology of spastic paresis. I: paresis and soft tissue change. *Muscle Nerve*, 31(5):535–551, 2005.
10) Gracies, J.M.: Pathophysiology of spastic paresis. II: emergence of muscle overactivity. *Muscle Nerve*, 31(5):552–571, 2005.
11) 原 寬美：痙縮の病態とボツリヌス治療．安保雅博（監）：エビデンスに基づくボツリヌス治療, pp.2–24, 三輪書店, 2022.
12) 小林祥泰（編）：脳卒中診療のエビデンス，脳出血の実態．脳卒中データバンク 2015, pp.130–151, 中山書店, 2015.
13) FitzGerald, M.J.T. ほか（著），井出千束ほか（訳）：大脳基底核．カラー臨床神経解剖学 機能的アプローチ, pp.265–273, 西村書店, 2006.
14) 髙草木 薫：運動麻痺と皮質網様体投射．脊椎脊髄ジャーナル, 27(2):99–105, 2014.
15) 増田知子：臨床実習サブノート，歩行のみかた 6，被殻出血および視床出血．PT ジャーナル, 51(9):808–814, 2017.
16) 手塚純一ほか：視床が関わる神経システム．神経システムがわかれば脳卒中リハ戦略が決まる, pp.85–106, 医学書院, 2021.
17) 河島則天：大脳皮質．*Clin. Neurosci.*, 33:750–752, 2015.
18) 才藤栄一ほか：運動学習と歩行練習ロボット—片麻痺の歩行再建．リハ医学, 53(1):27–34, 2016.
19) 大畑光司：歩行をどう分析しどう臨床に生かすか．リハ医学, 53(1):47–53, 2016.
20) 河島則天：歩行運動における脊髄神経回路の役割．国リハ研紀, 30:9–14, 2009.
21) 増田知子：回復期の歩行トレーニング．阿部浩明ほか（編）：脳卒中片麻痺者に対する歩行リハビリテーション, pp.121–140, メジカルビュー社, 2016.
22) 増田知子：歩行練習のすすめ方．原 寬美ほか（編）：脳卒中理学療法の理論と技術，第 4 版, pp.362–377, メジカルビュー社, 2022.

第3章 パーキンソン病の運動療法

学習目標
- パーキンソン病の運動障害の特徴を理解する.
- パーキンソン病の運動療法の基本的な考え方と概要を理解する.
- 運動療法の適応と限界,実施に際しての留意点を学ぶ.

A 概念と特徴

1 疾患概念

パーキンソン病(Parkinson disease)の病態は,黒質・線条体ドパミン量の選択的低下であり,黒質の神経細胞が減少するにつれて症状は徐々に進行する(緩徐進行性).個人差はあるが進行の速度は基本的にゆるやかである.

社会の高齢化に伴ってパーキンソン病の患者数は急増している.抗パーキンソン病薬は固縮・振戦に対しては著効するが,進行期にみられるすくみ足や姿勢反射障害にはその効果に限界があり,生活の質(quality of life; QOL)の低下に大きく影響する.

2 運動障害の特徴

a 自動性の低下

自動性とは,意識することなしに運動を実行できる能力である.James Parkinsonは,1817年に『An essay on shaking palsy』において,「相当な注意することなしには歩行ができなくなる」と記載している.これは歩行動作の自動性が損なわれている状態を示している.

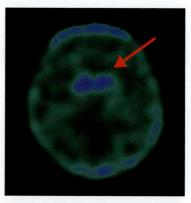

▶図1 ドパミントランスポーター(DAT)SCAN

初期には線条体後方(被殻)の非対称性の集積低下が始まるが,前方(尾状核)の集積は保たれている.進行すると尾状核頭の円形の集積(矢印),びまん性の集積低下がみられる.

パーキンソン病における自動性の低下には線条体後方(被殻)の活動減少が関連している.病初期には線条体前方(尾状核)は比較的保たれている.黒質線条体系のドパミン神経終末の数を反映するドパミントランスポーター(DAT)SCANでは,尾状核よりも被殻での集積低下が先行することがわかる(▶図1).したがって,自動性の低下を代償するために,注意機能を使用して動作をコントロールしている.複合的な環境あるいは環境の変化に対して柔軟に適応しようとすると,歩行の難易度が高くなり,認知機能に対する負荷が過剰と

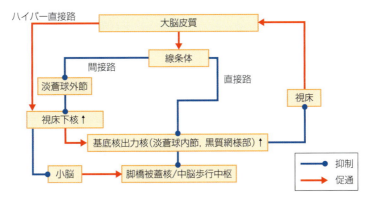

▶図2　パーキンソン病の病態
〔Gilat, M., et al.: Freezing of gait: promising avenues for future treatment. *Parkinsonism Relat. Disord.*, 52:7-16, 2018 より〕

なる．その結果，自動性低下を「注意機能」によって代償することが困難となり，歩行障害が顕著になる．

ストライド時間の変動係数（標準偏差÷平均値；データのばらつきを表す）は**歩行リズム**を表す．高いストライド時間の変動係数は，歩行リズムが障害されていることを示す．歩行リズムの調節は自動的な過程であり，健常者ではほとんど注意を要しないが，パーキンソン病では，注意機能によって代償する必要がある．健常者では歩行中の二重課題によってストライド時間の変動係数は変化しないが，パーキンソン病では増加する．

b 歩行障害の機序

黒質緻密層のドパミンの減少は，直接路の活動を低下させて，間接路の活動を亢進させる．これは，**基底核出力核**（淡蒼球内節，黒質網様部）からの抑制出力を増加させる（▶図2）[1]．その結果，以下の2つの作用により歩行が障害される（▶図3）[2]．

第1に，視床の活動は抑制され，視床から大脳皮質への興奮性入力を低下させる．これによって，歩行中枢への大脳皮質からの興奮性入力の低下が生じ，歩行の随意的側面が損なわれる．

第2に，基底核からの過剰な抑制によって，脚橋被蓋核/中脳歩行中枢の活動は抑制され，歩行の自動的な側面が損なわれる．

一方，葛藤の増加はハイパー直接路の活動を増加させ，瞬間的な視床下核の活動の増加をまねく．その結果，基底核出力核（淡蒼球内節，黒質網様部）の活動は増加する．また，視床下核の活動増加は，自動的な歩行調節にかかわる小脳からの出力も妨害する（▶図2）[1]．

c 歩行障害の種類と特徴

(1) 分類

パーキンソン病の歩行障害は2つのカテゴリーに分類される．1つは持続的（continuous）にみられるものであり，歩行速度の低下，すり足歩行（shuffling：遊脚期において足尖挙上が困難），歩幅の低下（小刻み歩行，marche a petit pas），歩行中の腕振りの減少が該当し，運動減少を反映している．2つ目は，突発的（episodic）に生じるものであり，すくみ足，加速歩行が相当する[3]．これらは，予期せずに生じるため転倒につながりやすい．突発的に生じるという特徴は，動作の自動性の低下だけでなく，環境や認知・情動などの要素による影響が大きいことを反映している．

(2) すくみ足

すくみ足とは，歩こうとする意思があるにもかかわらず「足が床に貼りついた」ようになり，前方へ進めなくなる状態をいう[4]．動きが損なわれる

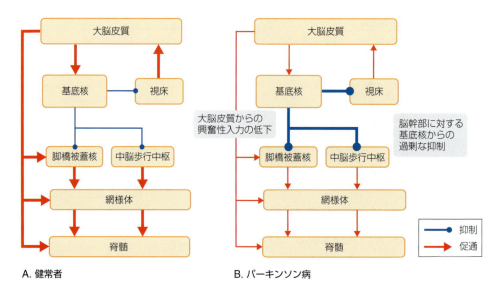

▶図3 歩行障害の機序
以下の2つの作用により歩行が障害される．
①視床の活動は抑制され，視床から大脳皮質への興奮性入力を低下させる．歩行中枢への大脳皮質からの興奮性入力の低下が生じる．
②基底核からの過剰な抑制によって，脚橋被蓋核/中脳歩行中枢の活動は抑制される．
〔Takakusaki, K.: Functional neuroanatomy for posture and gait control. *J. Mov. Disord.*, 10(1):1-17, 2017 より作成〕

▶表1 すくみ足の分類

A. 動きが損なわれる状態による分類

total akinesia	完全に動きが停止してしまう状態
trembling in place	その場で足踏みをするような状態
small step and shuffling	小刻みで，すり足になる状態

B. 誘発状況による分類

歩き始め	start hesitation
方向転換	turning hesitation
狭所の通過	tight quarters hesitation
目標物への接近	destination hesitation

〔Nieuwboer, A., et al.: Characterizing freezing of gait in Parkinson's disease: models of an episodic phenomenon. *Mov. Disord.*, 28(11):1509-1519, 2013 より作成〕

状態と頻発する状況による分類を表1に示す[5]．すくみ足には，注意機能（特に注意の配分，注意の変換，注意の選択）や視空間機能（視空間情報の統合）の障害，情動（不安や焦燥など）も関係している．

(3) 加速歩行

加速歩行とは，前方に偏移した重心をとらえるために，歩行しているうちに次第に歩行速度が増加し，小刻みに前方に突進し容易に立ち止まれなくなる現象である．

(4) シークエンス効果

運動プログラムの自動的な更新が障害された結果，歩幅が徐々に短縮していく現象を**シークエンス効果**という[6]．補足運動野への促通入力のタイミングが徐々に遅れることによる．運動減少による歩幅の短縮とシークエンス効果の組み合わせは，歩行の途中のすくみ足や加速歩行の原因の1つとなる．

(5) posture second strategy

健常者では，歩行と認知課題を同時に行わせると，転倒を防止するために姿勢の安定性を優先するが，パーキンソン病患者では，不適切な注意配分のため，歩行の安定性よりも認知課題の実行を優先させる傾向がある[7]．

▶表2 各病期の歩行障害

初期	・歩行速度の低下，歩幅の低下 ・腕振りの減少，歩行の円滑さの低下，左右肢の非対称性の増加（パーキンソン病に特異的），初期には一側性の症状 ・遊脚時間のタイミングの障害，歩行の変動性が増加 ・複合的な課題が困難になる（例：方向転換） ・自動性の低下が進行するにつれて，二重課題下での歩行異常が顕著になる
中期	・症状は両側性になる ・運動は進行に伴いより緩慢になる ・すり足歩行，両脚支持時間の増加，ケイデンスの増加 ・腕振りの減少は両側性になる．体軸回旋の減少を伴う ・前屈姿勢のような姿勢異常は，いっそう歩行障害に影響する ・自動性の低下はさらに障害され，方向転換や歩き始めが困難になる ・すくみ足や加速歩行が出現し，転倒の危険が増加する
進行期	・すくみ足が頻回になる．バランスや姿勢コントロールの低下 ・症状の変動やジスキネジアが多くの患者でみられる ・歩行補助具，車椅子使用の必要性が増加する

〔Mirelman, A., et al.: Gait impairments in Parkinson's disease. *Lancet Neurol.*, 18(7):697-708, 2019 より作成〕

d 歩行障害の進行ステージ

歩行障害は一般的には**表2**のような経過をたどる[8]．進行に伴い，すくみ足や加速歩行が出現し転倒のリスクが高まる．初期には症状コントロールが順調でハネムーン期といわれる．抗パーキンソン病薬である L-dopa の投薬開始から数年後には，効果の持続時間が短縮し（ウェアリングオフの出現），オフの時間帯のすくみ足が出現する．その後，L-dopa に反応しないすくみ足が出現する（ドパミン刺激は固縮や振戦など他のパーキンソン症状は改善させるが，すくみ足は改善させない状態）[9]．

B 運動療法の実際

1 運動療法の目的

進行期にみられるすくみ足や加速歩行に対する医学的治療には限界がある．転倒予防，生活を支えるためには，理学療法士による指導は重要である．

パーキンソン病に対する運動療法の目的は，自動性の低下を改善させるものではなく，運動を意識的にコントロールする新しい行動パターンを獲得させることである[10]．

つまり，運動学習の初期の過程のように，動作に注意を配分すること，目標指向性の動作を導入すること，通常の歩行動作よりも学習されていない（自動的でない）運動プログラムを使用することである．

a 外的キュー

外的キュー（外的手がかり）とは，視覚や聴覚などの外部からの刺激によって，運動の大きさ（歩幅）やタイミングについての情報を与えることである．しかし，すべての患者が同じキューによって効果を得るわけではなく，患者ごとに効果的なキューは異なる．また，患者の生活環境において利用できる最適のキューがある[10]．したがって，患者に応じた最適なキューを提供することが必要である．外的キューによって，すくみ足や小刻み歩行が改善することを**矛盾性歩行**（逆説的歩行）という．平地の歩行は困難でも階段を昇ることは容易なことが多い．これは階段が外的なキューとなるためである．

外的キューには，適切な歩行を維持する（すくみ足を予防する）ための継続的なキューと，動作の開始あるいはすくんだのちに歩行を再開するときの一時的なキューがある（▶**表3**）．外的キューの機序を**表4**に示す[11]．

▶表3　外的キューの種類

	視覚的キュー	聴覚的キュー
継続的なキュー〔適切な歩行を維持する(すくみ足を予防する)ため〕	●人の後ろを歩く ●床上のストライプ	●オーディオプレイヤー ●メトロノーム ●カウンティング
一時的なキュー(動作の開始あるいはすくんだのちに歩行を再開するため)	●人の足 ●床上の対象物をまたぐ ●レーザー光線 ●L字型杖(▶図4)	●カウントダウン

〔Ginis, P., et al.: Cueing for people with Parkinson's disease with freezing of gait: a narrative review of the state-of-the-art and novel perspectives. *Ann. Phys. Rehabil. Med.*, 61(6):407–413, 2018 より作成〕

▶表4　外的キューの機序

- 補足運動野の機能低下を運動前野が補完
- 運動の目標を提供することで目標指向性の行動を導く
- 葛藤下で反応を選択する際の優先づけを助ける(注意の焦点を歩行へ向け直す)
- 予期的姿勢調節とステップの組み合わせを再統合
- すくみ足の出現を防ぐために、歩行中の歩幅や歩行のタイミング、肢節間の協調性を適切に安定させる

〔Ginis, P., et al.: Cueing for people with Parkinson's disease with freezing of gait: a narrative review of the state-of-the-art and novel perspectives. *Ann. Phys. Rehabil. Med.*, 61(6):407–413, 2018 より作成〕

外的キューへの反応は、キューの種類に依存する。空間的(視覚)キューは、歩行中の歩幅などの運動の大きさを調節する。一方、時間的(聴覚)キューは、歩行のタイミングや肢節間の協調性を促す。

歩行開始時には、振り出し(重心の前方・支持側方向への移動)に先立ち、足圧中心の後方・振り出し側への移動がみられる。この足圧中心の軌跡は、予期的姿勢制御を表している。歩行開始時のすくみ足では、振り出しに先行した複数の予期的姿勢制御の足圧中心の移動が観察される。これは、振り出し運動と予期的姿勢制御の組み合わせ異常であり、予測的姿勢制御とそのときに意図した振り出しの動きが連動しないために生じている。

歩き始めに対する視覚的手がかりなどの外的キューは、補足運動野の機能低下を運動前野で補完する。これに加えて、予測的姿勢制御とステップの組み合わせの再統合や、葛藤下での反応を選択する際の優先づけを助ける(注意の焦点を歩行に向け直す)という意義もある[11]。

b 内的キュー

内的キューとは、自動的な運動から目標指向的なコントロールへシフトさせることである[12]。日常生活における運動は複数の動きが適切な順序で組み合わさっている。パーキンソン病では、複合的な運動課題を自動的に実行することが困難となる。したがって、これを克服するためには、①複合的な一連の動作課題を複数の単純な動きに分割する、②分割した個々の動きの大きさ・速度、動作を始めるタイミング、分割した動きを計画通りの順序で遂行することに意識を集中することが必要である。歩行では、前もって決めた具体的な要素(例:踵接地など)に注意を集中させる[13]。

c 運動イメージ、行動観察

行動観察(他者の歩行を観察する)と運動イメージ(動作を行う前に身体運動を生じることなく思考上で歩行運動をシミュレートする)は、これからおこる運動に対して意識的に準備をすることで自動性の低下を代償する。これらはミラーニューロンシステムの活性化であり、実際に課題を遂行するときに活動すべき神経回路を準備させる。これは特異的な運動スキルの指導に焦点を当てた介入である[14]。

c 新しい歩行パターンの指導（動画 1）

膝を高く上げる，アイススケートのような動き，脚を交叉させて歩く(scissoring)，横歩きなどがすくみ足に対する代償的な方法として有用であることが知られている．これらは，自動性の少ない(学習されていない)運動プログラムであり，注意機能を使用する必要があるためと考えられている[12]．

2 運動療法の方法

a 歩き始めへの対策（動画 2）

(1) 側方への重心移動を容易にさせるための戦略

特に，すくみ足を有する患者では，歩き始めにおいて，振り出し側の下肢を非荷重にするために立脚側の下肢へ重心を適切にシフトさせることが困難である[15]．

振り出しの前の左右へ体重移動(リズミカルに体幹を左右に揺らして重心を移動させる)，後方または側方へのステップ(一側下肢を後方または側方に動かしてから歩き始める)，あらかじめ足を前後に開いておく，ボールを蹴ることや階段を昇ることをイメージするなどの動作方法の工夫によって，重心の側方への移動を容易にさせる(パーキンソン病では，歩隔を小さくすることで外側への体重移動を容易にしようとしている可能性も指摘されている)．

(2) 外的キュー

患者の前に手がかりとなる対象物を提示してまたがせる．これには，介助者の足，杖の先端から点灯されたレーザー光線，L字型杖[16]（▶図4)，床面に描いた横線，床の上に置かれた棒や紙などが用いられる(▶表3)．

▶図4 L字型の杖による視覚的キュー
〔石井光昭：臨床における神経疾患の評価—統合と解釈，パーキンソン病．上杉雅之(監)，西守 隆(編著)：実践！ 理学療法評価学, pp.260-267，医歯薬出版，2018より〕

(3) すくみ足を生じたのちの対応

すくみ足を生じたときには，急いで前に進もうとせず立ち止まるように指導することが必要である．そして，深呼吸をしてリラクセーションをはかる．次の行動を計画してから歩行を再開する．

歩き始めの介助として，患者の腕を前方から引っ張ることはますます床に足が貼りついたようになり逆効果である．側方からの介助によって，重心の移動を大きくさせることが有効である．

b 方向転換への対策（動画 3）

大きな円弧での方向転換を，歩幅を維持することに注意を向けて行うように指導する．

狭い場所での方向転換では，時計の針が12時，3時，6時と動くように，左右脚を交互に挙上することに意識を集中させる clock turn strategy[13]を指導する(▶図5)．この方法は，自動的な運動

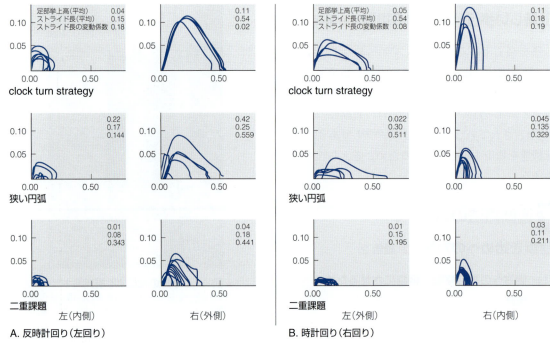

▶図5　方向転換時の足部の軌跡
- 狭い円弧では前後，垂直方向の足部の軌跡が減少．
- 二重課題によって足部軌跡の減少は顕著になる．
- clock turn strategy によって改善．
- foot clearance は左側が小さい（左側が症状優位）．

〔松尾善美，石井光昭：パーキンソン病の理学療法（DVD）．ジャパンライム，2021 より〕

コントロールから目標指向的な運動へシフトするために，分割した方向転換の各要素に意識を集中することを強調している．方向転換には苦手な方向があるため，実際の生活場面で，苦手な方向への方向転換が強いられるような環境があるかどうかの確認が必要である[17]．自宅では頻回な方向転換を回避できるような環境設定も重要である．

C 直進歩行への対策（▶動画4）

（1）歩行への意識の集中，二重課題の回避

パーキンソン病では，自動性の低下を注意機能によるコントロールで代償しており，健常者よりも多くの注意資源を歩行に対して必要としている．これは，残存している注意機能に負荷がかかっている状態である．したがって，二重課題を回避し歩行への意識を集中させることが必要である．

歩行が自動的で注意機能を必要としないならば，他の課題を付加しても歩行の能力には影響しない．しかし，自動性が低下している場合には，歩行と同時に行う他の課題への注意の配分が多くなると，歩行の異常が顕在化する．つまり，パーキンソン病では歩行が注意機能に依存しているために，新たな注意を向けなければならない課題が加わると歩くことへ注意が向かなくなり，歩行が困難になる．

パーキンソン病では，小刻み歩行のほか，前屈姿勢，すり足歩行，上肢の腕振りの減少などの特

▶動画4

PT・OT国家試験問題集
でるもん・でたもん過去問Online

PT・OT国家試験問題の解答・解説を完全オンライン化

『でるもん・でたもん』シリーズの解答・解説者が、最近数年間の過去問を分析。定評ある"解説力"とオンラインならではの多彩な機能で、受験者を徹底サポート！

まずは1週間 無料トライアル

商品サイトから開始できます！

CHECK!

えっ、こんだけ?!

3つのステップで、すぐスタート！

1. 医学書院IDを取得、ログイン
2. 携帯でSMS（ショートメール）を受信・認証実行
3. 即、トライアル！

国試はスマホで解く。

- 苦手領域をデータで把握！
- 解答・解説を読んで得点UP
- スキマ時間で無駄なく勉強
- 解答、即、答え合わせ

※ご購入の際は、取り扱い書店様でのお申し込みをお願いします（お近くに取り扱い店がない場合は、弊社HPよりご注文いただけます）。

医学書院
〒113-8719 東京都文京区本郷1-28-23　[WEBサイト] https://www.igaku-shoin.co.jp
[販売・PR部] TEL:03-3817-5650　FAX:03-3815-7804　E-mail:sd@igaku-shoin.co.jp

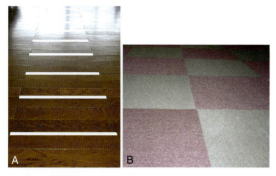

▶図6　視覚的キューの利用
A：等間隔の白線，B：色調を交互に変えた床面
〔石井光昭：患者に即した歩行練習とは．松尾善美（編）：パーキンソン病に対する標準的理学療法介入，pp.77–100，文光堂，2014より〕

徴的な症候を呈するが，すべてを是正して歩行するように指示すると逆効果となることが多い．歩幅のみを強調するなど1つのことだけに集中するように指示する．口頭では「大きく」「大股で」などと指示し，歩行に注意を向けるようにする．すり足歩行を呈する場合は，踵接地を意識させる．

(2) 外的キュー

床に等間隔に引かれた線，色調を交互に変えた床面が視覚的キューとして働く[18]（▶図6）．

前方を歩く他者の模倣，つまり周囲の人の行動を参考にして，自分の歩幅が小さいことや歩調が早いことを修正することもある．運動減少による歩幅の低下は，注意機能による代償で改善するが，シークエンス効果には有効ではなく，外的キューが対策となる．メトロノームなどの定期的な音は聴覚キューとして作用する（▶表3）．

(3) 姿勢コントロールの障害への対応

体幹の重度な前方への傾斜があると，重心は足部（支持基底面）の前方に位置する．このとき，代償的なバランスを修正するためのステップができなければ前方に転倒する．パーキンソン病では，代償的なバランスを修正するためのステップがしばしば小さすぎる．したがって，支持基底面のなかに重心を回復させることが困難となり，バランスを修正するためには次のステップが必要になる．しかし，これも再び小さければ，転倒を予防

するためにはケイデンスを増加し，結果として加速歩行が生じることになる[19]．このタイプに対しては，外的キューや注意機能による代償ではなく，バランス障害への対応が必要となる．

(4) その他

歩行距離が延びるにつれて歩幅が減少していく場合には，加速する前に早めにいったん停止して，休息後に再び歩行を開始するように指示する．加速歩行を示しているときに，自分自身の加速した行動に気づいていないことがある．平坦な道を歩いていても上り坂を歩いていることをイメージさせることで緩和できる場合もある．

d 狭い場所の通過（動画5）

歩行中に前方の狭い通路に意識を向けたときに，歩行への注意が低下し歩幅が短縮する結果すくみ足が生じる．したがって，いったん立ち止まり，事前にこれからしなければならない行動をイメージするように指導する．あるいは，通路の先にある対象物に視線を向けるようにして，通路の周囲ではなく歩幅の維持に集中するように指導する．横歩きで通過することも有用である．

e 目標物への接近（動画6）

椅子に近づく際は，動作前に目標物までの距離や状況を確認する．次に動作の構成要素（直進歩行の停止，方向転換，着席）を分割して個々の動作に意識を集中する．円弧を描くように目標物に向かう．目標物より遠方に視線を移し，行きすぎるようなつもりで接近する．

3 二重課題練習

従来は二重課題の回避が推奨されてきたが，近年，歩行と認知課題を同時に実行する二重課題練

　動画5

　動画6

習による歩行機能の改善効果が報告されている．これは注意機能を含む代償機構を高める方法であるが，症状が進行した症例（進行例）では予備能の低下によってその効果には限界がある．

二重課題練習は，注意資源に大きな負担がかかり，その効果は認知機能や運動機能の程度に影響されるため，進行例では避けるべきである．適応できる対象は，初期から中期のすくみ足や認知機能障害が顕著でないケースに限定される[20]．

C 運動療法上の留意点

1 運動療法の必要性の判断

すくみ足は状況依存性であり，実際の日常生活ではすくみ足を経験しているにもかかわらず，検査場面では観察されないことが少なくない．そのため，日常生活において患者のかかえている問題が過小評価され，指導の必要性の判断を誤る可能性がある．したがって，日常生活で困っていることについての訴えを注意深く聴き取ることが重要である．

2 具体的な場面における指導

日常生活におけるすくみ足の誘発には，自動性の低下だけでなく，心理面や環境などのさまざまな背景因子が影響している．したがって，運動療法の指導は，実際の日常生活において経験している具体的なすくみ足の状況で行うべきである．

また，すくみ足や加速歩行によって社会生活やQOLがどのように妨げられているかを理解し，その解決につながるように生活上のニーズに応じた指導を行う．

3 運動療法の適応と限界

代償的戦略に対する反応には個人差が大きい．ある患者には効果があっても，他の患者には効果がない場合や，悪化させることさえある．

また，外的キューの効果は，時間の経過とともにしばしば失われていく．この理由は，1つ目としては症状の進行によるもの，2つ目には歩行のコントロールが外的キューに慣れて目標指向性の戦略から自動的なものになるためと考えられている[1]．

早期のパーキンソン病患者では，注意・遂行機能が歩行の自動性の低下を代償する．しかし，疾患が進行すると注意・遂行機能が低下し，セット変換や反応抑制など高いレベルの注意が求められる状況には対応できなくなり，すくみ足がおこりやすくなる．

注意機能によるコントロールには即時的な効果があるが，維持し続けることは困難であり，患者はすぐに疲労する．疲労は注意の資源容量の低下を意味する．したがって，短時間しか運動を改善することができない．そのため，疲労への配慮が必要である．

以上のことから，対象者の個別の能力に応じて適応と限界を判断し，最適の対策を選択するテーラーメイドなアプローチが必要である．

4 アドヒアランスの向上

アドヒアランス（adherence）とは，対象者自身の治療方針決定への積極的な参加をいう．日常生活で生じている歩行障害への対策の効果は，アドヒアランスの向上に依存する．つまり，どのように患者が生活の場で実行したかが重要である．

●引用文献

1) Gilat, M., et al.: Freezing of gait: promising avenues for future treatment. *Parkinsonism Relat. Disord.*, 52:7–16, 2018.
2) Takakusaki, K.: Functional neuroanatomy for posture and gait control. *J. Mov. Disord.*, 10(1):1–17, 2017.
3) Giladi, N., et al.: Classification of gait disturbances: distinguishing between continuous and episodic changes. *Mov. Disord.*, 28(11):1469–1473, 2013.
4) Nutt, J.G., et al.: Freezing of gait: moving forward on a mysterious clinical phenomenon. *Lancet Neurol.*, 10(8):734–744, 2011.
5) Nieuwboer, A., et al.: Characterizing freezing of gait in Parkinson's disease: models of an episodic phenomenon. *Mov. Disord.*, 28(11):1509–1519, 2013.
6) Iansek, R., et al.: Freezing of Gait in Parkinson's disease: its pathophysiology and pragmatic approaches to management. *Mov. Disord. Clin. Pract.*, 4(3):290–297, 2016.
7) Bloem, B.R., et al.: The "posture second" strategy: a review of wrong priorities in Parkinson's disease. *J. Neurol. Sci.*, 248(1-2):196–204, 2006.
8) Mirelman, A., et al.: Gait impairments in Parkinson's disease. *Lancet Neurol.*, 18(7):697–708, 2019.
9) Espay, A.J., et al.: "On" state freezing of gait in Parkinson disease: a paradoxical levodopa-induced complication. *Neurology*, 78(7):454–457, 2012.
10) Keus, S.H.J., et al.（著），小森絵美（訳）：運動のための外的キューと認知戦略. 奈良 勲（監），松尾善美，石井光昭（編著）：パーキンソン病の理学療法，第2版，pp.199–215, 医歯薬出版, 2020.
11) Ginis, P., et al.: Cueing for people with Parkinson's disease with freezing of gait: a narrative review of the state-of-the-art and novel perspectives. *Ann. Phys. Rehabil. Med.*, 61(6):407–413, 2018.
12) Nonnekes, J., et al.: Compensation strategies for gait impairments in Parkinson disease: a review. *JAMA Neurol.*, 76(6):718–725, 2019.
13) Morris, M.E.: Movement disorders in people with Parkinson disease: a model for physical therapy. *Phys. Ther*, 80(6):578–597, 2000.
14) Heremans, E., et al.（著），松谷綾子，小森絵美（訳）：パーキンソン病患者のリハビリテーションにおける運動イメージの活用. 松尾善美（編）：パーキンソン病に対する標準的理学療法介入, pp.133–141, 文光堂, 2014.
15) 石井光昭：パーキンソン病のバランス改善. 斉藤秀之ほか（編）：こだわり抜くバランス練習, pp.156–168, 文光堂, 2022.
16) 石井光昭：臨床における神経疾患の評価―統合と解釈, パーキンソン病. 上杉雅之（監），西守 隆（編著）：実践！理学療法評価学, pp.260–267, 医歯薬出版, 2018.
17) 松尾善美，石井光昭：パーキンソン病の理学療法（DVD）. ジャパンライム, 2021.
18) 石井光昭：患者に即した歩行練習とは. 松尾善美（編）：パーキンソン病に対する標準的理学療法介入, pp.77–100, 文光堂, 2014.
19) Nonnekes, J., et al.: Gait festination in parkinsonism: introduction of two phenotypes. *J. Neurol.*, 266(2):426–430, 2019.
20) Strouwen, C., et al.: Determinants of dual-task training effect size in Parkinson disease: who will benefit most? *J. Neurol. Phys. Ther.*, 43(1):3–11, 2019.

第4章 脳外傷の運動療法

学習目標
- 脳外傷の受傷機序と特徴を知る．
- 病期別の障害の特徴と運動療法の目的・方法について学ぶ．
- 運動療法を行ううえでの留意点について学ぶ．

A 概念と特徴

　脳外傷とは，頭部に強い外力が加わることで生じる脳実質の損傷のことで，日本外傷学会の頭部外傷分類[1]のうち，**局所性脳損傷**と**びまん性脳損傷**が脳実質の損傷にあたる（▶表1）．
　その神経症状は損傷の部位や程度によって，一過性の場合から遷延（長く続くこと）する場合までさまざまである．
　急性期の頭部外傷による意識障害の評価はGlasgow Coma Scale（GCS）が用いられることが多いが，その重症度は重度（8点以下），中等度（9～12点），軽度（13点以上）に分けられる．搬送時のGCSが8点以下の重症頭部外傷患者の発生者数において，従来は若年者層と高齢者層の2つにピークがみられていたが，近年では若年者層が減少し高齢者層は増加傾向にある．受傷機転は転倒・転落が多く，次いで交通外傷となっているが，特に高齢者が自宅で転倒し，局所性脳損傷を生じて重症化する割合が増加している．その要因として，脳萎縮や血管の脆弱化など高齢者特有の解剖学的特徴に加えて，抗血栓薬の内服などによって血液凝固機能が低下していることが指摘されている[2]．そのため，今後，高齢者への転倒予防に対するリハビリテーション（以下，リハ）も重要になってくると考えられる．

▶表1　日本外傷学会による頭部外傷分類（一部抜粋）

頭蓋骨の骨折	円蓋部骨折	線状骨折
		陥没骨折
	頭蓋底骨折	
局所性脳損傷	脳挫傷	
	急性硬膜外血腫	
	急性硬膜下血腫	
	脳内血腫	
びまん性脳損傷	びまん性脳損傷（狭義）	
	くも膜下出血	
	びまん性脳腫脹	

〔日本外傷学会：頭部外傷分類．https://www.jast-hp.org/zouki/toubu.html より筆者作成〕

　転倒などで生じる局所性脳損傷の場合，CT像上明らかな所見がみられることも多いが，交通事故などの高エネルギー外傷の場合，CT像上では明らかな所見がみられないにもかかわらず，重度の意識障害が生じる場合がある（▶図1）．これを狭義の重症びまん性脳損傷[1]（病理学的診断名としてびまん性軸索損傷）といい，頭部が大きく振られることで脳全体に回転加速度が加わり，その剪断力によって広範囲に神経線維の断裂が生じて意識障害を呈する．
　わが国における意識障害の評価として，急性期ではGCSや3-3-9度方式による意識障害の分類（Japan Coma Scale; JCS）が用いられる．しかし，全身状態が落ち着いた回復期以降の意識障害

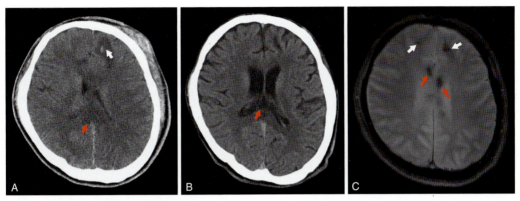

▶図1　びまん性脳損傷（狭義）の画像
20歳代，交通外傷，搬送時のGCSはE1V1M4．
A：受傷時のCT像．左前頭葉の微小出血（白矢印）．他スライスでも複数の微小出血が認められる．脳梁に低吸収域（赤矢印）が認められる．
B：受傷から6か月のCT像．脳梁の低吸収域（赤矢印）と，年齢と比較して明らかな脳の萎縮が認められる．
C：受傷から6か月のMRI（T2*）像．脳梁（赤矢印）と両側前頭葉（白矢印）に異常信号域が認められる．

患者を評価する方法が一定しておらず，受傷からの経過が長い患者に対しても，急性期で使用するGCSやJCSが不適切に使用されている場合も散見される．回復期以降，これらの評価方法ではとらえきれない認知機能や運動機能が，長期にわたって変化する場合があり，その変化を経時的に評価する方法は必須である．欧米では慢性期の意識障害の評価として Coma Recovery Scale-Revised（CRS-R）の使用が推奨されており，その日本語版の簡易評価表（▶表2）を紹介する．詳細なガイドラインはホームページ[3]を参照されたい．

また，GCS 8点以下の重症頭部外傷患者には，永続的な高次脳機能障害が後遺することが多く，その有無を評価することがすすめられている[4]．受傷機転から，前頭葉および側頭葉に損傷を受けやすく，高次脳機能障害のなかでも，特に注意障害，遂行機能障害，記憶障害および社会的行動障害がみられやすい[5]．

B 運動療法の実際

病院には病床が担う医療機能（▶表3）を都道府県に報告する義務がある[6]．そのため，当然ながらその担っている医療機能に応じて，入院患者の病期も違ってくる．ここからは高度急性期から慢性期に加え，在宅としての生活期に分けて，運動療法の実際を説明していく．

1 運動療法の目的

a 高度急性期

重度の脳外傷では昏睡であることが多く，その他の臓器の損傷や骨折が生じている場合もある．この時期の運動療法としては，褥瘡や呼吸器合併症，不動による廃用の予防を目的とする．不動による筋の変性や筋量の減少は48時間以内に始まり，2〜3週間のうちに最大となる[7]といわれていることや，異常肢位の出現（除脳硬直，除皮質硬直）で関節拘縮が生じやすいことから，可能な限り早期から他動的ROM運動や良肢位での保持（ポジショニング）を行う．

b 急性期

全身状態は落ち着きつつあるが，急変する可能性があり，バイタルサインに配慮しながら進めていく．覚醒状態も徐々に改善がみられてくるが不安定であり，せん妄によって不穏が生じやすい時

▶表2 日本語版 Coma Recovery Scale-Revised(CRS-R)簡易評価表

評価項目	得点	方法と反応：得点の高いほうから順番に反応をみる	採点
覚醒プロトコル		患者が閉眼または従命困難の場合，覚醒を促すため次の刺激を加えてから評価する ●顔，首，肩，腕，手，胸，背中，脚，足，つま先を親指と人差し指でつまみ，深い圧力刺激を加える ●筋肉をしっかりと圧迫しながら，指先を3～4回前後に「揺らす」	
聴覚	4点	視野の中で2つの物品(A, B)を左右40 cm離れた位置に提示し，次の4つの試験を実施する ①「Aを見なさい」，②「Bを見なさい」．次に物品A，Bを逆に配置し，試験①，②を繰り返す	
	3点	→4回とも従命可能であれば4点．3回の場合は3点．それ以下の場合は2点以下の試験を行う	
	2点	視野外から左右2回ずつ聴覚刺激を与え，最低でも一方には適切に頭や目が刺激側へ向く	
	1点	視野外から4回大きな音を出す 　　1点：少なくとも2回は刺激に対して瞬きが生じる	
	0点	0点：反応しない	
視覚	5点	聴覚の4点/3点と同じ試験を実施．4回の試験のなかで3～4回は明確に識別可能な反応がある	
	4点	対象の上肢から20 cm離れた位置に物品を提示し，「○○を取ってください」と指示をする →4回中3回は正しい方向に上肢が動く（届かなくてもよい）	
	3点	顔の前に手鏡を提示して凝視を促し，上下左右に2回ずつ動かした際，すべて追視可能	
	2点	顔の前に手鏡を提示して凝視を促し，上下左右に1回ずつ動かした際，2方向以上で追視可能	
	1点	患者の目の3 cm前に4回，指を通過させる 　　1点：4回中2回以上瞬きが生じる	
	0点	0点：反応しない	
運動	[6点]	2種類の物品（歯ブラシ，カップなど）を提示し，「○○の使用方法を見せてください」と命令する それぞれの物品で2回ずつ試験を行い，すべて正答できる	
	5点	鼻を掻く，ベッド柵をつかむなど，2種類以上の自動運動がみられる．または「手を振ってください」の命令に従える	
	4点	手背にボールを接触させ，「ボールを取りなさい」と指示した際，4回中3回は5秒以上把持できる	
	3点	つま先を挟み5秒間圧迫する刺激を4回実施する．反対側の手足は2回以上，刺激部位に接触する	
	2点	四肢の爪にそれぞれ強い圧力をかける 　　2点：少なくとも一肢は屈曲の逃避反応がみられる	
	1点	1点：上肢または下肢の定型的でゆっくりとした屈曲や伸展が生じる	
	0点	0点：識別可能な動きはない	
言語	3点	「①あなたの名前は？　②（カップなどを提示して）これは何と呼びますか？」の質問に正答できる 質問内容とは関係なく生じる自発的な発語（単語）も3点とする	
	2点	反射ではない口の動きや自発的な発声がある	
	1点	舌に圧力を加えるとき， 　　1点：口が閉じる，または舌の運動がみられる　　0点：反応しない	
	0点		
コミュニケーション	[2点]	次の①，②のいずれかの試験を行う ①今私は耳に触れていますか？　今私は鼻に触れていますか？　を3回繰り返す	
	1点	②今私は手を叩いていますか？（1回目-叩かない，2回目-叩く），を3回繰り返す	
	0点	2点：どちらか6つの質問にすべて正解できる　　1点：2つ以上正解　　0点：反応なし	
覚醒	3点	口頭指示やジェスチャーに対して一貫して反応できる（評価中の無反応が3回以内）	
	2点	触覚，圧覚，痛覚刺激を加えずに持続開眼可能	
	1点	触覚，圧覚，痛覚刺激を加えれば持続開眼可能	
	0点	刺激を加えても開眼しない	
		合計点(0〜23点)	
判定		①運動項目 [6点] またはコミュニケーション項目が [2点] → EMCS(MCSから脱した状態)と判定 ②灰色の網かけの項目が1つでもあれば → MCS(最小意識状態)と判定 ③①②以外 → すべて UWS(無反応覚醒症候群)と判定	EMCS MCS UWS

無反応覚醒症候群(unresponsive wakefulness syndrome; UWS)
最小意識状態(minimally conscious state; MCS)
最小意識状態からの脱却(emergence from minimally conscious state; EMCS)
〔日本語版 Coma Recovery Scale-Revised は浜松医療センターリハビリテーション科の理学療法士である北野貴之氏が，原著者である Harvard Medical School の Joseph T. Giacino 教授の許可を得て作成したものである〕

▶表3 病院医療機能

名称	内容
高度急性期機能	●急性期の患者に対し，状態の早期安定化に向けて，診療密度が特に高い医療を提供する機能
急性期機能	●急性期の患者に対し，状態の早期安定化に向けて，医療を提供する機能
回復期機能	●急性期を経過した患者への在宅復帰に向けた医療やリハを提供する機能 ●特に，急性期を経過した脳血管疾患や大腿骨頸部骨折などの患者に対し，ADLの向上や在宅復帰を目的としたリハを集中的に提供する機能（回復期リハ機能）
慢性期機能	●長期にわたり療養が必要な患者を入院させる機能 ●長期にわたり療養が必要な重度の障害者（重度の意識障害者を含む），筋ジストロフィー患者または難病患者などを入院させる機能

期でもある．意識レベルの賦活や呼吸器合併症の予防，循環調節機能の維持などを目的として，リスク管理のもと抗重力姿勢（座位，立位）を行っていく．

c 回復期

意識障害の改善が明らかとなり，積極的な運動療法が開始されていくが，意識障害の改善とともに高次脳機能障害が顕著となってくる時期でもある．それらを考慮しながら病棟内での日常生活活動（ADL）拡大が目的となってくる．また，退院後の生活に向けた介入も必要となってくる．

d 慢性期

急性期からの治療が一段落し，全身状態は落ち着いているが，医療的な処置が必要な状態や，意識障害が遷延している場合もある．身体状況の評価や今後の目標を設定し，必要なリハを継続していく．

e 生活期

在宅でリハを継続する場合，外来（通所）もしくは訪問でのリハとなる．ここでは実際に生活している場での問題点を把握し，解決していくこと

が目的となってくる．在宅での生活は個別性が高く，可能なかぎり実際の生活場面で評価していくことが重要となってくる．

2 評価のポイント

前述したように，脳外傷の場合は損傷の部位や程度によって，運動障害や高次脳機能障害，意識障害などさまざまな症状を呈するために個別性が高い．また，注意障害を有する場合も多いため，評価に際しては配慮が必要である．

a 高度急性期

受傷後間もないため意識障害を呈していることが多い．意識レベル・バイタルサインの評価は特に重要だが，病状が急変するリスクもあるため，医師への確認は必須である．さらに多発外傷の場合，損傷部位に応じて運動の制限が生じるため，全身の状態を正確に把握しておく必要がある．

b 急性期

引き続き意識レベルとバイタルサインの評価を行っていくとともに，ベッド上での抗重力位から立位・歩行など，活動範囲を拡大していく．また，せん妄や高次脳機能障害によって安全性に問題がないかを評価し，病棟スタッフと情報を共有しておくことも重要である．

c 回復期

積極的にリハを行いつつ，本人・家族とともに退院後の生活を検討していく時期でもある．基本動作やADLの評価はもちろんのこと，高次脳機能障害も含め，作業療法士や言語聴覚士，ソーシャルワーカーとも連携をとって，本人・家族の希望に基づいて目標を設定していく．

d 慢性期

全身状態は落ち着いているものの，気管カニューレや胃瘻，抗痙攣薬などの内服薬の調整な

ど，医療的な処置が必要で，意識障害を呈している場合もある．意識障害が遷延している場合には，視覚や聴覚の入力が保たれているか〔CRS-R（▶表2）の聴覚・視覚が1点以上〕，外部刺激に対して反応があるか（CRS-Rの聴覚3点，視覚2点以上）など，反応を細かく評価していく必要がある．

e 生活期

在宅での生活においては，運動機能のみならず高次脳機能障害による問題も大きくかかわってくる．本人や家族も含めて問題点を明確にしたうえで，評価を行う必要がある．

3 運動療法の方法

a 高度急性期

高度急性期や急性期では，医師や看護師は当然のこと，必要に応じてその他の職種とも連携して介入する必要があり，介入前後での情報共有は必須である．人工呼吸器管理下や，頭蓋内圧のコントロール中（センサーの留置や脳室ドレーンの挿入など）である場合も多く，さまざまな点滴ラインも挿入されている．それらを不用意に抜去しないよう注意しつつ，頭蓋内圧やバイタルサインの変動に留意し介入する必要がある．近年，脳外傷にかかわらず，早期リハの有効性が多く示されており，各医療施設でも介入に関するプロトコルが作成されている．また，ICUでのリハ介入は高い練度が必要となってくるため，理学療法士が専属で配置されている施設も増えている．

(1) ポジショニング

高度急性期でのポジショニングは，状態によっては禁忌となる姿勢もあるので制約も多い．頭蓋内圧のコントロール中である場合，頭部外傷治療・管理のガイドラインでは頭位挙上30°が推奨されており[4]，事前に医師へ確認したうえで，目的とするポジショニングを行う必要がある．

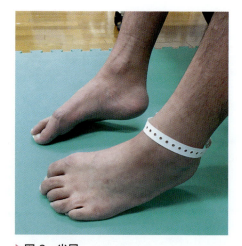

▶図2　尖足
両側に尖足があり荷重が困難であり，両側アキレス腱と母指屈筋群の腱延長術が適応となった．

▶図3　指伸展制限がある患者の食具
自助具を使用することで把持は可能だが，巧緻性は劣る．

(2) ROM運動

高度急性期のROM運動は，慢性期の機能回復に大きく影響する．特に重症の脳外傷患者において，ROM制限が顕著である場合がほとんどである．理由としては高度急性期に運動が制限されたことや，異常筋緊張が高度であったことなどが考えられる．尖足（▶図2）が強ければ立位や移乗が難しくなり，手指伸展制限が強いと，随意運動が可能となっても実用的な使用が困難となる（▶図3）．このような理由から，高度急性期においても，重症度にかかわらずROM制限の予防を意識して介入する必要がある．

他動的なROM運動を行う際，筋緊張の変化に注意しながらゆっくりと動かすことを意識する．急激な運動は逆に筋緊張の亢進をまねいてしまい，不意な動きによる点滴の抜去など，思わぬトラブルの原因となることもある．

(3) 座位

廃用を予防するために，できるだけ早期にリハを開始する旨は先に述べたが，抗重力姿勢をとることは，意識状態の改善，呼吸器合併症の予防，循環調節機能の維持などの効果が期待できる．この時期は意識障害があることが多く，状態も変化しやすいため，医師から事前に安静度を確認し，ベッド上の頭位挙上から始める．バイタルサインを常に確認しながら徐々に角度を上げていき，端座位へと移行していく．

b 急性期

意識障害が改善してくるにつれ，リハでは離床を進めていくことになるが，この時期では不穏が生じることもある．その原因として痛みやせん妄があげられるが，早期にリハの介入を行うことで，せん妄の発現や期間の短縮が期待できる[8]．抑制困難な場合は精神科医の介入が必要な場合もあるが，病棟やリハスタッフ間で介入方法や時間などの対応を共有しておくことも重要である．また，高次脳機能障害による症状もみられてくる時期でもある．

(1) 車椅子

座位姿勢でのバイタルサインが安定してくれば，車椅子へ乗車して活動範囲を広げていくことを検討する．座位姿勢をとることで，視覚や聴覚などから新たな感覚刺激を入力することも重要である．使用する車椅子は，覚醒状態や座位保持能力によって選定するが，ティルト・リクライニング式の車椅子を使用する場合，可能なかぎりリクライニングはかけずにティルトで姿勢を調整したほうが，殿部がずれにくく姿勢を保持しやすい．まずはリハ介入中に姿勢や転倒・転落のリスクを評価したうえで，病棟と情報を共有し離床時間の延長をはかっていく．

(2) 自動運動，レジスタンストレーニング

意識障害が改善し，指示に応じることができるようになれば，他動運動から自動運動，レジスタンストレーニングへと移行していく．ベッド上でのエルゴメータは，指示に応じることができ，運動が禁忌でなければ比較的導入しやすいレジスタンストレーニングである．

(3) 立位，歩行

立位姿勢をとることには，体性感覚の入力や覚醒を促すのみではなく，尖足の予防・改善をはかることができるなどさまざまな効果が期待できる．覚醒が低い場合はティルトテーブルでの他動的な立位を行い，覚醒や協力の状況によって，長下肢装具や短下肢装具を使用した立位保持も検討していく．また，介助下や歩行補助具を使用しての歩行も可能であれば進めていくが，立位・歩行いずれにおいても転倒のリスクが高いため，十分な予防策を検討しておく必要がある．リスク管理上必要ならば複数の介助者のもと実施する．

c 回復期

リハの頻度も増え，病棟でのADLが獲得されていくとともに，高次脳機能障害が顕著となってくる時期でもある．運動機能や高次脳機能障害の評価を行い，身体状況を把握したうえで，本人・家族も交えて今後の目標設定を行っていく．また，病識が低下している場合，転倒・転落などのリスクが高くなるため，常に病棟と情報を共有し，状況に応じた対策を講じていく必要がある．

(1) 日常生活動作，手段的日常生活動作

病棟でのADLが確立されていくが，高次脳機能障害がある場合，病棟での「しているADL」と，リハ場面での「できるADL」とに乖離が生じる場合がある．その要因を評価したうえで病棟と共有し，環境や介助方法を統一してかかわっていく必要がある．また，動作の獲得からより実用性を高めるために，持久力の改善もはかっていく．在宅生活を目標とし，復学や復職も視野に入れる場

合，その環境に応じて必要となる動作も変わってくる．場合によっては，学校や職場とも連携して必要な動作を確認する．

(2) 摂食嚥下リハ

脳外傷では，中枢神経の損傷による球麻痺や，顔面・頸部外傷の合併，気管挿管や気管切開による物理的な刺激や，嚥下頻度の低下による廃用などにより，摂食嚥下障害が生じることが多い．摂食嚥下リハが可能となった時点で，言語聴覚士を中心に評価を行っていくが，この段階では姿勢の調整も重要な要素となる．頭頸部の位置のみではなく，下肢・骨盤から姿勢を整える必要があり，言語聴覚士と共同で姿勢を調整することも重要である．

d 慢性期

この時期では，問題となってくるさまざまな要因がより明確となっており，その要因に応じたリハが必要となってくる．身体状況にかかわる要因としては，頭蓋形成術の有無や外傷性てんかんのコントロール，安静の長期化や筋緊張の亢進によるROM制限などがあげられる．また，社会的行動障害による過度な興奮やうつ状態によって，リハの介入に制限があるため，廃用が生じている場合もある．意識障害が遷延している場合，CRS-Rなどでの評価をもとに，さまざまな感覚刺激を入力し，反応を確認していくことが必要となってくる．

e 生活期

在宅生活で問題となるのは，単純に運動機能の障害のみではなく，高次脳機能障害の有無や程度，そして生活環境である．感情をコントロールすることが難しい患者や，自身の身体状況を理解できずに危険な行動をとってしまうようなケースでは，主たる介護者である家族が疲弊してしまう場合もある．そのため，家族が病状をよく理解できるようにかかわるとともに，本人も含め家族とともに問題点を共有し，個別性の高いリハや生活環境の提案をする必要がある．

また，必ずしもADLの自立度が高い患者ばかりが在宅での生活を送れるとは限らず，介助量が多い患者でも，家族の支援や公的な制度(障害者総合支援法，介護保険法，労働者災害補償保険法など)を利用することで在宅生活を送れる場合も少なくない．そのような場合，実際の生活に則した介助方法や福祉機器の選定を行うことで，家族の身体的な負担を軽減できる場合も多い．

C 運動療法上の留意点

1 高次脳機能障害

高次脳機能障害とは，脳損傷に起因する認知障害全般を指し，このなかにはいわゆる巣症状としての失語・失行・失認のほか，記憶障害，注意障害，遂行機能障害，社会的行動障害などが含まれる[9]．

脳外傷患者の運動療法を行ううえで，高次脳機能障害が伴っていることも多く，その症状もさまざまである．これらの評価は，作業療法士や言語聴覚士が行っている場合が多いが，理学療法士もかかわるうえで障害を理解しておくことは必要である．たとえば病識の低下している患者は，実際には歩けない場合であっても，歩行練習の必要性を自分では認識できない．その状態で無理に歩行練習を行っても，強い拒否や暴力につながってしまうことが多い．まずはしっかりとした関係性を築くとともに，できていないことを認識できるようにかかわることも必要である．

また，在宅は病院と違ってさまざまな因子が加わり，より複雑な環境となってくる．そのため，社会とのかかわりが増えてくるごとに問題が生じる場合もある．受傷によって生じた一次的な身体の障害や高次脳機能障害に加え，これらの問題によって生じた二次的な心理社会的問題がある．

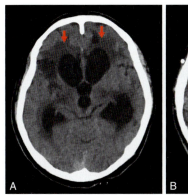
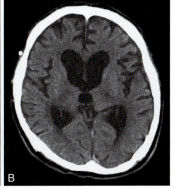

▶図4 外傷性水頭症と脳萎縮のCT像
A：受傷から6か月（50歳代）．側脳室や第三脳室が全周性に丸みを帯びて拡大し，脳溝の描出は不明瞭．側脳室前角に periventricular lucency（PVL）と呼ばれる低吸収域（赤矢印）が認められる．外傷性水頭症と診断されシャント術の適応となった．
B：受傷から10か月（30歳代）．側脳室の形状は保たれたまま拡大し，全体的に脳溝が拡大している．年齢に比べて強い萎縮が認められる．

たとえば易怒性を考えた場合，高次脳機能障害によって生じているのか，心理社会的問題から生じているのかを区別して評価することが重要である．在宅でのリハを行ううえで必要なことは，障害を理解したうえで失敗しにくい環境調整を行い，必要に応じて制度の利用も検討していくことである．

2 外傷性痙攣発作，てんかん

外傷性痙攣発作は重症頭部外傷後に生じ，直後発作（受傷後24時間以内に発生），早期発作（受傷後7日以内の発生），晩期発作（受傷後8日以降発生，再発時に外傷性てんかん）に分類される[4]．重度の脳外傷後には痙攣発作を生じることが多く，抗痙攣薬を内服している場合も多い．リハ実施中に発作が生じた場合，まずは患者の安全を確保しつつ，周囲に知らせて協力を依頼する．発生部位や持続時間を記録しながら，バイタルサインの測定や意識の有無を確認し，併せて病棟にも連絡を依頼する．発作中は呼吸状態の観察が特に重要で，呼吸抑制を認める場合にはただちに緊急コールを要請する．

3 外傷性水頭症

頭部外傷後，脳脊髄液が脳室内に貯留し，脳室が拡大した状態を**外傷性水頭症**という．慢性期ではびまん性脳損傷後の脳萎縮と水頭症との鑑別が難しいが，水頭症の場合は側脳室や第三脳室が全周性に丸みを帯びて広がる[10]（▶図4）．受傷後早期にシャント術を施行している場合もあるが，数か月の経過で顕在化してくる場合もある．この場合，正常圧水頭症としての症状である歩行障害，認知障害，排尿障害などの症状を認めることもある．臨床症状とCT像を評価したうえで，医師と情報共有していくことが必要である．

4 廃用性骨萎縮，骨折

長期間に及ぶ臥床や，ギプスなどの固定によって骨組織に廃用性の萎縮が生じることは一般によく知られているが，骨萎縮の場合，数日の臥床でも生じ，廃用の期間の積算値に比例して進行する[11]．特に慢性期以降にかかわる場合，過度な四肢の他動的ROM運動による長管骨の骨折のみ

ならず，端座位などの抗重力姿勢や着座する際には，椎骨などに圧迫骨折が生じないように注意することが重要である．

●引用文献
1) 横田裕行ほか：外傷医と脳神経外科医による頭部外傷分類. 神経外傷, 32(1):18-24, 2009.
2) 加藤侑哉ほか：重症頭部外傷における年齢構成の推移：頭部外傷データバンク【プロジェクト 1998, 2004, 2009, 2015】の変遷. 神経外傷, 42(2):160-167, 2019.
3) 北野貴之：日本語版 Coma Recovery Scale-Revised. https://kitano-hmc.com
4) 頭部外傷治療・管理のガイドライン作成委員会(編), 日本脳神経外科学会, 日本脳神経外傷学会(監)：頭部外傷治療・管理のガイドライン. 第 4 版, 医学書院, 2019.
5) 渡邉 修：交通事故後の高次脳機能障害. 日交通科会誌, 17(1):3-11, 2017.
6) 厚生労働省：病床機能報告. 令和 3 年度. https://www.mhlw.go.jp/stf/seisakunitsuite/bunya/0000055891.html
7) 日本集中治療医学会早期リハビリテーション検討委員会：集中治療における早期リハビリテーション—根拠に基づくエキスパートコンセンサス. 日集中医誌, 24(2):255-303, 2017.
8) 日本集中治療医学会 J-PAD ガイドライン作成委員会：日本版・集中治療室における成人重症患者に対する痛み・不穏・せん妄管理のための臨床ガイドライン. 日集中医誌, 21(5):539-579, 2014.
9) 厚生労働省社会・援護局障害保健福祉部 国立障害者リハビリテーションセンター：高次脳機能障害者支援の手引き(改訂第 2 版). 平成 20 年 11 月 1 日発行. http://www.rehab.go.jp/brain_fukyu/data/
10) 山田茂樹：水頭症. 脳神経外科, 49(2):317-327, 2021.
11) 上田 敏ほか(編)：リハビリテーション基礎医学. 第 2 版, pp.222-238, 医学書院, 1994.

第5章 脳性麻痺の運動療法

学習目標
- 脳性麻痺の運動療法の特性を治療体系のなかから理解する.
- 脳性麻痺の評価から対応させて運動療法を理解する.
- 脳性麻痺のタイプ別運動療法の考え方を理解する.

A 概念と特徴

1 定義と運動療法

脳性麻痺の概念は医学とリハビリテーションの進歩のなかで発展している. その発展は, 1968 年の厚生省脳性麻痺班会議による定義と (▶表1A), その 35 年後の 2004 年に米国メリーランド州ベセスダでのワークショップ (Workshop in Bethesda) による定義[1]から知ることができる (▶表1B). 後者の定義は, 1998 年の欧州 12 か国での脳性麻痺の多施設共同研究 (Surveillance of cerebral palsy in Europe; SCPE) での定義や分類に関する検討[2]を経ている.

以下に, 発展的経過を経た表1の2つの定義から脳性麻痺の概念を①～③で整理し, 運動療法に関連する内容を示す.

① 「発達途上の脳の非進行性病変によって現れる姿勢運動の障害活動の制限」が共通した脳性麻痺の主要概念である.
- 非進行性病変は運動療法の可能性を示す.
- 姿勢運動の障害と活動制限は ICF 概念に沿い, 活動改善を目的に機能改善を手段とする運動療法を示す.
- 運動障害が主である脳性麻痺の理学療法は,

▶**表1 2つの脳性麻痺の定義**

A：厚生省脳性麻痺研究班会議による定義(1968 年)

- 脳性麻痺とは受胎から新生児期(生後 4 週間以内)までの間に生じた脳の非進行性の病変に基づく, 永続的なしかし変化しうる運動および姿勢の異常である
- その症状は満 2 歳までに発現する
- 進行性疾患や一過性の運動障害または正常化するであろうと思われる運動発達遅延はこれを除外する

受障期間は〜生後 4 週間, 症状発現は〜満 2 歳, 症状の永続性と可変性, 除外規定

B：ベセスダでのワークショップによる定義(2004 年)

- 脳性麻痺の意味するところは, 運動と姿勢の異常の 1 つの集まりを説明するものであり,
- 活動の制限を引き起こすが, それは発生・発達しつつある胎児または乳児の脳のなかでおこった非進行性の病変に起因すると考えられる
- 脳性麻痺の運動機能障害には, 感覚, 認知, コミュニケーション, 認識や行動の障害, 時には発作性疾患が付け加わることがある

受障期間は〜1 年, 活動制限(ICF), 合併症, 症状発現・症状の永続性と可変性・除外規定は記載なし

〔B は Bax, M., et al.: Proposed definition and classification of cerebral palsy. *Dev. Med. Child Neurol.*, 47(8):571-576, 2005 より改変〕

運動療法が中心的な役割を果たす.

② 「受胎から生後 1 歳までの受障で, 障害は永続的だが変化する」「感覚, 認知, コミュニケーションなどの精神面での症状が合併することがある」という 2 つの定義の統合した内容は補完的な概念である.
- 受障期間延長は早期介入の重要性を示す.
- 永続するが変化することは, 発達援助と運動

療法を持続して行う必要性を示す．
- 多くの合併症は，運動療法の課題や環境設定の工夫，リスク管理の必要性を示す．
- 補完的概念は運動療法を早期より，工夫，リスク管理で持続して行うことを示す．

③発症年齢や除外規定が，定義で非記載になった．
- MRIなど診断技術の向上と重症例の比率が高まったことによるものである．

2 疫学と運動療法

脳性麻痺の疫学の諸側面を①～④で整理し，運動療法に関連する内容を示す．

①脳性麻痺の出現率は1,000人の生誕に対し約2人である．過去には1人程度に減少したが，新生児医療の進歩で新生児死亡率が減少する傍ら脳性麻痺の出現率が再上昇し，約2/1,000生誕の状況が続いている．
- 脳性麻痺は劇的な減少は見込めず，運動療法へのニーズが持続することを示す．

②脳性麻痺では，在胎37～32週までの早産では増加傾向は緩徐だが，31週以前の早産では出現率が32週以後より10倍近く多くなり，重症化のリスクが高い．出生時の在胎週数が短いほど出現率が増加傾向にある．
- 重症度が高い人への運動療法を注視．

③Duchenne(デュシェンヌ)型筋ジストロフィーの出現率(約1/7,000生誕)と比較すると，脳性麻痺は先天性疾患のなかでも出現率の高い疾患である．Down(ダウン)症は脳性麻痺とほぼ同様の出現率だが，知的障害が主症状であるため運動療法が全例に必要なわけではない．
- 脳性麻痺に対する運動療法のニーズは，先天疾性疾患のなかで一番高いことを示す．

④医療技術の進歩で，脳性麻痺者の人生も長くなり，子どもだけでなく成人，壮年，老年期の脳性麻痺者がいる．
- 経過が長く活動性を維持する運動療法は，目標設定の調整と継続可能な課題を重視．

3 治療体系と運動療法

脳性麻痺は先天性の中枢性神経疾患で，臨床症候が多様で経過も一生涯にわたる．したがってアプローチは，①医学的治療，②リハビリテーション，③ライフステージに沿った生活支援と多様である．以下に①～③の治療体験を説明し，運動療法に関する事項を述べる．

①医学的治療では，ほとんどの診療科の治療が必要だが，てんかん治療や痙縮への治療の進歩，再生医療の開発が進むなかで，麻痺自体の改善を期待できる状況にある．
- 麻痺改善への医学的治療が進むなかで，従来よりも高いゴール達成が求められている．

②リハビリテーションでは運動，知的，精神機能と活動の改善が求められるため，理学療法士，作業療法士，言語聴覚士をはじめ多職種でのかかわりが必要となる．運動機能障害が主要症候の脳性麻痺では，運動療法が貢献できる部分は多い．
- 機能的練習から課題指向型に運動療法が進歩しており，チームで共有しやすい．
- 実際の運動療法では機能的練習と課題指向性の練習を同時に進める工夫をしている．

③ライフステージに沿った生活の工夫は，運動療法の効果を生かすうえで必須であり，家庭，保育園や学校，職場での生活工夫がある．
- 生活場面の工夫は運動療法をアレンジしての生活課題が多く，その提案力が必要である．

4 運動障害の多様性と運動療法

脳性麻痺の運動障害の多様性を①～②で整理し，運動療法に関連する内容を示す．

①脳性麻痺は単一疾患でなく痙直型，アテトーゼ型(原著ではディスカイネティック型，以後アテトーゼ型)，失調型と運動障害が多様である．
- タイプにより異なる機能障害と活動制限に応

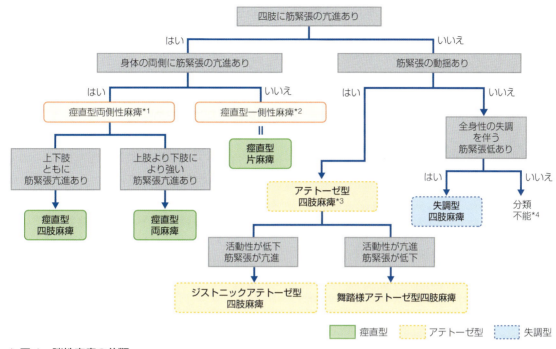

▶図1　脳性麻痺の分類
*1 両側性：四肢麻痺や両麻痺の別表記，*2 一側性：片麻痺の別表記，*3 アテトーゼ型は原著はジストニック型と表記，*4 分類不能は実際には運用しない．
〔Surveillance of Cerebral Palsy in Europe: Surveillance of cerebral palsy in Europe: a collaboration of cerebral palsy surveys and registers. Surveillance of Cerebral Palsy in Europe (SCPE). *Dev. Med. Child Neurol.*, 42(12):816–824, 2000 より〕

じた運動療法の方針が必要となる．
②脳性麻痺は，麻痺の身体分布や粗大運動能力分類システム(gross motor function classification system; GMFCS)による重症度が多様で，歩ける人から座位保持が困難な人まで状況が多彩である．
- 将来の予後を見通して，早期より長期的な視点で，各時点で必要な運動療法を行う．

B 運動療法の実際

1 運動療法を決定するための評価

運動療法の方針を決めるための評価方法と運動療法を ➡ で示す．

a 判別的評価と運動療法

脳性麻痺には時間で変化しない区分のための判別的評価が3種類あり，予後やゴール設定，運動療法の基本的方針が導かれる．

■タイプの評価

脳性麻痺性麻痺の治療やリハビリテーション，運動療法に対応できるタイプ分類として，SCPEによる分類[2]が適切である．筋緊張の性状による基本3分類で多様性もカバーできる臨床的な分類である．

(1) タイプの分類の評価方法

筋緊張を他動運動の判断，自発運動の観察，運動介助での介助量の感覚を通じて総合的に評価し，フローチャート(▶図1)[2]に沿って区分する．基本的な3タイプでそれぞれ麻痺の身体分布が対

▶表2 脳性麻痺の分類一覧（SCPEおよびその拡張）

基本となる3タイプ		
● 痙直型	四肢麻痺・両麻痺（両側性麻痺） 片麻痺（一側性麻痺）	
● アテトーゼ型	舞踏病様アテトーゼ型	四肢麻痺 三肢麻痺
	ジストニックアテトーゼ型	四肢麻痺 三肢麻痺
● 失調型	四肢麻痺	
混合した派生的なタイプ		
● 痙直を伴うアテトーゼ型　● アテトーゼを伴う痙直型 ● 失調を伴うアテトーゼ型　● アテトーゼを伴う失調型 ● 痙直を伴う失調型　　　　● 失調を伴う痙直型		

2つの要素が混合する場合，「付随する要素を伴う優位に現れる要素」の順で記載する（英語記載は優位に現れる要素 with 付随する要素と表記する）．

〔Surveillance of Cerebral Palsy in Europe: Surveillance of cerebral palsy in Europe: a collaboration of cerebral palsy surveys and registers. Surveillance of Cerebral Palsy in Europe (SCPE). *Dev. Med. Child Neurol.*, 42(12):816–824, 2000 より改変〕

応しており，展開される混合タイプと併せて**表2**に示す．

(2) タイプの特徴と運動療法

①痙直型

筋緊張が亢進しやすく低下しにくい．姿勢を保てるが，動きが少なく拘縮・脱臼が多い．重症度の幅が広く，四肢麻痺，両麻痺，片麻痺の区分が存在する．知的障害の合併の可能性がある．

➡全身の動きを伴う運動療法が基本．

②アテトーゼ型

筋緊張が動揺し保ちにくい．動きは多いが姿勢保持困難．拘縮は少なく，重症度は重いほうに偏り基本的に四肢麻痺である．知的障害合併は少ない．重症度の高いジストニックアテトーゼ型と重症の幅がある舞踏病様アテトーゼのタイプがある．

➡対称的な姿勢保持での運動療法が基本．

③失調型

筋緊張が低く主に体幹に失調を伴い，動きが少ない．運動が直線的であるが，重症度は軽いほうに偏る．知的障害の合併はありうるが一定ではない．

➡視覚代償での諸活動の運動療法が基本．

④2つのタイプの混合

どちらかの要素が強く現れることとなる．

➡強く現れたタイプの運動療法方針が基本．

■麻痺の身体分布の評価

両側性麻痺（四肢麻痺）と一側性麻痺（片麻痺）の2区分がある．一側性と両側性は英語表記なので（　）内表記を使用する．タイプと身体分布の対応は**表2**で示す．

四肢麻痺には四肢麻痺，両麻痺の2区分とは別に，片麻痺がある．単麻痺は末梢神経疾患，対麻痺は脊髄疾患を原因と考えることから，脳の障害を原因とする脳性麻痺では単麻痺・対麻痺は想定しない．単麻痺や対麻痺のようにみえる場合を否定しないが，単麻痺は上下肢いずれかの麻痺が微軽度の片麻痺，対麻痺は両上肢の麻痺が微軽度の両麻痺と考える．

(1) 評価方法

運動観察と他動運動での筋緊張検査で評価する．四肢麻痺と片麻痺は容易に区別できるが，四肢麻痺・三肢麻痺・両麻痺の区分は困難なので検討が必要である．

(2) 麻痺の身体分布の特徴と運動療法

①四肢麻痺

全身に同程度の強さの麻痺が多少の左右差をもって分布し，全タイプに存在しうる．重症度もさまざまな範囲に広がるが重度が多い．

➡全身筋緊張を適正化し，そのなかで四肢の活動性を高める運動療法が基本．

②両麻痺

左右差を伴い全身に麻痺が分布するが，上肢の麻痺が下肢の麻痺より軽い痙直型のみの身体分布で，重症度は軽〜中等度である．

➡体幹の緊張を高め，下肢の緊張を低くし，上肢での歩行を目指す運動療法が基本．

③片麻痺

身体一側上下肢に麻痺が分布しているが，他側の上下肢は正常な筋緊張である．両側支配率が高

▶表3　GMFCS による重症度区分

レベル I	制限なしに歩く
	●階段昇降や走行も可能で，屋内外とも自由に行動可能
レベル II	制限を伴って歩く
	●屋内では方向に制限がないが，階段昇降に手すりが必要
	●屋外の長距離移動では，杖か車椅子が必要かもしれない
レベル III	杖・歩行器などを使用して歩く
	●屋内の歩行でも，杖あるいは歩行器が常に必要
	●屋外の移動では，車椅子が必要となるかもしれない
	●座位保持は可能だが，最低限の支持が必要かもしれない
レベル IV	制限を伴って自力移動．電動の移動手段を使用してもよい
	●座位保持には体幹の支持が必要だが頭部は安定している
	●寝返りは自由にでき，体幹を支持した歩行器で前進可能
レベル V	手動の車椅子で移送される
	●すべての活動において，介助者や装置での援助が必要

到達できる最高の活動を代表的に 5 段階に区分された重症度．
〔GMFCS-E & R: Gross Motor Function Classification System, Expanded and Revised. https://canchild.ca/system/tenon/assets/attachments/000/000/058/original/GMFCS-ER_English.pdf より〕

い体幹は，筋緊張が低めである場合がある．痙直型の麻痺の身体分布である．
➡麻痺側単独ではなく両側肢を使う両手，両足での活動を引き出す運動療法が基本．

■麻痺の重症度(GMFCS)の評価

　脳性麻痺には重症度をレベル I～V の 5 段階に評価する GMFCS 分類がある(▶表3)[3]．

(1) 評価方法

　詳細は，成書および Can Child の情報(英語版)[3]に譲るが，5 つの年齢区分の評価表を用いる．立位と座位の姿勢保持活動，立位や座位での姿勢変換活動，歩行や車椅子など移動活動を「している」活動で可否をチェックし，重症度レベル I～V として判定する．

　2 歳以降の判定は変化しないため，5 段階の重症度は生涯確定となるので慎重に評価したい(▶図2)[4]．以下に各レベルの運動療法への示唆を述べる．

(2) 重症度の特徴と運動療法

① GMFCS レベル I

➡最高機能の維持だけでなく，さらにアクティブな生活に耐久性を含めて向上させる挑戦的な運動療法が基本．

② GMFCS レベル II

➡最高機能の維持だけでなく，屋外歩行時の補助量減少やその耐久性を含めて向上させる挑戦的な運動療法が基本．

③ GMFCS レベル III

➡最高機能の後退を予防するため，起き上がりや立ち上がり，座位・立位保持や歩行器歩行で他動を伴う自動運動の持続的な運動療法．

④ GMFCS レベル IV

➡最高機能の後退を予防するために，寝返りや起き上がり，座位・立位保持や蹴り出し移動で自動を伴う他動運動の持続的な運動療法．

⑤ GMFCS レベル V

➡最高機能の後退を予防するため，寝返り，座位・立位保持や他動での移動で自動の要素を含んだ他動運動による持続的な運動療法．

⑥レベルによる予後の違い

　予後の経過は，I～II の児は活動性が高まった状態で維持されるが，III～V の児は活動性を維持できず低下する(▶図2)[4]．
➡I～II と III～IV ではゴールも運動療法の方針も大きく異なる．

⑦長期的ゴールから現在の課題を見つける

　発達曲線の発達曲線の配置と経時的変化は長期的なゴールを提供しうる．
➡将来を想定したうえで，各時期に選択すべき運動療法の検討の助けとなる．

⑧重症度とタイプと身体分布の関係性

　IV，V で重症は痙直型四肢麻痺・ジストニックアテトーゼ型四肢麻痺，I～III で軽・中等度は痙直型両麻痺，I～II の軽度は失調型四肢麻痺・痙直

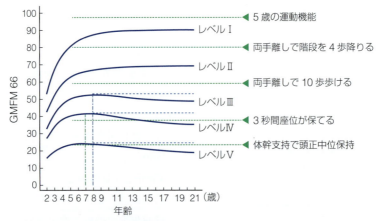

▶図2　GMFCS別の発達曲線
縦軸はGMFM 66のスコアで100が5歳レベルの活動レベルにある．
2歳以降曲線が交わらず，レベルが時間で変化しないことがわかる．
〔Hanna, S.E., et al.: Stability and decline in gross motor function among children and youth with cerebral palsy aged 2 to 21 years. *Dev. Med. Child Neurol.*, 51(4):295-302, 2009 より改変〕

▶表4　GMFCSとタイプの対応の可能性

脳性麻痺		GMFCSレベル				
タイプ	麻痺の身体分布	Ⅰ	Ⅱ	Ⅲ	Ⅳ	Ⅴ
痙直型	四肢麻痺				可能性が高い	可能性が高い
	両麻痺	可能性が高い	可能性が高い	可能性が高い		
	片麻痺	可能性が高い	可能性がある			
アテトーゼ型	舞踏様アテトーゼ	可能性がある	可能性がある	可能性が高い	可能性がある	可能性がある
	ジストニックアテトーゼ	可能性が高い		可能性がある		
失調型	四肢麻痺	可能性が高い	可能性が高い			

■：可能性が高い　■：可能性がある　□：可能性が低い

型片麻痺，Ⅲ～Ⅴの中・重度は舞踏病様アテトーゼに多い（▶表4）．
➡基本的な傾向であるが，運動療法の目標設定に参考となる．

⑨ GMFCS評価表の記載項目のゴール活用

多岐にわたる評価項目があり，すべて姿勢保持，姿勢変換の粗大運動の活動で記されている．
➡「していない」の判定項目は運動療法のゴール設定に利用でき，ひいては達成のための運動療法の方針の参考となる．

b 経時的評価と運動療法

■機能と構造の評価

評価の結果として行う運動療法は，ゴール達成への基礎的な準備練習である．

(1) 構造障害の評価

脳性麻痺の構造障害の症候と評価方法を**表5**に示す．
➡選択した評価項目から運動療法につなげる．

(2) 機能障害の評価

脳性麻痺の機能障害の症候と評価方法を**表6**に示す．
➡選択した評価項目から運動療法につなげる．

▶表5 構造障害の症候と評価方法

症候		評価方法
体格	低身長 痩身，肥満	身長測定，体重測定，四肢周径測定，Kaup（カウプ）指数，Rohrer（ローレル）指数，BMI
運動器	骨　：変形，骨粗鬆 関節：変形，側弯，脱臼 筋腱：萎縮，短縮	四肢長測定，ROM 検査，超音波測定（筋厚・輝度），骨密度測定（超音波），放射線画像読影
神経系	脳　：囊胞，脳室拡大，奇形，サイズの成長障害 　　　灰白質に対する白質比率の増加の不足	CT・MRI 画像読影
呼吸器	肺　：サイズの成長障害，左右の形態 肺胞：数的増加の不足	
循環器	心臓：サイズの成長障害，形態異常 　　　左心室の心筋の肥大不足	CT・超音波画像読影

▶表6 機能障害の症候と評価方法

症候		評価方法
運動器	骨　：易骨折性，易変形性 関節：ROM 制限（拘縮），過剰 筋腱：伸張性の低下・過剰	ROM 検査，他動運動による筋の伸張性検査
神経系	運動：筋緊張の異常，感覚の異常 　　　筋力と筋持久力の低下 　　　原始反射の残存と立ち直り平衡反応不全 　　　摂食嚥下運動困難，排泄運動困難 言語：構音障害，知的障害による遅れ 知能と精神：遅れ，いわゆる発達障害（神経発達症） 自律神経など：体温異常，睡眠障害	筋緊張検査，Modified Tardieu（タルデュー）Scale，腱反射，筋力検査，反射検査，摂食排泄記録所見，ST 所見，発達・知能・発達障害（神経発達症）の検査所見，体温や睡眠データ所見
呼吸器	機能：1 回換気量増加不全，呼吸数減少不全 　　　シーソー呼吸パターン，喀痰機能不全	スパイロメータ，呼吸パターンの観察，酸素飽和度，呼気ガス，感染記録所見
循環器	機能：1 回拍出量増加不全，脈拍数減少不全	心電図，脈拍，血液検査データ所見

■活動（参加）の制限（制約）の評価

活動（参加．以下，活動）の評価の結果行う運動療法は，ゴール達成への応用的な実地練習である．脳性麻痺の活動の症候を表7 で示し，評価方法と運動療法を ➡ で示す．

（1）観察

生活の活動場面において，自発運動および介助運動を観察し，自立度（自立・見守り・最小介助・中等度介助・最大介助・全介助）で評価する．

➡ 見守り・最小介助・中等度介助・最大介助の一部が，当面の運動療法によって達成すべきゴールの候補となりうる．

▶表7 活動（参加）の制限・制約の評価項目

基本的な姿勢の活動の制限と制約	●姿勢保持の活動の制限 ●姿勢変換の活動の制限 ●移動の活動の制限 ●移乗の活動の制限
身のまわりの生活の活動の制限	●食事の活動の制限 ●更衣の活動の制限 ●排泄の活動（参加）の制限 ●入浴の活動（参加）の制限 ●整容の活動の制限
社会的な生活活動の制限	●外出，登校，出勤，余暇の活動（参加）の制限

ICF の活動と参加（合体しているので活動として表記）の問題の解決は，運動療法のゴールの達成と同義である．

(2) 粗大運動能力尺度
　　　　（gross motor function measure; GMFM）

　4件 Likert（リッカート）方式による GMFM 88（順序尺度）で粗大運動による活動5領域（臥位寝返り，座位，四つ這い膝立ち，立位，歩行・走行・ジャンプ）の達成分布を質的に評価する．GMFM 66（間隔尺度）で活動全体の到達度を量的に評価する．
➡ GMFM 88 から改善すべき領域，またはその領域中の質問項目からゴールを設定して運動療法を組み立てる．GMFM 66 は行ってきた運動療法の効果を見極め，次の段階の運動療法の方針決定につなげるために使う．

(3) 子どもの能力低下評価法（Pediatric Evaluation of Disability Inventory; PEDI）

　可・不可で答える PEDI（間隔尺度）によりセルフケア，移動，社会的機能それぞれの達成度合いを評価する．
➡ PEDI の評価項目はすべて活動を段階的に細分化した機能的スキルの連なりの活動で示されており，すべて「していない」と判断した項目はゴールの設定を試み，それに対して運動療法を試みることができる．

2 共通の構造と機能改善の運動療法の実際

　構造と機能は，ゴール達成のための基礎的で準備的な練習の運動療法であるため，基本的にはタイプを超えて共通である．
　各児にとって多様な構造と機能の障害が組み合わされており，それが脳性麻痺の多様性につながっている．各児に合わせて必要な機能的練習を個別に行うが，機能的練習として単独で実施するよりも課題指向型練習と織り交ぜて行う．

a 構造障害への運動療法（▶表5）

(1) 体格の問題の運動療法
➡ **体格**：運動の量や質がよくなる結果，総合的に改善してくるものなので，体格の改善固有の運動療法は意識しなくてよい．
➡ **痙直型に多い肥満**：管理栄養士とも連携し，低負荷高頻度の運動課題で習慣的な運動療法が必要である．

(2) 運動器の構造障害への運動療法
➡ **片麻痺に多くみられる骨の成長障害**：早期より立位や座位での両側四肢の荷重などの重力刺激を伴う運動，それらの持続する運動体験が重要である．
➡ **痙直型に多い骨変形**：変形を防止する予防的な運動方向に他動・自動運動を繰り返す運動療法の習慣が必要で，装具療法の併用も検討される．
➡ **関節変形や側弯**：自動運動を伴う他動運動補助により，よい筋緊張状態で良姿勢にて持続的活動をすることを追求し，変形がおこらない運動の方向を意識した楽しい活動が習慣化する運動療法が必要だが装具療法も検討される．
➡ **痙直型におこる股関節脱臼**：股関節外転・外旋方向の運動や胡坐座りなどの姿勢管理，股関節外転装具での歩行が大切である．
➡ **アテトーゼ型におこる環軸椎脱臼**：頸部の不随意運動を減少させるため，努力の少ない生活管理が基本で，頸椎カラー装着による頸部保護も早期から検討する．
➡ **筋の肥大の制限**：低負荷高頻度の運動が基本である．重症度の高い人にはプールなどの免荷がよい．
➡ **筋腱短縮**：自動や他動，マッサージによるストレッチングの頻度を確保する．
➡ **筋力低下**：筋の伸張性確保と，自動運動中心の運動習慣を指導する．

(3) 神経の構造障害への運動療法
➡ 脳の構造の変化に影響を与える因子として，脳の機能障害の運動療法があるので，後述する（➡次頁）．

(4) 呼吸器の構造障害への運動療法
➡ 肺の形態異常は，脊柱・胸郭への他動・自動運動を通じて間接的な効果を狙う．呼吸器の構造

障害の因子として呼吸器の機能障害があるので,後述する.

(5) 循環器の構造障害への運動療法
➡ 循環器の構造の変化に影響を与える因子として循環器の機能障害があるので,後述する.

b 機能障害への運動療法(▶表6)

(1) 運動器の機能障害への運動療法
➡ **易骨折性や骨変形性**:骨密度と骨化を促すため四肢体幹への重力刺激を伴う姿勢保持と持続する運動体験が重要である.
➡ **四肢・脊柱のROM制限**:他動運動に偏らず自動運動を中心にして姿勢管理や運動の習慣化が必要だが,効果持続のため装具療法を併用してよい.
➡ **ROMの過剰**:筋力強化の運動と装具療法の併用が検討される.
➡ **筋腱の短縮**:自動・他動の種々な方法での持続的ストレッチングと全身のゆるやかな運動がよいが,運動習慣の持続も重要で,この問題の解決は短期効果につながりやすい.

(2) 神経の機能障害への運動療法
➡ **過緊張**:動的で大きめの運動,他動・ストレッチングや重力刺激の少ない自動運動の要素の多い運動の繰り返しが基本である.
➡ **動揺性緊張**:静的で少なめの運動,左右対称での重力刺激が明確な姿勢保持運動や上肢の支持運動が基本である.
➡ **低緊張**:表在刺激や重力刺激を与えるなかでの姿勢保持や四肢の運動,回旋要素の多い円滑な自動運動が基本となる.
➡ **感覚の障害**:ゆるやかだが明確な感覚の刺激体験と複数の感覚を同時体験できる運動がよい.
➡ **筋力と筋の持久性の低下**:自動運動の多用と低負荷高頻度の運動を繰り返す運動習慣が基本である.
➡ **原始反射**:他動的な抑制ではなく,原始反射が少ない伏臥位や座位・立位での運動で影響力を低減できる.

➡ **立ち直り反応**:すべての児に出現する可能性があり,明確で広い体幹支持のなかでじっくり反応を待つことが基本である.
➡ **平衡反応**:麻痺が軽い部位に出現する可能性があり,体幹支持のなかで種々の外乱刺激を段階的に与えることが基本である.
➡ **摂食嚥下運動困難**:食事への応用ができる体幹と頭頸部の姿勢の選択が基本で,言語聴覚士と作業療法士との協働が必須である.
➡ **排泄運動困難**:座位や立位の運動とともに腹部マッサージで腸管の動きを促す.管理栄養士との協働が有効である.
➡ **言語機能の障害**:構音障害に対する準備的対応をとるが,筋緊張を整え座位の支持性を高める.言語聴覚士との協働が必要である.
➡ **知的障害**:固有の運動療法はないが,運動機能の向上によって知的機能の向上が期待できるため,評価の視点が重要である.
➡ **精神障害**:固有の運動療法はないが,運動と精神機能は感情を軸に相補的に影響を与え合うため,評価の視点が重要である.
➡ **自律神経障害**:固有の運動療法はないが,体温や睡眠が運動の影響を受けるため,体温や睡眠の情報と評価が重要である.

(3) 呼吸器の機能障害への運動療法
➡ **呼吸機能障害**:脊柱・胸郭の運動性を高める他動・自動運動や姿勢管理がシーソー呼吸や排痰不全を防ぐ.運動時の肋骨骨折に注意する.

(4) 循環器の機能障害への運動療法
➡ **循環機能障害**:低負荷高頻度の運動をすすめる.楽しいサーキット練習などによる運動習慣の持続が大切である.

3 タイプ別の活動改善への運動療法の実際

運動療法の目的である活動の改善は,表7で示される項目で個性的な内容となる.機能と構造は共通的であったが,活動の改善は個々で異なる.

▶図3　姿勢保持装置（立位）
A：プローンボード（前傾角度を強めるほど背筋が働いて協調する）
B：スパインボード（後傾角度を強めるほど腹筋が働いて協調する）

ここでは代表的な6つのタイプの身体分布と，活動を改善する運動療法の実際の概略を述べる．

a 痙直型四肢麻痺

痙直型は脳性麻痺の80％強を占めるが，ここでは20％弱の痙直型四肢麻痺に多い重症度Ⅳ～Ⅴの活動の特徴と，運動療法の実際を➡で述べる．

（1）機能障害の特徴
①筋緊張亢進状態で緊張性迷路反射（TLR）の影響を受け，少なく遅い動き．
②四肢の独立・交互の運動が困難．
③四肢は屈曲・内転・内旋方向で，体幹は屈曲方向に緊張を高める．
④拘縮や股関節脱臼，側弯の可能性の特徴がある．

（2）活動制限の特徴
①姿勢保持は介助下の臥位と座位に偏る．
②移乗や移動活動は最大介助か電動用具が必要．
③姿勢変換は寝返りの可能性があるが起き上がり以上は困難．移動は寝返りによる移動か，体幹支持付き歩行器で前進する活動の可能性．
④四肢の活動は，左右別々や交互運動および範囲の広い運動による活動が困難という特徴がある．

（3）活動制限の改善のための運動療法
➡四肢体幹に生じうる拘縮を防ぐため，生活で全身の動きがある活動を重視する．
➡運動による変化が体感できる課題を選ぶことを心がける．
➡股関節脱臼や屈曲拘縮防止のため，股関節外転装具や短下肢装具，プローンボード，スパインボード（▶図3）や座位補助装置，プローンキーパー（▶図4）を使って生活での姿勢を管理する．
➡腹臥位，座位，立位の姿勢保持にて自動運動を含む他動運動を使った活動が基本である．
➡姿勢保持活動では，体幹を伸展させ，四肢は外転・伸展・外旋，左右異なる運動が楽しい．バルーンを使った例を図5に示す．
➡姿勢変換では，寝返りの介助量を減じて自立度を高める活動を楽しく行う．
➡移動活動は，車椅子に乗って他動的ではあるが動かされる体験を行うが，自発運動を使って寝返りに移動，SRC歩行器（▶図6B）での移動，電動車椅子操作の挑戦もよい．

▶図4　姿勢保持装置（臥位・座位）
A：座位補助装置（体幹前傾型・後傾型，テーブルの有無など種々あり）
B：プローンキーパー（呼吸がしやすく，気道分泌物も排出しやすい．頭部サポートを置けばさらに姿勢が楽に保てる）

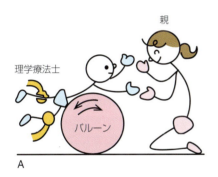

▶図5　痙直型四肢麻痺の活動例
A：腹臥位でバルーンを使って体幹伸展と上肢挙上を介助し，広い範囲で上肢を使って遊ぶなどすると緊張を下げながら楽しく手遊びができる．
B：背臥位でバルーンに沿って寝転がり，四肢すべての外転伸展運動により緊張を下げてリラックスして動きと上肢のタッチ遊びができる．

b 痙直型両肢麻痺

　胎生期の脳室周囲白質軟化症（PVL）が原因で，脳性麻痺の40～50％強を占める．ここでは痙直型両肢麻痺に多い重症度Ⅱ～Ⅲの活動の特徴と，運動療法の実際を➡で述べる．

（1）機能障害の特徴

①上肢の機能は比較的よいが下肢は緊張亢進が強く，左右が独立・交互運動が困難．
②四肢末梢部ほど強い過緊張の影響．
③上下肢ともに屈曲・内転・内旋の方向に緊張を高め，その方向で拘縮が発生する．
④体幹の緊張が低め．
⑤皮質損傷の可能性があり，知的障害やてんかんの合併症がある．
⑥股関節脱臼の可能性が高いという特徴がある．

（2）活動制限の特徴

①Ⅰの場合すべての活動制限がない．
②Ⅱ，Ⅲの姿勢保持活動は座位で自立するが割り座での活動となり，立位は自立～最小介助で下肢内転位にて上肢を使った活動が可能．
③姿勢変換活動はⅡ，Ⅲにて自立～最小介助で上

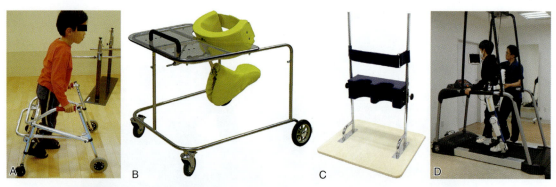

▶図6 移動補助装置,立ち上がり補助装置
A：PCW 歩行器（股関節の伸展を促す両手支持の歩行器）
B：SRC 歩行器（体幹保持部がついたキックによる移動補助装置）
C：スタンディングフレーム（下腿と膝支持で立ちしゃがみを容易にする：椅子を併用する）
D：トレッドミルでの免荷歩行（ロボット装置を併用した例）

肢の力と下肢の左右同時の動きを利用し,時間を要する.
④移動活動はほとんどの児が歩けるが,Ⅱ,Ⅲで最小～中等度介助のはさみ足歩行の特徴がある.

(3) 活動制限の改善のための運動療法

➡ Ⅰの児は,日常の自発運動の動きのなかで問題を自己修正できるので,新たな運動療法は必要ないが,チェックは必要である.
➡ Ⅱ,Ⅲの姿勢保持の活動は座位と立位にて姿勢変換とダイナミックな上肢の運動と併せた動的課題を選択し,左右非対称姿勢保持も積極的に導入しバランスを身につける.
➡ 下肢の過緊張低下は,ストレッチングなどの他動運動よりも,スタンディングフレーム（▶図6C）を使った立位保持や立ちしゃがみどの自動運動のほうが活動時の適応性が高い.
➡ 下肢の運動は左右交互あるいは非対称にて四肢の運動,伸展・外転・外旋方向の活動を強調する.
➡ 割座やはさみ足歩行で股関節脱臼が懸念されるため,胡坐座位,外転装具での運動,外転歩行や外転立位での活動が重要となる.
➡ 上肢は活動時に負担により緊張亢進しやすいが,伸展・外旋・回外方向の自動運動を援助するなかで合理的な支持力が高まる.
➡ 上肢の空中動作も,伸展・外転・外旋方向への運動を中心に大きい範囲での運動を使った活動が重要である.
➡ Ⅱ,Ⅲの姿勢変換の活動は最小介助までであるが,複数パターンで姿勢変換活動の体験により起き上がりや立ち上がりが安定する.
➡ バルーンにより座位や立位で前傾方向をとりつつ上肢で遊ぶなかで,体幹の緊張は十分実用的に高まり,四肢の緊張も改善するので個別の体幹トレーニングは不要である（▶図7）.
➡ Ⅱ,Ⅲの歩行は,独歩もしくは PCW 歩行（▶図6A）,杖歩行などさまざまな移動に挑戦することで適応性も耐久性も身につく.トレッドミルでの免荷歩行やロボットの活用（▶図6D）で,歩行活動の向上が期待できる.

❸ 痙直型片麻痺

傍矢状脳梗塞や頭部外傷が原因で,両麻痺に次ぐ多さである.ここでは,重症度が軽いⅠ～Ⅱの痙直型片麻痺の活動の特徴と運動療法の実際を➡で述べる.

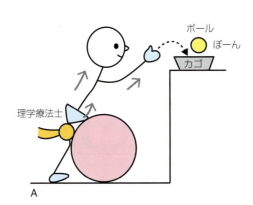
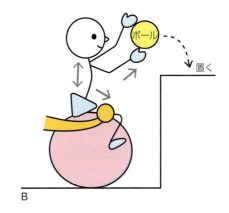

▶図7　痙直型両肢麻痺の活動例
A：大腿中央部くらいの高さのバルーンに膝と下腿で支持した前傾立位を使って上肢で自由に活動することで，動きを伴う楽しみのなかで体幹の緊張が自然に高まる．
B：大きめのバルーンに下肢外転位で前傾気味に座りつつ，上肢で自由に活動することで体幹の緊張が自然に高まる．

(1) 機能障害の特徴

①上肢と手指は屈曲で，前腕回内および肩は伸展・外転，下肢は軽度屈曲位で尖足方向に緊張が強まり，その方向に拘縮がおこりやすい．
②非麻痺側優位の運動により連合反応で麻痺側の痙縮が高まる．
③麻痺側の痙性麻痺と感覚障害で使用や接触を嫌がる．
④麻痺肢に成長障害で四肢長差が生じる．
⑤大脳皮質の損傷で，てんかんや知的障害の合併の可能性も高い特徴を有する．

(2) 活動制限の特徴

①よい身体一側があるため，姿勢保持と姿勢変換が自立，移動は歩行および歩行応用動作や走行まで可能．
②非麻痺側の使用の偏りにより両手での活動や両下肢を均等に交互に使う歩行活動が困難．
③麻痺側を使った活動への抵抗性が強い．
④非対称な活動の機能化により修正困難な特徴がある．

(3) 活動制限の改善のための運動療法

➡ 運動療法の目的は単なる歩行獲得でなく，左右差が少なく環境に適応できる歩行，両上肢で多様な活動に挑戦可能となることである．
➡ すべての活動にて非麻痺側だけでなく，両側の上下肢使用が基本である．具体例として，補助輪付きの自転車を漕ぐ，大きいボールの運搬ゲームなどの楽しい活動を示す（▶図8）．
➡ 麻痺側上肢に触れるときは，軽く触れるのではなく広い面でしっかり触れるのがよい．
➡ 下肢長の左右差を生じさせないよう，両下肢への均等な荷重の習慣化が必要だが，短下肢装具の使用も検討できる．
➡ 非麻痺側使用の合理的な代償運動を使った両上肢機能での活動の練習も必要となる．

d ジストニックアテトーゼ型四肢麻痺

核黄疸，大脳基底核障害が原因となるアテトーゼ型で，頻度は10％弱で重症度が高い．IV，Vのジストニックアテトーゼの活動の特徴と，運動療法の実際を➡で述べる．

(1) 機能障害の特徴

①非対称性緊張性頸反射（ATNR）の影響を受け，捻転を伴う過伸展・非対称での代償的固定．
②動きが少ないなかで全身的に大きな突発的不随意運動が生じ，痛みを訴えることがある．
③動きが少なくアテトーゼはあるが，変形拘縮，脱臼の可能性があるという特徴がある．

(2) 活動制限の特徴

①多くの姿勢で保持が困難で臥位での活動に制限

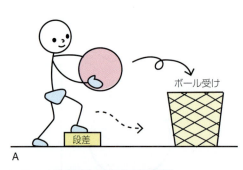

▶図8 痙直型右片麻痺の活動例
A：大きいバルーンを両手で持ち段差を乗り越えて運ぶ遊びのなかで、楽しく筋緊張が対称的に制御される（ボール受けや段差は種々のバリエーションあり）．
B：ハンドルは垂直型（楕円ループ型も可）が両手で持ちやすく、麻痺側のペダルにはループをつけ固定性を助けると、楽しく両上下肢を使って自転車が漕げる．

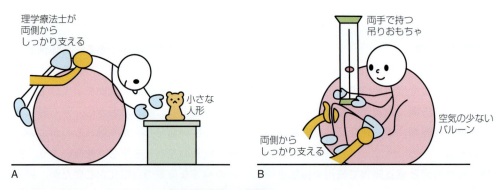

▶図9 ジストニックアテトーゼ型四肢麻痺の活動例
A：腹臥位でバルーンに沿って両側より軽度屈曲位をとり、両側から左右対称位を保持して両上肢で小さいおもちゃで遊ぶと不随意運動が少なく楽しめる．
B：空気の少ないバルーンにうずまるようにして座位をとると、屈曲位で四肢が内側に向かい対称性が得られ、両手で持つ吊りおもちゃにつかまることができ、不随意運動の影響が少なく楽しめる．

され、座位・立位は虚脱する可能性が高い．
②多くの姿勢変換や移動の自立度は低いが、体幹支持付き歩行器で移動できる可能性がある．

(3) 活動制限の改善のための運動療法
➡姿勢保持活動が中心で、体幹と頸部の対称的で両側四肢の支持性運動での活動が基本である．
➡不随意運動による支持の虚脱に注意する．
➡筋緊張亢進が多いため、軽度屈曲・内転・内旋方向と左右対称で少し動きを与え、狭い範囲の運動がよい．座位や伏臥位でバルーンを使った例を示す（▶図9）．
➡移動の活動は、SRC歩行器（▶図6B）でキックを試みると成功することがあり、目的に向かう活動で対称性がよくなることがある．
➡変形拘縮予防、呼吸機能確保、摂食機能の安定性に向け、座位保持装置・プローンキーパー（▶図4B）やスパインボード（▶図3B）を併用し安楽な活動を工夫する．
➡環境設定や運動の結果の体験は変化が少ないが、明瞭なもの（正中上の体験や視覚聴覚）がよい．

e 舞踏病様アテトーゼ型四肢麻痺

核黄疸、大脳基底核障害が原因となるアテトーゼ型で、頻度は10％弱である．ここでは重症度がⅢの舞踏病様アテトーゼの活動の特徴と、運

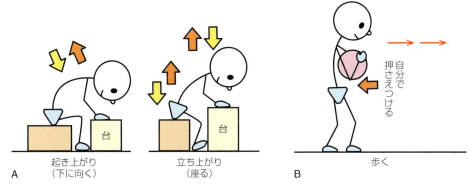

▶図10　舞踏様アテトーゼ型四肢麻痺の活動例
A：両上肢支持で台を押して起き上がる（立ち上りも，手をついて座るときも同様に）．
B：ボールを両手で持って，腹部で低めに自分で押さえつけるようにしてゆっくり歩く．

動療法の実際を➡で述べる．

（1）機能障害の特徴

①不随意運動がみられるが，身体での代償固定により一定程度不随意運動を制御できる．
②代償固定はATNRを利用し，過伸展や捻転を伴う非対称性を呈する．
③代償固定で四肢の動きはある位程度の交互性を有するが，中間関節は過伸展で末梢部は屈曲する．
④運動性があるため拘縮や変形は少ないが，環軸椎亜脱臼リスクという特徴がある．

（2）活動制限の特徴

①姿勢の保持は非対称性パターンに限定される．
②過伸展・捻転・非対称運動にて代償的な固定での四肢の円滑な動きを使った活動制限．
③四肢はATNRの影響を受け，対称的な両側での運動を使った活動が困難．
④寝返りは自立しているが，起き上がりと立ち上がりは下肢の代償固定にて頸部と体幹の過伸展を利用．
⑤歩行は足指の屈曲と膝の過伸展で体幹上肢はATNRを使って非対称に支持し，すり足で歩く特徴がある．

（3）活動制限の改善のための運動療法

➡腹臥位・座位・立位での活動は下肢で対称的に支持面をつくり，上肢の対称的運動による活動で不随意運動を抑えた活動となる．
➡姿勢変換は劇的な変化を求めず，対称的な両上肢支持で頸部体幹の過伸展が減少する（▶図10A）．
➡歩行も劇的な変化を求めず，腹部の前でボールを両手で持ってゆっくり歩くと代償固定が緩和した歩行となる（▶図10B）．
➡頸椎カラーや電動車椅子での活動，努力しすぎない生活習慣で活動難度を下げて環軸椎亜脱臼を防止する．

f 失調型四肢麻痺

小脳障害が原因となり，発生頻度が数％と少ない失調型四肢麻痺の重症度Ⅱ〜Ⅲの活動の特徴と運動療法の実際を➡で述べる．

（1）機能障害の特徴

①運動時に筋緊張を上げることが苦手で体幹に振戦を伴う．
②運動は量が少なく，方向転換や加速と減速および運動の開始と終了が困難である．
③視覚代償で失調と低緊張を自己調節できるという特徴がある．

（2）活動制限の特徴

①失調と低緊張の代償として，過剰に正中・左右対称指向で姿勢保持と移動が不安定で緩徐．
②姿勢変換や移乗は直線的運動の構成で，足もと

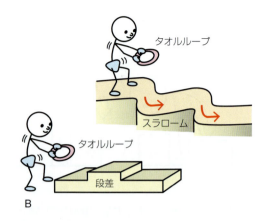

▶図11　失調型四肢麻痺の活動例
A：座った椅子から90°方向転換して別の椅子に座ることを遊びつつ行う（椅子の角度を大きくすれば難易度調整が可能）．
B：タオルループを持って，タオルを視覚代償としつつ環境をとらえスラロームや段差を歩く．

を見るなど慎重な活動がみられ，そのために活動性が低下する特徴がある．

（3）活動制限の改善のための運動療法

➡ 正中位付近で多少の重心移動を伴う座位・立位で全身の支持性を高め，失調の減少と筋緊張を高めるのが基本である．
➡ 四肢は，正中位から離れる非対称な運動を使った座位・立位での活動がよい．
➡ 視覚代償を使っての応用歩行，方向転換や回旋運動，運動の開始と停止を使った活動を重視する（▶図11）．
➡ 運動結果の変化が体感できる課題を選ぶ．

C 運動療法上の留意点

1 リスク管理について

a 中枢神経疾患からくるリスク

筋を過伸張した場合のIb抑制による姿勢保持の虚脱がある．立位保持の場面ではそれが転倒につながり，外傷のリスクがある．

てんかん発作による意識の消失や脱力も同様のリスクとなるので，ていねいな観察が必要である．

体温調節の不全もリスクであり，適正体温を保たないと意識消失や脱水の危険性があるので，検温や室温管理は欠かせない．

b 二次障害によるリスク

骨折，成長期での拘縮の急激な進行，脱臼，装具不適合による外傷があげられる．注意深い観察で避けられるリスクである．

2 ライフステージに応じた長期間の運動療法

a ライフステージを通じての運動療法

乳幼児期から老年期に至るまで運動療法が必要となる．ライフステージは，乳児期，幼児期，学齢期，青年期，成人期，壮年期，老年期が連続しているが，それぞれの時期では身体・精神の状況，家族・社会の環境も異なる．それぞれの時期に獲得すべきこと，予防すべきこと，大切にしたいことが異なる．

b ライフステージで異なる運動療法の目標

ライフステージに応じた運動療法の目標は，全体を通じて一貫して持続する目標と，ステージで

異なる目標が存在する．ステージによって運動療法を行える時間や生活に対する比重も変わってくる．これらのことを意識してステージに沿った目標を設定し，それに応じた実行性のある運動療法を適合させる必要がある．

3 協働のなかで生きる運動療法

a 家族との協働

脳性麻痺は，あらゆる生活場面で生涯を通じて多様な支援が必要となる．本人の願いを実現する支援を進めるには，家族との協働のために家庭生活のなかで過ごし方の工夫を提案していく必要がある．無理なく心地よく生活に溶け込む形で運動療法の要素を生活活動に織り込む必要がある．

b 所属する社会との協働

保育園や学校および会社など本人が所属する社会の人たちとの協働も必要で，社会での生活時間のなかで運動療法が溶け込む生活活動の提案が必要である．社会側のニーズを把握し尊重したうえで，運動療法の要素を提案することが重要である．

4 運動療法で利用する運動の観点

運動療法の治療手段は運動であるが，脳性麻痺に利用する運動の観点を列挙する．この視点を理解すれば，運動療法の運動刺激を創造的に組み立てていくことができる．

a 自動運動と他動運動

- 自動運動のほうが学習効果は大きい．
- 運動学習と成長のため，他動運動から自動運動へと介助量を減少させる指向性が必要である．
- 軽度の脳性麻痺は自動運動だけでもよい．

b 静的運動と動的運動

- 静的運動と動的運動は混在しているが，どちらかの要素が強い運動が多い．
- 痙直型は，静的運動を伴う動的運動が困難である．
- 痙直型は，動的運動の要素が多い運動療法を動的環境とともに設定する．
- アテトーゼ型は，動的運動を伴う静的運動が困難である．
- アテトーゼ型は，静的運動の要素が多い運動療法を静的環境とともに設定する．

c 遠心性と求心性収縮

- 求心性収縮は，運動の先端が空中にある運動で利用されることが多く，正の加速運動でアクセルの働きのある収縮である．
- 遠心性収縮は，運動の先端が設置している運動で利用されることが多く，ブレーキの働きのある収縮である．難度が高い収縮だが，脳性麻痺はその傾向がより強い．

d 課題指向型アプローチの運動と機能練習の運動

- 獲得すべき活動が未経験なので，生活活動そのものを繰り返す課題指向型アプローチでの運動療法が中心である．
- 体が楽しく感じる，好奇心をもてる，バリエーションがあり飽きない，日々無理なく繰り返せる課題が必要である．
- 機能練習の運動は必要だが，単独では実効性が少ないため課題指向性の運動療法と併用する．

e 発達と学習による運動

- 乳幼児期の粗大運動による活動には，発達支援による運動療法が合理的である．
- 発達支援による運動療法では，児の発達段階で動きたい欲求を満たす環境を設定する．その環境下で児に最小限の介助で結果として運動を獲得させる．
- 学齢期に向かっての活動では，運動学習支援による運動療法が合理的である．
- 運動学習では個性に応じて興味をもつ課題を行い，スモールステップで飽きずに繰り返す．

8 難易度

- 小児の課題は，やさしすぎず難しすぎない課題が適切である．
- 運動を伴って楽しめるものがよく，ブロックの上を歩くなど，難易度が高い挑戦が期待感と集中力を増して活動性を高める．

9 運動の強度と繰り返し頻度

- 脳性麻痺の児で繰り返せるようにするためには疲れない身体づくりが必要であり，低負荷高頻度の繰り返しの原則が合理的である．

●引用文献

1) Bax, M., et al.: Proposed definition and classification of cerebral palsy. *Dev. Med. Child Neurol.*, 47(8):571–576, 2005.
2) Surveillance of Cerebral Palsy in Europe: Surveillance of cerebral palsy in Europe: a collaboration of cerebral palsy surveys and registers. Surveillance of Cerebral Palsy in Europe (SCPE). *Dev. Med. Child Neurol.*, 42(12):816–824, 2000.
3) GMFCS-E & R: Gross Motor Function Classification System, Expanded and Revised. https://canchild.ca/system/tenon/assets/attachments/000/000/058/original/GMFCS-ER_English.pdf
4) Hanna, S.E., et al.: Stability and decline in gross motor function among children and youth with cerebral palsy aged 2 to 21 years. *Dev. Med. Child Neurol.*, 51(4):295–302, 2009.

第6章 脊髄小脳変性症の運動療法

学習目標
- 脊髄小脳変性症の病態について理解する.
- 脊髄小脳変性症の障害に対する評価について理解する.
- 脊髄小脳変性症に対する理学療法・アプローチについて理解する.

A 病態把握

脊髄小脳変性症(spinocerebellar degeneration; SCD)は, 小脳を主体として脳幹, 脊髄, 大脳基底核などの中枢神経系に生じる原因不明の神経変性疾患であると定義される. それぞれ障害部位により運動失調のほか, パーキンソニズム, 錐体路障害, 末梢神経障害, 認知機能障害などさまざまな症候を呈する疾患群である.

わが国においては厚生労働省の難病対策として特定疾患治療研究事業が実施されており, 2012年(平成24年)のSCDの患者数は25,000件報告されている. 2012年の日本人口1億2,600万人に対して約0.02%となる[1]).

SCDにおいては遺伝性に発現する病型(常染色体顕性遺伝, 常染色体性顕性遺伝, X連鎖性遺伝, ミトコンドリア遺伝など)と孤発性に発現する病型に分かれる(▶表1).

1 遺伝性SCD

遺伝性に発現する病型は, わが国ではSCD全体のおよそ30%とされている. 常染色体顕性遺伝のSCDにおいては遺伝子解析を行い, 脊髄小脳失調症(spinocerebellar ataxia; SCA)に番号をつけて登録されており2016年時点でSCA43まで登録されている. 代表的なものとしてはSCA1, SCA2, SCA3〔Machado-Joseph(マシャド・ジョセフ)病〕, SCA6, 歯状核赤核淡蒼球ルイ体萎縮症(dentatorubral pallidoluysian atrophy; DRPLA)などがあげられる. 常染色潜性遺伝はわが国において頻度は少ないとされるが, こちらも多様な疾患があることを認識しておく. 代表的なものとしてアプラタキシン欠損症/早発性運動失調症(AOA1/EAOH)やFriedreich(フリードライヒ)運動失調症があげられる.

これら遺伝性の疾患はいずれも責任遺伝子の翻訳領域における3塩基CAGの繰り返し配列(リピート)が, 対照者と比べて長くつながっていることが原因である. 転写の過程で異常配列が伸長されてしまう. リピート数が多く異常配列が伸長されるほど, 発症年齢は早く, 症状も重篤化しやすい. そのため遺伝が続いている世代ほど症状が強く, 若くして発症するケースが多い.

遺伝性のなかには両下肢の強い痙縮を主徴とする慢性進行性の変性疾患で, 痙性対麻痺という分類も存在する. 臨床的には緩徐進行性の脊髄錐体路, 後索, 脊髄小脳路の系統変性がみられる.

2 孤発性SCD

孤発性に発現する病型はわが国において67%ほどであり, SCDのなかで最も多い疾患として多

▶表1 脊髄小脳変性症の病型と特徴

病型			主な特徴
遺伝性	顕性遺伝性	SCA1	●運動失調がみられ，進行すると腱反射の亢進，眼球運動障害，顔面筋力低下などが加わる
		SCA2	●運動失調のほかに，眼球運動速度の低下，末梢神経障害，認知症などを伴う
		SCA3(Machado-Joseph病)	●運動失調のほかに，眼球運動障害，びっくり眼，錐体路・錐体外路障害，末梢神経障害などを伴う ●わが国の遺伝性SCDでは頻度が高い
		SCA6	●ほぼ純粋な小脳症状を示し，進行は緩徐 ●わが国の遺伝性SCDでは頻度が高い
		SCA31	●わが国固有のSCAで，純粋型の小脳性運動失調を示す ●わが国の遺伝性SCDでは頻度が高い
		歯状核赤核淡蒼球ルイ体萎縮症(DRPLA)	●小児から高齢者まで発症する ●若年型では，てんかん発作やミオクローヌス，遅発成人型(40歳以上)では舞踏病や認知症を示す
	潜性遺伝性	Friedreich運動失調症	●若年発症(20～25歳)で，深部感覚障害による感覚障害性の運動失調を示す ●わが国では稀
		アプラキタシン欠損症(AOA1) 早発性運動失調症(EAOH)	●易転倒性など小児期に発症し，深部感覚障害や筋萎縮が生じ，振戦や舞踏病なども伴う
		ビタミンE欠乏症(AVED)	●運動失調と深部感覚障害が主体
孤発性	多系統萎縮症(MSA)	オリーブ橋小脳萎縮症(OPCA)	●初発症状が運動失調(MSA-C) ●わが国に多い
		線条体黒質変性症(SND)	●初発症状がパーキンソニズム(MSA-P)
		Shy-Drager症候群(SDS)	●初発症状が自律神経症状
	皮質性小脳萎縮症(CCA)		●小脳皮質の萎縮による運動失調が主症状 ●高齢発症(50～70歳)で進行が緩徐

系統萎縮症(multiple system atrophy; MSA)があげられる．MSAは成年期以降に発症し，①小脳症状を主体とする**オリーブ橋小脳萎縮症**(olivoponto-cerebellar atrophy; OPCA)，②パーキンソニズムを主体とする**線条体黒質変性症**(striatonigral degeneration; SND)，③自律神経障害を主体とする**Shy-Drager(シャイ・ドレーガー)症候群**(Shy-Drager syndrome; SDS)を包括する概念である．現在ではOPCA優勢とされていたものを**MSA-C**, SND優勢とされていたものを**MSA-P**と呼称している．それぞれが進行するにつれて他の系統にも病変が拡大するに伴い，症候も重複してくる．MSAは特徴的に自律神経障害が存在しており，勃起不全(男性)，排尿障害(尿閉，尿失禁)，起立性低血圧，便秘などがみられ，他の病型のSCDと鑑別するうえで重要である．MSA-Pのパーキンソニズムにおいては典型的なParkinson(パーキンソン)病にみられる安静時振戦と異なり動作時にみられやすく，律動性不随意運動として認められる(▶図1)．また体幹動揺が強く転倒しやすいという報告もある．近年では認知機能障害を伴う例も報告されており，前頭葉障害との関与が示唆されている．その他，錐体路障害，首下がりなどの姿勢異常，ジストニア，強制泣き，レム睡眠行動異常などさまざまな症状を呈する．

孤発性SCDのうちMSAに分類されないものは**皮質性小脳萎縮症**(cortical cerebellar atrophy; CCA)として分類される(▶表1)．

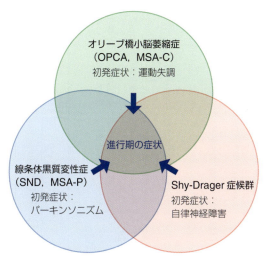

▶図1　多系統萎縮症の病態の概念

B 現在の治療

　SCDのさまざまな病型を列挙したが，それぞれの進行速度や予後は病型によって異なる．一般的には純粋小脳型と呼ばれる病型（SCA6, SCA31など）はMSAや多系統障害型（SCA3, SCA1など）よりも進行が緩徐とされている．

　SCDに対する治療として根治療法は確立されておらず，対症療法にとどまる．小脳症状に対して，甲状腺刺激ホルモン放出ホルモン（TRH）製剤のヒルトニン®やセレジスト®がわが国で保険適用が認められる薬物である（グレード1A）．

　小脳症状以外の症状に対しては，抗Parkinson病薬，起立性低血圧改善薬，排尿改善薬などが使用される．

　遺伝性痙性対麻痺のような痙縮を呈する場合は，抗痙縮薬や経口薬以外にボツリヌスの注射やバクロフェン持続髄注療法（ITB療法）が考慮される．

　パーキンソニズムを呈する場合はParkinson病よりも有効性は低いとされており，特にMSAの場合はドパミン製剤の効果は乏しいとされる．

C 症状と評価

1 心身機能・身体構造レベルの評価

a 運動失調

　円滑な協調運動を保つためには，小脳系，深部感覚系，前庭系の働きが重要である．これらいずれかが傷害されることにより運動失調をきたす．

　小脳症状として，四肢・体幹の協調性障害（運動失調），筋緊張の低下，筋力低下，企図振戦，眼振，構音障害（断綴性言語や不明瞭言語），測定異常，反復拮抗運動障害，姿勢や歩行時の身体の動揺や不安定性などがみられる．協調性を評価する項目として，上肢は鼻−指−鼻試験や手回内・回外検査，線引き検査など，下肢は踵−膝検査，体幹は起き上がり検査や躯幹協調運動検査などがあげられる．

　深部感覚性運動失調では，起立歩行不安定や閉眼による著明なバランス低下を呈する．

　前庭性運動失調では，回転性めまい，定方向性眼振や頭位変換性眼振，定方向性偏倚などを認める．半定量的な評価として，SARA（Scale for the Assessment and Rating of Ataxia）（▶表2）[2]やICARS（International Cooperative Ataxia Rating Scale）などが使用される．SARAはICARSよりも簡便な評価を目的に作成され，全8項目を採点し最重症が40点となる．MSAには特異的で包括的な評価としてUMSARSが用いられる（▶表3）[3]．

b バランス障害

　運動失調によりバランス障害をきたす場合が多い．評価項目としてRomberg（ロンベルグ）検査やBerg（バーグ）Balance Scale, Timed Up and Go Test（TUG）, Functional Reach Test, Mini-Balance Evaluation Systems Test（Mini-BESTest）などが用いられ，症状の悪化の程度や

表2 Scale for the Assessment and Rating of Ataxia (SARA)

Rater: _____ date: _____ patient: _____

Scale for the assessment and rating of ataxia (SARA)

1) 歩行

以下の2種類で判断する。①壁から安全な距離をとって壁と平行に歩く。②帰りに方向転換し、自然な姿勢で歩き壁まで戻る。③継ぎ足歩行(両足を一直線に、つま先に踵をつけるようにする)を介助なしで行う

0: 正常。歩行、方向転換、継ぎ足歩行が困難なく10歩より多くできる(1回目の足の踏み外し以下)
1: やや困難。継ぎ足歩行は10歩より多く続けられないが、正常歩行ができる
2: 明らかに異常。継ぎ足歩行は10歩を超えることができない
3: 普通の歩行に困難さがあるが、介助なしで方向転換ができ、時々壁を伝う
4: 著しいふらつきがある。時々壁を伝う
5: 激しいふらつきがある。常に、1本杖、片方の腕に軽い介助が必要
6: しっかりとした介助があれば10m以上長く歩ける、2本杖もしくは歩行器が必要
7: しっかりとした介助があっても10mには届かない。2本杖もしくは歩行器が必要
8: 介助があっても歩けない

Score	

2) 立位

被検者に靴を脱いでいただき、開眼で、被検者は次の3つの姿勢をとる(親指どうしをつける)。①自然な姿勢、②足をそろえて(両足の内側をつける)、③継ぎ足(両足を一直線に踵とつま先につける)に続けて再施行可能。最高点を記載する

0: 正常。継ぎ足で10秒より長く立てる
1: 足をそろえて、動揺せずに立てるが、継ぎ足で10秒より長く立てない
2: 足をそろえて、10秒より長く立てるか動揺する
3: 足をそろえて立つことはできないが、介助なしに、自然な肢位で10秒より長く立てる
4: 軽い介助(間欠的)があれば、自然な肢位で10秒より長く立てる
5: 常に片方の腕に軽い介助があれば、10秒より長く立てる
6: 常に片方の腕に介助があっても、10秒より長く立てることができない

Score	

3) 座位

開眼し、両上肢を前方に伸ばした姿勢で、足を浮かせてベッドに座る

0: 正常。困難なく10秒より長く座っていることができる
1: 軽度困難。間欠的に動揺する
2: 常に動揺しているが、介助なしに10秒より長く座っていられる
3: 時々介助するだけで10秒より長く座っていられる
4: ずっと支えなければ10秒より長く座っていることができない

Score	

4) 言語障害

通常の会話で評価する

0: 正常
1: わずかな言語障害が疑われる
2: 言語障害があるが、容易に理解できる
3: 時々、理解困難な言葉がある
4: 多くの言葉が理解困難である
5: かろうじて単語が理解できる
6: 単語を理解できない、言葉が出ない

Score	

5) 指追い試験

被検者は楽な姿勢で座ってもらい、必要があれば体幹を支えてもよい。検査者は被検者の前に座る。被検者の指が届く距離の中間の位置に、自分の人差し指の動きを示す。被検者に、自分の人差し指で、できるだけ正確についてくるように命じる。検査者は被検者の予測ができない方向に、約30cm、人差し指を動かす。これを5回繰り返す。被検者の人差し指が、正確に目標とする人差し指を示すかを判定する。5回のうち最後の3回の平均を評価する

0: 測定障害なし
1: 測定障害がある。5cm 未満
2: 測定障害がある。15cm 未満
3: 測定障害がある。15cm より大きい
4: 5回行えない

(注)原疾患以外の理由により検査自体ができない場合は5とし、平均値、総得点に反映させない

Score	Right	Left
平均 (R + L)/2		

6) 鼻-指試験

被検者は楽な姿勢で座ってもらい、必要があれば体幹を支えてもよい。検査者はその前に座る。被検者の指が届く距離の90%の位置に、検査者は自分の人差し指を示す。被検者に、人差し指で繰り返し往復するように命じる。指の動きのスピードで振戦が現れるように普通の速さで行う。運動時の指先の振戦の振幅の平均を評価する

0: 振戦なし
1: 振戦がある。振幅は 2cm 未満
2: 振戦がある。振幅は 5cm 未満
3: 振戦がある。振幅は 5cm より大きい
4: 5回行えない

(注)原疾患以外の理由により検査自体ができない場合は5とし、平均値、総得点に反映させない

Score	Right	Left
平均 (R + L)/2		

7) 手の回内・回外運動

被検者は楽な姿勢で座ってもらい、必要があれば体幹を支えてもよい。被検者のも太腿の上で、手の回内・回外運動を、できるだけ速く正確に10回繰り返すように命じる。検査者は同じことを7秒で行い手本とする。運動に要する正確な時間を測定する

0: 正常、規則正しく行える。10秒未満でできる
1: わずかに不規則。10秒未満でできる
2: 明らかに不規則。1回の回内・回外運動が区別できない、もしくは中断する。しかし10秒未満でできる
3: さわめて不規則。10秒より長くかかるが10回行える
4: 10回行えない

(注)原疾患以外の理由により検査自体ができない場合は5とし、平均値、総得点に反映させない

Score	Right	Left
平均 (R + L)/2		

8) 踵-脛試験

被検者をベッド上にしてもらい横にする。被検者に、片方の足をあげ、踵を反対側の膝に移動させ、1秒以内で踵に沿って踵まで滑らせるように命じる。その後、足をもとの位置に戻す。片方つつ3回連続で行う

0: 正常
1: わずかに異常。踵は膝から離れない
2: 明らかに異常。踵から離れる(3回まで)
3: 明らかに異常。踵から離れる(4回以上)
4: 行えない(3回とも踵に沿って踵自体を滑らすことができない)

(注)原疾患以外の理由により検査自体ができない場合は5とし、平均値、総得点に反映させない

Score	Right	Left
平均 (R + L)/2		

(山内康太ほか: Scale for the Assessment and Rating of Ataxia (SARA) を用いた脳卒中に伴う運動失調重症度評価の有用性について、脳卒中, 35(6): 418-424, 2013 より)

表3 統一多系統萎縮症評価尺度(unified MSA rating scale; UMSARS)

Part I：Historical Review(Part I の総点：＿＿／48点)
(特定できないときは)患者あるいは介護者に対する質問により，過去2週間の平均的機能を評価する．患者の状態に最も適合する点数をつける．臨床上のサインとは独立して機能を点数化する

1. 会話
   0．＝正常
   1．＝軽度に障害されるが，容易に理解可能
   2．＝中等度の障害．時々(半分以下)聞き返す必要あり
   3．＝高度の障害．何度も(半分以上)聞き返す必要あり
   4．＝ほとんど聞き取り不能
2. 嚥下
   0．＝正常
   1．＝軽度障害．むせがあっても1週間に1回以下
   2．＝中等度障害．食事を誤嚥し，1週間に1回以上むせる
   3．＝高度障害．しばしば食事を誤嚥する
   4．＝経鼻胃管あるいは胃瘻による栄養
3. 書字
   0．＝正常
   1．＝軽度障害されるが，すべての文字が読める
   2．＝中等度障害され，半分くらいの字は読めない
   3．＝高度に障害され，ほとんどの字が読めない
   4．＝不能
4. 食事と食器の扱い
   0．＝正常
   1．＝やや遅いか拙劣だが，介助は不要
   2．＝遅くて拙劣だが，たいていの食物は扱える．介助が少し必要
   3．＝あらかじめ食物を食べやすい状態にしてもらう必要があるが，ゆっくりなら自分で食べられる
   4．＝全介助
5. 更衣
   0．＝正常
   1．＝やや遅いか拙劣だが，介助不要
   2．＝ボタンをはめるときや，袖に手を通すときに介助が必要なときもある
   3．＝かなりの介助が必要だが部分的には1人でできる
   4．＝全介助
6. 衛生
   0．＝正常
   1．＝やや遅いか拙劣だが，介助不要
   2．＝シャワーあるいは入浴に介助が必要，あるいは衛生ケアに非常に時間がかかる
   3．＝洗顔，歯磨き，整髪，トイレ使用に介助が必要
   4．＝全介助
7. 歩行
   0．＝正常
   1．＝軽度障害．介助は不要．補助具は不要(関連のない疾患に対する補助具は除く)
   2．＝中等度障害．介助あるいは歩行補助具が時々必要
   3．＝高度障害．介助あるいは歩行補助具が頻回に必要
   4．＝介助があっても歩行不能
8. 転倒(先月の回数)
   0．＝なし
   1．＝めったに転倒しない(1か月に1回未満)
   2．＝時々転倒(1週間に1回未満)
   3．＝1週間に1回以上転倒
   4．＝1日に少なくとも1回は転倒
   (歩けない場合も「4」と評価)
9. 起立性症状
   0．＝起立性症状(失神，めまい，視覚障害，頸部痛．臥位になると楽になる)はなし
   1．＝稀で日常生活が制限されることはない
   2．＝少なくとも1週間に1回．時に日常生活が制限される
   3．＝たいていの場合に生じるが，通常1分以上立っていられる．日常生活の多くが制限される
   4．＝立位のときには持続的に生じ，通常立位を保てるのは1分以内．立とうとすると失神するか，しそうになる
10. 排尿機能
    0．＝正常
    1．＝尿意切迫あるいは頻尿だが，薬物治療不要
    2．＝尿意切迫あるいは頻尿があり，薬物治療が必要
    3．＝切迫性尿失禁あるいは残尿により間欠的自己導尿が必要
    4．＝失禁によりカテーテル留置が必要
    ＊排尿症状は他の原因によるものではない
11. 性機能
    0．＝問題なし
    1．＝健康な時期に比べて軽度の障害
    2．＝健康な時期に比べて中等度の障害
    3．＝健康な時期に比べて高度の障害
    4．＝性的活動は不可能
12. 腸機能
    0．＝以前のパターンと変わりなし
    1．＝時に便秘するが薬物治療は不要
    2．＝しばしば便秘し，緩下剤が必要
    3．＝慢性的に便秘で緩下剤や浣腸が必要
    4．＝自発的な腸の動きがない

(つづく)

▶表3 統一多系統萎縮症評価尺度(unified MSA rating scale; UMSARS)(つづき)

Part II：Motor Examination Scale
(Part II の総得点：＿＿/56 点)
四肢のうち最も重症な部分により評点する

1. 表情
   - 0.＝正常
   - 1.＝表情はやや乏しいが，ポーカーフェイス程度にもとれる
   - 2.＝軽度だが明瞭な表情の減少
   - 3.＝中等度の無表情．口が開いていることがある
   - 4.＝仮面様顔貌．口は 0.6 cm 以上開いている

2. 言語
   患者に標準的な文章を数回繰り返し発音してもらう
   - 0.＝正常
   - 1.＝軽度だが遅く，不明瞭，または発声困難．発話を繰り返してもらう必要はない
   - 2.＝中等度に遅く，不明瞭，または発声困難．発話を時々繰り返してもらう必要がある
   - 3.＝高度に遅く，不明瞭，または発声困難．発話をしばしば繰り返してもらう必要がある
   - 4.＝理解不能

3. 眼球運動障害
   水平にゆっくり動かす検者の指を追視させること，異なった場所にある指を側方視させること，約 30°開いた極位にある2本の指の間でサッケードを行わせることにより，眼球運動を検査する．検者は次の異常サインを評価する：(1)滑動性眼球運動の欠落，(2)45°以上の眼位で生じる注視性眼振，(3)45°以内の眼位で生じる注視性眼振，(4)サッケード性ハイパーメトリア．(3)の存在は，(2)の存在が前提なので，少なくとも2つの異常なサインが存在することを示唆する
   - 0.＝なし
   - 1.＝1 つの眼球運動の異常なサイン
   - 2.＝2 つの眼球運動の異常なサイン
   - 3.＝3 つの眼球運動の異常なサイン
   - 4.＝4 つの眼球運動の異常なサイン

4. 安静時振戦(最も重症な肢を評点する)
   - 0.＝なし
   - 1.＝軽度でごくたまに出現
   - 2.＝振幅は小さいが持続的．あるいは中等度の振幅で間欠的
   - 3.＝中等度の振幅でたいていの時間出現
   - 4.＝振幅が大きく，たいていの時間出現

5. 動作時振戦
   進展した上肢の姿勢時振戦(A)と，指差しでの動作時振戦(B)を評価する．タスク(A)と(B)で重症なほうの振戦を最も重症な肢において評点する
   - 0.＝なし
   - 1.＝軽度の振戦(A)，指差しで干渉なし(B)
   - 2.＝中等度の振幅(A)，指差しで少量の干渉(B)
   - 3.＝著明な振幅(A)，指差しで著明な干渉(B)
   - 4.＝重度の振幅(A)，指差し不能(B)

6. 筋トーヌス上昇(最も障害の強い肢で評点)
   患者を座位にし，リラックスさせた状況で，受動的な動きを評価する．歯車様筋強剛は無視する
   - 0.＝なし
   - 1.＝ごく軽度であるか，鏡像または他の動作により誘発したときのみ検出される
   - 2.＝軽度～中等度
   - 3.＝著明だが，可動域内は容易に動かせる
   - 4.＝重症で可動域内を完全には動かせない

7. 手のすばやい変換運動
   手の回内外運動を，垂直あるいは水平に，可能なかぎりの振幅により，片手ずつ行い，最も重症な肢により評価する．このタスクの障害は無動や小脳症状によっても生じることに注意する．背景にある運動障害を無視して動作を評点する
   - 0.＝正常
   - 1.＝軽度の障害
   - 2.＝中等度の障害
   - 3.＝重度の障害
   - 4.＝タスクがほとんど遂行できない

8. 指タップ
   速く連続して可能なかぎりの振幅で指をタップさせる．それぞれの手につき少なくとも 15～20 秒．このタスクの障害は無動や小脳症状によっても生じることに注意する．背景にある運動障害を無視して動作を評点する
   - 0.＝正常
   - 1.＝軽度の障害
   - 2.＝中等度の障害
   - 3.＝重度の障害
   - 4.＝タスクがほとんど遂行できない

9. 下肢の機敏さ
   座位の状態で速く連続して足全体を持ち上げ，踵で床を叩く．振幅は約 10 cm，悪いほうの足で評価する．このタスクの障害は無動や小脳症状によっても生じることに注意する．背景にある運動障害を無視して動作を評点する
   - 0.＝正常
   - 1.＝軽度の障害
   - 2.＝中等度の障害
   - 3.＝重度の障害
   - 4.＝タスクがほとんど遂行できない

10. 踵-膝-脛テスト
    一方の下肢を持ち上げ，踵を休ませているほうの下肢の膝の上に置き，前脛部から足首へとスライドさせる．足関節に達したら，下肢を再び挙上し，約 40 cm 持ち上げてから一連の動作を繰り返す．正確な評価のためにはそれぞれの下肢について少なくとも 3 回繰り返されるべきである．悪いほうの下肢によって評点する
    - 0.＝正常
    - 1.＝軽度の障害
    - 2.＝中等度の障害
    - 3.＝重度の障害
    - 4.＝タスクがほとんど遂行できない

(つづく)

▶表3 （つづき）

11. 椅子からの立ち上がり
　手を胸の前に組んで背中がまっすぐな木または金属製の椅子から立ち上がる
　0.＝正常
　1.＝ぎこちなく，一度でうまくいかないこともある
　2.＝肘掛けに腕をつかないと立てない
　3.＝立とうとしても座り込んでしまい，1回以上やり直しが必要だが，介助は不要
　4.＝介助なしでは立ち上がれない

12. 姿勢
　0.＝正常
　1.＝完全な直立ではなく，ごく軽度前屈みの姿勢．高齢者なら正常でもありえる程度
　2.＝中等度の前屈姿勢で明らかに異常．一側にやや傾くこともある
　3.＝重度の前屈姿勢で後弯を伴う．一側に中等度傾くこともある
　4.＝極度の前屈できわめて異常な姿勢

13. 姿勢反射
　両足を開いて目を開けた状態でまっすぐ立った状態から，肩を持って突然強く後方に引いたときの自発的な姿勢反射と反応を評点する
　0.＝正常
　1.＝軽度の体の動揺と後方突進現象があるが，自分で立ち直れる
　2.＝中等度の体の動揺と姿勢保持障害があり，支えないと倒れる
　3.＝重度の体の動揺があり，きわめて不安定．自然に倒れそうになる
　4.＝介助なしには立位保持不能

14. 歩行
　0.＝正常
　1.＝軽度の障害
　2.＝中等度の障害．歩行困難だが独歩可能
　3.＝高度の歩行障害で介助が必要
　4.＝介助があっても歩行不能

Part Ⅲ：Autonomic Examination
臥位で安静にしてから2分後と，立位になってから2分後に血圧と脈拍を測定する．起立性症状は浮遊感，非回転性めまい，眼のかすみ，虚弱感，疲労感，認知障害，悪心，動悸，身ぶるい，頭痛，頸肩部痛を含む

収縮期血圧
　臥位＿＿＿＿　立位（2分後）＿＿＿＿　○記録不能
拡張期血圧
　臥位＿＿＿＿　立位（2分後）＿＿＿＿　○記録不能
脈拍
　臥位＿＿＿＿　立位（2分後）＿＿＿＿　○記録不能
起立症状　　○あり　　○なし

Part Ⅳ：Global Disability Scale
　1.＝完全に自立．最小限度の困難や障害はあってもすべての雑用をこなすことができる．基本的に正常．困難さは気づかれない
　2.＝完全な自立とはいえない．いくつかの雑用には介助が必要
　3.＝さらに依存．半数の雑用には介助が必要．1日の大半を雑事に費やしてしまう
　4.＝非常に依存的．時々雑用を自分でできるか，自分だけで始められる．多くには介助が必要
　5.＝完全に依存的で身のまわりのことができない．臥床状態

〔Wenning, G.K., et al.: Development and validation of the Unified Multiple System Atrophy Rating Scale (UMSARS). Mov. Disord., 19(12):1391-1402, 2004 より〕

練習による改善効果を客観的に評価することができる（▶動画1）．

動画1

◉錐体外路症状（主にパーキンソニズム）

　錐体外路系に病変が及ぶと，固縮，動作緩慢，前屈姿勢，姿勢反射障害などのパーキンソニズムがみられる．ジストニア，ミオクローヌス，舞踏病様運動など不随意運動を伴うこともある．腰曲がりや首下がりなどの姿勢異常を認めることもある．

d 錐体路症状

上位運動ニューロンに病変が及ぶと，深部腱反射亢進，病的反射出現などの錐体路症状が現れる．特にMSAでは錐体路障害を認めやすく，頻度の高い徴候の1つである．

e 自律神経障害

起立性低血圧，排尿・排便障害，発汗障害などの自律神経障害がみられる．特に起立性低血圧が重度な場合は意識消失をおこし，危険である．自律神経障害を伴うSCDの病型は進行が速く，重症化する傾向がある．

一般的に収縮期血圧20mmHg，拡張期血圧10mmHg以上の低下をもって起立性低血圧と診断するが，MSAの場合は収縮期血圧30mmHg，拡張期血圧15mmHg以上の低下をもって起立性低血圧と診断する．

f 末梢神経障害

末梢神経に病変が及ぶと，末梢神経障害による筋力低下，感覚障害が現れる．脊髄前角細胞や後根神経節細胞の障害もみられる．特にSCA1, 2, 3においては，過半数の症例で電気生理学的検査による末梢神経障害の確認が報告されている[3]．

g 精神症状，認知症

SCDの進行に伴う大脳の萎縮により一般的な認知機能障害が生じることがあるが，近年では小脳が運動機能のみならず認知機能にもかかわっていることが報告されている．

うつ症状や不安症(特にSCA3)，記銘力障害(特にSCA1, 2, 3, 6)，遂行機能障害(SCA1)などがみられる．MSAでは早期に認知機能低下を認める例は少ないが，進行期に認知機能障害を呈する報告が多数存在する．

h 嚥下・呼吸・睡眠障害

SCD，とりわけMSAでは嚥下障害・呼吸障害が生命予後を規定する因子であり，早期に障害を発見し介入することが望ましい．

嚥下障害に関しては嚥下造影検査(videofluoroscopic examination of swallowing; VF)と嚥下内視鏡検査(videoendoscopic evaluation of swallowing; VE)が用いられる．

呼吸障害には上気道閉塞によるものと中枢性によるものとが存在する．簡易睡眠時無呼吸検査はスクリーニングとしても活用される．声帯外転麻痺などにより，大きく甲高いいびき，頻呼吸，胸骨上部の吸気時の陥没などを特徴とする睡眠時呼吸障害をきたすことがある．睡眠時呼吸障害は突然死の原因ともなるため，窒息や突然死の予防的処置として，非侵襲的陽圧換気(non-invasive positive pressure ventilation; NPPV)や気管切開を施行して人工呼吸器が使われることもある．誤嚥性肺炎などを繰り返す場合では気管切開が考慮される．

2 活動レベルの評価

進行に伴い重症度の変化や症状の悪化がみられるため，ADL状況の把握が重要である．座位保持，立位保持，起き上がり，立ち上がり，歩行など基本的な姿勢や動作を観察し分析を行う．ADLの評価項目としてはBarthel(バーセル)Index(BI)やFunctional Independence Measure(FIM)などが用いられる．

3 参加・背景レベルの評価

活動に制限が生じてくるにつれて生活空間は狭小化し参加制約も生じてくる．構音障害はコミュニケーションを必要とする仕事に，巧緻運動障害は細かい作業を伴う仕事に，バランス障害は足場の悪い場所での作業仕事や通勤などに支障が出てくる．家庭内での役割に関しても制限が生じてくるため，家屋環境や家庭環境なども把握しておく必要がある(▶表4)[4]．

▶表4 SCDの主な評価項目

評価項目		主な検査方法
心身機能 身体構造	運動失調（協調性）	鼻-指-鼻試験，手回内・回外検査，線引き検査，踵-膝検査，体幹は起き上がり検査，躯幹協調運動検査 SARAやICARS UMSARS（MSA特異的評価だがSCD全般にも用いられる）
	バランス機能	Romberg検査やBerg Balance Scale, Functional Reach Test, Mini-BESTest
	錐体外路症状	固縮，動作緩慢，前屈姿勢，姿勢反射障害などのパーキンソニズム，ジストニア，ミオクローヌス，不随意運動など
	錐体路症状	深部腱反射亢進，病的反射出現，運動麻痺など
	自律神経障害	起立性低血圧，排尿・排便障害，発汗障害など
	末梢神経障害	感覚障害，神経学的検査
	精神症状，認知症	うつ症，不安症，認知機能障害，遂行機能障害
	嚥下機能	嚥下造影検査，嚥下内視鏡検査
	呼吸機能	呼吸機能検査，咳嗽力，呼吸様式
	その他	筋力，関節可動域，運動耐容能
活動	動作	動作観察，分析
	ADL	BIやFIM
	手段的ADL（IADL）	IADLスケール
参加 背景	環境	家庭環境，家屋環境，家庭内での役割
	職業	仕事内容，通勤方法，服務時間

〔望月 久：脊髄小脳変性症の理学療法．吉尾雅春ほか（編）：標準理学療法学 専門分野 神経理学療法学，第2版，p.327，医学書院，2018より抜粋〕

D SCDにおけるアプローチ

1 リスク管理

a 誤嚥性肺炎の予防

嚥下機能・咳嗽機能が低下してきた場合は口腔ケア，食形態の工夫，排痰の指導などを行い，言語聴覚士を含めた嚥下・呼吸指導の介入が必要である．

特に姿勢保持の障害がみられている場合は，座位の耐久性などを評価しつつ食事摂取時の姿勢調節に関しても検討が必要である．

咳嗽力の評価はピークフロー（cough peak flow；CPF）の評価が有用であり，低下している場合は咳嗽の練習や介助方法の指導，排痰姿位などの呼吸リハビリテーション介入が有用である．

誤嚥を繰り返している症例に関しては気管切開術の施行が検討されるが，発声機能を失うことを理解し，併せてコミュニケーションツールの導入やQOLへの配慮が求められる．

b 褥瘡の予防

SCDに限らず，進行性の神経変性症の患者は症状の進行により寝返りも含めた自動性の乏しい状態に至ることが多く，褥瘡発生のリスクが高い．

発生予測評価としてBraden（ブレーデン）Scale（BS）が広く用いられており，一般に17点以下の場合はリスクが増えるとされている．褥瘡予防対策として，栄養状態の改善，スキンケア，体圧分散マットレス，座位・車椅子クッションの使用，寝返り困難な場合は2時間ごとの体位変換が推奨される．

▶図2　補助具と基底面の変化
基底面の拡充が得られる補助具を選定することで安定性が向上し，転倒恐怖感の軽減につながる．

C 転倒・骨折の予防

　SCDにおいて小脳失調によるバランス障害を有し，高頻度で転倒することが報告されている．予測因子として罹病期間，運動失調の重症度，錐体路徴候の有無，非運動失調症状の数などがあげられている．

　運動失調症状に対して，バランス練習や歩行練習を行い，病気の進行に応じて杖や歩行器などの歩行補助具，手すり設置などの環境調整が推奨される．手すりにつかまるなど移動・移乗時の代償的な上肢使用も重要であり，活動性低下に伴う廃用症候群などの要素も含め，全身の筋力・機能維持を目的として運動することが推奨される（▶図2）．

　MSAでは起立性低血圧による失神で転倒する場合もあり，評価しておく必要がある．

2 理学療法（動画1，2）

　小脳失調を主体とするSCDに対して，バランスや歩行に対する理学療法を集中的に行うと，小脳失調や歩行が改善する（グレード1B）．

 動画1　　 動画2

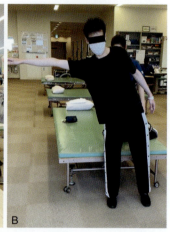

▶図3　運動療法（バランス練習）
前方へのランジ（A）や側方へのリーチ動作（B）．

　この集中リハビリテーションの例として一部報告されているものとしては，介入量1〜2時間/回×週3〜7回×4週間，プログラムの内容として静的バランス，動的バランス，平地や凹凸地の歩行，階段昇降，体幹と四肢の協調運動，重症度や個別性を配慮した立位・移動方法に関連するADL練習，転倒防止のためのステップ練習，肩と脊椎の拘縮予防などがある．

　改善指標としてSARA，歩行速度，バランス指標，FIMなどが用いられる．

　バランス練習（▶図3）には，安定した座面での練習，バランスボールなど不安定な座位での練習，安定した床の上での立位，その状態での上肢挙上

▶表5 小脳失調に対しての運動難易度

		課題難易度(低)	課題難易度(高)
運動制御的側面	重心移動	低い,支持面の中心にある	高い,支持面の辺縁にある
	支持基底面	広い,移動がない	狭い,移動がある
	身体接触面	多い	少ない
	荷重量	少ない	多い
	運動速度	遅い	速い
	筋出力様式	等尺性収縮・求心性収縮 段階的筋出力なし	遠心性収縮 段階的筋出力が必要
	運動の随意性・自律性	自動的要素大(動作企図小) 連続運動	随意的要素大(動作企図大) 離散運動
	運動連鎖	閉鎖性運動連鎖	開放性運動連鎖
	多関節制御:肢節内協調	相互作用トルク小 単関節制御	相互作用トルク大 多関節制御
	多関節制御:肢節間協調	位相差小	位相差大
	正確性	正確性を要求されない 時間:タイミングの一致なし 視覚:空間的な正確性なし	正確性を必要とする 時間:タイミングの一致 視覚:空間的正確性が必要
	適応制御	外乱小 予測と一致	外乱大 予測と不一致
知覚・認知的側面	知覚識別・弁別	少ない	多い
	精神的緊張度(不安・恐怖心,急かされるなど)	少ない	多い
	課題重畳	単一課題	多重課題
	課題新規性	低い	高い
	学習方略	explicit learning(明示的学習)	implicit learning(潜在学習)

〔菊地 豊:脊髄小脳変性症の運動療法.吉尾雅春ほか(編):標準理学療法学 専門分野 運動療法学 各論.第4版,p.248,医学書院,2017 より〕

や体幹回旋,つま先立ち,踵立ち,さらに不安定な平面での同様な立位バランス練習など,患者のレベルに合わせた難易度設定が有用であることが示されており,学習効果も確認しながら課題を選定することが望ましい(▶表5)[5].十分な検証には至っていないが,感覚性失調を呈する場合に感覚フィードバックを目的として下肢装具の使用にて歩行を改善する報告も散見される.

将来的には家族など周囲の人に負担をかける機会が増えるため,介助技術を指導することや外来・訪問リハビリテーションを含めた在宅の環境・体制など,多職種で調整していくことが望まれる.

3 最新のリハビリテーション介入

四肢・体幹の運動失調などによりバランス能力が低下している患者は歩行時の動揺に対して恐怖心が強く,歩幅は狭小化し重心移動もより拙劣になる場合がある.このような場合は,体重免荷を行いながら転倒リスクを最小限とする環境を設定するなどの工夫を行うと効果的である.転倒恐怖感を除去することで姿勢制御に注意を向けることが可能になり,代償機転も生じにくくすることで姿勢調整能力の向上が期待できる.歩行アシストを行うロボットを併用する例もみられる.

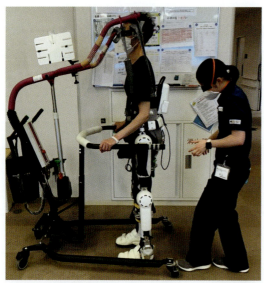

▶図4 体重免荷とロボットスーツHAL®を使用した歩行練習（動画3）

▶図5 VRを用いたリハビリテーション

Hybrid Assistive Limb®（HAL®）を用いた介入では歩行速度の改善，歩行の耐容能が向上したと報告されている[6]（▶図4，動画3）．

バランス練習の一環としてMicrosoftから発売されたKinect for Xbox 360®や任天堂から発売されたWii Fit™などの家庭用ゲームを使用する報告もみられる．これらの効果としてTUG，側方リーチの距離，SARAが改善し，転倒恐怖感の減少と自己効力感の向上につながった事例もある[7,8]．

そのほかにもvirtual reality（VR）技術を用いて課題に取り組みながらリハビリテーションを行うなどの事例も報告されている[9]．これらは患者が楽しみながら参加できるというメリットがあり，ゲームの難易度を調整しながら練習の難易度調整することも容易である．適切な難易度であれば在宅での自主練習として使用することも可能である．症例報告のなかでは小脳梗塞による小脳病変での報告だったが，SCDにおいても即時効果や長期的なバランス能力の維持につながることが期待される（▶図5）．

●引用文献

1) 厚生労働省 神経・筋疾患調査研究班（運動失調症）「運動失調症の医療基盤に関する研究班」：脊髄小脳変性症（多系統萎縮症を除く）．
https://www.mhlw.go.jp/file/06-Seisakujouhou-10900000-Kenkoukyoku/0000157723.docx
2) 山内康太ほか：Scale for the Assessment and Rating of Ataxia（SARA）を用いた脳卒中に伴う運動失調重症度評価の有用性について．脳卒中，35(6)：418–424, 2013.
3) 日本神経学会ほか（監）：脊髄小脳変性症・多系統萎縮症診療ガイドライン2018. pp.4–30, 64–82, 128–151, 南江堂, 2018.
4) 望月 久：脊髄小脳変性症の理学療法．吉尾雅春ほか（編）：標準理学療法学 専門分野 神経理学療法学，第2版，pp.323–334, 医学書院, 2018.
5) 菊地 豊：脊髄小脳変性症の運動療法．吉尾雅春ほか（編）：標準理学療法学 専門分野 運動療法学 各論．第4版，p.248, 医学書院, 2017.
6) 中村雄作ほか：小脳失調性歩行障害へのHybrid Assistive Limbsによる治療．難病と在宅ケア，24(5)：60–64, 2018.
7) Ayvat, E., et al.: The effects of exergame on postural control in individuals with ataxia: a rater-blinded, randomized controlled, cross-over study. *Cerebellum*, 21(1):64–72, 2022.
8) Hsu, T.Y.: Effects of Wii Fit® balance game training on the balance ability of students with intellectual disabilities. *J. Phys. Ther. Sci.*, 28(5):1422–1426, 2016.
9) 市川昌志ほか：延髄外側症候群を合併した小脳梗塞にVR（Virtual Reality）技術を応用したリハビリテーション治療を実施した1例．リハビリテーション科診療，21：18–22, 2021.

筋萎縮性側索硬化症の運動療法

学習目標
- 筋萎縮性側索硬化症の概念や特徴を理解し，運動療法の必要性を理解する．
- 筋萎縮性側索硬化症に対する運動療法の目的と効果判定に用いる評価項目を理解する．
- 筋萎縮性側索硬化症に対する運動療法の方法とリスクを理解する．

II 神経障害系の運動療法

A 概念と特徴

筋萎縮性側索硬化症（amyotrophic lateral sclerosis; ALS）は，上位運動ニューロンと下位運動ニューロンが選択的に変性，消失していく進行性の疾患である．主に中年以降に発症し，男性が女性に比べて1.2～1.3倍多く認められる．発病率は10万人あたり1～2.5人とされ，人工呼吸器の使用を選択しなければ発症から2～5年（平均3.5年）で死亡することが多い[1]．原因不明の疾患であるが，家族歴を伴うものが5%程度確認されており，これらは**家族性筋萎縮性側索硬化症**と呼ばれている．

上位と下位の運動ニューロンが障害されるALSは，最も頻度の高い**運動ニューロン疾患**（motor neuron disease; MND）である．MNDには，ALSのほか，上位運動ニューロンだけが障害される**原発性側索硬化症**，下位運動ニューロンが障害される**脊髄性筋萎縮症**や**ポリオ後遺症**，脳幹にある脳神経運動核のみが障害される**進行性球麻痺**などがある．

1 症状

ALSで確認される代表的な症状は，上位運動ニューロン障害として痙縮，深部腱反射亢進，病的反射出現，仮性球麻痺，強制泣き・笑いがあり，下位運動ニューロン障害として筋萎縮，筋力低下，線維束性攣縮，球麻痺，呼吸筋麻痺がある．

ALSは，進行に伴い症状が全身に及ぶが，臨床上，上記の症状が初発症状として出現する部位により発症型で以下の4つに分類される．
① 上肢型（手指の巧緻性低下や上肢の脱力感などが初発症状）
② 下肢型（階段昇降や立ち上がり時の違和感や下肢の突っ張りなどが初発症状）
③ 球麻痺型（ろれつが回らず話しづらさや舌のぴくつきなどが初発症状）
④ 呼吸筋型（なんとなく呼吸が苦しいといった症状から進行する）

多くの場合，一側肢遠位部より発症した症状が近位部まで進展し，対側へ進むといわれるが，近位部から遠位部に進展する非典型例もみられる．いずれの病型も症状が全身に進行し，人工呼吸器の使用を選択しない場合は，呼吸不全によって死に至るが，初発症状を把握することが今後の進行予測につながるため，理学療法の治療計画作成に重要な情報である．

進行により症状が全身に及ぶALSにおいて，感覚障害，褥瘡，眼球運動障害，膀胱直腸障害はおこりにくい症状（**陰性徴候**）として認識されている．しかし，呼吸管理や栄養管理の発展に伴い長

▶表 1　厚生労働省特定疾患治療研究事業の診断基準

1 主要項目

(1) 以下の①〜④のすべてを満たすものを，筋萎縮性側索硬化症と診断する
　①成人発症である（生年月日から判断する）
　②経過は進行性である
　③神経所見・検査所見で，下記の1か2のいずれかを満たす
　　身体を，a. 脳神経領域，b. 頸部・上肢領域，c. 体幹領域（胸髄領域），d. 腰部・下肢領域の4領域に分ける（領域の分け方は，2参考事項を参照）
　　下位運動ニューロン徴候は，(2) 針筋電図所見（①または②）でも代用できる
　　1. 1つ以上の領域に上位運動ニューロン徴候を認め，かつ2つ以上の領域に下位運動ニューロン症候がある
　　2. SOD1遺伝子変異など既知の家族性筋萎縮性側索硬化症に関与する遺伝子異常があり，身体の1領域以上に上位および下位運動ニューロン徴候がある
　④鑑別診断であげられた疾患のいずれでもない
(2) 針筋電図所見
　①進行性脱神経所見：線維性収縮電位，陽性鋭波，線維自発電位
　②慢性脱神経所見：運動単位電位の減少・動員遅延，高振幅・長持続時間，多相性電位
(3) 鑑別診断
　①脳幹・脊髄疾患：腫瘍，多発性硬化症，頸椎症，後縦靱帯骨化症など
　②末梢神経疾患：多巣性運動ニューロパチー，遺伝性ニューロパチーなど
　③筋疾患：筋ジストロフィー，多発筋炎，封入体筋炎など
　④下位運動ニューロン障害のみを示す変性疾患：脊髄性進行性筋萎縮症など
　⑤上位運動ニューロン障害のみを示す変性疾患：原発性側索硬化症など

2 参考事項

(1) SOD1遺伝子異常例以外にも遺伝性を示す例がある
(2) 稀に初期から認知症を伴うことがある
(3) 感覚障害，膀胱直腸障害，小脳症状を欠く．ただし一部の例でこれらが認められることがある
(4) 下肢から発症する場合は早期から下肢の腱反射が低下，消失することがある
(5) 身体の領域の分け方と上位および下位運動ニューロン徴候は下表のとおりである

	a. 脳神経領域	b. 頸部・上肢領域	c. 体幹領域（胸髄領域）	d. 腰部・下肢領域
上位運動ニューロン徴候	●下顎反射亢進 ●口尖とがらし反射亢進 ●偽性球麻痺 ●強制泣き・笑い	●上肢反射亢進 ●Hoffmann（ホフマン）反射亢進 ●上肢痙縮 ●萎縮筋の腱反射残存	●腹壁皮膚反射消失 ●体幹部腱反射亢進	●下肢腱反射亢進 ●下肢痙縮 ●Babinski（バビンスキー）徴候 ●萎縮筋の腱反射残存
下位運動ニューロン徴候	●顎，顔面 ●舌，咽・喉頭	●頸部，上肢帯 ●上腕	●胸腹部，背部	●腰帯，大腿 ●下腿，足

期生存が可能となった現在，いずれの症状も確認されており，必ずしも陰性徴候とはいえなくなってきている．

このように多様な症状が出現するALSの診断は，運動ニューロン障害の存在を確認するための電気生理学的検査や進行の経過に加え，ほかの疾患を除外することで行われる．詳細については，特定疾患治療研究事業の診断基準を参照されたい（▶表1）．

2 治療手段

わが国においては，1999年にグルタミン酸を抑えるリルゾールに続き，2015年にフリーラジカルを抑えるエダラボンが認可され，2022年現在，進行を遅らせる2種類の薬物が保険収載されている．家族性ALSにおける一部の原因遺伝子がSOD1であることが明らかとなって以降，モデルマウスを用いた治療薬の開発が進められている

ほか，iPS 細胞を用いた治療方法の開発も期待されているが現時点で実用化されていない．このため，薬物治療としては，対症療法的に痙縮に対する抗痙縮薬や疼痛に対する鎮痛薬などが処方実施されるため，運動療法を含めたリハが重要な位置づけとなっている．

その他，呼吸障害に対する気管切開陽圧換気療法(tracheostomy positive pressure ventilation; TPPV)や非侵襲的陽圧換気療法(non-invasive positive pressure ventilation; NPPV)，嚥下障害に対する経皮的内視鏡的胃瘻造設術(percutaneous endoscopic gastrostomy; PEG)や経鼻経管栄養および経静脈栄養，構音障害に対する意思伝達装置などが症状の進行に応じて検討されるが，診断早期からの情報提供が重要とされ，主治医を中心としたチームで対応していく．

▶表2 ALS の重症度分類

1度	家事・就労はおおむね可能
2度	家事・就労は困難だが，日常生活(身のまわりのこと)はおおむね自立
3度	自力で食事，排泄，移動のいずれか1つ以上ができず，日常生活に介助を要する
4度	呼吸困難・痰の喀出困難あるいは嚥下障害がある
5度	気管切開，非経口的栄養摂取(経管栄養，中心静脈栄養など)，人工呼吸器使用

〔厚生労働省 神経変性疾患領域の基盤的調査研究班による〕

一定の時間を長期的にかかわる可能性があるリハ専門職が心理学的知識をもってサポートする役割が望まれる．さらに，診断により低下した生活・生命の質(quality of life; QOL)の向上をはかることも運動療法による重要な目的と考えられる．

B 運動療法の実際

これまで記載したとおり，ALS は多様な症状が全身に出現し，急速な進行により日常生活活動(ADL)が著しく低下する．運動療法は主に理学療法士が担うが，脳神経内科医やリハ医に加え，作業療法士，言語聴覚士，看護師，介護福祉士，医療ソーシャルワーカーなどによる包括的な対応が必要となる．

1 運動療法の目的

難治性進行性疾患である ALS に対しては，進行を止める治療法が存在しない．当然のことながら運動療法も同様であり，基本的な目的は，進行抑制効果[2]や代償手段を用いることでの ADL 維持・改善となる．しかし，痙縮や不動による関節可動域(ROM)制限や筋力低下など二次的障害に対しては改善効果が期待できる．そのため，運動療法は，診断早期の段階から人工呼吸器を使用する段階まで継続的に適応があり，マンツーマンで

2 評価のポイント

ALS は進行が早く，発症が経済的な支柱としての役割や未成年の子どもをもつタイミングと重なる場合もあり，人工呼吸器の使用や PEG の実施に患者・家族の想いが揺れ動く．評価を行う際は，罹病期間や初発症状出現部位，社会的背景，家族構成などに加え，主治医などが繰り返し実施する患者や家族へのインフォームドコンセントがなされているかを確認する．障害受容の5段階を理解したうえで，患者・家族の精神面に留意することも重要であるが，ALS 患者に対する評価は，運動療法の効果判定や経過の把握など目的を明確にして実施する必要がある．

a 進行度の評価

(1) 重症度分類

厚生労働省神経変性疾患調査研究班により作成されており，家事・就労がおおむね可能な1度から，気管切開，非経口的栄養摂取，人工呼吸器使用の段階である5度まで5段階に分類される(▶表2)．

▶表3 ALS機能評価スケール改訂版(ALSFRS-R)

言語	4：会話は正常 3：会話障害が認められる 2：繰り返し聞くと意味がわかる 1：声以外の伝達手段と会話を併用 0：実用的会話の喪失	身のまわりの動作	4：正常に機能できる 3：努力して(あるいは効率は悪いが)1人で完全にできる 2：時折手助けまたは代わりの方法が必要 1：身のまわりの動作に手助けが必要 0：全面的に他人に依存
唾液分泌	4：正常 3：口内の唾液はわずかだが，明らかに過剰(夜間はよだれが垂れることがある) 2：中等度に過剰な唾液(わずかによだれが垂れることがある) 1：顕著に過剰な唾液(よだれが垂れる) 0：著しいよだれ(絶えずティッシュやハンカチを必要とする)	寝床での動作	4：正常 3：幾分遅く，ぎこちないが，助けを必要としない 2：1人で寝返りをうったり，寝具を整えられるが，非常に苦労する 1：寝返りを始めることはできるが，1人で寝返りをうったり，寝具を整えることができない 0：自分ではどうすることもできない
嚥下	4：正常な食事習慣 3：初期の摂取障害(時に食物を喉に詰まらせる) 2：食物の内容が変化(継続して食べられない) 1：補助的なチューブ栄養を必要とする 0：全面的に非経口性または腸管性栄養	歩行	4：正常 3：やや歩行が困難 2：補助歩行 1：歩行は不可能 0：脚を動かすことができない
書字	4：正常 3：遅い，または書きなぐる(すべての単語が判読可能) 2：一部の単語が判読不可能 1：ペンは握れるが，字を書けない 0：ペンが握れない	階段昇り	4：正常 3：遅い 2：軽度の不安定または疲労 1：介助が必要 0：昇れない
摂食動作 胃瘻なし 食事用具	4：正常 3：幾分遅く，ぎこちないが，他人の助けを必要としない 2：フォークは使えるが，箸は使えない 1：食物は誰かに切ってもらわなくてはならないが，何とかフォークまたはスプーンで食べることができる 0：誰かに食べさせてもらわなくてはいけない	呼吸困難	4：なし 3：歩行中におこる 2：日常動作(食事，入浴，着替え)のいずれかでおこる 1：座位または臥位いずれかでおこる 0：きわめて困難で呼吸補助装置を考慮する
		起座呼吸	4：なし 3：息切れのため夜間の睡眠がやや困難 2：眠るのに支えとする枕が必要 1：座位でないと眠れない 0：まったく眠ることができない
摂食動作 胃瘻あり 指先の動作	4：正常 3：ぎこちないが，すべての手先の作業ができる 2：ボタンやファスナーをとめるのにある程度手助けが必要 1：看護者にわずかに面倒をかける 0：まったく何もできない	呼吸不全	4：なし 3：間欠的に呼吸補助装置(BiPAP)が必要 2：夜間に継続的に呼吸補助装置(BiPAP)が必要 1：1日中呼吸補助装置(BiPAP)が必要 0：挿管または気管切開により人工呼吸が必要

〔大橋靖雄ほか：筋萎縮性側索硬化症(ALS)患者の日常活動における機能評価尺度日本版改訂 ALS Functional Rating Scale の検討. 脳と神経, 53(4):346-355, 2001 より〕

(2) ALS機能評価スケール改訂版(ALSFRS-R)

ALS機能評価スケール改訂版(ALS Functional Rating Scale-Revised; ALSFRS-R)は，ALS患者の日常生活の能力を包括的に把握するために米国で作成された評価尺度である．

言語・唾液分泌・嚥下・書字・摂食動作・身のまわりの動作・寝床での動作・歩行・階段昇り・呼吸困難・起座呼吸・呼吸不全の12項目を0～4点の5段階で評価し，得点が高いほうが能力の残存を意味する(▶表3)[3]．

b 筋力評価

筋力低下が主症状の1つであることから，筋力評価は重要である．徒手筋力検査(manual muscle test；MMT）は，簡便な基本的評価手法として活用されているが，主観的評価であり再現性が乏しい問題がある[4]．機器を使用する方法として，徒手筋力計（hand held dynamometer；HHD）や最大随意等尺性収縮（maximum voluntary isometric contraction；MVIC）検査があり，簡易的な定量評価となる HHD は，握力計やピンチ力計と併せて運動療法による効果判定の１つとして普及している．これらの筋力評価法は，過剰な負荷を生じる可能性があり，評価後の疲労感を把握するべきである．また，筋萎縮の程度を判断する評価としては，テープメジャーを用いた周径があり，再現性を確保することで継続的に経過を把握することができる．

c ADL 能力評価

前述した ALSFRS-R のほか，一般的な評価手法である機能的自立度評価法（Functional Independence Measure；FIM）や Barthel（バーセル）Index（BI）が活用される．

d 呼吸機能評価

（1） スパイロメトリー

スパイロメータを使用することで把握される肺活量（vital capacity；VC）や％VC および努力性肺活量などは重要な呼吸機能評価項目である．しかし，球麻痺症状の出現によってマウスピースを使用することができず，スパイロメータによる評価が実施困難となる状況がある．これに対応するため，NPPV などで使用するフルフェイスマスクを装着した手法が検討されているが，一般的に普及していない．

ピークフローメータを使用して測定する咳の最大呼気流量（cough peak flow；CPF）は，病初期段階からフルフェイスマスクを装着して評価することで，経時的な変化を把握することができる．CPF は，計測時の姿勢の統一も重要であり，病状進行を見越して，背臥位もしくは背もたれ付きの椅子座位での計測が推奨される（▶図 1）．

▶図 1　ベッド上でのギャッチアップ座位〔semi-Fowler（セミファーラー）位〕での CPF 測定
診断早期より同一の姿勢で測定することで，経時的な変化をとらえることができる．

（2） その他

ALS の呼吸機能評価はスパイロメトリーのほか，以下の方法がある．
- 経皮的酸素飽和度（SpO_2）
- 血液ガス分析
- 観察評価（呼吸数，呼吸パターン）
- 胸郭拡張差（腋窩部，剣状突起部，第 10 肋骨部）
- 口腔内圧計を用いて計測する鼻腔吸気圧（sniff nasal inspiratory pressure；SNIP），最大吸気圧（maximal inspiratory pressure；MIP）
- 肺容量リクルートメントを用いた最大強制吸気量〔maximum insufflation capacity（MIC）や lung insufflation capacity（LIC）〕

e 神経学的検査

神経学的検査として複数の検査があるが，深部腱反射や病的反射は，上位運動ニューロン障害と下位運動ニューロン障害が混在する ALS の障害を把握するうえで重要であり，筋力評価で把握できない筋力低下の判断や痙縮による ROM 制限の予測が可能となる．

f 生活・生命の質（QOL）

進行疾患である ALS は，運動機能などと QOL が比例しにくいことから QOL 評価が重要であ

る．ALSに特異的なQOL評価として，ALS Assessment Questionnaire 40（ALSAQ-40）やSickness Impact Profile（SIP）に改良を加え準用したSIP/ALS-19があるが，全般的尺度であるMOS-Short Form 36（SF-36®）も用いられる．介護者の負担感を把握することも重要とされ，Zarit介護負担尺度などを用いて評価することができる．

9 その他の評価

多様な症状が出現するALSに対しては，visual analogue scale（VAS）やnumerical rating scale（NRS）による疼痛評価，Mini-Mental State Examination（MMSE）やFrontal Assessment Battery（FAB）による認知機能評価，Modified Ashworth（アシュワース）Scaleによる痙縮評価，Fatigue Severity Scale（FSS）による疲労度評価などが必要に応じて選択実施される．

3 運動療法の方法

ALSは，進行に応じて多様な症状が出現し，著しくADLが低下する．このため，運動療法は重症度分類に応じてプログラムを選択することが基本となるが，近年，ALSFRS-Rで30点以上を軽症例として，運動療法効果を検証した報告も散見される[5-7]．ここでは，重症度に応じた運動療法について解説したのち，筆者らが全国調査で把握したALS患者に実施されている運動療法プログラムについて紹介する．

a 重症度に応じた運動療法

(1) 重症度1〜2

この時期は，おおむねADLが自立しており，適応する運動療法の種類が最も多い．無理なく継続できる活動量を維持することが重要であり，患者の日常生活や趣味活動を把握したうえで，廃用が予測される部位の筋力運動や持久力運動およびストレッチングの適応を検討する．

全伸張性運動としての散歩やウォーキングは，QOLを高めるために重要な要素の1つである外出機会になるのみならず，生活範囲の狭小化を防止する効果も期待される．これらの運動療法は，自主運動として指導することも可能であるが，パルスオキシメータなどを利用して把握する運動中の脈拍やSpO_2値に加え，運動実施直後や翌朝の疲労感残存が生じていないことを確認する必要がある．

特に家事動作など日常生活で繰り返される運動によって生じる過負荷に注意が必要であり，把握した際は代償手段や福祉用具の導入を検討する．福祉用具の使用には，介護保険や身体障害者手帳などの福祉制度を活用するべきであり，医療ソーシャルワーカーなどと情報を共有する必要もある．

(2) 重症度3〜4

この時期は，ADLに介助を要する段階であるが，運動療法を実施するうえでは，表在化された呼吸障害や嚥下機能障害に注意が必要となる．運動療法プログラム選択の考え方は，基本的に重症度1〜2の段階と変更なく，廃用症候群の予防と改善を過負荷に留意して選択・実施する．

筋力運動は，単筋を対象とするのではなく，起立運動など日常生活で行われる動作によって複数の筋を対象に実施する．上位運動ニューロン障害としての痙縮や廃用によってROM制限が生じ，ADL低下をきたす可能性があり，この場合はROM運動やストレッチングを実施する．

ADL低下に対しては，積極的に福祉用具の検討や家族などへの介助方指導を行うが，患者によっては福祉用具の使用を進行ととらえたり，介助者への負担を気にして過負荷となっている状況を隠す場合もあり，患者心理の理解と配慮をしたうえでの対策が必要となる．福祉用具は多種多様な種類が存在し，メーカーによる特徴もさまざまである．福祉用具などを含めたADLを維持するための工夫は，患者家族会などを通じたピアサポートが情報を得る機会となるため，地域での活動を把握して紹介することをすすめたい．

呼吸障害に対しては，自宅でも継続できることを目標に呼吸理学療法プログラムを指導・実施する．

(3) 重症度 5

この時期は，人工呼吸器や PEG など医療的管理が必要となっている段階である．呼吸筋型の患者などでは ADL がほぼ自立している段階で処置を行う場合もあり，その際は，前述した重症度 1～2 もしくは 3～4 に準じて運動療法を実施する．

移動が車椅子を使用して全介助となっている場合は，QOL の維持・向上に重要となる外出機会を継続するため，安定した座位保持能力確保を目的として ROM 運動や座位耐久性運動を実施する．

構音障害の進行もしくは気管切開を行った場合は，発話機能が失われるため，拡大・代替コミュニケーション (augmentative and alternative communication; AAC) を利用する．AAC 利用は社会交流や役割の創出にもつながるため，必要性が迫る前の段階からゲーム感覚で使用することを推奨したい．

b 具体的な運動療法プログラム

以下，具体的な運動療法プログラムについて紹介していく．

(1) 筋力運動

ALS に対する筋力運動は，病初期段階から中期段階の患者を対象に中等度負荷の有効性を示すランダム化比較試験の論文が報告されている[5, 8]．しかし，ALS は運動ニューロンが変性・消失する疾患であり，弱化した筋がすでに限界に近い活動をしている可能性から，一般的な過負荷の法則に則った筋力運動が悪影響を及ぼすことが懸念される．不活動による廃用的な筋力低下は避けるべきであり，起立運動やブリッジ運動などにより抗重力筋をターゲットにした筋力運動を疲労感に注意しながら実施するべきであろう．疲労感を把握した際は，実施する回数や頻度を適宜変更する必要があり，電話や記録用紙を用いた担当の理学療法士などによるモニタリングが必要となる．

(2) ストレッチング

上位運動ニューロン障害による痙縮は，ROM 制限をきたし，ADL 低下の要因となりうる．ROM 改善や筋緊張緩和が目的となることから，ストレッチングは，スタスティックストレッチングを選択し，反動をつけずに伸張し 30 秒程度の保持を行う．起立台やティルトテーブルを用いた持続伸張は，抗重力位での骨への負荷も期待できる．頸部筋や肋間筋など呼吸筋のストレッチングも病初期段階から適応があり，Silvester (シルベスター) 法 (▶動画 1) などを自主運動として継続できるように指導していく．

(3) 筋持久力運動

進行による身体機能や呼吸機能低下により活動量が低下する ALS 患者に対しては，有酸素運動の適応がある[9]．診断早期で ADL が自立している段階は，生活習慣として散歩の継続を指導することもできるが，運動による心肺機能の変化を把握するためにも，専門施設におけるトレッドミルやエルゴメータを使用した運動が適切となる．過負荷への懸念に加え球麻痺を有する ALS 患者は運動負荷試験の適応が乏しいため，負荷量を修正 Borg (ボルグ) スケールで「2：楽である」以下に設定し，10 分間程度実施する．運動の中止基準は，Anderson (アンダーソン)・土肥の基準に従うが，拘束性換気障害を有する可能性を考慮して，運動による過度な呼吸数増加を避けるべきである．エルゴメータは，背もたれが付いたリカンベント式を使用することで，体幹筋の筋力が低下した状態でも連続運動が可能であり有用性が高い (▶動画 2)．また，近年は電動アシスト付きの運動器具も販売されており，ALS 患者への有効性が報告されている[10]．このような器具は，寝たまま使用できるタイプもあるため，重症度を問わず適応を検討することができる．

 動画 1

 動画 2

さらに，2016年度の診療報酬改定以降，ALS患者の歩行運動にロボットスーツを使用することが診療報酬で認められている．転倒への十分な配慮が必要となるため，体重免荷装置を使用することが推奨される．体重免荷装置を使用することで歩行困難となった患者も歩行運動が可能となり，運動効果と併せて「まだ歩ける」という喜びからの精神的効果も期待できる（▶動画3）．

(4) 呼吸理学療法

ALS患者に対する呼吸理学療法は，生存率に直結することから，継続的に実施されるプログラムである[11]．ALSの呼吸障害は，肺実質に問題がなく，横隔膜をはじめとした呼吸筋力低下や胸郭コンプライアンスの低下によって生じる拘束性換気障害が特徴である．呼吸筋力低下に対する呼吸筋運動は，他の部位の筋力運動と同様かそれ以上に過負荷に留意して，30％負荷を目安とする．一般的な医療施設においても汎用できる具体的手法として，CPFの30％を目標として咳嗽運動を呼気筋運動とする方法がある[12]．呼吸筋トレーニング器具の適用もあるが，球麻痺症状の出現により使用が困難となることに注意する．呼吸筋力や肺活量の低下はCPF低下をきたし，痰の喀出が困難となり誤嚥性肺炎の原因となる．痰の喀出には排痰補助装置が有効であり，CPFが痰の粘性が増した際に喀出が困難となる指標である270 L/分を下回るまでに導入する（▶図2）．

胸郭コンプライアンス低下を予防する方法として，呼吸筋のストレッチングのほか，用手的呼吸介助や脊柱の伸展運動を含むSilvester法がある．バッグバルブマスクを用いた肺容量リクルートメント（lung volume recruitment; LVR）は，胸郭コンプライアンスの維持に加えて，無気肺の予防効果も期待できる．LVRは最大強制吸気量での息溜めが必要で，球麻痺症状を有するALS患者に適応が困難だが，一方向弁付きの機器を使用することで病態を問わず実施できる．

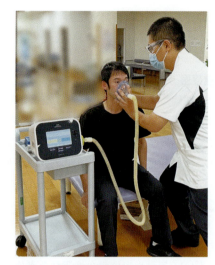

▶図2　排痰補助装置

(5) 福祉用具

福祉用具は，移動に対する杖や車椅子，首下がりに対する頸椎装具，構音障害に対するAACなどさまざまな適応がある．移動に対して，杖→歩行器→車椅子→リクライニング車椅子に代表されるように病状の進行に合わせて変更する必要があり，申請のタイミングが遅れることで使用機会を逸する場合があるので注意を要する．

頸椎装具は，気管切開後も使用できるものなどさまざまなタイプがあるが，使用による外見を気にする患者も多い．この場合は，頸部から肩甲帯の筋を対象としてキネシオテープを貼付することで頸部を正中位に保つことができる場合があるが，下位運動ニューロン障害による筋萎縮が重度の患者には適応しない．また，他の福祉用具と同様に在宅生活での活用をはかるため，家族や介助者への指導が重要となる．

▶動画3

C 運動療法上の留意点

ALS患者に運動療法を提供するうえで、まず留意するのは、良好なコミュニケーション関係を構築することに尽きる。診断早期には、さまざまな悲観的な情報に絶望し、不安定な心理状態の患者も多い。また、明らかな身体機能やADLの低下を認める段階になると、患者は将来への不安に加え、介助者に負担を与えたくないという思い、TPPVなどの医療的処置を受けるべきかという葛藤に揺れ動く。この状況に加えて、ALS患者は構音障害などに対してAACや透明文字盤を使用することもあり、多忙な業務のなか、対応に慣れない医療介護従事者がコミュニケーションに戸惑うこともある。しかし、目的を明確として、効果的な運動療法を自宅で継続するためにも、患者との十分なコミュニケーションが必須となる。

ALS患者への運動療法の代表的リスクは、過負荷や骨折のほか、気管カニューレ抜管やPEG抜去がある。過負荷については前述したが、Cochran LibraryにおいてもALSの筋力運動が研究数の不足により、どの程度の有益性をもつのか判断できないと結論づけていることを理解するべきである。骨折は歩行や移乗時の転倒のほか、体位交換時の上肢の巻き込み、呼吸理学療法時の誤用が要因となる。筆者はティルトテーブルでの持続伸張と立位保持運動中に突然、脛骨近位端骨折を受傷した症例を経験しており、ADL低下に伴い下肢への荷重機会が著しく減少している患者の骨密度を把握する取り組みが重要と考えている。気管カニューレやPEGは、通常、理学療法士が操作することはないが、呼吸器回路の離脱など運動療法中に思いがけない事故に遭遇する可能性が十分にある。理学療法士はこのことを念頭に、人工呼吸器を含めて気管カニューレやPEGについての知識をもって、ALS患者に対する運動療法を指導・実施するべきであろう。

治療手段の項で記載したとおり、現時点でALSの治療法は確立されていないが、iPS細胞を使用した医師主導治験なども活発に行われており、医学は日々進歩している。難病中の難病といわれるALSの治療方法確立にかかわらず、運動療法の必要性は不変と思われる。ALSの治療法に関する新たな知見を求めつつ、ALSに対する運動療法のエビデンスを構築するための多施設での取り組みが切望される。

● 引用文献

1) 難病情報センター：筋萎縮性側索硬化症(ALS)(指定難病2). 難病医学研究財団. https://www.nanbyou.or.jp/entry/52（2022年10月13日閲覧）
2) Park, D., et al.: Can therapeutic exercise slow down progressive functional decline in patients with amyotrophic lateral sclerosis? a meta-analysis. Front. Neurol., 11:853, 2020.
3) 大橋靖雄ほか：筋萎縮性側索硬化症(ALS)患者の日常活動における機能評価尺度日本版改訂ALS Functional Rating Scaleの検討. 脳と神経, 53(4):346–355, 2001.
4) Bohannon, R.W.: Manual muscle testing: does it meet the standards of an adequate screening test? Clin. Rehabil., 19(6):662–667, 2005.
5) Bello-Haas, V.D., et al.: A randomized controlled trial of resistance exercise in individuals with ALS. Neurology, 68(23):2003–2007, 2007.
6) Kitano, K., et al.: Effectiveness of home-based exercises without supervision by physical therapists for patients with early-stage amyotrophic lateral sclerosis: a pilot study. Arch. Phys. Med. Rehabil., 99(10):2114–2117, 2018.
7) Kamide, N., et al.: Identification of the type of exercise therapy that affects functioning in patients with early-stage amyotrophic lateral sclerosis: a multicenter, collaborative study. Neurol. Clin. Neurosci., 2(5):135–139, 2014.
8) Kalron, A., et al.: Effects of a 12-week combined aerobic and strength training program in ambulatory patients with amyotrophic lateral sclerosis: a randomized controlled trial. J. Neurol., 268(5):1857–1866, 2021.
9) Braga, A.C.M., et al.: The role of moderate aerobic exercise as determined by cardiopulmonary exercise testing in ALS. Neurol. Res. Int., 8218697, 2018.
10) Maier, A., et al.: Use and subjective experience of the impact of motor-assisted movement exercisers

in people with amyotrophic lateral sclerosis: a multicenter observational study. *Sci. Rep.*, 12(1):9657, 2022.
11) Macpherson, C.E., et al.: Pulmonary physical therapy techniques to enhance survival in amyotrophic lateral sclerosis: a systematic review. *J. Neurol. Phys. Ther.*, 40(3):165–175, 2016.
12) 北野晃祐ほか：筋萎縮性側索硬化症患者に対する咳嗽運動が呼吸機能と自律神経系機能へ及ぼす効果. 理学療法科学, 27(2):155–160, 2012.

第8章 多発性硬化症の運動療法

学習目標
- 多発性硬化症の特徴と治療を理解する.
- 症状に対する評価の重要性を理解する.
- 運動療法の目的とリスクを理解する.

A 概念と特徴

1 多発性硬化症とは[1]

多発性硬化症（multiple sclerosis；MS）は，中枢神経の複数の部位に病巣が出現する**空間的多発**（dissemination in space；DIS）と症状の再発や寛解を認める**時間的多発性**（dissemination in time；DIT）を特徴とする炎症性脱髄疾患である（▶図1）[2].

MSの発症機序として自己免疫機序が考えられ，軸索をとりまく髄鞘や髄鞘を形成するオリゴデンドロサイトの脱落・変性に伴う脱髄により筋力低下などの機能障害が生じるとされている．遺伝的要因や感染などの環境因子も発症に関与するとされているが，明確な発症機序は不明である.

2 疫学的特徴

MSは女性に多く，平均発症年齢は30歳前後であり，5歳未満や60歳以降の発症は稀である[1]．有病率は欧米で高く，わが国でも10万人あたり約14人と増加傾向である[3].

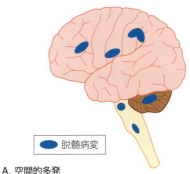

A. 空間的多発

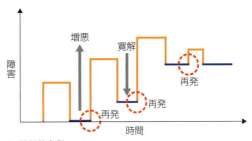

B. 時間的多発

▶図1 空間的多発と時間的多発
A：病変が中枢神経系の複数の部位に存在する（空間的多発）.
B：再発と寛解を繰り返す（時間的多発）.
〔Klineova, S., et al.: Clinical course of multiple sclerosis. *Cold Spring Harb. Perspect. Med.*, 8(9):a028928, 2018 より作成〕

3 診断

MSの診断に関しては，臨床症状と核磁気共鳴画像（MRI）上でのDISとDITや，髄液検査をも

▶表1　McDonaldの診断基準(2010・2017年版)

臨床像	診断に必要な検査事項
2回以上の増悪と2個以上の他覚的所見	必要なし 注1)
2回以上の増悪と1個の他覚的所見	MRIによる空間的多発性(DIS)の証明 注4) (または他病巣に由来する増悪)
1回の増悪と2個以上の他覚的所見	MRIによる時間的多発性(DIT)の証明 注5, 6) (または2回目の臨床的増悪)
1回の増悪と1個の他覚的所見 (clinically isolated syndrome; CIS)	MRIによるDIS証明(他病巣による増悪) 注4) および MRIによるDIT証明(2回目の増悪) 注5, 6)
MSが示唆される進行性増悪(一次進行型)	1年間以上慢性進行性の増悪 ●脳MRIでの典型MS病変の確認 ●脊髄に2つ以上のT2病変 注2) ●髄液所見陽性 注3)

注1)MSの診断は他疾患の除外に基づいており，すべての所見が矛盾ないこと．
注2)造影効果の有無は問わない．
注3)オリゴクローナルバンドもしくは免疫グロブリンインデックス高値．
注4)DISは脳室周囲・皮質直下・テント下・脊髄の2領域以上にT2病変を認めること．
注5)DITはT2病変増加を確認するかあるいは新規造影病変とほかのT2病変の混在．
注6)McDonald基準2017：DIT所見として髄液オリゴクローナルバンドが加わった．
〔三須建郎：多発性硬化症の診断基準．脊椎脊髄，33(4)：504-508, 2020より作成〕

とに診断するMcDonald(マクドナルド)の診断基準(▶表1)が主に用いられている[4]．

4 臨床症状および経過

　MSは病巣が中枢神経系の複数の部位に生じるため，運動機能障害のほか，認知機能障害や膀胱直腸障害など多様な症状を認める(▶図2)．特徴的な症状として**易疲労性**や**Uhthoff(ウートフ)現象**，**Lhermitte(レルミット)徴候**，**有痛性強直性攣縮**がある[1]．経過もさまざまであり，自然経過から再発・寛解を繰り返す再発寛解型(relapsing remitting; RR)，経過中に進行性の病型へ移行する二次進行型(secondary progressive; SP)，発症初期から進行性の経過をたどる一次進行型(primary progressive; PP)に分類される(▶図3)[1, 2]．

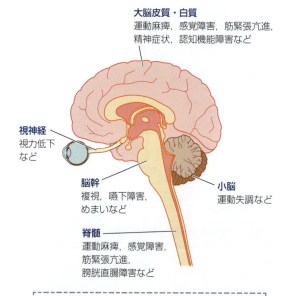

▶図2　多発性硬化症の主な病巣と神経学的所見

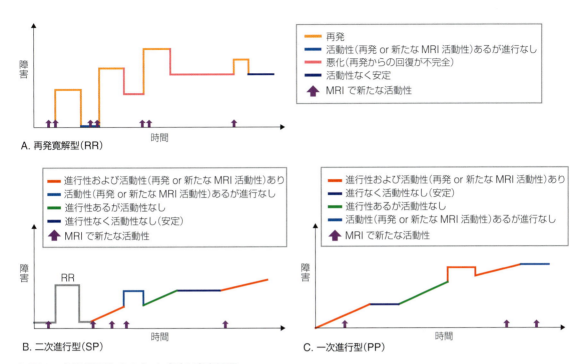

▶図3　多発性硬化症のタイプ別の臨床経過
〔Klineova, S., et al.: Clinical course of multiple sclerosis. *Cold Spring Harb. Perspect. Med.*, 8(9):a028928, 2018 より作成〕

5 治療[1]

MSの主な治療は，発症・再発時の急性期治療，進行抑制・再発予防に分類される．急性期治療として，病巣の炎症を抑える目的でステロイドパルス治療や血漿浄化療法などがある．進行抑制・再発予防として，インターフェロンβなどの疾患修飾薬が用いられ，各薬物の特徴や有効性・副作用を考慮し，病態に応じて実施することが推奨されている．

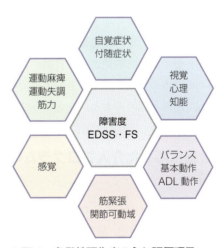

▶図4　多発性硬化症の主な評価項目

B 運動療法の実際

1 運動療法の目的

MSに対する運動療法の効果として，疲労軽減，筋力・バランス能力・運動耐容能の改善や生活の質(quality of life; QOL)の向上が報告されている[5,6]．ただし，症状や経過が多種多様であり，個々の症状や病期に応じて運動療法の目的は異なってくる．

2 評価のポイント

MSは機能障害や能力障害が多様で再発・寛解や進行も伴うため，運動療法の実施にあたり，障害の程度を把握し，多様な症状に対して理学療法評価を定期的に実施することが重要である（▶図4）．

身体障害度の評価としてKurtzke（カーツキー）総合障害度スケール（Expanded Disability Status Scale of Kurtzke; EDSS）（▶表2）と機能別障害度（functional system; FS）（▶表3）が主に用いられている[1]．

3 運動療法の方法

MSに対する運動療法は機能障害，活動制限，参加制約に加え，個人因子・環境因子をふまえた包括的な介入が求められる（▶図5）．

発症早期や増悪期における介入では治療による炎症症状の鎮静化と並行して行うため，廃用症候群の予防を目的に疲労や症状の変動に注意しながら身のまわり動作程度の運動量にとどめるといった配慮が必要である．病期ごとで目的が異なるため，個々の障害の程度や臨床経過および治療内容をふまえて医師と相談のもと，介入することが重要である．

a 重症度に応じた介入プログラムの検討[1]

障害の程度がEDSSにて6.0程度までのMSに対しては，運動耐容能，筋力，バランス能力，易疲労性，歩行能力の維持・改善を目的に中等度の強度（ややきつく感じ，翌日に疲労が残存しない程度）までの運動療法が推奨されている．EDSSが6.5以上では，歩行補助具の使用や座位・臥位で実施可能な低強度の運動療法の検討が必要とされている．

b 筋力増強運動と有酸素運動

MSに対する筋力増強運動と有酸素運動は疲労軽減や運動機能向上，QOL向上をもたらすとされている[6]．疲労感や発汗，症状の変化などに注意して実施すれば，中等度の強度での有酸素運動では症状増悪や再発のリスクは少ないと考えられている（▶表4）[1,6]．一方，運動強度や種類，歩行困難例に対する有効性や安全性に関してのエビデンスは不十分である．運動強度の決定には，過用に伴う症状増悪などの有害事象を予防するうえで疲労や症状の変動などを十分に配慮する．また，Borg（ボルグ）スケールを用いた評価や翌日に疲労が残存していないかを問診することが重要である．

c ロボットを用いた歩行練習

歩行練習はMSの移動能力改善に有効であるが，重度歩行障害を呈する症例には転倒リスクが高い練習とされている．一方，ロボットを利用した歩行練習は従来の歩行練習と介入効果が同等であり，介入後の疲労軽減の有効性から重度の歩行障害を有する症例（EDSSが6.0～7.0）への有効性が近年，報告されている[7,8]．

C 運動療法上の留意点

MSの運動療法に伴う有害事象の発生頻度は健常者と大きく差を認めず，安全性が報告されている[9]．一方，Uhthoff現象や過労，感染などを契機に症状が悪化するとされており[10]，介入するうえで配慮する必要がある．すなわち，安全に運動療法を実施するうえで運動強度や運動量，実施場所の温度や湿度・環境を考慮することが重要である[1]．また，過活動による過労に対しては日常生活上の活動量を管理する必要がある．活動量の指標として万歩計やMETs（metabolic equivalents）表などがあり，これらを指標に活動量を把握し，運動指導を実施することが重要である．

▶表 2 Kurtzke 総合障害度スケール（EDSS）の評価基準

EDSS	0.0	1.0	1.5	2.0	2.5	3.0	3.5	4.0	4.5	5.0	5.5	6.0	6.5	7.0	7.5	8.0	8.5	9.0	9.5	10.0
	正常	ごく軽い徴候		軽度障害			歩行可能（補助なし歩行）					補助具歩行		車椅子生活		ベッド生活				死亡（MSのため）
							神経学的所見							車椅子への乗降		1日の大半				
							中等度障害		比較的高度障害		高度障害			1人でできる	助けを必要なときあり	身のまわりのこと		意思伝達		
						ADL										多くのことができる	ベッド外 ベッド内	できる		
								歩行可動域（約）					補助員があっても5m以上歩けず	2,3歩以上歩けず	ある程度できる		飲食		
						>500 m		500 m	300 m	200 m	100 m	補助具必要 100 m（片側）	100 m（両側）					できない		
								補助なし・休まず										体の自由がきかずベッドで寝たきり		
								終日の十分な活動												
								自分でできる	最小限の補助が必要	特別な設備が必要	できない									

																				FS0
	*	1こ*	2こ*	1こ	2こ	1こ	1こ													FS1
				1こ 2こ		3,4こ	1,2こ													FS2
						5,6こ	1こ 2こ													FS3
	8こ	7こ	6こ 7こ	6こ 7こ	4,5こ	6こ 3こ 7こ	8こ組み合わせ（3.5超↑）	7こ 8こ組み合わせ（4.0超↑）	7こ 8こ組み合わせ（4.0超↑）	7こ 8こ組み合わせ（4.0超↑）	→3こ以上 3こ以上組み合わせ		→2こ以上 2こ以上組み合わせ	ほとんど数こ組み合わせ	ほとんどすべて組み合わせ	ほとんどすべて組み合わせ				FS4
									1こ	1こ										FS5
										1こ										FS6

*ほかに精神機能は 1（FS）でもよい。　**非常に稀であるが錐体路機能 5（FS）のみ

EDSS評価上の留意点
- EDSSは、多発性硬化症により障害された個々の最大機能を、神経学的検査成績をもとに評価する。
- EDSSは評価に先立って、機能別障害度（FS）を表 3 により評価する。
- EDSSの各FSグレードに該当するFSグレードの一般的な組み合わせは本表の中段に示す。歩行障害がない（あっても >500 m 歩行可能）段階のEDSSは、FSグレードの組み合わせによって規定される。
- FSおよびEDSSの各FSグレードにどのカテゴリーの分類が近い適当なグレードを採用する。

（日本神経学会（監）：多発性硬化症・視神経脊髄炎スペクトラム障害診療ガイドライン2023. p.210, 医学書院, 2023 より）

▶ 表 3 機能別障害度(FS)の評価基準

FS	錐体路機能	小脳機能	脳幹機能	感覚機能		膀胱直腸機能	視覚機能	精神機能	その他
0	◎ 正常	◎ 正常	◎ 正常	◎ 正常		◎ 正常	◎ 正常	◎ 正常	◎ なし
1	① 異常所見あるか障害なし	① 異常所見あるが障害なし	① 異常所見のみ	① 1〜2肢 振動覚または描字覚のみの低下		① 軽度の遅延・切迫・尿閉	① 暗点があり、矯正視力0.7以上	① 情動の変化のみ	① あり
2	② ごく軽い障害	② 軽度の失調	② 中等度の眼振 軽度の他の脳幹機能障害	② 1〜2肢 軽度の触・痛・位置覚の低下 中等度の振動覚のみ低下 3〜4肢		② 中等度の遅延・切迫・尿閉 稀な尿失禁	② 悪いほうの眼に暗点あり、矯正視力0.7〜0.3	② 軽度の知能低下	
3	③ 軽度〜中等度の対麻痺・片麻痺 高度の単麻痺	③ 中等度の躯幹または四肢の失調	③ 高度の眼振 高度の外眼筋麻痺 中等度の他の脳幹機能障害	③ 1〜2肢 中等度の触・痛・位置覚の低下 完全な振動覚の低下 3〜4肢 軽度の触・痛覚の低下 中等度の固有覚の低下		③ 頻繁な失禁	③ 悪いほうの眼に大きな暗点 中等度の視野障害 矯正視力0.3〜0.2	③ 中等度の知能低下	
4	④ 高度の対麻痺・片麻痺 中等度の四肢麻痺 完全な単麻痺	④ 高度の四肢躯幹全部の失調	④ 高度の構音障害 高度の他の脳幹機能障害	④ 1〜2肢 高度の触・痛覚の低下 固有覚の消失（単独 or 合併） 2肢以上 中等度の触・痛・位置覚の低下 3肢以上 高度の固有覚の消失		④ ほとんど導尿を要するが、直腸機能は保たれている	④ 悪いほうの眼に高度視野障害 矯正視力0.2〜0.1 悪いほうの眼は[grade 3]で良眼の視力0.3以下	④ 高度の知能低下（中等度の慢性脳症候）	
5	⑤ 完全な対麻痺・片麻痺 高度の四肢麻痺	⑤ 失調のため協調運動まったく不能	⑤ 嚥下または構音まったく不能	⑤ 1〜2肢 全感覚の消失 顎以下 中等度の触・痛覚の低下 ほとんどの固有覚の低下		⑤ 膀胱機能消失	⑤ 悪いほうの眼の矯正視力0.1以下 悪いほうの眼は[grade 4]で良眼の視力0.3以下	⑤ 高度の認知症	
6	⑥ 完全な四肢麻痺			⑥ 顎以下 全感覚の消失		⑥ 膀胱・直腸機能消失	⑥ 悪いほうの眼は[grade 5]で良眼の視力0.3以下	⑥ 高度の慢性脳症候	
?	? 不明	? 不明	? 不明	? 不明		? 不明	? 不明	? 不明	? 不明
X			小脳機能：脱力（錐体路機能（grade 3）以上）により判定困難な場合、gradeとともにチェックする		視覚機能：耳側蒼白がある場合、gradeとともにチェックする				

(日本神経学会（監）：多発性硬化症・視神経脊髄炎スペクトラム障害診療ガイドライン2023. p.211, 医学書院, 2023 より)

A. 自転車エルゴメータでの
有酸素運動

B. 筋力増強運動(重錘バンド使用)

C. 重錘着用下でのバランス練習
(運動失調例に対して)

D. 長下肢装具を用いた立位・歩行練習
(右片麻痺例に対して)

E. ロボットを用いた立位・歩行練習
HAL®(Hybrid Assistive Limb®：サイバーダイン社製)

▶図5　多発性硬化症への理学療法介入例

▶表4　軽症・中等症の多発性硬化症に推奨される運動例

	筋力増強運動	有酸素運動
頻度	2回/週※，最低1日は合間に休養を挟む	2回/週
回数・時間	各運動を10～15回(1セット)，段階的に2セット実施	段階的に量を増加し，30分程度実施
強度	10～15回を安全に実施できる程度の抵抗 ※各セット，運動間には1～2分休息を挟む	中強度の強度(会話可能)
種類	ウェイトマシン，フリーウェイト	上肢：アームサイクリング 下肢：ウォーキング，レッグサイクリング

※筋力増強運動と有酸素運動は同日実施可能

〔Latimer-Cheung, A.E., et al.: Development of evidence-informed physical activity guidelines for adults with multiple sclerosis. Arch. Phys. Med. Rehabil., 94(9):1829–1836, 2013 より作成〕

MSは発症年齢が若く，症状や経過もさまざまであり，病態と生活環境，社会背景を考慮してADL・QOLの向上に向けた運動療法の実施が求められる．また，特定疾患医療費受給者証などさまざまな医療費助成制度を利用することで経済的・人的援助も得られるため，医療制度の理解も重要である．

● 引用文献

1) 日本神経学会（監）：多発性硬化症・視神経脊髄炎スペクトラム障害診療ガイドライン2023. 医学書院, 2023.
2) Klineova, S., et al.: Clinical course of multiple sclerosis. *Cold Spring Harb. Perspect. Med.*, 8(9):a028928, 2018.
3) Isobe, N., et al.: Continued increase of multiple sclerosis and neuromyelitis optica and the North-South gradient in Japan; updates from the 5th nationwide survey. *Mult. Scler.*, 26(3 Suppl):334–335, 2020.
4) 三須建郎：多発性硬化症の診断基準. 脊椎脊髄, 33(4):504–508, 2020.
5) Khan, F., et al.: Rehabilitation in multiple sclerosis: a systematic review of systematic reviews. *Arch. Phys. Med. Rehabil.*, 98(2):353–367, 2017.
6) Latimer-Cheung, A.E., et al.: Development of evidence-informed physical activity guidelines for adults with multiple sclerosis. *Arch. Phys. Med. Rehabil.*, 94(9):1829–1836, 2013.
7) Yeh, S.W., et al.: Efficacy of robot-assisted gait training in multiple sclerosis: a systematic review and meta-analysis. *Mult. Scler. Relat. Disord.*, 41:102034, 2020.
8) Straudi, S., et al.: The effects of robot-assisted gait training in progressive multiple sclerosis: a randomized controlled trial. *Mult. Scler.*, 22(3):373–384, 2016.
9) Pilutti, L.A., et al.: The safety of exercise training in multiple sclerosis: a systematic review. *J. Neurol. Sci.*, 343(1-2):3–7, 2014.
10) 深澤俊行ほか：臨床症状の特徴. *Clin. Neurosci.*, 26(7):745–748, 2008.

第9章 神経炎（Guillain-Barré症候群）・筋炎の運動療法

学習目標
- Guillain-Barré症候群と多発性筋炎の疾患特徴について理解する．
- 運動療法を進めるためのポイント（評価・配慮点）について理解する．
- 病期ごとの運動療法戦略と実際について理解する．

I 神経炎（Guillain-Barré症候群）の運動療法

神経炎とは，末梢神経組織が炎症をおこすことにより出現する末梢神経障害（ニューロパチー）の総称をいう．なんらかの免疫反応により発症する末梢神経障害（ニューロパチー）は**免疫介在性ニューロパチー**と呼ばれ，Guillain-Barré（ギラン・バレー）症候群（Guillain-Barré syndrome; GBS），血管炎によるニューロパチー，慢性免疫介在性ニューロパチーに分類される．慢性炎症性脱髄性多発ニューロパチー（chronic inflammatory demyelinating polyneuropathy; CIDP）は慢性免疫介在性ニューロパチーの代表的な疾患である．

代表的な主症状としては，四肢遠位から始まるしびれ，筋力低下が最も多く，それらの症状が急性，亜急性，慢性の経過をたどることが特徴的である．

ここでは，免疫介在性ニューロパチーの代表的な疾患であるGBSについて概説する．

A 概念と特徴

1 病態の特徴

GBSは，下痢などの先行感染後に腱反射消失と急速に進行する四肢筋力低下を主徴とする免疫介在性ニューロパチーである．急性期には，疼痛を伴う異常感覚や感覚障害もみられることがあり，迅速な初期治療介入が重要とされている．

臨床経過は単相性で，発症後4週以内に極期に達し，その後軽快することが多く，一般には予後良好な疾患であるとされている．しかし，重篤な呼吸筋麻痺により人工呼吸器の使用が必要となることや，回復が遅延し後遺障害が残存することもある．

『ギラン・バレー症候群，フィッシャー症候群診療ガイドライン2013』[1]において，GBSに対する診断・治療技術が体系化され，早期診断のもと，免疫調整療法である経静脈的免疫グロブリン療法（intravenous immunoglobulin; IVIg）や血漿浄化療法（plasmapheresis; PP）が初期治療として選択され，有効性が確立している．特にIVIgは侵襲

▶表1 GBSの重症度分類
（Hughesの機能グレード尺度）

FG 0	正常
FG 1	軽微な神経症候を認める
FG 2	歩行器，またはそれに相当する支持なしで5mの歩行が可能
FG 3	歩行器または支持があれば5mの歩行が可能
FG 4	ベッド上あるいは車椅子に限定（支持があっても5mの歩行が不可能）
FG 5	補助換気を要する
FG 6	死亡

▶表2 MRC sum score

- 肩関節外転（三角筋）
- 肘関節屈曲（上腕二頭筋）
- 手関節背屈
- 股関節屈曲（腸腰筋）
- 膝関節伸展（大腿四頭筋）
- 足関節背屈

両側の上肢，下肢の3筋群ずつをMMT評価した合計点数．
〔Kleyweg, R.P., et al.: Interobserver agreement in the assessment of muscle strength and functional abilities in Guillain-Barré syndrome. *Muscle Nerve*, 14(11): 1103–1109, 1991より一部改変〕

が少なく，どの医療機関でも簡便に施行できるため，わが国でも主な治療法となっている[2]．

2 予後

予後についてまとめられたレビューでは，診断後1年以内の死亡率は4.4%であり，発症後6か月時点で独歩不能であるのは18%，発症後1年以降でも16%は独歩不能状態であるとされている[3]．また，発症後1年時点で筋力が正常となるのは61%のみで，13.9%には重度の運動機能障害が残存するとされる．

GBSの重症度の基準としては，Hughes（ヒューズ）の機能グレード尺度による重症度分類（functional grade; FG）（▶表1）[1]が使用されている．GBSの予後や長期機能障害についてもFGを用いて評価されることが多く，FGが3未満の独歩可能例が予後良好とされている[4]．一方，症状が軽快しても，発症前と比べ日常生活に支障をきたす例が多いことや就労変更を余儀なくされる例も存在し[4]，FG指標である歩行能力以外の機能予後にも留意する必要がある．

B 運動療法のポイント

1 評価スケール

運動療法を進める際にポイントとなる評価スケールについて3つの指標を紹介する．FGに加え，これらの臨床的指標についての理解を深めておくことは，他職種との情報共有をはかるうえでも必要である．

1つ目は，GBS患者用の筋力評価として開発され，重症度の高い場合にも活用できるMRC（Medical Research Council）sum scoreである（▶表2）[5]．これは両側上下肢の6筋群の筋力評価を行うもので，ベッドサイドで簡便に実施できる．後述する予後予測の際にも活用する評価スケールの基本となる．

2つ目は，臨床的予後因子として活用できるmodified EGOS（modified Erasmus GBS Outcome Score; mEGOS）である（▶表3）[6]．これはオランダのグループにより発表されたEGOS（Erasmus GBS Outcome Score）を改良したものであり，発症時年齢，先行する下痢症状の有無，MRC sum scoreの3項目を入院時と入院7日後に点数化することで，発症早期に入院後4週，3か月後，6か月後の独歩不能予測が可能で，臨床でも活用できる[7]．

3つ目は，入院後早期段階で人工呼吸器装着となる可能性を推測できるEGRIS（Erasmus GBS Respiratory Insufficiency Score）であ

▶表3　mEGOS

予後因子	入院時(点)	入院7日目(点)
発症年齢(歳)		
≦ 40	0	0
40〜60	1	1
> 60	2	2
下痢の先行		
(−)	0	0
(+)	1	1
MRC sum score		
51〜60	0	0
41〜50	2	3
31〜40	4	6
0〜30	6	9
mEGOS	0〜9	0〜12

〔Walgaard, C., et al.: Early recognition of poor prognosis in Guillain-Barré syndrome. Neurology, 76(11): 968–975, 2011 より〕

▶表4　EGRIS

予後因子(入院時)	カテゴリー	点数
GBS発症から入院までの日数	3日	0
	4〜7日	1
	> 7日	2
顔面神経麻痺あるいは球麻痺の存在	(−)	0
	(+)	1
MRC sum score	51〜60	0
	41〜50	1
	31〜40	2
	21〜30	3
	≦ 20	4
EGRIS 合計		0〜7

〔Walgaard, C., et al.: Prediction of respiratory insufficiency in Guillain-Barré syndrome. Ann. Neurol., 67(6): 781–787, 2010 より〕

る(▶表4)[8]．これは，発症から入院までの日数，顔面神経麻痺あるいは球麻痺の存在，入院時のMRC sum scoreを点数化し予測するものである．たとえば，EGRISが2点以下では，入院後1週後に人工呼吸器管理となる確率は4%，3〜4点の場合では24%となる．臨床的指標であるmEGOSとEGRISについては，わが国でも最も信頼しうる予後予測因子と位置づけられている[9]．

そのほか一般的な機能障害評価項目として，筋緊張，ROM，感覚障害の評価があげられる．また，経時的な臨床評価指標の1つとして，MRC sum scoreに加えて握力評価は確実に実施しておくことが望ましい．

2 評価時期

病状経過の特徴として，発症から徐々に病状が進行すること，4週間以内には極期を迎えること，その後回復経過をたどることがあげられる．そのため，発症時を含めた急性期では週単位での評価，症状の進行が止まった極期での評価は設定すべき時期にあげられる．回復経過中の時期は数か月から数年に及ぶ可能性もあるため，1か月もしくは3か月ごとに評価時期を設定する．その際，運動機能障害としての四肢筋力とFGの指標である歩行能力については評価を行う．これらの定期評価は，運動療法の目的と目標設定を見定めることにもつながるため，評価時期を理解し実践することは重要である．

C 運動療法の進め方

1 病期をふまえた運動療法の戦略

GBSの臨床経過と免疫調整療法の適応により，治療開始時期としては，早期(発症1〜2週以内)，活動期(発症2〜4週以内)，回復期(発症4週以降)に分けられる(▶図1)[1]．さらに，免疫調整療法後の再治療期間については，運動療法を進めるうえでは生活期としてとらえるとよい．

ここでは，治療開始時期としての3つの時期，①早期，②活動期，③回復期，そして④生活期(発症3か月以降から1年程度まで)での運動療法の戦略について概説する．

a 早期

早期診断のもとIVIgの治療が開始されるため，

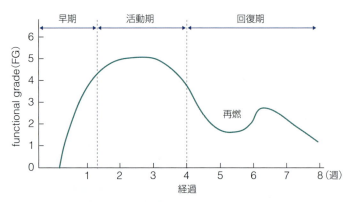

▶図1　GBS の臨床経過と重症度
〔日本神経学会(監)，ギラン・バレー症候群，フィッシャー症候群診療ガイドライン作成委員会(編)：ギラン・バレー症候群，フィッシャー症候群診療ガイドライン 2013. p.87, 南江堂, 2013 より許諾を得て転載〕

運動療法開始時にはすでに初期治療が開始もしくは完了している場合も多い．運動療法開始時のFGとmEGOSを参考にして，離床状況を確認後，立位・歩行練習への展開についても検討する．

一方，FGが4以上，mEGOSが6以上の重症例に対しては，ベッド上でのROM運動やポジショニング，座位練習を中心とした運動療法から開始する．また，人工呼吸器管理下となっている場合には，初期治療への反応性を含めて主治医に確認のうえ，全身調整運動から開始し，離床展開について確認を行う．

この時期は初期治療への反応性と全身状態（重症度）とmEGOS，MRC sum scoreを指標にして，慎重に運動療法を進めていくことが肝要となる．併せて，リスク管理としては初回離床時および離床介入時の起立性低血圧症状の評価は必須である．

b 活動期

極期を迎える活動期では，運動機能改善や歩行能力向上をはかるために運動療法を段階的に進める．四肢の筋力運動については，運動負荷を管理し，筋痛や疲労など過用性障害の発生など，病状が小康状態を迎える過程を阻害しないように配慮する．

立位・歩行練習の進め方については，極期が判断できるまではベッド周囲および病棟生活範囲での活動レベルにとどめておくことが大切である．一方，この時期に介助下や監視下で自力歩行が可能となり，FG 3以下となっている場合は，主治医に相談のうえで歩行量の設定を検討する．

人工呼吸器管理が継続されている場合やFGやmEGOSで予後不良が見込まれる場合は，離床を継続するか否かも含め，運動療法の進め方についても再検討を加えることが必要となる．

c 回復期

日々の運動機能変化を確認しながら，立位・歩行能力の向上を主目的にした運動療法を選択し，展開する．FG 3の場合は歩行補助具の必要性を検討し，FG 2以下の場合には床上動作や階段動作能力の評価，運動介入を進める．

機能障害の回復が遅延し，FG 4～5の状態にとどまっている場合には，車椅子離床をはかること，さらにはティルトテーブルや下肢装具を用いた立位練習などの導入について，主治医と相談のうえで運動療法を進めていくことが求められる．その際は起立性低血圧症状が運動阻害因子として問題になってくる場合も多く，リスク管理に留意する．

d 生活期

　運動機能障害,呼吸機能障害の回復遅延例でも,長期的な運動療法介入を通じて発症後年単位の経過のなかで回復がはかられた報告も認められる[10,11].

　起居動作や移乗動作能力の獲得を確認しつつ,FGの指標である歩行能力獲得に向けた運動療法戦略を継続していくことが必須となる.また,歩行能力に比して,重度の握力低下が残存し,ADLや就労場面で大きな支障が生じている場合もある.生活期での長期介入経過のなかでも,握力や四肢筋力の定期評価を通じて戦略方針について検討を重ねる配慮は欠かせない.

2 運動療法の実践

a 歩行練習の実際

　長期的な回復をはかるための多面的なアプローチの必要性は示されており,特に入院患者に対する歩行練習が有効であるとされている[12].また,関節拘縮予防,筋力低下予防・改善をはかるためのアプローチも練習を進めていくうえでは欠かせない.GBSは回復期リハ対象疾患に含まれており,運動機能障害に応じて免荷式トレーニング機器活用や下肢装具を併用した集中的な歩行練習の選択を工夫する.

b 筋力増強運動の実際

　ケーススタディでは,筋力運動とADL練習によりADLスコアと筋力の改善が認められたとの報告[13]はあるが,有効性や運動機能に及ぼすエビデンスは少なく,検討が必要とされている[12].しかしながら,立位・歩行能力の再建には四肢筋力運動は必須であるため,回復期以降においては運動負荷量に配慮した筋力増強運動を進めていくことが必要となる.

　負荷量の設定については,自覚症状として運動後および翌日の疲労感,筋痛,筋力低下,血液検査として血清CK値を参考に活用できる[14].血清CK値については,筋力増強運動導入前との数値を把握し,運動期間中の血清CK値の推移を確認するとよい.筋力の回復経過段階であると判断した場合には,低負荷での反復練習から開始し,筋痛や血清CK値の変化をみながら,運動負荷量を高めていくことが重要である.過用性障害である筋力低下と疲労感を念頭におきつつ,トレーニングを進めていくことが注意点としてあげられる.

c 有酸素運動の実際

　下肢エルゴメータを取り入れた有酸素運動の有用性については示されている.有酸素運動プログラムにより,全身持久力向上や下肢筋力改善,疲労感軽減などへの効果につながるとされている一方で,運動期間・頻度・強度については一定の見解は得られていないのも実情である.

　有酸素運動としては,下肢エルゴメータなどの運動機器を用いて,運動強度は最大心拍数の70～90%,運動頻度は週3回,運動時間は30～60分程度,運動期間は12週間の運動プログラムから進めることが推奨されている[15].導入する場合には,FGと発症後経過時期には十分配慮することが望ましい.

筋炎（多発性筋炎）の運動療法

炎症性筋疾患とは，自己免疫学的機序により筋線維が障害される疾患の総称で，簡単に"筋炎"と呼ばれることが多い．代表的な臨床病型としては，**多発性筋炎**（polymyositis；PM）と**皮膚筋炎**（dermatomyositis；DM）があげられる．PM/DM診断基準としては，Bohan & Peterの診断基準や厚生労働省自己免疫疾患調査研究班の改訂診断基準が用いられる．診断基準項目として，上下肢近位筋の筋力低下，筋原性酵素の上昇，安静時の筋自発電位や線維性収縮など炎症性筋疾患に特徴的な筋電図所見と筋線維の変性および細胞浸潤などの筋病理所見があげられる．また，特徴的な皮膚症状の有無でPMとDMが診断される．近年では，抗ARS抗体などの筋炎特異的自己抗体が臨床病態と密接に関連し，診療のうえで有用とされている[16]．

ここでは，多発性筋炎（PM）に対する運動療法について述べる．

2 予後

2015年に自己免疫疾患に関する調査研究班より発表された『多発性筋炎・皮膚筋炎治療ガイドライン』のなかで，生命予後に関しては，全症例の5年生存率は約80％前後とされており，治療法の進歩によりさらに改善していると考えられている[18]．生命予後に関与する要因としては，高齢，男性，治療開始までの期間，嚥下障害や呼吸障害があげられる．特に間質性肺炎については，その治療と予後が焦点化されることもあり，合併の有無は必須情報となる．

運動機能に関する予後として，治療開始が遅延し，進行性の筋病変を示す患者の完全な筋力の回復は困難なことが多い[19]．そのため，後遺障害として残存する筋力低下とADL動作能力への影響に関する評価は重要となる．

A 概念と特徴

1 病態の特徴

PMの基本的な症状として，発熱，全身倦怠感，易疲労感，食欲不振，体重減少などの全身症状に加えて，筋症状が出現する．筋症状としては，緩徐に発症して進行する体幹や四肢の近位筋群，頸部筋や咽頭筋の筋力低下が多く，患者調査に基づく運動障害としては，床からの起立困難，階段昇降困難，肩の高さへの上肢挙上困難など，四肢近位筋の筋力低下に関連する動作が障害を受けやすいとされている[17]．日常生活場面では，臥位姿勢での頭部の持ち上げ動作，洗髪動作や洗濯物干し動作での困難さの訴えを聞くことが多い．

B 運動療法のポイント

1 運動負荷に対する配慮点

入院に伴う活動量が減少に対しては，クレアチンキナーゼ（CK）値が数千U/Lであるなど炎症がまだ残っている急性期からでも運動負荷量に配慮しつつリハを行うことが望ましい[20]．入院中の活動量は運動負荷量と併せて配慮していくことが必要となる．

血清CK値は運動負荷指標として活用することが多く，治療ガイドラインのなかでも「血清CK値と筋力はいずれも筋炎の病勢を評価するうえで有用な指標である」と示されており，血清CK値の変動や筋痛の出現には留意する．

▶表5 推奨(治療早期からのリハビリテーションの有効性)
【推奨度C1(科学的根拠がないが,行うようすすめられる)】
治療早期からのリハビリテーション開始は筋力回復に有効である報告があり,有害であるとする報告はないため施行してもよいが,最終的な機能予後の改善効果については明らかではない.また,リハビリテーションの際の最適な負荷の程度も明らかではない
〔自己免疫疾患に関する調査研究班 多発性筋炎・皮膚筋炎分化会(編):多発性筋炎・皮膚筋炎治療ガイドライン.診断と治療社,2015 より〕

▶表6 推奨(慢性期の筋炎患者の筋力低下に対するリハビリテーションの効果)
【推奨度B(科学的根拠があり,行うようすすめられる)】
慢性期のリハビリテーションは炎症の悪化を伴わず筋力回復に有効である可能性があり,行うことがすすめられる
〔自己免疫疾患に関する調査研究班 多発性筋炎・皮膚筋炎分化会(編):多発性筋炎・皮膚筋炎治療ガイドライン.診断と治療社,2015 より〕

2 筋力低下の鑑別

筋炎の治療経過中の副作用として,ステロイドミオパチーについての理解は必要である.これは高用量のステロイドを1か月以上服用している患者にみられることが多く[21],下肢近位筋優位の筋力低下が生じ,しゃがみ立ちや椅子からの立ち上がり動作,階段昇降動作が困難になることが多い.臨床上では,筋炎再燃による筋力低下との判別が難しい場合が多く,治療ガイドラインでは,臨床像と検査所見を参考にして総合的に判断することの必要性が示されている.

運動負荷量の調整に比して疲労感など自覚症状が増悪される場合には,タイミングを逸することなく主治医に報告し,ステロイドミオパチーの関与について確認する.

C 運動療法の進め方

1 病期をふまえた運動療法の戦略

a 急性期

治療ガイドラインでは,急性期におけるリハについて「治療早期からのリハの有効性」について示されたが(▶表5)[18],最終的な機能予後改善効果までは明らかとされなかった.現在,「診療ガイドライン」として改訂作業が進められており,治療開始早期からのリハ開始は筋力回復,ADLの改善に向けての施行が望ましいとされている[22].そのため,急性期からも運動療法を安全に進めていくことが必要となる.

b 回復期

治療ガイドラインでは,「慢性期の筋炎患者の筋力低下に対するリハの効果」については,炎症の悪化を伴わずに筋力回復に有効であり,行うことがすすめられている(▶表6)[18].「診療ガイドライン」のなかでも同様に位置づけられており,後遺障害としての筋力低下が残存している場合には,地域医療,在宅医療でも運動療法は必要となる.

2 運動療法の実践

a 筋力増強運動の実際

筋力低下に対する運動療法としては,四肢体幹に対する筋力増強運動を実施することで,筋力やADL能力が改善したとされている[23].あらゆる病期に対して安全に進めるために,自覚的運動強度の指標である修正Borg(ボルグ)スケール(BS)を活用し,負荷量を低負荷から段階的に上げていくことが望ましいとされている[24].またホームエクササイズとして,股関節屈伸筋,膝関節伸筋,頸部・体幹屈筋群の筋力増強運動を取り入れていくことの必要性も示されている[25].さらに,活動量向上を通じて筋力増強をはかるために,あらかじめ立ち上がり動作が円滑となるベッド高さを設定のうえで,自己での歩行機会増加につなげる工夫を実践している.

b 有酸素運動の実際

病期が診断後6か月以上経過した患者に対する自転車エルゴメータやトレッドミル運動は有用であるとされている[26]．また，急性期，回復期問わず，筋力増強運動やストレッチ運動を組み合わせることで，ADLの向上にもつながることが示されている[27]．

有酸素運動の実際としては，運動強度は最大酸素摂取量の50～70％を指標とし，運動療法プログラムは自転車エルゴメータやステップ（踏み台）運動を設定し，頻度は1週間に3回，期間は6～12週間実施することが望ましいとされている[27]．

●引用文献

1) 日本神経学会（監），ギラン・バレー症候群，フィッシャー症候群診療ガイドライン作成委員会（編）：ギラン・バレー症候群，フィッシャー症候群診療ガイドライン 2013. 南江堂, 2013.
2) 桑原 基：Guillain-Barré syndrome 最新の治療. 神経治療, 38(3):185–188, 2021.
3) Rajabally, Y.A., et al.: Outcome and its predictors in Guillain-Barré syndrome. *J. Neurol. Neurosurg. Psychiatry*, 83(7):711–718, 2012.
4) 山岸裕子ほか：ギラン・バレー症候群の予後と予測因子. 臨床神経学, 60(4):247–252, 2020.
5) Kleyweg, R.P., et al.: Interobserver agreement in the assessment of muscle strength and functional abilities in Guillain-Barré syndrome. *Muscle Nerve*, 14(11):1103–1109, 1991.
6) Walgaard, C., et al.: Early recognition of poor prognosis in Guillain-Barré syndrome. *Neurology*, 76(11):968–975, 2011.
7) 橋田剛一ほか：エビデンスを参照したニューロパチー患者に対する理学療法の考え方と進め方. 理学療法, 36(7):631–639, 2019.
8) Walgaard, C., et al.: Prediction of respiratory insufficiency in Guillain-Barré syndrome. *Ann. Neurol.*, 67(6):781–787, 2010.
9) 海田賢一：ギラン・バレー症候群の予後，予後関連因子. *Brain and Nerve*, 67(11):1411–1419, 2015.
10) 岡本隆嗣ほか：長期間の入院リハビリテーションを必要としたギランバレー症候群の1例. 臨床リハ, 13(1):92–96, 2004.
11) 小林慶子ほか：長期にわたるリハビリテーションにより著明にADLが改善した重症ギラン・バレー症候群の経験. 臨床リハ, 15(9):873–877, 2006.
12) Khan, F., et al.: Rehabilitation interventions in patients with acute demyelination inflammatory polyneuropathy: a systematic review. *Eur. J. Phys. Rehabil. Med.*, 48(3):507–522, 2012.
13) Ko, K.J., et al.: Effects of daily living occupational therapy and resistance exercise on the activities of daily living and muscular fitness in Guillain-Barré syndrome: a case study. *J. Phys. Ther. Sci.*, 29(5):950–953, 2017.
14) 間瀬教史ほか：神経筋疾患に対する筋力増強. PTジャーナル, 44(4):297–304, 2010.
15) Simatos Arsenault, N., et al.: Influence of exercise on patients with Guillain-Barré syndrome: a systematic review. *Physiother. Can.*, 68(4):367–376, 2016.
16) 平形道人：多発性筋炎・皮膚筋炎. *Clin. Neurosci.*, 40(3):384–385, 2022.
17) Henriksson, K.G., et al.: Polymyositis—treatment and prognosis. A study of 107 patients. *Acta. Neurol. Scand.*, 65(4):280–300, 1982.
18) 自己免疫疾患に関する調査研究班 多発性筋炎・皮膚筋炎分化会（編）：多発性筋炎・皮膚筋炎治療ガイドライン. 診断と治療社, 2015.
19) 秋月正史：多発性筋炎/皮膚筋炎の予後. *Clin. Neurosci.*, 22(10):1172–1173, 2004.
20) 阿部和夫：急性期の筋炎に対するリハビリテーション. *Brain and Nerve*, 59(4):431–434, 2007.
21) 上阪 等：ステロイドミオパチーの発症機序，診断と治療. *Brain and Nerve*, 65(11):1375–1380, 2013.
22) 自己免疫性疾患に関する調査研究班ホームページ. http://www.aid.umin.jp/achievement/guideline.html
23) Alexanderson, H.: Physical exercise as a treatment for adult and juvenile myositis. *J. Intern. Med.*, 280(1):75–96, 2016.
24) 山内真哉ほか：亜急性期の筋炎患者に対する運動療法効果と自覚的運動強度を用いた運動負荷量の検討. 理学療法学, 41(2):52–59, 2014.
25) Alexanderson, H., et al.: The safety of a resistive home exercise program in patients with recent onset active polymyositis or dermatomyositis. *Scand. J. Rheumatol.*, 29(5):295–301, 2000.
26) Bertolucci, F., et al.: Abnormal lactate levels in patients with polymyositis and dermatomyositis: the benefits of a specific rehabilitative program. *Eur. J. Rehabil. Med.*, 50(2):161–169, 2014.
27) Van Thillo, A., et al.: Physical therapy on adult inflammatory myopathy patients: a systematic review. *Clin. Rheumatol.*, 38(8):2039–2051, 2019.

第10章 筋ジストロフィーの運動療法

学習目標
- 筋ジストロフィーの概念と病型による特徴を知る．
- 一次性障害と二次性障害の内容を理解する．
- 病期ごとの運動療法とリスク管理について理解する．

A 概念と特徴

　筋ジストロフィーとは「筋線維の変性・壊死を主病変とし，臨床的には進行性の筋力低下をみる遺伝性疾患」と定義されており，発症年齢や遺伝形式に基づいた分類が行われるようになった（▶表1）．

　なかでもDuchenne（デュシェンヌ）型筋ジストロフィー（Duchenne muscular dystrophy；DMD）はX染色体連鎖潜性遺伝形式（▶図1）をとる進行性疾患で，最も頻度が高く（男子出生3,000〜3,500人に1人），重症である．近年，疾患修飾薬など治療法の開発が進んでいるが，現在のところ根本治療には至っていない．

　しかし，非侵襲的陽圧換気療法（non-invasive positive pressure ventilation；NPPV）による呼吸管理や心不全治療の進歩により平均寿命は延長し，"20歳まで生きない疾患"ではなくなってきた．また，生命予後が改善されただけでなく，経口摂取や電動車椅子による活動性を維持し，支援技術（assistive technology；AT）や情報通信技術（information and communication technology；ICT）を併用することで，QOLの維持と活動の範囲は拡大している．このように，DMDの臨床像や治療ゴールが変化するなか，リハビリテーション（以下，リハ）はこれらのニーズに応えるた

▶表1　筋ジストロフィーの分類

ジストロフィノパチー	・Duchenne型筋ジストロフィー ・Becker（ベッカー）型筋ジストロフィー ・女性ジストロフィノパチー
肢帯型筋ジストロフィー	・LGMD1型（常染色体顕性遺伝形式） ・LGMD2型（常染色体潜性遺伝形式）
先天性筋ジストロフィー	・福山型筋ジストロフィー ・Walker-Warburg（ウォーカー・ワールブルグ）症候群 ・muscle-eye-brain病 ・その他のα-ジストログリカノパチー ・インテグリンα欠損型 ・メロシン欠損型 ・Ullrich（ウルリッヒ）病 ・ラミン欠損型 ・強直性脊椎症候群（常染色体劣性） ・強直性脊椎症候群（X染色体連鎖） ・ダイナミン2欠損型 ・テレソニン欠損型 ・ミトコンドリア異常を伴う先天性筋ジストロフィー
筋強直性ジストロフィー	・1型〔19番染色体DMPKの3塩基（CTG）リピート〕 ・2型〔3番染色体CNBPの4塩基（CCTG）リピート〕
顔面肩甲上腕型筋ジストロフィー	・FSHD〔14番染色体の繰り返し配列（D4Z4）短縮〕 ・FSHD2〔18番染色体にあるSMCHD1の変異〕
Emery-Dreifuss（エミリー・ドレイフス）型筋ジストロフィー	
眼咽頭型筋ジストロフィー	

〔難病情報センター：筋ジストロフィー病型・病名一覧表より改変〕

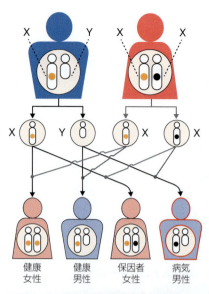

▶図1 X染色体連鎖潜性遺伝形式

▶表2 筋障害の進行過程

部位	初期	中期	後期
骨盤帯・体幹	大殿筋 中殿筋 大腿筋膜腸筋	腸腰筋 腰方形筋 傍脊柱筋	腹直筋 腹斜筋
大腿	大腿二頭筋 股関節内転筋群 大腿四頭筋	半腱様筋 半膜様筋	縫工筋 薄筋
下腿	腓腹筋 腓骨筋	前脛骨筋 ヒラメ筋	後脛骨筋
上肢・上肢帯	僧帽筋 広背筋 肩関節内旋筋群	肩関節屈曲筋 肩関節外転筋 肩関節内転筋 上腕三頭筋	前腕筋群 手内筋
頸部	頸屈筋		頸伸筋

〔Liu, M., et al.: Muscle damage progression in Duchenne muscular dystrophy evaluated by a new quantitative computed tomography method. Arch. Phys. Med. Rehabil., 74(5):507–514, 1993 より〕

めのさまざまなアプローチが求められるようになっている[1]．

1 DMDの病態

DMDは，X染色体短腕(Xp21)に存在するジストロフィン遺伝子変異によって筋細胞膜直下にあるジストロフィン蛋白が欠損することにより，膜の不安定性をきたすことで進行性の筋線維変性を生じる．最も激しく動く骨格筋において筋細胞膜の脆弱性により機械的な障害を受けると推測されている[2]．そのため筋の弱化が最初に認められ，姿勢の保持・安定に役割をはたす抗重力筋が最も障害される．DMDでは，四肢体幹の筋力は近位筋優位に進行性に低下する．CTによる筋断面積から，筋障害の進行過程について一定の傾向があることも示されている(▶表2)[3]．

2 運動発達の特徴

歩行開始は平均で18か月である．3〜5歳時に転びやすい，走れないなどで気づかれることが多い．下腿筋の仮性肥大(▶図2)，登はん性起

▶図2 下腿三頭筋の仮性肥大

立〔Gowers(ガワーズ)徴候〕(▶図3)，動揺性歩行(▶図4)などの徴候が出現し，10歳前後に歩行が困難になる．運動能力や活動性の低下に伴い関節拘縮や脊柱側弯が増強する(▶図5)．歩行能力を喪失する原因は重度の筋力低下であるが，関節拘縮によって歩行能力をより早く喪失するといわれる[4]．平均15歳で座位保持困難となり，体幹の支持が必要になる．

呼吸管理や心不全治療の介入を行わない場合の自然経過では，平均20歳で呼吸不全や心不全で死亡するとされ，25歳を超えて生存することはほとんどない[3]．

A 概念と特徴

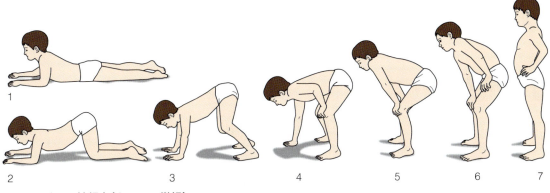

▶図3 登はん性起立（Gowers 徴候）

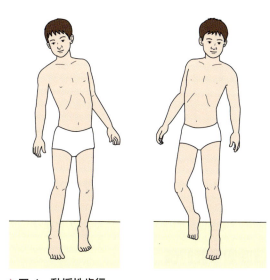

▶図4 動揺性歩行

▶表3 DMD におけるジストロフィン欠損部位の臨床症状

ジストロフィン欠損部位	臨床症状・所見・問題
骨格筋	基本動作困難, 頸定不安定, 関節拘縮, 脊柱側弯
呼吸筋	呼吸不全, 咳機能低下, 誤嚥性肺炎
心筋	心不全（拡張型心筋症様・不整脈）
口腔咽頭筋	摂食嚥下障害（咀嚼困難・食物残渣・誤嚥）, 舌肥大, 顎関節拘縮, るいそう
平滑筋	消化管：便秘（イレウス, 胆石合併も） （血管）腎・尿管・膀胱：尿路結石
中枢神経	知的障害, 発達障害（神経発達症）スペクトラム, 心理的問題合併も

〔石川悠加ほか：Duchenne 型・Becker 型筋ジストロフィー. 小児内科, 48(10):1546-1548, 2016 より改変〕

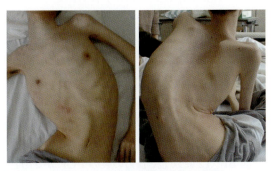

▶図5 DMD にみられる胸郭と脊柱の変形

3 合併症

　ジストロフィン蛋白は骨格筋のみならず，心筋，呼吸筋，口腔咽頭筋，平滑筋（血管や消化管），さらには脳（主に海馬）や中枢神経にも存在する．そのため，DMD の臨床症状は全身（初期には近位筋）の筋力低下に始まり，呼吸不全，心不全〔拡張型心筋症（DCM）様〕，摂食嚥下障害，便秘やイレウス，知的障害や発達障害（神経発達症）スペクトラムなどが相互に関連し合い，さまざまな臨床症状と合併症を生じる（▶表3）[5].

B 運動療法の実際

1 運動療法の目的

　筋ジストロフィーにおける理学療法の目的は，二次的機能障害に対して治療を行い，残存能力を最大限に活用して，動作，活動能力を維持することである．機能障害の維持・改善が得られない場合には，補装具や電動車椅子，その他の環境調整を行い，身体活動をできるだけ維持・代償することで参加（participation）を促す．

2 評価のポイント

a 機能障害度分類

（1）厚生省（現 厚生労働省）の機能障害度分類
　DMDの障害経過は，機能障害度ステージ分類（▶表4）に記載された一定のパターンに従うことが多い[6]．しかし，同じステージでも年齢や筋力には差が大きくみられる．

（2）上肢運動機能障害度分類（松家の9段階法）
　松家が考案した上肢機能障害の経過に基づいた9段階法がある（▶図6）．

b 身体機能評価

　障害の進展が緩やかな時期には年1回程度でよいが，変化が著しい時期には年に数回実施する必要がある．機能障害度ステージ1～4（歩行可能期）にかけては通過期間が短いため，3～6か月間隔で，徒手筋力検査（Manual Muscle Test；MMT）と関節可動域検査（Range of Motion Test；ROM-T）を定期的に行う．床からの立ち上がりやTimed Up and Go Test，2分および6分間歩行などの定量的運動機能評価を行う．North Star Ambulatory Assessment（NSAA）は17項目の運動課題を3段階（0～2点：34点満点）の運動パターンで評価する．DMDにおける歩行可能期初期にみら

▶表4　厚生省の機能障害度分類（新分類）

ステージ1	階段昇降可能 a. 手の介助なし b. 手の膝押さえ
ステージ2	階段昇降可能 a. 片手手すり b. 片手手すり，手の膝おさえ c. 両手手すり
ステージ3	椅子からの起立可能
ステージ4	歩行可能 a. 独歩で5m以上 b. 1人では歩けないが，物につかまれば歩ける（5m以上） 　ⅰ）歩行器 　ⅱ）手すり 　ⅲ）手引き
ステージ5	四つ這い可能
ステージ6	ずり這い可能
ステージ7	座位保持可能
ステージ8	座位保持不可能

〔日本神経学会ほか（監）：デュシェンヌ型筋ジストロフィー診療ガイドライン 2014. 南江堂，2014より〕

れる下肢障害の始まりは，股関節周囲筋，特に腸脛靱帯にあると推測され，DMD特有の腰椎前弯，開脚位での歩様の原因になるとされている．腸脛靱帯の検査（dangling leg test）を図7に示す[7]．

c 呼吸機能評価

（1）肺活量（VC）
　横隔膜の筋力低下により座位から臥位になると肺活量（vital capacity；VC）が著明に低下し，睡眠時の低換気の原因となるため，座位と臥位の両姿勢で評価する．口唇が閉じずマウスピースの保持が困難であればフェイスマスクで測定する．

（2）咳のピークフロー（PCF）
　歩行能力喪失後や12歳以上では年1回，もしくは咳機能低下が疑われる場合には，咳のピークフロー（peak cough flow；PCF）を評価する（▶図8）．12歳以上で自力の咳のPCFが270L/分以下の場合は，徒手による咳介助を行った場合のPCFを評価する[4]．

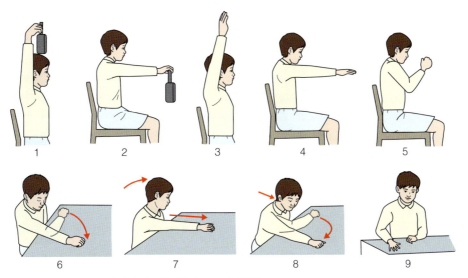

▶図6　上肢運動機能障害度分類（松家の9段階法）
1. 500 g 以上の重量を利き手に持って前方へ直上挙上する．
2. 500 g 以上の重量を利き手に持って前方へ 90°まで挙上する．
3. 重量なしで利き手を前方へ直上挙上する．
4. 重量なしで利き手を前方 90°まで挙上する．
5. 重量なしで利き手を肘関節 90°以上屈曲する．
6. 机上で肘伸展による手の水平前方への移動．
7. 机上で体幹の反動を利用し肘伸展による手の水平前方への移動．
8. 机上で体幹の反動を利用し肘伸展を行ったのち，手の運動で水平前方への移動．
9. 机上で手の運動のみで水平前方への移動．
〔日本神経学会ほか（監）：デュシェンヌ型筋ジストロフィー診療ガイドライン 2014. 南江堂，2014 より〕

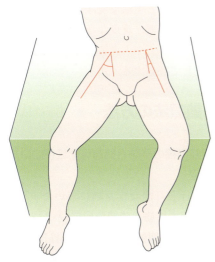

▶図7　腸脛靱帯の検査（dangling leg test）
背臥位にて下腿を診察台から下ろし，膝関節屈曲 90°，股関節伸展位にて股関節の内転制限（外転拘縮）をみると，早期より左右差が生じている．
〔Rideau, Y., et al.: Early treatment to preserve quality of locomotion for children with Duchenne muscular dystrophy. Semin. Neurol., 15:(1)9–17, 1995 より一部改変〕

▶図8　咳のピークフロー（PCF）の測定
ピークフローメーターに口鼻マスクを使用．

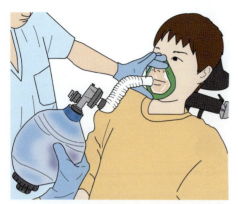

▶図9 最大強制吸気量(MIC)測定，肺容量リクルートメント(LVR)のための吸気介助

▶図10 ストレッチングボード(起立台)を用いた下腿三頭筋の伸張

(3) 最大強制吸気量(MIC)

最大強制吸気量(maximum insufflation capacity; MIC)は救急蘇生バッグなどで肺内に空気を送気したのち，声門を閉じて3秒程度息溜め(エアスタック)できる空気の量である(▶図9)．MICは肺の健常性(微小無気肺の有無など)と胸郭可動性，咽頭喉頭機能の総合的な指標となる[4]．

(4) そのほかの医学的情報

●夜間睡眠時の呼吸評価

経皮的動脈血酸素飽和度(SpO_2)と経皮的炭酸ガス分圧($PtcCO_2$)を含む睡眠呼吸モニターは，睡眠時NPPV導入の判断やNPPV条件調整のために行う．適切な換気補助と睡眠の質が保証されていなければ，理学療法の効果は得られない[6]．

●心機能の評価

脳性ナトリウム利尿ペプチド(brain natriuretic peptide; BNP)もしくはN末端プロBNP(N-terminal pro BNP; NT-proBNP)，心エコーによる心機能評価を定期的に行う[6]．

d ADL・姿勢の評価

DMDでは，残存機能を最大限に生かしてADLをなんとか遂行している場合がある．しかし，不良姿勢や環境下で継続的に続けられる動作は，変形拘縮や痛み，しびれの原因となる．日常生活のなかで最も多いベッド上や車椅子座位の姿勢，睡眠時の臥位姿勢などを評価し，日中や夜間の姿勢変換を必要とする回数や間隔も把握しておく．

e 生活環境評価

家屋や施設など生活環境はもちろん，電動車椅子や座位保持装置，重度な身体機能障害を代償するためのスイッチや入力装置などの支援技術も環境因子として評価する．

3 運動療法の方法

(1) 関節拘縮の予防と関節可動域(ROM)異常の治療

立位歩行が可能な学童期において重要な筋群は，足関節底屈筋，膝関節屈筋(ハムストリングス)，股関節周囲筋群である．1日に2～3時間の起立，歩行を行う．これが困難な場合には，長下肢装具や起立台を使用して立位を保持することで下肢のROM制限を予防し，体幹の活動性を維持することで脊柱変形の発生を遅らせる(▶図10, 11)．

立位歩行が困難な時期は，車椅子に乗車したま

▶図11 長下肢装具による
　　　立位練習

▶図13 短下肢装具（AFO）
車椅子上でも使用し，足底がフットサポートに正しく乗るようにする．

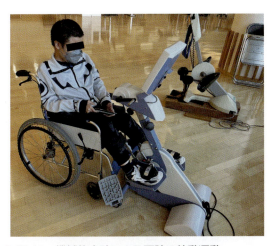

▶図12 機械的介助による下肢の他動運動
　　　（THERA trainer TIGO®）
筋力低下によりペダル運動ができない場合は機械による他動運動を行い，筋力が残存している場合はモーターの補助による自動介助運動ができる．

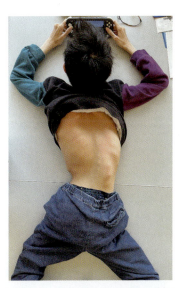

▶図14 腹臥位による体幹の伸展
携帯ゲームやタブレットなどを使用しながら家庭でも習慣的に行う．

まで使用できる機械的他動的下肢運動を行う器具もある（▶図12）．足関節の内反尖足変形は立位運動を困難にするとともに，座位姿勢における下肢関節の外転外旋位の原因となるため，短下肢装具を日常的に使用して変形拘縮予防に努める（▶図13）．腹臥位による脊柱の伸展は家庭でも実施しやすく，携帯ゲームや動画鑑賞をしながら10〜15分程度を日常的に行う（▶図14）．

（2）筋力の維持

　DMDに対する筋力増強運動は，その進行段階において効果に違いがあり，疲労などの有害事象をまねくなど，強く推奨するエビデンスは少ない．運動機能や筋力の低下が始まっている進行したDMD（MMT 3以下）では，積極的な筋力増強運動は行うべきではないが，過度な運動を避け，休息を考慮したうえでの機器を用いた自動介助運動や筋力増強運動，水泳などの有酸素運動は安全

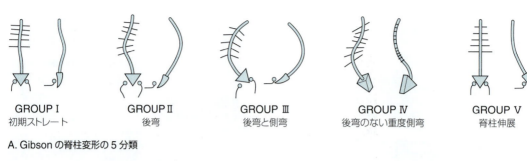

▶図16　Gibsonの脊柱変形の5分類と進展過程
〔Gibson, D.A., et al.: The management of spinal deformities in Duchenne muscular dystrophy. A new concept of spinal bracing. *Clin. Orthop. Relat. Res.*, 108:41-51, 1975 より一部改変〕

▶図15　ハロウイック水泳
1949年に英国ハロウイック女子養護学校で開発された．1994年に国際ハロウイック協会(The International Halliwick Association; IHA)が設立され，日本には京都支部がある．

(3) 脊柱変形の管理と座位保持能力の維持

　立位歩行が困難になり座位時間が長くなると脊柱変形が進行し，座位バランスの低下，胸郭変形による心肺機能への影響，不均等な荷重により殿部や下肢の痛みやしびれの原因となる．DMDにみられる脊柱変形は5型に分類され(▶図16A)，さらに急速に進行する不安定な過程と，伸展型に移行し変形の増悪が比較的軽度な安定した過程の2つに分類される(▶図16B)[9]．姿勢保持を考える際には脊柱後弯と側弯を防ぐ試みとして，伸展型へ導くようにするとの報告がある[9]．しかし，過度な脊柱の伸展（胸腰椎の前弯）は，胸郭の扁平化や頸部の伸展拘縮により咳機能や呼吸機能，嚥下機能にも影響するため注意が必要である．

　治療や対処方法としては，徒手的理学療法，シーティングによる車椅子や座位保持環境設定を行う．体幹装具の使用は変形予防効果を証明するエビデンスは少なく，長期間の使用には問題が多く推奨されない．手術的アプローチは脊柱変形を予防・改善し，座位バランスや容姿に良好な成果を

で効果的な可能性がある．Halliwick（ハロウイック）水泳法では，浮き輪を使わず，スイマー自身の自然な動きのなかでバランスをとる必要最小限の介助を行い，能動的な動きと呼吸コントロールを身につけられるようなプログラムが考えられている(▶図15)[8]．

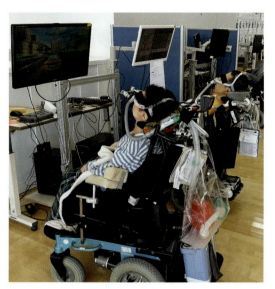

▶図17 終日人工呼吸器使用患者の良姿勢での活動(ティルトリクライニングとシーティング電動車椅子による)

認める一方，呼吸管理や種々の問題により欧米のように積極的に施行する例は少ない．

(4) 電動車椅子による活動と離床の促進

実用的な移動手段とともに，歩行能力喪失による活動量の低下を補い，二次的障害を予防する．電動アシスト機能の付いた簡易電動車椅子は，筋力低下の程度に合わせた調整を行うことで，駆動時の過度な努力や不良姿勢を予防する．終日人工呼吸器を使用する患者では，人工呼吸器を電動車椅子に搭載するための環境設定を行う．日常的に車椅子に乗車して活動することで，ベッド上での臥床時間を減らし健康状態を維持する(▶図17)．

(5) 呼吸障害に対する理学療法

窒息や感染時の痰づまり，誤嚥性肺炎などの呼吸不全急性増悪を予防し，活動性とQOLを維持しやすいNPPVを継続するための呼吸理学療法を行う．胸郭の柔軟性と肺の健常性を維持させるためのアプローチが重要である[4, 10-12]．

●**肺容量リクルートメント(LVR)**

肺容量リクルートメント(lung volume recruitment; LVR)はMICを得るための手段で，PCFやVCを増加させるために行う[11, 12]．12歳以降

▶表5 肺容量リクルートメント(LVR)の手順
　　　(救急蘇生バッグを使用した場合)

1. 座位もしくは臥位で行う．咳介助と連動する場合は体幹頸部を安定させる
2. インターフェイスは口鼻マスクもしくはマウスピース
3. エアリークがないように吸気に合わせて肺が最大拡張を感じる，もしくはMICが得られるまでバッグを加圧する
4. 最大吸気が得られたらインターフェイスを外し，3〜5秒息溜め(air stack)する(心筋症などでは心拍数の低下に注意し，息を止めずにすぐ呼出する)
5. 上記を3〜5回繰り返す
6. 分泌物がある場合は咳介助を続ける

でVCが1,500 mL以下もしくは%VCが40%以下になったら，1日3回，LVRによる深吸気を行うことで微小無気肺を予防し，肺の健常性を維持する(▶表5)[4, 10-12]．

●**気道クリアランス(咳介助)**

自力咳のPCFの評価をもとに，徒手や機械による咳介助を導入する[4, 10-12](▶表6)．

- **徒手による咳介助**(manually assisted coughing; MAC)：低下した呼気筋力を補うために咳に合わせて胸腹部を圧迫介助する呼気介助と，肺活量が低下した患者では，救急蘇生バッグなどで吸気介助を行う(▶図9)．それぞれ単独に行うか，不十分な場合は吸気介助ののちに呼気介助を併用する(▶図18A)[4, 11, 12]．

- **機械による咳介助**(Mechanical Insufflation-exsufflation; MI-E)：機械的な強制吸気(陽圧)による肺の拡張ののち，強制呼気(陰圧)にシフトすることで高い呼気フローを発生させ，気道クリアランス(咳介助)を行う治療法[4, 11, 12](▶図18B)である．

C 運動療法上の留意点

1 至適運動量の決定

筋ジストロフィーに対して運動療法を行う際に最も注意しなければならないのは，過用性筋力低

▶表6 咳のピークフロー(PCF)と徒手や機械による咳介助(MAC, MI-E)の適応基準

自力咳のPCF(L/分)	咳機能判断	急性呼吸不全のリスク	徒手介助のPCF(L/分)	咳介助手段の適応
360 ≦ PCF	正常な咳	リスクなし		通常，咳介助は不要 進行性疾患では年1〜2回のPCF評価
270 ≦ PCF < 360	弱い咳	低：肺活量低下例では，麻酔や鎮静による急な咳機能低下に注意		
160 ≦ PCF < 270	非常に弱い咳	中：気道感染や誤嚥などによる窒息や急性増悪，麻酔や鎮静による急な咳機能低下に注意	270 ≦ PCF	感染・術後では徒手による咳介助
			270 > PCF	感染・術後ではMI-E
PCF < 160	咳として機能しない	高：日常的に上気道を空気の通り道として確保できない．痰詰まりや誤嚥などにより緊急挿管や気管切開，窒息のリスクが高い	270 ≦ PCF	日常的に徒手による咳介助
			160 ≦ PCF < 270	日常的に徒手による咳介助 感染・術後ではMI-E
			PCF < 160	日常的にMI-E

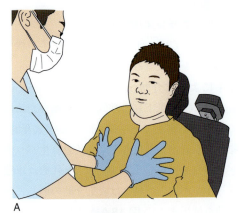

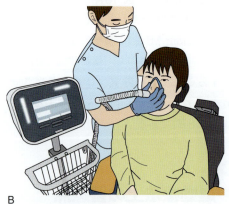

▶図18 咳介助(呼気介助)
A：徒手による咳介助(MAC)
B：機械による咳介助(MI-E)

下(overwork weakness)である．一方で活動性が低下することで廃用の問題にも考慮しなければならず，学校生活や日常生活場面の配慮も必要である．骨格筋の貧弱性があるためレジスタンストレーニングは有害であり行わない．運動強度については血清クレアチンキナーゼ(CK)や尿中に排出される蛋白質(タイチン)，MRIなどをもとに判断しようとする報告もあるが，実用には至っていない．「運動終了後30分以上経っても激しい疲労が残る」「24〜48時間以上経っても筋肉の痛みがとれない」などの運動は避けつつ，無理をしない範囲で可能なADLを継続することが現実的である[6]．

2 心機能障害に対する配慮

心機能障害や呼吸機能障害がある場合には，それらの状態に応じた運動量の決定と観察が必要である．少数ではあるが若年期から拡張型心筋症に類似した症状を呈する患者もおり，立位歩行運動や車椅子活動量には注意が必要である．近年，標準治療となっているステロイド治療は運動機能維持の効果はあるが心肺機能に対する効果は明確ではなく，核酸医薬による疾患修飾薬は心筋に対する効果は期待できない．心機能をモニターしながら適切に行う．

3 精神面に対する配慮

小児期発症の進行性疾患であることから，段階的な能力喪失による「喪失体験」や「不成功体験」からおこる興味や意欲の低下，自尊感情の低下をまねきやすいことに注意する．理学療法はこれを助長することがないよう配慮し，学校行事や日常生活での参加の機会を保障できるようにする．

●引用文献

1) Dubowitz, V.: Unnatural natural history of Duchenne muscular dystrophy. *Neuromuscul. Disord.*, 25(12):936, 2015.
2) 小沢鎧二郎:"新"細胞膜障害説またはsarcolemmopathy. 筋ジストロフィー研究連絡協議会(編)筋ジストロフィーはここまでわかった Part2, pp.7–36, 医学書院, 1999.
3) Liu, M., et al.: Muscle damage progression in Duchenne muscular dystrophy evaluated by a new quantitative computed tomography method. *Arch. Phys. Med. Rehabil.*, 74(5):507–514, 1993.
4) Bach, J.R.(著), 大澤真木子(監訳):神経筋疾患の評価とマネジメント. 診断と治療社, 1999.
5) 石川悠加ほか:Duchenne 型・Becker 型筋ジストロフィー. 小児内科, 48(10):1546–1548, 2016.
6) 日本神経学会ほか(監):デュシェンヌ型筋ジストロフィー診療ガイドライン 2014. 南江堂, 2014.
7) Rideau, Y., et al.: Early treatment to preserve quality of locomotion for children with Duchenne muscular dystrophy. *Semin. Neurol.*, 15(1):9–17, 1995.
8) 英国水泳療法協会(著), 日本ハロウイック水泳法協会(訳):障害者のためのハロウイック水泳法. 文理閣, 2000.
9) Gibson, D.A., et al.: The management of spinal deformities in Duchenne muscular dystrophy. A new concept of spinal bracing. *Clin. Orthop. Relat. Res.*, 108:41–51, 1975.
10) 日本理学療法士協会(監):小児理学療法ガイドライン. 理学療法ガイドライン, 第2版, pp.188–189, 医学書院, 2021.
11) Toussaint, M., et al.: 228th ENMC International Workshop: airway clearance techniques in neuromuscular disorders Naarden, The Netherlands, 3-5 March, 2017. *Neuromuscul. Disord.*, 28(3):289–298, 2018.
12) Chatwin, M., et al.: Airway clearance techniques in neuromuscular disorders: a state of the art review. *Respir. Med.*, 136:98–110, 2018.

第11章 末梢神経障害の運動療法

学習目標
- 末梢神経障害の定義・目的，対処について理解する．
- 末梢神経障害に対する評価の基本的な方法を知る．
- 末梢神経障害に対する運動療法の課題と今後の方向性について展望する．

A 概念と特徴

1 定義

末梢神経障害(peripheral neuropathy)とは，末梢神経あるいは神経根の病変を有する疾患の総称であり，主症状，発症様式，病因，発生機序，病理，障害の分布により分類される(▶表1)[1]．主症状として，運動麻痺，感覚障害，自律神経障害があげられる．障害を引き起こす原因は，切創や挫滅などの外力による神経の断裂，オートバイの転倒事故などによる末梢神経への急激な伸張，生理学的狭窄部位における末梢神経の慢性的な圧迫や絞扼，外傷性による組織の虚血に伴う障害，遺伝・感染などさまざまである[2,3]．末梢神経の絞扼による主な疾患は，上肢では胸郭出口症候群，肘部管症候群，Guyon(ギヨン)管症候群，手根管症候群，下肢では梨状筋症候群，Hunter(ハンター)管症候群，足根管症候群，Morton(モートン)病などがあげられる．

2 病態の特徴（臨床症状）

a 運動麻痺

運動麻痺は，損傷または絞扼された神経における損傷部位以遠の支配筋でみられる．神経が完全に切断されると随意運動が消失する．

神経が損傷され活動電位が届かなくなった筋(脱神経筋)は，初期にはその緊張(tonus)が低下し，弾力性を欠いた軟らかい状態になるが，経時的に萎縮し結合組織の増生とともに硬くなる．筋萎縮は次第に視診上でも明らかになり，拮抗筋など周辺の筋とのバランスが崩れて特異的な肢位をとるようになる．また随意運動が不能となり，重力に抗することが困難となる〔例：総腓骨神経麻痺時の下垂足(drop foot)など〕[2]．

b 感覚障害

感覚障害は，損傷や絞扼を受けた神経の支配する皮膚の領域で，痛みやしびれなどの感覚障害が出現する[4]．皮膚感覚では，触覚，圧覚，温覚，痛覚があり，損傷を受けた神経の支配する皮膚の領域で感覚障害が生じる．完全な神経断裂では，感覚脱失や痛覚脱失が生じる．一方，絞扼性神経障害などの不完全な神経損傷では，感覚鈍麻や痛覚鈍麻がみられる．健常部との境界部では，感覚過敏や異常感覚も認められる[2]．

▶表1 末梢神経障害の分類

主症状	発症様式	病因	発生機序	病理	障害の分布
運動麻痺	急性	遺伝性	外傷性	軸索変性型	単神経障害
感覚障害	慢性(自然発生)	感染性	絞扼性	節性脱髄型	多発性単神経障害
自律神経障害	自律神経障害	中毒性	その他(腫瘍など)	神経細胞障害型	多発神経障害
		代謝性		間質性	
		機械性		血管障害性	

C 自律神経障害

 交感神経の障害によって発汗障害が生じる．特に手掌の皮膚は乾燥し，触診で確認することができる．また交感神経の遮断により，その支配領域の欠陥が拡張して血流が増大し，皮膚が紅潮し皮膚温が上昇する．しかし，慢性化すると皮膚は蒼白となり皮膚温は低下する．その他，皮膚や結合組織の萎縮もみられる[2]．

3 末梢神経損傷の検査

 末梢神経損傷の検査は，徒手筋力テスト(MMT)と感覚検査，Tinel(ティネル)徴候，電気生理学的検査(筋電図検査と神経伝導検査)に大別される．MMTと感覚検査は運動療法の評価にて述べる．
 神経が切断されると損傷部よりも末梢側においてWaller(ワーラー)変性が生じ，軸索や髄鞘は一度消失する．やがて中枢側の断端から再生軸索の萌芽がおこり，再生有髄軸索は徐々に髄鞘に取り込まれる．その際，先端のまだ髄鞘に覆われていない部分を叩打すると，その神経の支配領域にピリッとする感じや蟻走感(虫が走る感覚)が生じる．この徴候を **Tinel徴候** と呼ぶ[2]．軸索の連絡が生じれば再生神経の伸長に伴いTinel徴候の陽性部位は徐々に末梢へ移動するため，神経の回復状況を知る目安となる．神経の回復速度はおよそ1 mm/日である．絞扼性神経障害や腫瘍による圧迫など，神経が切断されていない場合にも同様の徴候がみられることがある[2]．

 筋電図検査は，筋肉に力を入れた際に発生する電位の波形を測定する．筋力低下の原因が筋原性であるか，神経原性であるかを鑑別するとともに，複数の筋を調べることによって損傷神経およびその高位の同定ができる[2]．
 神経伝導検査では，運動神経の場合には筋肉に，感覚神経の場合には皮神経上に電極を貼り付け，末梢神経を皮膚上で電気刺激し，誘発された電位の振幅・速度・持続時間などを評価することで，病態が軸索変性によるものか，脱髄によるものかを判別できる[5]．
 軸索変性 では，神経伝導検査において複合活動電位の振幅が低下する．伝導速度も若干低下するが，基準値下限の70〜80%以下に減少することは少ない[6]．
 脱髄性疾患 では，神経伝導の遅延と限局性ブロックがみられる．Schwann(シュワン)細胞の障害による節性脱髄では伝導速度の減少が著しく，基準値下限の60〜70%に低下することが多い．また，脱髄性疾患では神経伝導が障害部位のみで遅延するが，それより末端部位では伝導異常はみられない[6]．
 なお近年では，超音波画像検査によって神経の状態や神経の絞扼部位を見つけることも可能となっている．

4 治療戦略

 末梢神経損傷の治療は，閉鎖性の神経損傷の場合，保存療法が第一選択となる．神経が断裂して

いる場合には，損傷された神経以外からの支配神経による筋発火と，再生した神経からの筋発火を期待した運動療法を行う．手術の検討は，Tinel徴候の遠位方向への進行の有無や筋力の回復をみて検討する．一般的に3か月経過をみて回復がみられない場合には手術を行う[2]．

手術には，神経剝離術と神経縫合術，神経移植術がある．**神経剝離術**は神経をとりまく瘢痕や圧迫原因である腫瘍などから神経を剝離する手術で，絞扼性神経障害や不全損傷など，肉眼的に連続性のある神経損傷に対して行われる[2]．また近年では，超音波ガイド下において神経の絞扼部位に局所麻酔薬を注射し神経の滑走性を引き出す，ハイドロリリースも行われている[4]．腫瘍による圧迫や絞扼性神経障害に対し，圧迫の原因となる組織を除去するのみで神経外剝離術を行わなかった場合には除圧（decompression）と呼ぶ[2]．

神経縫合術は，完全に断裂した神経管や，神経を剝離した際に断裂が認められた神経束に対して行う．近位と遠位の神経剝離を十分に行い引き寄せる操作や，神経の走行を変える操作〔神経移所術（nerve transposition）〕，関節を屈曲位での縫合などにより，両神経の断端間を近づけ，断端間距離をなくし緊張のかからない状態で縫合する[2]．

神経移植術は，大きな神経欠損があり，無緊張下での神経縫合術が不可能な場合，皮神経を用いた自家神経移植が行われる[2]．

B 運動療法の実際

1 運動療法の目的

運動療法の目的は，神経系の機能障害による運動機能障害，疼痛，感覚障害を改善させることである．よって，末梢神経障害の症例を理解するうえで，障害像を明確化し，神経の損傷メカニズムから脱却と症状の改善を目指す（▶表 1）．

2 評価のポイント

a 主観的評価（問診）

理学療法を行ううえで，まず問診による主訴と症状の出現部位，出現様式，病歴を確認する必要がある．これは病態と症状の出現メカニズムを理解するとともに，ADL障害と治療目的の明確化にも必須となる．具体的には，「主訴とADL障害」「症状の出現部位」「症状の特徴」「症状の出現様式」「病歴と受傷機転」を聴取すれば，病態と症状の出現メカニズムはおおむね把握することができる．

(1) 主訴とADL障害

主訴が「力が出ない，自力で動かせない」など運動の麻痺を訴える場合は，運動神経の情報伝達が阻害されていると考えられる．また「感覚がない，または弱い」などの感覚障害，疼痛やしびれを訴える場合には，対象領域からの感覚神経での情報伝達が阻害されていると考えられる．症状によって何に困っているかがわかれば，動作方法の修正や代償動作で改善が可能か検討することができる．

(2) 症状の出現部位

症状の出現部位からは，神経の障害された部位が推察できる．運動障害が生じた際は，障害された動きを理解することにより損傷された神経を予測できる．感覚障害については，症状の出現部位をデルマトームおよび末梢神経の分布から損傷された神経を予測できる[2]．この予測は身体機能検査の必要項目を選定する手助けとなる．

(3) 症状の特徴

神経障害性疼痛の特徴は，「焼けるような痛み」「はっきりしない痛み」「深部の痛み」「重いような痛み」「ズキズキするような痛み」「鋭い痛み」，脱力感，麻痺，異常感覚，感覚脱失などさまざまである[7]．

(4) 症状の出現様式

動作時の症状は，「比較的強く出現」「症状出現肢位と安楽肢位が明確」「夜間痛」「ゆっくり広が

▶表2 神経断裂と絞扼性末梢神経障害における症状の特徴

	神経断裂	絞扼性末梢神経障害
運動障害	●麻痺の程度が著明 ●腱反射の消失・減弱	●麻痺の程度は軽いが，筋出力が低下（左右差）がみられる ●痛みやしびれのために力が入りにくい ●腱反射の減弱（左右差）
感覚障害	●感覚脱失・痛覚脱失	●感覚鈍麻，痛覚鈍麻 ●感覚過敏，痛覚過敏
症状出現部位	●損傷された神経の領域	●絞扼されやすい部位がある
症状出現動作	●肢位による変化なし	●肢位により症状の増減がありうる
発生機序	●外傷や手術などのエピソードがある	●自然発生的，慢性的なものが多い

る安静時痛（末梢神経への血流変化による）」に分けられる．肢位による症状の変化がみられる場合には絞扼性の神経障害が疑われ，絞扼を開放する肢位の存在が示唆される．肢位による症状の変化がない場合には，神経断裂の可能性が示唆される．また症状の変化に明確な理由がない場合には，中枢機能障害性疼痛（心因性疼痛）の可能性も疑われる[8]．

(5) 病歴と受傷機転

発症にあたり，何かきっかけとなる出来事はあったか，たとえば手術や外傷，転倒などで急激に患部が引き伸ばされるようなことがあったか，などを聴取する．自然発症では，何か反復して行う動作があったかなどを聴取する．これにより神経が外力によって損傷されたのか，神経の絞扼による反復的な機械的ストレスが生じているのかが推察できる．

■ 身体機能評価

問診によって症状の特徴が確認できたら，身体機能検査にて症状を再現できるか確認し，症状の出現メカニズムを明確化する．問診で神経の断裂が疑われる場合には，神経が伸張される肢位はすべて禁忌となる．神経断裂および神経の絞扼が疑われる症状の特徴を表2に示す．絞扼性の障害が疑われ症状がすぐに消失するのであれば，検査にて症状の再現を行っても構わない．中枢感作による痛みや神経が過敏な状態であれば検査は慎重に行い，症状増悪リスクのある検査は実施を避ける必要がある．

(1) 症状出現動作の確認

動作による症状の再現ができたら，症状の出現部位と程度〔NRS（numerical rating scale）〕および，その症状の特徴が主訴と同じかを確認する．さらにその肢位から患部を動かさずに，患部から離れた関節を動かし，患部の神経を伸張または弛緩させる．この検査を神経の感作・脱感作という．これにより症状の変化が生じれば，神経の滑走性が阻害されたために症状が出現すると考えられる（▶動画1）．筋収縮が得られない場合や感覚脱失のため症状出現動作がない場合と過敏性障害（irritable）の場合には，本検査は省略する．

(2) 神経学的検査（表在，運動，深部腱反射）

感覚神経，運動神経，腱反射がそれぞれ正常に機能しているか検査を行う．運動麻痺が生じた筋を詳細に検査し，それぞれの神経の支配筋とその支配筋へ達する運動神経の分布高位を照らし合わせれば，損傷された神経とその損傷高位が理解できる[2,4]．各筋肉に対する末梢神経の支配については表3[2]に示す．また，1つの関節運動をそれぞれ違う神経支配を受ける複数の筋が共同して行う場合には，それぞれの筋を評価して，その組み

▶動画1

▶表3　各筋肉に対する末梢神経の支配

部位	機能	動作筋	神経
上肢			
肩甲骨	外転	前鋸筋	長胸神経
肩甲骨	内転	僧帽筋	副神経
肩甲骨	内転	大菱形筋	肩甲背神経
肩甲骨	内転	小菱形筋	肩甲背神経
肩甲骨	挙上	僧帽筋	副神経
肩甲骨	挙上	肩甲挙筋	頸髄神経と肩甲背神経
肩甲骨	下制	僧帽筋	副神経
肩関節	側方挙上（外転）	三角筋	腋窩神経
肩関節	側方挙上（外転）	棘上筋	肩甲上神経
肩関節	後方挙上（伸展）	広背筋	胸背神経
肩関節	後方挙上（伸展）	大円筋	肩甲下神経
肩関節	後方挙上（伸展）	三角筋	腋窩神経
肩関節	前方挙上（屈曲）	三角筋	腋窩神経
肩関節	前方挙上（屈曲）	烏口腕筋	筋皮神経
肩関節	水平位外転	三角筋	腋窩神経
肩関節	水平位内転	大胸筋	内・外側胸筋神経
肩関節	外旋	棘下筋	肩甲上神経
肩関節	外旋	小円筋	腋窩神経
肩関節	内旋	肩甲下筋	肩甲下神経
肩関節	内旋	大胸筋	内・外側胸筋神経
肩関節	内旋	広背筋	胸背神経
肩関節	内旋	大円筋	肩甲下神経
肘関節	屈曲	上腕二頭筋	筋皮神経
肘関節	屈曲	上腕筋	筋皮神経
肘関節	屈曲	腕橈骨筋	橈骨神経
肘関節	伸展	上腕三頭筋	橈骨神経
前腕	回外	上腕二頭筋	筋皮神経
前腕	回外	回外筋	橈骨神経
前腕	回内	円回内筋	正中神経
前腕	回内	方形回内筋	正中神経
手関節	掌屈	橈側手根屈筋	正中神経
手関節	掌屈	尺側手根屈筋	尺骨神経
手関節	掌屈	長掌筋	正中神経
手関節	背屈	長橈側手根伸筋	橈骨神経
手関節	背屈	短橈側手根伸筋	橈骨神経
手関節	背屈	尺側手根伸筋	橈骨神経
手の母指	外転	長母指外転筋	橈骨神経
手の母指	外転	短母指外転筋	正中神経
手の母指	内転	母指内転筋	尺骨神経
手の母指	対立運動	母指対立筋	正中神経
手の母指	MP関節の屈曲	短母指屈筋	正中神経
手の母指	MP関節の伸展	短母指伸筋	橈骨神経
手の母指	IP関節の屈曲	長母指屈筋	正中神経
手の母指	IP関節の伸展	長母指伸筋	橈骨神経
手の示・中・環・小指	MP関節の屈曲	第1, 2虫様筋	正中神経
手の示・中・環・小指	MP関節の屈曲	第3, 4虫様筋	尺骨神経
手の示・中・環・小指	MP関節の屈曲	骨間筋	尺骨神経
手の示・中・環・小指	PIP関節の屈曲	浅指屈筋	正中神経
手の示・中・環・小指	DIP関節の屈曲	第1, 2深指屈筋	正中神経
手の示・中・環・小指	DIP関節の屈曲	第3, 4深指屈筋	尺骨神経
手の示・中・環・小指	伸展	総指伸筋	橈骨神経
手の示・中・環・小指	伸展	固有示指伸筋	橈骨神経
手の示・中・環・小指	伸展	小指伸筋	橈骨神経
手の示・中・環・小指	外転	背側骨間筋	尺骨神経
手の示・中・環・小指	外転	小指外転筋	尺骨神経
手の示・中・環・小指	内転	掌側骨間筋	尺骨神経
手の示・中・環・小指	対立運動	小指対立筋	尺骨神経
下肢			
股関節	屈曲	大腰筋	腰神経叢
股関節	屈曲	腸骨筋	大腿神経
股関節	伸展	大殿筋	下殿神経
股関節	伸展	半腱様筋	坐骨神経
股関節	伸展	半膜様筋	坐骨神経
股関節	伸展	大腿二頭筋	坐骨神経
股関節	外転	中殿筋	上殿神経
股関節	内転	大内転筋	閉鎖神経
股関節	内転	長内転筋	閉鎖神経
股関節	内転	短内転筋	閉鎖神経
股関節	内転	恥骨筋	大腿神経
股関節	内転	薄筋	閉鎖神経
股関節	外旋	外閉鎖筋	閉鎖神経
股関節	外旋	内閉鎖筋	仙骨神経叢
股関節	外旋	大腿方形筋	仙骨神経叢
股関節	外旋	梨状筋	仙骨神経叢
股関節	外旋	上双子筋	仙骨神経叢
股関節	外旋	下双子筋	仙骨神経叢
股関節	外旋	大殿筋	下殿神経
股関節	外旋	縫工筋	大腿神経
股関節	内旋	小殿筋	上殿神経
股関節	内旋	大腿筋膜張筋	上殿神経
膝関節	屈曲	大腿二頭筋	坐骨神経
膝関節	屈曲	半腱様筋	坐骨神経
膝関節	屈曲	半膜様筋	坐骨神経
膝関節	伸展	大腿四頭筋	大腿神経
足関節	底側屈曲	腓腹筋	脛骨神経
足関節	底側屈曲	ヒラメ筋	脛骨神経
足関節	背側屈曲	前脛骨筋	深腓骨神経
足関節	背側屈曲	長趾伸筋	深腓骨神経
足関節	回外	前脛骨筋	深腓骨神経
足関節	回外	後脛骨筋	脛骨神経
足関節	回内	長腓骨筋	浅腓骨神経
足関節	回内	短腓骨筋	浅腓骨神経
足の母趾	MP関節の屈曲	短母趾屈筋	内側足底神経
足の母趾	MP関節の伸展	短母趾伸筋	深腓骨神経
足の母趾	DIP関節の屈曲	長母趾屈筋	脛骨神経
足の母趾	DIP関節の伸展	長母趾伸筋	深腓骨神経
足の母趾	外転	母趾外転筋	内側足底神経
足の母趾	内転	母趾内転筋	外側足底神経
足の第2・3・4・5趾	MP関節の屈曲	第1虫様筋	内側足底神経
足の第2・3・4・5趾	MP関節の屈曲	第2, 3, 4虫様筋	外側足底神経
足の第2・3・4・5趾	MP関節の伸展	短趾伸筋	深腓骨神経
足の第2・3・4・5趾	PIP関節の屈曲	短趾屈筋	内側足底神経
足の第2・3・4・5趾	DIP関節の屈曲	長趾屈筋	脛骨神経
足の第2・3・4・5趾	伸展	長趾伸筋	深腓骨神経
足の第2・3・4・5趾	外転	背側骨間筋	外側足底神経
足の第2・3・4・5趾	外転	第5趾外転筋	外側足底神経
足の第2・3・4・5趾	内転	底側骨間筋	外側足底神経

MP関節：中手指節関節
IP関節：指節間関節
PIP関節：近位指節間関節
DIP関節：遠位指節間関節

〔越智光夫：末梢神経損傷．松野丈夫ほか（総編集）：標準整形外科学，第12版，pp.868-887，医学書院，2014 より〕

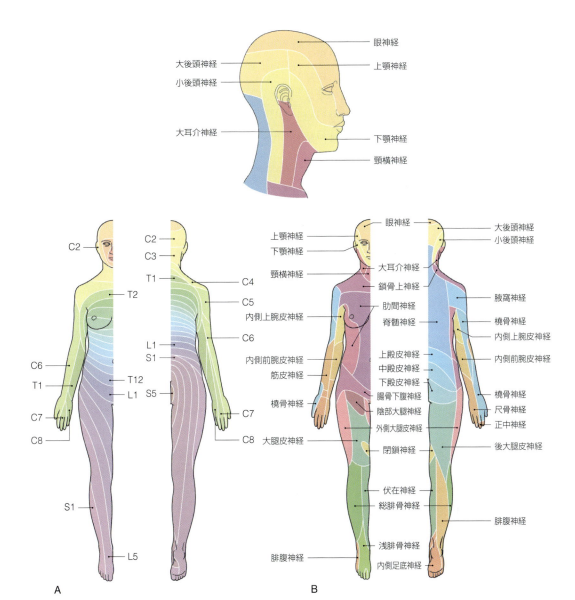

▶図1　デルマトームと末梢神経の分布
〔坂井建雄：標準解剖学. p.38, 医学書院, 2017 より〕

合わせから判断する．

　感覚障害の出現した部位を皮膚の神経支配領域（デルマトーム）（▶図1）と照合させることにより損傷神経が理解できる．神経根の障害ではデルマトームと一致するが，末梢神経障害による感覚異常は皮膚の神経分布に沿って生じる[9]．なお，脱神経の生じた皮膚領域は経時的に周辺の非損傷神経から神経線維が進入するため，感覚障害の領域は狭くなることが多い[2]．

　深部腱反射は，神経に断裂や絞扼が生じた場合には，障害側に減弱または消失がみられる．中枢性の問題があった場合には亢進がみられる．よって，深部腱反射は必ず左右差を確認する．

(3) 神経伸張テスト

　症状の出現様式は，神経伸張テスト（ニューロダイナミックテスト）にて神経の動きの影響に左

右されるかで鑑別可能となる．神経学的障害がみられるときは，ごく軽度の伸張で，症状が出現するまで行う．主症状が疼痛やしびれであり，神経学的な問題が軽度で，かつ症状の出現と消失する動作が明確な場合には，症状が出現する程度の伸張ストレスをかけて実施する[10]．本テストは種類が多くすべてを紹介することができないため，大腿神経麻痺と腓骨神経麻痺に対するテストを後述する．

(4) 関節可動域(ROM)検査と筋長テスト

神経の回復を期待するにあたり，拮抗筋の短縮や他動的なROM制限は，神経の回復の妨げとなる．よって損傷された神経が伸張されない方向に対し，ROMが十分に確保されているか検査を行う．ROM制限が神経の滑走不全によるものか，関節自体の硬さによるものかを判別する．また腓腹筋や回内筋などのように，神経の滑走性を阻害する軟部組織の硬さがあるかもわかる．

C 運動療法の方法

運動療法の基本は，①拮抗筋の柔軟性確保，②麻痺した筋肉の促通と筋萎縮の予防，③神経の除圧による伝導性の確保である．神経が断裂した場合は，いかに神経が回復しやすいコンディションをつくり，回復を妨げる要素を取り除くか．そして可能なかぎり隣接する神経線維の進入を促すかが大切である．絞扼性障害では，神経の圧迫や伸張を増悪させないよう装具療法も行う[2]．可能であれば徒手的な手技を用いて神経の絞扼を取り除き，神経線維と隣接組織との滑走性を引き出す．また筋萎縮が進むと，神経再支配がおこっても筋の機能回復が困難となるため，低周波治療で電気的に麻痺筋を収縮させる．

本項では大腿神経麻痺と腓骨神経麻痺を例にあげて運動療法を紹介する．

(1) 大腿神経麻痺

大腿神経麻痺は，運動器疾患の術後であれば，人工股関節全置換術(total hip arthroplasty；THA)後の合併症としてみられることがある．これは術

▶図2　半硬性装具(knee brace)装着下での歩行練習
膝折れが生じる下肢に装着し，平行棒内歩行や松葉杖歩行を行う．

中の大腿神経に対する刺激の程度によって術後に大腿神経麻痺をきたすといわれている．特に前方系アプローチで脚延長を実施した際に生じやすく，術後の発生頻度は0.2～1%との報告がある[11]．術後の大腿神経麻痺に対し理学療法では以下のことを行う．

①大腿四頭筋の拮抗筋であるハムストリングスの柔軟性を確保する．
②半硬性装具(▶図2)や両側支柱付きダイヤルロック式膝継手を装着させ，歩行練習を行う．
③大腿四頭筋に対し疼痛閾値下で筋収縮が得られる程度の低周波治療を行い，強制的に筋収縮させる．
④随意運動出現後には大腿四頭筋の筋力強化を行う．

THA後の大腿神経麻痺に対して上記方法を行った結果，4～15か月でMMTがほぼ正常となったとの報告もある[11]．

大腿神経の絞扼による障害では，腸腰筋など股関節前面の筋と大腿神経自体に著明な圧痛を認

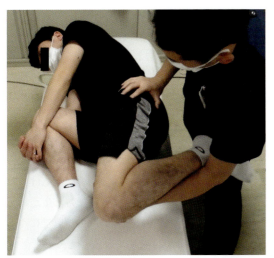

▶図3 大腿神経スランプテスト（動画2）
頸・胸椎最大屈曲位，非症状側の股・膝関節最大屈曲位で膝を抱えてもらい，骨盤の後傾を抑制しておく．さらに症状側の膝関節最大屈曲位にて股関節を伸展させ，大腿神経の伸張と，それに伴う症状の変化を確認する．症状が再現できた場合は首の屈曲を解除し，大腿部痛の軽減や股関節伸展角度が増大するか確認する．

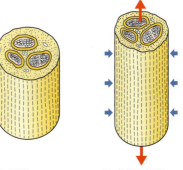

▶図4 神経の伸張による断面積減少と神経内圧の上昇
〔Butler, D.S.（著），伊藤直榮（監訳）：バトラー・神経系モビライゼーション．p.40，協同医書出版社，2000より一部改変〕

める．また超音波検査では，肥厚や腫脹により大腿神経を圧迫する組織が見つかり，プローブで大腿神経を圧迫した際，患側では健側と異なる動きを示す．この場合，腸腰筋のリラクセーションに伴う圧迫の軽減と，大腿神経の滑走練習にて症状が消失するとの報告もある[12]．超音波検査ができない場合には，大腿神経スランプテスト（▶図3，動画2）にて最も症状が出現した部位の軟部組織に対していねいに横断マッサージを行い，大腿神経の絞扼を取り除く．

（2）腓骨神経麻痺

腓骨神経麻痺は，腓骨神経およびその足部への分枝（浅枝と深枝）に症状が出現する．前脛骨筋の麻痺が生じ，下垂足がみられる．原因の例として，隣接する関節（脛腓関節）から突出するガングリオンによる圧迫，コンパートメント症候群による圧迫，衝突損傷，スポーツでの伸張損傷などがあげられる[2]．また，足部のバイオメカニクスの変化が神経に対する機械的ストレスに変化を与えることもある[2]．

運動療法は，前脛骨筋の拮抗筋に対する柔軟性確保，前脛骨筋の促通と筋萎縮の予防，腓骨神経に対する除圧と伝導性の確保を行う．

●前脛骨筋の拮抗筋に対する柔軟性確保

足関節底屈筋群となるヒラメ筋，長腓骨筋，足底筋，長趾屈筋，長母趾屈筋，長・短腓骨筋に対しストレッチングなどによる柔軟性の確保を行う．これを怠ると底屈筋腱の短縮がおこり，足関節は底屈位のまま拘縮して尖足変形となる[2]．

●前脛骨筋の促通と筋萎縮の予防

腓骨神経の自然回復と前脛骨筋の筋出力獲得には，足関節の良肢位保持とROMの維持が必要となる．これを怠ると断裂であれば断端が離れ，絞扼であれば神経の伸張によって神経自体の内圧が上昇する（▶図4）ため，神経の回復が阻害される[13]．また下垂足に対しては，前脛骨筋に対する低周波治療を行う．

●腓骨神経に対する除圧と伝導性の確保

神経に対する圧迫は神経の伝導性を低下させ，運動時の痛み（底屈＋内がえし），圧痛，異常感覚などを引き起こす．神経の伸張による症状増加の有無については，まず背臥位にて足関節底屈＋内がえしの肢位で症状が出現するか確認す

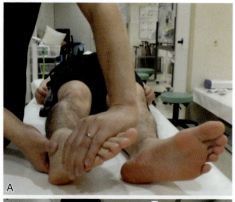
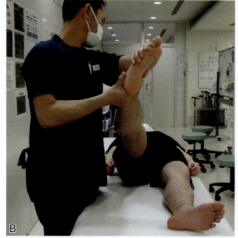

▶図5 腓骨神経伸張テスト（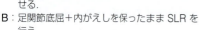）
A：足関節底屈＋内がえしにて腓骨神経を伸張させる．
B：足関節底屈＋内がえしを保ったまま SLR を行う．
このテストにより症状が再現できた場合は，内がえしを解除して症状の軽減や SLR 角度の増大がみられるかを確認する．

る（▶図5A）．さらにこの肢位にて下肢伸展挙上（SLR）を行い（▶図5B）症状の増悪を認めれば，腓骨神経の滑走不全によって症状出現部位における神経の緊張が亢進し，症状が増悪すると判断できる（▶動画3）．患部における神経の絞扼を緩和させるためには，腓骨神経や坐骨神経に隣接する軟部組織に対し横断マッサージを行い，さらに神経の滑走・伸張手技も行う．超音波検査が可能な環境であれば，坐骨神経から腓骨神経に対し滑走を阻害する絞扼部位を同定し，同部位の軟部組織に対する横断マッサージができれば望ましい．

d 物理療法（低周波療法）との併用

末梢神経障害が生じると筋線維は脱神経（筋が神経の支配を受けなくなった状態）となり，筋収縮が行えなくなる．また筋萎縮が進むと，神経の再支配がおこっても筋の機能回復が困難となるため，低周波治療にて脱神経筋を収縮させ筋萎縮を予防する[2]．脱神経筋に対する電気刺激療法の作用は，「神経の再生」と「筋の病態改善」があげられる．ただし脱神経筋の回復は，神経の再生だけでなく，運動終板（運動神経と骨格筋の接合部につくられるシナプス）が存在しているかどうかや，筋の興奮性などさまざまな問題に左右される[14]．

（1）損傷神経の再生促進

神経再生を抑制するという報告と，促進するという報告があり結論がついていない．Tinel 徴候などを確実に評価しながら行う．パルス持続時間 100～250 μsec，周波数 1～20 Hz で感覚閾値以上の振幅を用いる．陰極刺激で 30 分以上行う[14]．

（2）脱神経の萎縮予防

脱神経筋の筋収縮を行うためには，SD 曲線（▶図6）の最も右上にある曲線を刺激しなければならない[15]．一般的には 10 msec 以上のパルス持続時間が必要となる[14]．低周波治療における筋収縮は，電極を運動点（motor point）に貼るが，脱神経では解剖学的な運動点が消失し，代わりに筋線維が腱の付着部に入る部分で電気刺激に最も反応するようになる．これを筋の縦軸反応という[16]．したがって，脱神経では最も筋収縮がおこる部位を探して電気刺激を行う．

（3）再生神経が筋に到達してから

神経再生が順調におこり，再生神経が筋に到達した際には，適切な運動療法と併用しながら低周波治療を行い該当筋の強化を行う．代償動作を防ぐために，自動介助運動などにて正しい動きを誘導しながら行う．パルス持続時間は 150～350 μsec，周波数 10 Hz 程度から開始し，50 Hz 程度まで上げ，関節運動がおこる程度の振幅を用いる．1 日に何度も反復することが重要とされ，

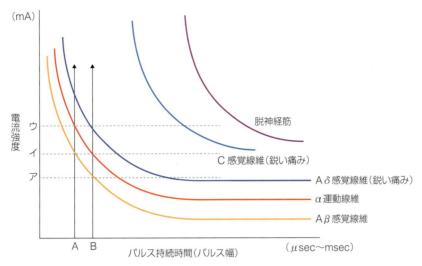

▶図6　SD曲線
縦軸が刺激強度，横軸が刺激時間であり，実線は各神経線維が興奮する点をつないだものである．脱神経筋の発火には強い電流と長いパルス持続時間が必要である．
〔坂口　顕：電気刺激療法：総論．川口浩太郎（編）：コンディショニング・ケアのための物理療法実践マニュアル, p.87, 文光堂, 2016 より〕

疲労を目安に1クール15〜20分を1日5〜8回行う[15]．

C 運動療法上の留意点

1 疼痛

末梢神経由来の疼痛は患者に苦痛を与えるだけでなく，場合によっては症状がすぐに引かないこともある．中枢操作による痛みや神経が過敏な状態でないかを慎重に吟味し，症状増悪リスクのある検査は実施を避ける必要がある．

2 損傷された神経の過度な伸張

神経の断裂が疑われる場合，神経が伸張される肢位はすべて禁忌となる．また，主治医が損傷された末梢神経の状態をどう判断したのか，さらに，どのような治療展開を望んでいるのか正しく理解する必要がある．つまり，神経を保護して神経の回復を待ちたいのか，隣接する神経線維の進入を期待しながら筋の出力を上げたいのか，神経に対する絞扼を取り除きたいのか，神経剝離術など術後であれば神経の滑走性を確保したいのかなど，症例ごとに主治医の意図を確認して運動療法を行うべきである．

3 筋肉に対する過負荷

回復したばかりの脱神経筋は過負荷により疲労をおこしやすい．低周波治療も含め筋収縮を促す際は，繰り返しの筋収縮によってパフォーマンス低下がおこらないか注意深く観察し，パフォーマンスが低下する前に休息を入れるなどの工夫が必要である．また，翌日に疲労を残さない程度に運動抵抗や運動回数を漸増していくことが望ましい．

●引用文献

1) 加藤浩之：神経疾患, 筋疾患. 松野丈夫ほか（総編集）：標準整形外科学, 第12版, pp.413–430, 医学書院, 2014.
2) 越智光夫：末梢神経損傷. 松野丈夫ほか（総編集）：標準整形外科学, 第12版, pp.868–887, 医学書院, 2014.
3) 岩月克之：末梢神経障害総論 1. *M.B. Med. Reha.*, 204:7–10, 2016.
4) 北野正悟ほか：ペインクリニックからみた神経絞扼. PTジャーナル, 55(4):402–406, 2021.
5) 赤座実穂：神経伝導検査はどうして依頼される？ *Med. Tech.*, 50(4):316–317, 2022.
6) 木村 淳ほか：神経伝導検査と筋電図を学ぶ人のために. 第2版, pp.70–85, 医学書院, 2010.
7) 齋藤昭彦：神経系モビライゼーション. 竹井 仁ほか（編）：系統別・治療手技の展開, 改訂第3版, 協同医書出版社, 2014.
8) Butler, D.: Lecture note, Anatomy and pain science. University of South Australia, 2006.
9) 松村讓兒（訳）：神経解剖学総論. 坂井建雄ほか（監訳）：プロメテウス解剖学アトラス 解剖学総論/運動器系, 第3版, pp.74–99, 医学書院, 2017.
10) Shacklock, M.(著), 齋藤昭彦（訳）：クリニカルニューロダイナミクス. 産学社エンタプライズ出版部, 2008.
11) 二木 亮ほか：人工股関節全置換術後の大腿神経麻痺症例の回復期間について. *Hip Joint*, 46:S343–345, 2020.
12) 林 典雄：運動器理学療法における超音波検査の有用性. *M.B. Med. Reha.*, 216:1–7, 2017.
13) Butler, D.S.(著), 伊藤直榮（監訳）：バトラー・神経系モビライゼーション. 協同医書出版社, 2000.
14) 坂口 顕：筋機能改善のための電気刺激療法：NMES・HVPVC. 川口浩太郎（編）：コンディショニング・ケアのための物理療法実践マニュアル, pp.99–107, 文光堂, 2016.
15) 坂口 顕：電気刺激療法：総論. 川口浩太郎（編）：コンディショニング・ケアのための物理療法実践マニュアル, pp.82–90, 文光堂, 2016.
16) 松澤 正ほか（監）：物理療法学. 改訂第2版, pp.149–188, 金原出版, 2012.

内部障害系の
運動療法

第1章 呼吸器疾患の運動療法

学習目標
- 呼吸不全の病態と呼吸困難の発生メカニズムを知る．
- 呼吸リハビリテーションの有効性と限界を理解する．
- 呼吸不全の病態に応じたテーラーメイドの運動療法を実施できる．
- 周術期における運動療法の定義・目的・対象について理解する．
- 周術期運動療法の具体的な介入方法を知る．
- 周術期における運動療法の留意点を学ぶ．

I 呼吸不全の運動療法

A 呼吸困難と呼吸不全

　生体は必要なエネルギーを，栄養素と酸素より得ている．そのため，外界から酸素を取り込み，代謝産物である二酸化炭素を外界へ放出する必要があり，この一連の過程のことを**呼吸**という．特に，血中の二酸化炭素分圧の調整は，体液の酸塩基平衡にも重要な役割を果たし，われわれは"呼吸"を24時間365日行い，生きている．呼吸は「大気と肺胞気との間のガスの移動（換気）」と「肺胞気と肺毛細血管血液の間での酸素と炭酸ガスの交換（酸素化）」の2つの機序によって行われる．この換気と酸素化のどちらか，または両者が障害されたときに「**呼吸不全**」となり[1]，客観的な病態を指す．

　実際に，呼吸不全の患者が「息苦しいと感じるもの」は，主観的症状である"呼吸困難"となる[2]．そして，急性呼吸不全患者なら発症してまもなく，慢性呼吸不全患者なら365日，"呼吸困難"という息苦しくつらい感覚に悩まされることになる．

　呼吸不全患者はあらゆる場面で，呼吸困難というつらい感覚を繰り返し，ADL低下が進行することで生活の範囲が狭くなり，精神的ストレスを感じるようになる．そこで，この負のスパイラルを回避する手段がリハビリテーション（以下，リハ）である．呼吸不全患者にとってリハは，自立した生活を目指し，行動変容につなげるための重要なプロセスである．また，呼吸困難は「経験的に会得される主観的呼吸不快感であり，質も程度も異なる感覚から成り立つ」と定義されている[3]．"質も程度も異なる感覚"で成り立つ患者個々の呼吸困難を理解しなければ，闇雲なリハで患者本人に苦痛を与え，テーラーメイドの評価や運動療法は不可能である．だからこそ，理学療法士は呼吸不全の発生機序や病態を理解しなければならない．そして，呼吸困難の原因疾患は，呼吸器疾患だけでなく多岐にわたる（▶表1）[4]．

　呼吸不全は換気障害の状態で「Ⅰ型呼吸不全」「Ⅱ型呼吸不全」の2つに分類することができる．前者は室内吸気時の動脈血酸素分圧（PaO_2）＜60 Torr，後者は PaO_2＜60 Torr かつ動脈血二酸

▶表1 呼吸困難のメカニズムの生理学的分類と代表疾患

メカニズムの分類	代表疾患	メカニズムの分類	代表疾患
換気障害 　気流抵抗の増大	気管支喘息 慢性閉塞性肺疾患 気管および気管支腫瘍 気管および喉頭狭窄	換気の浪費 　肺毛細血管の破壊 　肺内の太い血管の閉塞	肺気腫，間質性肺炎 肺塞栓症，肺血管の血管炎
肺の膨張障害 　胸郭の膨張障害	間質性肺炎 胸膜肥厚 亀背，側弯症 肥満 腹腔内腫瘍，妊娠		
ポンプの弱体化	先天性心疾患 神経筋疾患	精神機能障害	過換気症候群 抑うつ状態
呼吸中枢出力の増大 　低酸素血症 　代謝性アシドーシス 　肺内受容器の刺激	腎不全，貧血 肺水腫 びまん性肺疾患 肺高血圧症	生理的呼吸困難	運動 高地

〔Stulbarg, M.S., et al.: Dyspnea. In: Murray, J.F., et al.: Textbook of Respiratory Medicine, 2nd ed., Vol.1, pp.511-528, W.B. Saunders, 1994 より〕

化炭素分圧($PaCO_2$)≧45 Torr である呼吸不全として定義されている[5]．つまり，I 型呼吸不全は酸素化の問題で，換気は正常であり，II 型呼吸不全は酸素化と換気双方に問題がある，ということになる．しかし，実際の臨床では I 型と II 型の要素を併せ持つ呼吸不全患者や，表1 に提示したように先天性心疾患や神経筋疾患など，呼吸器系が正常であっても呼吸不全を呈する患者も存在する．

B 呼吸調節機構と呼吸仕事量の変化による呼吸困難のメカニズム[6]

呼吸不全患者の呼吸困難をただ評価するだけでは，適切な呼吸リハを実施することはできない．なぜなら，生理学的な呼吸調節機構や呼吸困難の機序を理解することで，呼吸仕事量を軽減させつつ患者の ADL，QOL を向上させるために，理学療法士が何を評価し，どのように介入すべきか明確になるからである．呼吸調節機構，呼吸仕事量，呼吸困難のメカニズムについて順に述べる．

1 呼吸調節機構

生体の呼吸運動は呼吸中枢で自発的に発生し，呼吸調節機構(▶図1)[7]は化学性調節，神経性調節，行動性調節の3つの調節系で制御され，いずれの系でも中心は**呼吸中枢**(延髄)となる[8]．さらに化学性調節と神経性調節には呼吸中枢に対する求心性入力を行う，①化学受容器，②迷走神経受容器，③胸壁受容器，④上気道受容器が存在する．この①〜④のどの受容器が刺激され呼吸運動が亢進し，結果的に呼吸仕事量が増加するかを評価するのが，運動療法を考えるうえで重要である．

a 化学受容器

化学受容器は，**中枢化学受容器**と**末梢化学受容器**の2つに分類されている．中枢化学受容器は延髄に存在し，$PaCO_2$ 上昇によって刺激される．一方で，末梢化学受容器は総頸動脈分岐部に位置する頸動脈体である．末梢化学受容器は中枢化学受容器と異なり，$PaCO_2$ 上昇による刺激効果は弱く，PaO_2 低下により強く刺激される．

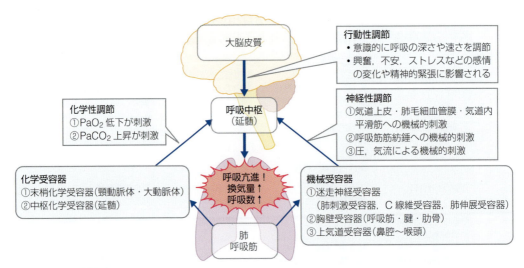

▶図1　呼吸調節機構
〔Bruera, E., et al.: Management of dyspnea. In: Berger, A.M., et al. (eds.): Principles and Practice of Palliative Care and Supportive Oncology, 2nd ed., pp.357-371, Lippincott Williams & Wilkins, 2002 より〕

b 迷走神経受容器

気道や肺に多く存在し，肺迷走神経に支配されている．肺刺激受容器，肺伸展受容器，C線維受容器が代表的である．特に，**肺刺激受容器やC線維受容器**は，機械的刺激以外にヒスタミン，ブラジキニン，プロスタグランジンなどのケミカルメディエーターで刺激され，咳や気管支収縮を引き起こす[9]．そのため，これらの受容器は呼吸困難に最も密接に関連する受容器と考えられている．一方，**肺伸展受容器**は深呼吸時などに強く興奮する受容器で，その興奮は気管支を拡張させ，呼吸困難に抑制的な役割を果たしている．この受容器の活動が低下すれば呼吸困難に寄与すると考えられる[10]．

c 胸壁（筋・腱）受容器

肺を覆う胸郭は呼吸筋，腱，肋骨で構成され，これらのなかにも神経受容器は存在する．換気は呼吸筋のリズミカルな収縮で行われるが，仮に気道抵抗が上昇した状態で同じ換気量を維持するには，呼吸筋の収縮増強が必要となる．腱や呼吸筋の内部には**筋紡錘**のような筋受容器が存在し，これらの受容器が呼吸困難を引き起こす．その証拠に，肋間筋などの呼吸筋ストレッチ体操で呼吸困難の減少，胸郭拡張差の増大，肺機能の改善が得られたとの報告[11] もある．

d 上気道受容器

鼻腔から喉頭に至る上気道には，圧，気流，機械的あるいは化学的刺激を感知する多数の受容器が存在する．呼吸・気道系になんらかの変化が生じた場合，これらの受容器活動の変化が呼吸困難に関与する．

2 呼吸仕事量

呼吸不全患者には，末梢受容器から呼吸中枢への刺激による呼吸運動亢進以外にも，呼吸困難を助長する要因がある．それが，「呼吸仕事量の増大」である．

呼吸の仕事とは，呼吸器系にかかる「後負荷」を克服するために必要な仕事として説明される[12]．自発呼吸では呼吸筋が，調節呼吸では人工呼吸器が呼吸の仕事を行う．「**仕事**」とは力学で用いられる用語で，「物体に力を加えて，その物体を力の向

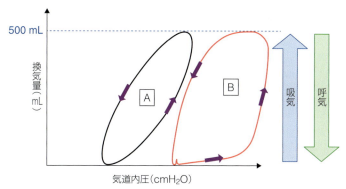

▶図2　呼吸仕事量の変化
〔French, C.J.: Work of breathing measurement in the critically ill patient. *Anaesth. Intensive Care*, 27(6):561-573, 1999 より改変〕

きに移動させたとき，その力は仕事をした」と表現される．つまり，「仕事＝力×距離」という式で計算できる．これを呼吸の仕事に置き換えると，呼吸の仕事とは「気道に加わる圧力（気道内圧）が換気量を変化させるときの仕事」を指すため，「呼吸の仕事＝気道内圧×換気量」という計算式で求められる[13]．そして，圧力-容積曲線で気道内圧と換気量の推移を表すと，ちょうど曲線の描く楕円の総面積が**呼吸仕事量**ということになる（▶図2）．

この呼吸仕事量の主要な生理学的構成要素は，①肺-胸郭の弾性に対する仕事（換気量の変化が生じたときに肺や胸壁の組織を広げるために行われる仕事），②気道抵抗に対する仕事（気体を流す際に気道抵抗や気道を構成する軟部組織とその粘性抵抗に打ち勝つための仕事）である[14]．

たとえば，図2では500mLの1回換気量を得るための，健常者Aと呼吸不全患者Bの圧-容積曲線を表している．健常者Aの曲線は，吸気時の立ち上がりが急峻で呼気時の基線への戻りも速い．一方で，呼吸不全患者Bは胸郭変形による肺-胸郭の弾性低下と，気管支喘息による気道抵抗の上昇のため，曲線が大きく膨らみ，吸気時の立ち上がりもゆるやかで，呼気時の基線への戻りも遅い．つまり，同じ500mLの換気量を得るために，呼吸不全患者Bは健常者Aよりも，①と②の仕事量が大きく増えてしまっているのがわかる．

3 呼吸困難のメカニズム

近年，呼吸困難感は単一の感覚ではなく，少なくとも3種類以上の異なる感覚があると考えられるようになってきている[3]．

たとえば，気管支喘息による気管支収縮時の**胸部狭窄感**（chest tightness）は，息こらえ（breath-holding）から生じる不快感〔**空気飢餓感**（air hunger）〕や呼吸筋力低下による**努力感**（effort/work sensation）とはまったく異なる感覚である[7]．これらの性質の異なる呼吸困難は，その発生機序の違いが影響する．これらの呼吸困難のうち後者の「空気飢餓感」と「努力感」による呼吸困難には呼吸中枢による影響が大きく，前述した呼吸仕事量の増大はこの「空気飢餓感」と「努力感」の双方を生み出すことになり，呼吸困難が生じる．

そのため，呼吸困難のメカニズムを立証するために，最も有力な仮説は**中枢-末梢ミスマッチ説**[15]といわれている．この説は中枢からの運動出力と神経受容器からの求心性入力に解離あるいはミスマッチが存在する場合に呼吸困難が発生するとされる．この説では，求心性入力には呼吸筋

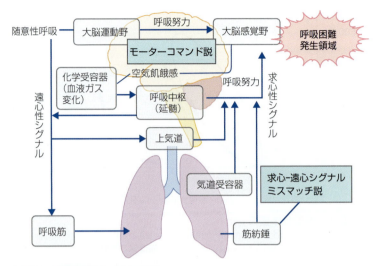

▶図3 呼吸困難のメカニズム
〔French, C.J.: Work of breathing measurement in the critically ill patient. *Anaesth. Intensive Care*, 27(6):561–573, 1999 より改変〕

からの入力だけでなく，迷走神経受容器を含むすべての受容器からの入力が含まれる（▶図3）[13]．

C 低酸素血症の病態生理学的メカニズム

呼吸不全患者の低酸素血症による呼吸困難は，PaO_2 低下により末梢化学受容器が強く刺激され，呼吸運動が亢進することで生じている．そして，その病態生理学的メカニズム（▶図4）[16] は，肺胞低換気，シャント，拡散障害，換気血流比不均等の4つに分けて考えることができる[17]．呼吸不全患者の低酸素血症は，必ずこれらのいずれかが原因で生じている．そのため，どのように低酸素血症にアプローチし，呼吸困難を軽減させながら患者に運動療法を実施するかが重要である．以下に，低酸素血症の4つの病態生理学的メカニズムについて述べる．

1 肺胞低換気（▶図4A）

肺胞低換気は，生体の代謝に必要な酸素を供給できず，代謝で産生された二酸化炭素を完全に排泄できない換気と定義される．肺胞換気量は，肺胞換気量＝［1回換気量－死腔量］×呼吸数で表される．そのため，神経筋疾患や胸郭の変形では1回換気量が低下し，COPDでは死腔量が増え，肺胞低換気となる[18]．また，二酸化炭素は酸素よりも20倍も水に溶けやすく[19]，二酸化炭素の排出に十分な換気が必要であるので，$PaCO_2$ が高値であれば肺胞低換気が疑われる．

2 シャント（▶図4B）

シャントとは，心臓の右側から来た血液が，ガス交換をせずに左側に入ることである[20]．肺内のシャントでは気道内分泌物の閉塞による無気肺，肺外は心室中隔欠損症によるシャントが代表的である．

3 拡散障害（▶図4C）

拡散障害は，肺胞毛細血管膜を介した酸素輸送が障害されることで発生する．原因は拡散肺表面積の減少，肺胞毛細血管膜の炎症，線維化，毛細

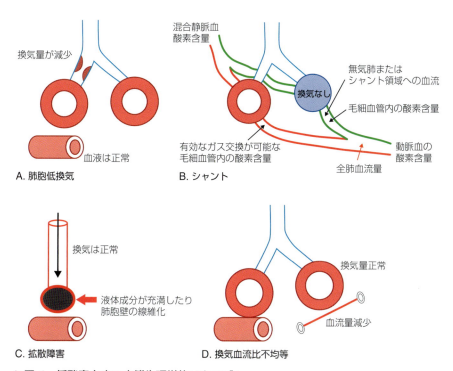

▶図4 低酸素血症の病態生理学的メカニズム
〔Manning, H.L., et al.: Pathophysiology of dyspnea. N. Engl. J. Med., 333(23):1547–1553, 1995 より改変〕

血管通過時間の短縮などである[20]．通常の肺毛細血管通過時間は 0.75 秒であり，ガス交換が完了するまでの時間は 0.25 秒である．

拡散障害の重要な特徴の1つに，運動時の低酸素血症の発生または悪化がある．運動中は血中一酸化炭素の上昇により毛細血管通過時間が短縮するのに加えて，末梢組織からの酸素需要が増加し，混合静脈の酸素分圧が低下する．通常，健常肺では毛細血管新生，毛細血管の拡張，肺胞内酸素分圧の上昇などの代償から低酸素血症は発症しない．しかし，肺線維症患者では毛細血管新生がなく，短縮した肺毛細血管通過時間よりも，ガス交換が完了するまでの時間が長くなり，運動誘発性低酸素血症（exercise induced hypoxia; EIH）を発症する．

EIHの定義は6分間歩行試験後に経皮的動脈血酸素飽和度（SpO_2）< 90% または，6分間歩行試験開始前後で4%以上 SpO_2 が低下した状態と定義されている[21]．拡散障害の代表的な原因疾患は肺気腫などの慢性閉塞性肺疾患（chronic obstructive pulmonary disease; COPD）や特発性肺線維症などの間質性肺疾患（interstitial lung disease; ILD）などがある．

4 換気血流比不均等（▶図4D）

肺は数億の肺胞から構成され，個々の肺胞ガス組成は異なり，個々の肺胞に接して流れる血流量も一定ではない．そのため，肺全体の換気量（V）と血流量（Q）の比率が正常であったとしても，局所で比率が不均等になれば，ガス交換の効率が低下し，PaO_2 が低下，$PaCO_2$ が上昇する．これを換気血流比不均等という．つまり，換気量が多い肺胞には肺血流量を増やし，換気量の少ない肺胞には肺血流量を減らせば，酸素化は維持される．病的肺では，この局所的換気血流比不均等はより大

きくなる[22]．原因疾患は細菌性肺炎などがある．

　理学療法士が直接的に治療介入できる対象は，肺胞低換気と換気血流比不均等のみであり，シャントと拡散障害は酸素療法，人工呼吸器などのデバイスによる呼吸管理の対象である．たとえば，体位排痰法は換気血流比の不均等を是正し，用手的呼吸介助手技は肺胞低換気の改善をはかることができる．体位排痰法で痰の喀出が促され，無気肺による肺内シャントが改善されることも期待できる．このように，すべての呼吸不全患者の低酸素血症の発生メカニズムを個別に考えることができれば，どこまで理学療法士が直接関与でき，どこからがデバイスによる呼吸管理の対象となるのか，明確に区別できる．さらに酸素療法や人工呼吸器は患者の呼吸仕事量を軽減させるため，呼吸管理と運動療法を組み合わせることで，効率よく患者の機能回復を促すことが可能となる．

D 呼吸不全患者に対するリハビリテーションとは

　2013年の米国胸部疾患学会/欧州呼吸器学会（American Thoracic Society/European Respiratory Society; ATS/ERS）による呼吸リハについてのステートメントでは，慢性呼吸器疾患患者が対象者とされていた[23]．しかし，包括的呼吸リハが提唱されてから約10年が経過し，呼吸リハの対象患者は，もはや慢性呼吸器疾患患者だけではなくなった．

　2018年の日本呼吸ケア・リハビリテーション学会，日本呼吸理学療法学会，日本呼吸器学会の3学会共同のステートメントでは，「呼吸リハビリテーションとは，呼吸器に関連した病気を持つ患者が可能な限り疾患の進行を予防あるいは健康状態を回復・維持するため，医療者と協働的なパートナーシップのもとに疾患を自身で管理して自立できるよう生涯にわたり継続して支援していくための個別化された包括的介入である」と新しく定義された[24]．

　さらに，2019年に開催されたATS国際会議における，「現代の呼吸リハビリテーションの定義」に関するワークショップでは，「個人の特性や希望に基づき，リハビリテーションの効果を最大限にするため，病期，併存疾患，心理社会的特徴，デジタルリテラシー，患者の治療選択など複数の要素を取り入れたもの」が，呼吸リハの新たなモデルであると提唱された[25]．つまり，呼吸不全患者の病期，病態，治療などのバリエーションも幅広く，呼吸不全を引き起こす代表的原因疾患も多種多様であることから（▶表1），すべての呼吸不全患者がリハの対象となる．

　呼吸不全患者は，呼吸困難がきっかけとなり身体活動量が低下し，運動の機会を失うことで，徐々にADL・QOLが低下する．この呼吸困難による労作制限が日常活動性を低下させるとデコンディショニング状態（運動耐容能低下，骨格筋廃用性筋萎縮，骨粗鬆症などの身体機能調節障害）を生じ，それに伴い呼吸困難が増悪するdyspnea spiralという呼吸困難の悪循環に陥る[26]．運動療法は，このdyspnea spiralを断ち切る治療手段で，呼吸機能障害に起因した運動能力障害に対する有効な介入手段であり[27]，導入された患者にとっては生涯にわたりあらゆる病期において実施されることになる[24]．

E 呼吸不全患者に対する運動療法の実際

1 運動療法における評価の考え方とポイント

　評価の目的は，「（最大）運動能力ならびに運動時身体反応の特徴の把握」「運動制限因子の推定」「運動負荷におけるリスクの特定」「運動処方」「効

果判定とその解釈」「EIH の評価と酸素投与の処方」である[28]．個別性を意識した評価を行うためには，運動療法が呼吸不全患者にもたらす有益性の中心が運動耐容能の改善にあることを理解する必要がある．そして，運動耐容能改善は，運動療法によって労作時の呼吸仕事量が軽減され，dyspnea spiral から解放されることを意味する．

患者個々の労作時呼吸困難の原因と特徴から評価項目を取捨選択する．そのためのポイントとして，患者の呼吸困難の原因が，「換気能力の低下とそれを制限する因子（気道閉塞による気流制限，動的肺過膨張，胸郭・肺コンプライアンスの低下，気道抵抗の増大などによる呼吸仕事量の異常亢進）」と，「換気を病的に亢進させる因子（死腔率の増大による換気効率の低下，低酸素血症，骨格筋機能異常）」の2つのうちのどちらに当てはまるかを考える．運動療法は呼吸仕事量ならびに換気・酸素需要の軽減が必要な後者に対するアプローチとなる[28]．そのため，呼吸不全患者の運動療法実践のため最低限必要な評価項目として，呼吸機能，呼吸困難，ADL，筋力，運動耐容能，EIH がある．ここでは呼吸機能と呼吸困難の評価について述べる．

a 呼吸機能評価

評価方法は**スパイロメトリー**が有用である．この検査から1秒率である FEV_1/FVC，肺活量（%VC）を測定でき，その数値から患者の呼吸機能障害を「**閉塞性換気障害**」「**拘束性換気障害**」「**混合性換気障害**」の3つに分類できる（▶図5）．呼吸困難の臨床像として，閉塞性換気障害の患者は「息を吐くことができなかった結果，息が吸えない」，拘束性換気障害は「もう少し息を吸いたいけど吸いきれず吐いてしまう」という特徴がある．また，両者の呼吸機能障害に加えて，肺血管床の減少や肺実質の線維化による拡散障害から EIH がおこり，呼吸困難を感じている患者も多い．つまり，上記のような呼吸機能障害の患者に生じる労作時呼吸困難に対して"深呼吸"を促しても呼

A. スパイロメトリー

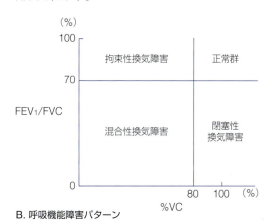

B. 呼吸機能障害パターン

▶図5　スパイロメトリーと呼吸機能障害パターン

吸困難が軽減しないため，運動療法に合わせて呼吸法指導や酸素療法を行う必要がある．

閉塞性換気障害をおこす病態には，上気道の気流閉塞（咽頭・喉頭腫瘍など）や下気道の気流閉塞（気管支喘息増悪期や COPD など）がある．また，拘束性換気障害をおこす病態には，肺の弾性低下（特発性肺線維症やサルコイドーシスなど）や肺容量の減少（肺腫瘍や肺切除後など），胸郭・胸膜の異常（肺結核に対する胸郭形成術や側弯症など），呼吸筋低下（筋萎縮性側索硬化症など）がある[29]．しかし，スパイロメトリーは患者に努力性呼吸を強いる評価でもあり，重症呼吸不全患者では測定困難な場合も多い．そこで理学療法士は，視診や触診によるフィジカルアセスメントや，胸部 X 線・CT 像所見から，患者の換気障害像を推測することも重要な評価となる．

フィジカルアセスメントに関しては，特に

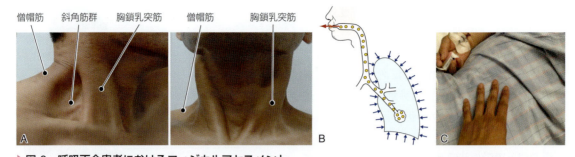

▶図6 呼吸不全患者におけるフィジカルアセスメント
A：吸気補助筋群の過緊張，B：呼気時に口すぼめ呼吸が観察される，C：呼気時の腹筋群過剰収縮を触診しているところ．

COPDに代表される慢性呼吸不全の患者において重要で，「補助呼吸筋群」と「呼吸様式」に着目する．まず，安静時からすでに吸気補助筋である僧帽筋，胸鎖乳突筋，斜角筋群が膨隆し（▶図6A），頸椎側屈・屈曲可動域制限を認める患者が多く，長期間の労作時呼吸困難がうかがえる．呼吸様式では，呼気延長や口すぼめ呼吸が特徴的である（▶図6B）．重症患者では呼気時に腹筋群も活動するため，呼気時に腹筋群を触診することで理解できる（▶図6C）．これは，気流制限により吸気時間よりも呼気時間が延長しているからで，運動時に誘発され，自然と口すぼめ呼吸になる患者もいる．

胸部X線・CT像に関しては，COPDなら肺の過膨張・滴状心・横隔膜平底化，特発性肺線維症ならすりガラス陰影と蜂巣肺，胸郭形成術後なら片側の肺容量減少と胸郭変形が特徴である（▶図7）．

b 呼吸困難の評価

さまざまな評価スケール（▶図8）[29,30)]を用いて，どのような活動で，どの程度の呼吸困難が生じ，持続するか，回復にどのくらいの時間を要するか，日常生活への影響など，具体的かつ慎重に聴取し，その情報を整理して，患者個別の特徴を把握する．患者個々のADL状況と関連して評価すれば，患者の生活に即した呼吸困難の理解や把握ができる[28)]．

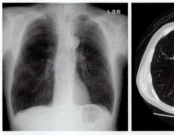
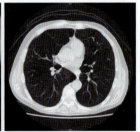

A. COPD

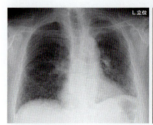
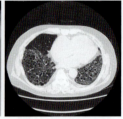

B. 特発性肺線維症

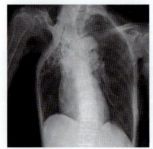

C. 右胸郭形成術後

▶図7 閉塞性換気障害と拘束性換気障害を呈する呼吸不全患者の画像所見

A. numerical rating scale(NRS)

B. visual analogue scale(VAS)

C. 修正MRCスケール

Grade 0	激しい運動を除き，息切れで困ることはない
Grade 1	急いで歩いたとき，あるいはゆるい坂を登ったとき，息切れで困る
Grade 2	息切れのため同年齢の人よりもゆっくり歩く，あるいは平地を自分のペースで歩くとき，息継ぎのために立ち止まらなければならない
Grade 3	平地を100 m，あるいは数分歩いただけで息継ぎのために立ち止まる
Grade 4	息切れが強くて外出できない，あるいは衣服の着脱だけでも息切れがする

D. 修正Borg(ボルグ)スケール

▶図8 呼吸困難の評価スケール
〔自己免疫性疾患に関する調査研究班ホームページ/湯澤 基ほか：呼吸機能検査の理解と臨床応用. 日内会誌, 109(12):2496-2501, 2020 より〕

2 コンディショニングを併用した効果的な運動療法とその理論

呼吸リハは，呼吸困難の軽減，運動耐容能・健康関連QOLの改善のほか，多岐にわたる効果がCOPDについて検証されている[18]．しかし，これらの効果をあらゆる呼吸不全患者にもたらすためには，酸素摂取量($\dot{V}O_2$)を算出するFick(フィック)の式と，PaO_2を算出する肺胞気式から具体的な内容を考えなければならない．

まず，Fickの式から$\dot{V}O_2$は，1回心拍出量と心拍数の積である心拍出量，酸素運搬を担うヘモグロビン，PaO_2，骨格筋の酸素利用能の影響を受ける．このうち，運動療法の効果として，1回心拍出量増加[31]，ミトコンドリア量の増加，筋線維型の正常化，好気的代謝の改善などの機序による骨格筋の酸素利用能改善[32]が得られる．一方，

肺胞換気式からPaO_2は，吸入気酸素濃度，分時換気量，死腔換気率，肺胞気-動脈血酸素分圧較差の影響を受ける．このうち，運動療法の効果として，呼吸筋トレーニングや運動強度に応じた最大吸気流速の変化[33]による分時換気量の増加，姿勢変化に伴う機能低残気量の増加[34]が得られる．

ここで重要な役割を果たすのが**コンディショニング**(▶図9)である．呼吸不全の患者は，胸郭を含む全身の骨格筋や関節構成体の伸張性低下，筋力低下を伴う身体機能の失調・低下をおこし，呼吸様式や換気効率が悪くなり，無駄な酸素消費が増えている．そこで，効率のよい酸素消費と呼吸困難の軽減をはかるのがコンディショニングである．たとえば，口すぼめ呼吸や腹式呼吸などの呼吸練習により，補助呼吸筋群の過剰努力を減らし，換気効率が向上する呼吸様式に是正する．また，吸気補助呼吸筋群のストレッチング(▶図9A，B)や胸郭可動域練習(▶図9C)，用手

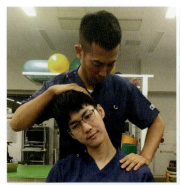
A. 呼吸筋ストレッチ（斜角筋群）

B. 呼吸筋ストレッチ（僧帽筋）

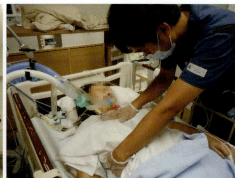
C. 胸郭可動域練習

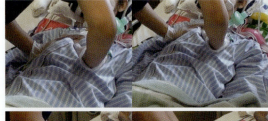
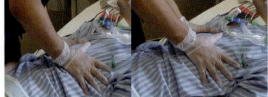
D. 呼吸介助手技

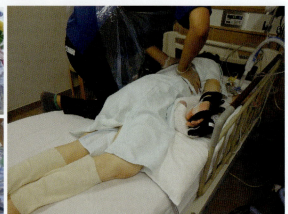
E. 体位排痰法

▶図9 コンディショニングの実際

的呼吸介助手技（▶図9 D）により，分時換気量を増加させ，呼吸仕事量を軽減し，呼吸筋疲労も最小限にできる．さらに，体位排痰法（▶図9 E）による気道クリアランスの維持は，肺胞気−動脈血酸素分圧較差も減少させる．コンディショニングにより患者自身が「楽に動けた」と感じることで，呼吸困難による運動への不安を和らげ，精神的・身体的にリラックスさせ，運動療法に対する動機づけや治療のアドヒアランス向上も期待できる．つまり，コンディショニングは効率的な運動療法の引き立て役であり，運動療法とコンディショニングの相乗効果（▶図10）[35]を狙う．

3 運動療法におけるFITT

運動療法には具体的に，全身持久力増強運動や筋力増強運動があげられる．全身持久力増強運動は平地歩行や自転車エルゴメータ，筋力増強運動はゴムバンドによるレジスタンストレーニングなどを示すが，内容を決定する際に理学療法士は「FITT」を意識しなければならない．"FITT"とは，頻度（Frequency），強度（Intensity），持続時間（Time），種類（Type of exercise）の4つの頭文字をとったもので，「どのくらいの頻度で」「どのくらいの強度で」「どのくらいの時間で」「どんな種類の運動を」実施するかを明確にしている．しかし，FITTの真意は，フレームに当てはめた内容をそのまま患者に実行する，ということではない．実際にFITTに沿って決定した運動療法プログラムを，日々の患者の状況に応じてインターバルを増やしたり，運動強度の強弱をつけたり，FITTを微調整できるかが重要なのである．

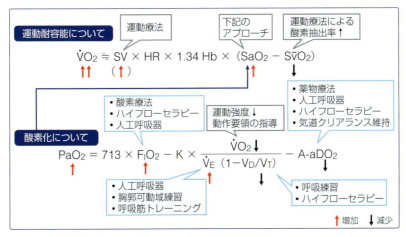

▶図10　運動療法とコンディショニングの相乗効果

$\dot{V}O_2$：酸素摂取量，SV：1回拍出量，HR：心拍数，Hb：ヘモグロビン，SaO_2：血中酸素飽和度，$S\bar{v}O_2$：静脈血酸素飽和度，PaO_2：動脈血酸素分圧，F_IO_2：吸入気酸素濃度，$\dot{V}_E$：分時換気量，V_D：死腔換気量，V_T：1回換気量，A-aDO_2：肺胞気-動脈血酸素分圧較差
〔田平一行：心肺機能障害の理学療法介入におけるクリニカルリーズニング. PTジャーナル, 43(2):115-124, 2009 より改変〕

　辻村らは外来呼吸リハ導入前評価で担当した間質性肺炎（IP）患者とCOPD患者2名に対して，IP患者には運動時の酸素投与を，COPD患者には運動前の気管支拡張薬内服を医師と相談し，6分間歩行試験と呼吸困難を酸素投与と気管支拡張薬吸入の前後で比較した．その結果，酸素投与と気管支拡張薬吸入後は有意に歩行距離が延長し，呼吸困難が改善した．このように，呼吸不全患者に対する運動療法のFITTを考える際に，理学療法士が「呼吸方法を教えるだけ」「運動させる人」では役割を果たせない．運動療法における理学療法士の役割は，活動による呼吸困難などの自覚症状や，呼吸仕事量増大を意味する他覚症状を改善する方法を模索し，実行することであり，運動能力を伸ばすことではない[36]．

4 呼吸管理と組み合わせた運動療法とADLトレーニング

a 低流量システムによる酸素療法とリハビリテーション

　重症COPD患者やILD患者のように，運動時のEIHを認める患者の場合，「運動強度を下げる」のではなく，必要十分量の酸素投与を原則とする．上記の患者群では高流量の酸素投与が予測される．そのため，I型呼吸不全かII型呼吸不全か，どちらの要素が患者の病態に合致するか見極め，適切なSpO_2の範囲内に収まるように，酸素吸入デバイスの選択が必要である．呼吸困難が強い患者では口呼吸となることが多く，鼻カニューレからシンプルマスクやオキシマスクへの変更などを対応すべきである[37]．

　ILD患者の運動療法実施中の酸素投与についてのレビュー[38]によると，運動耐容能および呼吸困難への効果は一定していないが，正確な評価に基づき適応を判断して酸素を使用すれば有用な手段になりうるとしている．また，ILDの運動時酸素投与の即時効果として，呼吸困難の軽減，運動耐容能の向上を報告している[39]．ILD患者に代表されるようなEIHが顕著な患者においては，低酸素血症や呼吸困難を感じ，運動耐容能の低下がおこり，健康状態や予後の悪化につながるため，運動による低酸素血症や呼吸困難を最小限に抑える適切な運動療法が求められる[40]．

A. 酸素吸入デバイス

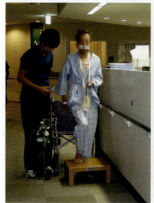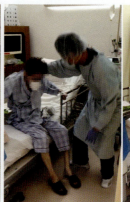

B. オキシマイザーで踏み台昇降　　C. シンプルマスクで歩行練習　　D. リザーバーマスクで座位・起立練習

▶図11　運動療法のFITTに合わせた酸素吸入デバイスの選択

つまり，I型呼吸不全の要素が強い患者においては，酸素療法で患者の呼吸困難や呼吸仕事量を軽減させ，積極的な運動療法で効果的にADLを向上させていくことは理に適っている（▶図10）．

b 高流量鼻カニューレ酸素療法とリハビリテーション

高流量鼻カニューレ酸素療法（high-flow nasal cannula oxygen therapy; HFNCOT）は，人工呼吸器に匹敵する総流量60 L/分までの酸素空気混合ガスを，相対湿度100%まで加湿し，口径の大きな鼻カニューレから直接上気道内に投与する酸素療法である．HFNCOTは「高濃度で正確なFiO_2設定」「解剖学的死腔のウォッシュアウト」「上気道抵抗の軽減」「呼気終末陽圧（PEEP）様効果と肺胞リクルートメント」「気道の粘液線毛クリアランスの維持」などの臨床的効果が期待できる[41]．上記の臨床的効果は，図10の計算式からも明らかなように，いずれも呼吸仕事量の減少をもたらし，換気量増加や呼吸困難軽減につながる[42]．また，酸素マスクに比べて不快感が少なく快適性も高いため，幅広い呼吸不全患者における呼吸管理が可能となる．実際，運動中にHFNCOTを併用することで，COPD患者ではEIHおよび労作時呼吸困難を有意に軽減し，高い運動強度で長時間の運動が実施でき[43]，特発性肺線維症（IPF）患者ではベンチュリーマスクと比較して有意に運動時間が長く，SpO_2低下も改善させた[44]ということが明らかになっている．つまり，HFNCOTによる酸素療法と運動療法の組み合わせは，EIHの顕著な患者でも，運動強度を下げることなく労作時呼吸困難を軽減させ，効果的なレジスタンストレーニングやADL練習の実施を可能にする（▶図11）．

5 運動療法におけるリスク管理

呼吸不全患者の運動療法におけるリスク管理に関して，開始基準・積極的に運動療法を進めない基準・中止基準を個別化して呼吸不全の患者に適応するのは難しい．たとえば，「安静時$FiO_2 < 0.40$」を開始基準として，HFNCOTを装着した

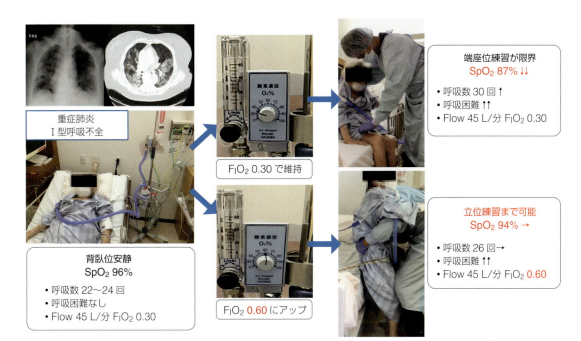

▶図 12　HFNCOT を併用した運動療法の実際
運動時低酸素血症のために運動療法が持続できない場合は，F_IO_2 を上げることで運動強度を下げることなく呼吸回数を軽減させ，効果的なレジスタンストレーニングを実施できる．

重症肺炎患者の運動療法を開始するか否かを検討する場合，仮に安静時で F_IO_2 が 0.60 であれば，バイタルサインが安定し，患者の運動意欲があろうと，運動療法は開始しないという判断になる（▶図 12）．要するに「開始できるか」ではなく，患者の運動耐容能を改善し ADL 向上をはかるためには「どのような内容で，どのように進めるか」を考えることが重要である．基準はあくまで"目安でありスタートライン"であり，基準とバイタルサインだけでは運動療法が実施できない呼吸不全患者が実際の臨床では多い．

また，積極的に運動療法を進めるか否かを判断する場合は，安静時の評価が重要で，「患者になんらかの運動負荷が加わった際に呼吸状態が悪化しないか」を念頭におく必要がある．そのため，すでに気道確保が危うい場合や，呼吸状態悪化のため直前に呼吸管理が変更となれば要注意である．特に，努力呼吸の有無や異常呼吸パターン，呼吸困難に伴う他覚的な症状と併せて，患者を評価する必要がある．

▶表 2　運動療法におけるリスク管理の目安

A. 積極的に運動療法を行わないほうがよい基準

①安静時から気道確保されていない，もしくは上気道閉塞パターン（▶図 13）を認める
②安静時に SpO_2＜88％，呼吸数＜5 回/分，呼吸数＞40 回/分が持続する
③直前に酸素投与量増量もしくは人工呼吸器適応となる急激な呼吸状態悪化あり

B. 運動療法をいったん中止したほうがよい基準

①上気道閉塞パターンや，急激な吸気あるいは呼気努力が出現し持続する
②チアノーゼの出現
③ SpO_2＜88％，呼吸数＜5 回/分，呼吸数＞40 回/分のいずれかが持続する
④患者の呼吸困難の訴えが強く，継続できない
※上記の中止基準 4 項目が一過性の場合は，気道閉塞の所見と視診・触診・聴診などの情報を合わせて継続を再検討する

さらに，中止するか否かは「運動中の再評価」が大事で，呼吸仕事量増大の原因を明らかにし，個々に対応する．運動強度や時間，患者本人の呼吸機能障害，痰による気道閉塞，酸素流量や F_IO_2 などが原因となっている可能性がある．加えて，患者の精神面や不安も考慮し，継続を再検

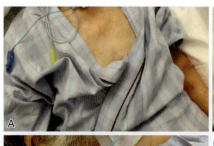

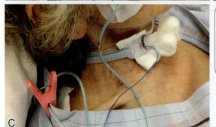

- 呼気吸気補助筋使用↑
- 肋間の retraction（＋）
- tracheal tug（＋）
- 鎖骨窩・胸骨窩陥没（＋）

▶図 13　上気道閉塞パターン（▶動画 1）
A：肋間の retraction，B：呼気時の腹筋群過剰収縮，C：トラキアルタグ，頻呼吸

討する．だからこそ，リスク管理の目安（▶表 2，図 13，▶動画 1）をもとに，視診・触診・聴診などのフィジカルアセスメントを駆使し，運動時の評価を行うべきである[45]．

F テーラーメイドを意識した運動療法における呼吸リハビリテーションの課題

40 か国，430 施設の代表者による大陸間の COPD 患者に対する呼吸リハプログラムの違いに関する調査において，対象施設の環境・慢性呼吸器疾患の患者構成・呼吸リハチームの構成・完了率・紹介の方法・報酬の種類など，すべての側面で大きな違いがあった[46]．また，同じ内容で呼吸リハプログラムを実施していても，よい反応を示す患者群（good responder）と反応の乏しい患者群（poor responder）が存在することが明らかとなった[47]．この poor responder におけるリハの反応性の低さは，COPD に特有，あるいはリハに特有というわけではない．実際に，慢性神経疾患，慢性心疾患，慢性筋骨格系疾患をもつ患者のサブグループでも，特殊なリハ介入に対する反応が悪いことがわかっている[48-50]．つまり，適応や効果を分析せずに，一律に同様のプログラムを行っていては，poor responder を減らすことはできない．個々の呼吸不全患者において，呼吸困難と呼吸仕事量増大の原因を明らかにし，双方を軽減させながら呼吸リハのプログラムを決定する必要がある．運動療法を継続するためには，アルゴリズムで呼吸困難や呼吸仕事量を軽減させる必要がある（▶図 14）．患者が dyspnea spiral から抜け出すことができれば，運動耐容能は向上し ADL と QOL の改善につながる．

単に"呼吸不全患者"といっても，原因疾患も異なるため，その病態は多岐にわたる．また，患者個々の分時換気量，呼吸数，呼吸様式，肺・胸郭コンプライアンス，吸気・呼気流速，吸気・呼気比率はすべて異なる．poor responder を good responder に変えるためには，テーラーメイドの運動療法を中心とした呼吸リハが重要である．つまり，理学療法士の細やかな運動処方が必要不可欠であり，呼吸困難と呼吸仕事量の増大が発生する原因を評価し，治療を展開することが求められている．

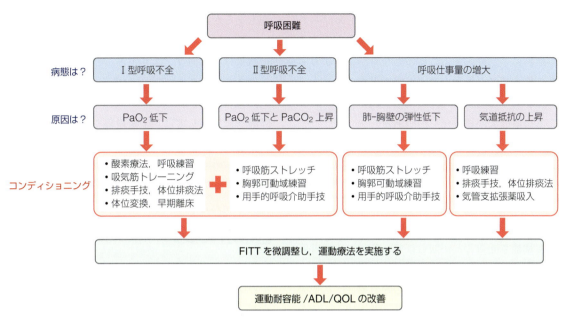

▶図14 呼吸不全患者にテーラーメイドで運動療法を実践するためのアルゴリズム

II 胸・腹部外科手術後の運動療法

A 概念と特徴

1 概念

本項では外科周術期症例として運動療法の対象となるものから，胸部・腹部外科手術症例を中心として述べる．一般的に胸腹部外科手術はその手術対象臓器により胸部・上腹部・下腹部に分類されることが多い．胸部は肺・食道，上腹部は胃・脾臓・膵臓・肝臓，下腹部は胃より下の大腸および小腸などを示すことが多い（▶図15）．

近年の外科周術期のトピックスとしては，①開胸・開腹手術から内視鏡手術の台頭による手術の低侵襲化，②手術用ロボットの併用によるさらなる低侵襲化と合併症発症率の低減，③従来各施設の経験則により実施されてきた周術期管理に代わるERASの普及（後述），④患者層の高齢化に伴う併存疾患合併例の増加などがあげられる．

理学療法士が運動療法を実施する際の留意点として，①②による手術の低侵襲化により，以前よ

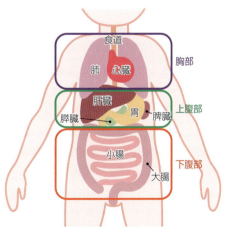

▶図15 胸部・上腹部・下腹部手術に該当する臓器

り早期に術後離床が可能であることがあげられる．一方で，④により高齢かつ併存疾患をかかえる症例に早期介入することにもなり，従来よりもさらなるリスク管理の視点が重要となる．また③の世界的な普及により，周術期症例へのチームによる医療介入が標準化しつつある．

2 外科周術期症例の呼吸不全

外科周術期における呼吸不全の発生は，他のすべての合併症発生のリスク因子となり，死亡率をも増加させることが知られている[51]．術後呼吸不全の予防または改善は，理学療法における大きな目的となる．外科手術による呼吸機能への影響は，概して①手術侵襲，②麻酔，③臥床，④水分バランスの4点を考慮する必要がある．

a 手術侵襲

手術部位が横隔膜に近いほど術後呼吸機能障害が大きくなることが知られているが，腹部手術においては横隔膜機能不全や肺活量減少をきたしやすく，術後無気肺や低酸素血症の誘因となることが指摘されている[52]．また開胸を伴う胸部手術では，開胸操作に伴う創部痛の悪化が術後咳嗽能力を著しく低下させうるので，十分な疼痛管理などが求められる．

b 麻酔

身体への大きな侵襲となる手術を行うためには麻酔を併用することが不可欠となるが，麻酔による呼吸器系への影響として，換気血流比不均等，気道分泌物増加，横隔膜収縮能力の低下などが知られている[53]．また，麻酔による術後の徐脈や血圧低下は，循環器系のみならず交感神経系抑制といった自律神経系の影響が加味されることも多く，術後循環動態の十分な評価が必要となる．

c 臥床

侵襲の大きな手術後は安静臥床を強いられる場面もあるが，心肺機能も臥床による影響を免れない．臥床による心機能の影響に関して，最大酸素摂取量は1日0.9％低下すること，左室心筋重量は週あたり1.3〜2.5％減少すること（＝心筋収縮力の低下）が知られている[54]．一方，臥床による呼吸機能に関しては，手術侵襲や腹部臓器による圧排などにより肺背側の換気が低下しやすく，無気肺などの下側肺障害を生じやすい[55]．下側肺障害に対しては術後の体位ドレナージや早期離床が重要な介入方法となる．

d 水分バランス

生体が手術などの侵襲にさらされると，生体炎症反応や神経内分泌反応などにより血管透過性が亢進する．特に術中〜術後1日目は侵襲期と呼ばれ，水分やナトリウムは血管内から血管外に漏出しやすくなる．侵襲期では全身の浮腫や肺水腫などを惹起しやすく，肺水腫による酸素化悪化に加え，血管内の水分保持が難しいことから離床した際に血圧低下を生じやすく，十分なリスク管理も必要である[56]．

3 ERAS

従来，外科周術期管理においては施設ごとの特色や経験則が重視される一方，統一した見解やエビデンスに不足がある点が問題視されていた．1990年代後半，北欧から提唱されたERAS（enhanced recovery after surgery；術後回復能力の強化）は，患者の回復促進を目的としたプロトコルで，周術期管理における麻酔管理・栄養管理・早期離床など種々の医療介入を組み合わせ，エビデンスに基づいて実施する（▶図16）[57]．

システマティックレビューにおいてもERASにより周術期有害事象，合併症，再入院率を低減させ，身体機能を回復させることが報告されているが[58]，そのなかでも術後早期離床は身体機能回復促進のみならず，種々の合併症予防においても重要視されており，理学療法の適切な遂行が

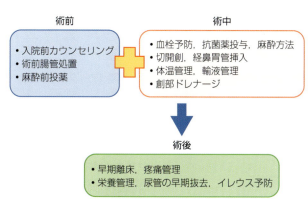

▶図16 ERAS
〔Fearon, K.C.H., et al.: Enhanced recovery after surgery: a consensus review of clinical care for patients undergoing colonic resection. Clin. Nutr., 24(3):466–477, 2005 をもとに作成〕

ERAS プロトコルにおいても肝要とされている．一方，ERAS 実施のためにはさまざまな医療職種によるチーム介入と連携が必須であり，理学療法士も医療チームの一員としての責務を果たすことが求められている．

B 運動療法の実際

1 運動療法の目的

外科周術期における運動療法は，①術後早期離床による身体機能の回復促進，②呼吸器を中心とした術後合併症の予防の2つが大きな目的となる．また，早期離床を促すことで，①②の効果に加え，③せん妄症率の低下，④人工呼吸器からの早期離脱，⑤入院期間の短縮といった効果も報告されており[59]，症例の全身状態を評価しつつ術後可及的速やかに介入する必要がある．

2 評価のポイント

a 術前

評価は身体機能のみならず，呼吸・循環機能を

▶表3 術前の医学的検査

基本情報	診断名，主訴，病歴，併存症，入院前のADL
手術情報	手術方法，術後呼吸管理の方法
バイタルサイン	
臨床検査所見	血液検査，動脈血液ガス所見
画像所見	胸部単純X線写真，CT，MRIなど
心機能評価	心電図，心エコー
その他	実施していれば気管支鏡所見など

含めた全身状態を把握することが主な目的となるが，術前に患者とのラポールを形成すること，術後運動療法の必要性を十分に理解してもらうことも大切なポイントとなる．

(1) 医学的検査（▶表3）

外科周術期症例では術前に麻酔科に受診し，全身麻酔を含む手術侵襲が可能かどうか評価診断するのが一般的である．その際には血液検査や呼吸循環動態を含めた検査を行うので，術前評価の参考にするとよい．またカルテなどを通じ，既往歴や併存症の有無，内服状況なども併せて確認する．

b 術後（▶表4）

術後・急性期ではベッドサイドでの介入が主となるが，理学療法士が行う評価に加え，医師による安静度の確認，ならびにバイタルサインや患者

▶表4　術後の理学療法評価

A. カルテからの情報
- バイタルサイン，意識レベル
- 酸素投与量，人工呼吸器設定
- 水分バランス，尿量，ドレーン排液量
- 投与されている薬物の確認
- 血液検査所見
- 胸部X線像（ポータブル撮影が多い）

B. 理学療法士による評価
- バイタルサイン，意識レベル
- 呼吸状態（呼吸回数，様式，深呼吸の可否）
- 咳嗽能力（咳嗽・喀痰の可否）
- 疼痛
- 四肢ROM・筋力
- 起居動作
- 必要に応じ立位・歩行能力

▶図17　フェイススケール

0（まったく痛まない），1（ほとんど痛まない），2（軽い痛み），3（中等度の痛み），4（高度の痛み），5（耐えられない痛み）

▶表5　MRC sum score

対象筋群	（上肢3筋群・下肢3筋群）×両側：合計12検査 上肢：手関節背屈，肘関節屈曲，肩関節外転 下肢：足関節背屈，膝関節伸展，股関節屈曲	
スコア	0	筋収縮みられず（視診・触診）
	1	筋収縮はみられるが，四肢の動きなし
	2	四肢の動きはあるが，重力に対抗できない
	3	四肢の動きがあり，重力に対抗して動かせる
	4	重力と弱い抵抗に対して動かせる
	5	最大抵抗に対して動かせる（正常）
判定	最低スコア：0×12＝　0点 最高スコア：5×12＝60点 平均スコア：合計点/12	

の容態の変化などを日々看護師と連携し評価することも重要となる．

(1) バイタルサイン

術後は麻酔や薬物による鎮静・鎮痛管理により意識レベルが変遷するので，各種スケールを使用し経時的に評価する．また手術後～6日程度は全身状態も変動しやすく，体温・血圧・脈拍・呼吸数・経皮的酸素飽和度などは必ず評価し，医師による安静度や基準値と照合させる．

(2) フィジカルアセスメント

数値化されるバイタルサインは量的評価とされるが，並行して質的評価であるフィジカルアセスメントも行うことが術後呼吸状態の把握には重要である．フィジカルアセスメントは視診・触診・聴診などから構成されるが，視診・触診による胸郭拡張運動の評価，聴診による肺音および副雑音の評価を実施していく．

(3) 疼痛

創部痛などの疼痛は一般的に術後4～5日程度で減弱するが，離床などの体動により疼痛が増強するので，客観的な疼痛評価が重要となる．visual analogue scale（VAS，図8➡357ページ）やフェイススケールなどを利用し，疼痛のスケーリングに努める（▶図17）．

(4) 関節可動域（ROM）

外科周術期では安静や体位制限により肩関節・股関節・足関節などが制限されやすい．ROMはスクリーニング的に評価を行うが，術前と比べたROM制限の有無を確認することが重要となる．また，術後新たに生じたROM制限はなんらかの機能障害発生の可能性もあり，早急に主治医などと連携し対応を検討する．

(5) 筋力

ROMと同様，術前と比べた術後の筋力低下の有無を評価することが重要である．近年，外科術後や集中治療領域などの重症患者に発症する急性かつ，びまん性筋力低下（ICU-acquired weakness；ICUAW）が着目されており[60]，MRC sum scoreなどを用いて全身の筋力を客観的に評価することが重要となる（▶表5）．術後MRC sum scoreが48点以下となると，ICUAWの発症を考慮する必要があるので，早急に対応が必要となる．

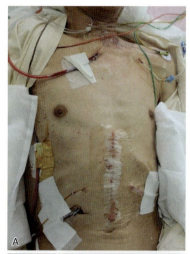

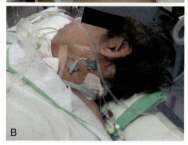

▶図18 術後のライン・ドレーンの一例

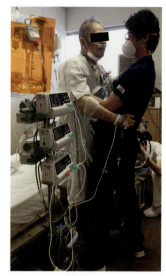

▶図19 早期離床時のリスク管理

(6) 基本動作・日常生活活動(ADL)

ADL の一般的な評価スケールである Barthel（バーセル）Index や FIM(Functional Independence Measure)を用いることに加え，動作を制限する因子〔疼痛・ライン類による制限(▶図18),安静度による制限など〕も評価する．周術期症例では術後速やかに基本動作や ADL が改善するので，自立の可否のみでなく，日中活動度などをより詳細に評価する視点も大切である．

3 運動療法の方法

外科手術による生体への侵襲は術後日数を経るごとに回復がみられるが，術直後などの早期介入においては患者に多くのラインが装着されており(▶図19)，全身状態への十分な配慮が必要となる．一般的に外科手術後はベッド上安静の時期（術直後〜数日）と離床を促す時期の2つに安静度が分類されるので，それぞれの時期に応じた運動療法を検討する．

a ベッド上安静の時期（術直後〜数日）

この時期は手術侵襲による生体への影響が最大限となり，バイタルサインや呼吸循環動態の変動も大きくなる．運動療法の介入もベッドサイドが中心となるが，各種生体モニターを参照しながら全身状態の把握に努める．この時期の理学療法の目標は合併症の発生や廃用症候群の進行を防止することである．

ROM に対しては他動〜自動介助運動を中心に ROM 制限や拘縮発生を予防することを念頭にアプローチする．筋力増強運動でも ROM 同様に自動介助運動を中心に行い，創部痛を誘発させないような工夫が必要となる．

起居動作へのアプローチとしては，この時期では安静度の制限からベッド上での動作にとどまることもあるが，ギャッチアップなどで可能なかぎり起座位をとることが運動療法において最も重要となる．背臥位から座位をとることで肺も拡張し，咳嗽を容易にするなど，呼吸機能に関しても大きなメリットがある[61]．座位保持は5分程度か

ら開始し,各種バイタルサインを評価しながら時間を漸増する.

b 離床期

術後2～3日後では立位・歩行といった早期離床が運動療法の中心となる.前述したように,術後1週間程度は容易に血圧低下が生じ[56],また耐久性も低下しているので,離床の際には転倒などに十分に留意する.さらに,離床の際には創部痛などを誘発しやすく動作の制限因子となるため,病棟スタッフと連携し理学療法介入前の鎮痛薬使用など,疼痛コントロールには十分配慮する.自室内・病棟内・院内と歩行自立レベルを早期に改善させ,退院に向けた全身持久力の向上が大きな目標となる.

c 上腹部,下腹部,胸部(開胸)それぞれのポイント

一般的に下腹部よりも上腹部手術では,創部が横隔膜に近いことから術後の咳嗽が困難となることが散見される.また,近年では胸腔鏡手術の増加により減少傾向にはあるものの,開胸手術ではさらに大きな手術侵襲となり,疼痛による上肢ROM制限と咳嗽能力低下を生じることとなる.いずれの場合も十分な疼痛コントロールによる早期離床が肝要であり,早期離床が多くの問題を解決できることも指摘されている[57,58].

C 運動療法上の留意点

運動療法施行におけるポイントは,リスクマネジメント・疼痛対策などがあげられる.

リスクマネジメントに関しては,「評価のポイント」(➡365ページ)を参照のこと.病状や術式により患者それぞれのリスクや安静度は変化するので,術前介入の段階から主治医・看護師などとの綿密な情報共有が重要となる.また,必要に応じて病棟スタッフと協働し,離床時の事故抜去など

を防止する観点も必要となる.

疼痛対策に関しては,「評価のポイント」と「運動療法の方法」を参照のこと(➡367ページ).運動療法介入においては疼痛管理が最も重要な因子ともなるので,VASなどを用いた客観的な評価から,病棟スタッフと連携した疼痛コントロールを心がける(➡357,366ページ).

●引用文献

1) 氏家良人:身につけておきたい人工呼吸管理の基本,呼吸の生理と呼吸不全の病態生理.レジデント,8(10):6-13, 2015.
2) 清水夏恵ほか:初心者・心理職のための臨床の知 ここがポイント!:病態編(第12回)呼吸困難について.心身医, 57(5):461–465, 2017.
3) American Thoracic Society: Dyspnea. Mechanism, assessment, and management: a consensus statement. *Am. J. Respir. Crit. Care Med.*, 159(1):321–340, 1999.
4) Stulbarg, M.S., et al.: Dyspnea. In: Murray, J.F., et al.: Textbook of Respiratory Medicine, 2nd ed., Vol.1, pp.511–528, W.B. Saunders, 1994.
5) Roussos, C., et al.: Respiratory failure. *Eur. Respir. J. Suppl.*, 47:3s–14s, 2003.
6) 西野 卓:呼吸困難の発生メカニズム. *Jpn. J. Rehabil. Med.*, 54(12):936–940, 2017.
7) Bruera, E., et al.: Management of dyspnea. In: Berger, A.M., et al. (eds.): Principles and Practice of Palliative Care and Supportive Oncology, 2nd ed., pp.357–371, Lippincott Williams & Wilkins, 2002.
8) 西野 卓:急性呼吸不全患者における呼吸生理,呼吸管理と呼吸中枢.人工呼吸, 26(2):22–28, 2009.
9) Coleridge, H.M., et al.: Reflexes evoked from tracheobronchial tree and lungs. In: Handbook of Physiology, The Respiratory System, Control of Breathing, pp.325–429, American Physiology Society, 1986.
10) Nishino, T.: Aggravation of dyspnoea by coughing: vagal mechanisms. *Pulm. Pharmacol. Ther.*, 22(2):102–107, 2009.
11) 山田峰彦ほか:慢性閉塞性肺疾患患者における呼吸筋ストレッチ体操の4週間の臨床効果.日胸疾会誌, 34(6):646–652, 1996.
12) Banner, M.J.: Respiratory muscle loading and the work of breathing. *J. Cardiothorac. Vasc. Anesth.*, 9(2):192–204, 1995.
13) French, C.J.: Work of breathing measurement in the critically ill patient. *Anaesth. Intensive Care*, 27(6):561–573, 1999.

14) Mador, M.J., et al.: Work of breathing and respiratory muscle function. In: Kacmarek, R.M., et al. (eds.): Monitoring in Respiratory Care, Mosby, 1993.

15) Schwartzstein, R.M., et al.: Dyspnea: a sensory experience. *Lung*, 168(4):185–199, 1990.

16) Manning, H.L., et al.: Pathophysiology of dyspnea. *N. Engl. J. Med.*, 333(23):1547–1553, 1995.

17) Hall, J.B., et al.: Acute hypoxemic respiratory failure. In: Murray, J.F., et al. (eds.): Textbook of Respiratory Medicine, 3rd ed., pp.2413–2442, PA, Saunders, 2000.

18) 一和多俊男：呼吸不全の病態生理. 日呼吸ケアリハ会誌, 26(2):158–162, 2016.

19) Gunning, K.E.J.: Pathophysiology of respiratory failure and indications for respiratory support. *Surgery*, 21(3):72–76, 2003.

20) Sarkar, M., et al.: Mechanisms of hypoxemia. *Lung India*, 34(1):47–60, 2017.

21) Wedzicha, J.A.: Domiciliary oxygen therapy services: clinical guidelines and advice for prescribers. Summary of a report of the Royal College of Physicians. *J. R. Coll. Physicians Lond.*, 33(5):445–447, 1999.

22) 西野 卓：呼吸生理の基礎と臨床. 日臨麻会誌, 28(5):711–721, 2008.

23) ATS/ERS Task Force on Pulmonary Rehabilitation: An official American Thoracic Society/European Respiratory Society statement: key concepts and advances in pulmonary rehabilitation. *Am. J. Respir. Crit. Care Med.*, 188(8):e13–e64, 2013.

24) 日本呼吸ケア・リハビリテーション学会ほか：呼吸リハビリテーションに関するステートメント. 日呼吸ケアリハ会誌, 27(2):95–114, 2018.

25) Holland, A.E., et al.: Defining Modern Pulmonary Rehabilitation. An Official American Thoracic Society Workshop Report. *Ann. Am. Thorac. Soc.*, 18(5):e12–e29, 2021.

26) 日本呼吸管理学会（監訳）：呼吸リハビリテーション・プログラムのガイドライン. 第2版, p.48, ライフ・サイエンス出版, 1999.

27) 宇治川恭平ほか：リハビリテーションシリーズ5, 呼吸リハビリテーション. 日大医誌, 78(2):61–64, 2019.

28) 神津 玲：呼吸リハビリテーションにおける運動療法実践のための評価. 日呼吸ケアリハ会誌, 29(3):381–385, 2021.

29) 湯澤 基ほか：呼吸機能検査の理解と臨床応用. 日内会誌, 109(12):2496–2501, 2020.

30) 松田能宣：呼吸困難. 心身医学, 57(2):138–143, 2017.

31) Rowland, T.: Endurance athletes' stroke volume response to progressive exercise: a critical review. *Sports Med.*, 39(8):687–695, 2009.

32) Okita, K., et al.: Exercise intolerance in chronic heart failure—skeletal muscle dysfunction and potential therapies. *Circ. J.*, 77(2):293–300, 2013.

33) Anderson, N.J., et al.: Peak inspiratory flows of adults exercising at light, moderate and heavy work loads. *J. Int. Soc. Respir. Prot.*, 23:53–63, 2006.

34) Lumb, A.B., et al.: Respiratory function and ribcage contribution to ventilation in body positions commonly used during anesthesia. *Anesth. Analg.*, 73(4):422–426, 1991.

35) 田平一行：心肺機能障害の理学療法介入におけるクリニカルリーズニング. PTジャーナル, 43(2):115–124, 2009.

36) 辻村康彦：呼吸理学療法の実践的役割—急性期から在宅まで, 慢性期. 理学療法学, 41(8):667–671, 2014.

37) 神津 玲ほか：呼吸リハビリテーションUPDATE 間質性肺疾患患者に対する呼吸リハビリテーション. *J. Clin. Rehabil.*, 28(12):1158–1167, 2019.

38) Sharp, C., et al.: Ambulatory and short-burst oxygen for interstitial lung disease. *Cochrane Database Syst. Rev.*, 7:CD011716, 2016.

39) Schaeffer, M.R., et al.: Supplemental oxygen for the management of dyspnea in interstitial lung disease. *Curr. Opin. Support. Palliat. Care*, 13(3):174–178, 2019.

40) Caminati, A., et al.: Walking distance on 6-MWT is a prognostic factor in idiopathic pulmonary fibrosis. *Respir. Med.*, 103(1):117–123, 2009.

41) Spoletini, G., et al.: Heated humidified high-flow nasal oxygen in adults: mechanisms of action and clinical implications. *Chest*, 148(1):253–261, 2015.

42) 富井啓介：高流量鼻カニュラ酸素療法（ネーザルハイフロー）. 日呼吸ケアリハ会誌, 26(1):21–25, 2016.

43) Cirio, S., et al.: Effects of heated and humidified high flow gases during high-intensity constant-load exercise on severe COPD patients with ventilatory limitation. *Respir. Med.*, 118:128–132, 2016.

44) Harada, J., et al.: Effect of high-flow nasal cannula oxygen therapy on exercise tolerance in patients with idiopathic pulmonary fibrosis: a randomized crossover trial. *Respirology*, 27(2):144–151, 2022.

45) 富井啓介（監）：これだけ押さえれば大丈夫！1冊でわかる病棟で行う呼吸管理. p.348, 学研メディカル秀潤社, 2021.

46) Spruit, M.A., et al.: Differences in content and organizational aspects of pulmonary rehabilitation programs. *Eur. Respir. J.*, 43(5):1326–1337, 2014.

47) Spruit, M.A., et al.: Differential response to pulmonary rehabilitation in COPD: multidimensional profiling. *Eur. Respir. J.*, 46(6):1625–1635, 2015.

48) Bowden, M.G., et al.: Locomotor rehabilitation of individuals with chronic stroke: difference between responders and nonresponders. *Arch. Phys. Med.*

Rehabil., 94(5):856–862, 2013.
49) Schmid, J.P., et al.: Chronotropic incompetence predicts impaired response to exercise training in heart failure patients with sinus rhythm. *Eur. J. Prev. Cardiol.*, 20(4):585–592, 2013.
50) Cecchi, F., et al.: Predictors of response to exercise therapy for chronic low back pain: result of a prospective study with one year follow-up. *Eur. J. Phys. Rehabil. Med.*, 50(2):143–151, 2014.
51) Neto, A.S., et al.: Incidence of mortality and morbidity related to postoperative lung injury in patients who have undergone abdominal or thoracic surgery: a systematic review and meta-analysis. *Lancet Respir. Med.*, 2(12):1007–1015, 2014.
52) van Kaam, A.H., et al.: Reducing atelectasis attenuates bacterial growth and translocation in experimental pneumonia. *Am. J. Respir. Crit. Care Med.*, 169(9):1046–1053, 2004.
53) 窪田靖志：麻酔の役割と生体への影響．オペナース，1:18–25, 2014.
54) Convertino, V.A.: Cardiovascular consequences of bed rest: effect on maximal oxygen uptake. *Med. Sci. Sports Exerc.*, 29(2):191–196, 1997.
55) 岸川典明：術前・術後の呼吸リハビリテーション．日呼吸ケアリハ会誌，22(3):297–301, 2012.
56) 小川道雄：侵襲に対する生体反応とサイトカイン．外科治療，67:574–581, 1992.
57) Fearon, K.C.H., et al.: Enhanced recovery after surgery: a consensus review of clinical care for patients undergoing colonic resection. *Clin. Nutr.*, 24(3):466–477, 2005.
58) Visioni, A., et al.: Enhanced recovery after surgery for noncolorectal surgery?: a systematic review and meta-analysis of major abdominal surgery. *Ann. Surg.*, 267(1):57–65, 2018.
59) Schweickert, W.D., et al.: Early physical and Occupational therapy in mechanically ventilated, critically ill patients: a randomized controlled trial. *Lancet*, 373(9678):1874–1882, 2009.
60) Stevens, R.D., et al.: Neuromuscular dysfunction acquired in critical illness: a systematic review. *Intensive Care Med.*, 33(11):1876–1891, 2007.
61) van Nieuwenhoven, C.A., et al.: Feasibility and effects of the semirecumbent position to prevent ventilator-associated pneumonia: a randomized study. *Crit. Care Med.*, 34(2):396–402, 2006.

循環器疾患の運動療法

学習目標
- 冠動脈疾患患者に対する運動療法の効果とその機序が理解できる.
- 運動療法に際しての基本的な情報収集と評価内容が理解できる.
- 冠動脈疾患の心臓リハビリテーションの急性期から維持期にかけての流れが理解できる.
- 心不全の基本概念と運動療法の定義,目的,対象について理解ができる.
- 心不全における基本的な評価と運動療法の実際が理解できる.
- 高齢心不全における特徴と運動療法について理解ができる.
- 末梢動脈疾患の病態と運動療法の目的を理解する.
- 重症度に合わせた運動療法のリスク管理を理解する.
- 末梢動脈疾患の重症度に合わせた運動療法を理解する.

I 虚血性心疾患の運動療法

虚血性心疾患(ischemic heart disease; IHD)に対する運動療法は,標準治療の一環としてすべての患者に適応を検討すべき治療の1つである.

運動療法を中心とする心臓リハビリテーション(以下,心リハ)は,運動をしている骨格筋だけにとどまらず,心臓血管系を含む多臓器によい影響をもたらし,冠動脈病変,狭心症状,血管内皮機能,自律神経機能,血小板凝集能,炎症などを改善し,再発や死亡リスクを低減する.

これが,心リハが多くの循環器疾患の診断・診療のガイドラインで標準治療として推奨されるゆえんである.

A 運動療法・身体活動の効果

1 予後,再発予防への効果

急性心筋梗塞の患者6,111名を対象とした34編の無作為化割付試験をメタ解析した結果では,運動療法を主体とした心リハは,再梗塞47%,心臓死36%,心血管死40%,全死亡26%のリスク減少効果を有することが明らかとなっている[1].加えて,最近の治療を受けている患者のみを対象とした最新のメタ解析結果もこれを支持している(▶表1)[2].

監視型運動療法に併せて,身体活動量の確保もきわめて重要である.身体活動量と再発リスクに関する研究は多数あるが,最近の大規模コホート研究で身体活動の重要性があらためて認識される

▶表1 IHD 患者に対する運動療法，心臓リハビリテーションの効果に関するメタ解析

アウトカム	結果の概要
全死亡	影響なし
心血管死亡	26% リスク低減（信頼区間：14〜36%）
心筋梗塞発症	12% リスク低減（信頼区間：4〜30%）
全再入院	23% リスク低減（信頼区間：11〜33%）
心血管再入院	影響なし
QOL	改善

〔Dibben, G.O., et al.: Exercise-based cardiac rehabilitation for coronary heart disease: a meta-analysis. Eur. Heart J., 44(6):452–469, 2023 より作成〕

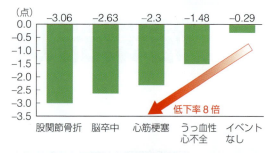

▶図2 疾病の罹患と運動機能低下
〔Ostir, G.V., et al.: Reliability and sensitivity to change assessed for a summary measure of lower body function: results from the Women's Health and Aging Study. J. Clin. Epidemiol., 55(9):916–921, 2002 をもとに作成〕

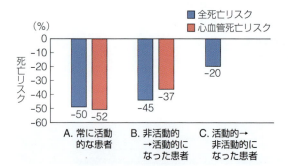

▶図1 IHD 患者の身体活動状況と予後（常に非活動的な IHD 患者と比較して）
33,576 人，9 つの前向きコホート研究を含む IHD 患者を対象とした研究による結果．
〔Gonzalez-Jaramillo, N., et al.: Systematic review of physical activity trajectories and mortality in patients with coronary artery disease. J. Am. Coll. Cardiol., 79(17):1690–1700, 2022 をもとに作成〕

ようになっている．

最近のメタ解析では，33,576 人，9 つの前向きコホート研究を含む IHD 患者を対象とした研究において，常に非活動的な患者と比較して，活動的であり続けた患者では全死亡リスクが 50% 低く，非活動的だったが活動的になった患者では 45% 低いことが明らかとなっている（▶図1）[3]．発症前から活動的であった患者はもちろん，運動習慣のない患者においても運動の習慣化を促すことが重要である．

2 運動耐容能，身体機能，骨格筋に対する効果

運動療法は運動耐容能の改善に最も効果のある治療である．骨格筋においては，ミトコンドリア密度・容積や機能，骨格筋代謝を改善させ，運動耐容能の改善に寄与する．心疾患患者における運動療法による運動耐容能改善効果は，主に中枢性機序である心機能改善より末梢性機序である骨格筋量や機能の改善が主体である．

従来，心筋梗塞や心不全は直接的には運動機能を低下させる病態ではないため，日常生活活動（ADL）や身体機能障害は生じることは少ないと考えられていた．しかし，実際には地域在住高齢者を縦断的に追跡した米国のコホート研究では，心筋梗塞の発症により short physical performance battery（SPPB）が 2.3 点低下，心不全の発症で 1.48 点低下することが報告されている（▶図2）[4]．また，IHD や心不全患者は，ADL/手段的 ADL（IADL）低下を認める患者の割合が多いことがフラミンガム研究で明らかになっている[5]．心疾患患者においても，予後や運動耐容能改善だけでなく ADL や IADL の改善も重要なアウトカムである．

骨格筋の機能や量は，IHD 患者の重要な予後規

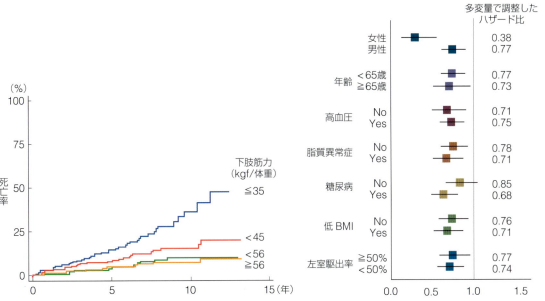

▶図3　虚血性心疾患患者の下肢筋力と予後
対象：北里大学病院に入院した虚血性心疾患患者 1,314 例．
〔B：Kamiya, K., et al.: Quadriceps strength as a predictor of mortality in coronary artery disease. *Am. J. Med.*, 128(11):1212–1219, 2015 より〕

定因子である．筆者らは，1,300 人を超える IHD 患者の退院時の等尺性膝伸展筋力と長期予後との関連性を検証し，既存の主要な予後規定因子の影響を加味しても，筋力低下が強く生命予後に関連していることを明らかにした(▶図3)[6]．

これらの低下した身体機能指標の改善は，従来の心リハではそれほど重視をされてこなかったアウトカムであるが，後期高齢者が主体の現代の心リハにおいてはきわめて重要なアウトカム指標である．米国心臓協会の声明においても，高齢心血管疾患患者においては身体機能の改善を治療の重要なアウトカムとして位置づけるべきことが明記されている[7]．高齢フレイル患者においても入院や外来の心リハによって身体機能は改善し，その改善度はベースラインの値が低下している者ほど大きい[8,9]．

3 冠動脈，心機能に対する効果

運動療法は，IHD 患者の血管内皮機能改善，側副血行路の増加，冠動脈狭窄病変の進行抑制や退縮により狭心症を軽減し，心血管疾患の再発リスクを低減させる[10,11]．加えて，運動療法は心筋梗塞後の心臓リモデリングを抑制することもわかっている[12]．**心臓リモデリング**とは，心筋梗塞後に梗塞部分の壁運動が低下し，それを代償しようとして心室が大きくなることであり，この代償機序は長期的には心臓の負担を増加させ予後を悪化させる(▶図4)．

4 冠危険因子に対する効果

運動療法を主体とした心リハは，脂質プロファイルの改善，血圧，体脂肪の減少，耐糖能や炎症の改善など，さまざまな冠危険因子の是正に寄与

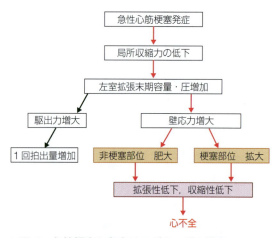

▶図4　心筋梗塞と左室リモデリングの機序
心拍出量を維持するために心臓の構造や形態が変化することを心臓リモデリングという．心筋梗塞後では壁応力の増大と，それに続く梗塞部位の拡大と非梗塞部位の肥大により心機能障害や心不全のリスクが高まる．

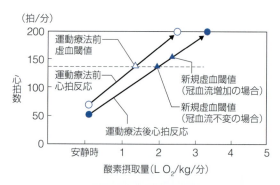

▶図5　狭心症患者に対する運動療法による運動耐容能と虚血閾値の改善の機序
運動療法前に比べ，運動療法後には同一運動負荷量における心拍数の低下が生じ，運動量－心拍数関係は下方へ移動する．その結果，冠血流量が不変の場合でも，同一心拍数における運動量（すなわち狭心症出現までの運動耐容能）は増加する．しかし実際には狭心症出現時の心拍数は運動療法前に比べ増加することから，運動療法後の虚血閾値増加には，冠動脈内皮機能改善や側副血行路発達による冠血流量増加も関与していると考えられる．
〔Thompson, P.D.: Exercise prescription and proscription for patients with coronary artery disease. *Circulation*, 112(15):2354-2363, 2005 より〕

する．最近の10,286例のIHD患者を含む51の介入研究のメタ解析結果において，心リハが総コレステロール，LDLコレステロールおよび中性脂肪の低下と，善玉コレステロールであるHDLコレステロールの上昇に有効であることが明らかとなっている[13]．包括的な心リハの重要な要素である継続的な禁煙支援や食事，睡眠，不安・うつに対する評価と介入も重要な心リハの構成要素である．

5 自律神経機能に対する効果

自律神経の不均衡は不整脈，心臓突然死，心不全のリスクを高める．運動療法は，心筋梗塞後の過剰な交感神経活性の抑制と副交感神経活性の増強をもたらし，安静時や運動時の心筋酸素需要の低下や致死性不整脈の抑制を介して予後の改善に寄与すると考えられている[14]．

運動療法後には，同一負荷での心拍数や心筋酸素消費量が低下する（▶図5）[15]．このことは，労作性狭心症患者において，心筋虚血が生じない範囲での運動許容範囲が拡大することにつながり，日常生活においてより高い強度の活動を持続的に行うことにもつながる[16]．

B　IHDの評価

IHD患者の運動療法を開始するにあたり必要となる情報収集の一覧を表2に示す．より詳細な病態や治療については，本シリーズ『内部障害理学療法学』を参照されたい．

1 病態の把握

（1）診断名
診断名と冠動脈狭窄の程度と部位を把握する．

（2）発症時・来院時の状況
前駆症状，胸痛の有無や程度，意識状態，バイタルサイン，心肺停止の有無や心肺蘇生までの時間，血圧，ショックの有無，心不全合併の有無，心電図（ST変化や不整脈）を確認する．来院時の低血圧やショックの存在は院内死亡率の上昇と関連する．

▶表2 IHD患者の運動療法開始前の診療録からの情報収集項目

基本情報	入院日，年齢，性別，身長，体重，BMI
カルテ（診療録），経過表	診断名，現病歴，既往歴，合併症，冠危険因子の保有状況，喫煙歴，Killip（キリップ）分類，Forrester（フォレスター）分類［Swan-Ganz（スワン・ガンツ）カテーテル挿入患者のみ］，右室梗塞合併の有無（急性心筋梗塞例のみ），冠動脈造影検査結果（冠動脈狭窄部位と程度，残存狭窄の有無），身体所見（胸痛，来院時バイタルサイン，心不全所見：浮腫，Ⅲ音，ラ音，頸静脈怒張，起座呼吸，倦怠感など）
検査所見	心電図，心エコー，胸部単純X線像，血液・生化学検査所見
治療内容	経皮的冠動脈形成術（PCI）or 冠動脈バイパス術（CABG）施行の有無 PCIの場合：ステント挿入の有無，ステントの種類〔薬剤溶出性ステント（DES）or（ベアメタルステント（BMS）〕，PCI施行までの時間（door to balloon time），治療の成否（TIMI分類） CABGの場合：使用したグラフトの名称と吻合部位，冠動脈血流，人工心肺使用の有無と時間，周術期出血量，周術期合併症，気管挿管時間など
機械的合併症の有無（急性心筋梗塞例のみ）	左室自由壁破裂，心室中隔穿孔，乳頭筋断裂

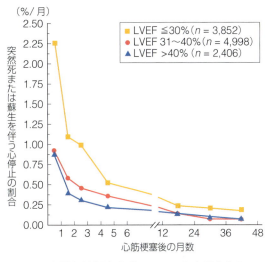

▶図6 急性心筋梗塞患者における左室駆出率と心臓突然死/心停止の関係

〔Zaman, S., et al.: Sudden cardiac death early after myocardial infarction: pathogenesis, risk stratification, and primary prevention. Circulation, 129(23):2426-2435, 2014 より〕

(3) 治療状況

急性心筋梗塞では，発症から再灌流療法までの時間が短ければ短いほど心筋の損傷も少ない（120分以内が目安）．また，再灌流療法の成否を判定するグレードとして Thrombolysis In Myocardial Infarction（TIMI）分類がある．TIMI 2 以下では再灌流が不十分であるため，運動療法実施中の心筋虚血に注意が必要である．

(4) 血液・生化学検査

心筋傷害マーカー〔クレアチンキナーゼ（CK），トロポニン〕，冠危険因子や予後に関連する検査値（LDLコレステロール，non-HDLコレステロール，中性脂肪，HDLコレステロール，HbA1c，推定糸球体濾過量，ヘモグロビン，アルブミンなど）を確認する．

(5) 心電図

不整脈の有無，ST上昇・下降や異常Q波を確認する．

(6) 心エコー

左室の壁運動異常，左室駆出率（LVEF）などにより，心ポンプ機能を評価する．急性心筋梗塞後の患者で左室駆出率が30％以下に低下した患者では，心臓突然死や心停止のリスクが上昇する（▶図6）[17]．

(7) 胸部単純X線像

心拡大，肺うっ血，肺水腫，胸水の有無を評価する．

(8) 合併症・冠危険因子

脂質異常症，高血圧，糖尿病，喫煙（受動喫煙を含む），年齢，家族歴，慢性腎臓病，末梢動脈疾患，心血管疾患の既往などを把握する．

▶表3 IHD患者の運動療法実施時の評価項目

A. 急性期

問診	胸痛，動悸，呼吸困難，食欲，睡眠状況，発症前のADL，同居家族，職業，通勤・通院手段，身体活動状況など
身体所見	バイタルサイン(意識，血圧，呼吸数，脈拍数，体温)，心不全症状(浮腫，III音，ラ音，頸静脈怒張，起座呼吸，倦怠感など)
心電図	ST変化，異常Q波の部位，調律，心拍数
動作中のバイタルサイン	胸痛，冷感(冷汗)，動悸，呼吸困難，酸素飽和度，心電図(不整脈，ST変化)，血圧，心拍数など

B. 安定期

心肺運動負荷試験	最高酸素摂取量(Peak$\dot{V}O_2$)，最高ガス交換比，嫌気性代謝閾値(AT)，換気効率($V_E/\dot{V}CO_2$勾配)，運動時周期性呼吸変動(EOV)の有無，運動終了の理由，虚血性のST変化および不整脈の有無，運動処方強度
冠危険因子の是正状況	禁煙，血圧，脂質，BMI，血糖コントロール，身体活動量，不安・うつ状態
身体機能	筋力，呼吸機能，歩行速度，バランス機能，6分間歩行テストなど
体組成	体脂肪率，四肢骨格筋指数など
加齢に伴う問題	認知機能，サルコペニア，フレイルなど
QOL，精神症状	SF-36®，EuroQol，Duke活動状態指数，シアトル狭心症質問票，PHQ-9，HADSなど
疾病管理	身体活動量(加速度計，質問紙など)，セルフケア行動(内服・食事アドヒアランスなど)

2 運動療法に際して必要な評価

IHD患者の運動療法時の主要な評価項目の一覧を表3に示す．上述した情報収集を行ったうえで，理学療法士として運動療法を実施する際に把握しておきたい項目である．

a 急性期

(1) 問診

胸痛，呼吸困難，動悸の有無を中心に確認する．

(2) バイタルサイン

日々の変動，運動や体位変換に伴う変動を評価する．

(3) 心電図

必要に応じて，12誘導心電図やモニター心電図を装着し，運動前後や運動中のST変化や不整脈の出現をモニタリングする(運動負荷心電図については後述)．

b 安定期

(1) 運動機能・ADL検査

運動機能の低下は再発予防のための運動療法の妨げになるだけでなく，それ自体が予後に悪影響を及ぼす．筋力やバランス機能，歩行能力を中心に動作の可否だけでなく定量的に評価する．また動作時の自覚症状，身体所見を併せて評価する．

(2) 心肺運動負荷試験

心肺運動負荷試験における主要な指標と重症度を表4[18, 19)]に示す．これらの指標は，いずれも単独で予後予測に有用な指標である．

(3) 身体活動量

身体活動量の低下は，虚血性心疾患患者の生命予後や再発に強く関与する．

(4) 精神・心理検査

認知機能低下，うつ状態の合併は予後不良因子となる．

(5) 冠危険因子の是正状況

禁煙を含め，再発予防に向けた冠危険因子の是正状況を定期的に把握する．

▶表4 心肺運動負荷試験によって得られる指標

重症度/分類・指標		PeakVO$_2$ (mL/kg/分)	AT (mL/kg/分)	V$_E$/VCO$_2$ 勾配		運動時周期性呼吸変動(EOV)
軽度	A	＞20	＞14	I	≦299	
軽〜中等度	B	16〜20	11〜14	II	30.0〜35.9	
中〜重度	C	10〜15	8〜11	III	36.0〜44.9	あり*
重度	D	＜10	＜8	IV	≧450	

* 運動中に分時換気量(V$_E$)が周期的に変動するパターンを示す．EOV有無の決定方法はいくつかあり，安静時V$_E$の15%以上の変動幅を有するV$_E$の周期的変化が，全体の60%以上で認められる場合を，EOVありと判定することが多い．
〔PeakVO$_2$とAT：Weber, K.T., et al.: Determination of aerobic capacity and the severity of chronic cardiac and circulatory failure. *Circulation*, 76(6 Pt 2):VI40–45, 1987より．V$_E$/VCO$_2$ 勾配：Arena, R., et al.: Development of a ventilatory classification system in patients with failure. *Circulation*, 115(18):2410–2417, 2007より〕

3 運動時の心電図モニタリング
a ST変化

運動時のST下降は虚血の判定に汎用される．運動負荷心電図が適用される対象者によって，ST下降の心筋虚血や冠動脈疾患検出の精度は変化する．症状のない健常な若年成人であれば検出精度は低く，胸痛や虚血性心疾患の既往を有する患者，動脈硬化の危険因子を多数保有する患者では検出精度は向上する．しかし，モニター心電図は通常1誘導のみの心電図が表示されるため，心筋虚血の検出に限界がある．胸部症状や他覚所見（息切れや冷汗，血圧など）を必ず併せて評価する．ST変化の解釈に注意を要する患者の特徴を表5に示す．

心筋虚血と判断されるのは一般的に水平型または下行型であり，J点から60〜80ミリ秒の時点での基線からの1mm以上の下降を陽性と判断する（▶図7）[20]．運動中に安静時から上記のような変化を認めた場合は運動を中止し，胸部圧迫感や息切れなどの症状とバイタルサイン，心電図の記録とともにただちに医師に報告する．1mm以上低下をしているが，傾斜が上行型のものについては偽陽性も多く，心筋虚血の判定は困難とされている．ただし，上行型ST下降であっても2mm

▶表5 ST変化の心筋虚血解釈に注意が必要な患者

A. ST下降

左脚ブロック，ペーシング	ST変化の解釈は困難で，心筋梗塞の変化も判別できないことがある
右脚ブロック	V$_{1-3}$以外のST変化は評価可能
WPW症候群	すべての誘導で，ST変化の解釈は困難
中年女性	偽陽性率が高い
ジギタリス内服中	ST変化の解釈は困難
左室肥大	虚血検出の感度は変わらないが，偽陽性が増える

B. ST上昇

陳旧性心筋梗塞	心筋梗塞後のQ波のある誘導では，梗塞周囲の虚血や奇異性運動または無収縮などの左室壁運動異常を反映している可能性がある
心膜炎	冠動脈支配領域と一致しない広範な誘導で安静時からST上昇が認められる．心臓外科術後や心筋梗塞後の心膜炎〔Dressler（ドレスラー）症候群〕などでみられる

以上の低下に胸部症状を伴う場合は，心筋虚血を反映している可能性があり，心電図やバイタルサインを記録して医師に報告する．

ST下降の程度が大きい，ST下降を認める誘導の数が多い，運動後にSTがもとの水準に回復するまでの時間が長い，ST下降が出現する運動負荷強度が低いことは，より重症な冠動脈疾患（多枝病変や近位部病変）の存在を示唆する．また，ST変化だけでなく，運動耐容能や胸痛の有無，運動中

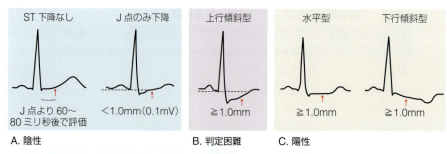

▶図7　運動負荷におけるST下降の判定基準
〔Fletcher, G.F., et al.: Exercise standards for testing and training: a scientific statement from the American Heart Association. *Circulation*, 128(8):873–934, 2013 より〕

の血圧や心拍数上昇不良，運動後の心拍数の回復（低下）遅延の有無などを加味することで冠動脈狭窄の診断精度や予後予測能は向上する[21, 22]．これらを加味した予後予測スコアとしてDuke（デューク）トレッドミルスコアがあり，−11以下が高リスク，+5以上が低リスクと分類される[23]．

> **Duke トレッドミルスコア**
> = Bruce（ブルース）プロトコルの運動時間（分）
> 　− 5 × 最大ST下降（mm）− 4 × 胸痛指標
> （胸痛指標：なし0点，あり1点，胸痛による運動中止2点）

運動中のST上昇については，心筋梗塞の既往を有する患者とそうでない患者で解釈が異なる場合がある．心筋梗塞の既往を有する患者のQ波のある誘導でのST上昇は，梗塞周囲の可逆的な虚血や奇異性運動または無収縮などの左室壁運動異常を反映している可能性がある．一方で，心筋梗塞の既往がない患者においてST上昇を認める場合，急性冠症候群など冠動脈の閉塞に伴う貫壁性の心筋虚血が生じている可能性がある．冠動脈支配領域と一致しない広範な誘導で安静時からST上昇が認められる場合は，心膜炎によるST上昇などが考えられる．

b 不整脈

代表的な不整脈と理学療法士の具体的な対応例を表6に示した．

C IHD患者に適応される主な運動療法

IHD患者に推奨される運動療法の種類は主に，ストレッチング，有酸素運動，レジスタンストレーニング，バランス/ファンクショナルトレーニング，その他スポーツなどのレクリエーション活動である．最初は監視型運動療法で心電図とバイタルサインのモニタリング下で開始し，回復期では監視型と非監視型を併用する．運動療法の禁忌，中止基準，リスク分類や各種運動療法の詳細については，「心不全の運動療法」の項（➡384ページ）を参照されたい．

1 時期に応じた運動療法の要点

a 急性期（Phase I：CCU/ICU/病棟での心リハ）

急性冠症候群（acute coronary syndromes；ACS）患者の在院日数は，経皮的冠動脈インターベンション（PCI）をはじめとする急性期治療の進歩により短縮化しており，合併症がなければ運動療法も早期から開始することが推奨されている．通常，合併症がなく良好な再灌流が得られる患者では発症後の臥床時間は24時間以内である．

表6 心電図異常の種類，意義と理学療法士による対処の例

心電図異常の種類	意義と対処
ST変化	
ST上昇	12誘導心電図を記録する．安静時または以前に認めなかったST上昇が新たに出現している場合は，急性冠症候群(acute coronary syndrome; ACS，急性心筋梗塞・不安定狭心症)の可能性があり，医師をすぐに呼び，症状，バイタルサインを評価する．致死性不整脈が出現する可能性があるため，心電図モニタリングとともに，意識，バイタルサインの評価を続け患者のそばを離れない．新規出現の左脚ブロックもACSの疑いあり
ST下降 (水平型，下行傾斜型，症状があれば上行傾斜型も含む)	12誘導心電図を記録する．安静時または以前に認めなかった変化が新たに出現している場合は，症状，バイタルサインを評価し医師に報告する．狭心症の既往がある患者で，硝酸薬を持参している場合は，血圧の安定を確認して舌下投与し，その後も，2〜3分ごとに12誘導心電図を記録してSTの回復を待つ
不整脈	
頻脈性不整脈	
心室細動(ventricular fibrillation; VF)	即一次救命処置(BLS)開始．転倒による外傷にも注意する
心室頻拍(ventricular tachycardia; VT)	QRS幅の広い頻拍．臥位にして，意識，脈の確認．心停止であればBLS．意識，脈があればモニタリングを継続し，医師に報告．意識消失による転倒にも注意．心室頻拍ではないwide QRS頻拍もあるが鑑別には専門的知識を要するため，まずは心室頻拍として対処する．意識があり血行動態が安定していてもそばを離れず，こまめに意識，バイタルサインを確認する．医師が到着するまでに除細動器を他者に依頼して用意しておくとともに，12誘導心電図を記録し続けておくことが望ましい
心室性期外収縮 (premature ventricular contraction; PVC) 多形性 2連発 R on T	Lown分類2度以上の心室性不整脈が中止基準の目安となる．運動負荷によって不整脈が明らかに増加・出現する場合は，いったん中止して経過観察をするとともに，対応を医師に確認する．自覚症状，バイタルサインも併せて評価する
発作性上室性頻拍(paroxysmal supraventricular tachycardia; PSVT)	突然のQRS幅の狭い頻拍が特徴．場合によってはQRS幅の広い頻拍を呈し，心室頻拍と見分けがつきにくいこともある．血行動態，症状を把握し，医師へ報告する
心房細動(atrial fibrillation; AF)	新たに発生した場合は中止して医師に報告する．慢性心房細動を有する患者では，心拍数が安定していれば運動療法の実施には影響がないが，血栓症や抗凝固薬による易出血性に注意
心房粗動(atrial flutter; AFL)	新たに発生した場合は中止して医師に報告．運動により房室伝導が亢進し頻拍となることがある

(つづく)

▶表6 心電図異常の種類，意義と理学療法士による対処の例(つづき)

心電図異常の種類		意義と対処
徐脈性不整脈		
洞不全症候群	洞徐脈(Rubenstein I型)(sinus bradycardia)	心拍数50/分以下の徐脈．高齢心疾患患者でβ遮断薬導入後に徐脈が進行している場合は，医師に報告．めまい，意識，息切れ，転倒の既往などを確認する
	洞停止または洞房ブロック(Rubenstein II型)(sinus arrest, sinoatrial block)	めまい，意識，息切れなどの随伴症状を確認．転倒に注意して安静にし，医師に報告．ペースメーカの適応になる可能性あり
	徐脈頻脈症候群(Rubenstein III型)(bradycardia-tachycardia syndrome)	頻拍の直後に突然徐脈となる．めまい，意識，息切れなどの随伴症状を確認．転倒に注意して安静にし，医師に報告．ペースメーカの適応になる可能性あり
房室ブロック	Wenckebach (Mobitz I) 型房室ブロック〔Wenckebach (Mobitz Type I) AV block〕	PとQRS間隔が徐々に延長したのちに1拍抜ける．通常は経過観察だが，運動負荷によって伝導比が低下する場合は虚血やHis束以下の重症な房室ブロックの可能性があるため医師へ報告する
	Mobitz II型房室ブロック(Mobitz Type II AV block)	PとQRS間隔が延長せずに突然1拍分抜ける．バイタルサインの確認と医師への報告．ペースメーカの適応になる可能性あり
	2：1房室ブロック(2：1 AV block)	PとQRSが2回に1回しかつながらない状態．バイタルサインの確認と医師への報告．ペースメーカの適応になる可能性あり
	高度房室ブロック(advanced AV block)	PとQRSが2回以上連続してつながらない状態．バイタルサインの確認と医師への報告．ペースメーカの適応になる可能性あり
	完全(III度)房室ブロック〔complete (third degree) AV block〕	PとQRSそれぞれ別々に規則的に出現．バイタルサインの確認と医師への報告．QRS幅が広いもの，心拍数が遅いものほど血行動態に影響が出やすい．ペースメーカの適応になる可能性あり．心室細動に移行するリスクがあることにも注意が必要
その他の致死性不整脈		
心静止(asystole)		心電図がフラット．意識がなければBLS開始(AEDは無効)．意識があれば心電図電極の外れが原因
無脈性電気活動(pulseless electrical activity; PEA)		なんらかの波形は出ているが脈が触れず意識がない状態．BLS開始(AEDは無効)

〔内山 靖ほか(編)：標準理学療法学 専門分野 理学療法評価学．第4版，pp.276-277，医学書院，2023より〕

　ガイドラインや成書にはさまざまな急性期のクリニカルパスが紹介されているが，基本的には合併症がなく良好な再灌流が得られており，運動機能に問題のない患者は，初期に300m程度の病棟歩行負荷による心電図評価を行い，その後は運動療法室での機器を用いた有酸素運動を開始するこ

▶表8 介入指向的な段階的運動機能評価（REHAB-HF より）

	評価項目	レベル1	レベル2	レベル3	レベル4
筋力	椅子からの立ち上がり （上肢支持なし）	不可	可能	15〜60秒で 5回可能	15秒以内に 5回可能
バランス	立位	閉脚立位10秒 保持不可	閉脚立位10秒 保持可能	介助なく25cm前方 リーチ可能	片脚立ち10秒可能
持久力	連続歩行時間	2分未満	2分以上 10分未満	10分以上 20分未満	20分以上可能
移動能力	歩行速度	0.4m/秒以下	>0.4m/秒 かつ ≤0.6m/秒	>0.6m/秒 かつ ≤0.8m/秒	>0.8m/秒

〔Kitzman, D.W., et al.: Physical rehabilitation for older patients hospitalized for heart failure. *N. Engl. J. Med.*, 385(3):203–216, 2021 より筆者作成〕

▶表7 急性心筋梗塞患者に対する心臓リハビリテーションのステージアップの判定基準

1. 胸痛，呼吸困難，動悸などの自覚症状が出現しないこと
2. 心拍数が120/min以上にならないこと，または40/min以上増加しないこと
3. 危険な不整脈が出現しないこと
4. 心電図上1mm以上の虚血性ST低下，または著明なST上昇がないこと
5. 室内トイレ使用時までは20mmHg以上の収縮期血圧上昇・低下がないこと
（ただし2週間以上経過した場合は血圧に関する基準は設けない）

負荷試験に不合格の場合は，薬物追加などの対策を実施したのち，翌日に再度同じ負荷試験を行う．
〔日本循環器学会/日本心臓リハビリテーション学会：2021年改訂版 心血管疾患におけるリハビリテーションに関するガイドライン．https://www.j-circ.or.jp/cms/wp-content/uploads/2021/03/JCS2021_Makita.pdf（2023年10月閲覧）より〕

とも可能である．急性心筋梗塞患者における病棟での運動負荷に伴う進行基準は表7[24]に示した．欧米ではこれらのステップを踏むことなく5日以内で退院し，外来で心リハを開始する施設が多い．施設の実情に合わせて，医療チームで議論したうえで急性期の運動療法の進め方を決定することが重要である．

より重要性が増しているのは，入院前よりフレイルやサルコペニア，ADL低下を有していたと考えられる患者である．このような患者では，離床が困難であってもベッド上で可能なROM練習，局所的な骨格筋のレジスタンストレーニング，神経筋電気刺激（NMES）などの手段を用いて早期介入の可能性を模索する必要がある．筆者らは，入院初期の評価で身体的フレイル（SPPB 4〜9点）を有する高齢急性心不全患者に対するNMESの有効性を多施設前向きRCTにて検証し[25, 26]，膝伸展筋力やSPPBなど重要な身体機能指標に臨床的に意義のある改善を認めている．

病態が安定した患者で，身体的フレイルやサルコペニアを呈する患者では，個別的に運動機能を評価し，移動能力を阻害している要因に対して段階的にアプローチする．システマティックなアプローチで科学的に検証されている方法として，フレイルを有する急性心不全患者に対して行われたREHAB-HFの評価方法と介入内容が非常に参考になる（▶表8, 9）[27]．

D 前期回復期（Early Phase II：入院中の監視下心リハ）

前期回復期にあたる運動療法室での運動療法は，病棟でのADLで心筋虚血や明らかな不整脈の増加などがないことを確認してから開始をする．特にACS患者で未治療の残存狭窄を有する患者，初期のPCIにて十分な再灌流が得られていない患者では運動中の虚血や不整脈の増悪に注意が必要である．回復期以降の運動強度決定方法については表10, 11[24]に示した．入院中は心肺運動負荷試験（CPX）未実施の状態で運動療法を開始することが多いため，負荷量の設定は最低強度から開始し，バイタルサイン，心電図（ST変

▶表9 運動機能評価のレベルに応じた介入（REHAB-HF より）

ドメイン	運動項目	レベル1	レベル2	レベル3	レベル4
筋力	立ち座り運動5回（椅子：40〜43 cm）	椅子の端に座り，前かがみの状態で手を使って立つ	椅子の端に座り，前かがみの状態で手を使わずに立つ	椅子に深く座り，腕を胸の前でクロスした状態で立つ	レベル3を早く，または低い高さの椅子で行う
	ステップ運動10回（前方および側方，手すりは必要に応じて使用可）	10 cm	15 cm	20 cm	25 cm かつ/またはレジスタンストレーニング
	カーフレイズ（かかと上げ）10回	a：座位で b：立位，両手支持あり，両足で	開脚立位で a：片手支持で，両足で b：上肢支持なし，両足で	a：つかまらずに閉脚で b：両手支持で，片足で c：片手支持，片足で	上肢支持なし，片足で
	スクワット10回 a：両手支持 b：片手支持 c：支持なし	0〜15°屈曲	15〜30°屈曲	30〜45°屈曲	45〜90°屈曲
バランス（毎回，前回の最後の完遂レベルから開始し，2セット目で次のレベルを実施）	立位バランス	開脚30秒．開眼が可能なら閉眼へ	2a：閉脚で30秒．開眼が可能なら閉眼へ 2b：セミタンデム，開眼で30秒	3a：タンデム30秒．開眼が可能なら閉眼へ 3b：上肢の支持を用いて，まっすぐ前を見て，片足立ち．10〜30秒．両側行う	支持なしで，まっすぐ前を見て，片足立ち．10〜30秒．両側行う
	立位，リーチ動作	a：開脚立位で，前方と後方にリーチし10〜30秒保持（15 cm未満） b：開脚立位で，前方と後方にリーチし10〜30秒保持（15 cm）	開脚立位で，前方と後方に25 cmリーチし10〜30秒保持	閉脚立位で，15〜25 cmリーチし10〜30秒保持	セミタンデム位にて15〜25 cmリーチし，10〜30秒保持
持久力	連続またはインターバル歩行 ● Borg（ボルグ）RPEスケール13（範囲12〜14） ● 歩行を中心とし，合計時間に満たない場合は運動機器を使用する	5〜9分	10〜19分	20〜29分	30〜35分
移動能力	歩行練習	● 歩行速度の意図的変化（快適歩行から安全に歩ける範囲で速度を上げる．3〜10 m程度の距離，またはそれ以上） ● 動的なスタートとストップ：参加者ができるだけ早く歩き，理学療法士の指示で急に止まる．バランスが安定したのち，再び歩き始める．これを予測できない間隔で繰り返す ● 安全な速度で方向転換の練習（左右に90°，180°の方向転換，8の字歩き）			

〔Kitzman, D.W., et al.: Physical rehabilitation for older patients hospitalized for heart failure. N. Engl. J. Med., 385(3): 203–216, 2021 より筆者作成〕

化，不整脈），自覚的運動強度（RPE）をモニタリングしながら漸増する．なお，CPXが実施できていない患者において，通常の運動療法の強度からMETsを推定する式を活用することも有用である（▶表12）．これは，実際に退院前に患者指導を行う際に入院中に何METsの運動を何分程度実施できるかを把握することで，退院後に安全に実施可能な活動範囲の目安を伝えるうえで役に立

表 13　安定期の心疾患患者に対する運動の推奨内容（FITT）

	有酸素運動	レジスタンストレーニング	ストレッチング，伸張運動
頻度（Frequency）	最低週 3 日（週 5 日が好ましい）	週 2〜3 日（連日の実施を避ける）	≧週 2〜3 日（毎日が最も効果的）
強度（Intensity）	負荷試験あり：心拍予備能/$\dot{V}O_2$ reserve/peak $\dot{V}O_2$ の 40〜80% 負荷試験なし：安静時心拍数＋20〜30 回/分/Borg スケール 12〜16	Borg スケール 11〜13/1 RM の 40〜60% で，各運動を 10〜15 回，著しい疲労を伴わないように実施	わずかな張りを感じる程度
時間（Time）	20〜60 分	1〜3 セット，主要な筋肉群に焦点を当て 8〜10 種類の運動を実施	静的ストレッチングでは 10〜30 秒保持，各運動を 4 回以上実施
種類（Type）	上肢/下肢のエルゴメータ，背もたれ付きステッパー，ローイング，エリプティカル，ステアクライマー，トレッドミル	安全で快適な機器を選択	四肢の主要な関節と腰部の静的/動的ストレッチング PNF の実施も考慮

〔American College of Sports Medicine: ACSM's Guidelines for Exercise Testing and Prescription. 11th ed., Lippincott Williams & Wilkins, Philadelphia, 2020 より作成〕

表 10　急性心筋梗塞患者に対する回復期以降の運動強度決定方法

A. 心拍数予備能（＝最高 HR －安静時 HR）の 40〜60% のレベル
　Karvonen の式：［最高 HR －安静時 HR］×k＋安静時 HR
　k：通常（合併症のない若年急性心筋梗塞など）は 0.6，高リスク例では 0.4〜0.5，心不全例は 0.3〜0.5
B. 嫌気性代謝閾値（AT）レベルまたは peak$\dot{V}O_2$ の 40〜60% の心拍数
C. 自覚的運動強度：「ややつらい」かその手前（Borg 指数：12〜13）のレベル
D. 簡便法：安静時 HR＋30/min（β 遮断薬投与例は安静時 HR＋20/min）
ただし，高リスク患者〔①低左心機能（LVEF＜40%），②左前下行枝の閉塞持続（再灌流療法不成功例），③重症 3 枝病変，④高齢者（70 歳以上）〕では低強度とする

HR：心拍数
〔日本循環器学会/日本心臓リハビリテーション学会：2021 年改訂版 心血管疾患におけるリハビリテーションに関するガイドライン．https://www.j-circ.or.jp/cms/wp-content/uploads/2021/03/JCS2021_Makita.pdf（2023 年 10 月閲覧）より〕

表 11　狭心症，PCI 後患者に対する心臓リハビリテーションにおける運動強度の設定

- 無症候性心筋虚血であれば ST が 1 mm 低下する心拍数の 70〜85% または 10/分低い心拍数
- AT レベル（最高酸素摂取量 peak$\dot{V}O_2$ の 40〜60% 程度）
- Karvonen の式〔（最高心拍数－安静時心拍数）×（0.4〜0.6）＋安静時心拍数〕
- 自覚的運動強度 Borg 指数 11〜13 を目標

〔日本循環器学会/日本心臓リハビリテーション学会：2021 年改訂版 心血管疾患におけるリハビリテーションに関するガイドライン．https://www.j-circ.or.jp/cms/wp-content/uploads/2021/03/JCS2021_Makita.pdf（2023 年 10 月閲覧）より〕

表 12　酸素摂取量の推定計算式

A. トレッドミル歩行
$\dot{V}O_2$ [mL/kg/分]
　＝（0.1×速度[m/分]）＋（1.8×速度[m/分]×傾斜角度※）＋3.5
　　※ 5% の場合 0.05 を代入
　→ 3.5[mL/kg/分]で除せば METs に換算

B. 自転車エルゴメータ（座位）
$\dot{V}O_2$ [mL/kg/分]＝（10.8×負荷量[w]）÷体重[kg]＋7
　→ 3.5[mL/kg/分]で除せば METs に換算

つ．この予測式で算出した到達 METs は実際に退院後の生命予後を反映することも明らかになっている[28]．

C 後期回復期（Late Phase II：外来監視下心リハ＋在宅での非監視下心リハ）

安定した心疾患患者における運動処方の内容を表 13 に示す．本内容は米国スポーツ医学会からの推奨であるが，現代の世界的ガイドラインにおいてもおおむね共通した内容となっている[29]．

心リハの効果に関するエビデンスはこの時期に実施されているものが主体であり，重要な治療の一環として実施することを強く推奨する．筆者らが研究班（班長：磯部光章，榊原記念病院院長）で報告した結果では，調査した 5 万人を超える心不全患者の約 7% にしか外来心リハが行われていな

い実態が明らかとなった[30]．同様に，IHD 患者を含む全国データベースを用いた報告でも，外来心リハの参加率はわずか 7.9% であると報告されており[31]，エビデンスに基づく心リハ治療が十分に行き届いていない実態がある．高頻度の通院ができない場合でも，外来受診時に定期的な指導と運動処方の見直しのために継続するか，近隣の施設へ紹介できることが望ましい．そのためにも地域のクリニックで心リハを継続できる状況が整うことが必要である．

後期回復期においては，運動耐容能や筋力評価を定期的に行い，運動処方の見直しとプログラムの修正を行う．運動療法に加えて，包括的心リハプログラムの構成要素である，食事療法，禁煙指導を含む冠危険因子の是正，復職指導，心理的サポート，フレイル/サルコペニア対策などを行う．生活習慣の乱れなどが生じやすい時期であるため，退院後の日常生活における問題点や服薬，食事，禁煙，運動習慣などを来院の際にチェックする．退院後 3 か月程度経過すると，徐々に血圧が上昇してくる患者が散見されるが，塩分過剰摂取，体重増加，喫煙再開，仕事のストレスなどが関与していることが多いので，状況を聞きながら可能なかぎり生活習慣の是正で改善できるようにする．維持期心リハへの橋渡しとして，長期的に自己管理できるような支援をすることがこの時期の重要な役割である．

CPX に基づく運動処方とともに，普段での許容される身体活動強度も頻回に質問を受ける内容である．基本的には，CPX における AT レベルの強度はある程度持続的に行っても負担のかからない強度，AT から peak にかけての強度は，短時間であれば休みをとりながら実施可能という内容で説明をするようにしている．ただし，病態によっては中～高強度の運動を避けるべき患者も存在するため，医師と相談のうえで指導すべきである．患者から，具体的な活動の強度を問われた場合は，膨大な活動の代謝当量(METs)が掲載されている Compendium of Physical Activities のホームページを参照するとよい[32]．

d 維持期(Phase III)

社会復帰をして病態が安定し，生涯を通じて心リハの継続をしていく時期である．基本的には自己管理のもとで実施することになるが，民間運動療法施設などの利用も検討する．心不全を合併している症例や，運動耐容能や筋力の改善が十分でなく，外来監視型心リハの継続が適切と医学的に判断される場合は，標準算定日数を超えた維持期においても医療保険での心リハを継続することができる．その場合，実施計画書にこれまでの実施状況，当月の患者の状態，今後の実施計画，継続理由を記載して継続することを考慮する[24]．

II 心不全の運動療法

A 概念と特徴

1 疾患概念・定義

厚生労働省によれば，心疾患はわが国の死因の第 2 位，脳血管疾患は第 4 位と，循環器疾患は死因の上位を占めるものとなっており，循環器疾患に対しては，急性期から回復期～維持期までの一貫した診療提供体制の構築が必要である[33]．

心不全とは，「なんらかの心臓機能障害，すなわち，心臓に器質的および/あるいは機能的異常が生じて心ポンプ機能の代償機転が破綻した結

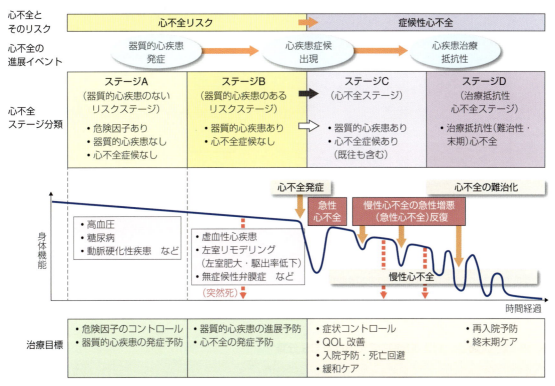

▶図 8　心不全とそのリスクの進展ステージ
〔厚生労働省：脳卒中，心臓病その他の循環器病に係る診療提供体制の在り方について. p.35, 2017 を一部改変〕

▶表 14　NYHA 心機能分類

I	心疾患はあるが身体活動に制限はない．日常的な身体活動では著しい疲労，動悸，呼吸困難あるいは狭心痛を生じない
II	軽度ないし中等度の身体活動の制限がある．安静時には無症状．日常的な身体活動で疲労，動悸，呼吸困難あるいは狭心痛を生じる
III	高度な身体活動の制限がある．安静時には無症状．日常的な身体活動以下の労作で疲労，動悸，呼吸困難あるいは狭心痛を生じる
IV	心疾患のためいかなる身体活動も制限される．心不全症状や狭心痛が安静時にも存在する．わずかな労作でこれらの症状は増悪する

果，呼吸困難・倦怠感や浮腫が出現し，それに伴い運動耐容能が低下する臨床症候群」[34)]と定義される．つまり心不全は，心筋の異常や血行動態の異常，不整脈の出現など，多様な要因や疾患背景のもとで引き起こされる病態である．その心不全には，さまざまな分類方法が存在し，何に重きを

おいて評価するかによって使い分けができ，その病態像をとらえやすくすることができる．

たとえば，身体活動による自覚症状の程度により心疾患の重症度を分類したものは，NYHA（New York Heart Association；ニューヨーク心臓協会）**心機能分類**として広く用いられる（▶表 14）．

また，病期の進行程度における分類は ACCF/AHA の**心不全ステージ分類**が多く用いられる（▶図 8）[34)]．この分類は心不全の病状の進行程度を時系列に表しており，その各ステージごとに適切な治療選択をする際に重要な分類である．

その他，臓器灌流やうっ血など血行動態による評価指標である **Forrester**（フォレスター）**分類**（▶図 9）[34)]，身体所見からより簡便に病態を評価できる **Nohria-Stevenson**（ノリア・スティーブンソン）**分類**（▶図 10）[34)] などが臨床的に用いられ，急性心不全の初期治療導入の指標には，**クリニカルシナリオ**（clinical scenario；CS）**分類**（▶表 15）[34)]

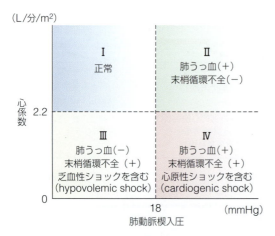

▶図9 Forrester 分類
〔Forrester, J.S., et al.: Medical therapy of acute myocardial infarction by application of hemodynamic subsets (second of two parts). *N. Engl. J. Med.*, 295:1404–1413, 1976 より〕

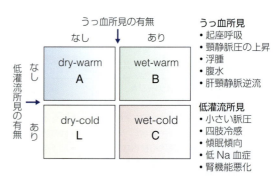

Profile A：うっ血や低灌流所見なし（dry-warm）
Profile B：うっ血所見はあるが低灌流所見なし（wet-warm）
Profile C：うっ血および低灌流所見を認める（wet-cold）
Profile L：低灌流所見を認めるがうっ血所見はない（dry-cold）

▶図10 Nohria-Stevenson 分類
〔Nohria, A., et al.: Clinical assessment identifies hemodynamic profiles that predict outcomes in patients admitted with heart failure. *J. Am. Coll. Cardiol.*, 41:1797–1804, 2003 より〕

▶表15 急性心不全に対する初期対応における CS 分類

	CS 分類				
分類	CS1	CS2	CS3	CS4	CS5
主病態	肺水腫	全身性浮腫	低灌流	急性冠症候群	右心機能不全
収縮期血圧	> 140 mmHg	100〜140 mmHg	< 100 mmHg	—	—
病態生理	●充満圧上昇による急性発症 ●血管性要因が関与 ●全身性浮腫は軽度 ●体液量が正常または低下している場合もある	●慢性の充満圧/静脈圧/肺動脈圧上昇による緩徐な発症 ●臓器障害/腎・肝障害/貧血/低アルブミン血症 ●肺水腫は軽度	●発症様式は急性あるいは緩徐 ●全身性浮腫/肺水腫は軽度 ●低血圧/ショックの有無により2つの病型あり	●急性心不全の症状・徴候 ●トロポニン単独の上昇では CS4 に分類しない	●発症様式は急性あるいは緩徐 ●肺水腫なし ●右室機能障害 ●全身的静脈うっ血徴候

〔Mebazaa, A., et al.: Practical recommendations for prehospital and early in-hospital management of patients presenting with acute heart failure syndromes. *Crit. Care Med.*, 36:S129–S139, 2008 より〕

が用いられている．

上記のさまざまな視点から心不全という病態をとらえ，運動療法をはじめとした理学療法につなげていくことが重要である．

2 心不全の診断と治療

心不全の可能性がある患者に関しては，アルゴリズムにて診断を進めていく（▶図11）[34]．

まず，症状や患者背景，身体所見（▶表16）[34] などの評価と情報収集を行い，各種検査を進めていく．

①症状：労作時息切れ，起座呼吸などの自覚症状を評価する．

②既往・患者背景：高血圧症や脂質異常症，糖尿病などの基礎疾患，心疾患を中心とした既往歴，投薬状況，患者の生活状況，家族歴などを情報収集する．

③身体所見：頸静脈怒張，下腿浮腫，心雑音など，フィジカルアセスメントを行う．

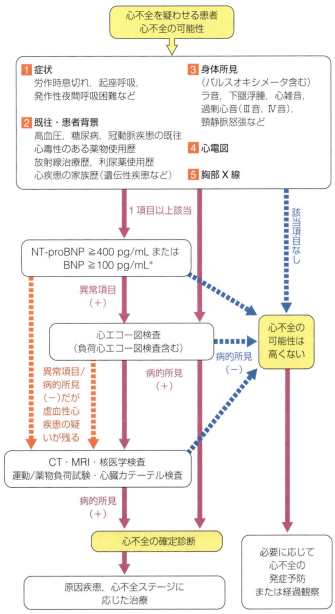

*NT-proBNPが125〜400 pg/mLあるいはBNPが35ないし40〜100 pg/mLの場合，軽度の心不全の可能性を否定しえない．NT-proBNP/BNPの値のみで機械的に判断するのではなく，NT-proBNP/BNPの標準値は加齢，腎機能障害，貧血に伴い上昇し，肥満があると低下することなどを念頭に入れて，症状，既往・患者背景，身体所見，心電図，胸部X線の所見とともに総合的に勘案して，心エコー図検査の必要性を判断するべきである．

▶図11 慢性心不全の診断フローチャート
〔日本循環器学会/日本心不全学会：急性・慢性心不全診療ガイドライン（2017年改訂版）．https://www.j-circ.or.jp/cms/wp-content/uploads/2017/06/JCS2017_tsutsui_h.pdf（2023年10月閲覧）より〕

④各種検査：心電図，胸部X線を中心に，血液検査，画像検査など必要に応じて検査を進める．

▶表16　心不全の自覚症状と身体所見

うっ血による自覚症状と身体所見		
左心不全	自覚症状	呼吸困難，息切れ，頻呼吸，起座呼吸
	身体所見	水泡音，喘鳴，ピンク色泡沫状痰，Ⅲ音やⅣ音の聴取
右心不全	自覚症状	右季肋部痛，食思不振，腹満感，心窩部不快感
	身体所見	肝腫大，肝胆道系酵素の上昇，頸静脈怒張，右心不全が高度なときは肺うっ血所見が乏しい
低心拍出量による自覚症状と身体所見		
自覚症状		意識障害，不穏，記銘力低下
身体所見		冷汗，四肢冷感，チアノーゼ，低血圧，乏尿，身のおき場がない様相

〔日本循環器学会/日本心不全学会：急性・慢性心不全診療ガイドライン（2017年改訂版）．https://www.j-circ.or.jp/cms/wp-content/uploads/2017/06/JCS2017_tsutsui_h.pdf（2023年10月閲覧）より〕

3 心不全の治療

心不全の治療は，心不全ステージに従いながら，全身の循環動態の安定化をはかっていくことが重要である．β遮断薬やアンジオテンシン変換酵素（ACE）阻害薬，アンジオテンシンⅡ受容体拮抗薬（ARB）などの降圧薬・利尿薬を中心とした薬物療法を行いながら心負荷を軽減していき，循環動態の改善をはかる．また，非薬物療法としては，運動療法をはじめ，植え込み型除細動器（implantable cardioverter defibrillator；ICD）の適用，心臓再同期療法（cardiac resynchronization therapy；CRT），補助人工心臓，心臓移植などの手術も行われる[34]．

4 代表的な検査項目

（1）心電図検査
心臓の電気的活動を記録する検査．得られた波形から心筋虚血や，不整脈の有無や増減がわかる．

（2）胸部X線
心不全の診断や重症度をみるために重要な検査の1つである．心拡大，肺うっ血，胸水貯留などの有無を調べる検査である．

（3）血液検査（BNP，NT-proBNP）
血液中の成分分析を行い，病気の診断や治療効果の判定などに用いる．特に心不全の診断や重症度の指標に関しては，ヒト脳性ナトリウム利尿ペプチド（brain natriuretic peptide；BNP），およびNT-proBNP（ヒト脳性ナトリウム利尿ペプチド前駆体N端フラグメント）が良好なバイオマーカーとしてよく用いられる．

（4）心エコー検査
心不全の診療において，最も重要な診断的検査である．心機能の評価，血行動態の評価，原因疾患の診断と重症度評価を行う．また，治療前後の治療効果判定や予後評価にも有用であるといわれている．心臓の収縮機能の指標である**左室駆出率**（left ventricular ejection fraction；LVEF）や心臓の拡張機能を評価したり，心臓弁の機能を評価するのに用いられる．

（5）CT
冠動脈の形態や心機能について評価をすることができる．冠動脈の評価は，虚血性または非虚血性心筋症の鑑別に有効である．

（6）MRI
心室の形態や駆出，心筋の重量などの測定において信頼度が高い[35]．心エコー検査では評価が難しい右室や先天性心疾患の評価において，MRIの有用性は高い[36]といわれており，心エコーの代替として用いられることがある．

（7）核医学検査
心筋虚血とその生存能（心筋バイアビリティー）の評価をすることができる．放射性医薬品を用い，臓器や体内組織などに集積する様子を画像に投影し，診断を行う．

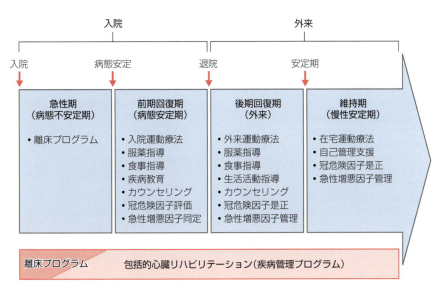

▶図12 心不全における心臓リハビリテーションの流れ
〔日本心臓リハビリテーション学会:心不全の心臓リハビリテーション標準プログラム(2017年版)より〕

B 心不全における運動療法

心不全患者に対する心臓リハビリテーション(心リハ)の目標は,急性期においては,早期離床により過度の安静がもたらす弊害(身体機能低下,認知機能低下,せん妄,褥瘡,肺塞栓など)を予防すること,早期かつ安全な退院と再入院予防を見据えたプランを立案し実現することである[24].そして,中長期的な運動療法を中心とした心リハの継続に至っては,運動耐容能の改善やQOLの改善のほか,再入院リスクの低下や生命予後の改善に有効であることが示されており,それらの効果を求めることが目標となる.したがって,心不全における理学療法の目的は,①入院初期で安定期に移行段階の心不全患者に対し,血行動態が悪化しないことを確認しながら開始される離床プログラムと,②安定期となりコントロールされた心不全の状態で,離床が進んだ患者に対する運動プログラムに大別される(▶図12)[37].

また,心不全は若年〜高齢者まで幅広い病態像をもつため,個々の患者背景に応じた障害構造を考慮した評価から目標を設定し,運動療法を行っていく必要がある.

1 心不全の運動療法

a 適応と禁忌

適応は心不全症状において身体所見や自覚症状の増悪がなく,安定期にあるコントロールされた状態で,NYHA心機能分類Ⅱ〜Ⅲ度の症例が対象となる.心不全の運動療法の禁忌を表17[21]に示す.NYHA Ⅳ度に関しては,全身的な運動療法を実施する適応にはならない.ただし,低強度のレジスタンストレーニングや,ADL練習または神経筋電気刺激などの局所的な骨格筋トレーニングが適用可能な症例も存在するため,適応を熟慮したうえでの介入が望ましい[38,39].

b 目的と効果

心不全に対する運動療法の目的と効果としては,離床プログラムにおいては過度の安静による身体機能低下やデコンディショニング(deconditioning)などを予防することが目的となる.

▶表 17　心不全の運動療法の禁忌

I. 絶対的禁忌
1) 過去 3 日以内の心不全の自覚症状(呼吸困難, 易疲労性など)の増悪
2) 不安定狭心症または閾値の低い〔平地ゆっくり歩行(2 METs)で誘発される〕心筋虚血
3) 手術適応のある重症弁膜症, 特に大動脈弁狭窄症
4) 重症の左室流出路狭窄(閉塞性肥大型心筋症)
5) 未治療の運動誘発性重症不整脈(心室細動, 持続性心室頻拍)
6) 活動性の心筋炎・心膜炎
7) 急性全身性疾患または発熱
8) 運動療法が禁忌となるその他の疾患(中等症以上の大動脈瘤, 重症高血圧, 血栓性静脈炎, 2 週間以内の塞栓症, 重篤な他臓器疾患など)

II. 相対的禁忌
1) NYHA 心機能分類 IV 度または血行動態不安定な心不全
2) 最近 1 週間以内の体重 2 kg 以上の増加
3) 運動により収縮期血圧が低下
4) 中等症の左室流出路狭窄
5) 運動誘発性の中等症不整脈(非持続性心室頻拍, 頻脈性心房細動など)
6) 高度房室ブロック, 運動誘発性 Mobitz(モビッツ)II 型房室ブロック
7) 運動による自覚症状の出現・悪化(疲労, めまい, 発汗多量, 呼吸困難など)

III. 禁忌でないもの
1) 高齢者
2) 左室駆出率低下
3) 補助人工心臓(LVAD)装着
4) 心臓植え込み型デバイス(ICD, CRT-D など)装着

〔Izawa, H., et al., Japanese Association of Cardiac Rehabilitation Standard Cardiac Rehabilitation Program Planning Committee: Standard Cardiac Rehabilitation Program for Heart Failure. Circ. J., 83:2394–2398, 2019 を一部改変〕

▶表 18　心不全の運動療法の効果

1) **運動耐容能**: 改善
2) **心臓への効果**
   ① 左室機能: 安静時左室駆出率不変または軽度改善, 運動時心拍出量増加反応改善, 左室拡張早期機能改善
   ② 冠循環: 冠動脈内皮機能改善, 運動時心筋灌流改善, 冠側副血行路増加
   ③ 左室リモデリング: 悪化させない(むしろ抑制), BNP 低下
3) **末梢効果**
   ① 骨格筋: 筋量増加, 筋力増加, 好気的代謝改善, 抗酸化酵素発現増加
   ② 呼吸筋: 機能改善
   ③ 血管内皮: 内皮依存性血管拡張反応改善, 一酸化窒素合成酵素(eNOS)発現増加
4) **神経体液性因子**
   ① 自律神経機能: 交感神経活性抑制, 副交感神経活性増大, 心拍変動改善
   ② 換気応答: 改善, 呼吸中枢 CO_2 感受性改善
   ③ 炎症マーカー: 炎症性サイトカイン(TNF-α など)低下, CRP 低下
5) **QOL**: 健康関連 QOL 改善
6) **予後**: 心不全入院減少

〔日本循環器学会/日本心不全学会: 急性・慢性心不全診療ガイドライン(2017 年改訂版). p.121, 2017 より〕

そして, 離床が進んだ安定期の心不全患者に行われる運動療法(運動プログラム)は, 運動耐容能の改善や骨格筋機能, 呼吸筋機能改善など体力面の改善だけでなく, 自律神経機能の改善や心臓機能自体の改善にも寄与する. さらには QOL, 心不全の再入院減少などの長期予後にも効果をもたらす(▶表 18)[34]. そのため, 心不全における運動療法は重要な治療の 1 つとして認識すべきであり, 単に入院初期からの身体機能低下を予防し早期退院につなげるような視点ではなく, 長期的な視点での運動療法の展開を意識することが必要である.

2 心不全における理学療法評価

心不全患者における運動療法の評価は, 患者の背景や既往歴, 身体所見, 検査所見などの医学的情報を統合し, さらに, 心不全患者がどのくらいのリスクを有しているのか大まかにリスクの層別化を行い, 実際の評価に移っていく. つまり, (1) 患者のリスクの層別化→(2) 全体像の把握→(3) リスク管理・中止基準の確認→(4) 運動療法時のメディカルチェック・個別患者評価, 定期的な再評価, といった流れで進めていくとスムーズである.

a 評価の実際

(1) リスクの層別化

米国心臓協会(AHA)は, 疾患の重症度や運動耐容能などの臨床的特徴からクラス A~D の 4 つに分類し, クラスごとに活動のガイドライン, 監視の必要性, 心電図と血圧モニタリングについての指針を示している(▶表 19)[24].

▶表19 運動療法のリスク分類

クラス A(外見上は健康な人)	
対象者	このクラスには,以下が含まれる A-1:小児,青年,男性＜45歳,症状のない,または心臓病がない,または主要冠動脈危険因子がない閉経前の女性 A-2:男性≧45歳,閉経後の女性で心臓病の症状や存在がない.もしくは2つ未満の主要冠動脈危険因子がある A-3:男性≧45歳,閉経後の女性で心臓病の症状や存在がない.もしくは2つ以上の主要冠動脈危険因子がある ＊クラス A-2,特にクラス A-3 に分類される人は,激しい運動をする前に健康診断を受け,場合によっては医学的に管理された運動負荷試験を受けることが推奨される
活動のガイドライン	基本指針以外は制限なし
監視の必要性	不要
心電図と血圧モニタリング	不要

クラス B (激しい運動による合併症のリスクは低い安定した心血管疾患があるが,外見上は健康な人に比べてわずかに大きいリスクがある)	
対象者	このクラスには,以下の診断のいずれかに該当する個人が含まれる 1. 冠動脈疾患(心筋梗塞,冠動脈バイパスグラフト,経皮的冠動脈インターベンション,狭心症,運動負荷検査異常,および冠動脈造影異常);病状が安定しており,以下の臨床的特徴を有する患者を含む 2. 弁膜症性心疾患(重度の狭窄症または逆流症を除く)で,以下のような臨床的特徴を有するもの 3. 先天性心疾患;先天性心疾患患者のリスク層別化は,第27回ベセスダ会議勧告に従う 4. 心筋症:LVEF が 30% 以下;以下に示すような臨床的特徴を有する安定した心不全患者を含む.肥大型心筋症または最近の心筋炎は除く 5. クラス C に概説されている高リスク基準のいずれにも該当しない運動負荷検査異常
臨床的特徴	(以下のすべてを含む必要がある) 1. NYHA 心機能分類 I または II 2. 運動能力＞6 METs 3. 心不全がない 4. 安静時または 6 METs 以下の運動負荷試験で心筋虚血または狭心症を認めない 5. 運動時に収縮期血圧の適切な上昇を認める 6. 安静時または運動時の持続性心室頻拍または非持続性心室頻拍を認めない 7. 活動の強度を自己監視する十分な能力
活動のガイドライン	主治医の承認と資格をもった人による運動処方で,活動は個別化されるべきである
監視の必要性	医学的な監視は運動処方初期のセッションで効果的である 運動処方初期以外のセッションでは,適切なトレーニングを受けた医療従事者以外の者による監督が必要 医療従事者は,高度心臓救命処置(ACLS)のトレーニングを受け,認定されている必要がある 医療従事者以外の者は,基本的なライフサポート(心肺蘇生法を含む)のトレーニングを受け,認定を受けていなければならない
心電図と血圧モニタリング	運動処方初期のトレーニング中に有用

クラス C＊(運動中の心疾患のリスクが中等度から高度,活動の自己管理ができない,推奨される活動レベルを理解できない)	
対象者	このクラスには,以下の診断のいずれかに該当する個人が含まれる 1. 以下の臨床的特徴を有する冠動脈疾患 2. 以下のような臨床的特徴を有する重度の狭窄または逆流を除く弁膜症性心疾患 3. 先天性心疾患;第27回ベセスダ会議の勧告に従って,先天性心疾患患者のリスク層別化を行うべき 4. 心筋症:LVEF が 30% 以下.以下に示すような臨床的特徴を有するが,肥大型心筋症または最近の心筋炎ではない心不全を有する安定した患者を含む 5. コントロールが不十分な複雑な心室性不整脈

(つづく)

▶表19 運動療法のリスク分類(つづき)

臨床的特徴	(以下のいずれか) 1. NYHA 心機能分類 III または IV 2. 運動負荷検査の結果 3. 運動耐容能＜6 METs 4. ＜6 METs の運動強度で狭心症または虚血性 ST 低下 5. 運動中の収縮期血圧が安静時より低下 6. 運動時の非持続性 VT 7. 以前に心停止のエピソードがある(すなわち,急性心筋梗塞の最中や心臓手術中に心停止はおこらなかったが) 8. 生命を脅かす可能性があると医師が考えている医学的な問題がある
活動のガイドライン	主治医の承認と資格をもった人による運動処方で,活動は個別化されるべきである
監視の必要性	安全性が確立されるまで,すべてのセッションで,医学的な監視を行う
心電図と血圧モニタリング	安全性が確立されるまで,運動セッション中は継続的に行う
クラス D ** (活動制限のある不安定な疾患)**	
対象者	この分類には,次のいずれかに該当する個人が含まれる 1. 不安定な冠動脈疾患 2. 重症で症状のある弁膜症性心疾患 3. 先天性心疾患;先天性心疾患患者におけるエクササイズコンディショニングを禁止するリスクの基準は,第27回ベセスダ会議の勧告に従うべきである 4. 代償されていない心不全 5. コントロールされていない不整脈 6. 運動によって悪化する可能性のあるその他の病状
活動のガイドライン	コンディショニングを目的とした活動は推奨されない 注意は,患者の治療とクラス C 以上に回復させることに向けられるべきである 日常生活動作は,患者の主治医による個別の評価に基づいて処方されなければならない

＊:監督下での一連の運動セッションを正常に終了したクラス C の患者は,所定の強度での運動の安全性が,適切な医療従事者によって十分に確認されていることと,患者が自己監視能力を実証することを条件に,クラス B に再分類することができる.
＊＊:コンディショニングを目的とした運動はすすめられない.
〔Fletcher, G.F., et al.: Exercise standards for testing and training: a scientific statement from the American Heart Association. *Circulation*, 128:873-934, 2013 より〕

(2) 患者の全体像の把握

運動療法中のモニタリングを行い,リスク管理をしながら評価を展開していく.

安定期における心不全患者に対して,さまざまな評価項目を他職種の医療スタッフと共有することにより,患者の全体像を把握する(▶表20)[40].

(3) リスク管理・運動中止基準の確認

運動療法における運動中止基準は,患者側の主観的な要素と循環器専門医や心リハ指導士などの医療従事者側からみた客観的な要素の両面から判断すべきである[41].原則的に運動を中止すべき状態と考えるべき**絶対的中止基準**と,患者の病態や併存疾患,投薬内容などによって運動の中止を考慮する**相対的中止基準**とに分けて考えるとよい

(▶表21)[24].

相対的中止基準のうち 2 項目以上が同時に出現した場合には,絶対的中止基準と同等と判断し,ただちに運動を中止すべきである.

(4) 運動療法時のメディカルチェック

運動療法前にはバイタルサインや全身状態のメディカルチェックを必ず習慣的に行う.習慣的に行うことで,毎日の変動を考察することが可能となる.事前の情報収集やメディカルチェックを通して,「徐々によくなってきている」のか,「変わらない」のか,「なんとなくおかしい,悪くなっている」のかを把握し,運動療法遂行のうえで臨機応変に理学療法士として対応することが求められる.

▶表20 心不全の評価項目(診療録からの情報収集項目)

評価項目	検査項目	評価の理由
診断名	(医師カルテより)	リハビリテーションの適応をまず確認する．病名から次に続く評価項目をイメージする 心不全の原因疾患を承知しておく
基本的属性(年齢，性別，職業，家族構成，住宅環境など)	(医師カルテより)	退院後の社会での役割，治療へのコンプライアンス，QOLなどアプローチへの基本的イメージをもつ
現病歴		どのような経過をたどって入院してきたかは，のちの指導の一助となる
心不全増悪危険因子	高血圧，塩分・水分のとりすぎ，運動のしすぎ，肥満，喫煙，ストレス，不整脈，器質的疾患の追加	心不全増悪因子を撲滅しないことには，また再入院してきてしまうため
既往歴	(医師カルテより)	その他の合併症についても確認しておくことは，理学療法プログラム立案時に重要となる
肺うっ血，心胸郭比	胸部X線	肺のうっ血が評価できて心不全の有無を推測できる
左心機能評価(左室駆出率) 収縮機能	心エコー図 左室駆出率(LVEF)，左室内径短縮率(%FS)	心臓のポンプ能(収縮能)を知ることができる 収縮不全とは LVEF < 40%，%FS < 25% を指す
心拡張能	心エコー図	心臓の広がりやすさを評価する
神経体液性因子，血中ノルアドレナリン濃度，心房性 Na 利尿ペプチド(ANP)，脳性 Na 利尿ペプチド(BNP)	血液検査	ANP は 125 pg/mL を超えると予後が悪い BNP の正常値は 20 pg/mL 以下である．50 pg/mL を超えると心筋へのストレスがあることが確認でき，200〜400 pg/mL では中程度の心不全，600 pg/mL を超えると重症心不全といわれ，予後が悪い
肝うっ血	血液検査	AST，ALT などの肝臓由来の酵素やビリルビン値が上昇する．血清ビリルビン値が 0.8 mg/dL を超えると予後不良
腎機能	血液検査	腎機能が低下すると，クレアチニン(Cr)が高値を示す
血行動態からみた重症度	Nohria-Stevenson 分類	身体所見から経時的に症状の変化を評価することで，心不全の代償具合を判断できる
不整脈	Holter(ホルター)心電図	不整脈が心不全悪化の原因，突然死の原因にもなる
水分の出納バランス		
発症前の症状，どんな動作で症状が出るのか	NYHA や CCS	発症前の状態を聞いておくことで，治療の成果や回復を一緒に実感できる
発症前の活動状況，ADL機能	FIM，Barthel Index	急性期の最大の目的の 1 つは，入院前の身体機能に戻すことである
社会や家庭での役割，社会心理状況		社会復帰に向けて，最終ゴールをどこに設定するのか，心臓病発症による心理的ダメージはどの程度かを把握しておくことは重要である

〔高橋哲也：循環器疾患の理学療法．柳沢 健(編)：理学療法学ゴールド・マスター・テキスト 内部障害系理学療法学，pp.66-100，メジカルビュー社，2010 より〕

以下にメディカルチェックの項目を示す．

● 問診

「今日の調子はいかがでしょうか？」「昨日はよく寝られましたか？」「身体のだるさはありますか？」「おしっこはどのくらい(回数・量)出ていますか？」「息苦しくありませんか？ 咳や痰は出てきますか？」など，心不全症状の状態について，患者にわかりやすく問う．

● バイタルサインの測定

血圧や心拍数，SpO_2，不整脈の有無などを測

▶表21　運動療法実施中の中止基準

絶対的中止基準
- 患者が運動の中止を希望
- 運動中の危険な症状を察知できないと判断される場合や意識状態の悪化
- 心停止,高度徐脈,致死的不整脈(心室頻拍,心室細動)の出現またはそれらを否定できない場合
- バイタルサインの急激な悪化や自覚症状の出現(強い胸痛・腹痛・背部痛,てんかん発作,意識消失,血圧低下,強い関節痛・筋肉痛など)を認める
- 心電図上,Q波のない誘導に1mm以上のST上昇を認める(aV_R, aV_L, V_1誘導以外)
- 事故(転倒・転落,打撲・外傷,機器の故障など)が発生

相対的中止基準
- 同一運動強度または運動強度を弱めても胸部自覚症状やその他の症状(低血糖発作,不整脈,めまい,頭痛,下肢痛,強い疲労感,気分不良,関節痛や筋肉痛など)が悪化
- 経皮的動脈血酸素飽和度(SpO_2)が90%未満へ低下または安静時から5%以上の低下
- 心電図上,新たな不整脈の出現や1mm以上のST低下
- 血圧の低下(収縮期血圧<80 mmHg)や上昇(収縮期血圧≧250 mmHg,拡張期血圧≧115 mmHg)
- 徐脈の出現(心拍数≦40/分)
- 運動中の指示を守れない,転倒の危険性が生じるなど運動療法継続が困難と判断される場合

〔日本循環器学会/日本心臓リハビリテーション学会:2021年改訂版 心血管疾患におけるリハビリテーションに関するガイドライン.https://www.j-circ.or.jp/cms/wp-content/uploads/2021/03/JCS2021_Makita.pdf(2023年10月閲覧)より〕

定する.

◉**視診**

息苦しそうではないか,発汗(冷汗)などはないか,呼吸数の異常はないか,などを評価する.

◉**触診**

四肢末梢冷感はないか,四肢浮腫の程度の増減はないか.また,脈の触れ具合などを橈骨動脈などから評価しておく.

◉**聴診**

呼吸音に異常はないか,心音の変化はないか.

上記を組み合わせて評価する.これらはフィジカルアセスメントとも呼ばれるが,このように患者の身体から評価できることは多い.

運動中のモニタリングとしては,血圧,心拍数,SpO_2,脈拍(数や触れ具合,リズム),呼吸数,自覚的運動強度〔Borg(ボルグ)スケール〕などが評価できる.不整脈の出現や増悪が懸念される場合には,心電図の装着をしながらのモニタリングが必要となる.運動終了後も,同様に症状や客観的指標の変化がないかどうかを評価することが必要である.高齢心不全患者に対しては,もともとサルコペニア・フレイルや脳血管・運動器疾患などによる障害をもつ患者もいる.そのため,患者個々人に見合った評価項目を適切に追加することを忘れてはならない.

基準値・正常反応との比較だけとならないよう,昨日や数時間前との違いなど,「変動」をとらえるようにする.なお,これらの情報は,事前に現場で最新の情報を知っている担当医師・看護師に聴取し共有しておくと,正確で最新の評価が得られる.他職種との情報共有は必ず実践すべきである.

上記の情報収集や評価を行いながら,治療プログラムへ進めていく.

3 治療プログラムの実際

a 離床プログラム

心不全症状の増悪をまねかないよう留意しながら,離床の促進とリコンディショニング(reconditioning)を通してADLの再獲得をはかっていく.

可能なかぎり早期より離床を進め,座位時間の延長をはかっていく.このとき,異常な血管反応によるバイタルサイン変化,自覚症状(息切れや疲労・倦怠感など)の増悪がないかを確認し,出現がなければ時間を延長することやさらなる離床段階を考慮する.それを繰り返しながら基本動作の獲得を目指していく.また,ADL獲得のためには座位保持や立ち上がり動作などの動作練習や歩行練習は重要である.可能な動作を頻回に反復しながら,病棟内ADLが早期に再獲得できるように進めていく.

急性心不全または重症心不全で血行動態が不安定な場合や,肺うっ血や発熱などのために安静時

にも呼吸困難などの症状がある場合には，運動療法は推奨されない．しかし近年，人工呼吸器管理や心血管作動薬の持続静注管理中の重症心不全患者であっても，血行動態が安定し安静時の症状がなければ，低強度からの早期心リハを実施することもある．たとえば心電図やバイタルサインの監視下にてベッドサイドで，ゴムチューブやボールを用いた低強度レジスタンストレーニングを行う．自力座位が可能になれば，座位時間を徐々に延長し，立位練習を行ったり，ベッドサイドでのつま先立ち運動などを行い，歩行練習へと進める．歩行初期は屋内監視下で行い，バイタルサインの推移も評価しながら運動強度を漸増させていき，基本動作ならびに ADL の自立を目指していく．早期リハ，早期離床についての詳細は，ICUのリハの章に譲る（→456 ページ）．離床が進み，かつ心不全が安定期となる場合には，次の運動プログラムに進めていく．

b 運動プログラム

安定期を迎えた心不全における運動療法プログラムは，主に有酸素運動とレジスタンストレーニングから構成されることが一般的である．その効果を表 22 に示す[41]．

いずれの運動においても，FITT-VP〔頻度（F：frequency），強度（I：intensity），持続時間（T：time or duration），運動の種類（T：type of exercise），運動量（V：volume），漸増/改訂（P：progression/revision）〕での処方を原則として行う．有酸素運動の参考指標を表 23 に示す[35,42]．一度運動処方をすれば終わりではなく，日々細かく処方内容を漸増したり，改訂することが重要である．

(1) 有酸素運動

有酸素運動は，運動前後に 5～10 分程度のウォームアップとクールダウンを行い，心肺運動負荷試験（CPX）などの結果をもとに設定した運動処方を低強度から設定する（▶図 13）．それにレジスタンストレーニングを加え，それらを適宜組み合わせることでプログラムを設定する．

▶表 22 有酸素運動とレジスタンストレーニングの効果の比較

	有酸素運動	レジスタンストレーニング
体組成		
骨密度	↑↑	↑↑
体脂肪率	↓↓	↓
除脂肪体重	0	↑↑
筋力	0↑	↑↑↑
糖代謝		
糖負荷に対するインスリン分泌反応	↓↓	↓↓
基礎インスリン分泌	↓	↓
インスリン感受性	↑↑	↑↑
血清脂質		
HDL コレステロール	↑0	↑0
LDL コレステロール	↓0	↓0
中性脂肪	↓↓	↓0
循環動態		
安静時心拍数	↓↓	0
1 回心拍出量（安静時および最大時）	↑↑	0
心拍出量（安静時）	0	0
心拍出量（最大時）	↑↑	0
収縮期血圧（安静時）	↓0	0
拡張期血圧（安静時）	↓0	0
最大酸素摂取量（$\dot{V}O_2max$）	↑↑↑	↑0
亜最大および最大運動持続時間	↑↑↑	↑↑
亜最大運動時の二重積	↓↓↓	↓↓
基礎代謝	↑0	↑
健康関連 QOL	↑0	↑0

↑：増加，↓：減少，0：変化なし，矢印の個数が多いほど効果大

〔Williams, M.A., et al.: Resistance exercise in individuals with and without cardiovascular disease: 2007 update: a scientific statement from the American Heart Association Council on Clinical Cardiology and Council on Nutrition, Physical Activity, and Metabolism. *Circulation*, 116(5):572–584, 2007 より〕

有酸素運動は歩行 5～10 分間または自転車エルゴメータの仕事率 0～20 W×5～10 分間程度の低強度から開始していき，自覚症状や身体所見の経過に応じて運動回数と運動時間を漸増していく．開始初期の運動強度としては，Borg スケール 11～13（楽である～ややつらい）を目安とする．可能なかぎり運動負荷試験により個々の患者の運動耐容能を評価し，正確な運動強度の設定を行う．運動負荷試験を行えない場合の運動強度の設定は，簡易心拍処方や自覚的運動強度（RPE），Talk Test など

▶表23 有酸素運動の参考指標

心肺運動負荷試験の結果に基づき有酸素運動の頻度,強度,持続時間,様式を処方し,実施する

- 様式:歩行,自転車エルゴメータ,トレッドミルなど
- 頻度:週3～5回(重症例では週3回程度)
- 強度:最高酸素摂取量の40～60%,心拍数予備能の30～50%,最高心拍数の50～70%,または嫌気性代謝閾値の心拍数
  → 2～3か月以上心不全の増悪がなく安定していて,上記の強度の運動療法を安全に実施できる低リスク患者においては,監視下で,より高強度の処方も考慮する(例:最高酸素摂取量の60～80%相当,または高強度インターバルトレーニングなど)
- 持続時間:5～10分×1日2回程度から開始し,20～30分/日へ徐々に増加させる.心不全の増悪に注意する

心肺運動負荷試験が実施できない場合

- 強度:Borgスケール11～13,心拍数が安静座位時+20～30/分程度でかつ運動時の心拍数が120/分以下
- 様式,頻度,持続時間は,心肺運動負荷試験の結果に基づいて運動処方する場合と同じ

＊注意事項:開始初期は1か月程度は特に低強度とし,心不全の増悪に注意する.経過中は,常に自覚症状,身体所見,体重,血中BNPまたはNT-proBNPの変化に注意する.

〔Izawa, H., et al.: Japanese Association of Cardiac Rehabilitation Standard Cardiac Rehabilitation Program Planning Committee. Standard Cardiac Rehabilitation Program for Heart Failure. *Circ. J.*, 83(12):2394-2398, 2019 より改変〕

▶図13 心肺運動負荷試験(CPX)の実際
適切な運動処方や運動制限因子の予測のためにも,CPXの知見を得ることは重要である.

を用いて運動処方を行う(▶表10, 24, 25)[24].頻度は,週に3～5回,運動強度が中等度以下はできれば週に5回以上を目安とする.運動量は,一度にまとまった運動量が確保できないようであれば,30分/日の運動を10分×3セット/日のように分割をしても効果が期待でき,1日の総量としての運動を確保できるように工夫するとよい.そのようにして処方した内容を,心不全の病状変化・全身状態に応じて運動強度や時間の増減を行い,適宜改定していく(FITT-VP).

また,運動療法開始の初期は個々の患者背景,既往歴や合併症,心不全の重症度などを考慮しながら,細かく運動処方を行っていくことが重要である.

(2) レジスタンストレーニング

心不全に対する運動療法は,単に有酸素運動のみを行えばよいというものではなく,体力を構成する要素としては少なくとも筋力,筋持久力,体柔軟性の3要素は運動療法プログラムに加える必要がある[35].

レジスタンストレーニングには,骨格筋の筋力,筋持久力,筋肉量の改善効果がある.それに付随し日常生活上の活動が容易となり,QOLが改善する.動作の該当骨格筋の相対的な運動強度が低下することにより,血圧,心拍数の上昇が抑制され,結果的に心血管系への負荷を減少させる効果も認められる.

レジスタンストレーニングの禁忌としては,以下があげられる[41].

- **絶対禁忌**:①不安定狭心症,②代償されていない心不全,③コントロールされていない不整脈,④重篤な肺高血圧症(平均肺動脈圧>55 mmHg),⑤重症で症状のある大動脈弁狭窄症,⑥急性心筋炎・心内膜炎・心外膜炎,⑦コントロールされていない高血圧症(>180/110 mmHg),⑧急性大動脈解離
- **相対禁忌**:①冠動脈疾患の主要な危険因子,②糖尿病,③コントロールされていない高血圧症(>160/100 mmHg)

いずれも,重篤な背景疾患をもっているか,心不全をはじめとしたコントロールされていない全

▶表24 運動負荷試験を実施できない場合の運動強度の設定方法

	簡易心拍処方	自覚的運動強度（RPE）	Talk Test
方法	安静時心拍数＋30/min（β遮断薬投与患者では20/min）の強度	Borg指数12〜13，ただし心不全例では11〜13	快適に会話しながら行える運動強度
注意点	最大120/min以下を許容範囲とする	運動中頻回に問診が必要	
適応外	変時性応答不全を認める患者，心房細動患者，ペースメーカ植え込み患者	無症候性心筋虚血など症状の乏しい患者，認知症などコミュニケーションに問題のある患者	

〔日本循環器学会/日本心臓リハビリテーション学会：2021年改訂版 心血管疾患におけるリハビリテーションに関するガイドライン．https://www.j-circ.or.jp/cms/wp-content/uploads/2021/03/JCS2021_Makita.pdf（2023年10月閲覧）より〕

▶表25 心臓リハビリテーションのための有酸素運動の方法

有酸素運動の強度	頻度 1週あたり（日）	強度持続				時間 1回あたり（分）	種類
		心拍数予備能（HRR）	最高心拍数（HRmax）	%peak$\dot{V}O_2$ またはAT	自覚的運動強度（Borg指数）		
超低強度	≧5	<30%	<57%	<37%	<9	10〜20	ウォーキング，サイクリング，ダンス，水中運動など運動強度を調節できる運動
低強度	≧5	30〜39%	57〜63%	37〜45%またはAT未満	9〜11	10〜20	
中強度	≧5	40〜59%	64〜76%	46〜63%またはAT前後	12〜13	30〜60	
高強度	3〜5	60〜89%	77〜95%	64〜90%	14〜17	20〜60	

〔日本循環器学会/日本心臓リハビリテーション学会：2021年改訂版 心血管疾患におけるリハビリテーションに関するガイドライン．https://www.j-circ.or.jp/cms/wp-content/uploads/2021/03/JCS2021_Makita.pdf（2023年10月閲覧）より〕

身状態にある患者は，レジスタンストレーニングの実施の是非は時期を選ぶことが必要である．

レジスタンストレーニングにはゴムバンド，足首や手首への重錘，ダンベルやフリーウェイトを用いて，Borgスケール13以下を目安とした低強度を基本とし，1セットにつき5〜10回から始めて徐々に回数とセット数を増やしていく．頻度は，週に2〜3回を目安とする（▶表26）[24, 42]．また，レジスタンストレーニング中は，力を発揮しているときに息こらえをし続けることにより血圧の上昇が認められやすい〔Valsalva（バルサルバ）効果〕ため，息を吐きながら力を入れ，息を吸いながらもとの位置に戻すようにするなど，息こらえをさせない工夫も必要である．

▶表26 レジスタンストレーニングの参考指標

- 様式：ゴムバンド，足首や手首への重錘，ダンベル，フリーウェイト，ウェイトマシンなど
- 頻度：2〜3回/週
- 強度：低強度から中強度
  上肢運動は1RMの30〜40%，下肢運動では50〜60%，1セット10〜15回反復できる負荷量で，Borgスケール13以下
- 持続時間：10〜15回を1〜3セット

〔Izawa, H., et al.: Japanese Association of Cardiac Rehabilitation Standard Cardiac Rehabilitation Program Planning Committee. Standard Cardiac Rehabilitation Program for Heart Failure. *Circ. J.*, 83(12):2394–2398, 2019より改変〕

(3) 日常生活活動（ADL）トレーニング

心不全患者は心臓機能の低下に加えて，サルコペニアやフレイルの有症率が高いといわれている[43-47]．特に，急性期病院における高齢心不全

▶図14　ADL・IADL，趣味活動における動作指導
A：食事，B：掃除，C：洗濯，D：調理，E：携帯型心肺運動負荷試験装置を用いた運動（ダンス）．
筋力や運動耐容能に合わせたADL・IADL，趣味活動トレーニングを行う．

患者の退院時ADL能力に関する調査によると，機能的自立度評価表（Functional Independence Measure; FIM）が115点以下（廃用症候群の診療報酬算定における，ADL能力低下の基準）の患者は60%を超え，多くが退院時にADL障害を有していた．また，心不全患者のADL能力そのものが，生命予後や再入院などの将来的なイベント発生と関連していることも示されている[48]．これらの背景から，有酸素運動やレジスタンストレーニングに加えてADLトレーニングを行うことは重要である．

心不全のADLトレーニングの特徴として，活動能力に応じた社会的活動をすすめ，可能なかぎり運動能力に応じて生活や仕事を継続するなど，個々が日常生活上で社会的・精神的な隔離を生じないようにかかわることが求められる[49]．

客観的な評価をもとにリスク管理を行い，地域で患者が本来の生活をすることを見据え，オーダーメイドの生活指導・動作トレーニングを導入することが必要である（▶図14）．

C 高齢心不全とマルチモビディティ（多疾患併存）

心不全は，さまざまな心疾患がたどる終末像であり，超高齢社会において最も懸念される病態の1つである．1980年以降，わが国は高齢化が進んでいる．今後も心不全患者の増加が予想されており，「心不全パンデミック」と呼ばれている．

心不全患者は前述のようにさまざまな心疾患の終末像をたどるため，背景には多くの慢性疾患をかかえている患者も多い．2つ以上の慢性疾患が併存している状態を**マルチモビディティ**（多疾患併存）というが，このような患者においては入院後も安静・臥床が長くなりやすく，身体活動は容易に低下することが多い．それによって全身臓器の機能障害，能力低下やQOLの悪化，肥満・糖尿病・脂質異常症・動脈硬化につながり，循環器疾患に罹患して寿命が短縮されていく，といった悪循環に陥りやすい（▶図15）．

▶図15 マルチモビディティ心不全患者の運動療法

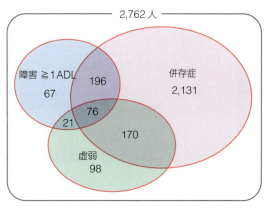

▶図16 高齢者におけるフレイル，障害，併存症の関係図

高齢者2,762人の調査では，虚弱は368人（13.3%）に存在，併存症保有者は2,576人（93.3%），障害保有者は363人（13.1%）に存在した．すべて保有している人も76人（2.8%）いた．心筋梗塞，狭心症，心不全，間欠性跛行，関節炎，がん，糖尿病，高血圧，閉塞性肺疾患の9疾患のうち2つ以上保有する者を障害保有者とした．数値は人数．
〔日本心不全学会ガイドライン委員会（編）：高齢心不全患者の治療に関するステートメント．p.48, 2016より〕

今後さらに増加する高齢心不全患者において，マルチモビディティに対応できる評価・運動療法を行い，複合疾患に対する身体的・精神的影響を軽減し，症状の改善をはかり，心不全の再入院を減らし生命予後にも寄与できるように展開することが重要である．

高齢者は，以下の3つの特徴が主にいわれている．それらは，①併存症が多い，②運動機能障害を有する患者が多い，③筋肉量の低下（サルコペニア），低栄養なども絡み悪循環を形成した結果としてのフレイル（虚弱）の存在[50]である（▶図16）（サルコペニア・フレイルの詳細は他項参照）．

つまり，それぞれに対応した評価として，入院早期に入院前の歩行状態やADL状況を確認すること，MMSE（Mini-Mental State Examination）などの認知機能検査をすること，栄養状態を評価すること，フレイルの有無を確認することなどが重要である．

高齢者に運動療法を行うときには，それらの特徴を把握したうえで，高齢者のもっている「障害」もしくは「リスク管理」を明らかにし，効果的な運動療法のプログラムを組み立てる必要がある．高齢心疾患患者に対する心リハのフローチャートを図17[35]に示す．

運動療法による効果は非高齢者と同様であるが，加えて高齢者は特に認知機能とバランス機能の改善，歩行速度の改善が関連する．バランス機能改善は動作時の安定性・転倒予防につながったり，歩行速度の改善は予後改善に寄与したりと，高齢心不全患者にとって運動療法は重要な治療戦略である．高齢者は運動耐容能が低いゆえに，臥床状態が続くと数日で起立・歩行困難に陥るリスクが高い．そのため早期に理学療法士が介入し，運動療法を開始することが基本である．高齢心不全患者の治療に関するステートメントによると，運動療法の流れとしては図18[50]のような流れで行うことが推奨されている．

また，高齢心不全患者に対する運動療法の有効性のエビデンスはまだ十分とはいえず，レジスタンストレーニングについてもさらなるエビデンスの蓄積が待たれる．高齢心疾患患者の44%がサルコペニアといわれているなか，サルコペニアに対するレジスタンストレーニングは筋量，筋力そして歩行速度を向上させる効果を有することが示されている[51,52]．

高齢者における筋肉量の改善効果はこれまでにも報告されているが，それには高負荷かつ高頻度の運動が必要となる．そのため，高齢心不全患者

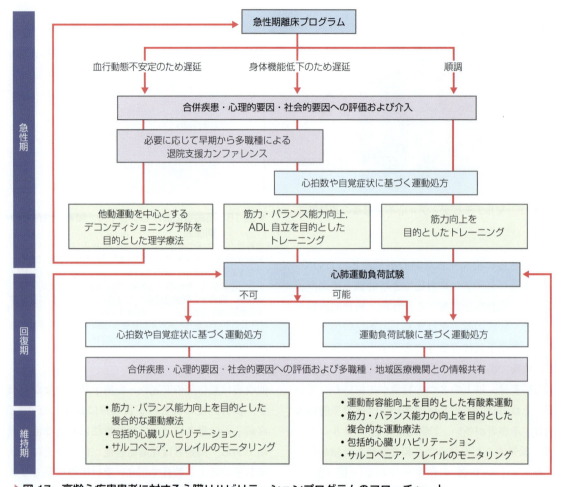

▶図17　高齢心疾患患者に対する心臓リハビリテーションプログラムのフローチャート
〔Karamitsos, T.D., et al.: The role of cardiovascular magnetic resonance imaging in heart failure. *J. Am. Coll. Cardiol.*, 54(15):1407-1424, 2009 より改変〕

では現実的に実施困難な場合が多いのも現実である．そこで，筋量の増加よりもまずは筋力やパフォーマンスの改善を目標としてトレーニングに取り組むことが必要である．したがって，開放性運動連鎖（OKC）よりも，閉鎖性運動連鎖（CKC）での運動が効果的である（▶図19）[53]．

以上，高齢心不全患者は，安静・臥床が続くなどしてデコンディショニングが生じると，併存症や背景要因なども影響し，機能回復が困難となりやすい．そこで，まずは心不全の状態安定とともに可及的速やかに離床プログラムを行い，有酸素運動とレジスタンストレーニングを組み合わせながら筋持久力および筋力の向上をはかることが必要である．それに加えて，高齢者特有のリスクを考慮したうえで，バランス能力の向上や，ADL自立を目的とした運動療法を行っていくことが望ましい．

```
プレトレーニング
・ベッド上・端座位でセラバンドや自重を用いて小筋群の
  レジスタンストレーニングを実施
・トレーニング中はSpO₂を監視し，90%未満に低下する
  場合には運動を中断
```

↓ 下肢筋力が回復し，連続して200 m
    歩行できる，1分間で60 m以上歩行
    できる，あるいは片足立ちが可能

```
有酸素運動
・自転車エルゴメータを用いた運動療法を開始
・低負荷より開始．連続した運動療法が困難な場合には，
  低強度インターバルトレーニング
```

↓ さらに運動能力が改善

```
心肺運動負荷試験(CPX)
・順調に運動能力が改善すれば，心肺運動負荷試験(CPX)
  を実施し，嫌気性代謝閾値(AT)処方に基づいた有酸素運
  動を実施
```

▶図18 高齢者における運動療法の流れの一例
〔日本心不全学会ガイドライン委員会(編)：高齢心不全患者の治療に関するステートメント．2016を参考に筆者作図〕

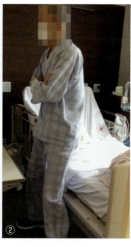

① ②

▶図19 レジスタンストレーニングの実際
高負荷のほうが効果は得られやすいものの，高齢者や多疾患併存患者，フレイル患者などは低い強度からの実施を原則とする．

III 末梢動脈疾患の運動療法

末梢動脈疾患(peripheral arterial disease; PAD)は冠動脈以外の末梢動脈である四肢動脈，頸動脈，腹部内臓動脈，腎動脈，および大動脈の閉塞性疾患である[54]．慢性動脈虚血の主な原因は動脈硬化病変である．病理学的には粥状硬化(内膜病変)と中膜硬化〔Mönckeberg(メンケベルグ)型硬化〕に大別され，糖尿病では中膜硬化が最も多い[54]．動脈硬化の危険因子は加齢，糖尿病，喫煙，脂質異常症，高血圧，肥満，運動不足などであり[54]，生活の是正が必要である．

PADの下肢慢性動脈疾患のなかで**閉塞性動脈硬化症**(arteriosclerosis obliterans; ASO)がある．ASOの症状の1つである**間欠性跛行**について説明する．

PADのなかでも最も予後が悪いのは**重症虚血肢**(critical limb ischemia; CLI)である．以前までCLIと称されていたが，近年，糖尿病患者の増加により，虚血の問題だけではなく，創や感染が下肢の予後を大きく左右するとのことで，**包括的高度慢性下肢虚血**(chronic limb-threatening ischemia; CLTI)と称するようになった[54]．

近年高齢化に伴い，ADLの低下やサルコペニア・フレイル患者の予後は不良とされており，間欠性跛行やCLTIにおいてリハの役割は大きい[54]．

A 間欠性跛行

間欠性跛行は，歩行により下肢の痛みが生じ，休息すれば症状が消失する．運動により筋肉酸素需要が増大し，血流供給が不足すると考えられている[54]．間欠性跛行の治療は薬物治療と運動療法，血行再建術を施行する．すべての治療後において運動療法は重要であり，運動療法の効果

▶図20　歩行評価
A：トレッドミル評価．2.4km/時・傾斜12％を5分．
B：6分間歩行または最大歩行距離．直線距離を下肢の疼痛出現まで歩行．
C：足関節底背屈評価．底背屈運動を疼痛出現まで実施．
患者の能力に合わせて評価方法を選択する．同じ評価方法で定期的な評価を実施し，効果判定を行う．

▶表27　ABIの評価

1.40以上	高度の石灰化
0.91〜0.99	ボーダーライン
0.9以下	主幹動脈・動脈閉塞

は歩行距離の拡大やQOLにつながるとされている[54]．

1 評価

非侵襲的な検査と侵襲的な検査がある．スクリーニングで使用される評価として**足関節上腕血圧比**(ankle-brachial index; ABI)がある[54]．

a ABI

ABIは足関節収縮期血圧を上腕収縮期血圧で除したものである（ABI＝足関節収縮期血圧／上腕収縮期血圧）（▶表27）[54]．

b 歩行評価

6分間歩行または最大歩行距離を測定する．ABIが安静時と同等まで回復する時間を測定するのが有効であるが，臨床上では難しいため疼痛が出現した距離を測り，疼痛回復時間を同時に測定する[54]．また，歩行が困難な場合は足関節屈伸運動で評価を行う[54]（▶図20）．

2 リスク管理

PADは全身の動脈硬化疾患であるため，心血管や脳血管疾患，腎動脈狭窄，腸管動脈狭窄などさまざまな臓器の血流障害を把握し，運動療法を実施しなければならない．また，高血圧を併存している場合はレジスタンストレーニング時の息こらえに注意する．

糖尿病による知覚障害が原因で無症候性となり，疼痛の症状が現れにくいため，気づいた際には足に創ができ，切断につながることがある[54]，そのため定期的なフットチェックを行うことが重要である．

3 理学療法評価

下肢の血流障害の程度や部位によって症状が異なるため，検査データや臨床症状をもとに身体機能を評価する．

a 視診

(1) 皮膚の色調

蒼白・紅潮や青紫色のチアノーゼ症状であれば血流不良の可能性が高い．運動後に赤色に変化すれば，血流改善傾向と判断する（▶図21）．しかし，運動後に色調が変化しない，または色調が回

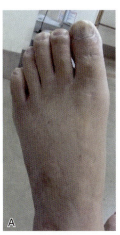
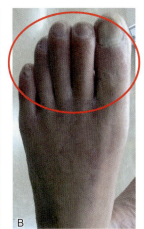

▶図21 色調変化
A：運動前蒼白の状態
B：下肢運動後の充血反応

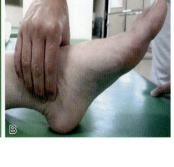

▶図22 脈診
A：足背動脈の脈診
B：後脛骨動脈の脈診
脈の有無や拍動の強さを触知する．また，皮膚の色調や疼痛と併せて運動前後の変化を評価する．

復するまでに時間がかかる場合は，血流障害が重度である可能性がある[54]．運動時の疼痛症状や安静時の疼痛症状と併せて運動負荷量の調整をする．

(2) 下肢挙上・下垂試験

背臥位で両足を挙上して足関節を底背屈させると中枢のほうに血流が増え，虚血の患者の場合は皮膚が蒼白化し痛みが出現する．その後，下肢を下垂すると，正常はすぐに色調が赤色に回復するが，虚血の場合は静脈が再充満するまで時間がかかるため，色調の回復が遅い．正常は7～10秒，虚血肢は1～2分要する[55]．

(3) 足の変形

足趾の変形であるクロウトゥ（claw toe），ハンマートゥ（hammer toe），外反母趾などの変形は，靴の形状が合わないと靴ずれにつながるため，靴の選択やフットチェックが重要である．また，フットチェックの際に陥入爪なども併せて確認し，悪化を防ぐ[56]．

(4) 脈診

大腿動脈，膝窩動脈，足背動脈，後脛骨動脈を触知する．触知不可であれば虚血の可能性が考えられる（▶図22）．

b 運動負荷試験

(1) Gardner（ガードナー）プロトコル

トレッドミルの速度を3.2km/時に固定し，2分ごとに傾斜を2％ずつ増加させ[24]，下肢の疼痛出現を確認する．

(2) 最大歩行距離

疼痛が出現するまで歩行を継続し，疼痛が出現した時点の歩行距離を評価する[24]．

(3) 6分間歩行試験

6分間の歩行距離を測定し，下肢疼痛と併せて評価を行う．

c 筋力評価

徒手筋力テスト（Manual Muscle Test; MMT）を行う（主に大殿筋，中殿筋，内転筋群，大腿四頭筋，ハムストリングス，腓腹筋，ヒラメ筋，前脛骨筋など）．膝伸展筋力はハンドヘルドダイナモメータ（hand held dynamometer; HHD）を用いて測定を行う．

4 運動療法

運動療法は側副血行路の発達，血管新生，一酸化窒素による微小循環改善，骨格筋の代謝順応性改善などが関与するとされている[57]．現在は監督下運動療法が推奨されている．高齢者や低ADL

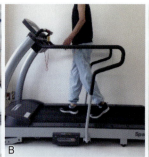

▶図23　間欠性跛行の運動療法
A：自転車エルゴメータ，B：トレッドミル，C：平地歩行，D，E：レジスタンストレーニング
有酸素運動とレジスタンストレーニングを組み合わせながら実施する．高齢者などマシンに乗れない場合は，平地歩行でトレーニングを行う．

患者の場合は，歩行トレーニングだけでは機能向上につながらないため，積極的な筋力トレーニングを行うことが重要である[24]．

a 運動の流れと頻度

メディカルチェック後，ストレッチングなどウォーミングアップを10分程度実施し運動を行う．運動後はクールダウンを実施し，フットチェックを行い終了とする．

1回30～45分間，週3～5回，3か月程度行う[24,54]．症状に合わせて運動処方は適宜変更する[24]．

b 運動メニュー

自転車エルゴメータ・トレッドミルとレジスタンストレーニングなど複合的なトレーニングのほうが，跛行症状を軽減する[24,54]（▶図23）．

(1) トレッドミル（▶図23 B）

トレッドミルは傾斜12％，速度2.4km/時から開始する．亜最大負荷である「かなりつらい」程度で中断し，疼痛消失するまで休憩し，再度歩行を行いセット数を増やしていく．10分以上歩ける場合は，3.2km/時にするか，傾斜を強くしていく．30分程度行いトレーニングごとに5分ずつ延長し，最大60分までとする[24]．

(2) 歩行トレーニング

トレッドミルに乗れない場合，下肢の疼痛が出現するまで連続歩行を行う．「かなりつらい」程度を目安として，疼痛消失まで休憩し再度歩行を行う．セット数を増やしていく[24]．

(3) レジスタンストレーニング（▶図23 D，E）

運動負荷は，頻度・時間・強度・種類を原則として処方する．歩行やADLに関連する筋に対して集中的に行う．負荷量は自覚的強度が「かなりつらい」程度を目安に，セット数を徐々に増やしていく[24]．

5 生活指導について

自宅での運動療法の継続が重要といわれている[54]ため，入院中や外来での監督下運動療法で行った歩行距離や歩行時間を目安に行うように指導する．また活動量計などを使用し，段階的に歩数を向上させるように歩行歩数の目標を立てて指導を行う．活動量計は患者へのフィードバックがしやすく，外来管理として効果的である[24]．

B 包括的高度慢性下肢虚血（CLTI）

包括的高度慢性下肢虚血（chronic limb-threatening ischemia；CLTI）は創傷を有することが多い病態であり，創傷を治癒させるためには多くの

▶表28 WIfI分類

重症度区分(Grade)	創傷(Wound)		虚血(Ischemia)〔mmHg〕		足部感染(Foot infection)
	部位	潰瘍	ABI	$tcPO_2$, TP	
0	創傷なし		≧0.80	≧60	臨床症状なし
1	足趾・足部(踵を除く)	浅い	0.60～0.79	40～59	局所感染(創縁から2cm以内にとどまる感染)
2	足趾	深い	0.40～0.59	30～39	局所感染(創縁から2cmを超える感染)
	踵部	浅い			
3	足部(踵を除く)	深い	≦0.39	<30	全身感染(SIRS)
	踵部	深い			

〔日本フットケア・足病医学会〔編著〕:重症化予防のための足病診療ガイドライン. p.12, 南江堂, 2022 より〕

血流が必要だが,虚血の場合,必要な血流を供給することができない.さらに,感染を併発した場合は創周囲の酸素需要が増え,相対的に血流不足となる[54].CLTIの病態把握にはWIfI分類が使用される.WIfI分類は,創傷の深さ(Wound),虚血の程度(Ischemia),感染状況(Foot infection)により重症度が分類されている(▶表28).WIfI分類を用い患者の病態を把握し,リハのリスク管理を行う.CLTIはフレイルやサルコペニア患者が多く,さらに低ADL患者や認知症患者の予後は不良とされており,リハの役割は大きい[56].

CLTIの再発率は30～40%,反対側への創傷発生率は48%といわれており,いったん治癒しても再発により足を失うリスクや健側の創傷リスクがある[58].創傷発生要因は血流だけではなく,知覚障害や足部変形,足底圧異常が関連する[56].よって創傷治療期間中だけではなく,再発予防や創傷予防を目的とした介入も重要である[58].それぞれの病期に合わせたリハについて説明する.

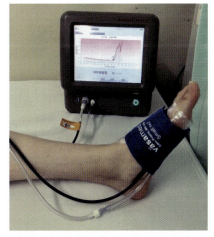

▶図24 SPP検査
目的とする部位にレーザードプラセンサーとカフを装着し,皮膚表面から1mmの深さの灌流圧を測定する.

圧(skin perfusion pressure; SPP),経皮的酸素分圧(transcutaneous oxygen tension; $tcPO_2$)などを用いる[54].

●皮膚灌流圧(SPP)

レーザードプラセンサーとカフを装着し,皮膚表面から1mmの深さの灌流圧を測定する(▶図24).

- 異常値:30～40mmHg未満では創傷治癒の可能性が低い[54].

評価

末梢血流の評価が重要であり,足趾レベルの血流を評価する足趾血圧(toe pressure; TP)や足趾上腕血圧比(toe-brachial index; TBI),皮膚灌流

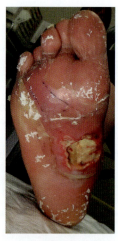

▶図 25　感染を伴う足の状態
足底内側が壊死し，第 4 趾にかけて発赤・腫脹の感染徴候がみられる．

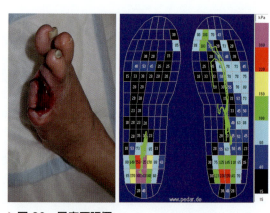

▶図 26　足底圧評価
創部の位置に対して，免荷ができているかどうか，足底圧計を使用して確認を行う．

2 創傷治療期

創傷治療期間中でのリハについて説明する．

a リスク管理

(1) 創傷部位の確認

創傷範囲や深さ，創縁，肉芽の状況，感染徴候や炎症の有無，滲出量・色，においの有無などを確認する．腱に沿って発赤がある場合は感染徴候のため，足部を安静に保ち，筋の収縮を入れないように管理する[56]（▶図 25）．

(2) 荷重・歩行開始後

基本的に荷重や歩行は医師の指示で実施する．荷重ストレスは創傷悪化につながりやすいため，創部確認を行いながら慎重に進めることが重要である．荷重練習後，創部に異常が認められた場合は荷重の継続について医師と相談する．

b 理学療法評価

創傷の確認や創傷リスクとなる知覚障害・足部評価やフレイル・サルコペニアを予防するために身体機能評価を行う．また，免荷効果が治療に影響を与えるため免荷評価も重要である．

(1) 創部評価

荷重や歩行前後の創部の状況を確認する．

(2) 知覚評価

5.07 モノフィラメントを使用し，垂直に当て，90°程度たわむまで 1～2 秒当てて離す．5 か所程度測定する[59]．

(3) ROM 評価

足関節背屈・底屈・内がえし・外がえし，膝関節伸展，股関節伸展・内旋・外旋などを実施する．

(4) 筋力評価

MMT・HHD を用いた膝伸展筋力や握力の測定を行う．

(5) 認知機能検査

改訂長谷川式認知症スケール，MMSE などで評価する．

(6) 日常生活活動

Barthel（バーセル）Index（BI），FIM などで評価する．

(7) 荷重評価

足底圧計を用い，創部が免荷できているか確認する（▶図 26）．同時に免荷デバイス内における擦れや当たりがないか確認する．

(8) ADL 評価

創傷治療中は免荷管理が中心なため，創部へ負

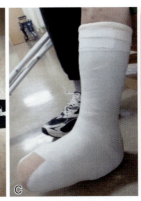

▶図27 免荷装具
A：フェルト．創部をくり抜き直接皮膚に貼りつけて使用する．
B：免荷サンダル．創部が当たらないよう，中敷きをくり抜いて調整して使用する．
C：total contact cast(TCC)．非着脱式で体重を下腿と足底前面に密着させて分散させる．
D：removable cast walker．着脱式でTCCと同様の目的で使用する．

担のかかる動作をしていないか確認をする．また，過活動になることで悪化につながるため，活動量の調整ができているかどうかを確認をする．

C 運動療法

ADLや歩行を維持することは重要だが，機能だけではなく患者教育も重要である．創傷を悪化させない動作の再構築のため動作練習を実施する．

(1) ROM練習

足関節，股関節，膝関節などで実施する．創感染や炎症症状がある場合は，創傷部位に近い関節へのストレッチングは行わない．

(2) 筋力トレーニング

心疾患リスクがある場合はバイタル測定を行いながら実施する．低強度から開始し自覚的運動強度(Borgスケール)の11～13程度を目安に運動を実施する．OKCを中心に行う．

(3) 荷重練習

創部への免荷ができているか確認する．基本的には免荷用デバイスを使用しながら，創部の免荷管理を行う(▶図27)．創部への免荷は，歩き方でも効果を高められる(▶図28)[56]．杖や歩行器の使用も患側の免荷効果を高めるため，歩行補助具

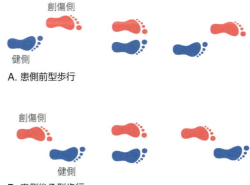

▶図28 創傷部位による歩き方
A：前足部創傷の場合，創傷側を1歩前に出してそろえながら歩く．
B：後足部創傷の場合，健側を1歩前に出してそろえながら歩く．

を検討する．歩行や荷重開始時は段階的に進めていく．活動量を増やすことで創部にかかる負担は増えるため，ADLを拡大する際は医師と相談のうえ，慎重に進めていく．

(4) ADL練習

創部への免荷管理ができるか確認する．また，ベッド上でも創部を接地させてしまうことで創傷悪化につながるため，ベッド上での管理・指導を行う．免荷用デバイスの装着や活動量の管理がで

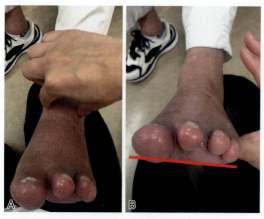

▶図29　足部アライメント評価
A：距骨頭を触り，距骨下関節の中間位の位置を確認する．
B：踵立方関節をロックした状態で，前足部と後足部のアライメントを確認する（写真は前足部内反）．

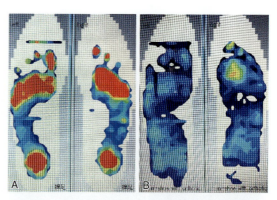

▶図30　足底圧評価（歩行時における平均圧の比較）
A：裸足．背屈：−10°．赤色の部分が足底圧高値で創傷リスクが高い．
B：足底装具使用．背屈：0°．足底装具とROMの改善により足底圧が減圧した．

きるかなど，疾病管理の確認も重要である．

3 再発予防期

CLTIは治癒後も再発や新たに創傷発生を呈しやすいため，継続した管理が望まれる[56]．中足骨切断，Chopart（ショパール），Lisfranc（リスフラン）関節離断のほか，底屈や内がえしをさせる筋肉が中心となるため内反変形を呈しやすい[56]．リハでは変形予防に対するストレッチングの介入や装具のフィッティングの確認，患者教育などを行っていく．その際に装具内での擦れ，発赤，疼痛などを医師や義肢装具士と共有し，創傷予防へつなげていく．多職種で定期的なフットチェックを実施することで創傷発生を低減させられる[56]．

a リスク管理

創傷リスクにつながる足部変形など足底圧の異常や知覚障害，虚血の程度を確認する[56]．

b 理学療法評価

（1）知覚検査

5.07モノフィラメントを使用し，垂直に当て，90°程度たわむまで1〜2秒当てて離す．5か所程度測定する[59]．

（2）足部評価

距骨下関節をニュートラルポジションとして，踵立方関節をロックした状態で前足部・後足部が中間位・内がえし・外がえし位か確認をする（▶図29）[60]．

（3）足底圧評価

足底圧計を用いて足の圧力を確認する（▶図30）．

（4）ROM評価

足関節背屈・底屈・内がえし・外がえし，母趾，足趾，膝関節，股関節などを実施する．

（5）筋力評価

MMT，HHDを用いて膝伸展筋力や握力の測定を行う．

（6）歩行評価

義肢装具や足底装具とのフィッティングを確認する．

c 運動療法

創傷リスク要因である足部変形やROM制限に伴う足底圧異常の場合，ROMの改善や足底装具や義肢装具の使用により圧力が分散され創傷予防効果が得られる[58]．足底圧の是正だけではなく擦れに対する対応も重要である．足部変形の進行や

足のボリューム変化により，装具が合わなくなることで靴ずれにつながる．リハでは定期的に装具内での擦れや圧迫など確認し，問題が生じている場合は，医師と義肢装具士へ相談する．リハではROMや筋力，足部変形などの評価をもとに機能練習へつなげていく．

(1) フットチェック
脈診，色調，爪の変形，冷感，炎症所見の有無，皮膚の乾燥，創傷の有無など確認する．

(2) ROM練習
母趾・足趾，足関節，膝関節，股関節などに対して実施する．

(3) 足部アライメント評価
前足部・後足部の内反・外反を確認し，患者の荷重時の足の形を把握する．

(4) 筋力トレーニング
腓骨筋，後脛骨筋，腓腹筋，前脛骨筋，足趾屈筋群，足趾伸筋群などに対して実施する．

(5) フィッティングチェック
足部評価と併せて歩容や動作確認を行い，装具内の擦れを確認する．必ず歩行前後で発赤の有無や疼痛を確認する．

(6) 患者教育
足の状況に合わせた活動範囲や義肢装具や足底装具の管理，フットチェックの方法などの指導を行う．運動療法を実施しながら繰り返し患者への指導を加えることが重要である．

●引用文献

1) Lawler, P.R., et al.: Efficacy of exercise-based cardiac rehabilitation post-myocardial infarction: a systematic review and meta-analysis of randomized controlled trials. *Am. Heart J.*, 162(4):571–584, 2011.
2) Dibben, G.O., et al.: Exercise-based cardiac rehabilitation for coronary heart disease: a meta-analysis. *Eur. Heart J.*, 44(6):452–469, 2023.
3) Gonzalez-Jaramillo, N., et al.: Systematic review of physical activity trajectories and mortality in patients with coronary artery disease. *J. Am. Coll. Cardiol.*, 79(17):1690–1700, 2022.
4) Ostir, G.V., et al.: Reliability and sensitivity to change assessed for a summary measure of lower body function: results from the Women's Health and Aging Study. *J. Clin. Epidemiol.*, 55(9):916–921, 2002.
5) Gure, T.R., et al.: Degree of disability and patterns of caregiving among older Americans with congestive heart failure. *J. Gen. Intern. Med.*, 23(1):70–76, 2008.
6) Kamiya, K., et al.: Quadriceps strength as a predictor of mortality in coronary artery disease. *Am. J. Med.*, 128(11):1212–1219, 2015.
7) Forman, D.E., et al.: Prioritizing functional capacity as a principal end point for therapies oriented to older adults with cardiovascular disease: a scientific statement for healthcare professionals from the American Heart Association. *Circulation*, 135(16):e894–e918, 2017.
8) Busch, J.C., et al.: Resistance and balance training improves functional capacity in very old participants attending cardiac rehabilitation after coronary bypass surgery. *J. Am. Geriatr. Soc.*, 60(12):2270–2276, 2012.
9) Baldasseroni, S., et al.: Cardiac rehabilitation in very old adults: effect of baseline functional capacity on treatment effectiveness. *J. Am. Geriatr. Soc.*, 64(8):1640–1645, 2016.
10) Valenzuela, P.L., et al.: Exercise benefits in cardiovascular diseases: from mechanisms to clinical implementation. *Eur. Heart J.*, 44(21):1874–1889, 2023.
11) Hambrecht, R., et al.: Effect of exercise on coronary endothelial function in patients with coronary artery disease. *N. Engl. J. Med.*, 342(7):454–460, 2000.
12) Giannuzzi, P., et al.: Attenuation of unfavorable remodeling by exercise training in postinfarction patients with left ventricular dysfunction: results of the Exercise in Left Ventricular Dysfunction (ELVD) trial. *Circulation*, 96(6):1790–1797, 1997.
13) Wu, G., et al.: The effect of cardiac rehabilitation on lipid levels in patients with coronary heart disease. A systematic review and meta-analysis. *Glob. Heart*, 17(1):83, 2022.
14) Martinez, D.G., et al.: Effects of long-term exercise training on autonomic control in myocardial infarction patients. *Hypertension*, 58(6):1049–1056, 2011.
15) Thompson, P.D.: Exercise prescription and proscription for patients with coronary artery disease. *Circulation*, 112(15):2354–2363, 2005.
16) Redwood, D.R., et al.: Circulatory and symptomatic effects of physical training in patients with coronary-artery disease and angina pectoris. *N. Engl. J. Med.*, 286(18):959–965, 1972.

17) Zaman, S., et al.: Sudden cardiac death early after myocardial infarction: pathogenesis, risk stratification, and primary prevention. *Circulation*, 129(23):2426–2435, 2014.
18) Weber, K.T., et al.: Determination of aerobic capacity and the severity of chronic cardiac and circulatory failure. *Circulation*, 76(6 Pt 2):VI40–45, 1987.
19) Arena, R., et al.: Development of a ventilatory classification system in patients with failure. *Circulation*, 115(18):2410–2417, 2007.
20) Fletcher, G.F., et al.: Exercise standards for testing and training: a scientific statement from the American Heart Association. *Circulation*, 128(8):873–934, 2013.
21) 日本循環器学会：循環器病の診断と治療に関するガイドライン（2011 年度合同研究班報告），心血管疾患におけるリハビリテーションに関するガイドライン（2012 年改訂版）．2012．
22) Fihn, S.D., et al.: 2012 ACCF/AHA/ACP/AATS/PCNA/SCAI/STS guideline for the diagnosis and management of patients with stable ischemic heart disease: executive summary: a report of the American College of Cardiology Foundation/American Heart Association task force on practice guidelines, and the American College of Physicians, American Association for Thoracic Surgery, Preventive Cardiovascular Nurses Association, Society for Cardiovascular Angiography and Interventions, and Society of Thoracic Surgeons. *J. Am. Coll. Cardiol.*, 60(24):2564–2603, 2012.
23) Shaw, L.J., et al.: Use of a prognostic treadmill score in identifying diagnostic coronary disease subgroups. *Circulation*, 98(16):1622–1630, 1998.
24) 日本循環器学会/日本心臓リハビリテーション学会：2021 年改訂版 心血管疾患におけるリハビリテーションに関するガイドライン．2021．
https://www.j-circ.or.jp/cms/wp-content/uploads/2021/03/JCS2021_Makita.pdf（2023 年 4 月閲覧）
25) Tanaka, S., et al.: Efficacy and safety of acute phase intensive electrical muscle stimulation in frail older patients with acute heart failure: results from the ACTIVE-EMS trial. *J. Cardiovasc. Dev. Dis.*, 9(4):99, 2022.
26) Tanaka, S., et al.: Effects of electrical muscle stimulation on physical function in frail older patients with acute heart failure: a randomized controlled trial. *Eur. J. Prev. Cardiol.*, 29(8):e286–e288, 2022.
27) Kitzman, D.W., et al.: Physical rehabilitation for older patients hospitalized for heart failure. *N. Engl. J. Med.*, 385(3):203–216, 2021.
28) Keteyian, S.J., et al.: Exercise training workloads in cardiac rehabilitation are associated with clinical outcomes in patients with heart failure. *Am. Heart J.*, 204:76–82, 2018.
29) American College of Sports Medicine: ACSM's Guidelines for Exercise Testing and Prescription. 11th ed., Lippincott Williams & Wilkins, Philadelphia, 2020.
30) Kamiya, K., et al.: Nationwide survey of multidisciplinary care and cardiac rehabilitation for patients with heart failure in Japan—an analysis of the AMED-CHF study. *Circ. J.*, 83(7):1546–1552, 2019.
31) Kanaoka, K., et al.: Trends and factors associated with cardiac rehabilitation participation—data from Japanese nationwide databases. *Circ. J.*, 86(12):1998–2007, 2022.
32) Compendium of Physical Activities.
https://sites.google.com/site/compendiumofphysicalactivities/home
33) 厚生労働省 脳卒中、心臓病その他の循環器病に係る診療提供体制の在り方に関する検討会：脳卒中、心臓病その他の循環器病に係る診療提供体制の在り方について（平成 29 年 7 月）．2017．
https://www.mhlw.go.jp/file/05-Shingikai-10901000-Kenkoukyoku-Soumuka/0000173149.pdf
34) 日本循環器学会/日本心不全学会：急性・慢性心不全診療ガイドライン（2017 年改訂版）．2017．
https://www.j-circ.or.jp/cms/wp-content/uploads/2017/06/JCS2017_tsutsui_h.pdf
35) Karamitsos, T.D., et al.: The role of cardiovascular magnetic resonance imaging in heart failure. *J. Am. Coll. Cardiol.*, 54(15):1407–1424, 2009.
36) Babu-Narayan, S.V., et al.: Imaging of congenital heart disease in adults. *Eur. Heart J.*, 37(15):1182–1195, 2016.
37) 日本心臓リハビリテーション学会：心不全の心臓リハビリテーション標準プログラム（2017 年版）．
https://www.jacr.jp/cms/wp-content/uploads/2015/04/shinfuzen2017_2.pdf
38) Piepoli, M.F., et al.: Exercise training in heart failure: from theory to practice. A consensus document of the Heart Failure Association and the European Association for Cardiovascular Prevention and Rehabilitation. *Eur. J. Heart Fail.*, 13(4):347–357, 2011.
39) Groehs, R.V., et al.: Muscle electrical stimulation improves neurovascular control and exercise tolerance in hospitalised advanced heart failure patients. *Eur. J. Prev. Cardiol.*, 23(15):1599–1608, 2016.
40) 高橋哲也：循環器疾患の理学療法．柳沢 健（編）：理学療法学ゴールド・マスター・テキスト 内部障害系理学療法学，pp.66–100，メジカルビュー社，2010．
41) Williams, M.A., et al.: Resistance exercise in individuals with and without cardiovascular disease:

42) Izawa, H., et al.: Japanese Association of Cardiac Rehabilitation Standard Cardiac Rehabilitation Program Planning Committee. Standard Cardiac Rehabilitation Program for Heart Failure. *Circ. J.*, 83(12):2394–2398, 2019.
43) Kamiya, K., et al.: Sarcopenia: prevalence and prognostic implications in elderly patients with cardiovascular disease. *JCSM Clin. Rep.*, 2(2):1–13, 2017.
44) Denfeld, Q.E., et al.: The prevalence of frailty in heart failure: a systematic review and meta-analysis. *Int. J. Cardiol.*, 236:283–289, 2017.
45) Marengoni, A., et al.: Heart failure, frailty, and pre-frailty: a systematic review and meta-analysis of observational studies. *Int. J. Cardiol.*, 316:161–171, 2020.
46) Dewan, P., et al.: The prevalence and importance of frailty in heart failure with reduced ejection fraction—an analysis of PARADIGM-HF and ATMOSPHERE. *Eur. J. Heart Fail.*, 22(11):2123–2133, 2020.
47) Matsue, Y., et al.: Prevalence and prognostic impact of the coexistence of multiple frailty domains in eldcrly patients with heart failure: the FRAGILE-HF cohort study. *Eur. J. Heart Fail.*, 22(11):2112–2119, 2020.
48) Iwata, K., et al.: Clinical impact of functional independent measure (FIM) on 180-day readmission and mortality in elderly patients hospitalized with acute decompensated heart failure. *Heart Vessels*, 36(10):1536–1541, 2021.
49) 日本循環器学会/日本心不全学会合同ガイドライン：2021年 JCS/JHFS ガイドライン フォーカスアップデート版, 急性・慢性心不全診療. 2021.
50) 日本心不全学会ガイドライン委員会（編）：高齢心不全患者の治療に関するステートメント. 2016.
http://www.asas.or.jp/jhfs/pdf/Statement_HeartFailurel.pdf
51) Yoshimura, Y., et al.: Interventions for treating sarcopenia. A systematic review and meta-analysis of randomized controlled studies. *J. Am. Med. Dir. Assoc.*, 18(6):553.e1–553.e16, 2017.
52) Antoniak, A.E., et al.: The effect of combined resistance exercise training and vitamin D_3 supplementation on musculoskeletal health and function in older adults: a systematic review and meta-analysis. *BMJ Open*, 7(7):e014619, 2017.
53) 日下さと美ほか：見逃せない！ リスクになり得る高齢者の特徴的症状. 高橋哲也（編）：理学療法 NAVI ここに注目！ 実践, リスク管理読本, pp.143–148, 医学書院, 2018.
54) 日本循環器学会/日本血管外科学会：2022年改訂版 末梢動脈疾患ガイドライン. 2022.
https://www.j-circ.or.jp/cms/wp-content/uploads/2022/03/JCS2022_Azuma.pdf（2022年9月8日閲覧）
55) 寺師浩人ほか：アドバンスド創傷ケアの実際. 真田弘美ほか（編）：ナースのためのアドバンスド創傷ケア, pp.183–184, 照林社, 2012.
56) 日本フットケア・足病医学会（編著）：重症化予防のための足病診療ガイドライン. 南江堂, 2022.
57) Stewart, K.J., et al.: Exercise training for claudication. *N. Engl. J. Med.*, 347:1941–1951, 2002.
58) IWGDF Guidelines: Definitions and criteria for diabetic foot disease.
http://iwgdfguidelines.org/wp-content/uploads/2019/05/definitions-and-criteria-final.pdf（2022年9月8日閲覧）
59) Valmassy, R.L.: Clinical Biomechanics of the Lower Extremities. Mosby, 1996.
60) Boulton, A.J.M., et al.: Comprehensive foot examination and risk assessment: a report of the task force of the foot care interest group of the American Diabetes Association, with endorsement by the American Association of Clinical Endocrinologists. *Diabetes Care*, 31(8):1679–1685, 2008.

第3章 がん疾患(悪性腫瘍)の運動療法

学習目標
- がん疾患(悪性腫瘍)の概念と特徴を理解する．
- がん疾患(悪性腫瘍)患者におけるリハビリテーションと理学療法の意義と目的を理解する．
- がん疾患(悪性腫瘍)患者の運動療法の進め方とその留意点を理解する．

A 概念と特徴

1 がん疾患(悪性腫瘍)とは

腫瘍(tumor)とは，組織，細胞が生体内の制御に反して自律的に過剰に増殖して発生する組織塊のことを指す．健康な状態ではヒトの細胞はほぼ一定を保つために，分裂・増殖しすぎないよう制御機構が働いているが，これが破綻した状態で腫瘍は発生する．このうち，**良性腫瘍**(benign tumor)は病理学的に悪性所見をもたない腫瘍で，基本的に自律的な増殖をするものの，自らどこまでも増殖できる環境をつくる能力はもたず，発生した場所で増殖するのみである．一方，**悪性腫瘍**(malignant tumor, cancer)は病理学的に悪性所見をもつ腫瘍で，周囲の組織に浸潤または転移をおこし，生命を脅かす．良性腫瘍は文字どおり「良性」の組織型をもつ腫瘍ではあるが，必ずしも臨床的な予後が良好であるとは限らない．発生した部位によっては外科的摘出術が困難であったり，進行して悪性腫瘍化する場合もある．良性腫瘍と悪性腫瘍の特徴の比較を**表1**に示す．

悪性腫瘍は，①造血器由来のもの，②上皮細胞由来のもの，③非上皮性細胞由来のものに分かれる．

▶表1 良性腫瘍と悪性腫瘍の特徴

	良性腫瘍	悪性腫瘍
発育形式	圧排性，膨張性，連続的	浸潤性，破壊性，不連続
境界	明瞭(完全被包されている)	不明瞭(完全には被包されていない)
発育速度	遅い	速い
転移	なし	あり
再発	少ない	多い
異型性	軽度	重度
細胞の分化度	成熟	未熟
壊死，出血	少ない	多い
全身への影響	軽度	重度

①**造血器由来のもの**：白血病，悪性リンパ腫，骨髄腫などがある．

②**上皮細胞由来のもの**：皮膚，呼吸器，消化管の粘膜を覆う上皮性組織や，腎臓，肝臓，脳，膵臓などの実質臓器を構成する上皮性組織から発生するもので**癌腫**と呼ばれ，扁平上皮がん，腺がん，未分化がんの3つに分けられる．**扁平上皮がん**は，皮膚，食道，肺，子宮頸部，腟，外陰，陰茎，陰嚢などに発生する．**腺がん**は，身体の内部の分泌物を出す上皮から発生するがんで，肺，消化器，乳房，子宮体部，前立腺，甲状腺，肝臓，腎臓，膵臓，胆嚢などに発生する．**未分化がん**は，発生の母地となった細胞が確認

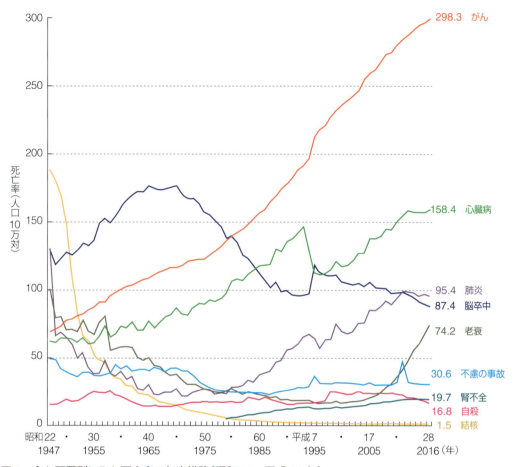

▶図1　主な死因別にみた死亡率の年次推移（昭和22〜平成28年）
〔厚生労働省：平成30年　我が国の人口動態（平成28年までの動向）．https://www.mhlw.go.jp/toukei/list/dl/81-1a2.pdf より〕

できないもので，増殖も転移も速く，悪性度が高い傾向がある．

③**非上皮性細胞由来のもの：肉腫**と呼ばれ，線維，筋肉，軟骨，骨，結合織などの支持組織から発生するもので，骨肉腫や軟骨肉腫，横紋筋肉腫などである．

「癌（cancer）」という語は厳密には上皮細胞由来のものを指すが，「がん」と平仮名表記した場合は，広く悪性腫瘍を指して用いられることが多い．

2　わが国における動向

がん患者は年々増加の一途をたどり，1981年以来，日本人の死因の1位となっている（▶図1）[1]．2022年のがん死亡者は推計値で約38万4百人であり，男性は女性の約1.4倍である[2]．部位別には，男性は肺，胃，大腸，女性は大腸，肺，膵臓の順に多い（▶図2）[1]．2019年に新たに診断されたがんは約99万9千例であり，男性が女性の約1.3倍となっている[2]．人口の高齢化とともにがん患者は増加する一方で，治療の進歩により5年相対生存率は改善し，地域がん登録における2009〜11年診断例では，全がんでは64.1%と，2006〜08年診断例の62.1%から改善している．早期に発見されるようになった胃がん，大腸がんなどの予後は非常によくなってきているが，胆囊がん，膵臓がんのように5年相対生存率が30%未満のがんも依然として存在する[2]．

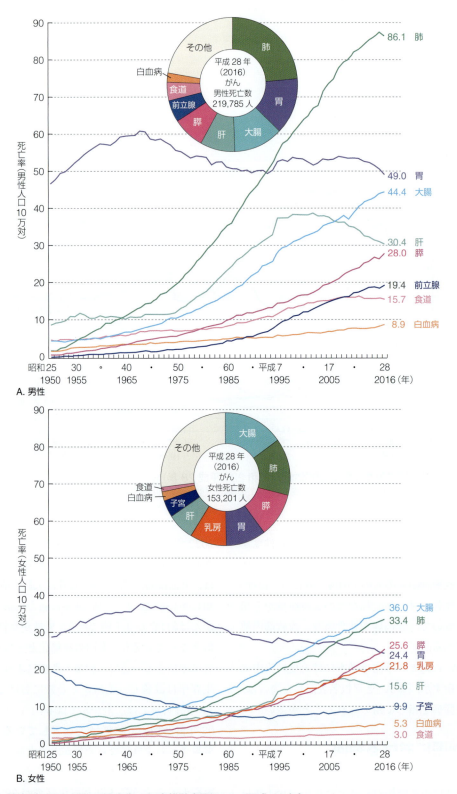

▶図2　部位別にみたがんの死亡率の年次推移（昭和25〜平成28年）
〔厚生労働省：平成30年 我が国の人口動態（平成28年までの動向）．https://www.mhlw.go.jp/toukei/list/dl/81-1a2.pdf より〕

わが国では1984年度の「対がん10か年総合戦略」策定後，がん対策に取り組んでいる．1994年度に「がん克服新10か年戦略」を策定し，2004年度から「がん罹患率と死亡率の激減」を目指し，がん研究の推進および質の高いがん医療を全国に普及することを目的に，「がん予防の推進」および「がん医療の向上とそれを支える社会環境の整備」を柱とする「第3次対がん10か年総合戦略」を推進している．2005年度には，厚生労働省に「がん対策推進本部」が設置され，がん対策の飛躍的な向上を目的とした「がん対策推進アクションプラン2005」を策定された．2006年6月には「がん対策基本法」が成立(2007年4月施行)，2007年6月に，がん対策の総合的かつ計画的な推進をはかるため「がん対策推進基本計画」が閣議決定された．2012～2016年度までの5年間を対象とした「がん対策推進基本計画」では，分野別施策と個別目標としてリハビリテーションも記載され，がん医療においてリハビリテーションの取り組みを推進することがわが国におけるがん対策の施策の1つと位置づけられた．

2013年12月には「がん登録等の推進に関する法律」が成立した．2014年3月に「がん研究10か年戦略」が策定され，がんの根治・予防・共生の観点からなる，患者・社会と協働するがん研究が推進されている．2016年1月からは「がん登録等の推進に関する法律」に基づき全国がん登録が開始され，がんと診断されたすべての人のデータが，集計・分析・管理されている[2]．

3 がんの治療と症状・障害

a がんの分類

がんの進行度を表すものとして**TNM分類**がある(▶表2)．TNMは原発巣(tumor)，リンパ節(node)，転移巣(metastasis)の頭文字で，国際対がん連合(Union for International Cancer Control; UICC)が定めている．がんの部位によりTNMの詳細は異なるが，概念は共通である．

▶表2 TNM分類

T(原発巣)	T0：腫瘍なし T1～4：悪性腫瘍の大きさや浸潤の程度で4段階に分類する
N(リンパ節)	N0：リンパ節転移なし N1～3：リンパ節転移の程度により3段階で分類する
M(転移巣)	M0：遠隔転移なし M1：遠隔転移あり

TNM分類をもとに，がんの進行度と広がりの程度などの病期を表すものが**ステージ(stage)分類**である．臨床に沿った分類で，日本語では臨床進行期分類ともいう．原発巣ごとに定められた5段階に分類するが，やはりその概念は共通である(▶表3)．

b がんの治療

がんの治療はその発生部位や病期により選択され，①手術療法，②抗がん薬などによる化学療法，③放射線療法が主たるものである．温熱療法や臓器移植もその選択肢としてあり，白血病，悪性リンパ腫，多発性骨髄腫などの血液悪性疾患には造血幹細胞移植が行われる．

(1) 手術療法

早期に発見された造血器由来以外のがんに対して根治が期待でき，第一選択の治療とされている．化学療法と放射線療法は，やや進行した病期に対する併用療法，あるいはさらに進行した病期に対する延命効果を期待する治療としての位置づけが多い．手術療法による侵襲や機能障害を軽減するため，内視鏡治療，体腔鏡下での低侵襲手術も進歩してきている．がん細胞をすべて切除したと判断できる手術を**根治手術**，がんの完治ではなく主に症状の緩和に重きをおいた手術を**姑息手術**と呼ぶ．進行性がんでは，過去にはがんの周辺部まで含めて大きく切除することも多かったが，現在では手術ですべて取り除くのではなく，化学療法や放射線療法などを併用した**集学的治療**により，より切除範囲を小さくし臓器機能を温存することも

▶表3 ステージ(stage)分類とTNM分類とのおおよその関係

A. ステージ分類

0	がん細胞が粘膜内(上皮細胞内)にとどまっているもの
I	早期の悪性腫瘍で，発生部位に限局した小さなもの
II	stage I よりも進行しているが，局所に限定しているもの
III	局所進行した悪性腫瘍で，周辺臓器に直接浸潤，もしくは原発巣周囲のリンパ節に転移しているもの
IV	高度なリンパ節転移と遠隔転移のある悪性腫瘍

B. TNM分類

T	N	M
T0〜1	N0	M0
T1〜2	N0〜1	M0
T1〜3	N0〜2	M0
T2〜4	N0〜3	M0
T4	N1〜3	M0〜1

多い．

(2) 化学療法

各種抗がん薬を用いた薬物療法である．がん細胞を直接的または間接的に破壊・減少させ，悪液質を軽減させる．化学療法選択の目的は，腫瘍の死滅・縮小・増殖防止，手術療法前の補助，手術療法後の再発防止であり，手術療法や放射線療法が行えない場合にも行われる．

(3) 放射線療法

主に手術が行われない場合の選択肢となる．放射線療法をより効果的に行うために抗がん薬を併用する場合は，**化学放射線療法**と呼ばれる．放射線療法の目的は，治癒もしくは症状の緩和である．後者では，骨転移による痛みや脳転移による神経症状，食道がんの食道狭窄に有効とされる．

また，一般に根治に向かった積極的な治療が行えない場合，あるいは積極的治療を患者が望まない場合に，症状緩和を中心とした治療を行うことを**ベストサポーティブケア**(best supportive care; BSC)と呼んでいる．

C がんの症状・障害

がんの初期症状は発生した臓器などにより異なるが，その原因はがんの増大と浸潤による組織への刺激や破壊，がんによる他組織への圧迫，がんがつくる毒性物質の作用などがあげられる．それぞれの臓器の機能不全症状が出現する．がんの進行とともに食欲は低下し体重が減少，体力が低下し身体は衰弱する．この状態は**悪液質**〔カヘキシア(cachexia)〕と呼ばれ，がんの死因の20％を占めるといわれている[3]．

がん細胞の多くは炎症反応を誘発するサイトカインを分泌するが，これらは食欲低下，倦怠感増大，炎症によるエネルギー消費の増大などを引き起こし，体重減少や筋組織・脂肪組織の減少，電解質異常などをもたらす．蛋白質分解も亢進し，筋肉量減少，筋持久力低下が生じる．局所症状は原発部位または転移により，脳腫瘍(脳転移)による麻痺，高次脳機能障害，嚥下障害や脊髄・脊椎腫瘍(脊髄・脊椎転移)による麻痺，肺がん(肺転移)による呼吸機能障害，骨腫瘍，骨転移による病的骨折などがある．さらに，がんが原発病巣から血行性，リンパ性に全身に広がり，他の臓器に遠隔転移した場合には，その部位の臓器不全症状が出現する．がんまたはその転移巣から離れた部位で症状が生じる場合があり，これは**腫瘍随伴症候群**と呼ばれる．運動機能にかかわる腫瘍随伴症候群では，多発神経炎などの末梢神経障害，亜急性小脳変性症，Eaton-Lambert(イートン・ランバート)症候群などがある．

前述のようながんそのものによる症状・障害に加えて，がんに対する治療を行うことで，その副作用としてさまざまな症状・障害が出現する．多くは治療中から生じてくるものであり，がんそのものによる症状・障害と明確に区分しがたい場合もあるが，以下に運動療法実施のうえで留意すべきいくつかの具体的症状を述べる．

(1) 疼痛

痛みは「組織の実質的あるいは潜在的な障害に

▶表 4 化学療法の主な副作用と出現時期

	副作用
投与～数日	●急性悪心・嘔吐，アレルギー反応，血圧低下，不整脈，頻脈，呼吸困難 ●遅延性悪心・嘔吐，食欲低下，全身倦怠感，便秘
1～3 週	●口内炎，下痢，肝・腎機能障害，心機能障害 ●骨髄抑制（白血球減少，好中球減少，血小板低下）
3～4 週以降	●骨髄抑制，貧血 ●神経毒性（末梢しびれ感など），味覚障害，脱毛など

関連する，またこのような障害と関連した言語を用いて述べられる不快な感覚・情動体験」と定義されている〔国際疼痛学会〕．痛みは主観的な症状で，身体的，精神的，社会的，スピリチュアル（実存的，霊的）な情動から成り立ち，互いに関係し，影響し合う．これを**全人的痛み**（トータルペイン）と呼ぶ．がん患者の疼痛は，内臓痛，神経障害性疼痛などのがんそのものによる疼痛，術後疼痛などの治療に伴う疼痛，がんそのものまたは治療に伴う疼痛とはいえない疼痛（不動に伴う疼痛，免疫能低下による帯状疱疹発症に伴う痛みなど）がある．

これらに対して，睡眠の確保，安静時・体動時の疼痛緩和を目的に薬物療法，放射線療法などが行われる．薬物療法ではWHO方式がん疼痛治療法という段階的な鎮痛薬使用（第1段階：非オピオイド製剤，第2段階：弱オピオイド製剤，第3段階：強オピオイド製剤）が行われる．オピオイドの副作用としては，悪心，便秘，眠気，呼吸抑制がある．

(2) 化学療法，放射線療法に伴う副作用

化学療法に伴う副作用には骨髄抑制，発熱性好中球減少症，出血傾向，悪心・嘔吐などがあり，その症状出現時期はある程度の予測が可能である（▶表 4）．

放射線療法では，主として治療部位に副作用が生じる．副作用が出てくる時期は，放射線療法中または終了直後のもの（急性期）と，終了してから半年～数年経ったあとからのもの（晩期）がある．

急性期副作用には，全身症状として全身倦怠感，悪心・嘔吐，下痢などがある．以下に，治療部位別の急性期副作用の例を示す．

- 頭部への照射：頭痛，耳痛，めまい，脱毛，頭皮の発赤，悪心・嘔吐などの症状．
- 口腔，頸部への照射：口腔，咽頭，喉頭の粘膜炎による飲み込みにくさ，飲み込むときの痛み，声枯れといった症状．
- 肺，縦隔，乳房への照射：食道が治療部位に入っていると，食道炎の症状である飲み込みにくさ，飲み込むときの痛みが出現する．
- 腹部，骨盤への照射：胃，腸が照射され，悪心・嘔吐，腹痛，下痢などの症状．
- 膀胱への照射：膀胱炎症状である頻尿，排尿困難など．

晩期副作用は，照射終了後数か月以上経ってから出現する．照射部位および照射が通過した部位の拘縮，線維化や壊死，稀に二次性の発がんなどがみられる．

(3) がん関連倦怠感

がん患者の倦怠感は，**がん関連倦怠感**（cancer related fatigue; CRF）といわれ，2008年の全米総合がん情報ネットワーク（National Comprehensive Cancer Network; NCCN）の定義では，「最近の活動に合致しない，日常生活機能の妨げとなるほどの，がんまたはがん治療に関連した，つらく持続する主観的な感覚で，身体的，感情的，および/または認知的倦怠感または消耗をいう」とされる．前述した化学療法，放射線療法の副作用として高頻度に認められるが，終末期がん患者では50～90％で倦怠感が認められると報告されている[4,5]．がん患者の倦怠感の度合いは高く，患者のQOLを低下させるため，その対応は非常に重要である．

(4) 呼吸困難感

がん患者において呼吸困難の発生する頻度は46～59％と報告されている．肺がんの患者に限るとその頻度は増加し，75～87％となる．その原

因は多様であるが，局所（心肺）における主たる原因は，胸水，胸壁腫瘍，心嚢水，上大静脈の圧迫，気管支の圧迫，肺塞栓，がん性リンパ管症，感染症などがあげられる．全身状態による原因としては，貧血，腹水，肝腫大，全身衰弱に伴う呼吸筋疲労，発熱，不安，抑うつ，精神的ストレスがあげられる．がん治療に関連した原因では，放射線治療によるものとして急性呼吸促迫症候群（acute respiratory distress syndrome; ARDS），放射線性肺臓炎がある．化学療法に伴うものとしてはシクロホスファミド，ブレオマイシンなどの抗がん薬による間質性肺炎がある[6]．

4 がん患者のリハビリテーション

がん患者は，疾患そのものおよび治療に伴い，さまざまな症状・障害をかかえている（▶表5）[7]．このようなさまざまな問題に対しリハビリテーションは効果があり，リハビリテーション専門職は大きな役割を担っている．がん患者のリハビリテーションの目的は，がんとその統合的な治療過程において受けた身体的および心理的な種々の制約に対して，個々の患者が属するそれぞれの家庭や社会へ，可能なかぎり早く復帰することができるように導いていくこととされている[8]．

がん患者のリハビリテーションは，病期別に予防的（preventive），回復的（restorative），維持的（supportive），緩和的（palliative）の4つに分類される[9]．周術期や治癒を目指した化学療法・放射線療法施行中から緩和ケアが主体となる時期で，いずれの段階においてもリハビリテーションの介入は有効である．病勢の経過により時系列に並んではいるが，各療法の実施においては同時期に複数の目的をもった介入が必要となることも多い（▶図3）．

2010年度の診療報酬改定で「がん患者リハビリテーション料」が新設され，それまで明確ではなかったがん患者に対するリハビリテーション専門療法の介入が明確になった．所定の研修を終えた療法士のみが診療報酬請求ができるなどの制限はあるが，各療法の必要性や術前，治療前からの理学療法介入も公式に認められ定着している．

また，濃厚な治療時期から緩和ケアの時期のみでなく，**がんサバイバー**（がんと診断されたのちも生存している人々；cancer survivors）に対する運動介入の効果，がん罹患予防のための運動介入の効果も数多く示されるようになっており，リハビリテーション，理学療法の果たす役割は今後もますます大きくなっていくものと考えられる．

▶表5　悪性腫瘍の症状・障害

悪性腫瘍そのものによる症状・障害

全身症状
- 衰弱による体力低下
- がん性疼痛，倦怠感による活動性低下
- 食思不振や悪心・嘔吐による低栄養

局所症状
- 脳腫瘍（脳転移）による麻痺，高次脳機能障害，嚥下障害
- 脊髄・脊椎腫瘍（脊髄・脊椎転移）による麻痺
- 肺がん（肺転移）による呼吸機能障害
- 骨軟部腫瘍による運動器障害
- 骨腫瘍，骨転移による病的骨折
- 末梢神経障害による筋力低下，感覚障害

治療に伴う症状・障害

全身症状
- 倦怠感による活動性低下
- 貧血，脱水による活動性低下
- 食思不振や悪心・嘔吐による低栄養

局所症状
- 開胸・開腹術後の呼吸器合併症
- 乳がん術後の肩関節拘縮
- リンパ節郭清後，放射線療法後のリンパ浮腫
- 頸部リンパ節郭清後の副神経障害，僧帽筋麻痺
- 頭頸部がん術後の嚥下障害，構音障害
- 化学療法による末梢神経障害
- 化学療法による心筋障害
- 化学療法による肝障害，腎障害
- 放射線療法による脳症，脊髄症による麻痺
- 放射線療法による瘢痕拘縮

〔宮越浩一：がんのリハビリテーションの必要性とエビデンス．宮越浩一（編）：がん患者のリハビリテーション─リスク管理とゴール設定，pp.2–10，メジカルビュー社，2013より一部改変〕

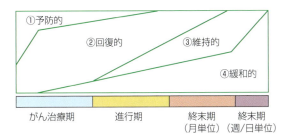

▶図3 病期ごとのリハビリテーションの内容

B 運動療法の実際

1 運動療法の目的

 がんの理学療法は，がんそのものによる症状・障害，障害と手術療法，抗がん薬などによる化学療法や放射線療法による影響による症状・障害，およびそれらによる日常生活上での不自由を改善することを目的とする．

 手術療法後は手術による侵襲や術後疼痛，麻酔の影響などで呼吸不全が生じやすい．安静臥床によって生じる二次的障害を最小にするため，早期離床が重要である．化学療法，放射線療法施行中およびその後では前述したような副作用に留意し，効果的な介入となるよう無理のない運動療法プログラムを立案する．また，最近ではプレハビリテーション(prehabilitation)として，手術前の時期や術前化学療法の時期から運動指導や栄養指導などを行い，術後成績の改善を目指す取り組みも増えている．

 具体的な目標設定では，がんの進行度や病期，治療の状況などを考慮する．基礎的な運動療法の実施と具体的な動作練習の比率をどのようにするのか，何を中心に行うべきかなどは，特に病期の影響をよく考えて検討する必要がある．

2 評価のポイント

a 医学的情報などの収集

 がんの進行度や病期，治療計画やその状況などを診療録や，医師・看護師などから直接情報を得る．職業や家族，介護者の有無などの社会的情報も目標設定を考えるうえでは大切な情報となる．

b 身体機能の評価

 脳腫瘍(脳転移)による運動麻痺や高次脳機能障害，脊髄・脊椎腫瘍(脊髄・脊椎転移)による麻痺，肺がん(肺転移)や手術療法後の呼吸機能障害，末梢神経障害による筋力低下や感覚障害など，がんの原発・転移部位に合わせ，身体機能の評価を実施する．

c ADLや活動度の評価

 ADLの状況を把握し，その状態である原因を検討する．ADLの評価では，通常 Barthel(バーセル) Index や FIM(Functional Independence Measure)が用いられる．また，がん患者のADL評価として，ECOG(Eastern Cooperative Oncology Group)の Performance Status(PS)や Karnofsky(カルノフスキー) Performance Scale(KPS)がある(▶表6)[10]．さらに，KPSをもとにした，緩和ケアの対象となるがん患者の全身状態を評価するツールとして，Palliative Performance Scale(PPS)(▶表7)[11] がある．PSの0〜2が積極的な化学療法を行う1つの目安となっており，理学療法効果も期待される部分でもある．

▶表6 ECOG の Performance Status(PS)と Karnofsky Performance Scale(KPS)

A. ECOG の Performance Status

スコア	定義
0	まったく問題なく活動できる 発病前と同じ日常生活が制限なく行える
1	肉体的に激しい活動は制限されるが,歩行可能で,軽作業や座っての作業は行うことができる 例:軽い家事,事務作業
2	歩行可能で自分の身のまわりのことはすべて可能だが作業はできない.日中の50%以上はベッド外で過ごす
3	限られた自分の身のまわりのことしかできない.日中の50%以上をベッドか椅子で過ごす
4	まったく動けない 自分の身のまわりのことはまったくできない 完全にベッドか椅子で過ごす

B. Karnofsky Performance Scale

スコア(%)	定義
100	正常 自他覚症状がない
90	通常の活動ができる 軽度の自他覚症状がある
80	通常の活動に努力がいる 中等度の自他覚症状がある
70	自分の身のまわりのことはできる 通常の活動や活動的な作業はできない
60	時に介助が必要だが,自分でやりたいことの大部分はできる
50	かなりの介助と頻回の医療ケアが必要
40	活動にかなりの障害があり,特別なケアや介助が必要
30	高度に活動が障害され,入院が必要 死が迫った状態ではない
20	非常に重篤で入院が必要 死が迫った状態ではない
10	死が迫っており,死に至る経過が急速に進行している

〔日本臨床腫瘍研究グループ:National Cancer Institute—Common Toxicity Criteria(NCI-CTC Version 2.0, April 30, 1999). 日本語訳 JCOG 版 第2版, p.29, 2001 より〕

▶表7 Palliative Performance Scale(PPS)

スコア(%)	起居	活動性	セルフケア	栄養摂取	意識レベル
100	100% 起居している	正常の活動,仕事が可能 自他覚症状がない	自立	正常	清明
90		通常の活動ができる 軽度の自他覚症状がある			
80		なんらかの症状はあるが,通常の活動が可能		正常 もしくは 減少	
70	ほとんど起居している	明らかな症状があり,通常の活動や仕事が困難			
60		明らかな症状があり,趣味や家事を行うことが困難	時に介助		清明 もしくは 混乱
50	ほとんど座位もしくは臥床	著明な症状があり,どのような仕事も行うことが困難	しばしば介助		
40	ほとんど臥床	著明な症状があり,ほとんどの行動が制限される	ほとんど介助		清明 もしくは 傾眠±混乱
30	常に臥床	著明な症状があり,いかなる活動も行うことができない	全介助		
20				数口以下	
10				マウスケアのみ	

〔Anderson, F., Downing, G.M., et al.: Palliative performance scale (PPS): a new tool. *J. Palliat. Care*, 12(1):5–11, 1996 より〕

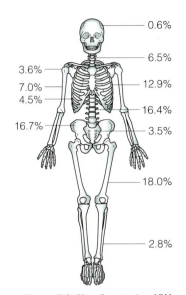

▶図4 骨転移の生じやすい部位
〔川井 章ほか：がん骨転移の疫学．骨・関節・靱帯，17:363-367, 2004 より〕

▶表8 Mirels による長管骨転移の病的骨折のリスク

	1点	2点	3点
部位	上肢	下肢	転子部
疼痛	軽度	中等度	重度
病変のタイプ	造骨性	混合性	溶骨性
大きさ	1/3 未満	1/3〜2/3	2/3 超

12点満点．高得点ほどリスクが高く，合計が8点以上の場合は病的骨折のリスクが高いと判定する．
〔Mirels, H.: Metastatic disease in long bones. A proposed scoring system for diagnosing impending pathologic fractures. *Clin. Orthop. Relat. Res.*, 249:256-264, 1989 より〕

▶表9 Spinal Instability Neoplastic Score (SINS)

		点数
転移部位	移行部(後頭骨〜C2, C7〜T2, T11〜L1, L5〜S1)	3
	脊椎可動部(C3〜C6, L2〜L4)	2
	ある程度強固な部位(T3〜T10)	1
	強固な部位(S2〜S5)	0
動作時や脊椎への負荷時の疼痛	あり	3
	時に疼痛がある	1
	疼痛はない	0
腫瘍の性状	溶骨性変化	2
	混合性変化	1
	造骨性変化	0
画像所見による椎体アライメントの評価	脱臼や亜脱臼の存在	4
	後弯や側弯変形の存在	2
	アライメント正常	0
椎体破壊	50%以上の椎体破壊	3
	50%以下の椎体破壊	2
	椎体の50%以上が腫瘍浸潤されているが椎体破壊はない	1
	いずれもない	0
脊椎の後外側の障害(椎間関節，椎弓根，肋椎関節の骨折や腫瘍浸潤)	両側性	3
	片側性	1
	なし	0

18点満点．高得点ほど安定性は不良．6点以下で安定性あり，7〜12点は中等度，13点以上は不安定性ありと評価する．
〔Fisher, C.G., et al.: A novel classification system for spinal instability in neoplastic disease: an evidence-based approach and expert consensus from the Spine Oncology Study Group. *Spine*, 35(22):1221-1229, 2010 より〕

d 骨転移

　がんは進行とともにさまざまな部位に転移を生じるが，骨は転移の好発部位である．前立腺がん，乳がん，腎がん，肺がんでは骨転移が多い．理学療法実施時および生活活動時の病的骨折が生じるリスクがあり，骨転移の有無や，転移が存在する場合にはその程度を把握しておくことが必要である．骨転移の生じやすい部位は図4に示すとおりである[12]．脊椎，骨盤，大腿骨など荷重部位に多く，運動療法や動作指導での配慮が必要となる．骨シンチグラフィーやPET(positron emission tomography)などの画像所見も確認する．病変部位については，その変化形態が溶骨性か，造骨性か，混合性かを判断することが大切である．長管骨の病的骨折のリスク判断の目安として，Mirelsのスコア(▶表8)[13]，脊椎転移の椎体安定性のスコアとしてSINS(Spinal Instability Neoplastic Score)(▶表9)[14] があり，これらを確認しておくことが大切である．

▶表 10　血算値による運動ガイドライン(成人)

白血球数(WBC)	＜ 5,000/μL ＋熱発	運動禁止(化学療法中の患者は 3,000/μL 以下)
	＞ 5,000/μL	軽い運動，可能な範囲で抵抗運動へ進展
ヘマトクリット(HCT)	＜ 25%	運動禁止
	＞ 25%	軽い運動は許可
	＞ 30〜32%	可能な範囲で抵抗運動追加
ヘモグロビン(Hb)	＜ 8 g/dL	運動禁止
	8〜10 g/dL	軽い運動許可
	＞ 10 g/dL	抵抗運動許可
血小板数(PLT)	＜ 20,000/μL	運動禁止
プロトロンビン時間(PT)	実測値≥参考値より 2.5 倍	理学療法・作業療法禁忌
抗凝固療法中患者	INR ≥ 2.5〜3.0	主治医と相談

INR：国際標準化比
このガイドラインはあくまでも一般的な推奨値であって，患者各自の年齢，全般的な健康状態，疾病，状態に応じて，各療法士が判断しなければならない
〔Goodman, C.C., Fuller, K.S., Boissonnault, W.G.: Pathology: Implications for the Physical Therapist. 2nd ed., p.1179, Saunders, Philadelphia, 2003 より一部改変〕

▶表 11　血小板減少症に対する運動ガイドライン

血小板数(/μL)	運動内容
≥ 150,000(基準値：150,000〜450,000)	制限なし
≥ 50,000	漸増的抵抗運動(可能な範囲で) 水泳，低い台でのステッピング，平面での自転車駆動
≥ 30,000	自動的 ROM，中等度の運動，自転車エルゴメータ，可能なかぎりでの歩行，水治療法
≥ 20,000	軽い運動，自動的 ROM のみ，可能なかぎりでの歩行，医師が承認すれば水治療法
＜ 20,000	運動禁止を提唱する意見あり．自動的 ROM は承認する意見もある．ADL の制限．医師の承認により歩行．胸部理学療法は禁忌

注)これらのガイドラインは施設によって異なり，理学療法士は自身の施設における基準を確認する必要がある．がん治療を行う理学療法士は，より緩徐な基準をもつ．たとえば，いくつかの施設では，ROM と ADL の制限は 5,000/μL 以下となっている．

〔Goodman, C.C., Fuller, K.S., Boissonnault, W.G.: Pathology: Implications for the Physical Therapist. 2nd ed., p.1179, Saunders, Philadelphia, 2003 より一部改変〕

c その他

　化学療法，放射線療法などによる骨髄抑制などの副作用を血液データなどから確認する．これらの状況により，運動療法の内容や量を加減してプログラムを立案する．血算値，血小板の数値による運動療法の目安を表 10，11 に示す[15]．また，がん患者のリハビリテーション実施における中止基準を表 12 に示す[16]．

　疼痛の状況および鎮痛薬などの投薬状況についても確認し，疼痛が運動療法実施のうえで大きな妨げとなる場合は，運動療法実施前に鎮痛薬の使用の検討を行う場合もある．

▶表12 がん患者におけるリハビリテーションの中止基準

1	血液所見：ヘモグロビン 7.5 g/dL 以下，血小板数 50,000/μL 以下，白血球数 3,000/μL 以下
2	大腿骨，脛骨，上腕骨といった長管骨骨皮質の 50％ 以上の浸潤，大腿骨の直径 2.5 cm 以上の浸潤，脊髄内への直径の 50～60％ に及ぶ圧迫
3	有腔臓器（腸管，膀胱，尿管），血管，脊髄への圧迫
4	疼痛や呼吸困難，運動の制限を伴う胸膜，心膜，腹膜，後腹膜への滲出液貯留
5	中枢神経機能の低下，意識障害，頭蓋内圧亢進
6	低・高カリウム血症，低ナトリウム血症，低・高カルシウム血症
7	起立性低血圧，160/100 mmHg 以上の高血圧
8	110 拍/分以上の頻脈，心室性不整脈
9	38.3℃ 以上の発熱

〔Vargo, M.M., et al.: Rehabilitation for Patients with Cancer Diagnoses. In DeLisa, J.A., et al. (eds): Physical Medicine and Rehabilitation: Principles and Practice, 4th ed.（vol.2），pp.1771-1794, Lippincott Williams & Wilkins, Philadelphia, 2005 より〕

3 運動療法の方法

a 周術期の運動療法

　食道がん，胃がん，大腸がん，肝がん，胆・膵がんなどの消化器がんや，肺がん，転移性肺腫瘍，縦隔腫瘍などでは胸腹部外科手術が行われる．術後の呼吸器合併症や廃用症候群を予防することは，対象者の ADL 能力の早期回復や体力改善を目指すために大切である．特に高齢患者では加齢に伴う生理機能の低下もあり，術後合併症の併発リスクが高いため，術前から術後呼吸器合併症を予防するために介入することが重要であるとされている[17]．

　術前の介入として，呼吸練習や排痰法の指導，術部位に応じた疼痛回避のための動作方法指導，体力維持・向上のための運動療法を行う．呼吸練習では，口すぼめ呼吸と横隔膜呼吸を実施する．口すぼめ呼吸の習得により，換気の改善や呼吸数のコントロールが容易となる．横隔膜呼吸はいわゆる腹式呼吸であるが，吸気量の増加による換気効率の改善や呼吸仕事量の軽減が期待される．横隔膜運動が明確に認めにくい場合は，横隔膜呼吸はかえって呼吸困難や疲労をまねく場合があるので注意する．その場合には鼻からの吸気を意識した深呼吸の指導を行う．インセンティブスパイロメトリー（incentive spirometry）は外科手術後の無気肺発生予防と治療を目的とした，長い深呼吸を持続するための呼吸練習器具で，術前からの使用がすすめられている[18]．排痰法としては，咳嗽法やハフィング（huffing）などの指導を行う．術部位に応じた疼痛回避のための動作方法指導では，創部自体の動きを少なくし，創部を手やクッションを押さえて固定性を高め，疼痛を少なくしたうえで行う寝返りや起き上がりの方法を指導する．術後の介入については，Ⅲ-第1章「胸・腹部外科手術後の運動療法」を参照されたい（→ 363 ページ）．

　舌がん，口腔がん，咽頭がん，喉頭がん，食道がんなどの頭頸部がんにおいては，転移を生じたリンパ節切除の目的で頸部郭清術が行われる．術後は副神経障害による肩 ROM 制限や頸部軟部組織損傷による嚥下障害が生じやすい．副神経は僧帽筋を支配しており，副神経の切除は僧帽筋麻痺を生じさせ，肩甲帯の運動が困難となり肩 ROM 制限がおこる（▶図5）．肩関節の機能改善のための運動療法が必要であり，副神経切除がなされている場合は残存した筋力での代償動作の獲得，副神経が温存されている場合は僧帽筋の筋力強化を行う．乳がんの術後でも，術後疼痛，軟部組織切除による皮弁間張力の関係，創の瘢痕拘縮，肋間上腕神経，内側上腕皮神経などの末梢神経損傷により肩 ROM 制限が生じやすい．ROM 改善のための運動療法が必要であり，早期介入が望ましい．ただし，肩関節運動に伴うドレーン排液量の増加と留置期間が延長することに留意する必要があり，術後1週間程度はドレーン排液量を確認しつつ，愛護的に行う必要がある．

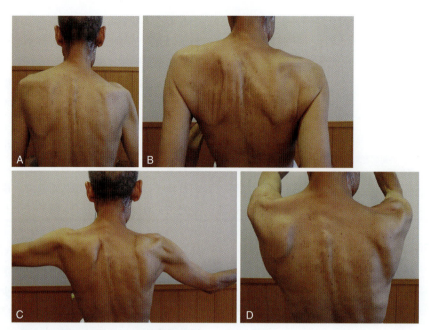

▶図5 副神経損傷による僧帽筋麻痺
下顎がん(stage IV)で腫瘍切除,頸部郭清および再建術施行(副神経切除).右僧帽筋麻痺により,肩甲帯下垂,翼状肩甲を呈している.

b 化学療法,放射線療法施行中/後の運動療法

　化学療法,放射線療法実施中およびその後の理学療法や造血幹細胞移植前後の理学療法では,種々の治療の影響,運動機能障害による活動性の低下や臥床による廃用症候群の進行が問題となる.そのため,それぞれの時期や症状に応じた理学療法介入が必要である.

　実際の理学療法では,廃用症候群の進行を防止するためのROM運動や筋力増強運動などの運動療法とともに,体力低下のあるなかで必要以上にADLを低下させないような効率的な動作方法の指導を行う.治療開始前の時点で活動性の低下がすでに生じている例では,治療開始前から体力増強のための運動療法導入が望ましい.治療中は症状の日間変動もみられるため,床上臥位での運動,座位での運動,立位での運動など,身体活動の状況に合わせて肢位を変更した対応を行う.発熱や貧血症状がある場合には,息こらえを避ける,呼気延長による呼吸数の調整などの呼吸方法の指導も行いながら運動療法を実施する.また,疼痛や苦痛回避のための緊張姿勢持続による脱力困難などが生じる場合には,リラクセーションのためのストレッチングなども併用する.最大酸素摂取量や全身持久性の維持・改善のためには,平地歩行やトレッドミル歩行,自転車エルゴメータ運動などを実施する.運動強度の目安としては,安静時の脈拍から10〜20回/分程度の増加を指標として進める[19].ADLが自立し平地歩行が可能なレベルに達したのちも,体力・全身持久性の向上のために運動を継続するよう指導することが望ましい.

　血液悪性疾患に対する造血幹細胞移植では,寛解導入療法や地固め療法などの化学療法による問題,移植前処置の全身放射線照射・超大量化学療法の影響とともに,移植後の合併症として全身倦怠感,消化器症状,骨髄抑制,移植片対宿主病(graft versus host disease; GVHD)などが問題となる.一定期間,無菌室という活動性の制限さ

れた環境で過ごすことを余儀なくされる造血幹細胞移植の場合も，継続的な運動療法導入により廃用症候群の予防や身体活動性，持久力の維持がはかれることが報告されている[20, 21]．

c 骨転移がある場合の運動療法

骨転移がある患者の運動療法や動作練習は慎重に行う必要がある．事前に情報収集し，病的骨折のリスクについて検討することが必要である．荷重骨への転移がある場合には，荷重の可否と程度を医師と決定し，患者・家族にも病的骨折のリスクを説明し同意を得たうえで介入する．荷重骨に転移がある場合は免荷のために歩行補助具，装具の活用を検討し，脊椎転移がある場合は体幹の過度の捻転を避けるなどの配慮をして，運動療法や動作練習を行う．転移部に対して手術療法が行われる場合には，術後の運動や荷重の可否についての確認が必要である(▶図6)．放射線療法が行われる場合は除痛効果が比較的早期に得られるのに対し，骨硬化までは2～3か月要することに留意しておく必要がある．

d リンパ浮腫に対する運動療法

リンパ浮腫には一次性リンパ浮腫(先天性あるいは原因不明のリンパ浮腫)と二次性リンパ浮腫とがある．二次性リンパ浮腫は，乳がん・子宮がん・前立腺がんなどでの手術時のリンパ節郭清や，放射線療法，化学療法，腫瘍などの影響によるリンパ管の破壊・狭窄・圧迫などが原因となり，蛋白成分の多い組織間液が患肢に貯留した状態である．このようなリンパ浮腫への対応として，スキンケア，用手的リンパドレナージ(manual lymphatic drainage；MLD)，圧迫療法，運動療法の4つの療法を基本とした複合的理学療法(complex decongestive physical therapy；CDP)がある．CDPは欧州において体系化され定着したリンパ浮腫の管理方法であり，わが国ではCDPに日常生活指導に基づく対象者自身で管理する方法を組み合わせた複合的治療が普及して

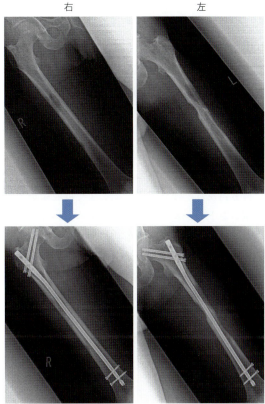

▶図6　骨転移に対する手術療法
腎細胞がんの骨転移．切迫骨折であることから術前は下肢荷重禁止．予防的内固定のため髄内釘刺入．術後は予後も考慮のうえ，荷重，歩行許可の方針となり，短距離の歩行器免荷歩行まで可能となった．

きている．

e がんサバイバーの運動療法

がんサバイバーの運動については，米国スポーツ医学会(American College of Sports Medicine；ACSM)が「がんサバイバーのための運動ガイドライン」を継続的に発表しており，がんサバイバーには歩行などの有酸素運動と筋力トレーニングを，1セッションあたり約30分間，週3回以上，合計すると週に計150分間行うことを推奨している．運動が，乳がん，大腸がん，前立腺がんの患者の生存率を向上させ，大腸がん，乳がん，腎臓がん，子宮体がん，膀胱がん，胃がん，食道がんのリスクを低下させるとしている[22]．

f がん罹患予防の運動療法

2007年，米国がん研究協会（American Institute for Cancer Research; AICR）と世界がん研究基金（World Cancer Research Fund; WCRF）は共同で，「食物・栄養・身体活動とがん予防」について報告し，そのなかで運動に関しては，毎日少なくとも30分間は活発に歩くことや，座りきりの生活の改善を推奨し，各種栄養の摂取程度などにも言及し，痩せすぎることなく可能なかぎり体重コントロールすることをすすめている[23]．

わが国においては，「科学的根拠に根ざした予防ガイドライン日本人のためのがん予防法（5＋1）」で日常生活を活動的に過ごすために，ほぼ毎日合計60分程度の歩行などの適度な身体活動に加えて，週に1回程度は活発な運動（60分程度の早歩きや30分程度のランニングなど）を加えることが推奨されている[24]．

C 運動療法上の留意点

がん患者の理学療法目標設定やプログラム立案では，がんの進行度や病期，治療の状況，生命予後などとともに，患者自身，家族の価値観など多くのことを考え合わせる必要がある．がん患者の理学療法は，患者の状態・時期によりさまざまな側面をもっている．すなわち，周術期の急性期理学療法としての介入，化学療法などの濃厚な治療期では感染予防，病的骨折の回避などを考慮した回復期理学療法，終末期では維持期理学療法あるいは緩和ケアとしての介入などである．運動療法と動作練習，生活指導，補装具や歩行補助具，福祉・介護機器の活用など，あらゆる介入戦略を駆使して実施することが望ましく，機能改善と代償運動獲得のバランスを考えながら進めることが大切である．

●引用文献

1) 厚生労働省：平成30年 我が国の人口動態（平成28年までの動向）．
https://www.mhlw.go.jp/toukei/list/dl/81-1a2.pdf
（2023年6月24日閲覧）
2) がん研究振興財団「がんの統計」編集委員会：がんの統計2023年版．
https://ganjoho.jp/public/qa_links/report/statistics/pdf/cancer_statistics_2023.pdf（2023年6月24日閲覧）
3) Tisdale, M.J.: Biology of cachexia. *J. Natl. Cancer Inst.*, 89(23):1763–1773, 1997.
4) Seow, H., et al.: Trajectory of performance status and symptom scores for patients with cancer during the last six months of life. *J. Clin. Oncol.*, 29(9):1151–1158, 2011.
5) Semionov, V., et al.: Prevalence and management of symptoms during the last month of life. *Isr. Med. Assoc. J.*, 14(2):96–99, 2012.
6) 茅根義和：呼吸困難の原因．日本緩和医療学会（編）：がん患者の呼吸器症状の緩和に関するガイドライン，p.30, 金原出版社, 2011.
7) 宮越浩一：がんのリハビリテーションの必要性とエビデンス．宮越浩一（編）：がん患者のリハビリテーション―リスク管理とゴール設定, pp.2–10, メジカルビュー社, 2013.
8) Lehmann, J.F., et al.: Cancer rehabilitation: assessment of need, development, and evaluation of a model of care. *Arch. Phys. Med. Rehabil.*, 59(9):410–419, 1978.
9) Dietz, J.H.: Rehabilitation Oncology. John Wiley & Sons, New York, 1981.
10) 日本臨床腫瘍研究グループ：National Cancer Institute—Common Toxicity Criteria（NCI-CTC Version 2.0, April 30, 1999）．日本語訳JCOG版 第2版, p.29, 2001.
11) Anderson, F., et al.: Palliative performance scale (PPS): a new tool. *J. Palliat. Care*, 12(1):5–11, 1996.
12) 川井 章ほか：がん骨転移の疫学．骨・関節・靱帯, 17:363–367, 2004.
13) Mirels, H.: Metastatic disease in long bones. A proposed scoring system for diagnosing impending pathologic fractures. *Clin. Orthop. Relat. Res.*, 249:256–264, 1989.
14) Fisher, C.G., et al.: A novel classification system for spinal instability in neoplastic disease: an evidence-based approach and expert consensus from the Spine Oncology Study Group. *Spine*, 35(22):1221–1229, 2010.
15) Goodman, C.C., et al.: Pathology: Implications for the Physical Therapist. 2nd ed., p.1179, Saunders, Philadelphia, 2003.

16) Vargo, M.M., et al.: Rehabilitation for Patients with Cancer Diagnoses. In: DeLisa, J.A., et al. (eds): Physical Medicine and Rehabilitation: Principles and Practice, 4th ed. (vol.2), pp.1771–1794, Lippincott Williams & Wilkins, Philadelphia, 2005.
17) 高江洲秀樹, 篠﨑正博：高齢者の術後肺合併症の予防と治療. 外科治療, 91(2):179–184, 2004.
18) 俵 祐一ほか：がん患者に対する呼吸リハビリテーションの実際. *MB Med. Reha.*, 111:21–27, 2009.
19) 額田愛子：がん患者の体力消耗状態に対する理学療法の進め方. PTジャーナル, 45(5):383–389, 2011.
20) 井上順一朗ほか：同種造血幹細胞移植患者の身体活動量に対する運動療法プログラム導入効果の検討. PTジャーナル, 43(4):323–328, 2009.
21) 森下慎一郎ほか：造血幹細胞移植患者の移植前後の身体機能に関する研究―無菌室内における運動療法の有用性. 理学療法学, 36(3):120–126, 2009.
22) Campbell, K.L., et al.: Exercise Guidelines for Cancer Survivors: Consensus Statement from International Multidisciplinary Roundtable. *Med. Sci. Sports Exerc.*, 51(11):2375–2390, 2019.
23) World Cancer Research Fund/American Institute for Cancer Research: Food, Nutrition, Physical Activity, and the Prevention of Cancer: a Global Perspective. American Institute for Cancer Research, 2007.
24) 国立がん研究センター がん対策研究所 予防関連プロジェクト：科学的根拠に根ざした予防ガイドライン「日本人のためのがん予防法(5+1)」.
https://epi.ncc.go.jp/files/02_can_prev/23_0222_E7A791E5ADA6E79A84E6A0B9E68BA0E381ABE59FBA.pdf(2023年6月24日閲覧)

第4章 腎疾患の運動療法

学習目標
- 腎機能障害およびその重症度分類について理解する．
- 慢性腎臓病患者に対する運動療法の考え方と注意点について理解する．
- 透析患者に対する運動療法の考え方や注意点について理解する．

A 腎臓の役割や機能

1 体液量や電解質の調整

　腎臓で濾過された体液は，近位尿細管で水，ナトリウムイオン（Na^+），ブドウ糖などが再吸収される．これにより，体液の浸透圧の恒常性が保たれている．体液の浸透圧が上昇すると脳下垂体後葉からバソプレシンが分泌され，腎臓で尿を濃縮することで体液の浸透圧を調整している．また，副腎皮質から分泌されるアルドステロンにより集合管でのNa^+の再吸収やカリウムイオン（K^+）が排泄されることで，水の再吸収を促進し，体液量を維持または増加し，体液の浸透圧を調整している．

2 老廃物（尿毒素）の排出

　蛋白質の代謝過程で生じるアンモニアは，主に肝臓で低毒性の尿素に合成され腎臓から排出される．尿素の約半数が尿細管で再吸収され，腎髄質にて尿を濃縮する際に利用される．この尿素中に含まれる窒素の量が**尿素窒素**（blood urine nitrogen；BUN）である．尿素に含まれる窒素の含有量は一定のため，血液中のBUN増加は，蛋白質摂取量増加または腎臓からの尿素排泄量減少が示唆される．腎臓から排泄される薬物は，腎機能障害の重症度に応じて薬物の排泄速度が低下する．そのため，重度腎機能障害を呈する患者では，通常の投与量でも副作用を生じる可能性がある．

3 酸塩基平衡の調整

　腎臓では血漿中の**酸塩基平衡**を調整するため，重炭酸イオン（HCO_3^-）を生成し，pHを低下（酸性化）させる水素イオン（H^+）と反応させることで酸塩基平衡を調整する．また，蛋白質の代謝過程で生じる硝酸イオン（NO_3^-）や硫酸イオン（SO_4^{2-}）などの不揮発性酸は換気による排泄ができないため，腎臓で代謝され尿中へ排出され酸塩基平衡が調整される．

4 ホルモン分泌

　腎臓では，赤血球生成に関与するエリスロポエチン分泌，血圧や体液量調整に関与するレニン分泌，カルシウム吸収に関与し，骨量調整に関与するビタミンD活性が行われている．そのため，腎機能障害により，エリスロポエチン産生低下による腎性貧血，レニン分泌過剰による高血圧，ビタミンD活性低下による骨量低下，骨粗鬆症が生じるリスクが上昇する．

▶表1 急性腎障害の診断基準（KDIGO 基準）

定義	1. ΔsCr ≧ 0.3 mg/dL（48 時間以内） 2. sCr の基礎値から 1.5 倍上昇（7 日以内） 3. 尿量 0.5 mL/kg/時以下が 6 時間以上持続	
	sCr 基準	尿量基準
ステージ 1	ΔsCr ≧ 0.3 mg/dL or sCr 1.5～1.9 倍上昇	0.5 mL/kg/時未満 6 時間以上
ステージ 2	sCr 2.0～2.9 倍上昇	0.5 mL/kg/時未満 12 時間以上
ステージ 3	sCr 3.0 倍上昇 or sCr ≧ 4.0 mg/dL までの上昇 or 腎代替療法開始	0.3 mL/kg/時未満 24 時間以上 or 12 時間以上の無尿

〔AKI（急性腎障害）診療ガイドライン作成委員会（編）：AKI（急性腎障害）診療ガイドライン 2016. 日腎会誌, 59(4):419–533, 2017 より〕

5 糖代謝の調整

絶食が長期に及ぶと肝臓のグリコーゲンが枯渇し，肝臓や腎臓での**糖新生**が行われる．長期絶食以外にも，肝臓摘出後，アシドーシス，糖尿病患者に対するインスリン大量投与時なども腎臓での糖新生が生じる．また，腎臓は糖の再吸収を行うことで糖代謝の恒常性を保っている．糸球体で濾過された糖のほぼすべてが近位尿細管で再吸収される．腎臓の近位尿細管でのグルコース再吸収の約 90％ が，ナトリウム・グルコース共役輸送体である sodium glucose co-transporter 2（SGLT2）を介した作用である．

B 腎機能障害の分類

1 急性腎障害（AKI）

急激な腎機能低下と腎組織障害を呈する病態である**急性腎障害**（acute kidney injury; AKI）は，RIFLE 基準や AKIN 基準などによる定義ならびに重症度分類が用いられてきた[1]．2012 年になり Kidney Disease Improving Global Outcomes（KDIGO）から急性腎障害のための KDIGO 診療ガイドラインが発表され，急性腎障害の標準的な診断基準である KDIGO 基準（▶表 1）が示されている[1]．KDIGO 診断基準は，血清クレアチニン（sCr）および尿量による診断および重症度が分類され，腎障害の原因や障害部位などは問わない．また，腎代替療法（renal replacement therapy; RRT）が実施された場合には，血清クレアチニンや尿量の基準値に関係なくステージ 3 に分類される．集中治療領域において敗血症や多臓器不全により加療中に急激な腎障害を合併する症例では，生命予後がきわめて不良となることから，急性腎障害の早期診断および早期治療が求められる．

2 急性腎臓病（AKD）

慢性腎臓病は，2012 年版 KDIGO ガイドラインにおいて腎臓の機能と構造の変容に用いる 2 つの定義である急性腎障害（AKI）と慢性腎臓病（CKD）のどちらの定義の基準も満たさない腎疾患グループの可能性を考慮し，**急性腎臓病**（acute kidney disease; AKD）の定義を提案している[2]．AKD の機能的基準は，AKI または 3 か月未満で糸球体濾過量（glomerular filtration rate; GFR）が 60 mL/分/1.73 m^2 未満，または 3 か月未満で GFR が 35％ 以上減少，または sCr が 50％ 以上の増加と定義されている．また，AKD の構造的基準は，3 か月未満での腎損傷と定義されている．

▶表2　CKDの重症度分類

原疾患	蛋白尿区分			A1	A2	A3
糖尿病性腎臓病	尿アルブミン定量（mg/日）			正常	微量アルブミン尿	顕性アルブミン尿
	尿アルブミン/Cr比（mg/gCr）			30未満	30〜299	300以上
高血圧性腎臓病 腎炎 多発性囊胞腎 移植腎 不明 その他	尿蛋白定量（g/日）			正常	軽度蛋白尿	高度蛋白尿
	尿蛋白/Cr比（g/gCr）			0.15未満	0.15〜0.49	0.50以上
GFR区分 (mL/分/ 1.73 m^2)	G1	正常または高値	≧90			
	G2	正常または軽度低下	60〜89			
	G3a	軽度〜中等度低下	45〜59			
	G3b	中等度〜高度低下	30〜44			
	G4	高度低下	15〜29			
	G5	高度低下〜末期腎不全	<15			

重症度は原疾患・GFR区分・蛋白尿区分を合わせたステージにより評価する．CKDの重症度は死亡，末期腎不全，心血管死亡発症のリスクを緑　のステージを基準に，黄　，オレンジ　，赤　の順にステージが上昇するほどリスクは上昇する．
〔KDIGO CKD guideline 2012を日本人用に改変〕

注：わが国の保険診療では，アルブミン尿の定量測定は，糖尿病または糖尿病性早期腎症であって微量アルブミン尿を疑う患者に対し，3か月に1回限り認められている．糖尿病において，尿定性で1+以上の明らかな尿蛋白を認める場合は尿アルブミン測定は保険で認められていないため，治療効果を評価するために定量検査を行う場合は尿蛋白定量を検討する．

〔日本腎臓学会（編）：エビデンスに基づくCKD診療ガイドライン2023. p.4, 東京医学社, 2023より〕

3 慢性腎障害（CKD）

慢性腎臓病（chronic kidney disease; CKD）は，2012年版KDIGOガイドラインにおいて「CKDは腎臓の構造または機能の異常が3か月を超える場合」と定義されており，①腎機能障害の指標：アルブミン尿（尿中アルブミン排泄率≧30 mg/24時間または尿アルブミン/クレアチニン比30 mg/gCr），尿沈渣の異常，尿細管障害による電解質以上やその他の異常，病理組織検査による異常，画像検査による形態異常，腎移植，または，②GFR低下（GFR＜60 mL/分/1.73 m^2）のいずれかが3か月を超えて存在する場合とされている[3]．また，CKDの重症度は原疾患（Cause），腎機能（GFR），尿蛋白・アルブミン尿（Albuminuria）に基づくCGA分類で評価される（▶表2）[3]．

CKDは，腎障害や腎機能低下が持続する疾患であり，加齢に伴う腎機能低下や生活習慣病などが関与している病態と，IgA腎症や多発性囊胞腎など腎臓専門医または専門医療機関による治療を要する腎疾患などが含まれる．CKDの進展により**末期腎不全**（end stage kidney disease; ESKD）に至ると，生命の維持のために透析療法や腎移植術が必要となる．

わが国の慢性透析患者数は，2020年末時点で347,671人と報告されており，米国腎臓データシステムによれば，わが国の透析患者の有病率は台湾に次いで世界2位とされている[4]．CKD患者は，脳血管疾患や心血管疾患，心不全などの発症リスクならびに死亡リスクが高い．そのため，CKDの早期診断・治療による重症化予防，心血

管疾患発症・再発予防に向けた運動療法を含めた包括的治療が重要となる.

C 腎臓病患者の身体機能

CKD患者の標準的な身体機能評価指標として，運動耐容能(症候限界性心肺運動負荷試験，6分間歩行テスト)，歩行機能(快適歩行速度，最大歩行速度)，筋力(握力，等尺性膝伸展筋力，椅子からの立ち座りテスト)，バランス機能(片脚立位，閉脚立位，セミタンデム立位，タンデム立位)，身体パフォーマンス〔short physical performance battery(SPPB)，Timed Up and Go Test(TUG)〕などが汎用されている[5]．

CKD患者では，CKD病期ステージの早期から身体機能が低下すること，CKD病期ステージの進展に伴って身体機能が低下することが示されている．おおよそ，CKD患者では，同年代の健常成人と比較して最高酸素摂取量では50〜80%，筋力・歩行機能・身体パフォーマンスでは70〜90%程度に低下する．これらのCKD患者の身体機能低下の誘因として，身体不活動に加えて，尿毒症，低栄養，炎症などによる蛋白異化が関与することが明らかとなっている．同様に透析療法を受ける末期腎不全患者においても，運動耐容能をはじめとする身体機能が，同年代の健常成人と比較しておおよそ60%程度まで低下していることが示されている．特に，高齢透析患者では，末期腎不全に対する身体活動の制限，透析導入後の身体不活動，体調不良などにより機能低下や能力低下が生じる．

D 運動療法の実際

1 AKI患者

a 運動療法の目的

目的は，急性期治療または集中治療に伴う急性合併症予防ならびに機能低下の最小化，入院関連能力低下予防ならびに早期ADL再獲得である．

b 運動療法の実際

軽度〜中等度の急性腎障害を呈する場合は，上述した腎機能低下に伴う病態に留意しながら，集中治療や急性期治療の妨げにならない範囲で積極的な離床や早期ADL再獲得に向けた起居動作練習，歩行練習ならびに運動療法(▶表3)を実施する．

2 CKD患者

a 運動療法の目的

目的は，運動耐容能の向上に加えて，心血管疾患や脳血管疾患発症予防ならびに腎機能障害の進展予防，生命予後改善である．

b 運動療法の実際

CKD患者に対する運動療法では，有酸素運動，レジスタンストレーニングならびにバランス練習が推奨されている(▶表3)．特に，フレイルを呈する高齢者では，レジスタンストレーニングを中心とする多角的な運動療法プログラムが重要となる[6,7]．CKD患者に対する運動療法は，『心血管疾患におけるリハビリテーションに関するガイドライン』[8]で定められている運動療法ならびに運動負荷試験の適応，禁忌ならびに運動療法の中止基準に準じて実施することが推奨されている．また，肥満やメタボリックシンドローム(MetS)は，CKD患者の死亡，末期腎不全ならびに心血管疾

▶表3　CKD 患者に推奨される運動処方

	有酸素運動	レジスタンストレーニング	柔軟体操
頻度	3～5 日/週	2～3 日/週	2～3 日/週
強度	中等度強度の有酸素運動〔酸素摂取予備能の40～59%, Borg 指数(RPE) 6～20 点 (15 点法) の 12～13 点〕	1 RM の 65～75%（1 RM を行うことはすすめられず，3 RM 以上のテストで 1 RM を推定すること）	抵抗を感じたりややきつく感じるところまで伸長する
時間	持続的な有酸素運動で 20～60 分/日，しかし，この時間が耐えられないのであれば 3～5 分間の間欠的運動曝露で計 20～60 分/日	10～15 回反復で 1 セット，患者の耐容能と時間に応じて，何セット行ってもよい．大筋群を動かすための 8～10 種類の異なる運動を選ぶ	関節ごとに 60 秒の静止 (10～30 秒はストレッチング)
種類	ウォーキング，サイクリング，水泳などのような持続的なリズミカルな有酸素運動	マシーン，フリーウェイト，バンドを使用する	静的筋運動

RPE：自覚的運動強度
〔American College of Sports Medicine: ACM's Guidelines for Exercise Testing and Prescription. 10th ed., Wolters Kluwer, 2017 より〕

患死のリスク因子とされている[3]．そのため，肥満や MetS を呈する CKD 患者では，その管理を目的とする運動療法や身体活動量管理を含む包括的な疾病管理プログラムが重要となる．

c 運動療法を実践する際の注意点

表2の高リスク群（微量アルブミン尿や尿蛋白を認める）に該当する CKD 患者では，心血管疾患の発症リスクが高いことから，運動療法を開始する際には負荷心電図検査などの心血管疾患のスクリーニング検査を行うことが推奨されている[9]．また，CKD 病期ステージが進行している症例では，腎機能低下に伴う腎性貧血，水分貯留，高血圧，浮腫，心不全，尿蛋白排泄量増加，易疲労性などの合併症や自覚症状をはじめ多疾患併存 (multimorbidity) を呈するリスクが上昇する．そのため，CKD 病期ステージの進行した症例では，腎機能のみならず各種検査所見などから病態を多角的に把握したうえで（▶表4）[10]，腎機能の推移や全身状態に応じて運動処方の決定や改定を行いながら運動療法を実施することが求められる．

糖尿病を合併する CKD 患者では，糖尿病性網膜症や糖尿病性神経障害が進行すると運動療法の中断や運動療法を制限される場合があるため，運動療法の実施の際には医師と相談しながら運動処方の決定や改定を行うことが重要となる．また，肥満・MetS を合併する CKD 患者では，運動療法を実施する際にメディカルチェックを行う．脳血管疾患の既往がある患者や脳血管疾患高リスク患者では，①心疾患のスクリーニングを考慮すること，②管理不良の高血圧（≧180/100 mmHg）を呈する患者では服薬により血圧を管理したうえで運動療法を開始すること，③運動部位の筋骨格系に急性炎症を認める患者では，これらが改善してから運動療法を開始することが重要となる．また，運動療法開始時は，低強度～中等度の運動強度から開始し，徐々に運動強度を漸増することが提案されている[5]．

3 透析患者

a 運動療法の目的

透析療法中の末期腎不全患者の運動療法の目的は，心血管疾患や脳血管疾患発症予防ならびに健康寿命の延伸に向けた機能低下や能力低下予防である．透析患者に生じる機能低下や能力低下は主に以下の3つに分類できる．①透析導入に伴う機能低下，②急性合併症の加療に伴う機能低下，③protein energy wasting (PEW) に伴う機能低下，である（▶図1）．

▶表4 CKD患者の血液検査所見

検査項目(正常範囲)	解釈
クレアチニン(Cr) (共用基準範囲:男性 0.65〜1.07 mg/dL, 女性 0.46〜0.79 mg/dL)	● 腎機能低下により上昇 ● 骨格筋量が低値(るい痩,切断例などでは腎機能が高めに見積もられるため注意が必要)
尿素窒素(BUN) (共用基準範囲:8〜20 mg/dL)	● 腎機能低下により上昇 ● BUN/Cr比>10〜20:循環血液量減少(下痢,嘔吐,心不全など),尿素窒素産生亢進(高蛋白食,消化管出血など),蛋白異化亢進(外科手術,熱傷,出血,重症感染症など)などが考えられる
ヘモグロビン(Hb) (共用基準範囲:男性 13.7〜16.8 g/dL, 女性 11.6〜14.8 g/dL)	● 腎機能低下により低下(腎性貧血) ● 保存期CKD患者の目標値:11〜13 g/dL ● 透析患者の目標値:10〜12 g/dL
アルブミン(Alb) (共用基準範囲:4.1〜5.1 g/dL)	● 腎機能低下により低下 ● 腎臓からのアルブミン漏出,胸水による体内への貯留,炎症に伴う蛋白質消費量が増大し,アルブミン値が低下する.一方,脱水により見かけ上,アルブミン値が上昇する
カリウム(K) (共用基準範囲:3.6〜4.8 mEq/L)	● 腎機能低下により上昇 ● 高度高カリウム血症では徐脈や心停止に至ることがある
ナトリウム(Na) (共用基準範囲:138〜145 mEq/L)	● 腎機能低下(腎不全)による低・高ナトリウム血症を評価
重炭酸イオン(HCO_3^-) (共用基準範囲:22〜26 mEq/L)	● 腎機能低下により上昇 ● 代謝性アシドーシスの評価
脳性ナトリウム利尿ペプチド(BNP) (心不全の可能性が除外:<100 pg/mL) 脳性ナトリウム利尿ペプチド前駆体N端フラグメント(NT-pro BNP) (心不全の可能性が除外:<400 pg/mL)	● 腎機能低下により上昇 ● 心不全の指標

〔共用基準範囲は,臨床検査のガイドライン JSLM2021(https://www.jslm.org/books/guideline/index.html)より〕

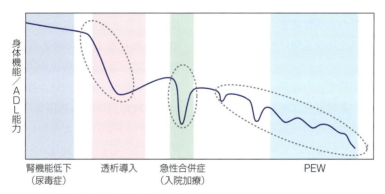

▶図1 透析患者の機能低下の軌跡
透析導入に伴う機能低下,急性合併症(心筋梗塞,心不全,脳梗塞など)による入院加療による機能低下,protein energy wasting(PEW)に伴う機能低下.

b 運動療法の実際

透析患者においてもCKD患者と同様に有酸素運動,レジスタンストレーニングならびにバランス練習からなる多角的アプローチの重要性が示されている.一方,日本腎臓リハビリテーション学会による**腎臓リハビリテーション**の定義は,「腎疾患や透析医療に基づく身体的・精神的影響を軽

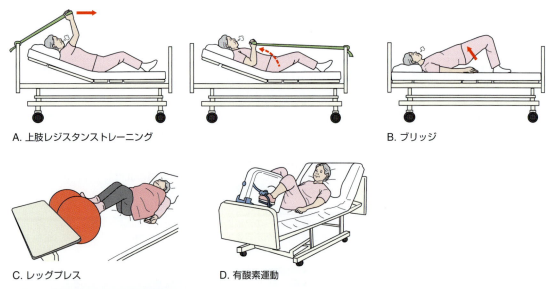

▶図2　透析中に実施する運動療法
A：トレーニングチューブを用いた上肢レジスタンストレーニング
C：トレーニングボールを用いたレッグプレス
D：携帯型自転車エルゴメータを用いた有酸素運動

減させ，症状を調整し，生命予後を改善し，心理社会的ならびに職業的な状況を改善することを目的として，運動療法，食事療法と水分管理，薬物療法，教育，精神・心理的サポートなどを行う，長期的にわたる包括的なプログラム」とされている．つまり，透析患者の疾病管理または機能低下予防を目的とした運動療法は長期にわたり継続されることが重要となる．

透析患者に対する運動療法の効果と継続率を検討した報告によると，非透析日に実施する運動療法が最も効果が得られるものの，運動継続率が低値であることが示されている[11]．そのため，透析患者では，長期にわたり運動療法を継続するため，運動効果と継続性の双方から運動療法プログラムを検討することが求められる．運動継続の視点から透析療法中に実施する運動療法が注目されている．2022年度診療報酬改定においても「透析時運動指導等加算」が新設されるに至っている．

透析時運動指導には，腎臓リハビリテーション学会『腎臓リハビリテーションガイドライン』などの関連学会によるガイドラインを参照するこ

とが求められており，安全管理のため心電図モニターや経皮的動脈血酸素飽和度(SpO_2)を測定するためのパルスオキシメータならびに血圧計などをそろえることが推奨されている[5]．透析中に運動療法を実施する際には，透析開始または開始後30分程度経過してから透析療法前半（透析開始2時間程度まで）の時間帯で実施することが推奨されている．運動強度の設定には，心肺運動負荷試験に基づく運動療法が推奨されているが，心肺運動負荷試験が実施困難な場合は，Karvonen（カルボーネン）法などを用いて目標心拍数を推定する方法，心拍数，血圧，SpO_2 ならびに自覚的運動強度（RPE）〔Borg（ボルグ）スケール：11（楽である）〜13（ややきつい）〕を参考に段階的に運動強度を漸増する方法などがある．透析中に実施する運動療法は，臥位や座位での有酸素運動やレジスタンストレーニングが中心となるため（▶図2，▶動画1），フレイルや機能低下を呈する透析患者では，透析前後または非透析日にレジスタンストレーニングやバランス練習などを積極的に実施することが望まれる（▶動画2）．

C 運動療法を実践する際の注意点

透析患者に対する運動療法を実施する際には，バスキュラーアクセスへの配慮が必要となる．運動療法によりバスキュラーアクセスに圧迫や衝撃が加わることを回避する．特に，透析中や透析後に運動療法を実施する際には，カテーテル挿入部からの出血や事故抜去につながるため，十分注意を払うことが求められる．同様に血圧測定を実施する際には，バスキュラーアクセスとは反対側の上肢などで測定するなどの注意が必要となる．

また，透析患者に運動療法を実施するタイミングに応じた呼吸循環動態への配慮が必要となる．透析前は最も体液や老廃物貯留が生じているタイミングであり，特に心疾患の既往がある症例や心機能低下症例では，過度の血圧上昇，心不全症状，不整脈などへの配慮をしたうえで運動療法を実施することが重要となる．また，透析中や透析後においては循環血液量が減少するため，血圧低下，低灌流による意識レベル低下などへの配慮をしたうえで運動療法を実施することが重要となる．

● 引用文献

1) AKI（急性腎障害）診療ガイドライン作成委員会（編）：AKI（急性腎障害）診療ガイドライン 2016. 日腎会誌, 59(4):419–533, 2017.
2) Levin, A., et al.: Kidney disease: Improving global outcomes (KDIGO) CKD work group. KDIGO 2012 clinical practice guideline for the evaluation and management of chronic kidney disease. *Kidney Int.*, (Suppl 3):1–150, 2013.
3) 日本腎臓学会（編）：エビデンスに基づく CKD 診療ガイドライン 2023. p.4, 東京医学社, 2023.
4) United States Renal Data System. 2020 USRDS Annual Data Report: Epidemiology of kidney disease in the United States. National Institutes of Health, National Institute of Diabetes and Digestive and Kidney Diseases, Bethesda, MD, 2020.
5) 日本腎臓リハビリテーション学会（編）：腎臓リハビリテーションガイドライン. 南江堂, 2018.
6) Izquierdo, M., et al.: International Exercise Recommendations in Older Adults (ICFSR): Expert Consensus Guidelines. *J. Nutr. Health Aging*, 25(7):824–853, 2021.
7) Daryanti Saragih, I., et al.: Effects of resistance bands exercise for frail older adults: a systematic review and meta-analysis of randomised controlled studies. *J. Clin. Nurs.*, 31(1-2):43–61, 2022.
8) 日本循環器学会/日本心臓リハビリテーション学会：2021 年改訂版 心血管疾患におけるリハビリテーションに関するガイドライン. 2021.
https://www.j-circ.or.jp/cms/wp-content/uploads/2021/03/JCS2021_Makita.pdf（2022 年 10 月 10 日閲覧）
9) Colberg, S.R., et al.: Exercise and type 2 diabetes: American College of Sports Medicine and the American Diabetes Association: joint position statement. Exercise and type 2 diabetes. *Med. Sci. Sports Exerc.*, 42(12):2282–2303, 2010.
10) 臨床検査のガイドライン JSLM2021.
https://www.jslm.org/books/guideline/index.html
11) Konstantinidou, E., et al.: Exercise training in patients with end-stage renal disease on hemodialysis: comparison of three rehabilitation programs. *J. Rehabil. Med.*, 34(1):40–45, 2002.

  動画 1　　 動画 2

第5章 肝疾患の運動療法

学習目標
- 肝疾患におけるサルコペニア発症のメカニズムを理解できる.
- 肝疾患における運動耐容能低下のメカニズムを理解できる.
- 肝疾患に対する運動療法を理解できる.

　運動療法は呼吸・循環器機能,筋力,筋持久力を含めた全身の身体運動能力を改善することで,ADLを向上し,社会生活へ適応させることを目的としている.長い間,運動が肝血流量を一過性に減少させることにより肝障害を悪化させると考えられており,肝疾患に対する運動療法は禁忌とされ,安静が治療の1つと考えられてきた.しかし,近年は運動療法による肝機能の悪化は生じず,過度な安静による弊害が大きいことが明らかとなっている.特に,肝疾患患者の骨格筋量の低下,骨格機能障害,運動耐容能低下が予後にかかわることが報告されており,運動療法の必要性が注目されている.

　肝臓疾患患者においても,他の内部障害リハビリテーション(以下,リハ)と同様に運動療法は重要であり,食事療法,薬物療法,教育などとともに行われるべきであると考えられており,上月らにより**肝臓リハ**は以下のように定義されている[1].すなわち,「肝臓リハは,肝臓疾患に基づく身体的・精神的影響を軽減させ,症状を調整し,生命予後を改善し,心理社会的ならびに職業的な状況を改善することを目的として,運動療法,栄養療法,薬物療法,教育,精神・心理的サポートなどを行う,長期にわたる包括的プログラムである」.

▶ 表1　サルコペニアの分類

一次性サルコペニア	
加齢	● 加齢に関連する骨格筋減少
二次性サルコペニア	
疾患	● 炎症状態(臓器不全,悪性腫瘍) ● 変形性関節症 ● 神経系疾患
不活動	● 座りがちな行動(移動能力の制限,安静臥床) ● 身体活動量の低下
低栄養	● 低栄養または吸収不良 ● 薬物による食欲不振 ● 過栄養/肥満

A 肝疾患とサルコペニア

1 サルコペニアとは

　サルコペニア(sarcopenia)は,1989年にRosenbergによって提唱された概念で,ギリシャ語の「sarx(筋肉)」と「penia(減少)」を組み合わせた造語であり,加齢に伴う骨格筋量の減少と定義されていた.近年は,骨格筋量の減少だけではなく,骨格筋機能障害が着目されるようになった.サルコペニアは要因により,加齢に伴う一次性サルコペニアと,疾患,不活動,低栄養に伴う二次性サルコペニアに分類される(▶表1)[2].

　2019年にAsian Working Group for Sarcope-

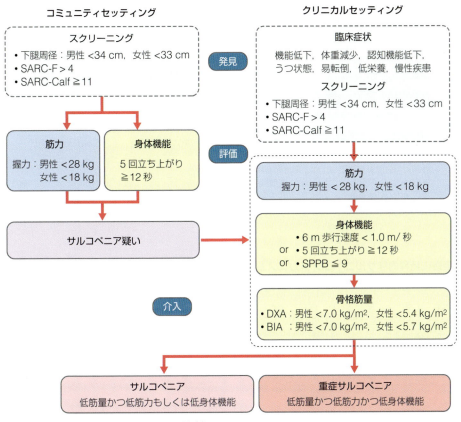

▶図1 AWGS2019 サルコペニア診断フロー
SARC-F：サルコペニアのスクリーニングツール
SARC-Calf：SARC-F に下腿周径を追加し評価するスクリーニングツール
SPPB：short physical performance battery，DXA：二重エネルギー X 線吸収測定法
〔Chen, L.K., et al.: Asian Working Group for Sarcopenia: 2019 Consensus Update on Sarcopenia Diagnosis and Treatment. *JAMDA*, 21(3):300–307, 2020 より作成〕

nia(AWGS)により診断基準が報告されており，骨格筋量と骨格筋機能の両方の測定が必要である[3]．AWGS では，地域やプライマリケアなどのコミュニティセッティングにおける評価と，医療施設や研究機関などのクリニカルセッティングにおける評価の2つのフローによる基準を設けている(▶図1)．判定指標は筋力，身体機能，骨格筋量であり，低骨格筋量かつ低筋力もしくは低身体機能でサルコペニアと判定し，低骨格筋量かつ低筋力かつ低身体機能の場合は重症サルコペニアと判定される．

2 サルコペニア発生のメカニズムと判定基準

一般的に筋力・筋量は生涯にわたって変化し，50歳を超えると加齢に伴い下肢骨格筋量(年率1～2%)および筋力(年率 1.5～5%)は低下する[4]．その骨格筋量の減少は肝硬変患者では年率 2.2% と高率であり，Child-Pugh(チャイルド・ピュー)分類(▶表2)では Child-Pugh A では年率 1.3%，Child-Pugh B では年率 3.5%，Child-Pugh C では年率 6.1% と，肝機能の悪化に伴い筋肉量減少が顕著になる[5]．

▶表2 肝疾患の重症度としてのChild-Pugh分類

	1点	2点	3点
肝性脳症(度)	なし	軽度(1〜2)	ときどき昏睡(3〜4)
腹水	なし	少量(1〜3L)	中等量(3L〜)
血清ビリルビン値(mg/dL)	< 2.0	2.0〜3.0	> 3.0
血清アルブミン値(g/dL)	> 3.5	2.8〜3.5	< 2.8
プロトロンビン活性値(%) (プロトロンビン時間)	> 70(< 1.7)	40〜70(1.7〜2.3)	< 40(> 2.3)

各項目の合計点を算出し、以下の分類で判定する。
- Grade A(軽度) : 5〜 6点 代償性
- Grade B(中等度): 7〜 9点 非代償性
- Grade C(高度) :10〜15点 非代償性

▶表3 肝疾患に特異的なサルコペニアメカニズム

①蛋白エネルギー低栄養(PEM)

肝臓はエネルギー代謝の中心臓器であり、肝硬変患者ではPEMが生じやすく、筋萎縮や筋力低下の原因となる。肝臓におけるグリコーゲン貯蔵量低下により、骨格筋からBCAAを含むアミノ酸やグリコーゲンが供給され、骨格筋崩壊が進行する。肝疾患では、血中のBCAA減少により、年齢に関係なく筋肉量減少をおこしやすく、血液中および筋肉内のBCAA低下が血中アンモニアクリアランスの低下につながり、肝性脳症の進行とともにサルコペニアリスクが高まる

②蛋白合成と分解

筋蛋白質は、常に合成と分解を繰り返し、その均衡を保つことで骨格筋量は維持される。運動刺激に反応して、肝臓や筋細胞で合成されるインスリン様成長因子1シグナル経路、mammalian target of rapamycin(mTOR)が蛋白合成に重要である。BCAAは蛋白同化作用が強く、特に肝硬変患者に認めるロイシンの減少は蛋白同化機能を低下させる。男性肝硬変症では、骨格筋形成を促進させるテストステロン減少により筋衛星細胞活性の低下が生じた結果、筋萎縮を引き起こす

③ミオスタチン増加

ミオスタチンは骨格筋形成を強力に抑制する筋肥大の陰性調節因子であり、ミオスタチンの欠損や阻害により、骨格筋量が増大する。また肝硬変では、血中のミオスタチン濃度が高く、骨格筋量の制御に関与する。血中アンモニア値の上昇が筋肉中のミオスタチンの発現を増強させ、過度のアルコール摂取は骨格筋の蛋白代謝に悪影響を及ぼし、ミオスタチンの発現を増加させる

④活性酸素と炎症性サイトカイン

肝硬変では、活性酸素の産生増加や慢性炎症の持続が認められる。増加した活性酸素は蛋白合成を抑制し、慢性炎症で産生される炎症性サイトカインは蛋白分解を促進する

〔西口修平ほか:肝疾患におけるサルコペニアの判定基準(第1版).肝臓, 57(7):353–368, 2016 より〕

肝疾患患者がサルコペニアに陥るメカニズムにはさまざまな要因が複合しており、疾患特異的な要因としては、①蛋白エネルギー低栄養(protein energy malnutrition; PEM)、②蛋白合成と分解、③ミオスタチン増加、④活性酸素と炎症性サイトカインなどがあげられる(▶表3)[6]。しかし、前述のとおりサルコペニアに陥る要因はさまざまであり、身体活動や栄養状態にも目を向ける必要がある。肝硬変患者では身体活動低下やエネルギー摂取量低下がサルコペニア発症に影響することも明らかとなっており[7]、サルコペニアの原因の評価には、患者特性や既往歴、生活状況などからの多角的な視点が重要である。

肝疾患患者においては、日本肝臓学会によるサルコペニアの判定基準も報告されている[6]。肝疾患関連のサルコペニアは、肝疾患患者において筋肉量の減少と筋力低下をきたした状態と定義されている(▶図2)。前述のAWGSによるサルコペニア診断と比較すると、筋肉量の測定に関してCTを用いた第3腰椎(L3)レベルの筋肉量を測定してもよいことが大きく異なっている。また筋肉量計測ソフトが使用できない施設においては、L3レベルでの腸腰筋長軸と短軸の積の左右合計、あるいはmanual trace法によるpsoas muscle indexを用いてもよい。これは、肝疾患では臨床でCTを撮影することが多く、BIA(生体電気インピーダンス)の測定を行わずに判定が可

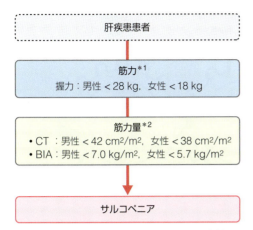

▶図2 肝疾患患者におけるサルコペニア診断フロー
*1 握力測定に関しては，スメドレー式握力計を用いた新体力テストに準じる．
*2 CT面積は第3腰椎(L3)レベルの筋肉量を原則として採用する．筋肉量計測ソフトをもたない施設においては，簡易法としてL3レベルでの腸腰筋の長軸×短軸の左右合計（カットオフ値：男性＜6.0 cm²/m²，女性＜3.4 cm²/m²）やmanual trace法によるpsoas muscle index（カットオフ値：男性＜6.36 cm²/m²，女性＜3.92 cm²/m²）を用いてもよい．
〔西口修平ほか：肝疾患におけるサルコペニアの判定基準（第1版）．肝臓，57(7):353-368, 2016 より作成〕

能なことから汎用性が高いと考えられているためである．いずれの基準においても，サルコペニアの予防，早期発見および早期介入が重要であると考えられる．

3 サルコペニアの悪影響

　肝疾患患者におけるサルコペニアは単に身体機能が低下しているだけではなく，生命予後や生活の質（QOL）にも影響を及ぼす．肝細胞がん患者や肝切除術例では，サルコペニアの合併が死亡率を増加させることを報告している[8]．また，肝硬変患者ではサルコペニアの有病率は40〜60%とされており，サルコペニアの合併が生存率低下に影響することが報告されている[9,10]．特にChild-Pugh Aに該当する軽症例では，サルコペニアの影響が大きく[11]，早期のサルコペニア対策が重要である．

B 肝疾患と運動耐容能

1 運動耐容能低下のメカニズム

　肝疾患を有する患者における運動時の生体反応はさまざまな要因が複合しており，単一の臓器のみで完結するものではない．運動時のガス交換やガス輸送系および代謝系の一連の応答連関を把握するため，呼吸器，循環器，骨格筋の関係を表しているのがWasserman（ワッサーマン）の歯車である（▶図3）[12]．

　肺には吸気により，約21%の酸素を含む空気が取り込まれ，肺循環を通して血液が酸素化される．血液は心臓のポンプ機能で全身に供給され，骨格筋のミトコンドリアで行うエネルギー産生の過程で酸素が消費される．一方，エネルギー産生の過程で生じる二酸化炭素は，末梢循環を経由して心臓へ運搬され，さらに肺循環で肺に達し，呼気によって体外へと排出される．これらの一連の反応を歯車の動きとして表したものがWassermanの歯車であり，肝疾患患者では，それぞれに影響が生じる[13]．

　まず，呼吸器系の影響については，肝硬変に伴う肝肺症候群により，門脈圧亢進，肺動脈の拡張，拡散障害が生じること，また，腹水による換気障害，換気血流比不均等を引き起こすとされている．循環系に対しては，肝硬変に伴う循環亢進状態により循環血漿量増加，心拍出量増加，動脈圧低下，末梢血管抵抗の低下を引き起こす．また貧血による$\dot{V}O_2$低下，門脈圧低下目的のβ遮断薬などが運動耐容能低下を引き起こす．最後に，骨格筋系への影響については，前述のとおり肝硬変では骨格筋障害・筋萎縮が生じやすいとされている．また，肝硬変ではしばしば合併しやすい有痛性筋痙攣，糖代謝の障害が筋肉への悪影響を及ぼす．

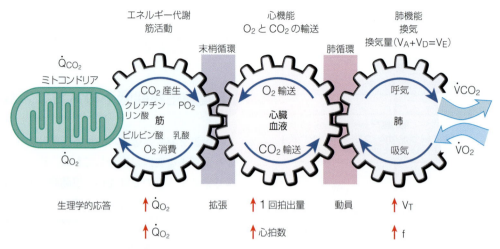

▶図3 Wassermanの歯車
〔Wasserman, K.: Breathing during exercise. *N. Engl. J. Med.*, 298(14):780–785, 1978 より作成〕

2 運動耐容能低下の悪影響

　肝疾患における運動耐容能低下は身体機能低下を及ぼすだけでなく，肝機能や予後にも関連する．Child-Pugh分類別に肝硬変患者の運動耐容能（$\dot{V}O_2max$）をみてみると，肝予備能の低下に伴い運動耐容能低下は進行する[14]．さらには，肝移植後患者や慢性肝疾患患者における運動耐容能低下は，生命予後にも影響を及ぼすことが明らかとなっており[15,16]，肝疾患患者の運動耐容能改善を目指した介入が重要である．

C 運動療法の実際

1 肝疾患に対する運動療法の効果

　一般的には，一次性サルコペニアへの治療としては栄養療法と運動療法の併用が推奨されている（▶表4）[17]．肝硬変患者に対するBCAA処方により握力の改善を認めたが，筋肉量の増加は認めなかった[18]．一方，肝硬変患者に対し適切な

▶表4 サルコペニアの発症予防および治療に関するエビデンス

予防
● 適切な栄養摂取，特に1日に（適正体重）1kgあたり1.0g以上の蛋白質摂取はサルコペニアの発症予防に有効である可能性があり，推奨する（エビデンスレベル：低，推奨レベル：強）
● 運動習慣ならびに豊富な身体活動量はサルコペニアの発症を予防する可能性があり，運動ならびに活動的な生活を推奨する（エビデンスレベル：低，推奨レベル：強）
● 高血圧，糖尿病，脂質異常症に対する治療薬，抗アンドロゲン薬，また糖尿病，慢性腎臓病，慢性心不全，肝不全（肝硬変）に対する運動・栄養管理がサルコペニアの発症を予防する可能性はあるが，一定の結論は得られていない（エビデンスレベル：低，推奨レベル：弱）

治療
● サルコペニアを有する人への運動介入は，四肢骨格筋量，膝伸展筋力，通常歩行速度，最大歩行速度の改善効果があり，推奨される（エビデンスレベル：非常に低，推奨レベル：弱）
● サルコペニアを有する人への必須アミノ酸を中心とする栄養介入は，膝伸展筋力の改善効果があり，推奨される．しかしながら，長期的アウトカム改善効果は明らかではない（エビデンスレベル：非常に低，推奨レベル：弱）

〔サルコペニア診療ガイドライン作成委員会（編）：サルコペニア診療ガイドライン2017版．日本サルコペニア・フレイル学会，国立長寿医療研究センター，2017より〕

蛋白質の摂取を行ったうえで，レジスタンストレーニングを行ったことにより筋量と筋力の向上を認めた[19]．肝動脈化学塞栓術を行った肝癌患者では入院中のリハ（ストレッチング，レジスタ

▶表5 肝疾患に対する運動療法と効果

対象	介入	効果
肝細胞癌[22]	最大筋力(1RM)の40%,自覚的運動強度Borgスケール：11〜13, 20〜40分ストレッチング, RT, ET, BT	筋肉量増加
肝細胞癌[23]	週3〜6回ATレベル30分/回, 6か月歩行, ストレッチング	peak$\dot{V}O_2$上昇
肝硬変[21]	週3回カルボーネン法の60〜80%, Borg：14〜15, 30〜60分, 8週間ET	peak$\dot{V}O_2$上昇6分間歩行距離の増加
肝硬変[19]	週3回60分, 12週間RT	筋力増加筋肉量増加6分間歩行距離の増加
肝硬変[24]	週3回最大心拍数の60〜70%40〜60分, 12週間ET	peak$\dot{V}O_2$上昇筋肉量増加動的バランス向上

ET：持久力増強運動，RT：レジスタンストレーニング，BT：バランス練習

ンストレーニング，バランス練習，持久力増強運動）によりサルコペニアが改善した[20]．また，肝硬変患者に対してホームエクササイズを実施したところ，$\dot{V}O_2max$ および6分間歩行距離が向上した[21]．安全面に関しても，慢性肝疾患患者への運動療法は，肝機能の悪化を認めずに実施できるとされている[22]．一方で，これらの報告には，Child-Pugh Cの患者は含まれておらず，現時点ではChild-Pugh Cの患者に対する運動介入は推奨されていない．肝疾患患者への運動療法については，表5に記載する[19, 21-24]．

2 運動療法に際し留意すべき症状

肝硬変患者に対する運動療法介入によって重篤な有害事象が生じた報告はないが[25]，肝硬変患者の症状を把握しリスク管理を行うことが重要である．以下に，肝硬変患者特有の症状と運動療法を行う際の留意点を記載する．

a 低栄養

肝臓は栄養素の代謝と貯蔵に関し中心的な役割を果たしているため，肝予備能の低下に伴い，高頻度で栄養障害が合併する．低栄養や飢餓時には，脂肪や筋蛋白を分解して糖新生を行ってエネルギー産生を行うため，低栄養状態での過度な運動療法は筋蛋白分解を促進してしまう可能性がある．特に肝硬変は慢性炎症に伴う低栄養が生じるため，栄養状態の評価を適切に行い，運動療法を実施する必要がある．低栄養の評価方法には主観的包括的評価（subjective global assessment; SGA）や簡易栄養状態評価法（mini nutritional assessment-short form; MNA®-SF）がスクリーニングとして有用である．食事摂取量低下と体重減少が伴えば低栄養の可能性が高いため，運動療法時には確認する必要がある．

b 体液貯留（胸腹水，下腿浮腫）

肝疾患患者では，低アルブミン血症などのさまざまな要因で血管外への体液貯留が生じる．中等量以上の腹水を認める場合，腹部膨満感による食事量摂取や呼吸機能低下，ADL制限が生じることがある．また，体液貯留に対して飲水摂取，塩分制限，利尿薬の処方や腹水穿刺による排液が行われることがある．実際に運動処方を行う際には，上記のような体液バランスの変化や血管内脱水による循環血流量減少，循環動態の変動に注意が必要である．

c 肝性脳症

肝性脳症とは，進行した肝硬変患者における意識障害を中心とした多彩な精神神経症状である．肝性脳症には羽ばたき振戦といった明らかな臨床症状を有する2度以上の顕在性脳症と，臨床症状を有さないものの高次脳機能障害が潜在化している潜在性脳症に分類される．臨床症状の出現や意識障害の有無などに留意して運動を行う必要がある．

▶表6 肝臓リハチームによる入院中の介入の一例

入院日	2日目	3日目	4〜6日目	退院日
病状・治療の説明 問診(症状, 薬物, 栄養, 運動, 生活状況など) 身体機能・体組成評価 カンファレンス	体組成評価(A) ● 治療 ● 経カテーテル的肝動脈化学塞栓術など	問診に基づく教育(B) ● 運動 ● 栄養 ● 薬物	運動療法 40分 ● 準備運動 10分 ● 自転車エルゴメータ 20分(C) ● 下肢筋力トレーニング 10分(D)	退院時指導 ● 運動 ● 栄養 ● 薬物

また，肝性脳症の原因となる**高アンモニア血症**は，肝臓での代謝が困難となれば筋肉で代謝されるためサルコペニアの原因となることが明らかとなっており，高アンモニア血症の評価が必須である．

d 胃食道静脈瘤

肝硬変患者における運動療法に際し，最も危惧されるものの1つに消化管出血があげられる．肝硬変患者に対して60〜80% peak$\dot{V}O_2$の強度で運動処方を行った結果，肝静脈圧勾配や肝予備能の低下を認めなかった[26]．しかし，メタ解析に含まれた試験の多くは，非代償期肝硬変を含まないことから，非代償性肝硬変に対する運動療法の効果や安全性に関する報告は限定的である．

e 有痛性筋痙攣

肝硬変患者に筋痙攣が生じることがよく知られており，QOL低下を引き起こす原因となる．この原因としては，脱水，電解質異常，耐糖能異常，アミノ酸代謝障害などがあげられる．病態に応じて，芍薬甘草湯，カルニチン製剤，BCAA製剤，亜鉛製剤を選択することが推奨されており[27]，運動療法を行う際には症状と処方状況の確認が重要と考えられる．

3 肝疾患に対する運動療法の実際

肝疾患患者への運動療法は包括的プログラムであり，消化器内科医，リハ医，看護師，薬剤師，管理栄養士，理学療法士，作業療法士，言語聴覚士などの多職種によるチームで取り組む必要がある．

ここで，肝臓リハチームの取り組みの一例を紹介する(▶表6)．対象となる肝疾患患者は，病棟看護師とのカンファレンスにて抽出し，肝臓リハチームへと紹介する．そこから，医師の指示のもとに理学療法士が体組成および身体機能の評価を行い，サルコペニアの有無を判定する．サルコペニアを有する患者に対しては，薬剤師，管理栄養士と連携した栄養療法，理学療法士による運動療法を行う．サルコペニアに該当しない患者に対しても理学療法士による運動指導を実施し，将来的なサルコペニアの予防をはかる．こういった多職種連携により，肝疾患患者のサルコペニアに対する早期発見・介入ができる体制を整える必要がある．

現在，肝疾患患者への適切な運動負荷は明らかとはなっていないが，中〜高強度の持久力増強運動，四肢のレジスタンストレーニング，バランス練習などを組み合わせて行うことが効果的であることが考えられる．運動療法を行うにあたっては，他の内部障害疾患と同様に，運動に対する不

安感や恐怖感をなくし，個別性を重視する，日常生活のニーズを把握した運動療法，FITT〔頻度(frequency)，強度(Intensity)，実施時間(Time)，運動種類(Type of exercise)〕を明らかとした運動療法を意識する必要がある．

● 引用文献

1) 上月正博：肝臓機能障害患者における障害とリハビリテーションの考え方. *J. Clin. Rehabil.*, 20:312–321, 2011.
2) Cruz-Jentoft, A.J., et al.: Sarcopenia: revised European consensus on definition and diagnosis. *Age Ageing*, 48(1):16–31, 2019.
3) Chen, L.K., et al.: Asian Working Group for Sarcopenia: 2019 Consensus Update on Sarcopenia Diagnosis and Treatment. *JAMDA*, 21(3):300–307, 2020.
4) Keller, K., et al.: Strength and muscle mass loss with aging process. Age and strength loss. *Muscles Ligaments Tendons J.*, 3(4):346–350, 2014.
5) Hanai, T., et al.: Rapid skeletal muscle wasting predicts worse survival in patients with liver cirrhosis. *Hepatol. Res.*, 46(8):743–751, 2016.
6) 西口修平ほか：肝疾患におけるサルコペニアの判定基準（第1版）. 肝臓, 57(7):353–368, 2016.
7) Hayashi, F., et al.: Physical inactivity and insufficient dietary intake are associated with the frequency of sarcopenia in patients with compensated viral liver cirrhosis. *Hepatol. Res.*, 43(12):1264–1275, 2013.
8) Chang, K.V., et al.: Association between Loss of skeletal muscle mass and mortality and tumor recurrence in hepatocellular carcinoma: a systematic review and meta-analysis. *Liver Cancer*, 7(1):90–103, 2018.
9) Kang, S.H., et al.: Impact of sarcopenia on prognostic value of cirrhosis: going beyond the hepatic venous pressure gradient and MELD score. *J. Cachexia Sarcopenia Muscle*, 9(5):860–870, 2018.
10) Hanai, T., et al.: Sarcopenia impairs prognosis of patients with liver cirrhosis. *Nutrition*, 31(1):193–199, 2015.
11) Hara, N., et al.: Sarcopenia and sarcopenic obesity are prognostic factors for overall survival in patients with cirrhosis. *Intern. Med.*, 55(8):863–870, 2016.
12) Wasserman, K.: Breathing during exercise. *N. Engl. J. Med.*, 298(14):780–785, 1978.
13) Lemyze, M., et al.: Response to exercise in patients with liver cirrhosis: implications for liver transplantation. *Dig. Liver Dis.*, 45(5):362–366, 2013.
14) Terziyski, K., et al.: Exercise performance and ventilatory efficiency in patients with mild and moderate liver cirrhosis. *Clin. Exp. Pharmacol. Physiol.*, 35(2):135–140, 2008.
15) Alameri, H.F., et al.: Six Minute Walk Test to assess functional capacity in chronic liver disease patients. *World J. Gastroenterol.*, 13(29):3996–4001, 2007.
16) Dharancy, S., et al.: Impact of impaired aerobic capacity on liver transplant candidates. *Transplantation*, 86(8):1077–1083, 2008.
17) サルコペニア診療ガイドライン作成委員会（編）：サルコペニア診療ガイドライン2017版. 日本サルコペニア・フレイル学会, 国立長寿医療研究センター, 2017.
18) Uojima, H., et al.: Effect of branched-chain amino acid supplements on muscle strength and muscle mass in patients with liver cirrhosis. *Eur. J. Gastroenterol. Hepatol.*, 29(12):1402–1407, 2017.
19) Aamann, L., et al.: Resistance training increases muscle strength and muscle size in patients with liver cirrhosis. *Clin. Gastroenterol. Hepatol.*, 18(5):1179–1187, 2020.
20) Koya, S., et al.: Effects of in-hospital exercise on sarcopenia in hepatoma patients who underwent transcatheter arterial chemoembolization. *J. Gastroenterol. Hepatol.*, 34(3):580–588, 2019.
21) Kruger, C., et al.: Home exercise training improves exercise capacity in cirrhosis patients: role of exercise adherence. *Sci. Rep.*, 8(1):99, 2018.
22) Koya, S., et al.: Effects of in-hospital exercise on liver function, physical ability, and muscle mass during treatment of hepatoma in patients with chronic liver disease. *Hepatol. Res.*, 47(3):E22–E34, 2017.
23) Kaibori, M., et al.: Perioperative exercise capacity in chronic liver injury patients with hepatocellular carcinoma undergoing hepatectomy. *PLoS One*, 14(8):e0221079, 2019.
24) Román, E., et al.: Effects of an exercise programme on functional capacity, body composition and risk of falls in patients with cirrhosis: a randomized clinical trial. *PLoS One*, 11(3):e0151652, 2016.
25) Brustia, R., et al.: Physical exercise in cirrhotic patients: towards prehabilitation on waiting list for liver transplantation. A systematic review and meta-analysis. *Clin. Res. Hepatol. Gastroenterol.*, 42(3):205–215, 2018.
26) Macías-Rodríguez, R.U., et al.: Changes in hepatic venous pressure gradient induced by physical exercise in cirrhosis: results of a pilot randomized open clinical trial. *Clin. Transl. Gastroenterol.*, 7(7):e180, 2016.
27) 赤羽たけみほか：肝硬変診療ガイドライン2020改訂第3版. 日内会誌, 110(8):1625–1632, 2021.

第6章 糖尿病の運動療法

学習目標
- 糖尿病の概念と病態を理解する．
- 運動と糖代謝のメカニズムを理解する．
- 糖尿病患者に対する運動療法の目的と適応を理解し，適切に評価と運動処方ができる．

A 糖尿病と基本治療

1 糖尿病とは

糖尿病とは，膵 Langerhans（ランゲルハンス）島 β 細胞から分泌される**インスリン**の作用不足による慢性高血糖を主徴とし，種々の特徴的な代謝異常を伴う疾患群である[1]．糖尿病の発症には遺伝因子と環境因子（肥満，過食，運動不足，ストレスなど）が関与する．

臨床的な特徴として，持続的な中等度以上の高血糖（250 mg/dL 以上）により特徴ある症状（口渇，多飲，多尿，体重減少など）を呈するが，それ以外の場合は自覚症状に乏しい．高血糖が持続すれば，神経障害，網膜症，腎症といった糖尿病特有の合併症が出現する．

2 糖尿病の診断と分類

糖尿病の診断には，慢性高血糖の確認が不可欠であり，その診断基準を図1に示す[2]．糖代謝異常の判定区分として，糖尿病型〔空腹時血糖値≧ 126 mg/dL または 75 g 経口ブドウ糖負荷試験（oral glucose tolerance test；OGTT）の 2 時間値≧ 200 mg/dL，あるいは随時血糖値≧ 200 mg/dL〕，正常型（空腹時血糖値＜ 110 mg/dL，かつ OGTT の 2 時間値＜ 140 mg/dL），境界型（糖尿病型でも正常型でもないもの）に分けられる．

糖代謝異常は成因分類を主体とし，① 1 型（膵 β 細胞が破壊され，通常は絶対的なインスリン欠乏に至る），② 2 型（インスリン分泌低下を主体とするものと，インスリン抵抗性主体でそれにインスリンの相対的不足を伴うものがある），③ その他の特定の機序・疾患によるもの，④ 妊娠糖尿病に分類される．

3 インスリン作用不足の病態

糖の取り込み，グリコーゲンや中性脂肪の合成を促進する働きを担っているのがインスリンである．このインスリンが作用不足に至る病態には「インスリンの分泌不全・消失」と「インスリン抵抗性の亢進」がある（▶図2）．

インスリンの分泌不全・消失（1 型糖尿病，一部の 2 型糖尿病）の場合は，インスリンの分泌量が絶対的に不足しており，グルコース（糖）が細胞内に取り込まれない．

インスリンの抵抗性亢進（主に 2 型糖尿病）の場合は，インスリンが十分量あっても効きにくいため，グルコースは細胞内に取り込まれにくくなる．インスリン抵抗性の亢進の原因として，臨床上で多いのは内臓脂肪の蓄積である．

A 糖尿病と基本治療 ● 445

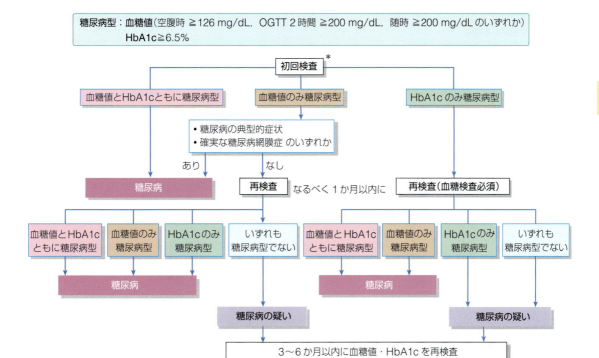

▶図1　糖尿病臨床診断のフローチャート
〔日本糖尿病学会（編著）：糖尿病治療ガイド 2022–2023．p.26，文光堂，2022 より〕

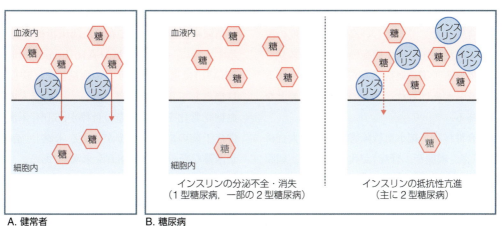

▶図2　健常者のインスリン作用と糖尿病におけるインスリン作用不足の病態
- 健常者：過不足なくインスリンが分泌され，速やかにグルコースが細胞内に取り込まれる．
- インスリンの分泌不全・消失：インスリンの分泌量が不足し，グルコースの取り込みができない．
- インスリンの抵抗性亢進：インスリンが十分量あるが，効果が減弱しておりグルコースの取り込みができない．

▶表1 糖尿病治療において有益な臨床指標

A. 血糖値を反映する指標

ヘモグロビンA1c (hemoglobin A1c; HbA1c)	基準値：4.6〜6.2%	過去1〜2か月間の平均血糖値を反映する指標
グリコアルブミン (glycoalbumin; GA)	基準値：11〜16%	過去1〜2週間の血糖値を反映する指標
1,5アンヒドログルシトール (1,5 anhydroglucitol; 1,5 AG)	基準値：14.0 μg/mL以上	糖代謝の急激な変化を示す指標

B. インスリン分泌能の指標

指標	基準値	説明
インスリン分泌指数	糖尿病患者：0.4以下 境界型でも0.4未満は糖尿病に移行しやすい	インスリン初期分泌の指標．75 gOGTTで負荷後30分の血中インスリン増加分を血漿血糖値の増加量で除した値
C-ペプチド (C-peptide immunoreactivity; CPR)	インスリン依存状態のカットオフ値 ● 空腹時CPRが0.5 ng/mL以下 ● 24時間尿中CPR排泄量が20 μg/日以下	インスリンが膵β細胞で合成される際にできる副産物で，インスリンと同程度の割合で血中に分泌されるため，インスリン分泌の指標となる
CPRインデックス	0.8未満でインスリン分泌能枯渇	血中CPR ÷ 血糖値 × 100

C. インスリン抵抗性の指標

指標	基準値	説明
血中インスリン濃度	基準値：空腹時 2〜10 μU/mL	早朝空腹時の値が15 μU/mL以上では明らかなインスリン抵抗性の存在を示す
インスリン抵抗性指数 (homeostasis model assessment insulin resistance; HOMA-IR)	正常：1.6以上 インスリン抵抗性あり：2.5以上	空腹時血糖値140 mg/dLの場合はインスリン抵抗性をよく反映する 計算式は空腹時血糖値(mg/dL) × 空腹時インスリン濃度(μU/mL) ÷ 405

〔日本糖尿病学会（編著）：糖尿病治療ガイド2022–2023. pp.15–17, 文光堂, 2022 に基づいて作表〕

4 糖尿病の合併症

急性の合併症として，著しい高血糖と高度の脱水に基づく高浸透圧症高血糖症候群やインスリン分泌が枯渇する1型糖尿病でみられる糖尿病ケトアシドーシスがあげられ，緊急の治療が必要となる場合がある．

慢性の合併症は，細小血管障害である三大合併症（神経障害，網膜症，腎症）が代表である．網膜症は失明の原因，腎症は透析導入の要因となり，神経障害に関しても自律神経障害は突然死のリスクとなる．また，動脈硬化性疾患の合併も多く，冠動脈疾患，脳血管障害，下肢閉塞性動脈硬化症の3つが代表的な大血管障害である．そのほかに，糖尿病足病変を合併する症例も多く認める．

5 糖尿病にかかわる臨床指標

糖尿病治療において有益な臨床指標を**表1**[2]に示す．特に，**ヘモグロビンA1c**（hemoglobin A1c; HbA1c）は過去1〜2か月の血糖値を反映し，治療目標として重要な指標である．一般成人の場合，血糖正常化を目指す際の目標が「6.0%未満」，合併症予防のための目標が「7.0%未満」，治療強化が困難な際の目標が「8.0%未満」である．

6 糖尿病の基本治療

糖尿病治療の目標は，「高血糖に起因する代謝異常を改善することに加え，糖尿病に特徴的な合併症，および糖尿病におこりやすい併発症の発症・増悪を防ぎ，健康人と変わらないQOLを保ち，健康人と変わらない寿命を全うすることにある」[3]．

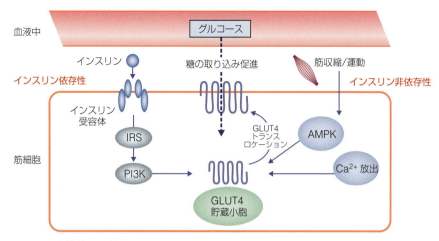

▶図3　骨格筋での糖取り込み
- IRS：insulin receptor substrate（インスリン受容体基質）
- PI3K：phosphatidylinositol-3 kinase
- AMPK：AMP-activated protein kinase
- GLUT4：glucose transporter type 4
- インスリン依存性の GLUT4 トランスロケーション：インスリンに反応する IRS-PI3K 経路を経たシグナル伝達で生じる.
- インスリン非依存性の GLUT4 トランスロケーション：筋収縮による AMPK の活性とカルシウムイオン（Ca^{2+}）の放出によって GLUT4 がトランスロケーションされる.

　糖尿病治療の基本は食事療法と運動療法である．1型糖尿病とインスリン依存状態にある2型糖尿病では，インスリン療法を開始後に速やかに食事療法を指導するとともに運動療法を併用する．2型糖尿病で，2〜3か月程度の食事療法や運動療法では十分な血糖値の低下が得られない場合には，薬物療法を開始する．

7 糖尿病患者をとりまく環境―「スティグマ」

　「スティグマ」とは，誤った知識や情報が拡散することで，対象となった者が精神的・物理的に困難な状況に陥ることを指す．糖尿病を有していることで「生活習慣が乱れている人だ」という印象をもたれ，就職や昇進に影響するなどの不利益を被る場合もあり，このようなネガティブな印象や環境を糖尿病の「スティグマ」と呼ぶ．誤った情報や先入観にとらわれずに，正しい科学的な根拠に基づいて治療にあたることが重要である．

B 運動療法の実際

1 運動と血糖降下のメカニズム

　運動時には血液中のグルコースが骨格筋に取り込まれることで血糖値が降下する．骨格筋での糖取り込みは，主に糖輸送体4型（glucose transporter type 4; GLUT4）によって行われる．GLUT4 が作用する経路には，主にインスリン依存性とインスリン非依存性の2つの機序が存在し，インスリンや筋収縮に反応してGLUT4が細胞質から細胞表面に移動（トランスロケーション）し，糖取り込みを行う（▶図3）．インスリンによるGLUT4のトランスロケーションは，インスリン受容体–PI3K（phosphatidylinositol-3 kinase）経路，そしてさらに下流のシグナル伝達で生じる．一方，筋収縮によるGLUT4トランスロケーションは，筋収縮による細胞内のアデノシン三リ

ン酸(adenosine triphosphate; ATP)が消費されることによってAMP活性化プロテインキナーゼ(AMP-activated protein kinase; AMPK)が活性化し，GLUT4トランスロケーションにつながる経路であり，インスリンが関与する経路とは独立したメカニズムである．

2 運動の急性効果と慢性効果

運動による血糖降下には，単回の運動により血糖値が低下する「急性効果」と，運動の継続によってインスリン抵抗性が改善し，運動していないときでも血糖値が降下しやすくなる「慢性効果」に分けられる．

急性効果は，運動中から運動直後数時間までの血糖低下作用のことを指す．運動による筋収縮で骨格筋への糖取り込みが亢進することに加えて，運動後も骨格筋への糖取り込みが亢進した状態が持続することで血糖低下作用を引き起こす．

慢性効果は，長期的に運動を継続した場合に，内臓脂肪の減少，筋線維タイプの変化やGLUT4蛋白発現の増加などさまざまな効果によってインスリン抵抗性が改善することを指す．インスリン抵抗性が改善することで，運動時以外でもインスリンによる糖取り込みが増加する．

3 運動療法の目的と進め方

運動療法の目的は，運動による糖取り込みの促進とインスリン抵抗性改善による血糖値改善と運動機能の改善をはかることによって，糖尿病治療の目標である「健康な人と変わらないQOLの維持，健康な人と変わらない寿命の確保」を達成することである．

運動療法は，メディカルチェックとリスクの把握，運動療法のための評価，評価に基づいた適切な運動処方，運動療法の効果判定という手順で進める．

▶表2　メディカルチェックの項目

1. 問診	自覚症状，既往歴，運動歴，服用薬物，低血糖の頻度や時間帯など
2. 診察	身体計測(身長，体重，身体組成)，血圧，脈拍数，心臓の聴診，肺の聴診など
3. 一般検査	胸部X線，安静時心電図，一般血液〔血糖値(空腹時，食後)，インスリン，HbA1c，グリコアルブミン，白血球，赤血球，ヘマトクリット，血小板，AST，ALT，γ-GTP，BUN，クレアチニン，尿酸，電解質〕・尿検査(尿糖，尿ケトン体，尿中微量アルブミン，尿蛋白)
4. 網膜症の評価	眼底所見など
5. 神経障害の評価	神経伝導検査，心電図R-R間隔変動係数，起立性低血圧，腱反射，足部の知覚・皮膚観察など
6. 動脈硬化性疾患の評価	運動負荷試験，Holter(ホルター)心電図，心臓超音波検査，血管超音波検査，脈波検査など
7. 運動器障害の評価	腰痛・膝痛の有無，下肢筋力，バランス検査，歩行観察など

〔日本糖尿病学会(編著)：糖尿病治療ガイド2022-2023. p.53, 文光堂, 2022 より改変〕

▶表3　運動療法を禁止あるいは制限したほうがよい場合

1	糖尿病の代謝コントロールが極端に悪い場合(空腹時血糖値250mg/dL以上，または尿ケトン体中等度以上陽性)
2	増殖網膜症以上の場合(眼科医と相談する)
3	腎不全の状態にある場合(専門の医師の意見を求める)
4	虚血性心疾患や心肺機能に障害のある場合(専門の医師の意見を求める)
5	骨・関節疾患がある場合(専門の医師の意見を求める)
6	急性感染症
7	糖尿病壊疽
8	高度の糖尿病自律神経障害

〔日本糖尿病学会(編著)：糖尿病治療ガイド2022-2023. p.58, 文光堂, 2022 より作成〕

4 メディカルチェック（▶表2, 3）

運動療法の弊害として最も重要なものは，心血管イベントの発生である．無症状かつ，行う運動が軽度～中等度の運動(速歩などADLの範囲内)であれば必要ないが，高強度の運動を行う場

▶表4 運動療法に必要な評価

運動療法前の評価	
問診・視診・触診	●糖尿病歴,既往歴,家族歴,運動習慣と活動量 ●体組成評価(骨格筋量・体脂肪量),体重の変化,肥満の程度 ●足部の観察,浮腫や足背動脈の触知
神経学的検査	●感覚検査(足部触圧覚,振動覚),アキレス腱反射,起立性低血圧 ●認知機能評価
運動機能	●関節可動域(ROM) ●筋力検査(握力,膝伸展筋力) ●バランス検査(片脚立位時間) ●歩行速度 ●5回椅子立ち上がりテスト ●SPPB
運動耐容能	●運動負荷試験(心肺運動負荷試験,6分間歩行試験)
活動量	●生活活動調査法 ●国際標準化身体活動質問票(International Physical Activity Questionnaire; IPAQ) ●加速度計測装置付き歩数計による歩数や消費エネルギーの把握 ●エネルギーバランスの評価(食事摂取エネルギーと総消費エネルギー量の比較)
運動実践・継続にかかわる因子	●個人因子:行動変容の段階,性格,理解力 ●環境因子:ライフステージ,家族環境,職業,住環境など
運動療法中の評価	
運動中の呼吸循環代謝動態	●運動時の脈拍数,血圧,経皮的動脈血酸素飽和度(SpO_2),持続血糖モニターによる血糖値 ●必要に応じて心電図など
自覚的運動強度	●自覚的運動強度(RPE),Borg(ボルグ)スケール ●膝痛,腰痛,足病変の増悪などがないかを確認する
運動療法後の評価	
体組成	●体組成評価(骨格筋量・体脂肪量),体重の変化,肥満の程度
臨床検査指標	●血糖値,脂質など
運動機能	●ROM ●筋力検査(握力,膝伸展筋力) ●バランス検査(片脚立位時間) ●歩行速度 ●5回椅子立ち上がりテスト ●SPPB
運動耐容能	●運動負荷試験(心肺運動負荷試験,6分間歩行試験)
活動量	●加速度計測装置付き歩数計による歩数や消費エネルギーの変化
運動の習慣化	●行動変容ステージ

SPPB:short physical performance battery,RPE:rate of perceived exertion

合や,心血管疾患リスクの高い患者ではメディカルチェックが必要である(▶表2)[2]. 運動療法を禁止あるいは制限したほうがよい場合もある(▶表3)ため,運動療法開始前に慢性合併症や,整形外科疾患などを含む身体状態を把握し,運動制限の必要性を検討する.

5 運動療法に必要な評価(▶表4)

運動療法の評価は,運動療法導入前,実施中,導入後に行うことが望ましい. 運動療法導入前は,運動療法可否の判定や運動処方に必要な情報を収

▶表5　METsの参考例

METs	運動やスポーツ（METs 数）	生活活動・余暇（METs 数）
2.5	ストレッチング：ゆったり（2.3） 歩行：時速 3.2 km・ゆっくり（2.8）	掃除：掃き掃除，ゆっくり（2.3） 食料品の買い物：立位や歩行を伴う（2.3） 子どもの世話：幼児・全般（2.5） 洗車およびワックスがけ（2.0）
3	自転車：自転車エルゴメータ・負荷量 30〜50 W（3.5） 歩行：時速 4.0 km（4.0） レジスタンストレーニング：さまざまな種目を 8〜15 回繰り返す（3.5） バレーボール：試合以外（3.0）	掃除機をかける（3.3） 台所での活動：全般（例：調理，皿洗い，掃除）（3.3） 釣り：全般（3.5） 動物と遊ぶ（歩行やランニングを伴う）：全般（3.0）
4	自転車：自転車エルゴメータ・負荷量 51〜89 W（4.8） 歩行：時速 5.6 km・速い（4.3） 水中歩行：ほどほどの労力（4.5） ヨガ：パワー（4.0） タップダンス（4.8） ゴルフ：全般（4.8）	洗濯：洗濯物を干す（4.0） 農作物や花を植える（4.3） 通勤や通学での歩行（4.0） 自転車に乗る：時速 16.1 km 未満（レジャー，通勤，娯楽での利用）（4.0）
5	フィットネスクラブでの運動：全般（5.5） アクアビクス：水中での健康体操・運動（5.3）	家具や家財道具の移動（5.8） 子どもと遊ぶ（歩行やランニングを伴う）（5.8）
6	レジスタンストレーニング（フリーウェイト，マシーンの使用）（6.0） ランニング：時速 6.4 km（6.0） 水泳：のんびりと泳ぐ（6.0）	芝生や庭の手入れ：全般（6.0） ニュージーランド原住民の伝統舞踊ハカ（6.8）
7	エアロビックダンス：全般（7.3） サッカー：試合以外・全般（7.0） テニス：全般（7.3） スキー：全般（7.0）	食料品を上の階へ運ぶ（7.5） シャベルでの雪かき（7.5）
8	ランニング：時速 8.0 km（8.3） 歩行：時速 4.7〜5.6 km で上り坂を歩く（8.0）	
9	階段昇りの運動（9.0）	
10	ランニング：時速 10.8 km（10.5）	

〔国立健康・栄養研究所：改訂版『身体活動のメッツ（METs）表』．pp.4–45, 2012 より抜粋〕

集する．運動療法実施中は，処方した運動内容が適切かつ安全であるか，運動療法導入後は，運動療法の効果判定と運動習慣の獲得ができたかどうかを評価する[4]．運動療法に必要な評価を表4に示す．

6 運動処方

運動処方は，頻度，強度，時間，種類の要素を網羅して処方する．このような運動処方の考え方は，頻度（Frequency），強度（Intensity），時間（Time），種類（Type of exercise）のそれぞれ英単語の頭文字をとった FITT に準じた運動処方と呼ばれる．糖尿病患者へ推奨されている運動処方を以下に示す．

- F（運動の頻度）：有酸素運動であれば週に 150 分以上または 3 回以上，レジスタンストレーニングの場合は連続しない日程で週に 2〜3 回．
- I（運動の強度）：中強度（50% $\dot{V}O_2max$ 程度）．
- T（運動の時間）：有酸素運動であれば 20〜60 分/回（10 分からで可能）．
- T（運動の種類）：有酸素運動，レジスタンストレーニング，バランス練習を組み合わせたもの．

運動強度を表す単位として，安静座位時の代謝量を基準として，その何倍に相当するかを示す

▶図4　代表的な運動種目
A：自転車エルゴメータでのサイクル運動（有酸素運動）
B：ウォーキング（有酸素運動）
C：トレッドミルを用いたウォーキング運動（有酸素運動）
D：スクワット（自重でのレジスタンストレーニング）
E：チューブを用いた上肢運動（張力を抵抗としたレジスタンストレーニング）
F：レッグプレス（マシンを用いたレジスタンストレーニング）

METs（metabolic equivalents）がある（▶表5）[5]．中強度は3 METsの運動にあたり，徒歩や軽い筋力トレーニング，バレーボールなどが該当する．METsは，運動の消費エネルギー（kcal）を算出するのに活用でき，計算方法は「METs×体重（kg）×運動時間（時）×1.05」である．

7 運動療法の方法

糖尿病の運動療法では，有酸素運動とレジスタンストレーニングを主体として運動を構成する．近年は，高齢糖尿病患者にはバランス練習の導入も推奨されている．運動するタイミングとして，食後の血糖上昇をゆるやかにする観点から，食後1時間ころが望ましいとされているが，特に低血糖のリスクが高いなどの制限がない場合は，いつでもよい．

a 有酸素運動

代表的な有酸素運動にはサイクリング運動や歩行運動などがある（▶図4A〜C）．有酸素運動を行う際には，適切な運動強度の設定が重要である．運動強度の決定には，目標心拍数（脈拍数）を設定する方法が一般的である．目標心拍数の算出方法は，呼気ガス分析装置を用いた心肺運動負荷試験を行い，嫌気性代謝閾値での心拍数を算出する方法や，Karvonen（カルボーネン）法と呼ばれる心拍予備能（heart rate reserve; HRR）から算出する方法などがある．HRRからの目標心拍数の算出は，「（予測最大心拍数－安静時心拍数）×%$\dot{V}O_2$max/100＋安静時心拍数」の式で計算できる．予測最大心拍数は一般的に「220－年齢」

▶表6　糖尿病運動療法時に考慮すべきリスク

高血糖・低血糖	・高血糖：空腹時血糖 250 mg/dL 以上・尿ケトン体陽性の場合 ・低血糖：食事療法・薬物療法の内容によってリスクが高くなる
血圧・脂質	・血圧：収縮期 180 mmHg，拡張期 100 mmHg 以上の場合 ・脂質：運動を制限する基準はないが，総コレステロール 250 mg/dL 以上もしくは中性脂肪 300 mg/dL 以上は要注意
糖尿病合併症	・それぞれの合併症の進行度に応じた運動を処方する ・特に，糖尿病網膜症と糖尿病腎症の進行度は重要
呼吸循環器系	・冠動脈病変を合併している可能性が高い ・心電図，心臓超音波検査，運動負荷試験，血管造影検査の結果を確認し，専門の医師に相談することも考慮する
骨・関節	・BMI 30 kg/m² 以上は関節痛を生じやすいので注意が必要 ・高齢者は変形性関節症を合併していることが多い ・糖尿病足病変を認める症例では，運動療法前後の足部の観察も重要

BMI：body mass index

〔清野 裕ほか(監)：糖尿病の理学療法. p.96, メジカルビュー社, 2015 より〕

▶表7　運動療法を中止あるいは中断すべき症状

自覚症状	進行性に増強する胸痛，呼吸困難，強い疲労感，めまい，ふらつき，下肢痛，低血糖
他覚所見	チアノーゼ，顔面蒼白，意識消失
心拍数	運動中に生じる徐脈
心電図変化	進行性 ST 低下または上昇(2 mm 以上)，上室性頻拍，心室性期外収縮の連発，心室頻拍，房室ブロック，心室内伝導障害の発生
血圧変化	過度の上昇(250 mmHg 以上)，下降(負荷前より 10 mmHg 以上の低下)

〔清野 裕ほか(監)：糖尿病の理学療法. p.42, メジカルビュー社, 2015 より〕

の式で求められ，%$\dot{V}O_2$max には中強度であれば 40～59(HRR での運動強度の目安「軽度：30～39%，高強度：60～89%」)[6] の数字を代入する．自覚的運動強度で処方する場合は，13(ややきつい)程度の運動強度を目安にする．

運動強度が決まれば，週に 150 分以上または 3 回以上の頻度，20～60 分/回(10 分からで可能)の運動時間を基本として運動処方を行う．

b レジスタンストレーニング

レジスタンストレーニングとは，筋肉に抵抗(レジスタンス)をかけて行う運動の総称で，筋力増強や筋量増加を期待できる運動様式である．抵抗をかける手段としては，自重，ダンベル，ゴムチューブなどの道具，トレーニングマシンなどの機器がある(▶図 4D～F)．連続しない日程で週 2～3 回，上半身・下半身の筋肉を含んだ 8～10 種類のレジスタンストレーニングを，10～15 回繰り返すことのできる程度の負荷で 1 セット行う程度から開始する．その後，負荷量を徐々に増加し，8～12 回繰り返すことのできる負荷で 1～3 セット行うことを目標とすることが推奨されている[3]．

糖尿病患者では健常者と比較して，下肢の筋量や筋力が低下しており，さらに下肢筋量はインスリン抵抗性とも関連がある[7]ため，下肢のレジスタンストレーニングは重要である．糖尿病患者に対するレジスタンストレーニングは，インスリン抵抗性の改善をはかるためにも有用である．

c バランス練習

糖尿病患者では，糖尿病神経障害や糖尿病足病変の影響でバランス機能が低下する場合も多い[8]．特に，高齢糖尿病患者では転倒につながる可能性があるため，バランス練習を行うことが推奨されている．バランス機能の改善に有効性が示唆されているバランス練習として，片脚立ち練習，応用歩行(タンデムウォーク，サイドステップなど)，太極拳やヨガなどがある．

d 身体活動量の増加

身体活動量の増加は，2 型糖尿病の発症率を低下させることが知られており，運動療法の 1 つの手段として 1 日の身体活動量を高めることも効果的である．運動以外の身体活動は NEAT(non-exercise activity thermogenesis)と呼ばれ，姿勢の保持や家事，買い物，通勤などの移動，仕事，

▶表8 薬物と低血糖リスク

機序	薬物名	主な作用	低血糖のリスク
インスリン抵抗性改善	ビグアナイド薬	肝臓での糖産出抑制	低
	チアゾリジン薬	骨格筋・肝臓でのインスリン抵抗性改善	低
糖排出・吸収調整	α−グルコシダーゼ阻害薬	腸管での炭水化物の吸収分解遅延による食後血糖上昇の抑制	低
	SGLT2 阻害薬	腎臓でのブドウ糖再吸収阻害による尿中ブドウ糖排泄促進	低
インスリン分泌促進	DPP-4 阻害薬	血糖依存性のインスリン分泌促進とグルカゴン分泌抑制	低
	GLP-1 受容体作動薬	DPP-4 阻害薬による分解を受けずに血糖依存性のインスリン分泌促進とグルカゴン分泌抑制	低
	スルホニル尿素(SU)薬	インスリン分泌促進	高
	速効型インスリン分泌促進薬(グリニド薬)	より速やかなインスリン分泌の促進・食後高血糖改善	中
インスリン製剤		超速効型・速効型インスリンは食後高血糖を改善	高
		持効型溶解や中間型は空腹時高血糖を改善する	

〔日本糖尿病学会(編著):糖尿病治療ガイド 2022–2023. p.40, 文光堂, 2022 より改変〕

▶表9 糖尿病神経障害,網膜症,腎症における重症度と運動療法の内容

A. 糖尿病神経障害

神経障害の有無で運動療法が制限されることは少ない
以下のような病態を有している場合は運動療法のリスクとなりうる
- 無自覚性低血糖
- 起立性低血圧
- 無痛性心筋虚血
- 糖尿病性胃無力症

B. 糖尿病網膜症

重症度	運動
単純網膜症	強度の運動処方は行わない
増殖前網膜症	眼科的治療を受け安定した状態でのみ歩行程度の運動可
増殖期網膜症	ADL 能力維持のための運動処方と安全管理が必要

いずれの病期も Valsalva(バルサルバ)型運動は行わない
光凝固療法後は約 1 週間,硝子体手術後は再出血防止のために約 1 か月,積極的な運動は控える

C. 糖尿病腎症

病期	生活一般	運動
第1期(腎症前期)	普通生活	原則として糖尿病の運動療法を行う
第2期(早期腎症期)	普通生活	
第3期(顕性腎症期)	普通生活	原則として運動可能 ただし病態によりその程度を調節する 過度な運動は不可
第4期(腎不全期)	軽度制限	運動制限を行う 散歩やラジオ体操は可 体力を維持する程度の運動は可
第5期(透析維持期)	軽度制限	原則として軽運動
	疲労の残らない範囲での生活	過度な運動は不可

〔A, B は,清野 裕ほか(監):糖尿病の理学療法. pp.144–145, 183–184, メジカルビュー社, 2015. C は,日本糖尿病学会 糖尿病性腎症合同委員会:糖尿病性腎症病期分類 2014 の策定(糖尿病腎症病期分類改訂)について. 糖尿病, 57(7): 529–534, 2014 より作成〕

余暇活動などが含まれる．1日で消費する総エネルギーのうち，運動が占める割合は3〜5%とされるなか，NEATは25〜30%を占める．このように，運動以外の身体活動を促すことは消費エネルギーの増加につながり，結果として血糖マネジメント・肥満の改善につながる．

C 運動療法上の留意点

1 リスク管理

糖尿病の運動療法におけるリスクは，高血糖・低血糖，血圧・脂質，糖尿病合併症，呼吸循環器系，骨・関節のカテゴリーに分けて把握する(▶表6➡452ページ)[4]．運動を中止すべき症状を表7[4]に示す．特に低血糖は，使用している薬物に影響を受けるため，薬物療法の内容について把握が必要である．運動直後のみではなく，運動終了後十数時間後にもおこりうる「遅延性低血糖」にも注意が必要である．薬物と低血糖リスクについて表8[2]にまとめる．

2 合併症に対する運動療法

合併症がある場合の運動療法においては，運動開始時に心血管疾患，神経障害，進行した網膜症，腎症，整形外科疾患などの評価が必要である．進行した合併症のある患者においても，安静ではなく日常生活における身体活動量を可能なかぎり低下させないことが推奨されている．糖尿病神経障害，網膜症，腎症における重症度と運動療法の内容を表9[4,9]，▶動画1に示す．

● 引用文献

1) 糖尿病診断基準に関する調査検討委員会：糖尿病の分類と診断基準に関する委員会報告．糖尿病，55(7):485-504, 2012.
2) 日本糖尿病学会(編著)：糖尿病治療ガイド2022-2023. pp.26-58, 文光堂, 2022.
3) 日本糖尿病学会(編著)：糖尿病診療ガイドライン2019. p.21, 南江堂, 2019.
4) 片田圭一：運動療法．清野 裕ほか(監)：糖尿病の理学療法, pp.39, 42, メジカルビュー社, 2015.
5) 国立健康・栄養研究所：改訂版『身体活動のメッツ(METs)表』. 2012.
https://www.nibiohn.go.jp/eiken/programs/2011mets.pdf(2022年10月4日閲覧)
6) 日本循環器学会/日本心臓リハビリテーション学会：2021年改訂版 心血管疾患におけるリハビリテーションに関するガイドライン. 2021.
https://www.j-circ.or.jp/cms/wp-content/uploads/2021/03/JCS2021_Makita.pdf(2022年10月4日閲覧)
7) Tajiri, Y., et al.: Reduction of skeletal muscle, especially in lower limbs, in Japanese type 2 diabetic patients with insulin resistance and cardiovascular risk factors. Metab. Syndr. Relat. Disord., 8(2):137-142, 2010.
8) Morrison, S., et al.: Balance training reduces falls risk in older individuals with type 2 diabetes. Diabetes Care, 33(4):748-750, 2010.
9) 日本糖尿病学会 糖尿病性腎症合同委員会：糖尿病性腎症病期分類2014の策定(糖尿病腎症病期分類改訂)について．糖尿病, 57(7): 529-534, 2014.

▶動画1

IV その他の疾患の運動療法

第1章

ICUにおける運動療法（人工呼吸器の管理を含む）

学習目標
- 集中治療室でリハビリテーションを行う対象患者に，どのような機能障害が生じやすいかを理解する．
- 運動療法の基本的な進め方を理解する．
- 運動療法を行うにあたり注意することを理解する．
- 集中治療室や急性期病棟で使用される機器（生命維持装置など）の目的を知り，運動療法時の注意点を理解する．

A ICUでの運動療法の必要性と対象患者の特徴

　集中治療室(intensive care unit; ICU)とは，「濃密な診療体制とモニタリング用機器，ならびに生命維持装置などの高度の診療機器を整備した診療単位としての集中治療施設」と定義されている[1]．ICUに入室している患者は，疾病や外傷，手術などにより呼吸や循環，代謝機能などが障害され重篤な機能不全を呈しており，生命維持装置や高度診療機器を用いて集中的治療を受け，継続的なモニタリングが必要とされる状態である．このような重篤な状態の患者が治療を受け生命機能が回復したあと，入院前の生活に戻るための機能的な回復が必要とされる．ICUにおける運動療法ではこのような患者に対して，長期的な回復を念頭に実施していくことになる．

1 ICUでの運動療法・リハビリテーション

　ICUで運動療法を行うことは，ICUでのリハビリテーション(以下，リハ)を実施することの一部に含まれる．ICUのリハのことを「早期リハビリテーション」と呼ぶが，これは疾病発症や手術後早期からのベッド上から行われる他動運動，自動介助運動，自動運動，頭を挙上したヘッドアップ座位，端座位や立位での重力負荷やバランス練習，起立，歩行の再教育などの運動プログラムのような段階的に行われる運動に限らず，呼吸機能，摂食嚥下機能，消化吸収機能，排泄機能，睡眠機能，免疫機能，精神機能，認知機能など，さまざまな機能を維持・改善・再獲得するための取り組みを指す[2]．

　このようにICU入室の患者に早期から開始されるリハについて，運動療法とその実施に関連する内容を中心に述べていく．

2 多職種とのかかわり

　他の領域の運動療法と同様に，ICUでの運動療法も多職種とのかかわりが必要である．ICU内には医師，看護師，臨床工学技士，管理栄養士，薬剤師，臨床検査技師などのさまざまな職種がかかわっており，これらに加え，理学療法士，作業療法士，言語聴覚士がリハ職種としてかかわることになる．

▶表1　ICU-AWの定義

1	筋力低下は重症病態の発症後に進展
2	筋力低下はびまん性（近位筋と遠位筋の両方），左右対称，弛緩性で，通常脳神経は正常（顔のゆがみはない）
3	MRCスコアで評価した合計点（両側肩外転，肘屈曲，手伸展，股屈曲，膝伸展，足背屈をMRCスコアでそれぞれ評価，60点満点）が48点未満（平均が4未満）で，24時間超の間隔をあけて2回以上評価
4	人工呼吸器に依存している
5	筋力低下の原因として，重症疾患に関連しない疾患が除外

以上の5項目のうち1，2，3もしくは4，5を認めた場合にICU-AWと診断できる．
〔Stevens, R.D., et al.: A framework for diagnosing and classifying intensive care unit-acquired weakness. *Crit. Care Med.*, 37(10 Suppl):S299-308, 2009より〕

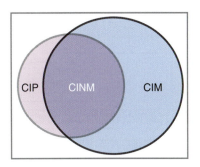

▶図1　ICU-AWの概念
〔畠山淳司：ICU-AWとは．ICUとCCU, 44(5):235-239, 2020より〕

このような環境のなか，ICU患者は生命維持装置や点滴類，ドレーン類，モニター機器などが装着されていることや，介助量が多いことがあるため，ICUで運動療法を実施する場合，理学療法士が単独で実施することは困難である．そのため他の職種と連携して協働することになり，特に看護師，臨床工学技士，医師などと協働して実施することが多い．

3　ICU獲得性筋力低下（ICU-AW）

ICUに入室している患者は重度の筋萎縮と筋機能の障害が生じる．これは重症患者の生命予後が改善しているなかで，救命された重症患者の身体機能低下がみられることになる．このように集中治療を受けている患者の筋力が低下する状態をICU獲得性筋力低下（ICU-acquired weakness; ICU-AW）と呼ぶ．ICU-AWの診断基準を表1に示す[3]．特徴的なのは，重症疾患の発症に続いて生じる四肢の筋肉に左右対称性に発症する筋力低下である．そのため脳血管障害，頸髄損傷などの疾病や外傷による運動障害は除外される．

ICU-AWとは重症疾患ミオパチー（critical illness myopathy; CIM），重症疾患多発ニューロパチー（critical illness polyneuropathy; CIP），その両者が混在するcritical illness neuromyopathy（CINM）に分類される．しかし，これらの鑑別には神経電気生理学的検査や筋生検などを行う必要があるため，発症初期に分類することは困難である．そのため，ICU-AWとはCIP, CIM, CINMを包括したものとされている（▶図1）[4]．

この全身性筋力低下の発生には，病態による侵襲や多臓器不全，その病態の長期化，身体の低活動，栄養不良，薬物の影響，高血糖などが複合的に関与し，これらによる蛋白合成低下，蛋白異化亢進などにより筋機能が低下する．この筋力低下は，ICU治療終了後も残存することがあり，症例によっては長期に残存し，生活の質（QOL）を低下させることがある．

4　集中治療後症候群（PICS）

ICU-AWは身体機能の低下を引き起こすが，ICU入室している患者にはそれ以外に精神機能の障害，認知機能の障害が生じることが報告されている．これらは集中治療後症候群（post intensive care syndrome; PICS）といわれ，ICUでの治療により生命は維持されたが，精神機能障害，認知機能障害，身体機能障害が残存することをいう（▶図2）[5]．精神機能障害には抑うつや不安などの症状や心的外傷後ストレス障害（post-traumatic stress disorder; PTSD）の発症がみら

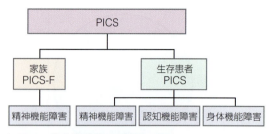

▶図2 集中治療後症候群(PICS)
F：Family
〔Needham, D.M., et al.: Improving long-term outcomes after discharge from intensive care unit: report from a stakeholders' conference. *Crit. Care Med.*, 40(2):502–509, 2012 より〕

れる．**認知機能障害**には記憶や注意の障害，認知処理速度の低下などの症状がみられる．**身体機能障害**には前述した筋力低下やROM制限，労作時の息切れなどがあげられ，日常生活活動(ADL)の制限や介助を要する．

これらの機能障害は，精神・認知・身体のそれぞれが単独でみられる場合と，2つ以上の複数の機能障害の症状が組み合わされて出現する場合がある．また，退院後半年経過しても約60%程度にみられるという報告もある[6]．さらに，PICSにはICUに入室した患者だけでなく，患者の家族にも精神機能の低下が生じるとされる．このようにICU入室されるような重症患者をケアする場合，患者のみではなく家族の状況も気に留めることが必要である．

5 ケアバンドルの使用

ICU入室中の機能低下を予防・改善する目的でケアバンドル(care bundle)を用いる．ケアバンドルとは，科学的に有効とされるいくつかの介入手法(ここでは対象患者への治療やケア)をそれぞれ個別に行うのではなく，束ねて(束のことをbundleという)実施することで効果を得ようとする方法のことをいう．ICU入室患者に対してはABCDEFGHバンドル(▶表2)を用いる．

もともとはABCDEバンドルとして使用され

▶表2　ABCDEFGHバンドル

	英語表記(内容記載)
A	Assess prevent, and manage pain (痛みの評価・予防・管理) Airway management (気道管理)
B	Breathing trial (自発覚醒・自発呼吸評価)
C	Choice of analgesia and sedation (鎮痛・鎮静薬の選択)
D	Delirium assessment, prevention, and management (せん妄評価・予防・管理)
E	Early mobility and exercise (早期離床・運動)
F	Family involvement (家族の関与)
G	Good handoff communication (良好な申し送り)
H	Handout materials (PICSおよびPICS-Fに関する配布資料)

ており，このケアバンドルの実施率が高いと患者の機能が改善すると報告されている[7]．また，家族への支援や配慮の必要性やPICSに関する啓蒙活動の高まり，さらにICUを退室してからの継続した医療やケア体制の必要性などがあり，FGHが加わった．運動療法はこのバンドルの"E"に位置づけられており，ICU患者に行うケアの1つとして必要なものとされる．早期からのリハを実施することで退院時のADLや機能的自立度が改善するといわれており，ICU-AWやPICSの予防・改善に役立つことが期待されている．

B 運動療法の進め方と実際

ICUに入室した患者が運動療法を開始していく流れについて大まかにみていく(▶図3)．

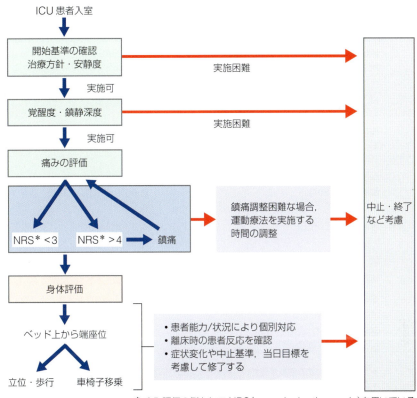

▶図3 ICUに入室した患者の運動療法実施までの流れ

1 開始基準の確認

ICUに入室した患者への積極的な運動療法の開始を考える際は，まず病態の重症さ（生命予後を含め）と治療方針を確認し，ICU入室に至った主病態への治療が開始されたら積極的運動療法を検討する．開始基準の目安となる状態を表3に示す[2]．これらの指標をもとに各患者個別に医師と相談する．

2 活動制限の有無の確認

開始基準の確認後，主病態に対する活動制限の指標や既往歴を確認する．主病態に対する活動制限の指標には，血圧や心拍数の上限/下限値，酸素飽和度の下限値など，患者の病態に見合った指標が設定される場合がある．また，外傷による骨折がある場合などは局所安静や固定の必要性，ベッド上頭部挙上角度制限やとってはいけない肢位など活動の制限（安静度の規定）を確認する．

さらに，主病態以外にも既往歴の確認をする．たとえば腫瘍の既往がある患者では骨転移が生じている場合があり，座位姿勢にすると疼痛出現や骨破壊が進行することがある．また，体幹コルセットや頸部カラーなど固定装具を使用する場合があるので確認する．

3 中止基準

運動療法を実施している間に患者の状況が変化した場合は，中止を判断することがある

▶表3 早期離床・リハビリテーション実施開始の目安

	指標	基準値
意識	Richmond Agitation-Sedation Scale（RASS）（▶表6）	$-2 \leq$ RASS ≤ 1 30分以内に静養が必要であった不穏はない
疼痛	自己申告可能な場合：numerical rating scale（NRS）もしくは visual analogue scale（VAS）	NRS ≤ 3 もしくは VAS ≤ 3
	自己申告不能な場合：behavioral pain scale（BPS）もしくは Critical-Care Pain Observation Tool（CPOT）	BPS ≤ 5 もしくは COPT ≤ 2
呼吸	呼吸回数（RR） 酸素飽和度（SaO_2） 吸入酸素濃度（FiO_2）	< 35 回/分が一定時間持続 $\geq 90\%$ が一定時間持続 < 0.6
人工呼吸器	呼気終末陽圧（PEEP）	$< 10\,cmH_2O$
循環	心拍数（HR）	HR ≥ 50 回/分もしくは ≤ 120 回/分が一定の時間持続
	不整脈	新たな重症不整脈の出現がない
	虚血	新たな心筋虚血を示唆する心電図変化がない
	平均血圧（MAP）	$\geq 65\,mmHg$ が一定時間持続
	ドパミンやノルアドレナリン投与量	24時間以内に増量がない
その他	●ショックに対する治療が施され，病態が安定している ●自発覚醒トライアル（spontaneous awakening trial; SAT）ならびに自発呼吸トライアル（spontaneous breathing trial; SBT）が行われている ●出血傾向がない ●動くときに危険となるラインがない ●頭蓋内圧（intracranial pressure; ICP）$< 20\,mmHg$ ●患者または患者家族の同意がある	

もとの血圧を加味すること．各数字については経験論的なところもあるのでさらに議論が必要である．
〔日本集中治療医学会早期リハビリテーション検討委員会：集中治療における早期リハビリテーション―根拠に基づくエキスパートコンセンサス．日集中医誌，24(2):255-303, 2017 より〕

（▶表4）[2]．開始基準と同じようにここには一般的な目安を示しており，運動療法の実施にあたっては患者個別に設定されることになる．

中止基準には開始基準で設定した呼吸・循環の変動や意識レベルや神経症状の出現などが示されている．患者の状態だけではなく，挿管チューブや各ドレーンチューブ・点滴類の誤抜去や移動，カテーテル屈曲などによる生命維持装置などのデバイスの作動不全などの安全性に関する注意も含まれる．また患者の苦痛出現，コントロール困難な不穏になるなど，転倒や転落の出現やそのおそれが生じることもあるので，患者の評価は重要である．

このように運動療法の実施においては，開始基準・活動範囲の確認・中止基準を他の職種と共有しておくことで，注意すべきことを確認でき安全な運動療法を進めることができる．

4 覚醒度・鎮静深度の確認

運動療法が患者の協力を得て能動的に実施できるか，またはそれが困難で他動的な内容となるかは患者の意識レベルや鎮静を受けているかに依存するため，患者の応答を確認する．疾病により意識レベルが低下した患者では他動的な内容を計画する．また，ICU入室患者のなかには重症患者の

▶表4 ICUでの早期離床と早期からの積極的な運動の中止基準

カテゴリー	項目・指標	判定基準値あるいは状態	備考
全体像 神経系	反応	明らかな反応不良状態の出現	呼びかけに対して傾眠，昏迷の状態
	表情	苦悶表情，顔面蒼白・チアノーゼの出現	
	意識	軽度以上の意識障害の出現	
	不穏	危険行動の出現	
	四肢の随意性	四肢脱力の出現 急速な介助量の増大	
	姿勢調節	姿勢保持不能状態の出現 転倒	
自覚症状	呼吸困難	突然の呼吸困難の訴え 努力呼吸の出現	気胸，肺血栓塞栓症（PTE） 修正 Borg（ボルグ）スケール 5〜8
	疲労感	耐えがたい疲労感 患者が中止を希望 苦痛の訴え	
呼吸器系	呼吸数	＜5/分または＞40/分	一過性の場合は除く
	SpO_2	＜88％	
	呼吸パターン	突然の吸気あるいは呼気努力の出現	聴診など気道閉塞の所見も併せて評価
	人工呼吸器	不同調 バッキング	
循環器系	HR	運動開始後の心拍数減少や徐脈の出現 ＜40/分または＞130/分	一過性の場合を除く
	心電図所見	新たに生じた調律異常 心筋虚血の疑い	
	血圧	収縮期血圧＞180 mmHg 収縮期または拡張期血圧の 20％低下 平均動脈圧＜65 mmHg または＞110 mmHg	
デバイス	人工気道の状態 経鼻胃チューブ 中心静脈カテーテル 胸腔ドレーン 創部ドレーン 膀胱カテーテル	抜去の危険性（あるいは抜去）	
その他	患者の拒否 中止の訴え 活動性出血の示唆 術創の状態	ドレーン排液の性状 創部離開のリスク	

介入の完全中止あるいは，いったん中止して経過を観察，再開するかは患者の状態から検討，判断する．
〔日本集中治療医学会早期リハビリテーション検討委員会：集中治療における早期リハビリテーション—根拠に基づくエキスパートコンセンサス．日集中医誌, 24(2):255–303, 2017 より〕

不安軽減，人工呼吸管理中の肺傷害予防目的，不穏に伴う有害事象の予防などを目的として鎮静薬を使用することがある．どの程度鎮静されているか（鎮静深度）により運動療法の実施内容が異なるため，意識レベルや鎮静深度を評価する．

意識障害の評価にはグラスゴー・コーマ・スケール（Glasgow Coma Scale; GCS）を用いる（▶表5）．また鎮静深度の評価には，RASS（Richmond Agitation-Sedation Scale）を用いる（▶表6）．

▶表6　鎮静スコア（RASS）

スコア	用語	説明	
+4	好戦的な	明らかに好戦的な，暴力的な，スタッフに対する差し迫った危機	患者の観察（視診のみ）
+3	非常に興奮した	チューブ類またはカテーテル類を自己抜去：攻撃的な	
+2	興奮した	頻繁な非意図的な運動，人工呼吸器ファイティング	
+1	落ち着きのない	不安で絶えずそわそわしている，しかし動きは攻撃的でも活発でもない	
0	意識清明な落ち着いている		
−1	傾眠状態	完全に清明ではないが，呼びかけに10秒以上の開眼およびアイコンタクトで応答する	呼びかけ刺激
−2	軽い鎮静状態	呼びかけに10秒未満のアイコンタクトで応答	
−3	中等度鎮静状態	呼びかけに動きまたは開眼で応答するがアイコンタクトなし	
−4	深い鎮静状態	呼びかけに無反応，しかし身体刺激で動きまたは開眼	身体刺激
−5	昏睡	呼びかけにも身体刺激にも無反応	
RASSの評価法	ステップ1：30秒間患者観察（0～+4） ステップ2：1）大声で名前を呼ぶか，開眼するように言う 　　　　　　2）10秒以上アイコンタクトができなければ繰り返す 　　　　　　3）動きがみられなければ，肩を揺するか，胸骨を摩擦する		

▶表5　GCSの評価

		点数
E（開眼）	●自発的に開眼 ●呼びかけで開眼 ●痛み刺激で開眼 ●開眼しない	4 3 2 1
V（発語）	●見当識良好 ●会話混乱 ●言語混乱 ●理解不明の発声 ●発話なし	5 4 3 2 1
M（運動）	●命令に従う ●疼痛部認識可能 ●逃避（四肢屈曲） ●異常な四肢屈曲 ●四肢異常伸展 ●まったく動かさない	6 5 4 3 2 1

　鎮静深度の評価であるRASSでは活動性の低い状態から過活動な状態までの評価となる．能動的な運動療法が安全に実施できるのは−1～0とされる．運動療法を実施する際は，能動的な運動を実施してもらうために鎮静薬投与を中止あるいは減量する．RASSが−2以下であると覚醒が不十分な状況であるため，他動的な実施内容が中心になる．一方，RASSが+1以上となると過活動による点滴類などの抜去や予期しない動きによる転落や外傷などが生じることが想定できる．この場合，過活動となっている要因を検討し対応を試みるが，それでも難しい場合は鎮静薬などの投与と運動療法実施の時間変更をして対応するなどの調整を行う．

5 覚醒ある患者への理解の確認

　覚醒している患者が医療者の指示に従えるかを確認する場合，離握手や四肢の運動を用いることがある．しかし先に示したICU-AWのように，ICU入室患者には四肢にびまん性・弛緩性に筋力低下がみられることがあり，手指・四肢屈伸での指示理解の確認が難しい場合がある．そのため，

以下のように顔面・頸部の筋力を用いて確認する.
①目を開けてください,目を閉じてください.
②私を見てください.
③口を開けて舌を出してください.
④うなずいてください.
⑤(私が)5つ数えたら,両方の眉毛を上げてください.

これら5つの指示に従えることで理解を確認し,後述の「身体評価」の項にあげている筋力測定へ進める[7]).

6 痛みの評価

運動療法が可能な状況でも,痛みがあると患者に苦痛が生じるため,痛みを取り除くような配慮が必要である.運動療法の前に痛みの評価を行い,一定以上の痛みがある場合はその原因を確認して軽減をする.痛みの評価には患者が自己申告できるか否かにより使用するスケールが異なる.

患者の理解があり回答できる場合は,自己申告型スケールを用いる.これには numerical rating scale(NRS)や visual analogue scale(VAS)(→357ページ)がある.一方,意識障害や鎮静中の患者では理解が得られにいくいため,行動観察型スケールを用いる.これには behavioral pain scale(BPS)(▶表7)や Critical-Care Pain Observation Tool(CPOT)(▶表8)がある.これらのスケールを用いて痛みを評価し,鎮痛薬を使用する目安としては,NRS・VAS では4点以上,BPS では5点以上,CPOT では3点以上とされている.

7 プロトコルの使用

このように運動療法を行うにあたり,開始基準や中止基準,鎮静の深さや痛みの強さなど,事前に確認をすることがある.これらをプロトコルとして運用する.プロトコルとは,どのような状況

▶表7 行動観察型痛み評価のスケール(BPS)

項目	説明	スコア
表情	穏やかな	1
	一部硬い(例:眉が下がっている)	2
	まったく硬い(例:まぶたを閉じている)	3
	しかめ面	4
上肢	まったく動かない	1
	一部曲げている	2
	指を曲げて完全に曲げている	3
	ずっと引っ込めている	4
人工呼吸器との同調性	同調している	1
	時に咳嗽	2
	人工呼吸器とファイティング	3
	人工呼吸器との調節が利かない	4

でどのように行動をするか,その業務にかかわる複数の者が確実に実行できるように事前に手順として定めた内容である.ICU 患者へのリハの関連では,運動療法の開始や中止基準などを含んだ早期離床・リハビリテーションプロトコル,鎮痛鎮静を調整するプロトコルなどがある.

鎮痛鎮静プロトコルでは痛みや鎮静の程度に対して,前述のアセスメントツールを用いてベッドサイドで医師・看護師があらかじめ設定している状態の痛み(たとえば NRS 3 以下など)や鎮静の深さ(RASS で −1〜0 など)を保つように鎮痛薬・鎮静薬の用量調整をするものである.これらを共有することで,円滑で安全なチーム医療が実施できる.

8 身体評価

患者の病態が運動療法開始基準に見合っており,覚醒レベルや痛みを確認して,次の段階で患者の身体機能を評価する(▶図3).この目的として,①これから行う運動療法の実施内容や強度などの目安をつけるため,②運動療法を実施するための身体介助の程度や車椅子・歩行器など補助器具の有無や種類を想定するため,③短期・長期の

▶表8　行動観察型痛み評価のスケール（CPOT）

項目	説明	スコア	
表情	緊張なし	リラックス	0
	しかめる，眉間のしわ，こわばる，筋肉の緊張	緊張	1
	上記に加えて，強く目を閉じている	顔をゆがめる	2
体の動き	動かない	動きなし	0
	ゆっくり慎重な動き，痛いところを触ったり，さすったりする	抵抗	1
	チューブを引き抜く，突然立ち上がる，体を動かす，命令に応じず攻撃的，ベッドから降りようとする	落ちつきなし	2
人工呼吸器との同調（挿管患者）または発声（挿管していない患者）	アラームがなく，容易に換気	同調	0
	アラームがあるが，止んだりもする	咳嗽はあるが同調	1
	非同期：換気がうまくできない	ファイティング	2
	通常のトーンで会話	通常の会話	0
	ため息，うめき声	ため息，うめき声	1
	泣きわめく，すすり泣く	泣きわめく	2
筋緊張	受動的な動きに抵抗なし	リラックス	0
	受動的な動きに抵抗あり	緊張，硬直	1
	受動的な動きに強い抵抗あり，屈曲・伸展できない	強い緊張，硬直	2

目標を設定するため，④効果判定をするためなどがあげられる．

身体評価は筋力や関節可動域など一般的に理学療法士が実施する内容と同様であるが，ICU入室患者ではベッド上で実施することが多い．また人工呼吸器や点滴・カテーテルなどが装着されているため，とれる体位に制限があることが多く，これらを考慮して行う．

a 筋力評価

筋力評価には Medical Research Council（MRC）スコアを用いる（▶表9）．この筋力検査は徒手筋力検査法（Manual Muscle Testing；MMT）と同様に判定基準が0〜5の6段階となっており，その段階の定義も同様である．違いは，ベッド上で実施できる関節運動の評価を用いていることである（▶図4）．

MRCスコアの測定は四肢の12筋群に実施する（▶表9）．各運動方向での検査最高値は5点であり，12筋群を評価するため，評価値を合計した

▶表9　MRCスコア

測定部位	両側の肩・肘・手・股・膝・足関節の筋群
運動方向	肩：外転，肘：屈曲，手：背屈 股：屈曲，膝：伸展，足：背屈
評価・判定	0：筋収縮はみられず（視診，触診） 1：筋収縮はみられるが，関節の動きなし 2：関節の動きはみられるが，重力に抵抗できない 3：関節の動きあり，重力に抵抗して動かせる 4：重力と弱い抵抗に対して動かせる 5：最大抵抗に対して動かせる（正常）

最高値は60となる．前述したICU-AWの定義は合計点48未満とされる（▶表1）．筋力検査では理解・協力が得られる患者に実施するため，筋力検査前に評価として前述の「覚醒ある患者への理解の確認」の5つの指示理解を確認する．

b 関節可動域（ROM）

ROMでは骨折などにより安静固定中で運動禁止とされていない状況であれば，四肢のすべての関節の動きについて確認する．既往によりもとも

A. 肩関節外転

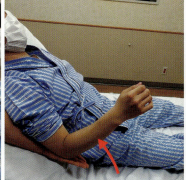
B. 肘関節屈曲

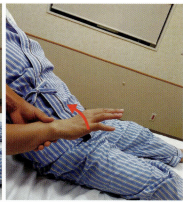
C. 手関節背屈

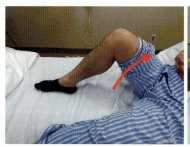
D. 股関節屈曲

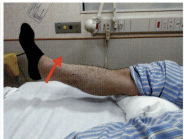
E. 膝関節伸展

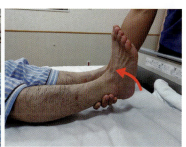
F. 足関節背屈

▶図4 MRCスコアによる筋力評価
各関節の動き．矢印は動きの方向を示す．

とROMの制限がみられる場合があるが，既往がない患者でもICU入室後の無動や四肢に浮腫がみられる場合などはROMに制限がみられることがある．ROM制限が残存すると，今後の回復過程で機能が向上する時期に，回復制限を受ける可能性がある．そのためROM制限が生じないように努める．下肢の関節を評価するときは，「今後進める離床時に座位がとれるか」「立ち上がったときに立位がとれるか」などを念頭におき，股関節や膝関節の屈曲・伸展や足関節の背屈と底屈の可動域があるかを確認する．

9 運動療法の実際

運動療法の実施内容は，①コンディショニングとして呼吸練習・排痰練習・ポジショニングなどの呼吸理学療法やストレッチング，②運動機能練習としてROM練習・筋力練習など，③離床やADL練習として座位・車椅子移乗・歩行練習を行う．それぞれの実施内容は各運動療法や呼吸理学療法の内容に準拠して行う．

運動療法や離床練習をする際，どのような内容を行う場合でも，①患者の症状・モニター値の変化，②患者の身体介助の方法，③デバイス回路・カテーテル，点滴類などのライン類の管理といった点は共通して注意をする．

a 起き上がり・端座位

起き上がりから端座位まで進める際は，人工呼吸器や人工透析などを実施している側やドレーン挿入部位などを考慮し，片側のベッドへ下肢を出して腰かけるようにする．端座位になるときなどは，血圧変動，めまいや嘔吐などの出現，痛みの増加を観察して行う．

▶表 10　集中治療室活動度スケール（IMS）

0	ベッド上臥位で活動なし
1	ベッド上座位・ベッド上運動
2	リフティングでの椅子座位への移動
3	ベッドでの端座位
4	立位（介助も可）
5	椅子への移乗
6	足踏み
7	2 名介助での歩行（5 m 以上の実施）
8	1 名介助での歩行（5 m 以上の実施）
9	歩行補助具を使用して歩行自立
10	歩行補助具を使用しなくても歩行自立

▶表 11　functional status score for the ICU (FSS-ICU) での各動作の判定基準

7	自立 （例：寝返りではベッド柵などを把持はしないで可能）
6	修正自立 （例：寝返りではベッド柵などを把持する）
5	監視 （身体介助は不要だが指示や促しを必要とする）
4	最小介助 （患者が動作の 75% 以上実施）
3	中等度介助 （患者が動作の 26～74% を実施）
2	最大介助 （患者が動作の 25% 以下を実施）
1	全介助
0	身体的制限や医学的制限により動作が遂行できない

b 立位から車椅子移乗・歩行

　端座位を行った際，安定した姿勢保持ができ血圧変動などがみられず，疼痛や自覚症状の出現や増加がみられなければ，立位や車椅子へ移乗することを検討する．

　車椅子移乗の場合，下肢筋力や患者の協力の得られやすさなどにより患者の能力を利用した方法（トランスファー）を用いるか，全介助での方法（リフティング）を用いるかを判断して実施する．

10 ICU での離床・機能評価

　ICU 患者の離床や身体活動レベルの評価に Barthel（バーセル）Index や機能的自立度評価法（Functional Independence Measure; FIM）を用いる場合があるが，ICU の患者の活動を十分評価することが難しい場合がある．そのため以下のような指標を用いる．

a 集中治療室活動度スケール（IMS）

　集中治療室活動度スケール（ICU mobility scale; IMS）は，ICU でどの程度離床ができるかを表した評価指標である．評価内容はベッド上臥位で活動をしていない状況から歩行補助具を使用しなくても歩行自立できる状態を 0～10 の 11 段階で表現している（▶表 10）．

b FSS-ICU

　functional status score for the ICU (FSS-ICU) は，ICU での動作能力を評価することを目的に用いられる．評価内容は，寝返り，起き上がり，座位，起立，歩行の 5 項目で構成されており，それぞれの動作について，身体的制限や医学的制限により動作が遂行できない場合は 0 点とされ，介助量・活動能力により 1～7 点に区分されるため，0～7 点の 8 段階で判定する（▶表 11）．5 項目に対して 8 段階で評価するため，合計点の最低点は 0 点，最高点は 35 点となる．

C ICU で使用される機器関連

　ここでは ICU 患者に使用させる治療機器の概要を説明し，運動療法を行う場合の注意点を記載する．

1 人工呼吸器の役割

　診療報酬での早期離床リハ加算の算定できる範

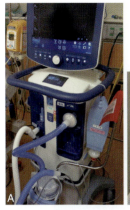

▶図5 ICUで使用される人工呼吸器の種類
A：侵襲的人工呼吸器：患者に挿管チューブや気管切開チューブを介して陽圧を送る．
B：非侵襲的人工呼吸器：患者にマスクを装着して陽圧を送る．

▶表12 人工呼吸器のモードと換気様式の種類

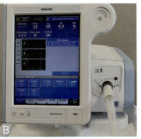

			換気様式	
			従量式換気	従圧式換気
モード	強制換気	A/C	AC-VCV	AC-PCV
		SIMV	SIMV-VCV	SIMV-PCV
	自発呼吸	CPAP		CPAP/CPAP+PS

囲が増えており，今後理学療法士が人工呼吸器を装着している患者に対応する機会が増えることが見込まれる．

人工呼吸器は呼吸機能の低下している患者に対して陽圧を送ることで，患者の呼吸仕事量の軽減・酸素化改善・換気機能改善をはかる目的に使用される．ICU入室患者に使用される人工呼吸器には2種類あり，挿管チューブや気管切開などの人工気道を介して陽圧を送る侵襲的人工呼吸療法とマスクを装着し陽圧を送る非侵襲的人工呼吸療法がある(▶図5)．ここでは前者の侵襲的人工呼吸器についてふれる．

a 人工呼吸器の仕組みとガスの送り方

人工呼吸器の本体から回路を介して患者に陽圧が送られる構造である．人工呼吸器からのガスの供給のしかたはモードと換気様式の組み合わせで決まる．基本的なモードと換気様式の組み合わせを表12に示した．モードには強制換気と自発呼吸がある．強制換気モードは呼吸・循環など病状がまだ不安定な時期や手術直後などの患者に対して，呼吸仕事量を少なくする役割で用いる．その後，病状の改善や手術後から徐々に覚醒するなどして患者自身で呼吸ができるようになると，自発呼吸モードを用いて人工呼吸器の離脱を進める．

換気様式については，強制換気モードのガスの送り方に従量式換気と従圧式換気がある．両者とも患者の換気を補助する目的は同じであるが，従量式換気は1回換気量を決めて換気を補助する形式である一方，従圧式換気は吸気圧を設定して換気を補助する形式である．たとえば，従量式換気では1回換気量を500 mLと設定すると，毎呼吸500 mLが患者へ送られる．従圧式換気では，同じように500 mLを患者に送りたい場合，吸気圧を調整して送ることになる(▶図6)．自発呼吸モードは圧設定のみであるため，1回換気量を設定する項目はない(▶図7)．

b 人工呼吸器装着中の運動療法

人工呼吸器が装着されていることが運動療法の制限にはならないため，表3で示した積極的運動療法の開始基準を満たせば運動療法は可能である．注意点として，患者の動作や移動に伴った回路外れやチューブの位置のずれがあげられる．人工呼吸器では主に口から挿管チューブや，気管部から気管切開チューブが装着されているが，これらのチューブが引っ張られてしまい，チューブの位置が動いてずれたり・抜けたりすることがある．患者の体を動かす際は人工呼吸器本体や回路の位置を変更することで，患者のチューブや呼吸器の回路への影響がないように実施する．

また，運動療法時には人工呼吸器と患者の同調性が低下する場合に注意する．人工呼吸器の設定は，通常安静時の患者の状況に合わせている．運動療法によって端座位や立位，移乗などを行うと呼吸数や呼吸様式が変わるため，人工呼吸器の設

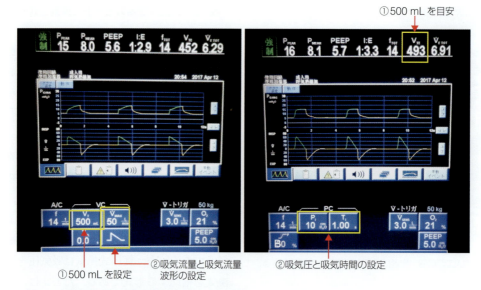

▶図6 従量式換気と従圧式換気の違いの説明
A：従量式換気様式．① 1回換気量500 mLを設定して患者にガスを送る．その際に，②吸気流量（ここでは50 L/分）と吸気流量波形（ここでは漸減波）も同時に設定する．
B：従圧式換気様式．① 1回換気量500 mLを目安に患者へガスを送るために，②吸気圧（ここでは10 cmH₂O）を設定する．その際に，吸気時間（ここでは1.0秒）も同時に設定する．

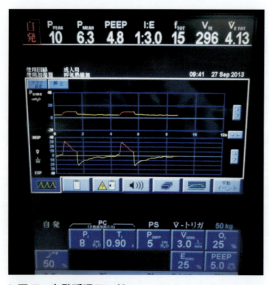

▶図7 自発呼吸モード
自発呼吸モードでは換気回数や1回換気量の設定はない．患者の自発呼吸に圧を補助する設定である．

定と患者の呼吸が合わなくなることがある．これは強制換気モードを使用しているときにみられることが多く，換気様式により対応は異なるが，従量式換気では吸気流量や吸気波形の調整，従圧式換気では吸気時間の調整を医師と相談して対応する．それでも合わない場合は自発呼吸モードへ変更するなどの対応を医師と検討する．

人工呼吸器は患者の状態と設定した換気状態が合っていないときや，機器自体の異常を知らせる際にアラームが作動する．運動療法中は運動に伴った患者の呼吸数増加や分時換気量増加など，換気が可能であるが安静時より増加するためにアラームが作動することがある．この場合は休息や患者への呼吸指導，場合により気管吸引などで対応する．一方，換気が困難な場合は，患者へのガスの供給や患者からのガスの排出が困難となり患者の状態が急変するおそれがある．このような緊急性の高い場合の基本的対応がある．原因検索行為を「DOPE」（▶表13）という英語表記の頭文字で表現しており，以下のように不具合を考える．

- 挿管チューブの位置異常（D）：チューブが浅くなる，または深く入りすぎて片肺挿管となること．

▶表 13　DOPE の内容

Displacement	チューブ位置異常
Obstruction	気管・チューブ閉塞
Pneumothorax	気胸
Equipment	機器の不具合

- 挿管チューブの閉塞（O）：痰による閉塞・狭窄やチューブの屈曲を確認する．
- 気胸（P）：陽圧換気中，気胸が生じると容易に緊張性気胸になるため，身体所見で迅速に診断するようになる．
- 機器（E）の不具合：人工呼吸器の異常，バッテリー切れ，回路内リーク接合部の緩みなどを確認する．実際の手順では，すぐに用手換気に切り替えて機器不具合（E）を除外し，視診・触診などの胸部理学所見や用手換気の手ごたえなどによりチューブの位置・閉塞，気胸の所見を確認する流れになる．

2 ICU 患者に使用される医療機器と運動療法の留意点

ICU 入室中の患者には生命維持装置を使用している．ここでは人工呼吸器以外の機器の使用目的と運動療法を実施する際の注意点をあげる．

a 大動脈内バルーンパンピング

大動脈内バルーンパンピング（intra-aortic balloon pumping；IABP）は，心臓機能の低下した患者に対して，そのポンプ機能を補助する役割で用いられる．IABP の目的は，心臓の仕事量を減らし，冠動脈の血流を増加させることである．

一般的に大腿動脈から IABP バルーンカテーテルを挿入し，バルーンの先端部を胸部下行大動脈に留置させ，バルーンの膨張・脱気を心臓の動きと合わせて行うことで心臓ポンプ機能を補助している（▶図 8）．

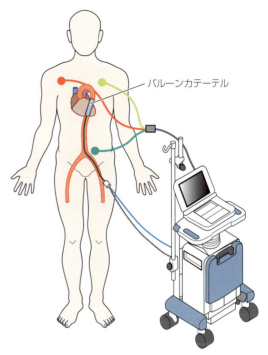

▶図 8　IABP の概要図
一般的に大腿動脈から IABP バルーンカテーテルを挿入し，バルーンの先端部を胸部下行大動脈に留置させる．

● IABP 装着患者の運動療法

IABP を装着中は循環動態を安定させているが，カテーテル挿入部の運動に伴いカテーテル屈曲や留置部位からのずれ，局所の出血が生じることがあるため，カテーテル挿入部位や体幹周囲の動きを伴う積極的な運動や離床は行わない．カテーテル挿入部周囲を除いた部位の関節拘縮予防などが目的の ROM 練習・ストレッチングや自動運動などについて，心臓機能の回復状況や鎮静・筋弛緩薬使用状態などの経過をふまえ，医師と相談して決める．

b 体外式膜型人工肺

体外式膜型人工肺（extracorporeal membrane oxygenation；ECMO）は心肺の補助目的に使用する．これには主に循環補助を目的とする V-A ECMO と，主に呼吸補助を目的とする V-V ECMO がある．それぞれ V-A・V-V とは脱血部位と送血部位を指し，V-A は Veno-Artetrial を

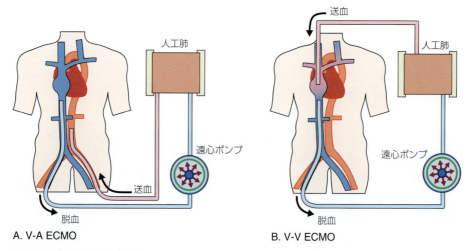

▶図9 ECMOの概要図
A：V-A ECMOはVeno-Artetrialを表し，一般的に大腿静脈脱血・大腿動脈送血で行われる．
B：V-V ECMOはVeno-Venousを表し，一般的に大腿静脈脱血・内頸静脈送血で行われる．

表し静脈脱血/動脈送血（一般的には大腿静脈から脱血，大腿動脈へ送血）を，V-VはVeno-Venousを表し静脈脱血/静脈送血（一般的には大腿静脈から脱血，内頸静脈へ送血）であることを意味する（▶図9）．いずれもカテーテル・遠心ポンプ・膜型人工肺によって構成される機器で，患者の血液を一時的に体外へ出し（脱血），遠心ポンプで血液を膜型人工肺に送り，血液を酸素化して血液を患者に戻す（送血）という体外循環装置である．

● ECMO装着患者の運動療法

ECMO装着中の患者への運動療法は前述のIABPと同じようにカテーテル挿入を考慮する．V-A ECMOでは大腿静脈から脱血，大腿動脈から送血を，V-V ECMOでは大腿静脈から脱血をすることが一般的である．そのためカテーテル挿入部位周辺の運動や全身の活動に伴うカテーテル屈曲や留置部位のずれ，局所出血のリスクがある．カテーテル挿入部周辺の関節運動や体動を伴う積極的離床は行わない．しかし，施設によってはカテーテル留置が股関節ではなく内頸静脈を使用していることがある．このような場合は，医師とどのような運動が可能となるかを相談し，実施することもある．また股関節周囲にカテーテルが挿入されている場合，屈曲運動によるカテーテル刺入部のトラブルがないよう高機能ベッドによる傾斜や起立台を使用した他動的立位練習などを行うことは可能な場合がある．

C 血液浄化療法

血液浄化療法は，腎臓の機能が低下した患者に人工的に代替する治療法である．腎臓機能が低下すると血液のなかにある老廃物や水分を体の外に出せなくなり，意識障害，呼吸機能低下が生じ悪化すると生命維持が困難になる．

血液浄化療法は主に内頸静脈または大腿静脈に透析用カテーテル（ダブルまたはトリプルルーメン）を挿入し，血液ポンプによって血液を体外へ取り出し（脱血），ダイアライザー（濾過器）のなかを通す．ダイアライザーでは人工の膜でできた管の内を血液が，外を透析液が流れ，老廃物や過剰な水分を取り除き，電解質バランスを整える．ダイアライザーを出た血液は透析用のカテーテルを経て患者へ戻すしくみとなる（▶図10）[9]．

ICUで行われる血液浄化療法には，持続的腎機能代替療法（continuous renal replacement therapy；CRRT）と間欠的腎機能代替療法（intermit-

する．カテーテルの挿入されている部位（主に頸部と股関節）の肢位の変化により，カテーテルが屈曲し脱血が困難になること，運動時のカテーテル抜去や位置がずれるおそれがあるので注意する．除水をしている場合は運動療法時の循環動態に注意する．

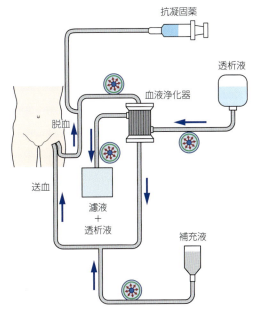

▶図10　血液浄化療法の概要図
〔日本急性血液浄化学会（編）：急性血液浄化の種類．日本急性血液浄化学会標準マニュアル，pp.46-97，医学図書出版，2013 より〕

tent renal replacement therapy；IRRT）がある．CRRT と IRRT では時間あたりの除水量が大きく異なり，CRRT は長時間（24時間以上）かけてゆっくり除水などを行うのに対し，IRRT は通常4時間程度を目安に実施され，単位時間あたりの除水量が多く透析効率も高い．

● 血液浄化療法中の運動療法

IRRT 実施時は積極的な運動療法による離床などは実施せず，開始前または終了後に実施するように計画する．一方，CRRT は24時間施行しているため，運動療法を実施する際には医師に確認

● 引用文献
1) 今井孝祐：集中治療医学の定義．日集中医誌，16(4):503-504, 2009.
2) 日本集中治療医学会早期リハビリテーション検討委員会：集中治療における早期リハビリテーション—根拠に基づくエキスパートコンセンサス．日集中医誌，24(2):255-303, 2017.
3) Stevens, R.D., et al.: A framework for diagnosing and classifying intensive care unit-acquired weakness. Crit. Care Med., 37(10 Suppl):S299-308, 2009.
4) 畠山淳司：ICU-AW とは．ICU と CCU，44(5):235-239, 2020.
5) Needham, D.M., et al.: Improving long-term outcomes after discharge from intensive care unit: report from a stakeholders' conference. Crit. Care Med., 40(2):502-509, 2012.
6) Kawakami, D., et al.: Prevalence of post-intensive care syndrome among Japanese intensive care unit patients: a prospective, multicenter, observational J-PICS study. Crit. Care, 25(1):69, 2021.
7) Pun, B.T., et al.: Caring for critically ill patients with the ABCDEF bundle: results of the ICU liberation collaborative in over 15,000 adults. Crit. Care Med., 47(1):3-14, 2019.
8) De Jonghe, B., et al.: Paresis acquired in the intensive care unit: a prospective multicenter study. JAMA, 288(22):2859-2867, 2002.
9) 日本急性血液浄化学会（編）：急性血液浄化の種類．日本急性血液浄化学会標準マニュアル，pp.46-97，医学図書出版，2013.

第2章 廃用症候群とサルコペニア

学習目標
- 廃用症候群の概要と問題を理解する．
- 廃用症候群への運動療法と早期離床の目的や効果を理解する．
- サルコペニアの概要，分類および対策を理解する．
- サルコペニアおよび栄養状態の評価を理解する．
- サルコペニア高齢者の運動療法と栄養療法の目的や効果を理解する．
- サルコペニア要支援・要介護高齢者の BMI，身体活動，QOL の特徴および運動療法を理解する．

A 廃用症候群とは

1 概要

廃用症候群とは，「身体の不活動状態に起因する二次的な障害」とされる[1]．廃用症候群は，急性疾患の発症や外科的治療による安静臥床や活動性低下を契機として発症し，筋萎縮や関節拘縮などの筋・骨格系の問題のみならず，循環器，呼吸器，認知機能低下など，全身の諸器官に影響を及ぼす（▶表 1）．

廃用症候群が生じると，患者の日常生活活動（activities of daily living; ADL）および生活の質（quality of life; QOL）は低下する．また，介護負担から家族の QOL 低下も危惧される．その回復には，安静期間の 2〜3 倍の期間を要することが多く，長期的な入院を要する．長期的な入院は医療費を増大させ，その費用負担はわが国の重要な課題となっている．

▶表 1 廃用症候群の影響

筋・骨格系	●筋萎縮 ●筋力低下 ●骨萎縮・関節拘縮 ●骨粗鬆症
循環器	●心機能低下 ●運動耐容能低下 ●起立性低血圧 ●深部静脈血栓症
呼吸器	●肺活量減少 ●咳嗽力低下 ●誤嚥性肺炎
中枢神経系	●抑うつ発症 ●せん妄発症 ●認知機能低下
消化器	●食欲不振 ●便秘
泌尿器ほか	●尿路結石 ●尿路感染 ●褥瘡 ●インスリン抵抗性亢進

2 問題と運動療法

a 筋萎縮・筋力低下

安静臥床や活動性低下は，筋萎縮や筋力低下をきたす．加齢による筋萎縮は 1 年に 1％ 程度[2]で

▶表2 廃用性筋萎縮とサルコペニアの違い

	廃用性筋萎縮	サルコペニア
筋萎縮の原因	不動	加齢
運動単位数	変化なし	減少
運動ニューロン	変化なし	運動線維数減少，軸索横径減少
神経筋接合部	神経筋接合部の形態変化なし，シナプス伝達性低下	シナプス後膜の形態変化，神経伝達物質放出減少
筋組織	●筋線維数変化なし ●タイプⅠ線維の萎縮，タイプⅠ→Ⅱへの変化	●筋線維数減少 ●タイプⅡ線維の萎縮，タイプⅡ→Ⅰへの変化

〔石川愛子ほか：Disuse syndrome（廃用症候群）とSarcopenia. 老年医学, 42(7):895-902, 2004 より〕

ある．しかし，安静臥床やギプス固定など廃用による筋萎縮の程度はより大きく，1日0.5〜1％程度と著しい[3]．宇宙滞在による筋萎縮は，9日間で筋断面積が7％減少，28日間で筋力が10％減少，6か月間で下腿三頭筋に32％の筋萎縮を認める[4]．その特徴として，遅筋（タイプⅠ線維）の速筋（タイプⅡ線維）化が報告されている[4]．また，17週間の安静により足関節背屈筋で30％，底屈筋で21％，大腿四頭筋とハムストリングスで16〜18％，脊柱起立筋で9％の筋量（MRIによる筋体積評価）が減少したことも報告されている[5]．

一方，筋力の低下については，健常者を安静臥床とした場合，1週間で10〜15％，5週間で35〜50％の筋力が低下する[6]．また，2週間の安静臥床で，骨格筋の蛋白質生成は半減し[7]，筋萎縮には筋蛋白生成の低下が大きく関与する．筋萎縮は，筋線維の横断面積の減少により生じ，筋線維数や運動単位数は変化がなく，タイプⅠ線維の遅筋は有意に横断面積の減少が生じる[8]．さらに，遅筋から持久力のない速筋への変化がおこる．これは，抗重力筋としての機能が損なわれることになる（▶表2）[9]．なお，高齢者においては，わずかな筋量減少や筋力低下が，歩行能力やADLの低下につながるため，その予防がきわめて重要である．

b 筋萎縮・筋力低下への運動療法

廃用性の筋萎縮や筋力低下の予防は，早期離床や荷重負荷が重要である．ベッドサイドから基本動作練習やレジスタンストレーニングが有効とされる．座位が困難であり荷重負荷ができない状態では，ベッド上にてチューブ，セラバンドや徒手を使用した四肢へのレジスタンストレーニングや筋の伸張（ストレッチング）を行う．

廃用性の筋萎縮は，遅筋で有意に生じる[4]．そのため，抗重力筋である脊柱起立筋，腹筋，大殿筋，大腿四頭筋，下腿三頭筋を対象とした運動療法が重要である．代表的な運動は，大腿四頭筋に対する下肢の伸展挙上，大腿四頭筋セッティング練習，座位での膝伸展に対するレジスタンストレーニング，大殿筋に対する殿部挙上運動，スクワット運動があげられる．筋力を維持するためには，最大筋力の20〜30％の強度が必要である．筋力増強のためには少なくとも最大筋力の40％以上の強度が必要である[10]．筋肥大においては，強度が最大筋力の60〜80％[10]，1セットの反復回数は8〜12回を1〜3セット，頻度は週2〜3回以上が推奨される[11]．

c 骨萎縮・関節拘縮

安静臥床により，骨・関節への重力負荷は減少し，骨萎縮や関節拘縮を生じる．骨萎縮は，骨吸収の著しい増加と骨形成の低下の不均衡による骨量減少が原因とされる．それは，脊椎や下肢などの荷重がかかる部分で生じやすい．宇宙飛行のような無重力状態における骨量減少率は，1〜2％/月である[12]．

関節拘縮は，不動による筋の短縮，関節周囲の軟部組織の可動性低下，関節軟骨を主体とした軟骨変性により生じる．筋の短縮は，筋周膜短縮や筋線維筋節数減少など筋自体の短縮により生じる[13]．関節周囲の腱，靱帯，関節包などの軟部組織の可動性低下は，それらを構成するコラーゲンの合成・変性のバランスを不均衡にし，コラーゲ

ン線維の短縮に影響する．関節軟骨は関節液により栄養を受けており，不動によって関節液の循環が障害され関節軟骨が変性する[8]．不動による関節拘縮は，骨格筋，関節包および滑膜の線維化や癒着が不動1週後から認められ，不動4週後まで影響を受け，4週目以降は関節包の肥厚も認められる[14]．

d 骨萎縮・関節拘縮への運動療法

骨萎縮には，早期離床が重要となる．臥床早期からROM運動と筋収縮を行う．可及的速やかに座位，立位，歩行へと荷重負荷を施行する．自力で困難な場合には，起立台などを利用した起立練習も考慮する．

関節拘縮には，早期離床が推奨される．しかし，離床が困難な場合はベッド上で良肢位を保ち，1日2回以上，全可動域にわたりROM運動を行う．また，温熱療法の併用により，関節包などの軟部組織の伸張性増大，痛みの軽減をはかり[15]，さらに装具や自助具を用いた15分以上の持続伸張によりROMの維持の効果も期待できる[16]．

e 循環器系の問題

循環系の安静臥床による問題として，運動耐容能の低下，起立性低血圧，深部静脈血栓症などがある．健常学生5人を対象に20日間の安静臥床を行った研究では，臥床後に最高酸素摂取量は平均28％低下，最大運動時心拍出量は26％低下，起立時血圧調節障害も認めた[17]．この最高酸素摂取量低下の要因として，心拍出量，循環血漿量の低下などがある[18]．

臥位から立位になると，血液が下肢へ移動し，静脈還流量は減少する．正常では，血圧調節が働き，圧受容器に刺激が入力され，交感神経活動亢進による心拍数増加と末梢血管抵抗増加をきたし，血圧を維持する．しかし，長期臥床の場合には，その反応が不十分となる．立位になると下肢に血液が貯留し，静脈還流量低下に伴う1回拍出量低下から起立性低血圧をきたす．また，下肢の活動性低下は，深部静脈血栓症を誘発する[19]．長期臥床により下肢の筋ポンプ作用減少，血流停滞，循環血液量低下など，血液凝固能亢進による肺血栓塞栓症を合併する可能性がある．その際，死に至る場合もあるため予防が第一となる[19]．

f 循環器系への運動療法

運動耐容能改善には運動の種類，強度，時間，頻度の設定が重要となる．種類は，歩行や自転車エルゴメータなどを活用，強度は無酸素性代謝閾値（anaerobic threshold；AT）レベル，最高酸素摂取量の40～60％，Karvonen（カルボーネン）法の40～60％の心拍数，Borg（ボルグ）スケールは11～13の範囲，時間は最終的に20分以上，そして頻度は週に3～5回継続できるように設定する．それにより運動耐容能改善が期待できる[20]．

起立性低血圧や深部静脈血栓症へは，座位，立位，歩行練習による活動量を高めることが最も効果的である．安静を余儀なくされた場合，ベッド上で下肢へのレジスタンストレーニングを行い，筋ポンプ作用を促し，静脈貯留や血栓形成の防止をはかる．弾性ストッキングや間欠的空気圧迫法の活用により，下肢への血液停滞を減少させる方法もある．深部静脈血栓症の予防は，ワルファリンなどの抗凝固療法や，静脈フィルター設置など医学的治療の状況をふまえて行われる[19]．

g 呼吸器系の問題と運動療法

長期臥床により，呼吸筋筋力低下，胸郭のROM制限による肺活量や最大換気量の減少，咳嗽力低下などが生じる．背臥位が続くと，重力の影響で気道内分泌物が背側に貯留しやすい状態となり，誤嚥性肺炎のリスクが高まる．

早期離床は予防に最も重要である．安静を強いられる場合には，体位変換，座位・立位時間を増やし，腹式呼吸や呼吸介助により換気を十分に促す．これらは，気道内分泌物貯留や誤嚥性肺炎のリスク軽減につながる[21]．

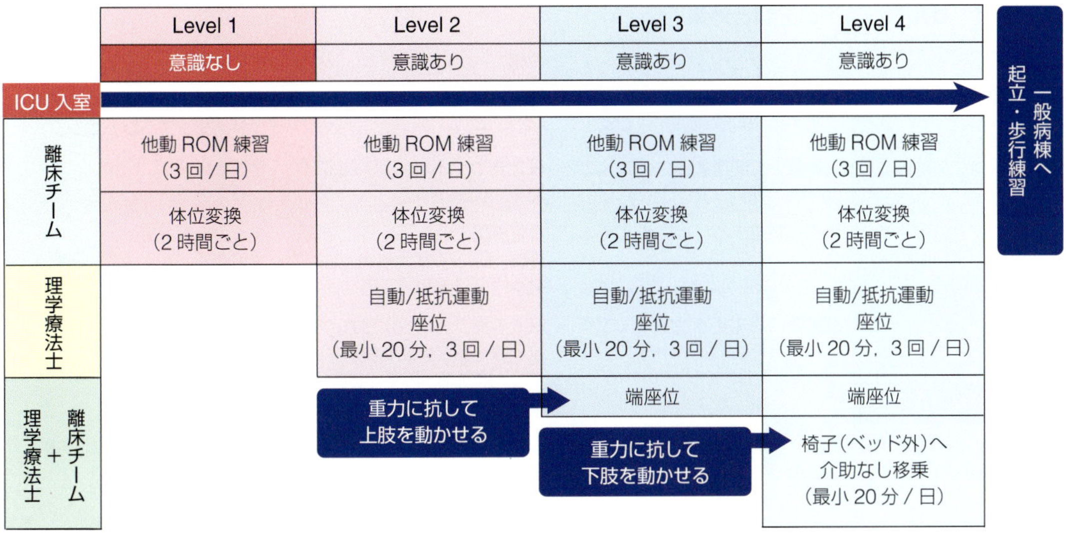

	Level 1	Level 2	Level 3	Level 4	
	意識なし	意識あり	意識あり	意識あり	一般病棟へ 起立・歩行練習
ICU入室 →					
離床チーム	他動ROM練習 (3回/日)	他動ROM練習 (3回/日)	他動ROM練習 (3回/日)	他動ROM練習 (3回/日)	
	体位変換 (2時間ごと)	体位変換 (2時間ごと)	体位変換 (2時間ごと)	体位変換 (2時間ごと)	
理学療法士		自動/抵抗運動 座位 (最小20分, 3回/日)	自動/抵抗運動 座位 (最小20分, 3回/日)	自動/抵抗運動 座位 (最小20分, 3回/日)	
離床チーム＋理学療法士		重力に抗して上肢を動かせる →	端座位 重力に抗して下肢を動かせる →	端座位 椅子(ベッド外)へ 介助なし移乗 (最小20分/日)	

▶図1　段階的離床のプロトコル
〔Kress, J.P.: Clinical trials of early mobilization of critically ill patients. *Crit. Care Med.*, 37(10 Suppl):S442–447, 2009より〕

中枢神経系の問題

安静臥床は，身体的のみならず，精神的な問題にも影響する．抑うつ症状が生じ，判断力，記憶力，注意力の低下につながり，認知機能低下をきたす．不動は，脳波上基礎波の徐波化，感覚や運動刺激の減少，中枢神経機能低下に関与する[22]．また，認知機能低下により，高齢者ほどうつ症状になる可能性が高い[23]．

3 早期離床の目的・役割

早期離床の目的・役割は，廃用症候群・呼吸器合併症予防，身体機能およびADL改善などである．早期離床に際し，開始基準（→ 460ページ）[24]と中止基準（▶表3）[24]の確認は必須である．担当医の指示のもと離床プロトコルに基づいて段階的に実施される（▶図1）[25]．

内容は，ベッド上から行われる他動運動，自動介助運動，自動運動，頭を挙上したヘッドアップ座位，端座位や立位での重力負荷やバランス練習，起立練習，歩行の再教育などの運動プログラムである．実施の際は，安全かつ効率的に離床が実

▶表3　早期離床の中止基準

①担当医の許可がない場合
②過度に興奮して必要な安静や従命行為が得られない場合（RASS≧2）
③運動に協力の得られない重篤な覚醒障害（RASS≧−3）
④不安な循環動態で，IABPなどの補助循環を必要とする場合
⑤強心昇圧薬を大量に投与しても，血圧が低すぎる場合
⑥体位を変えただけで血圧が大きく変動する場合
⑦切迫破裂の危険性がある未治療の動脈瘤がある場合
⑧コントロール不良の疼痛がある場合
⑨コントロール不良の頭蓋内圧亢進（≧20 mmHg）がある場合
⑩頭部損傷や頸部損傷の不安定期
⑪固定の悪い骨折がある場合
⑫活動性出血がある場合
⑬カテーテルや点滴ラインの固定が不十分な場合や十分な長さが確保できない場合で，早期離床や早期からの積極的な運動により自己抜去が生じる可能性が高い場合
⑭離床に際し，安全性を確保するためのスタッフがそろわないとき
⑮本人または家族の同意が得られない場合

RASS：Richmond Agitation-Sedation Scale, IABP：大動脈内バルーンパンピング
〔日本集中治療医学会早期リハビリテーション検討委員会：集中治療における早期リハビリテーション〜根拠に基づくエキスパートコンセンサス．日集中医誌，24(2):255–303, 2017より〕

施できるよう，患者介助のほか，人工呼吸器の回路管理や設定変更，ドレーンやモニター類の管理など，医師や看護師などの多職種の協力が必要である．なお，実施に際し，患者に対する運動負荷

▶表4　サルコペニアの分類と対策

分類		原因	主な対策
一次性サルコペニア	加齢性サルコペニア	加齢以外に明らかな原因がない	適切な運動習慣指導 レジスタンストレーニング
二次性サルコペニア	活動低下に関連するサルコペニア（廃用症候群）	寝たきり，不動，活動性低下，無重力状態が原因	早期離床 レジスタンストレーニング
	疾患に関連するサルコペニア	重症臓器不全（心臓，肺，肝臓，腎臓，脳），炎症性疾患，悪性腫瘍や内分泌疾患が原因	疾患の治療優先 栄養管理，廃用予防，運動療法
	低栄養に関連するサルコペニア	吸収不良，消化器疾患および食欲不振をおこす薬物使用などに伴う，摂取エネルギーおよび/または蛋白質の摂取不良が原因	適切な栄養管理

〔Cruz-Jentoft, A.J., et al.: Sarcopenia: European consensus on definition and diagnosis: Report of the European Working Group on Sarcopenia in Older People. *Age Ageing*, 39(4):412–423, 2010 より〕

および離床進行の程度などについて，常にシミュレーションを行うことが重要である．

B サルコペニアとは

1 概要

サルコペニアは，加齢に伴い筋肉が減少する病態である．これは，1980年代後半にギリシャ語の「sarx（筋肉）」と「penia（減少）」を組み合わせた造語である[26]．サルコペニアの定義は，骨格筋量の減少とそれによる筋力または身体機能の低下から構成されている．

骨格筋量は30歳代から年間0.5～1.0%ずつ減少し，80歳ころまでに約30～40%の骨格筋量が失われる[27]．また，一定以上の骨格筋量の減少は生命予後と関連する[28]．

サルコペニアの有病率では，地域在住健常高齢者において6～12%の有病率が報告されている．一方，施設入所高齢者は14～33%，回復期リハ病棟の入院患者は78%を示し，疾病を併存した際には，糖尿病7～29%[29]，慢性閉塞性呼吸器疾患21%[30]，慢性腎臓病保存期6～14%，透析期13～34%[31]，循環器疾患44%[32]など，その有病率はより高値を示す．サルコペニアを有する高齢者は，身体機能低下，転倒・骨折によりフレイルの進行やADLの低下を引き起こす[31]．また，要介護リスクや入院・死亡リスクも高まる[33,34]．

2 分類と対策

サルコペニアの分類と対策について表4[35]に示す．サルコペニアは，加齢を原因とする一次性サルコペニアと，活動，疾患，栄養を原因とする二次性サルコペニアに分類される．

サルコペニアへの対策は原因を考慮する．加齢性サルコペニアは，適切な運動習慣の指導とレジスタンストレーニングを行う．活動性低下に関連するサルコペニアは，早期離床をすすめ，レジスタンストレーニングを行う．疾患に関連するサルコペニアは，疾患の治療が優先される．疾病管理が不十分な場合，栄養管理と廃用予防の運動療法を併用し，状態が改善したら，積極的な運動療法と栄養療法を行う．低栄養に関連するサルコペニアは，適切な栄養管理（エネルギー摂取や蛋白質・ビタミンD摂取など）を行う．

3 評価法（定義と診断）

2019年にAsian Working Group for Sarcope-

▶表5 運動療法の設定

目的	骨格筋量向上，筋力増強	運動耐容能向上	ADL向上，転倒予防
種類	レジスタンストレーニング	有酸素運動	マルチコンポーネント運動
強度	最大筋力(1RM)の70〜80%，10〜15回，1〜3セット（20%強度の場合，反復回数を増やすことで効果が得られる）	・心肺運動負荷試験実施の場合：最高酸素摂取量の40〜60%またはATの強度（エルゴメータの仕事量と心拍数） ・心肺運動負荷試験未実施の場合：Karvonen法を用いた目標心拍数と自覚的運動強度（Borgスケール）11〜13の範囲	各運動種類に準じる
頻度，時間，期間	週2〜3回，12週間	週3〜5回，20分以上の運動時間，8週間	総実施時間が25時間以上の設定

nia(AWGS)によりサルコペニアの基準が改訂された(→437ページ)[36]．ここでは，一般の診療所や地域での評価と，整備の整った医療施設や研究を目的とした評価が示されている．

一般の診療所や地域では，下腿周囲長，SARC-F，SARC-Calfを使用してスクリーニングを行い，該当した場合に握力，5回椅子立ち上がりテストを行い，いずれかが異常値を示す場合を「サルコペニアの可能性」として介入を行うとともに，適切な医療機関への紹介を推奨している．整備の整った医療施設や研究目的での診断では，下腿周囲長，SARC-F，SARC-Calfによるスクリーニングを行うとともに，機能低下，体重減少，うつ，認知機能低下，転倒歴，栄養障害，心不全などの慢性疾患についてスクリーニングを行い，これら病態を認める場合にサルコペニア診断を行うことを推奨している．

なお，診断基準は，握力（男性＜28kg，女性＜18kg），身体機能〔歩行速度＜1m/秒，または5回椅子立ち上がりテスト≧12秒，またはSPPB(short physical performance battery)≦9点〕，骨格筋量〔DXA（二重エネルギーX線吸収測定法）：男性＜7.0kg/m^2，女性＜5.4kg/m^2，BIA（生体電気インピーダンス）：男性＜7.0kg/m^2，女性＜5.7kg/m^2〕である．低骨格筋量と低筋力または低身体機能を有すると「サルコペニア」，低骨格筋量，低筋力，低身体機能を有すると「重症サルコペニア」と判断される．

C サルコペニア高齢者への運動療法

1 健常高齢者への運動療法

a 運動療法の効果

健常高齢者への運動療法は，システマテックレビューによりその有用性が示されている[37]．骨格筋量，筋力，バランス能力，移動能力，身体活動量，ADL，QOLの向上や転倒の抑制効果が期待できる[37]．運動療法の効果を得るためには，運動の種類，強度，時間，頻度，期間などにつき厳密に設定されることが重要である．

b 運動療法の設定

骨格筋量向上や筋力増強を目的とする場合には，通常行われている動作以上の負荷をかける必要がある(▶表5)．運動の種類としてレジスタンストレーニングが推奨される．強度は，最大筋力(1RM)の70〜80%の高強度で10〜15回を1〜3セット，頻度は週2〜3回，期間は12週間実施する．近年は，20%程度の低強度の運動でも，反復回数を増やすことによって高強度と同程度の筋力増強効果や筋蛋白の合成促進効果が示されている[38,39]．

運動耐容能向上を目的とする場合は，歩行や自転車エルゴメータなどによる有酸素運動が推奨

▶表6 運動の中止基準

A. 土肥・Anderson（アンダーソン）の基準

I. 運動を行わないほうがよい場合
①安静時脈拍数 120 回/分以上
②拡張期血圧 120 mmHg 以上
③収縮期血圧 200 mmHg 以上
④労作性狭心症を現在有するもの
⑤新鮮心筋梗塞 1 か月以内のもの
⑥うっ血性心不全の所見が明らかなもの
⑦心房細動以外の著しい不整脈
⑧運動前すでに動悸，息切れのあるもの

II. 途中で運動を中止する場合
①運動中，中等度の呼吸困難，めまい，嘔気，狭心痛などが出現した場合
②運動中，脈拍が 140 回/分を超えた場合
③運動中，1 分間 10 回以上の期外収縮が出現するか，または頻脈性不整脈（心房細動，上室または心室性頻脈など）あるいは徐脈が出現した場合
④運動中，収縮期血圧 40 mmHg 以上または拡張期血圧 20 mmHg 以上上昇した場合

III. 次の場合は運動を一時中止し，回復を待って再開する
①脈拍数が運動時の 30% を超えた場合，ただし，2 分間の安静で 10% 以下に戻らない場合は，以後の運動は中止するかまたはきわめて軽労作のものに切り替える
②脈拍数が 120 回/分を超えた場合
③1 分間に 10 回以下の不整脈が出現した場合
④軽い動悸，息切れを訴えた場合

〔A は，土肥 豊：脳卒中リハビリテーション―リスクとその対策. Medicina, 13(8):1068-1069, 1976，B は，前田眞治：リハビリテーション医療における安全管理・推進のためのガイドライン. リハ医学, 44(7):387-390, 2007 より〕

B. リハビリテーション医療における安全管理・推進のためのガイドライン

I. 積極的なリハビリテーションを実施しない場合
①安静時脈拍 40 回/分以下または 120 回/分以上
②安静時収縮期血圧 70 mmHg 以下または 200 mmHg 以上
③安静時拡張期血圧 120 mmHg 以上
④労作性狭心症
⑤心房細動のあるもので著しい徐脈または頻脈がある場合
⑥心筋梗塞発症直後で循環動態が不良な場合
⑦著しい不整脈がある場合
⑧安静時胸痛がある場合
⑨リハビリテーション実施前にすでに動悸，息切れ，胸痛のある場合
⑩座位でめまい，冷汗，嘔気などがある場合
⑪安静時体温が 38℃ 以上
⑫安静時酸素飽和度(SpO_2)90% 以下

II. 途中でリハビリテーションを中止する場合
①中等度以上の呼吸困難，めまい，嘔気，狭心痛，頭痛，強い疲労感などが出現した場合
②脈拍が 140 回/分を超えた場合
③運動時収縮期血圧が 40 mmHg 以上，または拡張期血圧が 20 mmHg 以上上昇した場合
④頻呼吸（30 回/分以上），息切れが出現した場合
⑤運動により不整脈が増加した場合

III. いったんリハビリテーションを中止し，回復を待って再開する場合
①脈拍数が運動前の 30% を超えた場合，ただし，2 分間の安静で 10% 以下に戻らないときは以降のリハビリテーションを中止するか，またはきわめて軽労作のものに切り替える
②脈拍が 120 回/分を超えた場合
③1 分間に 10 回以上の期外収縮が出現
④軽い動悸，息切れが出現

IV. その他の注意が必要な場合
①血尿の出現
②喀痰量が増加している場合
③体重が増加している場合
④倦怠感がある場合
⑤食欲不振時・空腹時
⑥下肢の浮腫が増加している場合

される．強度は，心肺運動負荷試験が実施できる場合は，最高酸素摂取量の 40～60%，または AT 値の運動強度（自転車エルゴメータの仕事量や心拍数）とする．心肺運動負荷試験を実施していない場合は，Karvonen 法【目標心拍数＝〔(220 − 年齢) − 安静時心拍数〕× 40～60% ＋ 安静時心拍数】を用いた目標心拍数と自覚的運動強度（Borg スケール）11～13 の範囲をもとに設定する．運動時間は 20 以上持続することが望ましいが，10 分を 2 回行うなどしても効果が得られる．頻度は週に 3～5 回，効果を得るには少なくとも 8 週間程度の継続が必要となる．ADL 向上や転倒予防を目的とする運動療法として，レジスタンストレーニング，有酸素運動，バランス練習から 2 種類以上を組み合わせたマルチコンポーネント運動がある[37]．なお，総実施時間が 25 時間以上となるような設定（例：1 回 1 時間を週 2 回，13 週間継続することで計 26 時間の実施）が有用とされている[37]．

C 適応と注意

運動の中止基準を**表6**に示す[40,41]．運動療法

▶表7 低栄養の指標

A. 身体計測

1. BMI＝体重(kg)/(身長(m))²	
●18.5 未満	やせ
●18.5〜25 未満	標準
●25〜30 未満	肥満
●30 以上	高度肥満

2. %UBW(usual body weight) ＝測定時体重/平常時体重×100(％)	
●75％ 未満	高度栄養障害
●75〜85％ 未満	中等度栄養障害
●85〜95％ 未満	軽度栄養障害

3. %loss of body weight ＝(平常時体重−現在の体重)÷平常時体重×100(％)	
●6 か月以内の体重減少が 10％ 以上	中等度以上の栄養障害
●1 日の体重減少率が 0.2％ 以上	中等度以上の栄養障害
●上腕三頭筋皮下脂肪厚，上腕周囲長	標準の 60％ 未満：高度栄養障害 60〜80％ 未満：中等度 80〜90％ 未満：軽度 90％ 以上：正常

B. 血液データ

●血清アルブミン	3.5 g/dL 未満を低栄養
●プレアルブミン	10 mg/dL 未満を低栄養
●トランスフェリン	200 mg/dL 未満を低栄養
●血清総コレステロール	150 mg/dL 未満を低栄養

〔日本老年医学会(編)：老年医学テキスト. 改訂第 3 版, p.164, メジカルビュー社, 2008 より〕

は，実施する本人の体調や症状に応じて中止の判断を行う必要があるほか，熱中症，脱水，低血糖などに対する配慮はきわめて重要である．

2 低栄養の評価

サルコペニアを有する高齢患者を対象とするうえで，栄養評価は必須である．低栄養状態は，サルコペニアを合併することが多い．その発症には蛋白質，アミノ酸，抗酸化物質が関係している[42]．なお，不動や活動性低下によって生じる廃用症候群においても低栄養を 90％ に認め，サルコペニアが深く影響している[43]．

a 低栄養の指標・スクリーニング

低栄養の指標として，BMI，%loss of body weight，血清アルブミン値などがある(▶表7)[44]．栄養状態の基本は身体計測で，体重や BMI はよく利用される．体重測定が困難場合は，上腕周囲長や上腕三頭筋皮下脂肪厚などが用いられる．栄養状態のスクリーニングとして，簡易栄養状態評価表(mini nutritional assessment; MNA®)がある．MNA® は，入院，介護施設，地域などさまざまな状況下の高齢者を対象とした評価である．

MNA® の初期評価 6 項目で構成される MNA® short-form(MNA®-SF)はより簡便で，栄養状態のスクリーニングとして活用される．MNA®-SF は，A〜F 6 項目の最大 14 点中，12 点以上を「栄養状態良好」，8〜11 点以下を「低栄養のおそれあり」，7 点以下を「低栄養」と判定する．より詳細な栄養状態の評価を希望する場合，MNA®-SF の 6 項目に加え，後半の G〜R 12 項目(最大 16 点)を評価し，MNA®-SF の点数(最大 14 点)と合計し，最大 30 点中，24 点以上を「栄養状態良好」，17〜23.5 点を「低栄養のおそれあり」，17 点未満を「低栄養」と判定する(▶図2)[45]．

b 低栄養の診断

Global Leadership Initiative on Malnutrition (GLIM)基準は，国際基準で低栄養の診断が可能である(▶図3)[46]．GLIM 基準では，現症の 3 要素(体重減少，低 BMI，筋肉量減少)のうち 1 つ以上が該当し，かつ病因の 2 要素(食事摂取量減少，消化吸収機能低下と炎症)のうち 1 つ以上の項目が該当する場合，低栄養と診断される．重症度は，現症の 3 要素を用いて，1 つでも重度低栄養の基準を満たすと重度の低栄養状態と判定される．GLIM 基準は，サルコペニアの発症リスクを予測可能とされる[47]．

3 運動療法の実際

a 運動療法の効果と設定

『サルコペニア診療ガイドライン(2017 年版 一部改訂)』では，「サルコペニアを有する人への運

MNA®-SF：スクリーニング		アセスメント	
A	過去3か月間で食欲不振，消化器系の問題，咀嚼・嚥下困難などで食事量が減少しましたか？ 0 = 著しい食事量の減少 1 = 中等度の食事量の減少 2 = 食事量の減少なし	G	生活は自立していますか（施設入所や入院をしていない） 0 = いいえ　　1 = はい
B	過去3か月間で体重の減少がありましたか？ 0 = 3kg以上の減少 1 = わからない 2 = 1～3kgの減少 3 = 体重減少なし	H	1日に4種類以上の処方薬を飲んでいる 0 = はい　　1 = いいえ
		I	身体のどこかに押して痛いところ，または皮膚潰瘍がある 0 = はい　　1 = いいえ
		J	1日に何回食事を摂っていますか？ 0 = 1回　　1 = 2回　　2 = 3回
C	自力で歩けますか？ 0 = 寝たきりまたは車椅子を常時使用 1 = ベッドや車椅子を離れられるが，歩いて外出はできない 2 = 自由に歩いて外出できる	K	どんな蛋白質を，どのくらい摂っていますか？ ・乳製品（牛乳，チーズ，ヨーグルト）□はい　□いいえ ・豆腐または卵を毎週2品以上摂取　　　□はい　□いいえ ・肉類または魚を毎日摂取　　　　　　　□はい　□いいえ 0.0 = はい，0～1つ　　0.5 = はい，2つ 1.0 = はい，3つ
D	過去3か月間で精神的ストレスや急性疾患を経験しましたか？ 0 = はい 2 = いいえ	L	果物または野菜を毎日2品以上摂っていますか？ 0 = いいえ　　1 = はい
		M	水分（水，ジュース，コーヒー，茶，牛乳など）を1日どのくらい摂っていますか？ 0.0 = コップ3杯未満　　0.5 = 3杯以上5杯未満 1.0 = 5杯以上
E	神経・精神的問題の有無 0 = 強度認知症またはうつ状態 1 = 中程度の認知症 2 = 精神的問題なし	N	食事の状況 0 = 介護なしでは食事不可能 1 = 多少困難ではあるが自力で食事可能 2 = 問題なく自力で食事可能
F	BMI 体重(kg)÷[身長(m)]^2 0 = BMIが19未満 1 = BMIが19以上，21未満 2 = BMIが21以上，23未満 3 = BMIが23以上	O	栄養状態の自己評価 0 = 自分は低栄養だと思う　　1 = わからない 2 = 問題ないと思う
		P	同年齢の人と比べて，自分の健康状態をどう思いますか？ 0.0 = よくない　　0.5 = わからない 1.0 = 同じ　　2.0 = よい
		Q	上腕（利き腕ではないほう）の中央の周囲長(cm)：MAC 0.0 = 21cm未満　　0.5 = 21cm以上，22cm未満 1.0 = 22cm以上
		R	ふくらはぎの周囲長(cm)：CC 0 = 31cm未満　　1 = 31cm以上

アセスメントを希望する場合，G以降の質問実施

スクリーニング値：合計（14点）　　点
- 12～14点：栄養状態良好
- 8～11点：低栄養のおそれあり
- 0～7点：低栄養

アセスメント値：合計（16点）　　点

総合値（スクリーニング値＋アセスメント値）（30点）　　点
- 24～30点：栄養状態良好
- 17～23.5点：低栄養のおそれあり
- 17点未満：低栄養

▶図2　簡易栄養状態評価表（mini nutritional assessment; MNA®）とMNA®-short form
〔Vellas, B., et al.: The Mini Nutritional Assessment (MNA) and its use in grading the nutritional state of elderly patients. *Nutrition*, 15(2):116-122, 1999 より〕

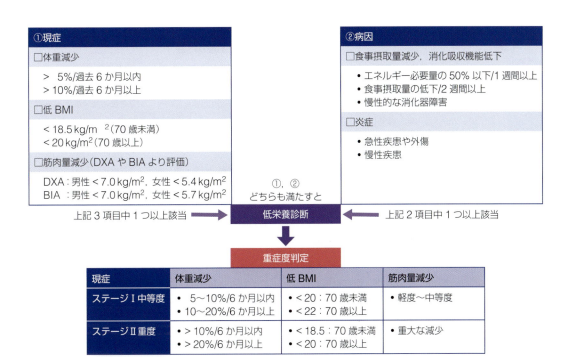

▶図3　GLIM 基準による低栄養の診断
〔Cederholm, T., et al.: GLIM criteria for the diagnosis of malnutrition—A consensus report from the global clinical nutrition community. *J. Cachexia Sarcopenia Muscle*, 10(1):207–217, 2019 より〕

動介入は四肢骨格筋量，膝伸展筋力，通常歩行速度，最大歩行速度の改善効果があり，推奨される」と記されている（▶表8）[31]．

最近のシステマテックレビューでは，サルコペニアに対するレジスタンストレーニング，有酸素運動，バランス練習，マルチコンポーネント運動の効果が示されている[31,48]．それらの研究では，運動介入は週2回，12週間実施されている．また，メタ解析の結果では，レジスタンストレーニングとマルチコンポーネント運動は，握力と膝伸展筋力の改善を認めている．しかし，有酸素運動のみではそれらの改善は認めないこと，レジスタンストレーニングの必要性が示されている．

また，サルコペニアを有する高齢者に対するレジスタンストレーニングの効果を検証したシステマテックレビューがある．この研究では，最終的に14編の論文（$n = 561$，65.8〜82.8歳）が抽出され，レジスタンストレーニング介入群と非介入群に分類後，メタ解析が実施されている[49]．その結果，レジスタンストレーニング介入群は非介入群に比べ，握力，膝伸展筋力，歩行速度，Time Up and Go Test（TUG）は増加，体脂肪量は低下することが示されている．なお，この研究における運動強度は最大筋力の60％以上，頻度は8〜12回2〜3セット，週3回，期間は12週間以上であった．

さらに，サルコペニア高齢者100人を在宅運動群と対照群に分類し，12週間の運動効果についてランダム化比較試験（randomized control trial; RCT）にて検証した報告がある[50]．その結果，在宅運動群は対照群に比べ，6分間歩行とBerg（ベルグ）Balance Scale，TUG，そしてQOLの有意な改善を認めたことが示されている．

b 栄養療法の効果

高齢者における骨格筋量減少の原因として，筋線維数の減少と筋線維の萎縮がある．筋線維の萎縮と筋肥大は，筋肉の構成成分である筋蛋白質に

▶表8 サルコペニアに対する予防・治療のガイドライン

運動	運動がサルコペニア発症を予防・抑制できるか？ 【ステートメント】運動習慣ならびに豊富な身体活動量はサルコペニアの発症を予防する可能性があり，運動ならびに活動的な生活を推奨する（エビデンスレベル：低，推奨レベル：強）
	運動療法はサルコペニアの治療法として有効か？ 【ステートメント】サルコペニアを有する人への運動介入は，四肢骨格筋量，膝伸展筋力，通常歩行速度，最大歩行速度の改善効果があり，推奨される（エビデンスレベル：非常に低，推奨レベル：弱）
栄養	栄養・食事がサルコペニア発症を予防・抑制できるのか？ 【ステートメント】適切な栄養摂取，特に1日（適正体重）1kg あたり 1.0g 以上の蛋白摂取はサルコペニアの発症予防に有効である可能性があり，推奨する（エビデンスレベル：低，推奨レベル：強）
	栄養療法はサルコペニアの治療法として有効か？ 【ステートメント】サルコペニアを有する人への必須アミノ酸を中心とする栄養介入は，膝伸展筋力の改善効果があり，推奨される．しかしながら，長期アウトカム改善効果は明らかではない（エビデンスレベル：非常に低，推奨レベル：弱）
運動＋栄養	複数の治療法の組み合わせはサルコペニアの治療法として有効か？ 【ステートメント】サルコペニアを有する人へのレジスタンストレーニングを含む包括的運動介入と栄養療法による複合介入は，単独介入に比べ，サルコペニアの改善に有効であり，推奨される．しかしながら，長期的アウトカム改善効果は明らかではない（エビデンスレベル：低，推奨レベル：強）

〔サルコペニア診療ガイドライン作成委員会（編）：サルコペニア診療ガイドライン2017年版 一部改訂. pp.34-54, ライフサイエンス出版, 2020 より〕

▶表9 サルコペニア高齢者に対する運動療法と栄養療法の内容

A. 運動療法（レジスタンストレーニング）

種類	●レジスタンストレーニング，またはレジスタンストレーニングを含めたマルチコンポーネント運動を推奨
強度	●最大筋力60%，8〜12回 2〜3セット，30〜60分
頻度，期間	●週3回，期間は12週間以上（最大30%強度の遅い運動が有用との報告あり）

B. 栄養療法

- 1日（適正体重）1kg あたり 1.0g 以上の蛋白質摂取が必要
- 必須アミノ酸のなかでもロイシン摂取が有用

〔サルコペニア診療ガイドライン作成委員会（編）：サルコペニア診療ガイドライン2017年版 一部改訂. pp.34-54, ライフサイエンス出版, 2020 より一部改変〕

蛋白質摂取はサルコペニアの発症予防に有効である可能性があり，推奨する」「サルコペニアを有する人への必須アミノ酸を中心とする栄養介入は，膝伸展筋力の改善効果があり，推奨される．しかしながら，長期的アウトカム改善効果は明らかではない」と記されている（▶表8）[31]．

高齢者においても，十分な蛋白質や必須アミノ酸の摂取は筋蛋白質の合成を促進する効果がある．また，必須アミノ酸のなかでも分岐鎖アミノ酸，特にロイシン摂取が有効とされる．日本人と体格は異なるが，欧州では毎食25〜30gの蛋白質（ロイシン 2.5〜2.8g）摂取が推奨されている[52]．しかし，筋蛋白質の合成は，栄養のみならず，運動刺激やホルモン（インスリン）などにより誘導されることから，栄養療法単独の介入には限界がある[53]．

C 運動療法と栄養療法の併用効果

運動療法と栄養療法の併用効果については，サルコペニア診療ガイドライン（2017年版 一部改訂）では，「サルコペニアを有する人へのレジスタンストレーニングを含む包括的運動介入と栄養療法による複合介入は，単独介入に比べ，サルコペニアの改善に有効であり，推奨される．しかしながら，長期的アウトカム改善効果は明らかではな

依存している[51]．筋蛋白質は合成と分解を繰り返し，そのバランスにより筋量が保たれている[51]．加齢による筋蛋白質合成低下，分解促進により骨格筋量は減少する．つまり，筋蛋白質の合成を促進すること，または分解を抑制することが，骨格筋量の減少を防ぐことにつながる．

栄養療法については，サルコペニア診療ガイドライン（2017年版 一部改訂）では，「適切な栄養摂取，特に1日（適正体重）1kg あたり 1.0g 以上の

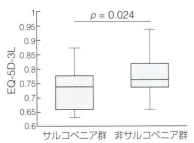
A. サルコペニアの有無によるQOLの差異

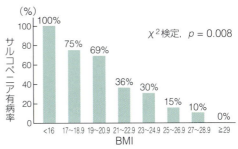
B. 要支援・要介護高齢者のサルコペニア有病率とBMI

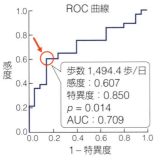
C. サルコペニアの有無による身体活動のカットオフ値

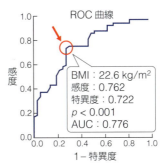
D. サルコペニアの有無によるBMIのカットオフ値

▶図4 サルコペニア要支援・要介護高齢者のBMI，身体活動，QOLの特徴

〔Aは，Kitamura, M., et al.: Differences in health-related quality of life in older people with and without sarcopenia covered by long-term care insurance. Eur. J. Investig. Health Psychol. Educ., 12(6):536–548, 2022 より〕

〔B，Dは，Kitamura, M., et al.: Prevalence and related factors of sarcopenia in community-dwelling elderly with long-term care insurance. Rev. Recent Clin. Trials, 16(3):335–340, 2021 より〕

〔Cは，Kitamura, M., et al.: Physical activity and sarcopenia in community-dwelling older adults with long-term care insurance. Eur. J. Investig. Health Psychol. Educ., 11(4):1610–1618, 2021 より〕

い」と記されている（▶表8）[31]．

運動による筋蛋白合成率は，運動後1時間以内までの蛋白質摂取が有効とされる[54]．サルコペニア高齢者155人（全員女性）に対する運動療法と栄養療法の併用介入が骨格筋量へ与える影響についての研究がある[55]．この研究では，12週間の運動と栄養の併用群（運動の時間，頻度，期間：60分間，週2回，12週間，栄養介入：必須アミノ酸6 g/日，12週間）が，運動群，栄養群の単独よりも有効であった．また，低骨格筋量高齢者を対象とした研究によると，12週間の運動と栄養（乳清蛋白質，必須アミノ酸，ビタミンD投与）併用群は，運動単独群に比べ，除脂肪量増加と筋力改善が示されている[56]．さらに，サルコペニア高齢者を対象とした研究では，12週間の運動（週2回，30分間，レジスタンス7種類20回×3セット．強度は最大筋力の30％，遅い動きにて実施）と栄養（蛋白質とビタミンDの摂取）併用群は非介入群に比べ，骨格筋量は改善することが示されている[57]．

運動療法と栄養療法に関するシステマティックレビュー[58]によると，ロイシン摂取による栄養介入は，サルコペニア高齢者の骨格筋量増加に推奨されている．また，レジスタンストレーニングと蛋白質摂取の組み合わせは，サルコペニア高齢者の特に肥満者において，骨格筋量と筋力を高めるために推奨される．サルコペニア高齢者に対する運動療法と栄養療法の内容を表9に示す[31]．

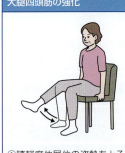

▶図5 サルコペニアの治療を目的としたレジスタンストレーニングの手順（▶動画1）
〔サルコペニア診療実践ガイド作成委員会（編）：サルコペニア診療実践ガイド. pp.57-61, 日本サルコペニア・フレイル学会, 2019 より〕

d サルコペニア要支援・要介護高齢者のBMI, 身体活動, QOLの特徴（▶図4）

要支援・要介護高齢者のサルコペニア有病率は30%を上回る[59-61]. サルコペニア群は，非サルコペニア群に比べ，骨格筋量，握力，歩行速度のみならずBMI, 身体活動, QOLも低い値を示す. また，BMI低値に伴い，サルコペニア有病率は高値を示す傾向にある. なお，要支援・要介護高齢者におけるサルコペニアの有無によるBMIと身体活動のカットオフ値は，それぞれ $22.6\,\mathrm{kg/m^2}$ と 1494.4 歩/日である.

最近の大規模研究にて，サルコペニアおよびフレイルを有する低身体機能（SPPB 3〜7点）の高齢者に対する36か月間のマルチコンポーネント介入（運動療法，身体活動，栄養療法から構成）の効果が示されている[62]. マルチコンポーネント介入群[*1]は，生活習慣教育群に比べ，運動器障害発生リスクは低く（46.8% vs 52.7%，ハザード比0.78, $p=0.005$），またSPPBスコアも改善した. なお，女性では握力と除脂肪量の改善が顕著であった.

以上より，運動療法は適切な設定のもと一定期間継続することで，運動障害発生リスク抑制や身体機能改善に寄与する可能性がある. また，要支援・要介護高齢者への対策は，運動療法のみならず栄養療法や身体活動も考慮することが重要である.

[*1]：マルチコンポーネント介入
運動療法は，レジスタンストレーニング，有酸素運動，ストレッチング，バランス練習を含み，52週間（週1回/1〜4週目，週2回/4〜8週目，週4回/9〜52週目）から最大36か月まで実施する. 強度は，レジスタンストレーニングはBorgスケールの15〜16，有酸素運動は13で設定されている.
身体活動は，活動量計を装着し，指導者からの活動量に関するフィードバックが実施されている.
栄養療法は，25〜30 kcal/kg/日のエネルギー摂取と1.0〜1.2 g/kg/日の蛋白質の摂取を目標とした食事計画が含まれ，年1回は3日間の食事記録を収集され，個別にカウンセリングを受けている.

e 上肢，体幹，下肢のレジスタンストレーニングの紹介

レジスタンストレーニングの内容を図5（動画1）に示す. サルコペニアの治療目的のため安全性を優先した内容であり，10回×1〜3セットにて行うことが推奨される[63].

●引用文献

1) 美津島 隆：廃用症候群の定義と病態. PTジャーナル, 46(7):620-625, 2012.
2) 志波直人ほか：高齢化と運動器の加齢変化（ロコモティブシンドローム）とその対策. 臨牀と研究, 90(4):529-535, 2013.
3) Daskalopoulou, C., et al.: Physical activity and healthy ageing: a systematic review and meta-analysis of longitudinal cohort studies. *Ageing Res. Rev.*, 38:6-17, 2017.
4) 志波直人ほか：筋萎縮への挑戦. *J. Clin. Rehabil.*, 20(10):914-921, 2011.
5) LeBlanc, A.D., et al.: Regional changes in muscle mass following 17 weeks of bed rest. *J. Appl. Physiol. (1985)*, 73(5):2172-2178, 1992.
6) Müller, E.A.: Influence of training and of inactivity on muscle strength. *Arch. Phys. Med. Rehabil.*, 51(8):449-462, 1970.
7) Ferrando, A.A., et al.: Prolonged bed rest decreases skeletal muscle and whole body protein synthesis. *Am. J. Physiol.*, 270(4 Pt 1):E627-633, 1996.
8) Halar, E.M., et al.: Physical inactivity: physiological and functional impairments and their treatment. *Phys. Med. Rehabil.*, 24:1249-1272, 2012.
9) 石川愛子ほか：Disuse syndrome（廃用症候群）とSarcopenia. 老年医学, 42(7):895-902, 2004.
10) ヘティンガー, Th.（著），猪飼道夫ほか（訳）：アイソメトリックトレーニング—筋力トレーニングの理論と実際. 大修館書店, 1970.
11) American College of Sports Medicine（著），日本体力医学会体力科学編集委員会（監訳）：運動処方の指針—運動負荷試験と運動プログラム. 原書第8版, 南江堂, 2011.
12) Francis, M.D., et al.: Historical perspectives on the clinical development of bisphosphonates in the treatment of bone diseases. *J. Musculoskelet. Neuronal Interact*, 7(1):2-8, 2007.
13) 芳賀信彦：廃用症候群. *M.B. Med. Reha.*, 176:7-11, 2014.
14) 沖田 実（編）：関節可動域制限—病態の理解と治療の考え方. 第2版, pp.93-165, 三輪書店, 2013.
15) Lehmann, J.F., et al.: Effect of therapeutic tem-

peratures on tendon extensibility. *Arch. Phys. Med. Rehabil.*, 51(8):481–487, 1970.

16) 中田 彩ほか：持続的伸張運動の実施時間の違いが関節拘縮の進行抑制効果におよぼす影響. 理学療法学, 29(1):1–5, 2002.

17) Saltin, B., et al.: Response to exercise after bed rest and after training. *Circulation*, 38(5 Suppl):VII1–78, 1968.

18) Dorfman, T.A., et al.: Cardiac atrophy in women following bed rest. *J. Appl. Physiol. (1985)*, 103(1):8–16, 2007.

19) 伊藤正明ほか：肺血栓塞栓症および深部静脈血栓症の診断，治療，予防に関するガイドライン（2017年改訂版）. pp.68–77, 2018.

20) 牧田 茂ほか：2021年改訂版 心血管疾患におけるリハビリテーションに関するガイドライン（日本循環器学会/日本心臓リハビリテーション学会合同ガイドライン）. pp.27–38, 2021.

21) Cassidy, M.R., et al.: I COUGH: reducing postoperative pulmonary complications with a multidisciplinary patient care program. *JAMA Surg.*, 148(8):740–745, 2013.

22) Süer, C., et al.: The effect of immobilization stress on sensory gating in mice. *Int. J. Neurosci.*, 114(1):55–65, 2004.

23) 江藤文夫：廃用症候群と精神障害. 日医師会誌, 132(11):1431–1435, 2004.

24) 日本集中治療医学会早期リハビリテーション検討委員会：集中治療における早期リハビリテーション～根拠に基づくエキスパートコンセンサス. 日集中医誌, 24(2):255–303, 2017.

25) Kress, J.P.: Clinical trials of early mobilization of critically ill patients. *Crit. Care Med.*, 37(10 Suppl):S442–447, 2009.

26) Rosenberg, I.H.: Sarcopenia: origins and clinical relevance. *J. Nutr.*, 127(5 Suppl):990S–991S, 1997.

27) Silva, A.M., et al.: Ethnicity-related skeletal muscle differences across the lifespan. *Am. J. Hum. Biol.*, 22(1):76–82, 2010.

28) de Santana, F.M., et al.: Low muscle mass in older adults and mortality: a systematic review and meta-analysis. *Exp. Gerontol.*, 152:111461, 2021.

29) Izzo, A., et al.: A narrative review on sarcopenia in type 2 diabetes mellitus: prevalence and associated factors. *Nutrients*, 13(1):183, 2021.

30) Benz, E., et al.: Sarcopenia in COPD: a systematic review and meta-analysis. *Eur. Respir. Rev.*, 28(154):190049, 2019.

31) サルコペニア診療ガイドライン作成委員会（編）：サルコペニア診療ガイドライン2017年版 一部改訂. pp.34–54, ライフサイエンス出版, 2020.

32) Kamiya, K., et al.: Sarcopenia: prevalence and prognostic implications in elderly patients with cardiovascular disease. *JCSM Clin. Rep.*, 2(2):1–13, 2017.

33) Woo, J.: Defining sarcopenia in terms of incident adverse outcomes. *J. Am. Med. Dir. Assoc.*, 16(3):247–252, 2015.

34) Akune, T., et al.: Incidence of certified need of care in the long-term care insurance system and its risk factors in the elderly of Japanese population-based cohorts: the ROAD study. *Geriatr. Gerontol. Int.*, 14(3):695–701, 2014.

35) Cruz-Jentoft, A.J., et al.: Sarcopenia: European consensus on definition and diagnosis: Report of the European Working Group on Sarcopenia in Older People. *Age Ageing*, 39(4):412–423, 2010.

36) Chen, L.K., et al.: Asian Working Group for Sarcopenia: 2019 Consensus Update on Sarcopenia Diagnosis and Treatment. *JAMDA*, 21(3):300–307.e2, 2020.

37) 荒井秀典ほか：介護予防ガイド―実践・エビデンス編. pp.90–116, 国立長寿医療研究センター, 2019.

38) Van Roie, E., et al.: Strength training at high versus low external resistance in older adults: effects on muscle volume, muscle strength, and force-velocity characteristics. *Exp. Gerontol.*, 48(11):1351–1361, 2013.

39) Agergaard, J., et al.: Light-load resistance exercise increases muscle protein synthesis and hypertrophy signaling in elderly men. *Am. J. Physiol. Endocrinol. Metab.*, 312(4):E326–E338, 2017.

40) 土肥 豊：脳卒中リハビリテーション―リスクとその対策. *Medicina*, 13(8):1068–1069, 1976.

41) 前田眞治：リハビリテーション医療における安全管理・推進のためのガイドライン. リハ医学, 44(7):387–390, 2007.

42) Kim, J.S., et al.: Dietary implications on mechanisms of sarcopenia: roles of protein, amino acids and antioxidants. *J. Nutr. Biochem.*, 21(1):1–13, 2010.

43) Evans, W.J.: Skeletal muscle loss: cachexia, sarcopenia, and inactivity. *Am. J. Clin. Nutr.*, 91(4):1123S–1127S, 2010.

44) 日本老年医学会（編）：老年医学テキスト. 改訂第3版, p.164, メジカルビュー社, 2008.

45) Vellas, B., et al.: The Mini Nutritional Assessment (MNA) and its use in grading the nutritional state of elderly patients. *Nutrition*, 15(2):116–122, 1999.

46) Cederholm, T., et al.: GLIM criteria for the diagnosis of malnutrition—A consensus report from the global clinical nutrition community. *J. Cachexia Sarcopenia Muscle*, 10(1):207–217, 2019.

47) Beaudart, C., et al.: Malnutrition as a strong predictor of the onset of sarcopenia. *Nutrients*, 11(12):2883, 2019.

48) Wang, H., et al.: Efficacy of exercise on muscle function and physical performance in older adults with sarcopenia: an updated systematic review and meta-analysis. *Int. J. Environ. Res. Public Health*, 19(13):8212, 2022.
49) Barajas-Galindo, D.E., et al.: Effects of physical exercise in sarcopenia. A systematic review. *Endocrinol. Diabetes Nutr. (Engl. Ed.)*, 68(3):159–169, 2021.
50) Chen, N., et al.: Effects of resistance training in healthy older people with sarcopenia: a systematic review and meta-analysis of randomized controlled trials. *Eur. Rev. Aging Phys. Act.*, 18(1):23, 2021.
51) Wilkinson, D.J., et al.: The age-related loss of skeletal muscle mass and function: Measurement and physiology of muscle fibre atrophy and muscle fibre loss in humans. *Ageing Res. Rev.*, 47:123–132, 2018.
52) Bauer, J., et al.: Evidence-based recommendations for optimal dietary protein intake in older people: a position paper from the PROT-AGE Study Group. *J. Am. Med. Dir. Assoc.*, 14(8):542–559, 2013.
53) 藤田 聡：筋萎縮に対する運動・栄養介入：基礎研究の最新エビデンスと現場での応用. 日基礎理療誌, 18(2):3–8, 2015.
54) Burd, N.A., et al.: Enhanced amino acid sensitivity of myofibrillar protein synthesis persists for up to 24 h after resistance exercise in young men. *J. Nutr.*, 141(4):568 573, 2011.
55) Kim, H.K., et al.: Effects of exercise and amino acid supplementation on body composition and physical function in community-dwelling elderly Japanese sarcopenic women: a randomized controlled trial. *J. Am. Geriatr. Soc.*, 60(1):16–23, 2012.
56) Rondanelli, M., et al.: Whey protein, amino acids, and vitamin D supplementation with physical activity increases fat-free mass and strength, functionality, and quality of life and decreases inflammation in sarcopenic elderly. *Am. J. Clin. Nutr.*, 103(3):830–840, 2016.
57) Watanabe, Y., et al.: Effect of very low-intensity resistance training with slow movement on muscle size and strength in healthy older adults. *Clin. Physiol. Funct. Imaging*, 34(6):463–470, 2014.
58) Gielen, E., et al.: Nutritional interventions to improve muscle mass, muscle strength, and physical performance in older people: an umbrella review of systematic reviews and meta-analyses. *Nutr. Rev.*, 79(2):121–147, 2021.
59) Kitamura, M., et al.: Prevalence and related factors of sarcopenia in community-dwelling elderly with long-term care insurance. *Rev. Recent Clin. Trials*, 16(3):335–340, 2021.
60) Kitamura, M., et al.: Physical activity and sarcopenia in community-dwelling older adults with long-term care insurance. *Eur. J. Investig. Health Psychol. Educ.*, 11(4):1610–1618, 2021.
61) Kitamura, M., et al.: Differences in health-related quality of life in older people with and without sarcopenia covered by long-term care insurance. *Eur. J. Investig. Health Psychol. Educ.*, 12(6):536–548, 2022.
62) Bernabei, R., et al.: Multicomponent intervention to prevent mobility disability in frail older adults: randomised controlled trial (SPRINTT project). *BMJ*, 377:e068788, 2022.
63) サルコペニア診療実践ガイド作成委員会（編）：サルコペニア診療実践ガイド. pp.57–61, 日本サルコペニア・フレイル学会, 2019.

今後期待される
運動療法領域

第1章 前庭障害の運動療法

学習目標
- 運動療法が必要とされる前庭障害の疾患と病態を理解する．
- 前庭障害に対して実践される運動療法の理論と方法について理解する．

　めまいや平衡機能障害は，一般内科から耳鼻咽喉科，神経内科など，さまざまな診療科において頻繁に見受けられる症状である．理学療法学の領域では，脳血管障害や神経筋疾患に伴う平衡機能障害に対して，運動療法が実践されている．一方，めまい・平衡機能障害の多くは，半規管と耳石器によって構成される内耳の前庭器官に由来している．

　本章ではその一例として，前庭神経炎やめまいを伴う突発性難聴といった疾患によって引き起こる一側性末梢前庭障害（unilateral vestibular hypofunction; UVH）を取り上げ，前庭障害の運動療法〔前庭リハビリテーション（以下，リハ）〕について紹介する．

A 運動療法が必要な前庭障害の病態

　前庭神経炎などの疾患によって一側の末梢前庭が障害されると，障害側の末梢前庭からの情報入力が欠落し，両側の前庭神経核において活動性の不均衡が生じ，めまいや平衡機能障害といった諸症状を引き起こす．その後，この不均衡が中枢前庭系の神経可塑性に基づく機能的代償を誘発し，自発的症状が寛解していく（前庭代償）[1]．前庭代償により日常生活への支障をきたさない程度まで回復する場合が多いが，頭部回転などの前庭刺激が加わったときに症状（動的症状）が誘発される場合や，前庭代償の遅延・停止によって症状が残存して長引く病態（代償不全）がある[1,2]．このような前庭代償不全患者に対して，症状緩和，姿勢・動作の改善，転倒リスクの低下を通して，ADLを再獲得することを目的とした運動療法が推奨される．

B 運動療法の理論と方法

　UVHに対する一般的な治療戦略は，運動療法と必要に応じた対症療法である．UVHのための前庭リハについて，安全かつ効果的な介入として中等度～強いエビデンスがあり，急性期，亜急性期，慢性期のいずれの病期においても推奨度は高いと報告されている[3,4]．わが国では，2021年に日本めまい平衡医学会によって「平衡訓練/前庭リハビリテーションの基準」の改訂が公表され，発症から3か月以上経過した慢性期のUVHに対して運動療法が推奨される形となった[5]．

　前庭障害に対する運動療法は主に，①視線安定化のための運動，②症状への慣れのための運動，③バランス・歩行トレーニング[4-6]の3つの要素によって構成される．

A. VOR×1

B. VOR×2

▶図1　VOR×1とVOR×2（▶動画1）
VORの適応による視線の安定化を目的とした運動．
A：壁に貼り付けた視標（カード）を注視しながら頭部を左右（もしくは上下）に動かす．
B：視標（カード）を手に持ち，頭部の動き（左右もしくは上下）と反対方向（遠心性）に動かしながら，視標への視線を逸らさないようにする．

1 視線安定化のための運動

　一側の前庭障害がおこると，障害側の前庭動眼反射（vestibulo-ocular reflex; VOR）の機能が低下し，頭部回転を伴う動作時に動揺視を呈す．視線安定化のための運動（gaze stabilization exercises）は，VORの適応（adaptation）および代替的な眼球運動による代行（substitution）の原理に基づいて行われる．VORの適応とは，頭部運動中に網膜上の像にずれが生じた（外界がぶれて見えた）際に，そのずれを誤差信号として，小脳および脳幹の働きによりVORの動態（VORゲイン）に与える変化のことである[6,7]．一般的に適応を促す運動として，VOR×1やVOR×2を用いる（▶図1，▶動画1）．

　また，最近の研究では，損傷によって失われた機能を代わりの戦略を採用することで遂行すること（代行）がより重要であることがわかってきた[8]．補正衝動性眼球運動（サッケード）や頸性動眼反射は，動揺視を軽減する代行の例であり，視標記憶や眼球運動と頭部運動の協調性トレーニングといった運動を用いることで代行が促される（▶図2，▶動画2）[4,8]．

2 症状への慣れのための運動

　馴化または慣れ（habituation）とは，ある患者において侵害刺激となる特定の動作や視覚的環境に対して，その刺激への繰り返しの曝露により，反応性を鈍化することを目的としている[4-6]．UVH患者における慣れの原理についてはあまり解明されていないが，前庭代償不全患者では，体性感覚や視覚からの情報入力への過度な依存によって予後不良となる症例は少なくはなく，このような患者に対して特定の刺激に対する慣れのための運動が必要とされる[2]．問診や機能評価に加えて，modified Motion Sensitivity TestやVisual

A. 視標記憶

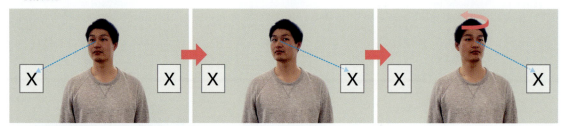

B. 眼球運動と頭部運動の協調性トレーニング

▶図2　視標記憶・眼球運動と頭部運動の協調性トレーニング（▶動画2）
A：視標（カード）を顔の正面に配置し，目を閉じる．目を閉じたまま VOR×1（▶図1）を行うようなイメージで，視線を視標に向け，頭部を左右（もしくは上下）に動かす．頭部運動の最終域で目を開け，視線が視標の位置と一致しているかを確認する．頸性動眼反射や頸椎の固有感覚による頭部動作時の視線の安定の代行が目的である．
B：2つの視標（カード）を使用する．片方の視標に顔と視線を向ける．次に（顔を動かさずに）視線のみをもう一方の視標に向ける．その後，注視している視標の方向に顔も向ける．補正衝動性眼球運動による頭部動作時の視線の安定の代行が目的である．

A. 特定の動きへの慣れ

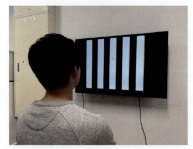

B. 視運動性刺激（optokinetic stimulation; OKS）への慣れ

▶図3　慣れの運動（▶動画3）
A：症状が誘発されやすい動作を特定する（図は modified Motion Sensitivity Test に含まれる VOR cancellation の動作を用いた例）．軽度〜中等度の症状が誘発されるような運動強度でその動作を繰り返し行い，動作を終えたら症状が治まるまで十分に休憩をとる．これを2〜3回繰り返す．
B：動画やアプリなどを用いて視運動性刺激（線条パターン）を視聴し，軽度〜中等度の症状が誘発されるよう視覚刺激を調整する．視聴を終えたら症状が治まるまで十分に休憩をとる．これを2〜3回繰り返す．

A. バランス練習

B. 頭部回転を伴う歩行トレーニング

▶図4　前庭機能残存例に対するバランス・歩行トレーニングの例（▶動画4）
A：前庭機能が高いレベルで残存している症例では，感覚情報の重みづけの変化（sensory reweighting）を誘導させるため，前庭覚，視覚，体性感覚に関する条件を変化させた運動を選択する〔例：頭部運動（前庭），閉眼やOKSの視聴（視覚），不安定面の使用（体性感覚）〕．
B：頭部を左右（もしくは上下）に動かしながら歩行する．

Vertigo Analogue Scaleといったツールは，慣れの運動の選択に役立つ[9,10]．動きへの慣れや視運動性刺激への慣れなど，2～3種類程度の運動を選択する（▶図3，▶動画3）．症状の誘発は軽度～中等度となるよう運動強度を調整し，運動と運動の間には症状が治るまで十分に休憩をとることが重要である．

3 バランス・歩行トレーニング

バランス練習では，weight shiftや支持基底面の変化による身体重心のコントロールを行う．特に，前庭障害に対して実践する場合には，運動タスクにおける前庭覚，視覚，体性感覚に関する情報や環境を変化させることで，感覚情報の重みづけの変化（sensory reweighting）を誘導させること が重要となる[2,5]．

歩行トレーニングでは，前庭覚への刺激となる頭部回転（▶図4，▶動画4）や方向転換を必要とする動作や二重課題など，患者のADL再獲得のために必要な動作や機能を想定し，運動方法を選択・実施することが重要である（▶図4）[5,6]．

●引用文献
1) Curthoys, I.S., et al.: Vestibular Compensation—Recovery after Unilateral Vestibular Loss. In: Herdman, S.J., et al. (eds.): Vestibular Rehabilitation, 4th ed., pp.121–150, F.A. Davis, 2014.
2) 山中敏彰：めまいリハビリテーションの段階的治療戦略―代償不全の前庭障害. Equilibrium Res., 75(4):219–227, 2016.
3) McDonnell, M.N., et al.: Vestibular rehabilitation for unilateral peripheral vestibular dysfunction. Cochrane Database Syst. Rev., 1:CD005397, 2015.

4) Hall, C.D., et al.: Vestibular rehabilitation for peripheral vestibular hypofunction: an updated clinical practice guideline from the Academy of Neurologic Physical Therapy of the American Physical Therapy Association. *J. Neurol. Phys. Ther.*, 46(2):118–177, 2022.
5) 平衡訓練の基準の改訂ワーキンググループ：平衡訓練/前庭リハビリテーションの基準—2021 年改訂. *Equilibrium Res.*, 80(6):591–599, 2021.
6) 加藤 巧ほか：前庭リハビリテーションの進め方. 伏木宏彰ほか（編）：前庭障害に対するリハビリテーション, pp.149–172, メジカルビュー社, 2019.
7) 肥塚 泉：めまいリハビリテーションのエビデンスと神経機構. *Equilibrium Res.*, 77(4):288–297, 2018.
8) Schubert, MC. : Compensatory Strategies for Vestibular-ocular Hypofunction. In: Herdman, S.J., et al. (eds.): Vestibular Rehabilitation, 4th ed., pp.151–157, F.A. Davis, 2014.
9) Heusel-Gillig, L., et al.: Development and validation of the modified Motion Sensitivity Test. *Otol. Neurotol.*, 43(8):944–949, 2022.
10) Dannenbaum, E., et al.: Visual vertigo analogue scale: an assessment questionnaire for visual vertigo. *J. Vestib. Res.*, 21(3):153–159, 2011.

第2章 視覚障害の運動療法

学習目標
- 視覚障害の障害特性について理解する.
- 視覚障害補償の基本的な方法と障害補償に用いる器械,ソフトウェアを知る.
- 視覚障害の運動療法の現状と今後の方向性について展望する.

Ⅴ 今後期待される運動療法領域

A 概要

わが国における視覚障害者数は約31万人であり[1],うち全盲者は10%程度,大半は弱視者で約80%は後天性である[2].わが国での視覚障害リハビリテーション(以下,リハ)は平安時代から始まったといわれ,長い歴史をもつ.主に福祉や教育の領域がリハの中心となっていたが,近年では医療と福祉の連携に関する意識が高まっている.

欧州ではオプトメトリスト(検眼医),カナダや米国では作業療法士が主に介入している[3].視覚の老化は40歳代からと比較的早く[4],水晶体や角膜,硝子体の透光性の低下とともに,水晶体の硬化による屈折力の変化や視細胞数の減少が生じて視力は低下し,遠近調節が難しくなる[5].それゆえに加齢とともに視覚障害者数は増える.

この視覚障害の原因疾患の第1位は緑内障(28.6%),第2位は網膜色素変性(14.0%),第3位は糖尿病網膜症(12.8%),第4位は黄斑変性(8.0%)であり,視野欠損や斜視などの眼球運動障害を併せもつものも多い[6].それゆえに,個々人の見え方は,それぞれであり,原疾患や障害で必ずしもカテゴリー化できないことも多い.視機能評価は,視力,視野,色覚,コントラスト感度,羞明,眼球運動などを評価する[3].これらの個々の評価に基づき,視機能に合った補助具が選定され,使用法のトレーニングが始まる.また残存網膜機能を利用し,物体を見るトレーニングや複視に対する遮蔽が用いられることもある.さらに,作業療法士などのリハスタッフによる,眼球運動障害自体に対するアプローチの効果が報告(▶表1)されている[3].

B 対策

理学療法士の臨床アプローチとしては,視覚障害の早期予防と適切なケアが肝要である.そのため,①福祉機器利用の可否,②住み慣れた場所では移動の動線を単純にし,物品を一定の場所に保管する工夫を通常の理学療法に上乗せすることで,家庭内事故のリスクは軽減できうる[7-9].また,視覚障害があると身体活動量が低下し,生活習慣病罹患リスクが懸念される[10].そのため,ロコモ体操などの簡便かつ効果的な運動プログラム内容[10]などについて,適切な福祉機器を使用し,音声データや文字サイズの調整などを行い,各患者の障害補償に応じた運動方法を紹介することが必要である[8].

一般的に,視覚障害者は聴覚や触覚,嗅覚といった感覚器官を視覚の代償手段として活用し,白杖や盲導犬,点字,音声ガイドのついた家電,音声や点字でパソコン画面を表現する機器環境な

▶表1 過去に報告された主な眼球運動リハビリテーションと効果

著者・発表年	対象	概要	介入回数・期間
Gur, S., et al. (1992年)	亜急性期TBI(9例)	●モニターでの追視訓練を行う ●介入後,追視運動がスムーズに改善	期間:3〜10週間 頻度:週5日 時間:30〜40分
Kerkhofl, G., et al. (1994年)	亜急性期脳卒中(1例),TBI(2例)	●機器を用いて輻輳を誘発する訓練 ●斜視の程度・パフォーマンスが改善	期間:3〜10週間 頻度:週5日 時間:30〜40分
Han, Y., et al. (2004年)	亜急性期TBI(9例),脳卒中(5例)	●PCプログラムで水平性,垂直性の追視,固視,眼球運動訓練,独自訓練を実施.基本眼球運動や読書の快適性が向上した	期間:8週間 頻度:週2日 時間:60分
Kawahira, K., et al. (2005年)	慢性脳卒中(7例),脳腫瘍(1例)	●迷路性眼球反射による反復促通療法を実施した.斜視の程度が改善した	期間:4週間 頻度:週5日 時間:60分

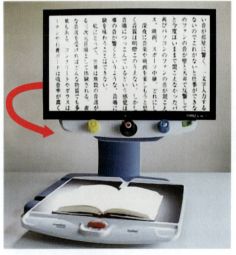

▶図1 拡大読書器
内蔵のビデオカメラで撮影した映像をモニターに大きく表示する装置で,カラーだけでなく,白黒,白黒反転表示ができ,コントラストを強調可能である.台座部分を縦軸と横軸で操作することで,原稿をスムーズに読み進めることができる.

▶図2 携帯型電子ルーペ
〔社会福祉法人ライトハウスホームページより〕

ど(▶図1〜4),個人に合った道具を日常生活に取り入れる[2].また,視覚障害があると移動の際に転倒リスクが高まるため,障害補償に早期から取り組むことが合併症予防に有効である[9].

C 課題

　高齢視覚障害者への障害補償には困難を伴うこともある.高齢者の場合,その理由の背景には①積極的な視覚障害ケアへの動機が低い,②加齢による身体や認知の低下,③高齢世帯の増加による支援者の不在などがある[7].海外の文献でも視覚障害者は,同年齢の健常者と比較して生活の質(QOL)が低く,健康状態も悪いと報告される[11].また,骨折や内部疾患の入院加療では長期ケアを必要とする[12].しかし,法制度の積極的な利用,視覚補償機器の紹介,医療との連携など,多方面

▶図3 デイジープレイヤー
デジタル録音図書などを再生する機器で，視覚障害者向けのガイド音声付きプレーヤーと，ディスレクシア（識字障害），LD（学習障害）の人向けのモニター付きプレーヤーがある．
〔社会福祉法人ライトハウスホームページより〕

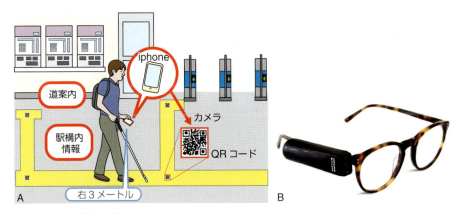

▶図4 音声対応器機
A：移動支援アプリ
B：文字を読み上げる眼鏡
色や明るさ，方位などを音声で教えてくれる機器などがある．
〔A：東京都豊島区ホームページ，B：社会福祉法人ライトハウスホームページより〕

からのアプローチによって視覚障害を起因とする制限を取り除くことで，解決できる問題も多くある[13]．

網膜色素変性症などの視細胞変性疾患による視覚障害に対し，近年，人工網膜の研究開発が進められている．人工網膜はカメラで取得した外界の画像情報を網膜内の神経回路に電気刺激に変換して伝導することで，視機能を再建する[14]．一方，視機能に対する再生医療も今後さらに発展するものと考えられ，加齢黄斑変性症や網膜色素変性症を対象として，未分化の細胞をもとに新たに組織や機能を再建していく研究も進められてきている[15]．これらに対するリハは，新たな領域として期待されている．今後，医師・看護師・視能訓練士・ソーシャルワーカーなどとの他職種連携によって，包括的リハ[16]として進めていくことが望ましい．

●引用文献

1) 北川雄也：障害者福祉の政策学. 晃洋書房, 2018.
2) 国立社会保障・人口問題研究所：社会保障統計年報. 総理府社会保障制度審議会事務局, 2008.
3) 小幡紘輝ほか：作業療法士によるロービジョン者への評価と介入の実態―文献レビュー. 作業療法, 40(4):407–414, 2021.
4) Petrash, J.M.: Aging and age-related diseases of the ocular lens and vitreous body. *Invest. Ophthalmol. Vis. Sci.*, 54(14):ORSF54–59, 2013.
5) 池添冬芽(編)：Crosslink 理学療法学テキスト 高齢者理学療法学. メジカルビュー社, 2020.
6) 森實祐基ほか：臨床研究 視覚障害認定の全国調査結果の都道府県別検討. 日眼会誌, 124(9):697–704, 2020.
7) 新井千賀子：高齢者の視覚障害への対応, ロービジョンケア. 日老医誌, 51(4):336–341, 2014.
8) 望月浩志：視覚障害のリハビリテーションと機器. リハビリテーション・エンジニアリング, 35(4):154–159, 2020.
9) 結城賢弥ほか：高齢者眼疾患と転倒. *Jpn. J. Rehabil. Med.*, 55(11):921–926, 2018.
10) Bean, J.F., et al.: Benefits of exercise for community-dwelling older adults. *Arch. Phys. Med. Rehabil.*, 85(7 Suppl 3):S31–42, 2004.
11) Crews, J.E., et al.: The association of health-related quality of life with severity of visual impairment among people aged 40–64 years: findings from the 2006–2010 behavioral risk factor surveillance system. *Ophthalmic Epidemiol.*, 23(3):145–153, 2016.
12) Wang, J.J., et al.: Visual impairment and nursing home placement in older Australians: the Blue Mountains Eye Study. *Ophthalmic Epidemiol.*, 10(1):3–13, 2003.
13) 氏間和仁：視覚障害教育の最新事情. *Jpn. J. Rehabil. Med.*, 58(12):1367–1376, 2021.
14) 神田寛行：人工網膜の開発状況. 視覚の科学, 36(4):98–101, 2015.
15) 小坂田文隆：網膜再生治療に向けた新規幹細胞由来網膜細胞作成法の開発と創薬への応用. 薬学雑誌, 137(1):23–29, 2017.
16) 上月正博(編著)：重複障害のリハビリテーション. 三輪書店, 2015.

第3章 発達障害（神経発達症）の運動療法

学習目標
- 発達障害の定義や概要を理解する．
- 発達障害に対する運動療法の考え方を理解する．

A 発達障害とは

1 定義

発達障害（developmental disabilities）という用語は，米国の法律用語として1960年代に誕生した．これは，脳性麻痺や視覚障害，聴覚障害を含む広い概念で，生まれつきの障害の総称として「広義の発達障害」として理解される．

一方，わが国において発達障害とは知的障害を含む包括的な障害概念であり，知的障害を中核として生涯にわたりさまざまな支援が必要な状態であると解説されている．また，行政面においては，知的障害を伴わない広汎性発達障害や特異的発達障害の人たちへの適切な支援を目指して，2005年に「発達障害者支援法」の運用が開始された．この法律の第2条にて，発達障害は「自閉症，アスペルガー症候群その他の広汎性発達障害，学習障害，注意欠陥多動性障害その他これに類する脳機能の障害であってその症状が通常低年齢において発現するもの」と定義された．そして，これらの疾患が「狭義の発達障害」として理解されている．発達障害の概念は広く，**表1**に示す10の疾患や状態・問題を含むと一般的に理解されている．

なお，2023年に発行されたDSM-5-TRでは，

▶表1 発達障害に含まれる疾患，状態，問題

①知的発達症
②運動症群（脳性麻痺などの生得的な身体障害）
③広汎性発達障害〔自閉症，アスペルガー障害（ASD）を含む自閉スペクトラム症〕
④注意欠如多動症（ADHD）とその関連障害
⑤学習症（LD）
⑥発達性協調運動症（DCD，不器用児）
⑦発達性言語症
⑧てんかん
⑨発達期に生じる視覚障害および聴覚障害
⑩発達期に生じる慢性疾患の諸問題（健康障害）

発達障害は**神経発達症**と改められたので，以降の表記はDSM-5-TRに準じる．

2 疾病率

近年の研究から原因遺伝子の候補も徐々に報告されているが，明確な答えは出ていない．幅広い病態を含む神経発達症の原因は，親の育て方や本人の努力不足に由来するものではなく，脳を中心とした中枢神経系の機能障害と推測されている．症状の形成には環境的要因と遺伝的要因との相互作用が影響することが示されており，早期発見と早期療育，教育，服薬治療の重要性が指摘されている．子どもを対象とした疫学研究からは，自閉スペクトラム症（autism spectrum disorder；ASD）が約2％，注意欠如多動症（attention-deficit/hyperactivity disorder；ADHD）が3～5％，学習障害が約5％と

Ⅴ 今後期待される運動療法領域

報告されている．この発症率は近年増加傾向にあり，それぞれの疾患の合併の割合も高く，男性の割合が多いことも知られている．

B 神経発達症の運動療法

1 現状と課題

神経発達症を有する子どもに対して，これまで心理療法，言語聴覚療法，作業療法，特別支援教育などによる療育介入が実践されてきた．運動療法を主体とする理学療法分野では，脳性麻痺などの運動機能障害に対する介入に比べ，神経発達症を有する児への介入は積極的に実践されていない現状がある．これは運動療法による介入が，認知，学習，社会性などの機能発達に直接的な効果が期待できると考えられてこなかったからであろう．

しかしながら，近年では神経発達症の代表疾患といえる ASD，ADHD などに，発達性協調運動症(developmental coordination disorder; DCD)などの運動機能面の問題が高率に合併することや，社会性や実行機能・報酬系に関する認知機能の発達が，協調運動(全般的協応性や微細運動)の発達と関連する可能性が示されている．子どもが有する運動に対する苦手意識や劣等感が，二次的な社会性のつまずき(集団場面での不適応や友人関係の不成立)の一因となっている可能性も考えられるため，運動機能面に焦点を当て，早期から運動療法を行う必要性が増している．

2 運動療法

ASD では，コミュニケーション面の問題や参加における困難さが取り上げられることが多いが，さまざまな運動機能障害も存在している．幼児期には粗大運動の発達の遅れもみられ，生活場面での問題や生活の質(QOL)の低下を引き起こしている．ASD に特異的な運動療法の実践報告は少ないが，歩行・歩容の改善を目的とした ROM 練習や下肢筋力増強トレーニング，バランスと固有受容感覚の促通などが報告されている．また，粗大運動の発達支援が，日常生活上の問題の改善や QOL の向上につながることも報告されている．ASD 児は定型発達児と比べて肥満リスクが高いため，その予防と改善のために食事療法と並行した運動療法の実施も重要である．

ADHD において DCD が併発する確率は 30～50% にも及ぶと報告されており，運動能力の低下に注意して理学療法評価を行う必要がある．ADHD に対する運動療法は運動機能の改善に有益であることが報告されているが，プログラムを立案するうえでは，運動遂行への注意の持続や，課題に取り組むうえでの自己制御能の調整に配慮する必要がある．

DCD を主とした運動機能障害に対する介入として，近年では CO-OP(cognitive orientation to daily occupational performance)が注目されている．CO-OP は，ある活動における全体的または領域特異的な認知戦略の使用と，解決方法を導く過程を通してスキル獲得を目指す課題指向型アプローチであり，子どもが選んだ課題・ゴールに基づいて，子ども自身が作業遂行のために認知的戦略を発見し，使用できるように工夫する．また，感覚統合療法や運動イメージトレーニング(運動観察法を含む)によるニューロリハビリテーションも効果が報告されている．これらは，ASD，ADHD における運動機能面の問題にも効果的な可能性が示唆されている．神経発達症は病態の幅が広いことを考慮し，運動療法プログラムの立案・実施に際しては，子どもの感覚と運動機能の発達を十分に評価し，児の状態に応じた最適な介入手段を選択する必要がある．

第4章 スポーツ障害の運動療法

学習目標
- スポーツ障害の定義や概要を理解する．
- スポーツ障害に対する運動療法の考え方を理解する．

本章では今後，運動療法の領域として期待されるスポーツ障害のなかで，下肢の軟部組織障害に焦点を当て，最近の治療や運動療法のトピックについて，過去5年以内の比較的新しいメタ解析による根拠を示しながら解説する．

A 体外衝撃波

体外衝撃波は拡散型と集束型に大きく分けられ，組織の修復を促す作用があるとされ，理学療法の臨床およびスポーツの現場で広く用いられてきている（▶図1）．体外衝撃波は，膝蓋腱症を含めた下肢軟部組織障害を有する患者における痛み軽減，ROM改善に効果が認められている[1,2]．拡散型，集束型ともに比較的長期間の使用により痛みの軽減効果が高まる[1,2]．アスリートやチームスタッフが体外衝撃波を用いた治療や，これが可能な施設の紹介を希望する場合も多く，重要な選択肢として検討しておくべきであろう．

一方で，膝蓋腱症と診断された活動性の高い患者を，集束型体外衝撃波に遠心性トレーニングを合わせて実施した群と，集束型体外衝撃波をプラセボとして遠心性トレーニングを実施した群に無作為に振り分け，患者立脚型アウトカムや膝負荷中の痛みの程度を比較した研究では，体外衝撃波

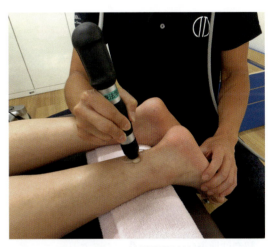

▶図1 アキレス腱への体外衝撃波治療

の付加による効果は不明とされており，その効果には議論の余地がある[3]．

B 遠心性トレーニング

遠心性トレーニングは遠心性筋収縮を利用し，アキレス腱症や膝蓋腱症により変性した腱のリモデリングを促し，症状および機能の改善を期待して指導されている（▶図2）．下腿三頭筋の高負荷遠心性トレーニングは経過観察や従来の理学療法（深部マッサージ，超音波治療，テーピング）よりも症状や機能を改善する効果が高い[4]．一方で，

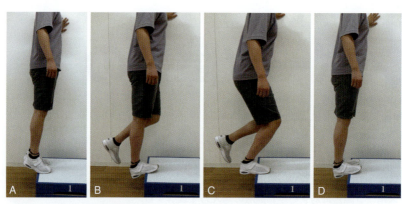

▶図2　下腿三頭筋の遠心性トレーニング
ステップ上の立位で後足部を浮かして前足部のみに荷重した状態から，足を底屈して踵を挙上する(A)．患側での片脚立位からゆっくりと踵を下ろし，足を背屈させる(B：膝伸展位，C：膝屈曲位)．痛みを強く訴える場合は両脚での背屈運動から開始する(D)．

他の様式のエクササイズよりも治療効果が高いことを示す根拠は不明であり，個別性やトレーニングへの反応を考慮して他のエクササイズの選択や併用も検討すべきであろう[4]．

C 超音波検査所見による予後予測

超音波検査は，腱症の診断やスクリーニングにおいてある程度の正確性と再現性が確認されている[5]．無症状のクロスカントリーランナー27人の11%に超音波検査でアキレス腱に高輝度信号，輪郭不鮮明，局所肥厚などの異常所見が認められた[6]．この結果は，超音波検査が症状のある者の確定診断に加えて，無症状者のスクリーニングや発症および進行を予測する意義を示唆しており，予防に向けた活動量コントロールの指標として有用な場合があるであろう．

●引用文献
1) Liao, C.D., et al.: Efficacy of extracorporeal shock wave therapy for knee tendinopathies and other soft tissue disorders: a meta-analysis of randomized controlled trials. *BMC Musculoskelet. Disord.*, 19(1): 278, 2018.
2) Liao, C.D., et al.: Efficacy of extracorporeal shock wave therapy for lower-limb tendinopathy: a meta-analysis of randomized controlled trials. *Am. J. Phys. Med. Rehabil.*, 97(9):605–619, 2018.
3) Thijs, K.M., et al.: Effectiveness of shockwave treatment combined with eccentric training for patellar tendinopathy: a double-blinded randomized study. *Clin. J. Sport Med.*, 27(2):89–96, 2017.
4) Murphy, M.C., et al.: Efficacy of heavy eccentric calf training for treating mid-portion Achilles tendinopathy: a systematic review and meta-analysis. *Br. J. Sports Med.*, 53(17):1070–1077, 2019.
5) Matthews, W., et al.: Classification of tendon matrix change using ultrasound imaging: a systematic review and meta-analysis. *Ultrasound Med. Biol.*, 44(10):2059–2080, 2018.
6) Kudron, C., et al.: Using ultrasound measurement of the Achilles tendon in asymptomatic runners to assist in predicting tendinopathy. *J. Ultrasound Med.*, 39(3):491–496, 2020.

第5章 ウィメンズヘルス・メンズヘルス

学習目標
- ウィメンズヘルスおよびメンズヘルス分野において，運動療法を必要とする障害とその病態を知る．
- 各障害に対する運動療法の基本的な方法を知る．

ウィメンズヘルス・メンズヘルス分野の領域は多岐にわたり，日本ウィメンズヘルス・メンズヘルス理学療法研究会が掲げる領域は，ウィメンズヘルス領域では，①産前産後の問題，②骨盤底機能障害の治療や予防，③骨粗鬆症，④スポーツを実施する女性に対するマネジメント，⑤子宮がん，乳がんなど手術後のリンパ浮腫への治療である．また，メンズヘルス領域では，①泌尿器系疾患術後の管理，②慢性骨盤痛などの予防と治療，③骨粗鬆症をあげている．

本章では，代表的な問題に対する運動療法を紹介する．

A 産前産後の腰痛に対する運動療法

妊娠中に生じる腰背部痛は，姿勢性のものと骨盤帯の不安定性によるものの大きく2つに分けて取り扱うことが多い[1]．産後においては心因性に由来する腰痛もあるとされ，原因に応じた治療が必要となる．運動療法として共通して行われるのは，①筋の伸張や姿勢・動作の修正による筋の過緊張軽減（動画1），②アライメントの再学習と姿勢指導，③日常生活における動作指導（動画2）である．骨盤帯の不安定性が原因の場合，①〜③に加えて，④骨盤帯の不安定性に対するエクササイズ，⑤骨盤帯ベルトによる固定も行う．産後に生じた腰背部痛にも同様の対応を行うが，併せて，腹直筋離開に対する腹横筋の収縮や育児動作の指導も行う．

B 骨盤底機能障害に対する運動療法

骨盤底機能障害は，骨盤底の脆弱化により生じる尿失禁・骨盤臓器脱と，過緊張により生じる慢性骨盤痛症候群・便秘症などがある．女性に多い腹圧性尿失禁の治療は，骨盤底筋トレーニングが第一選択とされており，進める順序は，①骨盤底筋群の位置や機能の理解，②骨盤底筋群の収縮の指導，③骨盤底筋トレーニングプログラムの提案と動作時の習慣づけ，④骨盤底筋トレーニングの指導[2]とされている．

 動画1

 動画2

C 女性の骨粗鬆症に対する運動療法

　女性の骨粗鬆症は，中高年では閉経に伴うエストロゲン分泌の低下，若年アスリートにおける低栄養由来の月経異常に伴うもの，出産後の女性の低体重や低栄養に関連するものなど，高齢者に限定せず生じうる問題である[3]．予防のための運動療法として，成長期には骨へのメカニカルストレスを含む運動，成年期・老年期には日常的な有酸素運動，筋力トレーニングを行う．

　骨粗鬆症をもつ人のエクササイズプログラムには，①有酸素荷重運動，②レジスタンストレーニング，③バランス・体幹機能の3つの要素を取り入れた身体活動が望ましいとされている．プログラム作成においては，①脊椎の過度な屈曲・伸展を伴う運動，②高度なバランス能力が必要な転倒の危険性が高い運動，③準備運動終了前の急な動き，力強い動きを要する運動，④強制的なねじれ動作を必要とする運動は注意すべきとされている．

D 女性アスリートに対する運動療法

　スポーツを実施する女性（女性アスリート）の主な健康問題には，月経に伴う身体の変化，膝前十字靱帯損傷などのスポーツ外傷，女性アスリートの三主徴（エネルギー不足，無月経，骨粗鬆症），尿失禁があげられる．スポーツ外傷の面では，骨格的な特徴から，動的アライメントのknee-inおよびtoe-outが過剰に生じる[4]とされていることから，予防や治療の対処が必要である．運動療法としては，過剰なknee-inおよびtoe-outを回避するための筋力増強（股関節外旋筋群，外転筋群）を運動連鎖を考慮して行う．また，月経に伴う身体の変化へのアプローチも必要であり，アスリート自身が女性特有の変化を理解し，コンディショニングを管理できるかかわり方が求められる．

E リンパ浮腫に対する運動療法

　リンパ浮腫は，乳がんや子宮がん，卵巣がんといった婦人科がんの腫瘍摘除術時にリンパ郭清を実施することにより発症する病態である．『がんのリハビリテーションガイドライン』[5]では，乳がん術後早期から生活指導および肩ROM練習や軽度の上肢運動など包括的リハビリテーションを行うことは，上肢リンパ浮腫の発症リスクを減少させる方法として推奨されている．

　主要な治療方法は複合的治療と呼ばれ，①スキンケア，②用手的徒手リンパドレナージ，③圧迫療法，④圧迫療法下での運動療法，⑤生活指導を行う．④の圧迫下の運動では，弾性着衣や弾性包帯にて適度な圧迫を行った状態で，できるだけ大きくゆっくり筋肉を動かすように，手指の開排運動，肘や手関節の屈伸運動を行う．このとき，過度な運動は逆効果となるため，注意が必要である．

F メンズヘルス領域における泌尿器系疾患術後の管理

　前立腺全摘除術は，臓器限局性前立腺がんに対する根治治療のうち最も有効な治療法の1つである[6]．摘出後の合併症の腹圧性尿失禁には，術後の保存的治療の1つとして骨盤底筋トレーニングが実施される．骨盤底筋トレーニングの方法や進め方は，女性に実施する内容と大きく変わらないが，女性の骨盤底と解剖学的な構造が異なることを考慮したうえで骨盤底筋を収縮させる口頭指示を行うなどの工夫が必要である．

●引用文献

1) 須永康代：妊娠期間中に理学療法士が行う基本的なアプローチ．ウィメンズヘルス理学療法研究会（編）：ウィメンズヘルス リハビリテーション, pp.183-196, メジカルビュー社, 2014.
2) 平川倫理：骨盤底機能障害に対する基本的アプローチ．ウィメンズヘルス理学療法研究会（編）：ウィメンズヘルス リハビリテーション, pp.283-297, メジカルビュー社, 2014.
3) 平元奈津子：女性における骨粗鬆症と理学療法．理学療法, 34(12):1087-1092, 2017.
4) 板倉尚子ほか：女性アスリートに対する運動療法．上杉雅之（監）：理学療法士のためのウィメンズ・ヘルス運動療法, pp.152-168, 医歯薬出版, 2017.
5) 日本リハビリテーション医学会, がんのリハビリテーションガイドライン策定委員会（編）：がんのリハビリテーションガイドライン．pp.54-59, 金原出版, 2013.
6) 長岡 明：男性に多い下部尿路機能障害：①前立腺全摘出術後の腹圧性尿失禁．鈴木重行ほか（編）：リハスタッフのための排泄リハビリテーション実践アプローチ, pp.89-92, メジカルビュー社, 2018.

第6章 リハビリテーションロボットを活用した運動療法

学習目標
- リハビリテーション(以下,リハ)ロボットを知る.
- リハロボットの活用について理解する.

　当院(佐賀大学附属病院)では,2014年に全国に先駆けて「ロボットリハビリテーション外来」の名称で特殊外来を開設し,これまで12種類のリハロボットを活用した医療を提供している.『脳卒中治療ガイドライン2021』には,ロボットを用いた練習を行うことは妥当である「推奨度B」で「エビデンスレベル中」とある[1].当院でもボツリヌス療法を併用しながら,リハロボットを用いた歩行練習を行っている.今回,そのなかの2種類の歩行練習用リハロボットについて概説する[2-4].

A 当院の歩行練習用リハロボットの紹介

1 ロボットスーツHAL® 医療用

　CYBERDYNE製の「ロボットスーツHAL®医療用」(▶図1,▶動画1)とは,装着者の筋電を使用し歩行をアシストしながら障害された歩行機能を改善するリハロボット(医療機器)である[5].2016年1月に,筋萎縮性側索硬化症(ALS)やCharcot-Marie-Tooth(シャルコー・マリー・トゥース)病(CMT)などの難病8疾患に対して保険適用となった.当院でも現在これらの難病の患者に外来リハにて使用している[6].

2 歩行アシスト

　本田技研工業社製Honda歩行アシスト(▶図2,▶動画2)は,股関節部センサーが股関節角度を感知して屈曲・伸展をアシストし,歩行時の振り出しと蹴り出しの補助・誘導を行う.当院では脳卒中生活期片麻痺患者,変形性股関節症に対する人工股関節全置換術(THA)後患者に使用している.容易に装着しやすく,杖歩行が可能な患者が主に対象となる(2020年末で販売終了)[7].

B 再生医療への応用

　リハロボットの強みは,適切なアシストと負荷量をもっての運動量増加,数値による客観的なデータの記録,ディスプレイや効果音,振動などによる視覚的・聴覚的・身体的フィードバックがある点である.そのことで運動量を確保でき[8,9],患者への指導,患者の意欲向上,スタッフのリハプログラム作成などに有用となる.結果として,同じ時間であっても高密度のリハができ,これがリハ治療の成果も高めることになる.

　今日,再生医療推進法成立により国家プロジェクトとして新しい医療産業の分野として位置づけられている再生医療が脚光を浴びている.再生医

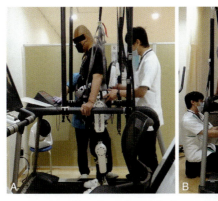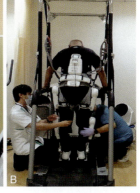

▶図1 HAL®を用いたALS患者に対するリハ治療（▶動画1）

▶図2 歩行アシストを用いた脳卒中生活期片麻痺患者に対するリハ治療（▶動画2）

療における細胞移植後は，正確な反復運動により神経ネットワークを再構築することが重要とされている[10, 11]．つまり，再生医療にリハ医療は不可欠であり，その道具として期待されるのがリハロボットであると考えられる．

C 課題

リハロボットには課題もある．課題の1つがリハロボットの導入費用の問題である．2016年1月にロボットスーツHAL®が8つの難病疾患に対し保険適用となり，2020年4月にリハビリテーション総合計画評価料において運動量増加機器加算として，月1回に限り150点を所定点数に加算できるようになった．しかし，現在の多くのリハロボットにかかわる診療点数は，リース価格や購入価格に見合うものではない．また，別の課題として，リハロボット操作の習得には時間を要する問題もある[12, 13]．卒前卒後ともにリハロボットについて学習する機会がまだ少ないためであると思われる．

今後ますます注目される分野になることが予測されるリハロボットについて，簡単に概説をした．今後は，リハロボットが一般的になり，理学療法士も日常的に活用できるようになることで，これまで以上に理学療法の成果が得られることが期待される．

●引用文献

1) 日本脳卒中学会 脳卒中ガイドライン委員会（編）：日本脳卒中学会治療ガイドライン 2021. 協和企画, 2021.
2) 浅見豊子：ロボットリハ外来開設の意義と上肢ロボットの有用性. 新医療, 42(11):96–98, 2015.
3) 浅見豊子ほか：当院におけるロボットリハビリテーション外来や介護ロボット支援の実際とこれから. *M.B. Med. Reha.*, 256:39–46, 2020.
4) 浅見豊子：ロボットリハビリテーション外来からみたリハビリテーション医療の再考と今後の展望. バイオメカニズム会誌, 42(2):109–112, 2018.
5) 浅見豊子：脳卒中リハビリテーションの最前線―実践とエビデンス リハビリ支援ロボット（下肢）. 臨床リハ, 26(11):1072–1078, 2017.
6) 上野友之ほか：歩行障害とリハビリテーション医学・医療 歩行障害のリハビリテーション治療―ロボットを用いた歩行機能回復治療プログラム. リハ医学, 55(9):745–750, 2018.
7) 東島直生ほか：整形疾患 急性期〜Honda 歩行アシスト〜：人工股関節全置換術患者への使用の実際. *M.B. Med. Reha.*, 194:47–51, 2016.
8) 浅見豊子ほか：リハビリテーション治療におけるリハビリテーションロボットの適応と限界. リハ医学, 57(5):387–391, 2020.
9) 才藤栄一ほか：歩行再建への挑戦 運動学習と歩行練習ロボット―片麻痺の歩行再建. リハ医学, 53(1):27–34, 2016.
10) 河島則天ほか：ロボットリハビリテーション治療 UPdate 脊髄損傷者の歩行機能改善のためのリハビリテーション治療―臨床におけるロボティクス活用の意義. リハ医学, 57(5):399–403, 2020.
11) 金子文成：臨床に活かすニューロリハビリテーション ニューロリハビリテーションと理学療法. PT ジャーナル, 56(4):386–394, 2022.
12) 浅見豊子ほか：ロボットリハビリテーション最前線 当院におけるロボットリハビリテーション外来や介護ロボット支援の実際とこれから. *M.B. Med. Reha.*, 256:39–46, 2020.
13) 小林 毅ほか：医療・介護現場におけるロボットの現状. OT ジャーナル, 56(6):488–493, 2022.

索引

*用語は，五十音順で配列した．
*数字で始まる用語は「数字・欧文索引」に掲載した．

和文

あ

亜急性小脳変性症　416
アキレス腱断裂　54
　── の運動療法　54
　── の症状　54
　── の治療　54
悪液質　416
悪性関節リウマチ　61
悪性腫瘍　412
　── の運動療法　412
朝のこわばり　60
足荷重検査　113
足継手　201
足のスプリント　219
亜脱臼　8
圧痛の確認　143
圧迫性神経障害　62
圧迫テスト　126
圧力-容積曲線　351
軋轢音　46
アテトーゼ型脳性麻痺　270, 272
アテローム血栓性脳梗塞　230
アドヒアランス　258
アプラタキシン欠損症/早発性運動失調症（AOA1/EAOH）　287
アミロイド血管症　230
アライメントスタビリティ　200
歩き始めへの対策，パーキンソン病の　255
アルツの基準　215
安静時振戦　288
アンダーアーム・ブレース　114
アンダーソン・土肥の基準　305

い

イートン・ランバート症候群　416
易骨折性　277
異常Q波　375
移乗動作練習，脊髄損傷の　167
胃食道静脈瘤　442

移植片対宿主病（GVHD）　424
異所性骨化　11, 25
　──，脊髄損傷後の　161
痛みの評価，ICU の　463
一次進行型（PP）多発性硬化症　310
一次性拘縮肩　137
一過性脳虚血発作（TIA）　230
一側性末梢前庭障害（UVH）　490
遺伝性SCD　287
移動補助装置　280
易怒性　267
インスリン　444
陰性徴候，筋萎縮性側索硬化症の　299
インセンティブスパイロメトリー　423
インピンジメント　69, 140
インピンジメント症候群　140

う

ヴァイトブレヒト孔　139
ウィメンズヘルス　503
ウートフ現象　310
ウォールスライド　33
烏口下インピンジメント　140
烏口下滑液包　138
　── のモビライゼーション　146
烏口上腕靱帯　137
　── のストレッチング　144
運転手骨折　16
運動イメージの低下，脊髄損傷後の　161
運動学習　5
運動検査　153
運動失調の評価，脊髄小脳変性症の　289
運動失調不全片麻痺　232
運動指導
　──，頸椎後縦靱帯骨化症の　195
　──，頸椎症性脊髄症の　195
運動時の心電図モニタリング　377
運動処方，糖尿病の　450

運動耐容能低下の悪影響　440
運動ニューロン疾患（MND）　299
運動の再学習，脳卒中回復期の　245
運動負荷試験　112
運動プログラム，心不全の　395
運動麻痺　336
運動麻痺回復のステージ理論　240
運動誘発性低酸素血症（EIH）　353
運動療法
　──，ACL 損傷の　33
　──，MCL 損傷の　40
　──，PCL 損傷の　38
　──，THA 術後の　92
　──，TKA 術後の　103
　──，アキレス腱断裂の　55
　──，下肢切断者　201
　──，間欠性跛行　403
　──，関節リウマチの　67
　──，骨転移がある場合の　425
　──，心不全患者に対する　4
　──，脊髄損傷の　162
　──，側弯症の　109, 113
　──，凍結肩の　143
　──，特発性側弯症の　114
　──，熱傷の　218
　──，半月板損傷の　41
　──，変形性股関節症の　87
　──，変形性膝関節症の　99
　──，腰痛症の保存的治療と　130
　──，腰部脊柱管狭窄症の　177

え

栄養療法の効果　481
エセックス・ロプレスティ分類　22
エバンス分類　19
エリスロポエチン　428
エリーテスト　84
遠位脛腓骨靱帯結合損傷　22
嚥下障害　294
嚥下造影検査（VF）　294
嚥下内視鏡検査（VE）　294

509

炎症性滑膜炎　59
遠心性収縮　285
遠心性トレーニング　501
延髄　349
延髄網様体脊髄路　241

お

横隔膜機能不全　364
横隔膜平底化　356
横骨折　8
黄色靱帯骨化症　190
黄斑変性　495
応用義足歩行練習　210
オーバーテスト　84
起き上がり練習，脊髄損傷の　167
オリーブ橋小脳萎縮症（OPCA）
　　　　288

か

カーツキー総合障害度スケール
　（EDSS）　312
ガーデン分類　18
ガードナープロトコル　403
下位頸椎亜脱臼　65
外傷後脊髄空洞症　161
外傷性痙攣発作　267
外傷性肩関節脱臼　13
外傷性股関節脱臼　18
外傷性骨折　8
外傷性水頭症　267
外傷性肘関節脱臼　14
外傷性てんかん　267
回旋テスト　130
外側側副靱帯（LCL）　30
外側側副靱帯損傷　31
外的キュー　253
開頭クリッピング術　233
開頭血腫除去術　233
開頭減圧術　233
外反ストレステスト　33
回復期リハビリテーション，脊髄損
　傷の　165
外閉鎖筋による閉鎖神経絞扼障害
　　　　91
解剖頸軸回旋　146
開放骨折　8
開放性運動連鎖（OKC）　26, 36
化学受容器　349
化学放射線療法　416

化学療法
　――，がんの　416
　――に伴う副作用　417
過緊張　277
核黄疸　281, 282
拡散障害　352
学習性不使用　240
覚醒度の確認　460
拡大・代替コミュニケーション
　（AAC）　305
学童期側弯症　110
下肢機能軸（MA）　96
下肢挙上・下垂試験　403
下肢伸展挙上（SLR）　130
　――テスト　177
　――，膝伸展位での　75
下肢切断者のスポーツ参加　212
下肢切断の分類　198
荷重・歩行練習，骨折の　28
下垂手　61
下垂足　61, 336
仮性肥大，下腿筋の　326
家族性筋萎縮性側索硬化症　299
加速歩行　252
下腿義足の歩行　205
下腿三頭筋の筋力トレーニング
　　　　56
課題指向型アプローチ　285
下腿切断　198
肩－肩－肘ライン　150
活動面の評価，脳卒中回復期の
　　　　248
合併症，脊髄損傷後の　156, 160
カテーテル治療　1
過敏性障害　339
カフエササイズ　53, 150
カヘキシア　416
過用性筋力低下　333
カルボーネン法　451
ガレアッチ脱臼骨折　15
ガワーズ徴候　326
がん
　――の運動療法　412
　――の治療　415
　――のリハビリテーション
　　　　1, 418
　――のリハビリテーションガイド
　　ライン　504
　――のリハビリテーションの中止
　　基準　423

簡易栄養状態評価表（MNA®）　479
簡易栄養状態評価法（MNA®-SF）
　　　　441
簡易睡眠時無呼吸検査　294
感覚障害　277, 336
がん関連倦怠感（CRF）　417
換気血流比不均等　353
間欠性跛行　172, 401
　――の鑑別　173
間欠的腎機能代替療法（IRRT）
　　　　470
間欠的導尿　158
寛骨臼蓋形成不全　88
寛骨臼形成不全　78, 82
寛骨臼骨折　25
がんサバイバー　418
　――の運動療法　425
環軸椎亜脱臼　283
環軸椎前方亜脱臼　65
環軸椎脱臼　276
肝疾患
　――と運動耐容能　439
　――の運動療法　436, 442
間質性肺炎　61
　――，抗がん薬による　418
間質性肺疾患（ILD）　353
患者教育，関節リウマチの　76
癌腫　412
肝性脳症　441
関節外症状，関節リウマチの　60
関節可動域運動　24, 69
　――，熱傷の　220
関節可動域検査（ROM-T）　328
関節可動域制限，変形性股関節症の
　　　　80
関節可動域測定，関節リウマチの
　　　　66
関節拘縮　9
　――，廃用性の　473
間接的除圧術　176
関節内骨折　9
関節変形　276
関節包のストレッチング　144
関節モビライゼーション　145
関節リウマチ（RA）　59
　――のADL指導　76
　――の運動療法　59
　――の経過　62
　――の自然経過　63
　――の症状　60

―― の生化学検査所見　62
―― の治療　63
完全断裂　44
完全房室ブロック　380
完全麻痺　152
肝臓リハビリテーション　436
がん対策基本法　1
がん罹患予防の運動療法　426

き

キーマッスルの筋力検査　178
記憶障害　266
機械的摩擦装置　200
機械による咳介助(MI-E)　333
気管切開陽圧換気療法(TPPV)　301
気胸　61
義足装着指導　205
義足装着前練習　203
義足ソケット　198
義足膝継手の随意的制御　206
義足振り出し　208
義足歩行課題の難易度調整　209
義足歩行練習　205, 206
基礎療法，関節リウマチの　64
基底核出力核　251
気道クリアランス　333
気道熱傷　216
機能障害への運動療法　277
機能性側弯症　107
機能的脛骨内側近位角(mMPTA)　96
機能的装具　11
機能的大腿骨外側角(mLDFA)　96
機能別障害度(FS)　312
ギプス固定　11
ギプスソケット装着法　203
逆説的歩行　253
キャッチング　31, 94
臼蓋上腕靱帯のストレッチング　144
求心性収縮　285
急性冠症候群(ACS)　378
急性期リハビリテーション，脊髄損傷の　165
急性呼吸促迫症候群(ARDS)　418
急性腎障害(AKI)　429
急性腎臓病(AKD)　429
胸郭可動域練習　357
胸郭出口症候群　336

胸郭の伸展方向の可動性改善　148
胸髄損傷の障害像　164
強制泣き　288
胸部狭窄感　351
胸部外科手術後の運動療法　363
胸膜炎　61
橋網様体脊髄路　241
局所性脳損傷　260
虚血性心疾患(IHD)　371
　―― の運動療法　371
　―― の評価　374
距骨骨折　22, 26
ギヨン管症候群　336
ギラン・バレー症候群(GBS)　317
　――，診療ガイドライン　317
起立性低血圧　474
　――，脊髄損傷後の　160
筋
　―― の持久性の低下　277
　―― の肥大　276
　―― のリラクセーション　69
筋萎縮
　――，廃用性の　473
　―― の予防　343
筋萎縮性側索硬化症(ALS)　299
　―― の運動療法　299
　―― の発症型　299
筋炎の運動療法　317
筋腱短縮　276, 277
筋持久力運動，筋萎縮性側索硬化症の　305
筋ジストロフィー　325
　―― の運動療法　325
　―― の分類　325
筋ジストロフィー側弯　111
筋受容器　350
緊張性迷路反射(TLR)　278
筋紡錘　350
筋力運動，筋萎縮性側索硬化症の　305
筋力増強運動　312
　――，関節リウマチの　72
　――，骨折の　26
　――，側弯症の　116
　―― の実際，ギラン・バレー症候群の　321
　―― の実際，多発性筋炎の　323
筋力測定　153
筋力低下，腰部脊柱管狭窄症の　173

筋力評価，ICUでの　464

く

空間的多発性(DIS)　309
空気飢餓感　351
区画症候群　10
口すぼめ呼吸　69, 357
首下がり　288
くも膜下出血(SAH)　230
グラスゴー・コーマ・スケール(GCS)　461
クリニカルシナリオ(CS)分類　385
車椅子駆動・操作練習，脊髄損傷の　168
クロウトゥ　403

け

ケアバンドル　458
脛骨近位部骨折　21, 25
脛骨骨幹部骨折　21
脛骨天蓋骨折　21, 26
痙縮　240
　――，脊髄損傷後の　160
頸髄損傷　152, 163
軽打法　221
痙直型四肢麻痺　278
痙直型脳性麻痺　270, 272
痙直型片麻痺　280
痙直型両麻痺　279
頸椎安定化運動　193
頸椎後縦靱帯骨化症(OPLL)　190
　―― の運動療法　190
頸椎症性脊髄症(CSM)　190
　―― の運動療法　190
経皮的鋼線固定　12
経皮的酸素分圧($tcPO_2$)　405
経皮的髄核摘出術　121
経皮的内視鏡的胃瘻造設術(PEG)　301
外科的壊死組織切除　217
血圧管理，脳卒中急性期の　232
血液検査，心不全の　388
血液浄化療法　470
血液浄化療法中の運動療法　471
血管性間欠性跛行　172
血管内コイル塞栓術　233
血算値による運動ガイドライン　422

血小板減少症に対する運動ガイドライン　422
肩関節可動域評価　47
肩関節周囲筋のスパズム　47
肩関節脱臼　13
肩関節痛の評価　47
肩甲下滑液包　138
　──の閉塞予防　148
肩甲胸郭関節機能の改善　51
肩甲骨内転筋群の強化　148
肩甲骨の上方と後方傾斜方向への可動性改善　148
肩甲上腕関節の関節包　139
肩甲上腕リズム　25
　──の乱れ　45
肩甲帯の運動　194
言語機能の障害　277
原始反射　277
ゲンシンゲンブレース　114
腱断裂の運動療法　44
原発性側索硬化症　299
腱板機能評価　49
腱反射テスト　130
腱板疎部　138
腱板疎部損傷　140
腱板断裂　44
　──の運動療法　44
　──の症状　44
　──の治療　46
腱板トレーニング　53
ケンプテスト　177
肩峰下インピンジメント　140
肩峰下滑液包　138
　──のモビライゼーション　146
肩峰骨頭間距離（AHI）　49

こ

高アンモニア血症　442
構音障害　277
構音障害・手不器用症候群　232
後外側構成体損傷　31
後脚股関節の伸展の可動性改善　148
後屈時痛群　131
後屈テスト　129
高血圧　428
交互走行　211
高次脳機能障害　266
　──の評価　265
後十字靱帯（PCL）　29

後十字靱帯損傷　30
後縦靱帯骨化症　190
抗重力姿勢　265
拘縮　46, 47, 278
　──の改善，肩関節の　50
拘縮肩　137
鉤状突起骨折　14
厚生省（現 厚生労働省）の機能障害度分類　328
厚生労働省研究班早期関節リウマチ診断基準　62
鋼線固定　12
構造障害への運動療法　276
拘束性換気障害　355
構築性側弯症　108
高度房室ブロック　380
後部障害，脊髄の　156
後方介助歩行　246
後方スラストテスト，大腿骨を用いての　127
後方脱臼，THA術後の　91
後方椎間板切除術　121
後方引き出しテスト　33
高流量鼻カニューレ酸素療法（HFNCOT）　360
高齢者の骨折　9
高齢心不全患者　4
誤嚥性肺炎　295, 474
コーレス骨折　16
股関節脱臼　276, 278
股関節離断　198
呼気終末陽圧法（PEEP）　3
股義足歩行　205
呼吸　348
呼吸管理，脳卒中急性期の　233
呼吸器
　──の機能障害への運動療法　277
　──の構造障害への運動療法　276
呼吸器疾患の運動療法　348
呼吸機能評価
　──，筋萎縮性側索硬化症の　303
　──，筋ジストロフィーの　328
　──，呼吸不全の　355
呼吸筋のストレッチング　306
呼吸筋力低下による努力感　351
呼吸困難　348
　──の評価　356
　──のメカニズム　351

呼吸困難感　417
呼吸仕事量　350, 351
呼吸障害　294
　──，脊髄損傷後の　158
呼吸中枢　349
呼吸調節機構　349
呼吸不全の運動療法　348
呼吸法の指導　68
呼吸理学療法
　──，ALS患者に対する　306
　──，熱傷患者の　220
呼吸練習，側弯症の　115
骨萎縮，廃用性の　473
骨幹端骨折　9
骨幹部骨折　9
骨折　8
　──，小児の　10
　──の固定方法　11
　──の分類　8
　──の予防，脊髄小脳変性症の　296
骨折・脱臼
　──の運動療法　8
　──の合併症　10
骨折治療の原則　11
骨粗鬆症　428, 504
　──，脊髄損傷後の　161
骨粗鬆症骨折　9
骨端部骨折　9
骨転移　421
コットン骨折　21
骨の成長障害　276
骨盤傾斜角（PIA）　78
骨盤骨折　17
骨盤切断　198
骨盤臓器脱　503
骨盤帯安定化運動　132
骨盤帯の不安定性　503
骨盤底機能障害　503
骨変形（性）　276, 277
骨癒合不全　188
子どもの能力低下評価法（PEDI）　276
孤発性SCD　287
コブ角　108
混合性換気障害　355
混合性知覚・運動神経障害　61
コンディショニング　357
コンパートメント症候群　10

さ

細菌性肺炎　354
最小侵襲プレート骨接合法(MIPO)
　　12
再生医療　506
最大強制吸気量(MIC)　330
最大随意等尺性収縮(MVIC)検査
　　303
再発寛解型(RR)多発性硬化症
　　310
再発予防期，包括的高度慢性下肢虚
　血の　408
鎖骨骨折　13
坐骨神経伸張テスト　130
左室駆出率(LVEF)　388
サスペンションレッグプレス　36
サルコペニア　5, 399, 436, 476
　──の悪影響　439
　──の判定基準　438
　──の分類　436, 476
サルコペニア診療ガイドライン
　　479
酸塩基平衡の調整　428
三角筋
　──の強化　50
　──のモビライゼーション　52
三角筋下滑液包　138
　──のモビライゼーション　146
ザンコリー分類　155
産前産後の腰痛　503
残存腱板の機能強化　50

し

シークエンス効果　252
シーネ固定　11
死因別死亡率　2
視覚障害の運動療法　495
時間的多発性(DIT)　309
軸脚股関節の伸展の可動性改善
　　148
軸索変性　337
軸性疼痛　196
仕事，力学用語としての　350
四肢のROM制限　277
四肢麻痺　152, 272
思春期特発性側弯症(AIS)　109
視床　241
　──が関与する神経回路　242

歯状核赤核淡蒼球ルイ体萎縮症
　(DRPLA)　287
ジストニア　288
ジストニックアテトーゼ型四肢麻痺
　　281
姿勢異常，関節リウマチの　65
姿勢性の側弯　108
姿勢保持装置　278, 279
視線安定化のための運動　491
持続的腎機能代替療法(CRRT)
　　470
持続的他動運動(CPM)　33
膝蓋骨骨折　20
膝蓋大腿ROMの評価　97
膝外反不安定性の予防　40
膝関節靱帯損傷，スポーツでの
　　30
膝関節離断　198
膝義足の歩行　205
失語　266
失行　266
失調型四肢麻痺　283
失調型脳性麻痺　270, 272
失認　266
疾病構造の変化　1
しているADL　265
自動運動　285
自動性の低下　250
シモンズテスト陽性　54
シャイ・ドレーガー症候群(SDS)
　　288
社会的行動障害　266
尺骨骨幹部骨折　15
斜骨折　8
シャント　352
集学的治療，がんの　415
縦骨折　8
重症虚血肢(CLI)　401
舟状骨骨折　17
重症疾患多発ニューロパチー(CIP)
　　457
重症疾患ミオパチー(CIM)　457
重症度(GMFCS)の評価　273
重心動揺検査　113
集中治療後症候群(PICS)　457
集中治療室(ICU)　456
集中治療室活動度スケール(IMS)
　　466
柔軟性確保，前脛骨筋の拮抗筋に対
　する　343

主観的包括的評価(SGA)　441
粥状硬化　401
手根管症候群　336
手術部位感染(SSI)　92
手術療法
　──，アキレス腱断裂の　55
　──，関節リウマチの　64
　──，がんの　415
　──，腱板断裂の　46
腫脹　103
出血性疾患　226
術後回復能力の強化　364
術後感染症　103
術後呼吸機能障害　364
術後骨折　92
　──，TKAの　102
術後無気肺　364
術後療法，腱板断裂の　52
腫瘍　412
腫瘍随伴症候群　416
シュロス法　114
循環器疾患の運動療法　371
循環器障害，脊髄損傷後の　160
循環器対策基本法　1
循環障害の徴候　10
純粋運動性片麻痺　232
純粋感覚性発作　232
上気道受容器　350
小胸筋の強化　149
上後腸骨棘(PSIS)　124
踵骨骨折　22, 26
上肢運動機能障害度分類　328
上前腸骨棘(ASIS)　125
小脳障害　283
ショウファー骨折　16
静脈血栓塞栓症(VTE)　10, 102
上腕骨遠位部骨折　25
上腕骨外(側)顆骨折　14
上腕骨顆上・顆部骨折　14
上腕骨顆上骨折　13
上腕骨近位骨端線離開　142
上腕骨近位部骨折　13
上腕骨骨幹部骨折　13
褥瘡　160, 295
女性アスリートに対する運動療法
　　504
女性の骨粗鬆症　504
ショック離脱期　216
徐脈頻脈症候群　380
尻上がり現象　179

自律神経過反射，脊髄損傷後の　160
自律神経障害　277, 288, 294, 337
　──，脳卒中急性期の　229
シルベスター法　306
心因性疼痛　339
心エコー検査　375
　──，心不全の　388
侵害受容性疼痛　161
心外膜炎　61
心機能の評価　330
心筋傷害マーカー　375
心筋バイアビリティー　388
神経
　──の機能障害への運動療法　277
　──の構造障害への運動療法　276
神経移植術　338
神経炎の運動療法　317
神経根型　171
神経根ブロック注射　175
神経障害，骨折・脱臼に伴う　10
神経障害性疼痛　161
神経伸張テスト　130, 341
神経性間欠性跛行　172
神経剥離術　338
神経発達症の運動療法　499
神経縫合術　338
神経麻痺，THA術後の　92
心原性脳塞栓症　230
人工股関節置換術（THA）　89
人工股関節置換術後の運動療法　78
人工股関節の進入法　90
人工呼吸器　466
人工呼吸器装着中の運動療法　467
人工骨頭置換術　13
人工膝関節置換術（TKA）　99
人工膝関節置換術後の運動療法　93
人工膝関節の種類　99
進行性球麻痺　299
進行性筋ジストロフィー　111
進行度の評価，筋萎縮性側索硬化症の　301
人工網膜　497
腎疾患の運動療法　428
心室細動　379
心室性期外収縮　379

心室頻拍　379
侵襲期の水分バランス　364
心静止　380
腎性貧血　428
腎臓病患者に対する運動療法　431
心臓リハビリテーション　1
腎臓リハビリテーション　433
心臓リモデリング　373
靱帯　29
身体イメージの変容，脊髄損傷後の　161
腎代替療法（RRT）　429
身体評価，ICUでの　463
診断基準，腰部脊柱管狭窄症の　170
心的外傷後ストレス障害（PTSD）　457
シンデスモーシス損傷　22
伸展ROMの左右差の簡便計測法　97
心電図　375, 376
心電図異常の種類　379
心電図検査，心不全の　388
伸展補助装置　200
振動法　221
心肺運動負荷試験（CPX）　376, 381
心拍管理，脳卒中急性期の　233
深部感覚　153
深部腱反射　178, 341
深部静脈血栓症（DVT）　11, 92, 474
　──，脊髄損傷後の　161
　──の予防　24
心不全　3, 384
　──の運動療法　384, 389
　──の治療　386
　──のリスク管理・運動中止基準　392
心不全パンデミック　3, 398
深部反射　153
心房細動　379
心房粗動　379
心理的問題，脊髄損傷の　162

す

膵Langerhans（ランゲルハンス）島β細胞　444
遂行機能障害　266
錐体外路症状　293

錐体路症状　294
髄内釘固定　12
随伴症状，脊髄損傷後の　156
睡眠時呼吸障害　294
スキップ走行　211
スキンバンクネットワーク　217
スクイージング　221
すくみ足　251
スクリュー（螺子）固定　12
スクワット，バランスクッション上での　38
スタインブロッカーのstage分類　60
スティグマ　447
ステージ分類，悪性腫瘍の　415
ズデック骨萎縮　11
ストラドル骨折　17
ストレッチング，筋萎縮性側索硬化症の　305
スナッピング　94
スパイロメトリー　303, 355
スポーツ活動の再獲得　31
スポーツ障害の運動療法　501
スポーツでの膝関節靱帯損傷　30
スミス骨折　16
スミスの分類　62
すりガラス陰影　356
スリッピング　141

せ

性機能障害，脊髄損傷後の　160
脆弱性骨折　9
正常圧水頭症　267
精神障害　277
精神症状　294
精神発達遅滞，側弯症　110
精神面のケア，関節リウマチ患者への　76
静的安定機構　200
静的運動　285
静力学的側弯　108
咳介助　333
脊髄　152
脊髄円錐　152
脊髄小脳失調症　287
脊髄小脳変性症（SCD）の運動療法　287
脊髄性筋萎縮症　299
脊髄節高位の診断　153
脊髄造影検査　174

脊髄損傷　152
　──の運動療法　152
　──の神経学的分類の国際基準（ISNCSCI）　155
　──のリハビリテーション　163
脊髄中枢パターン発生器（CPG）　246
脊髄反射の中枢　152
脊柱
　──のROM制限　277
　──の伸展方向の可動性改善　148
脊柱安定化運動　132
脊柱中間位コントロールエクササイズ　187
脊椎圧迫骨折　23
脊椎固定術　121
脊椎固定術後の運動療法　136
脊椎すべり症　120
脊椎分離症　120
摂食嚥下運動困難　277
接触損傷　30
切断の運動療法　198
セッティングエクササイズ　35
腺がん　412
前屈時痛群　134
前屈テスト　129
前脛骨筋の促通　343
仙骨スラストテスト　126
前十字靱帯（ACL）　29
前十字靱帯損傷　30
線条体黒質変性症（SND）　288
全人的痛み　417
仙髄損傷の障害像　164
尖足　264
尖足予防　219
仙腸関節後方開大テスト　128
仙腸関節モビリゼーション　132
前庭障害の運動療法　490
前庭動眼反射（VOR）　491
前部障害，脊髄の　155
前方脱臼，THA術後の　91
前方椎間板切除術　121
前方内旋亜脱臼現象　30
前方内旋不安定症　30
前方引き出しテスト（ADT）　32
前脈絡叢動脈梗塞　241
前立腺全摘除術　504
前腕骨近位部骨折　25
前腕骨骨幹部骨折　15, 25

そ

創外固定　12
早期退院支援　234
早期離床　3, 222, 234
　──の基準　235
　──の中止基準　475
　──の目的・役割　475
早期離床・リハビリテーションプロトコル　463
早期リハビリテーション　456
装具療法　175
　──，側弯症の　114
巣症状　266
創傷治療期，包括的高度慢性下肢虚血の　406
足関節果部骨折　21, 26
足関節周囲の筋力トレーニング　57
足関節上腕血圧比（ABI）　402
足関節離断　198
側屈テスト　129
足根管症候群　336
足趾血圧（TP）　405
足趾上腕血圧比（TBI）　405
塞栓源不明の脳塞栓症（ESUS）　232
足底挿板療法　99
足部切断　198
側弯（症）　107, 276, 278
　──のX線評価　112
　──の運動療法　107
　──の分類　107
　──の弯曲パターン　109
側弯装具　115
阻血性壊死　10
粗大運動能力尺度（GMFM）　276
粗大運動能力分類システム（GMFCS）　271
損傷高位別の障害像　163
損傷神経の再生促進　344

た

第5期科学技術基本計画　5
体位ドレナージ　235
体位排痰法　358
体液貯留　441
体温管理，脳卒中急性期の　233
体温調節障害，脊髄損傷後の　160
体外式膜型人工肺（ECMO）　469

体外衝撃波　501
体幹安定化エクササイズ　175, 182
体幹筋安定化運動　136
体幹側屈の可動性改善　148
体幹捻転の可動性改善　149
大胸筋の強化　149
大腿義足歩行　205
大腿骨遠位部骨折　20, 25
大腿骨近位部骨折　25
大腿骨頸部骨折　18
大腿骨骨幹部骨折　20
大腿骨転子部骨折　19
大腿四頭筋
　──の筋力強化　35
　──の等尺性運動　75
大腿神経伸張テスト　130
大腿神経麻痺　342
大腿スラストテスト　126
大腿切断　198
大動脈内バルーンパンピング（IABP）　469
大脳基底核障害　281, 282
タオルギャザー　56
多系統萎縮症（MSA）　287
多疾患併存　398, 432
立ち上がり補助装置　280
立ち直り反応　277
脱臼　8
　──，THA術後の　91
脱神経の萎縮予防　344
脱髄性疾患　337
他動運動　285
多発神経炎　416
多発性筋炎（PM）　322
多発性硬化症（MS）の運動療法　309
段階的解離法　102
弾性包帯法　203
断端運動　203
断端管理　203
断端末荷重練習　204

ち

遅延性低血糖　454
知覚検査　153
竹節骨折　8
知的障害　277
注意障害　266
肘関節脱臼　14

中止基準，ICU における運動療法
　　の　459
中手骨骨折　17
中心性脊髄損傷　155
中枢化学受容器　349
中枢機能障害性疼痛　339
中枢–末梢ミスマッチ説　351
肘頭骨折　15
肘部管症候群　336
中膜硬化　401
超音波検査　502
長下肢装具　168
腸脛靱帯の検査　329
重複障害　4
腸腰筋インピンジメント　91, 92
直進歩行への対策，パーキンソン病
　　の　256
治療
　——，頸椎後縦靱帯骨化症の　191
　——，頸椎症性脊髄症の　191
　——，腰部脊柱管狭窄症の　175
治療法，腰痛症の　121
鎮静深度の確認　460
鎮痛鎮静プロトコル　463

つ

椎間関節モビライゼーション　133
椎間孔および椎間関節開大手技
　　133
椎間孔拡大自己ストレッチング
　　134
椎間板ヘルニア　120, 170
椎弓切除術後の運動療法　136
対麻痺　152
吊り下げ型体重免荷装置　168

て

手
　——の拘縮肢位　219
　——のスプリント　219
ディアスキシス　239
低栄養　399
　——，高齢者の　5
　——，脳卒中急性期の　233
　——の評価　441, 479
低緊張　277
低酸素血症の病態生理学的メカニズ
　　ム　352
滴状心　356
できる ADL　265

テノデーシスアクション　169
デブリドマン　217
デュヴェルネ骨折　17
デュークトレッドミルスコア　378
デュシェンヌ型筋ジストロフィー
　　325
デュピュイトラン骨折　21
デルマトーム　341
転位　9
電解質の調整　428
てんかん　267
転倒の予防，脊髄小脳変性症の
　　296

と

土肥・Anderson（アンダーソン）の
　　基準　478
投球障害　141
　——への運動療法　147
凍結肩　137, 142
橈骨遠位端骨折　16, 25
橈骨茎状突起の骨折　16
橈骨骨幹部骨折　15
橈骨頭・頸部骨折　14, 25
動作練習，脳卒中急性期の　236
洞徐脈　380
糖新生　429
透析療法中の末期腎不全患者の運動
　　療法　432
糖代謝の調整　429
疼痛
　——，脊髄損傷後の　161
　——の軽減，肩関節の　50
疼痛疾患の運動療法　120
疼痛性側弯　108
疼痛誘発テスト，腰痛症の　125
洞停止　380
動的安定機構　200
動的運動　285
糖尿病　444
　——の運動療法　444, 447, 451
　——の合併症　446
　——の合併症に対する運動療法
　　454
　——の基本治療　446
　——の診断　444
糖尿病網膜症　495
登はん性起立　326
逃避性跛行　86
頭部外傷　280

洞房ブロック　380
動脈原性塞栓症　230
同名半盲　241
糖輸送体 4 型（GLUT4）　447
動揺性緊張　277
動揺性歩行　326
トータルペイン　417
特定疾患治療研究事業の診断基準
　　300
特発性側弯症　108
特発性動揺性肩関節症　140
特発性肺線維症　353
徒手筋力計（HHD）　303
徒手筋力検査（MMT）　328
徒手による咳介助（MAC）　333
トルク　28
トルクテスト　127
トレッドミル　168
トレムナー反射　192

な

内側側副靱帯（MCL）　29
内側側副靱帯損傷　31
内側軟部組織解離法　102
内的キュー　254
内包　241
軟部組織性疼痛に対する運動療法
　　87, 99, 103
軟部組織バランス，TKA における
　　102

に

ニア分類　13
肉腫　413
二次進行型（SP）多発性硬化症　310
二次性拘縮肩　137
二重課題練習　257
日常生活活動（ADL）トレーニング，
　　心不全の　397
二点識別覚　153
日本整形外科学会頸部脊髄症評価質
　　問票（JOACMEQ）　192
日本整形外科学会股関節機能判定基
　　準（JOA hip score）　87
日本整形外科学会股関節疾患評価質
　　問票（JHEQ）　87
日本整形外科学会膝疾患治療成績判
　　定基準　98
日本版変形性膝関節症患者機能評価
　　表（JKOM）　99

日本リウマチ学会早期関節リウマチ診断基準　62
乳児期側弯症　110
ニューヨーク心臓協会(NYHA)心機能分類　385
ニューロダイナミックテスト　341
尿失禁　158, 503
尿素窒素(BUN)　428
尿閉　158
認知機能低下　475
認知症　294
認知障害　267

ね

寝返り練習，脊髄損傷の　166
螺子固定　12
熱傷　214
　──の運動療法　214
　──の重症度　215
熱傷指数(BI)　215
熱傷ショック　216
熱傷深度分類　214
熱傷診療ガイドライン　214
熱傷面積　215
年齢調整死亡率　2

の

脳外傷の運動療法　260
膿胸　61
脳血管疾患　226
　──の回復期の運動療法　239
　──の急性期の運動療法　226
脳血流自動調節能　227
脳梗塞　230
脳室周囲白質軟化症(PVL)　279
脳室ドレナージ術　233
脳出血　230
脳性ナトリウム利尿ペプチド(BNP)　330
脳性麻痺(CP)
　──，側弯症　110
　──の運動療法　269
　──の機能障害　274
　──の構造障害　274
　──の出現率　270
　──のタイプの評価　271
　──の分類　271
脳卒中　226
　──の治療　232
脳卒中回復期の運動学習　243

脳動静脈奇形(AVM)　230
ノリア・スティーブンソン分類　385

は

パーキンソニズム　293
パーキンソン病　250
　──の運動療法　250
　──の歩行障害　251
パークランドの公式　216
バートン骨折　16
肺活量(VC)　303
肺気腫　353
背筋群の強化　148
肺血栓塞栓症(PTE)　11
肺刺激受容器　350
肺伸展受容器　350
排泄運動困難　277
肺塞栓症(PE)　92
排痰手技　221
排尿障害　267
　──，脊髄損傷後の　158
肺の過膨張　356
排便障害，脊髄損傷後の　158
肺胞低換気　352
廃用症候群　4, 472
廃用性骨萎縮　267
肺容量リクルートメント(LVR)　306, 333
バクスターの公式　216
バスキュラーアクセス　435
発汗障害，脊髄損傷後の　160
発達障害の運動療法　499
パトリックテスト　85, 127
馬尾型　171
馬尾性間欠跛行　121
バビンスキー反射　192
ハムストリングスの筋力強化　36
バランスクッション上でのスクワット　38
バランス障害の評価，脊髄小脳変性症の　289
バランス能力低下，腰部脊柱管狭窄症の　173
バランス練習　182, 452
　──，前庭障害に対する　493
バルサルバ効果　397
ハロウイック水泳法　332
半月板　30
半月板損傷　31

半硬性ギプスソケット法　203
反射検査　153
反射性筋萎縮　72
ハンター管症候群　336
反転型人工肩関節　46
ハンドヘルドダイナモメータ(HHD)　403
ハンマートゥ　403

ひ

ピークフロー(CPF)　295
ヒールスライド　33
被殻　241
皮下骨折　8
非感染性骨壊死　11
非感染性骨癒合不全　11
引き寄せ締結法　15
非構築性側弯症　107
腓骨神経伸張テスト　344
腓骨神経に対する除圧と伝導性の確保　343
腓骨神経麻痺　343
膝くずれ　30
膝最終伸展域運動　37
膝継手　200
膝の靭帯・半月板損傷の運動療法　29
皮質性小脳萎縮症(CCA)　288
皮質脊髄路　241
非侵襲的陽圧換気療法(NPPV)　301, 325
ヒステリー性側弯　108
非接触損傷　30
非切断肢側の踏み出し　208
非対称性緊張性頸反射(ATNR)　281
ビタミンD活性　428
ヒト脳性ナトリウム利尿ペプチド(BNP)　388
ヒト脳性ナトリウム利尿ペプチド前駆体N端フラグメント(NT-proBNP)　388
皮膚灌流圧(SPP)　405
皮膚筋炎(DM)　322
皮膚性拘縮　214
びまん性脳損傷　260
ヒューズの機能グレード尺度による重症度分類　318
評価
　──，間欠性跛行の　402

評価（つづき）
　——，脊髄損傷の　155
　——，変形性股関節症の　80
　——，変形性膝関節症の　94
　——，包括的高度慢性下肢虚血の
　　　　405
評価時期，ギラン・バレー症候群の
　　　　319
評価のポイント
　——，ACL 損傷の　31
　——，MCL 損傷の　33
　——，PCL 損傷の　33
　——，アキレス腱断裂の　56
　——，下肢切断者の　202
　——，関節リウマチの　65
　——，がんの　419
　——，胸・腹部外科手術後の　365
　——，筋萎縮性側索硬化症の　301
　——，筋ジストロフィーの　328
　——，頸椎後縦靱帯骨化症の　192
　——，頸椎症性脊髄症の　192
　——，骨折・脱臼の　24
　——，側弯症の　111
　——，多発性硬化症の　312
　——，投球障害の　147
　——，凍結肩の　143
　——，熱傷の　218
　——，脳外傷の　263
　——，脳卒中急性期の　234
　——，半月板損傷の　31, 33
　——，末梢神経障害の　338
　——，腰痛症の　122
　——，腰部脊柱管狭窄症の
　　　　177, 184
病期
　——，凍結肩の　137
　——をふまえた運動療法，ギラ
　　　ン・バレー症候群の　319
表在感覚　153
表在反射　153
病的骨折　9
病的反射　153
疲労骨折　8

ふ

不安定性肩関節症　140
フィックの式　357
フィッティング　205
フェルティ症候群　61
フォルクマン拘縮　10, 14

フォレスター分類　385
不（完）全骨折　8
腹臥位回旋テスト　128
複合疾患　4
複合性局所疼痛症候群（CRPS）
　　　　11
複合的理学療法（CDP）　425
腹式呼吸　68, 357
腹部外科手術後の運動療法　363
藤林らの class 分類　67
浮腫　103
不全骨折，小児の　8
不全断裂　44
不全麻痺　152
プッシュアップ練習　165
フットケア　212
物理療法　175
舞踏病様アテトーゼ　274
舞踏病様アテトーゼ型四肢麻痺
　　　　282
部分関節内骨折　16
ブラウン・セカール症候群　155
フランケル分類　155
フリードライヒ運動失調症　287
ブリッジエクササイズ　182
フレイル　5, 399
ブレーデン Scale　295
プレート固定　12
プレスアウトストレッチング　144
プレハビリテーション　419
粉砕骨折　8
分水界梗塞　230

へ

平衡機能に対する運動　28
平衡訓練/前庭リハビリテーション
　　の基準　490
平衡反応　277
平行棒外義足歩行練習　209
米国リウマチ学会の関節リウマチ診
　　断基準　62
閉鎖骨折　8
閉鎖性運動連鎖（CKC）　26
閉塞性換気障害　355
閉塞性細気管支炎　61
閉塞性動脈硬化症（ASO）　401
ベストサポーティブケア（BSC）
　　　　416
ヘッブ則　240
ペナンブラ　229

ベネット骨折　17
ヘモグロビン A1c（HbA1c）　446
変形性関節症　9
変形性股関節症　78
　——の運動療法　78
　——の画像評価　81
　——の症状　79
　——の疼痛評価　84
　——の病期分類　79
変形性膝関節症　93
　——の運動療法　93
　——の画像評価　95
　——の症状　94
便秘症　503
扁平上皮がん　412
片麻痺　272

ほ

包括的高度慢性下肢虚血（CLTI）
　　　　401, 404
膀胱直腸障害　122
　——，腰部脊柱管狭窄症の　173
方向転換への対策，パーキンソン病
　　の　255
傍矢状脳梗塞　280
放射線性肺臓炎　418
放射線療法
　——，がんの　416
　——に伴う副作用　417
蜂巣肺　356
膨隆骨折　8
ボクサー骨折　17
歩行再建に向けた運動療法，脳卒中
　　回復期の　245
歩行支援ロボット　168
歩行障害　267
　——の機序，パーキンソン病の
　　　　251
　——の進行ステージ　253
歩行速度アップ練習　211
歩行トレーニング，前庭障害に対す
　　る　493
歩行リズム　251
歩行練習
　——，アキレス腱断裂患者の　57
　——，骨折の　28
　——，脊髄損傷の　168
　——，脳卒中急性期の　237
　——の実際，ギラン・バレー症候
　　群の　321

ポジショニング　261
　──，高度急性期での　264
保存療法
　──，アキレス腱断裂の　54
　──，腱板断裂の　46, 50
ボックスブリッジ　36
発作性上室性頻拍　379
発作性心房細動（PAF）　232
ポット骨折　21
ボツリヌス治療　240
ホフマン反射　192
ポリオ後遺症　299

ま
マクドナルドの診断基準　310
マシャド・ジョセフ病　287
マスター試験　112
松家の9段階法　328
末期腎不全（ESKD）　430
マックマレーテスト　33
末梢化学受容器　349
末梢神経障害　294, 336
　──の運動療法　336
末梢神経損傷の検査　337
末梢性知覚神経障害　61
末梢動脈疾患（PAD）の運動療法　401
麻痺の身体分布の評価　272
マルゲーニュ骨折　18
マルチモビディティ　398
慢性炎症性脱髄性多発ニューロパチー（CIDP）　317
慢性骨盤痛症候群　503
慢性収縮性心膜炎　61
慢性腎臓病（CKD）　430
慢性閉塞性肺疾患（COPD）　353

み
未分化がん　412
脈拍管理，脳卒中急性期の　233
ミルウォーキー・ブレース　114

む
矛盾性歩行　253
無症候性腱板断裂　45
無脈性電気活動　380

め
迷走神経受容器　350
メタボリックシンドローム　431

免疫介在性ニューロパチー　317
メンケベルグ型硬化　401
メンズヘルス　503

も
網膜色素変性　495
モートン病　336
モーメント　28
持ち上げテスト　129
モンテジア脱臼骨折　15

や
夜間睡眠時の呼吸評価　330
薬物治療
　──，関節リウマチの　64
　──，急性期脳卒中に対する　233

ゆ
遊脚相制御機構　200
有酸素運動　195, 312, 451
　──，ギラン・バレー症候群の　321
　──，心不全の　395
　──，多発性筋炎の　324
有痛弧徴候　45
有痛性強直性攣縮　310
有痛性筋痙攣　442
床上移動練習，脊髄損傷の　167
ゆすりテスト　129

よ
用手的呼吸介助手技　357
腰髄損傷の障害像　164
腰椎後弯姿勢　173
腰椎骨盤リズム　134
腰椎固定術後の合併症　176
腰椎伸展療法　134
腰椎椎体間固定術　176
腰椎変性側弯症　121
腰痛，腰部脊柱管狭窄症の　173
腰部脊柱管狭窄症（LCS）　121, 170
　──のMRI　174
　──の運動療法　170
腰部脊柱管狭窄診断サポートツール　170
予期的姿勢調節（APA）　241

ら
ラーセンのgrade分類　60

ライフステージに応じた運動療法，脳性麻痺の　284
ラウゲ・ハンセン分類　21
ラクナ梗塞　231
螺子固定　12
ラセーグテスト　130
らせん骨折　8
ラックマンテスト　32
ランド・ブロウダーの図表　215

り
リウマチ体操　73
リウマトイド結節　61
離開テスト　126
理学療法診療ガイドライン　212
リコンディショニング　394
離床・機能評価，ICUでの　466
梨状筋症候群　177, 336
梨状筋テスト　178
離床プログラム　394
リスク管理・運動中止基準，心不全の　392
離断　198
立位荷重テスト　127
立位姿勢　265
立位保持　265
立脚相制御機構　200
律動性不随意運動　288
リトルリーガーズショルダー　142
リバース型人工肩関節　46
リハビリテーション，関節リウマチの　64
リハビリテーションロボット　506
流体制御装置　201
良性腫瘍　412
両麻痺　272
緑内障　495
隣接椎間障害（ASD）　176
リンパ浮腫　504
　──に対する運動療法　425

れ
レジスタンストレーニング　452
　──，心不全に対する　396
　──の禁忌，心不全の　396
レッグエクステンション　35
レニン　428
レバーアーム　28
レム睡眠行動異常　288
レルミット徴候　310

ろ

ローカル筋の筋機能不全　179
ロッキング　31, 94

ロッキングプレート　12
ロボットスーツ HAL®　506
ロボットを用いた歩行練習　312

わ

若木骨折　8
ワーラー変性　337

数字・欧文

Ⅰ型呼吸不全　348
Ⅱ型呼吸不全　348
Ⅲ度房室ブロック　380
2:1房室ブロック　380
5の法則　215
9の法則　215
10秒テスト　192
90–90腰椎牽引　133

A

ABCDEFGH バンドル　458
ACCF/AHA の心不全ステージ分類　385
acetabular head index（AHI）　82, 83
ACL 再建術後の評価法　32
ACL 損傷　30
acromiohumeral interval（AHI）　49
acute coronary syndromes（ACS）　378
acute kidney disease（AKD）　429
acute kidney injury（AKI）　429
acute respiratory distress syndrome（ARDS）　418
adherence　258
adjacent segment disease（ASD）　176
ADL 動作指導，TKA 術後の　105
ADL トレーニング，心不全の　397
ADL 評価，関節リウマチの　67
air hunger　351
AIS（思春期特発性側弯症）　109
AKIN 基準　429
ALS 機能評価スケール改訂版（ALSFRS-R）　302
ALS Assessment Questionnaire 40（ALSAQ-40）　304
amputation　198

amyotrophic lateral sclerosis（ALS）　299
Anderson・土肥の基準　305
ankle-brachial index（ABI）　402
ankle disarticulation　198
anterior cruciate ligament（ACL）　29, 30
anterior drawer test（ADT）　32
anterior impingement test　85
anterior internal rotatory instability　30
anterior shift sign　82
anterior superior iliac spine（ASIS）　125
anticipatory postural adjustment（APA）　241
AOA1/EAOH（アプラタキシン欠損症/早発性運動失調症）　287
arteriosclerosis obliterans（ASO）　401
arteriovenous malformation（AVM）　230
artery to artery　230
Artz の基準　215
ASIA 機能障害尺度（AIS）　155
ataxic hemiparesis　232
ATNR（非対称性緊張性頸反射）　281
augmentative and alternative communication（AAC）　305
AWGS2019 サルコペニア診断フロー　437

B

Babinski 反射　192
Barton 骨折　16
Baxter の公式　216
behavioral pain scale（BPS）　463
belly press test　49
benign tumor　412
Bennett 骨折　17
best supportive care（BSC）　416

blood urine nitrogen（BUN）　428
Bohan & Peter の診断基準　322
bouncing　200
Braden Scale　295
brain natriuretic peptide（BNP）　330, 388
branch atheromatous disease（BAD）　230
Brown-Séquard 症候群　155
burn index（BI）　215

C

C 線維受容器　350
cachexia　416
cancer　412
　── related fatigue（CRF）　417
care bundle　458
catching　94
center edge（CE）角　81
central pattern generator（CPG）　246
cerebral palsy（CP）　110
cervical spondylotic myelopathy（CSM）　190
CGA 分類　430
chauffeur 骨折　16
chronic inflammatory demyelinating polyneuropathy（CIDP）　317
chronic kidney disease（CKD）　430
chronic limb-threatening ischemia（CLTI）　401, 404
chronic obstructive pulmonary disease（COPD）　353
Cincinnati knee score　32
claw toe　403
clinical scenario（CS）分類　385
clock turn strategy　255
closed kinetic chain（CKC）　26
Cobb 角　108
Cofield 分類　44

Colles 骨折　16
Coma Recovery Scale-Revised
　（CRS-R）　261
complex decongestive physical
　therapy（CDP）　425
complex regional pain syndrome
　（CRPS）　11
continuous passive motion（CPM）
　　33
continuous renal replacement
　therapy（CRRT）　470
core stability exercise　175
cortical cerebellar atrophy（CCA）
　　288
Cotton 骨折　21
cough peak flow（CPF）　295
coxitis knee　80
C-posture　168
CPX（心肺運動負荷試験）　381
Critical-Care Pain Observation
　Tool（CPOT）　463
critical illness myopathy（CIM）
　　457
critical illness neuromyopathy
　（CINM）　457
critical illness polyneuropathy
　（CIP）　457
critical limb ischemia（CLI）　401
Croft's グレード　81

D

dangling leg test　329
débridement　217
deep-gluteal syndrome　80
deep vein thrombosis（DVT）　11
degenerative cervical myelopathy
　（DCM）　190
dentatorubral pallidoluysian
　atrophy（DRPLA）　287
dermatomyositis（DM）　322
developmental disabilities　499
diaschisis　239
dislocation　8
　── of the elbow　14
　── of the shoulder　13
displacement　9
dissemination in space（DIS）
　　309
dissemination in time（DIT）　309
DOPE　468

drop foot　336
Duchenne 型筋ジストロフィー
　　325
Duchenne 徴候　86
Duke トレッドミルスコア　378
Dupuytren 骨折　21
Duverney 骨折　17
dysarthria-clumsy hand
　syndrome　232
dyspnea spiral　354

E

early supported discharge　234
Eaton-Lambert 症候群　416
ECMO 装着患者の運動療法　470
EGRIS（Erasmus GBS
　Respiratory Insufficiency
　Score）　318
Ely テスト　84
embolic stroke of undetermined
　source（ESUS）　232
end stage kidney disease（ESKD）
　　430
EQ-5D　192
ERAS（enhanced recovery after
　surgery）　364
Essex–Lopresti 分類　22
Evans 分類　19
exercise induced hypoxia（EIH）
　　353
Expanded Disability Status Scale
　of Kurtzke（EDSS）　312
extension lag　94
extracorporeal membrane
　oxygenation（ECMO）　469

F

Felty 症候群　61
femoral neck fracture　18
femoroacetabular impingement
　syndrome（FAIS）　78
Fick の式　357
finger escape sign　192
FITT　5, 358, 450
FITT-VP　5, 395
Forrester 分類　385
Frankel 分類　155
Friedreich 運動失調症　287
functional brace　11
functional scoliosis　107

functional status score for the
　ICU（FSS-ICU）　466
functional system（FS）　312

G

Galeazzi 脱臼骨折　15
Garden 分類　18
Gardner プロトコル　403
gaze stabilization exercises　491
Gensingen Brace　114
Gibson の脊柱変形の5分類　332
giving way　30
Glasgow Coma Scale（GCS）
　　260, 461
Global Leadership Initiative on
　Malnutrition（GLIM）基準　479
glucose transporter type 4
　（GLUT4）　447
　──のトランスロケーション
　　447
Gowers 徴候　326
graft versus host disease（GVHD）
　　424
gross motor function classification
　system（GMFCS）　271
　── 分類　273
gross motor function measure
　（GMFM）　276
Guillain-Barré 症候群（GBS）　317
Guyon 管症候群　336

H

Halliwick 水泳法　332
hammer toe　403
hand held dynamometer（HHD）
　　303, 403
Hebb 則　240
heel slide　33
hemoglobin A1c（HbA1c）　446
high-flow nasal cannula oxygen
　therapy（HFNCOT）　360
hip disarticulation　198
hip joint instability test　86
hip osteoarthritis　78
hip pelvic mobility test（HPM テ
　スト）　85
hip-spine syndrome　80
Hoffmann 反射　192
Honda 歩行アシスト　506
hop-skip running　211

Hughes の機能グレード尺度による
　重症度分類　318
Hunter 管症候群　336
Hybrid Assistive Limb®（HAL®）
　　298

I

IABP 装着患者の運動療法　469
IKDC form　32
impingement　69
—— syndrome　140
incentive spirometry　423
intensive care unit（ICU）　456
—— mobility scale（IMS）　466
—— 獲得性筋力低下（ICU-AW）
　　366, 457
—— で使用される機器関連　466
—— での運動療法　456
—— における運動療法　456
intermittent renal replacement
　therapy（IRRT）　470
internal impingement　142
International Cooperative Ataxia
　Rating Scale（ICARS）　289
International Knee
　Documentation Committee
　form　32
International Society of
　Arthroscopy, Knee Surgery and
　Orthopaedic Sports Medicine
　（ISAKOS）　137
International Standards for
　Neurological Classification of
　Spinal Cord Injury（ISNCSCI）
　　155
interstitial lung disease（ILD）
　　353
intra-aortic balloon pumping
　（IABP）　469
irritable　339
ischemic heart disease（IHD）
　　371
isometric exercise　75

J

Japan Coma Scale（JCS）　260
Japan Knee Osteoarthritis
　Measure（JKOM）　99

Japanese Orthopaedic
　Association Back Pain
　Evaluation Questionnaire
　（JOABPEQ）　181
JHEQ（日本整形外科学会股関節疾
　患評価質問票）　87
JOACMEQ（日本整形外科学会頸部
　脊髄症評価質問票）　192
JOA hip score（日本整形外科学会
　股関節機能判定基準）　87

K

Karvonen 法　451
KDIGO ガイドライン　429, 430
Kellgren-Lawrence グレード
　　81, 95
Kemp テスト　177
Kemp テスト変法　123
knee disarticulation　198
knee osteoarthritis　93
Kurtzke 総合障害度スケール
　（EDSS）　312

L

Lachman テスト　32
Larsen の grade 分類　60
Lasègue テスト　130
lateral collateral ligament（LCL）
　　30, 31
lateral condyle fracture of the
　humerus　14
lateral thrust　98
Lauge-Hansen 分類　21
learned nonuse　240
left ventricular ejection fraction
　（LVEF）　388
Lhermitte 徴候　310
locking　94
lumbar spinal canal stenosis
　（LCS）　170
Lumbar Stiffness Disability Index
　　185
Lund-Browder の図表　215
lung volume recruitment（LVR）
　　306, 333
Lysholm score　32

M

Machado-Joseph 病　287
Malgaigne 骨折　18

malignant tumor　412
manually assisted coughing
　（MAC）　333
Manual Muscle Test（MMT）
　　328
Master 試験　112
maximum insufflation capacity
　（MIC）　330
maximum voluntary isometric
　contraction（MVIC）検査　303
McDonald の診断基準　310
McMurray テスト　33
mechanical axis（MA）　96
Mechanical Insufflation-
　exsufflation（MI-E）　333
mechanical lateral distal femoral
　angle（mLDFA）　96
mechanical medial proximal tibial
　angle（mMPTA）　96
medial collateral ligament（MCL）
　　29, 31
Medical Research Council（MRC）
　スコア　318, 464
Milwaukee brace　114
mini nutritional assessment
　（MNA®）　479
mini nutritional assessment-short
　form（MNA®-SF）　441
minimally invasive plate
　osteosynthesis（MIPO）　12
Mirels のスコア　421
Mobitz Ⅰ 型房室ブロック　380
Mobitz Ⅱ 型房室ブロック　380
modified EGOS（mEGOS）　318
modified Erasmus GBS Outcome
　Score（mEGOS）　318
modified Harris（ハリス）hip score
　　87
Modified modified Schober
　（ショーバー）test（MMST）　178
Mönckeberg 型硬化　401
Monteggia 脱臼骨折　15
morning stiffness　60
Morton 病　336
MOS-Short Form 36（SF-36®）
　　98, 304
motor learning　5
motor neuron disease（MND）
　　299
multimorbidity　432

multiple sclerosis(MS)　309
multiple system atrophy(MSA)　288
myelopathy hand　192

N

Nash and Moe 法　112
NEAT(non-exercise activity thermogenesis)　452
neck disability index　192
Neer 分類　13
neutral spine control exercises　187
NINDS-Ⅲ 分類　226
Nohria-Stevenson 分類　385
non-contact injury　30
non-invasive positive pressure ventilation(NPPV)　301, 325
nonstructural scoliosis　107
NT-proBNP(ヒト脳性ナトリウム利尿ペプチド前駆体 N 端フラグメント)　330, 388
numerical rating scale　192
NYHA(New York Heart Association)心機能分類　385

O

Ober テスト　84
ODI(Oswestry Disability Index)　181
olivoponto-cerebellar atrophy(OPCA)　288
open kinetic chain(OKC)　26, 36
ossification of the posterior longitudinal ligament(OPLL)　190
Oswestry Disability Index(ODI)　181
overwork weakness　334

P

painful arc sign　45
Palliative Performance Scale(PPS)　419
Parkinson disease　250
Parkland の公式　216
paroxysmal atrial fibrillation(PAF)　232
partial foot amputation　198
Patrick テスト　85, 127

Pediatric Evaluation of Disability Inventory(PEDI)　276
pelvic inclination angle(PIA)　78
percussion　221
percutaneous endoscopic gastrostomy(PEG)　301
peripheral arterial disease(PAD)　401
peripheral neuropathy　336
pilon fracture　21
plafond fracture　21
polymyositis(PM)　322
positive end-expiratory pressure(PEEP)　3
post intensive care syndrome(PICS)　457
post-traumatic stress disorder(PTSD)　457
posterior cruciate ligament(PCL)　29, 30
posterior drawer test　33
posterior sagging sign　33
posterior superior iliac spine(PSIS)　125
posture second strategy　252
Pott 骨折　21
prehabilitation　419
primary progressive(PP)　310
progressive muscular dystrophy　111
psoas muscle index　438
pulmonary embolism(PE)　92
pulmonary thromboembolism(PTE)　11
pure motor hemiparesis　232
pure sensory stroke　232
PVL(脳室周囲白質軟化症)　279

R

Range of Motion Test(ROM-T)　328
reconditioning　394
relapsing remitting(RR)　310
renal replacement therapy(RRT)　429
resolving type　110
rheumatoid arthritis(RA)　59
RICE 処置　33

Richmond Agitation-Sedation Scale(RASS)　461
RIFLE 基準　429
rigid dressing　203
Risser sign　112
ROM 運動，高度急性期の　264
ROM 制限に対する運動療法　88
ROM の過剰　277
R-V 角　112

S

sarcopenia　436
Scale for the Assessment and Rating of Ataxia(SARA)　289
Schroth 法　114
scissoring　255
SD 曲線　344
secondary progressive(SP)　310
semi-rigid dressing　203
SF-36®　192
Sharp 角　81
shoulder pain and disability index(SPADI)　47
shrug sign　46
Shy-Drager 症候群(SDS)　288
Sickness Impact Profile(SIP)　304
Silvester 法　306
Simmonds test 陽性　54
skin perfusion pressure(SPP)　405
slipping　141
Smith 骨折　16
Smyth の分類　62
snapping　94
Society 5.0　5
soft dressing　203
Spinal Instability Neoplastic Score(SINS)　421
spinocerebellar degeneration(SCD)　287
spino-humeral angle(SHA)　48
spring テスト　126
squeezing(スクイージング)　221
ST 下降　375, 379
　——，運動時の　377
ST 上昇　375, 379
　——，運動中の　378
stage 分類，悪性腫瘍の　415
Steinbrocker の class 分類　67

Steinbrocker の stage 分類　60
straddle 骨折　17
straight leg raising(SLR)テスト
　　　130, 177
　──，膝伸展位での　75
striatonigral degeneration(SND)
　　　288
stroke care unit　227
stroke unit　227
structural scoliosis　108
subarachnoid hemorrhage(SAH)
　　　230
subjective global assessment
　(SGA)　441
subluxation　8
Sudeck 骨萎縮　11
supracondylar and condylar
　fracture of the humerus　14
supracondylar fracture of the
　humerus　13
surgical site infection(SSI)　92
Surveillance of cerebral palsy in
　Europe(SCPE)　269
suspension leg press　36
Syme 義足の歩行　205

T

tension band wiring　15
terminal knee extension exercise
　　　37
terrible triad 損傷　14
Thrombolysis In Myocardial
　Infarction(TIMI)分類　375
Tinel 徴候　337
TLR(緊張性迷路反射)　278
TNM 分類　415

toe-brachial index(TBI)　405
toe pressure(TP)　405
tonus　336
total hip arthroplasty(THA)　89
── 術後の ADL 動作指導　93
── 術後の ROM に対する運動
　療法　93
── 術後の脱臼　91
── 術後の疼痛　91
── の進入法　90
total knee arthroplasty(TKA)
　　　99
── の進入法　102
tracheostomy positive pressure
　ventilation(TPPV)　301
transcutaneous oxygen tension
　(tcPO$_2$)　405
trans-femoral amputation　198
transient ischemic attack(TIA)
　　　230
trans pelvic amputation　198
trans-tibial amputation　198
traumatic dislocation of the hip
　　　18
Treat to Target 戦略　63
Trendelenburg 徴候　86
trochanteric fracture　19
Trömner 反射　192
tumor　412

U

Uhthoff 現象　310
under-arm brace　114
unilateral vestibular hypofunction
　(UVH)　490

V

Valsalva 効果　397
VCA 角　81
venous thromboembolism(VTE)
　　　10
vertebral compression fracture
　　　23
vestibulo-ocular reflex(VOR)
　　　491
videoendoscopic evaluation of
　swallowing(VE)　294
videofluoroscopic examination of
　swallowing(VF)　294
virtual reality(VR)技術　298
vital capacity(VC)　303
Volkmann 拘縮　10, 14

W

wall slide　33
Waller 変性　337
watershed infarction　230
Weitbrecht 孔　139
Wenckebach 型房室ブロック　380
Western Ontario and McMaster
　Universities Osteoarthritis
　Index(WOMAC)　87
WIfI 分類　405
window of opportunity　62
wind-swept deformity　94

Y・Z

yielding　200
Zancolli 分類　155